U0717683

本书是科技部国家重点研发计划资助项目

“公元前 1500 年至公元前 1000 年中华文明早期发展关键阶段

核心聚落综合研究 · 长江流域商代都邑综合研究”

（项目编号 2022YFF0903603）的阶段性成果

国家社科基金重大项目

“湖北黄陂盘龙城遗址考古发现与综合研究”（项目编号 16ZDA146）成果

本书出版得到

国家文物保护资金补助项目经费支持

田野考古工作报告 一 上

盘龙城

（1995～2019）

武汉大学历史学院
湖北省文物考古研究院
武汉市文物考古研究所
盘龙城遗址博物院
/ 编著

科学出版社
北京

内 容 简 介

本书为湖北黄陂盘龙城遗址 1995 ～ 2019 年田野考古工作报告。在上述年度范围内，盘龙城遗址考古工作主要集中于杨家湾、小嘴和小王家嘴三处地点：杨家湾地点的考古发掘发现有大型建筑基址、灰坑、灰沟、墓葬等遗迹，揭示出盘龙城城市聚落晚期的中心；小嘴地点的考古发掘主要见有灰坑、灰沟和房址，发现有铸铜手工业遗存；小王家嘴地点则以灰坑和墓葬为代表，属于城市外围的墓地。1995 ～ 2019 年间，城址、杨家嘴、王家嘴、大邓湾等其他地点也有少量零散考古工作，一并收入本书。本书还随文报道了铸铜遗物、木炭、碳 –14 测年等科技检测分析结果。

本书可供考古学、历史学等相关学者，以及院校师生阅读和参考。

图书在版编目（CIP）数据

盘龙城：1995～2019. 一, 田野考古工作报告：全2册 / 武汉大学历史学院等编著. -- 北京：科学出版社, 2024. 10. -- ISBN 978-7-03-079549-6

Ⅰ. K878.34

中国国家版本馆CIP数据核字第20245EL442号

责任编辑：雷 英 / 责任校对：邹慧卿
责任印制：肖 兴 / 书籍设计：北京美光设计制版有限公司

科学出版社出版
北京东黄城根北街16号
邮政编码：100717
http://www.sciencep.com

北京中科印刷有限公司印刷
科学出版社发行 各地新华书店经销
*
2024年10月第 一 版 开本：889 × 1194 1/16
2024年10月第一次印刷 印张：64 1/4
字数：1 850 000

定价：1580.00元（全二册）
（如有印装质量问题，我社负责调换）

总序

《盘龙城（1995～2019）》是《盘龙城——1963～1994年考古发掘报告》（湖北省文物考古研究所编著）的续编。全书共分五卷，分别为《田野考古工作报告》《景观与环境》《玉石器研究》《陶器研究》《青铜器研究》。第一卷《盘龙城（1995～2019）（一）：田野考古工作报告》为报告卷，分为上下两册，公布1995～2019年盘龙城遗址考古调查、勘探、发掘收获及相关田野考古所获遗存检测数据等，由武汉大学历史学院、湖北省文物考古研究院、武汉市文物考古研究所、盘龙城遗址博物院编著。第二至五卷为研究卷，主要围绕1954～2019年考古工作收获，分别对景观与环境、玉石器、陶器、青铜器开展专题研究。其中《景观与环境》卷主编为邹秋实、张海，《玉石器研究》卷主编为苏昕、荆志淳，《陶器研究》卷主编为孙卓、荆志淳、陈晖，《青铜器研究》卷主编为张昌平、苏荣誉、刘思然。全书由张昌平总主编。

盘龙城遗址考古工作在不同阶段的项目负责单位和项目性质有所不同。1995～1998年，考古项目由湖北省文物考古研究所负责；1998～2012年，考古项目由武汉市文物考古研究所负责；2013～2019年，考古项目由武汉大学历史学院负责。

盘龙城考古一直是有多家考古机构合作工作，2013年后，以上单位以及盘龙城遗址博物院一直作为合作单位参与考古工作。盘龙城考古作为国家重点大遗址保护项目正式启动，工作得到国家文物局大遗址考古项目的多年连续支持。2017年，盘龙城被纳入“考古中国·长江中游地区文明进程研究”重点项目。十多年来，盘龙城考古一直围绕以上项目，既为大遗址保护、遗址公园建设与展示等社会性工作方面提供支撑，也在中华文明进程研究等学术性方面取得进展。

《盘龙城（1995～2019）》在编撰中力求保持五卷主要内容在体例上的一致，但各卷具体表述方式由分卷主编自行拟定。以下对一致性体例作概括说明。

（1）各卷均采用2014年由武汉大学历史学院在盘龙城遗址布设的三维测绘坐标系统，高程系统采用1985国家高程基准。

（2）各卷涉及的发掘区、探方以及遗迹等编号，均按目前学界一般惯例方式。其中发掘区和探方等编号，Q代表发掘区、T代表探方、TG代表探沟、JPG代表单个遗迹中所设的解剖沟。遗迹的编号中，H代表灰坑、G代表灰沟、F代表房址、Y代表窑、J代表井、M代表墓葬、D代表柱洞。此外，遗迹的序号仍然按地点分别从1995年之前的遗迹编号顺编。

（3）为明确和简化表述，遗迹编号的构成采用“地点名+遗迹序号”的方式，如2016年发掘的小嘴Q1610T1714的H73，编号为小嘴H73；地层单位编号的构成采用“区号+探方号+地层序号”的方式，如2016年小嘴Q1710T0116第5层，编号为Q1710T0116⑤。编号不再沿用1994年之前用汉语拼音首字母表示地点的方式，如PYW表示盘龙城杨家湾遗址，也不再保留此前发掘简报中带有发掘年份的方式。

（4）器物标本用罗马数字编号。除常规序号之外，对墓葬中的采集品独立编号，并在数字前另加零，如杨家湾M13：01。对墓葬中同一件器物碎片散落在不同地点，在器物编号后加小号，如杨家湾M17：14-1。

（5）遗迹等区域范围的比例尺及描述尺寸，以米为计量单位；遗物图形的比例尺及描述尺寸，以厘米为计量单位。遗物容积按毫升计算，重量按克计算。

（6）学界对于一些考古学文化的写法、称谓和内涵存有差异，本书采用“二里冈文化”的写法。对二里冈文化的不同阶段，一般称“二里冈文化早期”“二里冈文化晚期”，同时根据情况保留“二里冈上层第一期”“二里冈上层第二期”等称谓。对中商文化的不同阶段，一般称“中商文化白家庄期”“中商文化洹北期”。

目 录

插图目录

插表目录

第一章 概述

第一节　遗 址 概 述

盘龙城遗址位于江汉平原东北缘，为平原到丘陵的过渡地带，所在区域海拔多在50米以下。整个区域地势南低北高。东北部被淮阳山地包围，远可见桐柏山、大别山等西北—东南走向的山岭。盘龙城遗址即分布于这一山地丘陵以南的垄岗状平原之上。淮阳山地以南地势逐渐降低，向南倾斜，山岭之间形成了多条平行分布的河流，府河、滠河、溳水、倒水等平行南流，径注长江。淮阳山地南侧分布的多条河流穿行于自然山岭之间，自古以来便是沟通长江中游与中原地区的交通要道。其中遗址南邻的府河（涢水），发源于桐柏山，自北向南流经孝感，随后向东转折并与滠水合并，共同流经盘龙城遗址南部，汇入长江。

盘龙城遗址主体分布于多条临湖岗地之上，盘龙湖、破口湖分布于遗址之中，自然延展的岗地与湖泊交错分布，构成了低岗与湖汊相间的地貌景观。府滠河自孝感以下向东转折，流经盘龙城遗址南缘直至注入长江。盘龙城遗址东距长江干流约20千米，自盘龙城遗址出发，经府河北上经随枣走廊，可进入南阳盆地，连接中原腹地；同时也可经滠水、溳水北上穿过大别山隘口，直抵中原地区。当前，沿滠水和府河沿线分别分布有（北）京广（州）铁路线和（武）汉丹（江口）铁路线。盘龙城遗址位于府河下游的尾闾，沿河道分布有密集的湖泊，包括白水湖、童家湖、马家湖、后湖以及与盘龙城遗址直接毗邻的仁恺湖、麦家湖、新激湖、汤仁海、破口湖、盘龙湖、长湖、张斗湖等湖泊。20世纪50年代以前，由于平原湖区地势低洼，江河湖相通，水系紊乱，因此每年汛期山洪汇注，江、河倒灌，洪水泛滥。

现代农田水利建设活动，对盘龙城遗址地貌形态产生了明显的影响。最为显著的即为1954年为加高武汉市东西湖大堤，抵御洪水，盘龙城遗址城垣在取土筑堤过程中遭到严重破坏，至今城垣仅残存基础部分。同时各岗地被开垦成为农田，将自然坡地改变成为“梯田”形态，当地村民还在岗地中地势低洼的地带开挖了若干小型池塘，村民房舍和农业灌渠亦对遗址地貌造成了一定程度的改变。此外，由于盘龙城遗址区域湖汊众多，湖水季节性涨落使得湖汊区域夏秋季节湖水丰盈，冬春季节几近干涸，当地村民自20世纪60年代起即在湖汊地带修筑小型围堤，同时将淤塞的湖汊下挖一定深度，使湖汊地带由季节性湖区变为稳定的湖区，用于水产养殖（例如小嘴、艾家嘴等）。

盘龙城遗址海拔21.3～34.8米。需要注意的是，原报告《盘龙城——1963～1994年考古发掘报告》[①]图四“盘龙城遗址地形图”为1963年武汉水利水电学院绘制，图中采用独立高程系统，高线所表示的盘龙城遗址海拔36.2～48.9米。本次编纂的《盘龙城（1995～2019）（一）：田野考古工作报告》中采用2014年武汉大学历史学院在盘龙城遗址布设的三维测绘

① 湖北省文物考古研究所：《盘龙城——1963～1994年考古发掘报告》，图四，第5页，文物出版社，2001年。以下简称《盘龙城（1963～1994）》。

坐标系统，高程系统采用1985国家高程基准。本报告中公布的盘龙城高程数据均是基于1985国家高程基准。

目前盘龙城遗址位于湖北省武汉市黄陂区盘龙城经济开发区盘龙大道叶店村居委会。盘龙城遗址区域面积约3.95平方千米。在居民搬迁前，遗址保护区内有杨家湾、楼子湾、江家湾、小张湾、梅湾破院、童家嘴、长峰港等7个自然村落。盘龙城遗址各地点，除城址外均以当地自然村落命名，遗址中面积最大的一条东西向岗地为杨家湾岗地，其东西两侧分别为杨家嘴和江家湾。杨家湾岗地以南延展出多条南北向狭长形岗地，自东向西依次为李家嘴、王家嘴、小嘴和艾家嘴。上述岗地属商文化遗存分布最为密集的区域，被确定为盘龙城遗址"重点保护区"。当地村民将临湖的半岛形岗地称为"嘴"、将地势较高离湖相对较远的岗丘顶部称为"湾"，盘龙城遗址岗地的命名规则亦是当地独特的地貌形态的体现。

盘龙城遗址早年多为村庄和农田，局部开挖有人工池塘。依据《盘龙城遗址保护总体规划》，盘龙城遗址被划分为重点保护区和一般保护区，重点保护区以内的自然村落已于2005年前后被全部迁出，农业生产活动随即停止，统一划归为遗址公园用地。目前重点保护区涉及城址及周边的王家嘴、李家嘴、杨家湾、杨家嘴、楼子湾、江家湾、小嘴、艾家嘴等地点。这一区域除盘龙城遗址博物院以外已无现代建筑物，农田亦已荒芜，地表被野生灌丛和林木覆盖。一般保护区主要为杨家湾岗地以北的小王家嘴、大邓湾、童家嘴以及盘龙湖东岸的丰家嘴、万家汊、小杨家嘴等地。一般保护区内当前仍分布有自然村落和农田。此外，依据历年调查勘探资料，在当今划定的"一般保护区"以外还零星分布有若干商文化时期遗存：①甲宝山东麓；②盘龙大道南段；③栗子包青铜器出土地点（府河河床）；④郑家嘴。以上四处地点均发现有与盘龙城遗址主体年代相当的商文化遗存，且在空间距离上与盘龙城遗址主体极为邻近，可被视为遗址的边缘地带。

盘龙城遗址1954年被发现，1956年被公布为省级重点文物保护单位，1988年被公布为全国第三批重点文物保护单位。2013年，盘龙城遗址公园被国家文物局列为第二批国家考古遗址公园立项名单，并于2017年列入第三批国家考古遗址公园。

第二节 工 作 概 况

一、测绘系统与分区体系

盘龙城遗址保护区面积约3.95平方千米，由于遗址面积较大且考古工作历时多年，历年考古发掘区散布于不同的地点。长期以来，该遗址各地点考古发掘区域的地理坐标未能得到精准测量，以至于田野考古发掘人员对该遗址历次考古发掘区的准确位置不甚明确，对墓葬、建筑基址、灰坑、灰沟等重要遗迹的空间位置关系亦缺乏整体性认知。2014年，武汉大学历史学院在盘龙城遗址布设了由16个测量控制点组成的两级测绘控制网，以此建立起了该遗址三维测绘坐标系统[①]。在此基础上，武汉大学历史学院借助RTK、全站仪等数字化测量仪器，对盘龙城遗址各地点各年度考古发掘区域进行了实地踏查和高精度测量，基本实现了将历年考古发掘区域和各类重要遗迹准确地标绘于大比例尺地图之上。

盘龙湖与破口湖岸线曲折，临湖岗地隔湖相望，形成了环湖分布的多条半岛形岗地，整体地形较为破碎（图1.2.1）。盘龙城遗址所在区域主要包括杨家湾、杨家嘴、李家嘴、王家嘴、楼子湾等自然村落和地点。以往考古人员在对盘龙城遗址各区域进行命名时沿用了上述地名，为保持遗址点名称的统一性，本报告依然沿用上述遗址点的命名方式。在原报告《盘龙城（1963～1994）》中以地名拼音大写首字母来指代各岗地，例如“PLZM2”表示“盘龙城李家嘴2号墓”，“PYWM11”表示“盘龙城杨家湾11号墓”，诸如此类[②]。21世纪初期，盘龙城遗址博物院组织设立遗址分区系统，以象限法将盘龙城遗址整体以100米×100米进行整体分区（图1.2.2）。此后盘龙城遗址考古发掘探方均在分区体系之下以象限法编号。故而，21世纪以来发表的盘龙城遗址田野考古工作简报中均以“区号+探方号”的方式来表示探方所在区域，例如2017年刊布的考古发掘简报中“Q1712T0816”表示1712区内的0816

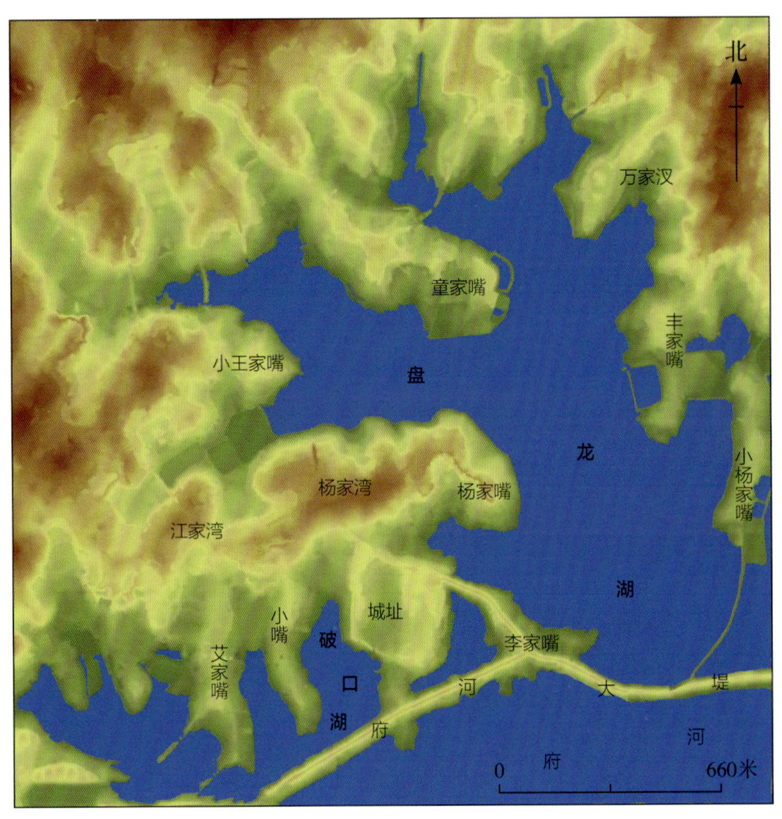

图 1.2.1　盘龙城遗址地貌

① 盘龙城遗址三维测绘坐标系统是由16个测量控制点组成的两级测绘控制网，满足国家文物局颁布的《田野考古工作规程》中对考古遗址测绘工作的基本要求。同时，盘龙城遗址考古发掘探方的布设，则沿用了21世纪初期由盘龙城遗址博物院所确立的盘龙城遗址分区系统，即按象限法将整个遗址以100米×100米进行整体分区。

② 《盘龙城（1963～1994）》，第156页。

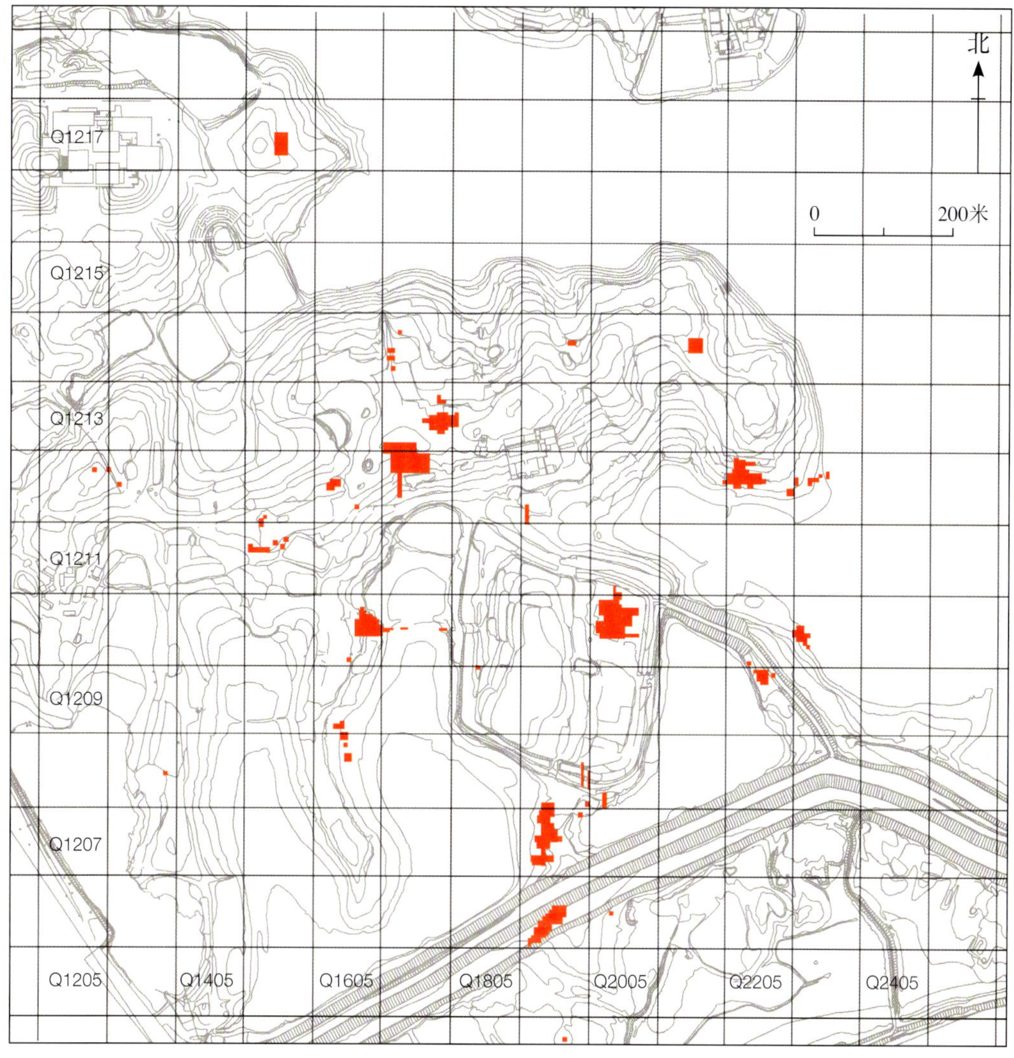

图 1.2.2 盘龙城遗址分区与历年发掘区

号探方①，而不再以地点拼音首字母的方式来命名各发掘单元。

二、各地点遗存分布

（一）城址

盘龙城的城址并非一处独立的自然地理单元，在范围上包括杨家湾岗地以南，王家嘴岗地以北，破口湖与李家嘴岗地之间的城垣内外区域（图1.2.3）。20世纪70年代，北京大学等单位对城址内外区域开展了考古发掘，发现了城垣、城门、城壕等遗迹，并在城内东北部发掘了宫殿建筑群（F1～F3），累计发掘面积2630平方米。《盘龙城（1963～1994）》考古

① 武汉大学历史学院、盘龙城遗址博物院、武汉市文物考古研究所：《武汉市盘龙城遗址杨家湾商代建筑基址发掘简报》，《考古》2017年第3期。

图 1.2.3　城址当今景观环境（上南，上为夏季，下为冬季）

发掘报告中公布的数据显示，城址平面近方形，南北长约290、东西宽约260米。城垣墙体残宽18～45米。不过以上城垣的尺寸是根据地表突起的位置来定位城垣进行测算的，因此位置及数据都不十分精准。通过对南垣、北垣外城壕的解剖发掘可知，盘龙城城壕开口宽6.8～12.8、深2.1～4.6米①，并据此推测盘龙城城垣外分布有与之相应的城壕。

2014～2016年，为配合盘龙城国家考古遗址公园建设，武汉市文物考古研究所等单位对盘龙城城垣及其周边地带进行了针对性的考古勘探，确定了城垣、城壕及城门的准确位置。

① 《盘龙城（1963～1994）》，第32～37页。

根据此次考古勘探数据，城垣南北长约289、东西宽约284米，四面城墙墙体宽27～30米[①]。值得注意的是，该考古勘探发现城址外存在两套“城壕”系统：①分布于北城垣外的“北城壕”。北城壕起于杨家湾山体南坡，向东延伸通向盘龙湖。北城壕南距北城垣15～23米，沟口宽约14、深4～5米。②绕城分布的“环壕”。环壕内侧均距城垣外侧约3米，沟口宽约5、深2.7～3米。然而，2014～2016年间勘探所发现的城壕尺寸与20世纪70年代考古发掘所揭示的城壕尺寸有较为明显的出入。首先，20世纪70年代发掘的城壕与城垣的距离为10米，而2014年勘探发现的“环壕”与城垣距离为5米。这一差异可能是由于两次考古工作对城垣宽度的界定存在差异所导致的。其次，20世纪70年代，北京大学等单位分别对南城垣外中段、东段和北城垣外西段进行了分段解剖。发现城壕的开口宽度分别为11.6、6.8和12.8米，城壕深度分别为3.9、2.1和4.6米。经过与2014年武汉市文物考古研究所勘探所发现的两套壕沟的尺寸进行比对可知，1979年在北城垣外西北部解剖沟79HP3TB32～B34内发现的城壕（沟面宽12.8、距地表最大深度4.6米）应为西起杨家湾南坡，东抵盘龙湖的“北城壕”，而并非绕城分布的环壕[②]。而1979年在南城垣东段探沟79HP3TU38～U39中发现的一段壕沟（沟面宽6.8、距地表最大深度2.1米）则应为绕城分布的“环壕”[③]。

此外，值得说明的是，《盘龙城（1963～1994）》中公布的城址区域高程为38.9～43.2米，这一高程数据是参照何种高程基准，报告中未予提及。2014年以来，盘龙城遗址已建立三维测绘坐标系统，并采用了当前全国通行的1985国家高程基准作为该遗址的高程基准。经过实地测量，盘龙城城址区域的高程为19.98～28.44米。从地形图上依稀可以看出，盘龙城城垣是利用了王家嘴及其西北部的一个小岗地的自然地势修筑而成，城垣及城内地势呈现出愈南愈低的特征。

（二）李家嘴

李家嘴是位于盘龙城宫城区以东的一处南北向岗地。李家嘴岗地东临盘龙湖，南抵府河。20世纪70～80年代，当地村民为抵御来自府河及盘龙湖的洪水，先后修筑了府河大堤和李家嘴围堤，这两道人工堤防的修筑对李家嘴岗地的原始面貌造成了明显破坏。从1963年的卫星影像中可以看到，李家嘴岗地实际上是一处南北向的狭长形岗地。一方面，由于府河大堤横贯李家嘴南侧，使得大堤以南的区域沦为府河季节性河床，丰水期被河水淹没，枯水期显露地表（图1.2.4）。另一方面，由于李家嘴围堤的修筑，使得李家嘴西南侧的自然缓坡遭到取土破坏。当前李家嘴东北侧地形自坡顶向岗地边缘缓缓降低，而岗地西南侧面积狭窄，仅存坡顶区域。

① 武汉市文物考古研究所、盘龙城遗址博物院：《盘龙城遗址宫城区2014至2016年考古勘探简报》，《江汉考古》2017年第3期。

② 《盘龙城（1963～1994）》，第33页。

③ 《盘龙城（1963～1994）》，第34页。

图 1.2.4　李家嘴夏季丰水期景观环境

1. 工作历程

1974年，盘龙城考古工作站配合府河大堤修筑工程在李家嘴南坡中段接近坡顶部的区域先后清理了4座高等级贵族墓葬，编号为M1～M4。

1985年，盘龙城考古工作站为配合加固李家嘴围堤工程，在李家嘴北坡清理了30座灰坑。

20世纪80年代，盘龙城考古工作站曾在李家嘴M1～M4附近发现一座残墓，遂将该墓葬编号为李家嘴M5。墓葬遭严重破坏，随葬品多已散失，仅见残玉戈2件[①]。

2015年，武汉市文物考古研究所为配合盘龙城遗址公园的修建，对李家嘴岗地进行了全面的勘探，在早年发掘的李家嘴M1与M2之间区域，新发现一座商文化时期墓葬。随即在该区域布设探方进行考古发掘。发掘表明该墓开口南北长3.7、东西宽2.7米。东距李家嘴M1约1.6、西距李家嘴M2约7米。该墓曾遭受严重破坏，墓内仅出土有青铜残渣、陶片、玻璃碎片等，将该墓葬编号为李家嘴M6[②]。除M6以外，此次发掘工作还在M6北部局部揭露出商文化时期的建筑基址一座，编号为F1[③]（图1.2.5）。

李家嘴岗地南侧基本未见其他地点常见的灰坑、建筑基址等遗迹，推测其应该是一处有明显布局规划的高等级墓葬区。考虑到李家嘴M1～M4出土遗存的年代与城内宫殿建筑基址相当，且其地理位置紧邻盘龙城城垣东门，故而李家嘴墓葬区的出现较好地体现出了盘龙城聚落高等级居址与墓葬区的空间位置关系。

① 湖北省文物考古研究所、湖北省博物馆、武汉大学历史学院、盘龙城遗址博物院：《武汉市盘龙城遗址出土玉戈》，《江汉考古》2018年第5期。

② 实际上，由于20世纪80年代清理的李家嘴M5的准确位置难以确定。M5与M6又都与李家嘴M1～M4相距不远，因此M5与2015年发掘的李家嘴M6是否为同一墓葬，目前已无法确定。

③ 武汉市文物考古研究所、盘龙城遗址博物院：《盘龙城遗址宫城区2014至2016年考古勘探简报》，《江汉考古》2017年第3期。

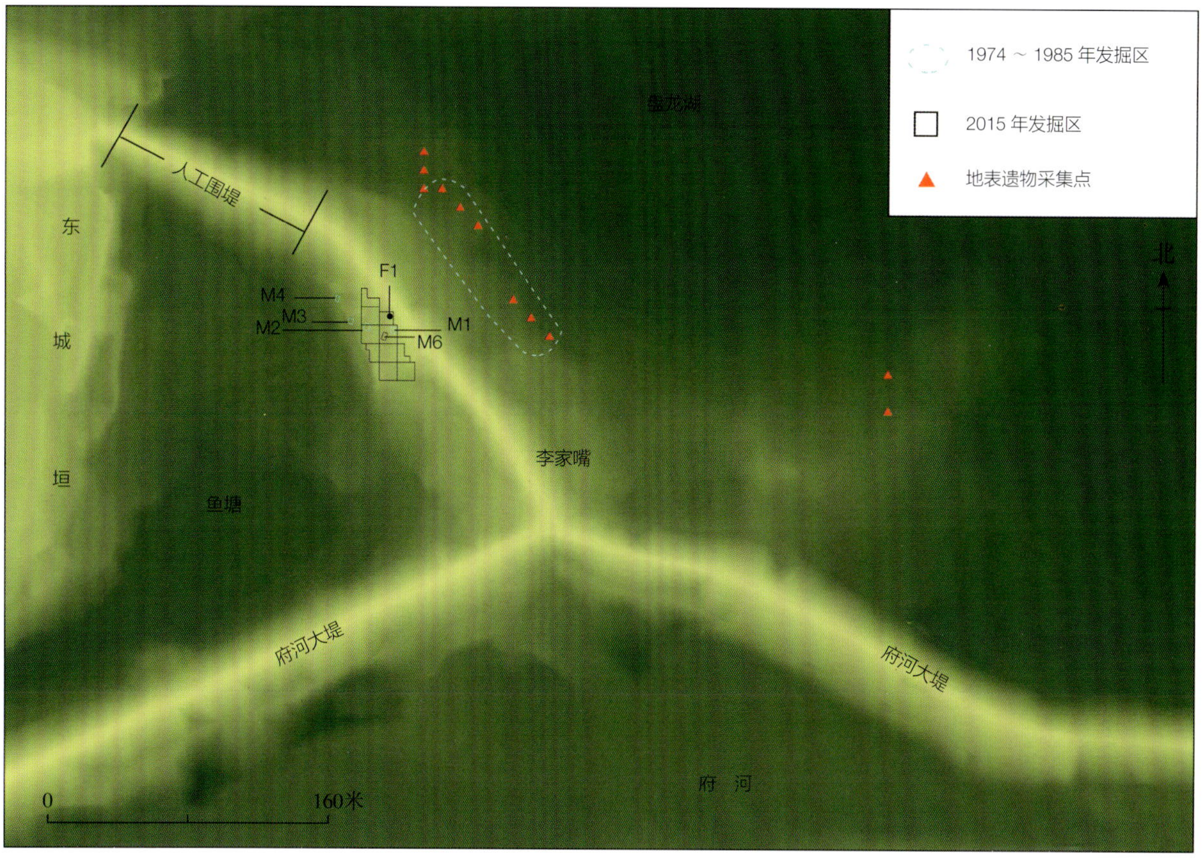

图 1.2.5　李家嘴主要遗迹分布

2. 遗存的分布范围

根据目前勘探和调查资料，李家嘴岗地北坡是其遗存分布最为密集的区域。考古调查曾在此发现大量散布地表的陶片。地表陶片的分布形态呈现出了一定的规律性，陶片均沿湖岸呈带状分布，陶片分布带位于湖岸线以西宽15～20米的区域，南北延伸150米，地表高程20～21米。陶片的器类包括鬲、罐、豆、尊、盆、簋、爵、斝、缸及印纹硬陶器等，均为商文化时期陶片，基本不见其他文化时期陶片或瓷片，且地表可见部分陶缸或其他陶器直接残存于原生堆积之中，与发生位移后形成的二次堆积明显不同。此外，在该陶片分布带中还间断分布有圆形或椭圆形灰坑。这些灰坑开口均遭湖水侵蚀破坏，打破生土。此次调查，共在李家嘴北坡临湖地带发现有7座灰坑，这批灰坑与1985年李家嘴清理的30余座灰坑分布于同一区域，可能具有相同的性质和功能。综合上述现象判断，李家嘴北坡临湖区域分布的大量陶片，应为该区域原生堆积遭受湖水侵蚀后所形成，并非由其他区域搬运至此所形成的二次堆积。

李家嘴岗地南坡接近坡顶的区域，曾先后发掘过6座商文化时期的墓葬。此外，岗地南坡基本未发现其他类别的遗存，与岗地北坡所见的大量灰坑形成显著差异。实际上，一方面，李家嘴北坡分布的大量灰坑均直接打破生土，勘探和调查均未见文化层。另一方面，李家嘴南坡坡顶以下即为陡坎，其缓坡地带被晚期取土活动破坏殆尽。从北坡遗存分布形态可知，海拔20～21米的缓坡地带正是灰坑密集分布区，李家嘴南坡若有类似的遗存分布，也有可能在20世纪70年代的取土活动中被破坏殆尽。

府河大堤以南区域原本属李家嘴岗地的南段，但在20世纪70年代的筑堤工程中该区域成为天然取土场，地表因取土变得支离破碎，大堤筑成后府河水倾泻至此，使其沦为府河河床。根据调查，目前未在李家嘴岗地发现任何古代遗存。综合以上现象推测，位于府河大堤以南的李家嘴岗地南段应属于盘龙城遗址的边界地带，基本无遗存分布。

（三）杨家湾

杨家湾岗地居于盘龙城遗址的中心地带，是一条东西长约420、南北宽约310米的天然岗地（图1.2.6）。杨家湾南坡长期分布有自然村舍，2005年为配合遗址公园建设当地村舍整体迁出。21世纪以前，杨家湾岗地的考古发掘工作主要是为配合当地农田水利建设而展开。2006年以后，考古部门在杨家湾南坡开展了若干主动性考古发掘工作。

1. 工作历程

1974～1992年间，湖北省博物馆对杨家湾岗地农田水利施工过程中偶然发现的墓葬进行了清理，共计商文化时期墓葬11座①，墓葬编号M1～M7、M9～M12。1980年，湖北省博物馆在杨家湾南坡布设了5米×5米探方38个，发掘面积950平方米，发现了3座建筑基址（F1～F3）以及灰沟、灰坑、祭祀坑等遗迹。

1997～1998年，盘龙城考古队在杨家湾南坡西侧开设2米×20米探沟2条，仅发现零星文化层，同时发掘了1座商代水井J1②。

2001年，杨家湾村民房屋附近排水沟中发现有商文化时期青铜器，武汉市文物考古研究所据此进行了考古发掘，发现了大型墓葬M13。2006年，武汉市文物考古研究所再次对该区域进行发掘。后经确认，两次分别发掘了M13的北部和南部，该墓葬面积仅次于李家嘴M2，出土遗物十分丰富，属于盘龙城遗址晚期的高等级墓葬。

2006～2011年，武汉市文物考古研究所、盘龙城遗址博物馆筹建处在杨家湾自然村整体搬迁后，对原村舍分布区进行了考古发掘，发掘面积1250平方米，在杨家湾南坡发现了大型建筑基址F4，并在随后的2008、2011年对F4进行了大规模发掘。2006年，上述单位还在建筑基址F4西侧发现一座墓葬M14。同年，上述两家单位又在杨家湾岗地西南部进行了考古发掘，发掘面积250平方米，发现该区域分布有较多保存完好的陶器，考古发掘人员推测该区域可能存在“制陶作坊”类遗存③。

2013年，武汉大学历史学院为进一步了解F4及其周边遗迹的分布情况，在杨家湾南坡2006年发掘区的西面和北面继续开展考古发掘，发掘面积825平方米，在建筑基址F4周边发现墓葬7座（M16～M22）以及一批灰坑、灰沟和窑址等遗迹。

2014年，为探明大型建筑基址F4南面堆积状况及性质，武汉大学历史学院在2013年发

---

① 《盘龙城（1963～1994）》，第217页。

② 武汉市博物馆等：《1997～1998年盘龙城发掘简报》，《江汉考古》1998年第3期。

③ 资料尚未公开发表，见于《2006年盘龙城遗址考古总记录》。

图 1.2.6　杨家湾当今景观环境（上北，上为夏季，下为冬季）

掘区以南展开考古发掘，发掘面积150平方米，在F4以南约20米处发现小型建筑基址F5以及少量灰坑遗迹。同年，武汉大学历史学院通过考古勘探在杨家湾东北坡和杨家湾岗地顶部分别发现有大量“黑灰土”分布，且堆积厚度最大可达2.6米，遂在北坡和岗地顶部分别展开小规模考古发掘。此次发掘在杨家湾北坡发现了小型建筑基址F6，同时在杨家湾坡顶发现了密集分布的灰坑遗迹，并首次在杨家湾坡顶发现了年代早至夏商之际的遗存。2017年，武汉大学历史学院继续在2014年杨家湾坡顶发掘区南侧和东侧扩方，两个年度累计发掘面积89平方米，发掘灰坑17处，发现了大量陶器、石器及一批动物骨骼。

2014～2016年间，武汉大学历史学院还在杨家湾岗地开展了系统性的考古勘探，在杨家湾西北部发现了大面积分布的“纯净黄土”，在杨家湾西南部发现了成片分布的“褐土”。因此，在这两类堆积的分布区域布设两条探沟进行发掘。

2014年，武汉大学历史学院在杨家湾西北部布设了一条东西宽1～2、南北长达90米的探沟，对“纯净黄土”分布区进行解剖，2016年又在该探沟东西两侧分别布设两条探沟，继续对“纯净黄土”分布区进行发掘。两个年度的发掘表明此类“纯净黄土”确系商文化时期的人工遗迹，且在黄土地层中发现了条状分布的石头带，石头带的性质目前正在继续探索中。

此外，除上述考古勘探、发掘工作之外，考古人员还曾在杨家湾M11西侧150米处的水稻田中，采集到青铜觚、青铜勾刀、青铜直内戈各一件①。曾在盘龙城考古工作站后院墙处采集到一件长49、宽7.6厘米的玉戈②。杨家湾岗地出土的这些遗物暗示该区域可能分布着等级较高的墓葬或其他类别的遗迹。

杨家湾南坡是目前考古发掘面积最大的区域。截至2018年，该区域已发掘商文化时期墓葬22座，灰坑43个，建筑基址6座，发掘面积总计4005平方米。历年考古发掘及勘探资料显

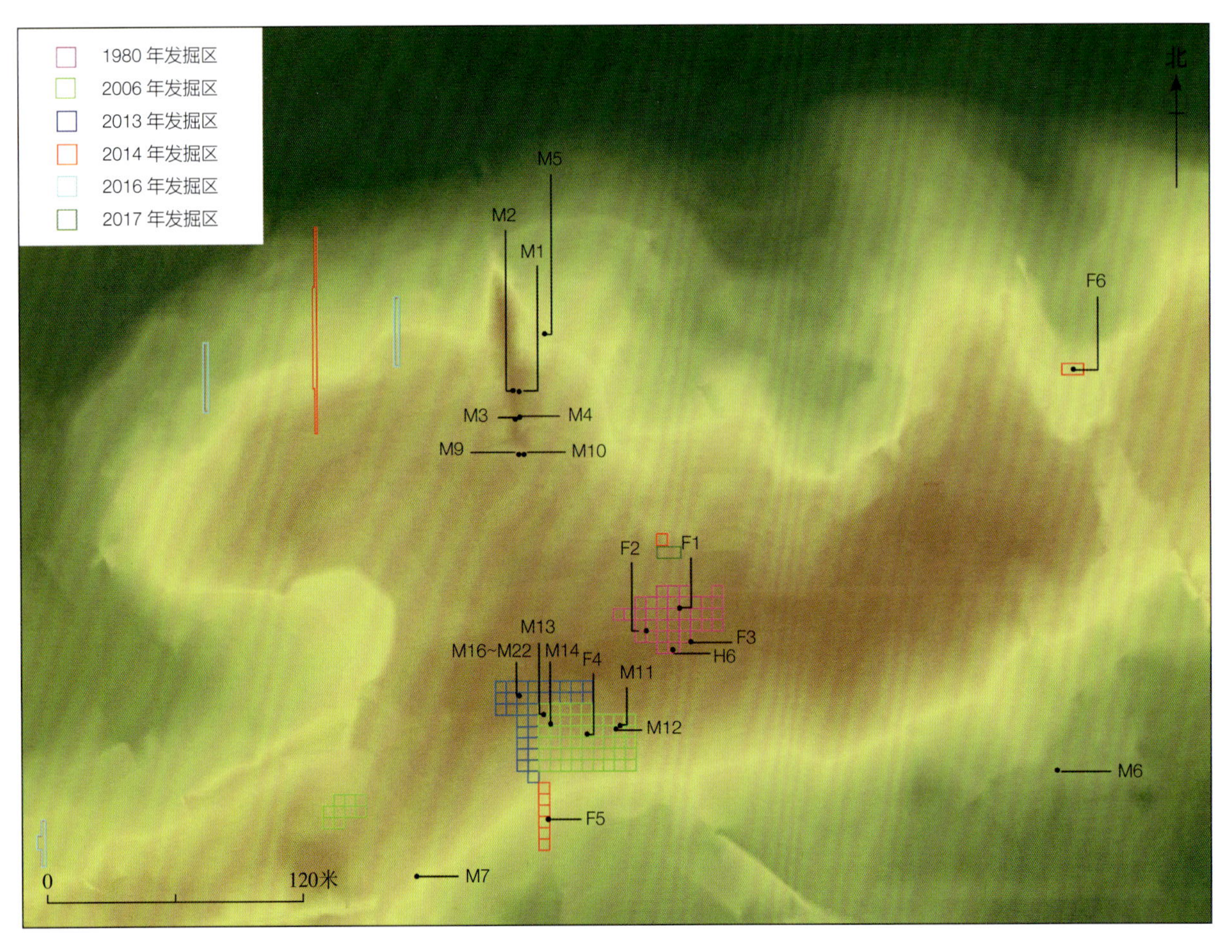

图 1.2.7　杨家湾历年发掘区位置

① 盘龙城遗址博物馆：《盘龙城遗址博物馆征集的几件商代青铜器》，《武汉文博》2004年第3期。

② 湖北省文物考古研究所、湖北省博物馆、武汉大学历史学院、盘龙城遗址博物院：《武汉市盘龙城遗址出土玉戈》，《江汉考古》2018年第5期。

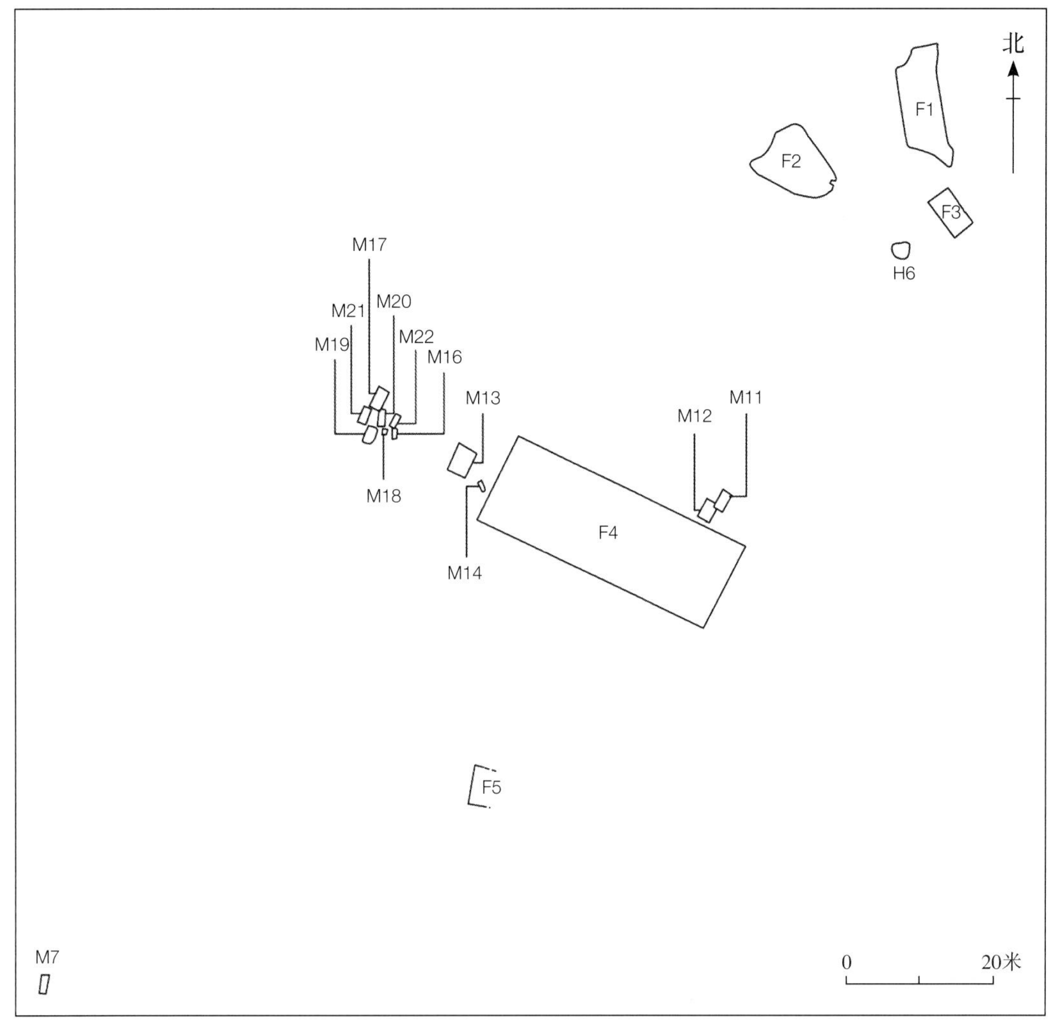

图 1.2.8　杨家湾南坡主要遗迹分布

示，除局部地带遭到晚期人类活动破坏以外，杨家湾岗地几乎遍布商文化时期遗存。考古遗存的年代特征表明，杨家湾岗地分布的商文化时期堆积以盘龙城第五～七期的遗存为主；集中分布于杨家湾南坡的大型建筑基址F4，以及高等级墓葬M11、M13、M17等，其年代亦属这一时期。因此，杨家湾岗地南坡有可能成为盘龙城聚落最晚阶段的聚落中心地带（图1.2.7、图1.2.8）。

2. 遗存的分布范围

目前我们对杨家湾岗地进行了系统勘探和调查。考古勘探和调查以10米 × 10米的格网为基本单元。在此，我们将勘探发现商时期文化堆积的探孔以蓝色圆点表示，将在地表采集到商时期陶片的采集区以红色三角符号表示。由于杨家湾与杨家嘴本属同一处自然延伸的天然岗地，并无明确的地理界限，故在此我们将杨家湾与杨家嘴的勘探和调查数据在同一张图中予以呈现（图1.2.9）。

由系统性的考古勘探和调查工作可知，杨家湾岗地南坡与北坡均可见文化层连续分布，

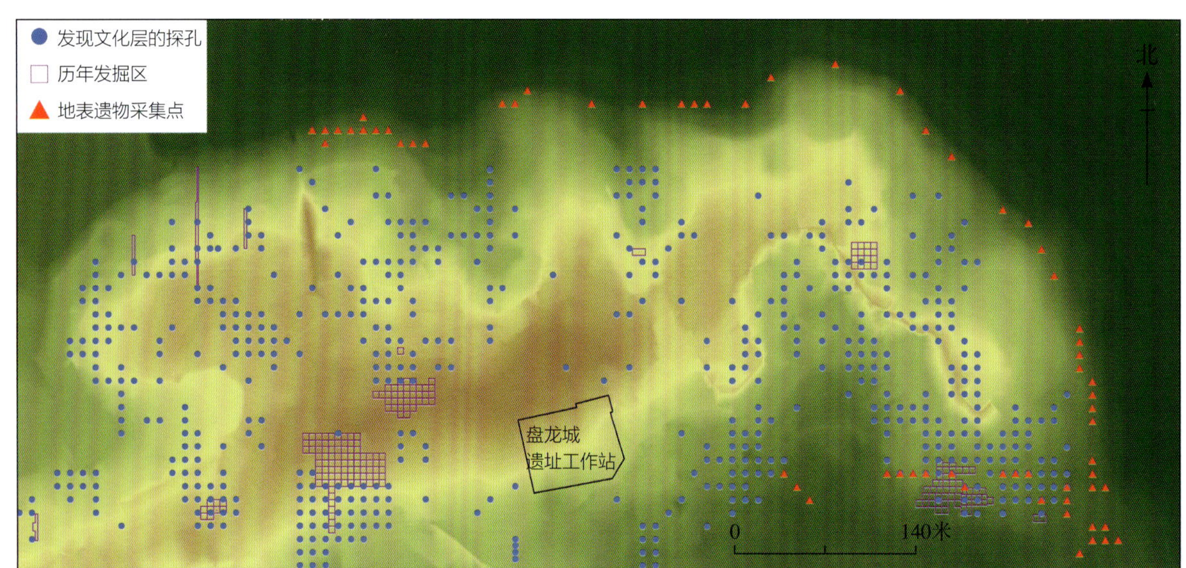

图 1.2.9　杨家湾遗存分布范围

且杨家湾岗地商时期堆积最厚处可达2.6米，地表散布的陶片最低可分布至19.5米（当代盘龙湖枯水期最低水位）以下的区域。历年的考古发掘表明，杨家湾发现的遗存以盘龙城偏晚阶段为主，遗迹类型复杂多样。由此可以推知，在盘龙城晚期杨家湾一带人口密度达到了一个峰值，且人群的构成复杂多元。其在遗迹方面的表现则是，既出现了大型建筑F4及M11、M13、M17等高等级墓葬，同时发现有规模较小的建筑基址、墓葬以及普通灰坑、灰沟遗迹。综合分析考古发掘、勘探与地面调查三个方面的资料可以推知，杨家湾岗地在盘龙城晚期出现了人口稠密、功能区多样的社会景象。然而，在杨家湾坡顶和岗地中部山脊线等地势明显高耸的区域则基本不见文化层分布。一方面，就地理特征而言，坡顶、山脊等地带不具备近水、避风等宜居的自然条件，另一方面，地势明显高耸的区域很有可能在20世纪50～60年代间当地开展的平整土地活动中被人工整平，对可能存在的古代遗存造成了明显破坏。以上两方面的原因，可能造成了上述区域文化遗存十分罕见。

（四）杨家嘴

杨家嘴位于杨家湾岗地东侧，岗地三面环湖，东西长约250、南北宽约340米（图1.2.10）。杨家嘴岗地南坡地形和缓，北坡较陡。杨家嘴南侧与李家嘴隔湖相望。盘龙湖水下考古勘探表明，商文化时期盘龙湖水位不高于17.5米，且在杨家嘴与李家嘴之间的湖盆底部发现了相应时期文化层①。由此可知，商文化时期杨家嘴与李家嘴之间应无湖水阻隔，而是通过陆地相连。现代盘龙湖水位大幅高于商文化时期，因此造成了杨家嘴与李家嘴被湖水阻隔（图1.2.11）。

① 武汉大学历史学院等：《武汉市盘龙城遗址水下勘探及试掘简报》，《江汉考古》2018年第5期。

图 1.2.10　杨家嘴当今景观环境（上东，上为夏季，下为冬季）

1. 工作历程

1980～1983年，当地村民在杨家嘴南坡湖汊地带兴修鱼池，施工中发现大量黑色灰烬土及陶片，盘龙城考古工作站当即配合工作开展了考古发掘，发掘面积1214平方米，发现了两座建筑基址F1、F2及一批灰沟、灰坑遗迹。同时，在遗址东部的滨湖区域发掘了10座墓葬M1～M10（图1.2.12）[①]

① 《盘龙城（1963～1994）》，第300页。

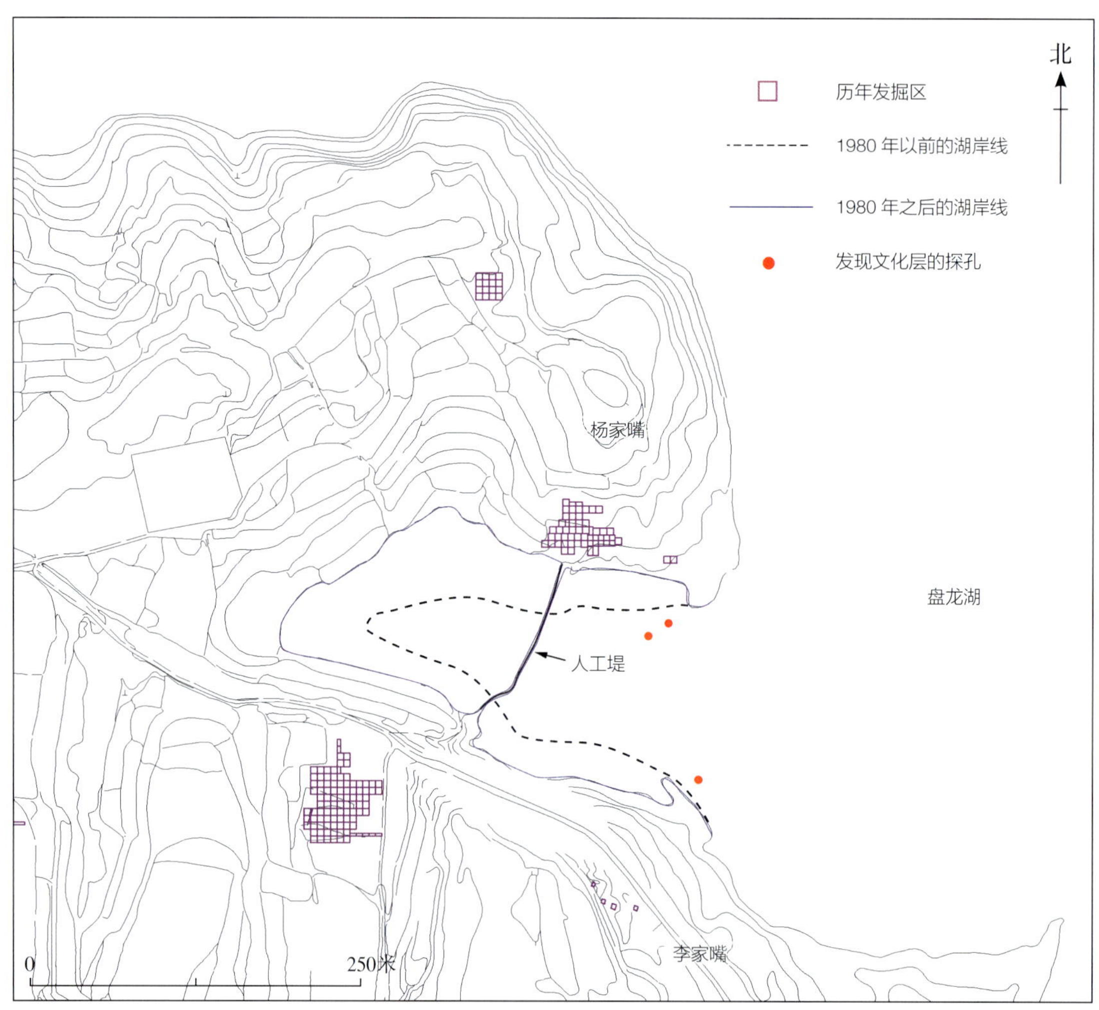

图 1.2.11　杨家嘴历年发掘区位置及湖岸变迁

1998年，武汉市博物馆联合湖北省文物考古研究所，在盘龙湖临湖区域清理了3座商文化时期墓葬，编号M12～M14[①]。

2006年，盘龙城遗址博物院在杨家嘴顶部布设探方16个，发掘面积400平方米，共发现墓葬10座，编号为M15～M23、M25，其中除M22为宋代墓葬外，其余9座均为商文化时期墓葬，还发现了商文化时期的建筑基址F3及少量灰坑。

2014年，武汉大学历史学院在对杨家嘴进行地形测绘的过程中，于临湖滩地上发现了青铜容器残片，后确认该地点分布有一座商文化时期墓葬，随即予以清理，墓葬编号为M26，同时在M26东侧清理了一座灰坑，编号为H14[②]（图1.2.12、图1.2.13）。

除上述已发掘的遗迹外，2019年，武汉大学历史学院在对杨家嘴进行地面调查时，在杨家嘴东南角发现一处陶片分布异常密集的区域，面积约250平方米，地表陶片密度可达20

① 武汉市博物馆等：《1997～1998年盘龙城发掘简报》，《江汉考古》1998年第3期。

② 武汉大学历史学院、湖北省文物考古研究所、盘龙城遗址博物馆筹建处：《2014年盘龙城杨家嘴遗址M26、H14发掘简报》，《江汉考古》2016年第2期。

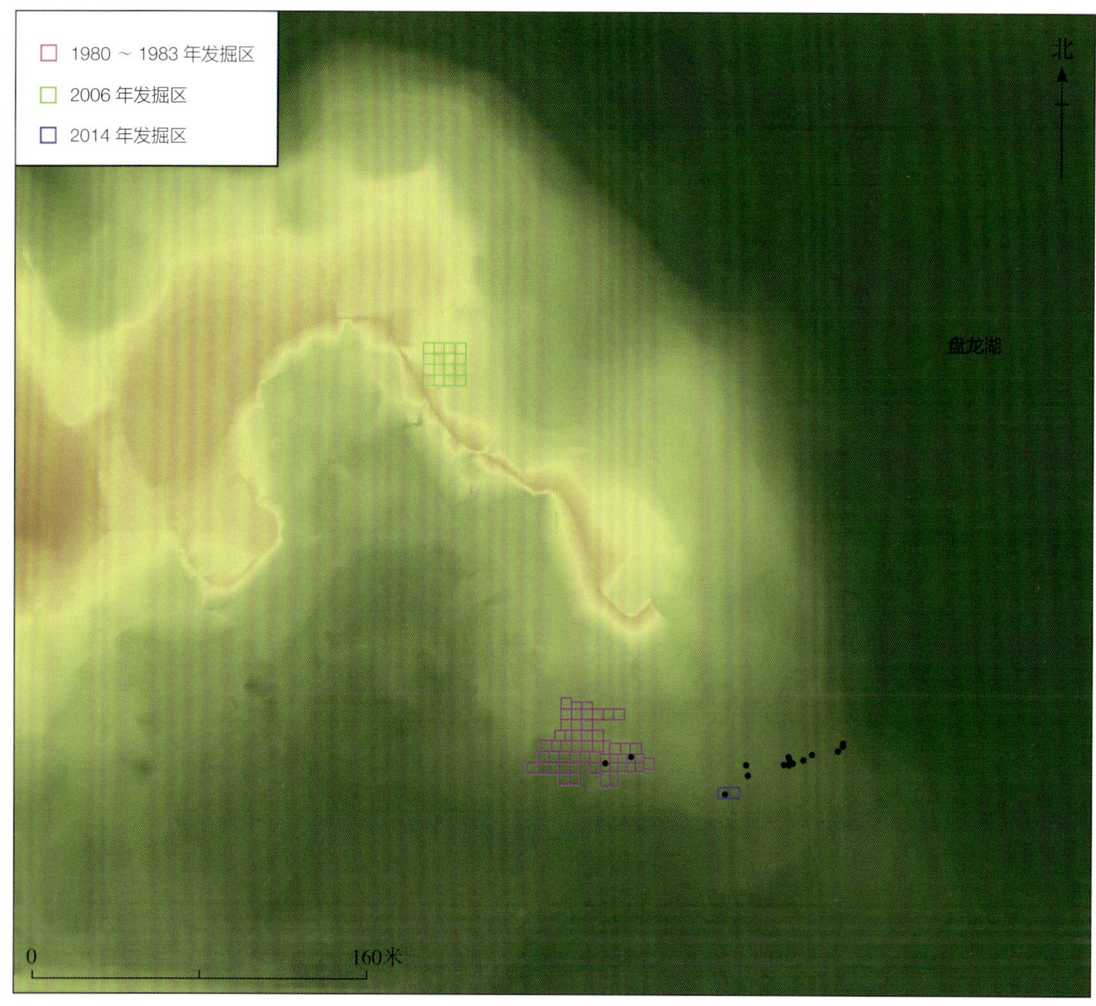

图 1.2.12　杨家嘴历年发掘区位置

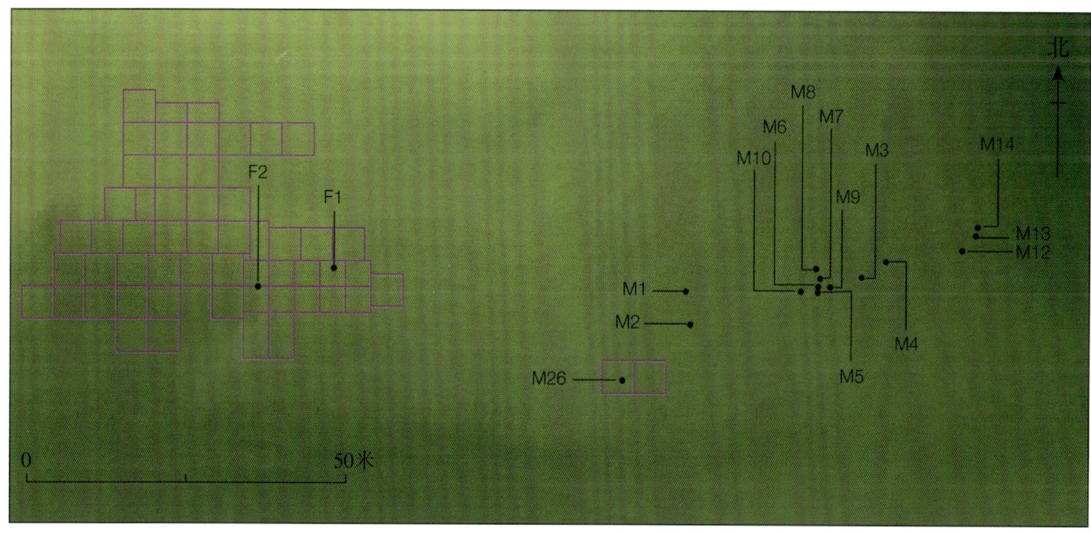

图 1.2.13　杨家嘴主要遗迹分布

片/平方米以上。从陶片的形制特征判断，其年代均为二里冈文化时期。在密集的陶片层中间断分布有直径30～40厘米、平面近似方形的石块，疑似“柱础石”。考虑到该区域可能分布有某种规模较大的遗迹，调查人员将地表陶片按探方全部采集后进行刮面，确认该区域出现的大型石块的年代及性质。通过刮面，调查人员在密集的陶片层下发现了四处柱坑，这批柱坑打破商时期文化层，其中三个柱坑内可见柱础石，一个柱坑内填有较纯净的黄土。柱坑内出土的细碎陶片也均系商文化时期，由此确认此前发现的大型石块确系商时期的柱础石。值得注意的是，其中三个柱洞基本呈直线排列，间距1.2～1.4米，柱坑直径50～68、深22～25厘米。在这三个柱洞的北侧0.9米处，分布有一条宽1.1、长9.5米的纯净黄土带，黄土带打破黑褐色文化层。尽管本次调查工作未能对上述遗迹进行全面的发掘，但有两点信息可以确认：①该次调查在杨家嘴东南角发现的大型石块确属商文化时期的柱础石遗迹，通过柱坑的直径推测该区域可能存在规模较大的建筑类遗迹；②柱坑附近的黄土带内填土为十分纯净的黄色黏土，明显系人工有意识铺垫的某种遗迹，其性质和功能暂不明确，但与常见的建筑基址明显不同，考虑到该遗迹南侧约25米处即分布有墓葬区，推测该次发现的黄土带及柱坑性质可能较为特殊，并非一般意义上的建筑基址。

截至2018年，杨家嘴考古发掘区域累计1939平方米。值得注意的是，杨家嘴东南部临湖地带发掘商文化时期墓葬14座，从空间分布上看这批墓葬的等级和布局方式呈现出一定的规律性，因此有研究者指出杨家嘴东南部墓葬应具有墓地的性质①。具体而言，杨家嘴M1、M2和M26在空间距离上较为邻近，位于杨家嘴东南部墓地的西侧。墓葬随葬品以青铜容器为主，兼有玉器和陶器，属于等级较高的墓葬，其中M26是目前杨家嘴发现的等级最高的墓葬，其等级稍次于盘龙城李家嘴M1、M2。而M2～M10以及M12～M14在空间距离上较为邻近，位于墓地的东侧，从墓葬规模和随葬品来看，应属于等级较低的墓葬。

杨家嘴商文化时期遗存的年代集中在盘龙城第五、六两期②，与杨家湾出土遗存的年代基本吻合。这表明杨家湾—杨家嘴岗地在盘龙城聚落最晚阶段曾有较为密集的人类活动。

2. 遗存的分布范围

杨家嘴岗地的考古发掘、勘探和地面调查资料表明，该区域商时期文化堆积主要分布于岗地南坡。如前所述，杨家嘴南坡地势向北内凹，形成了一处微型谷地，地势相对低平和缓，商时期的文化堆积则从坡顶沿谷地展布，一直延伸至湖水淹没区。考古发掘表明，在杨家嘴东南角和坡顶部均有集中分布的墓葬，且两处墓葬分布区都发现有与之相应的建筑基址，表明该区域内墓葬与居址的联系较为密切。考古勘探资料表明，杨家嘴南坡分布有连续成片的文化堆积，与杨家湾南坡较为相似。就自然地理条件而言，杨家湾—杨家嘴岗地的南坡背风向阳，且在商文化时期盘龙湖水位大幅低于当前，因此南坡洪水危险亦较低，自然成为人类活动的理想场所。而杨家嘴北坡地势相对高耸，坡度达6°，明显高于南坡，该区域基本不见文化堆积分布，仅在北坡临湖地带发现有零星的遗存分布。就文化堆积的密度而言，

① 张昌平、孙卓：《盘龙城聚落布局研究》，《考古学报》2017年第4期。

② 《盘龙城（1963～1994）》，第357页。

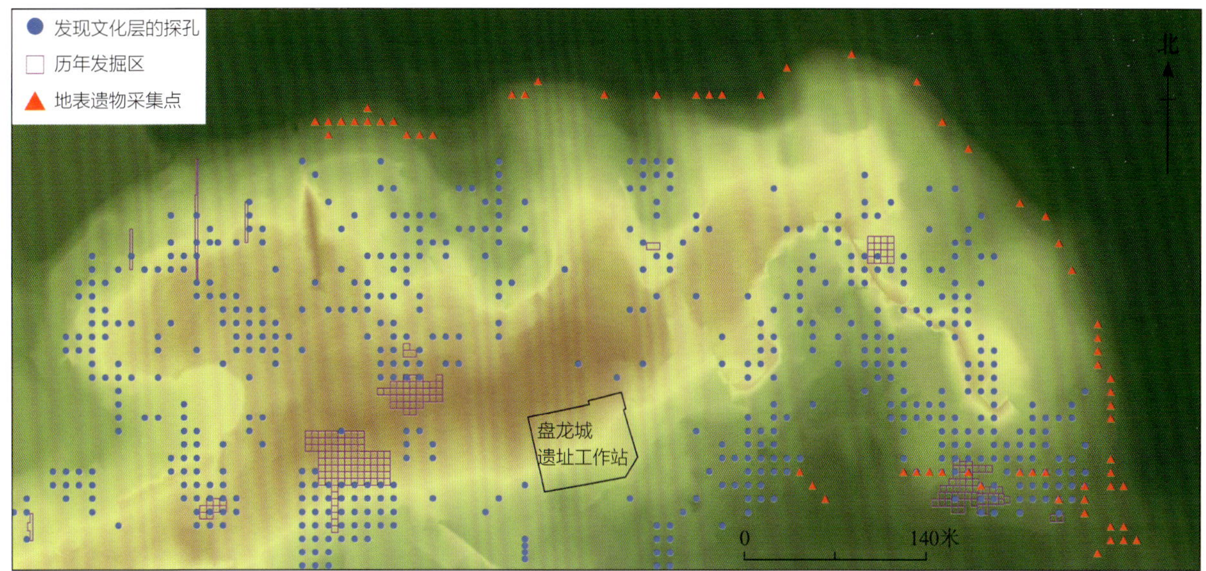

图 1.2.14　杨家嘴遗存分布范围

杨家嘴岗地南坡与北坡差异十分明显，这与杨家湾岗地南北两侧均分布有密集的文化层的现象不同（图1.2.14）。

近年来在盘龙城湖中开展了考古勘探工作，在杨家嘴东南角以南和李家嘴以北的湖区中发现了商时期文化层，由此文化层底部的高程推知，盘龙湖在商文化时期的最高水位应不高于17.5米。而在上述水位条件下，杨家嘴与李家嘴之间的水域将消失殆尽，呈现出一片低平的陆地。由此可知，在商时期，杨家嘴岗地向东南部平坦陆地一直延伸至李家嘴北侧，将两处岗地连接成一个整体。

（五）小嘴

小嘴为杨家湾岗地向南自然延展出的一条南北向狭长形岗地，东、西、南三面被破口湖环绕，当地居民通常将小型临湖岗地称为“嘴”，小嘴即为盘龙城遗址中诸多临湖岗地中的一处。小嘴南北长约520米，岗地北部呈扇形展开，东西向最大宽度约140米，岗地向南逐渐收窄成长条状，南端东西向宽度缩减至90米。小嘴整体地势北高南低，岗地中部隆起一道“坡脊”，地势自坡脊线向东西两侧缓缓降低，直至破口湖水面，小嘴整体高程为19.8～26.6米（图1.2.15）。

1. 工作历程

2002年，盘龙城遗址博物馆筹建处考古人员在小嘴岗地中段东侧临湖滩地发掘了两座墓葬。这两座墓葬因受湖水长期侵蚀，墓葬内随葬品露出地表，遂被考古人员所发现。墓葬的年代分别为宋代和商文化时期，其中宋墓叠压于商墓之上并打破商墓。宋墓编号为小嘴

图 1.2.15　小嘴、艾家嘴当今景观环境（上南，上为夏季，下为冬季）

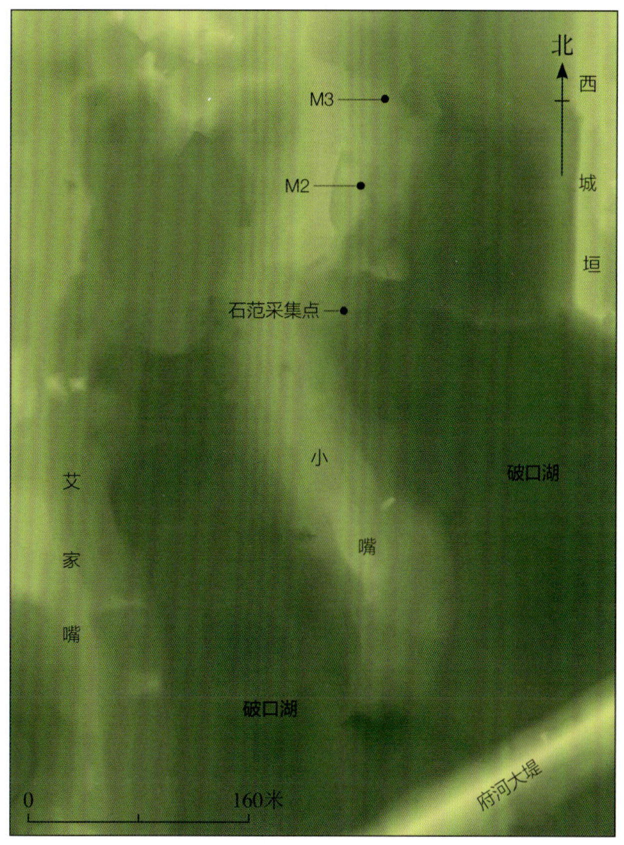

图 1.2.16　小嘴主要遗迹分布

M1，商墓编号为小嘴M2[①]。

2008年，盘龙城遗址博物馆筹建处考古人员对小嘴岗地东侧临湖滩地偶然暴露出的两座墓葬进行了清理。墓葬编号分别为M1、M2，M1打破M2，墓葬年代分别为北宋中期和盘龙城第六期[②]。

2013年，盘龙城遗址博物馆筹建处考古人员在对小嘴岗地进行巡查时，在小嘴岗地中段东侧临湖滩地首次发现了石范等铸造类遗物（图1.2.16），并在附近区域发现4座灰坑遗迹[③]。同年，武汉大学历史学院考古人员利用枯水时节对小嘴岗地进行实地踏查，在小嘴东侧河滩发现了大量散布于地表的陶片，遂对陶片分布区域三维坐标进行测量，并对陶片、石器等遗物进行了采集。

2015～2019年，武汉大学历史学院在对小嘴进行全面勘探的基础上，选择堆积保存相对较好的小嘴岗地东北部开展考古发掘工作，发掘面积1779.8平方米，发现了大量铸造类遗存，确认了盘龙城遗址在二里冈文化时期存在青铜铸造活动[④]。

2015年武汉大学历史学院对小嘴岗地进行了全面的考古勘探，发现小嘴岗地的文化堆积

① 墓葬发掘资料尚未公布，墓葬发现及发掘经过由盘龙城遗址博物院韩用祥研究员提供。
② 韩用祥等：《盘龙城遗址首次发现铸造遗物及遗迹》，《江汉考古》2016年第2期。
③ 韩用祥等：《盘龙城遗址首次发现铸造遗物及遗迹》，《江汉考古》2016年第2期。
④ 武汉大学历史学院、湖北省文物考古研究所、盘龙城遗址博物院：《武汉市盘龙城遗址小嘴2015～2017年发掘简报》，《考古》2019年第6期；武汉大学历史学院、湖北省文物考古研究所、武汉市文物考古研究所、盘龙城遗址博物院：《武汉市盘龙城遗址小嘴2017～2019年发掘简报》，《江汉考古》2020年第6期。

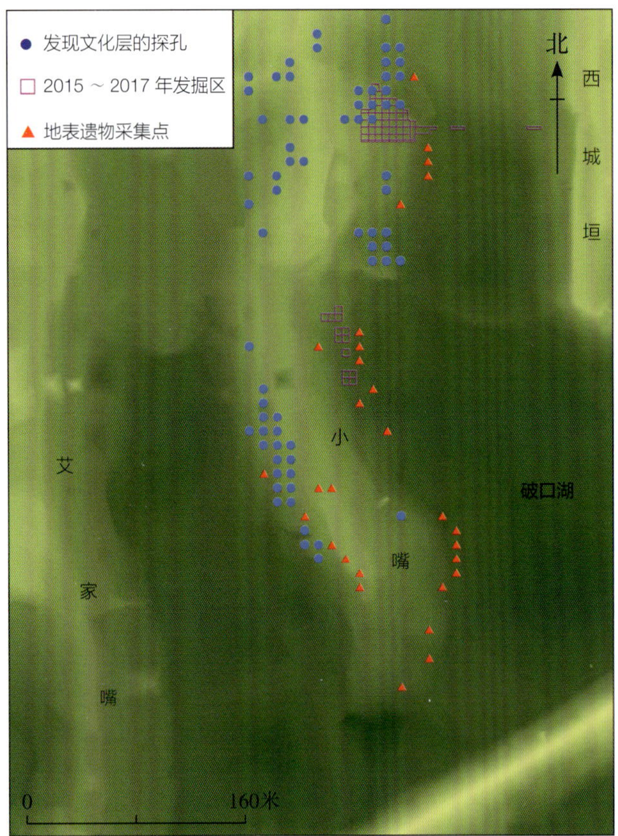

图 1.2.17　小嘴遗存分布范围

主要分布于岗地东、西两侧的临湖区域，而岗地顶部则基本不见文化堆积分布。这主要是由于岗地顶部地势较高，在20世纪60年代开展的土地平整运动中遭到了较大程度的破坏，对原本分布于此的文化堆积造成了明显破坏。

2017年，武汉大学历史学院还利用枯水时节在破口湖湖底布设了两条2米×10米的探沟，在探沟底部发现有商时期文化层，基本确定了商文化时期破口湖区域的水位上限[①]（图1.2.17）。

考古发掘表明，小嘴岗地出土遗存的主体年代为盘龙城第四至六期，基本与城垣及城内大型宫殿建筑的兴建和使用年代相当。环境考古研究表明，当今分布于小嘴与盘龙城西城垣之间的天然湖泊在商文化时期应为一片陆地[②]，可以推知彼时小嘴与盘龙城宫城区应为一片完整的陆地空间。

2. 遗存的分布范围

根据调查和勘探，小嘴岗地边缘河滩高程19.2～22米的区域分布有多处文化堆积，这批遗迹丰水期均被湖水淹没，仅在枯水期显露地表，因此遗迹上部均遭到了湖水的侵蚀。遗迹

① 武汉大学历史学院、湖北省文物考古研究所、盘龙城遗址博物院、中国科学院南京地理与湖泊研究所、武汉大学遥感信息工程学院：《武汉市盘龙城遗址水下勘探及试掘简报》，《江汉考古》2018年第5期。

② 武汉大学历史学院、湖北省文物考古研究所、盘龙城遗址博物院、中国科学院南京地理与湖泊研究所、武汉大学遥感信息工程学院：《武汉市盘龙城遗址水下勘探及试掘简报》，《江汉考古》2018年第5期。

形态不甚规则，填土均呈黑灰色，夹杂有较多商文化时期陶片；而地势相对较高的岗地顶部及附近（高程22～26.6米）则商时期遗存分布较为稀疏。此外，如前所述，小嘴岗地商文化时期的遗存不仅分布于岗地所在的陆地区域，还可延伸至当代破口湖水面以下地带。2017年3月，考古人员在破口湖湖底布设了两条探沟。探沟发掘表明，湖底淤泥层以下分布有厚约0.9米的商时期文化层，文化层底部高程为18.05米①。破口湖探沟内分布的文化层表明，商文化时期破口湖区域应为一片低平的岗间洼地，地表水位应不高于18.05米，在此水文条件下，小嘴铸铜作坊区与西城门之间则可以通过陆地通行，而无湖水阻隔。

（六）王家嘴

王家嘴岗地是盘龙城遗址最南端的一处天然岗地，王家嘴北端与盘龙城城垣东南角相连，南部延伸至府河北岸，整体地势由岗地中脊向东西两侧缓缓降低，形似龟背状。王家嘴南北长约235、东西宽约120米，海拔19～24.5米。王家嘴属府河北岸低平的陆地中隆起的一处低岗，高出周围地面3～4米，既临近水源又能有效规避水患，成为早期聚落选址的理想地点。然而，由于近百年以来府河水位显著抬升，导致王家嘴岗地成为直接遭受府河洪水侵袭的地带。1974年，当地政府修筑的府河大堤横穿王家嘴岗地中部，堤顶高程29～30米，将府河洪水有效拦截于大堤以南区域；同时，也使得王家嘴南部成为府河河床，季节性显露地表。这一地貌变迁过程与李家嘴岗地具有相似性（图1.2.18）。

1. 工作历程

1979～1985年，为配合府河大堤筑堤工程，盘龙城考古工作站在王家嘴岗地的北区和南区分别展开了考古发掘工作，累计布方87个，发掘面积3095平方米，共清理了1座墓葬，3处建筑遗迹（F1～F3），3座窑址（Y1～Y3），10座灰坑。其中两座灰坑H6与H7形制与出土遗物组合与墓葬较为相似，推测其有可能是两座墓葬②。

2001年，在加固防洪堤工程中，施工部门在王家嘴以南60米处的一处名为栗子包的土丘上发现若干青铜器。盘龙城遗址博物院随即对现场进行了清理，发现了一座商文化时期墓葬，后将该墓编号为M2③。

2014年，武汉市文物考古研究所在对盘龙城南城门一带进行考古勘探时，在王家嘴东北部的水塘边发现一座墓葬，因冬季湖水回落随葬品部分显露地表。考古人员随即对其进行了清理，将墓葬编号为M3，其海拔为21.6米④。

2018年，盘龙城遗址博物院工作人员在王家嘴岗地东北部湖岸边发现了一座商文化时期墓葬，并对其进行了抢救性发掘，编号为M4⑤（图1.2.19）。

---

① 武汉大学历史学院、湖北省文物考古研究所、盘龙城遗址博物院、中国科学院南京地理与湖泊研究所、武汉大学遥感信息工程学院：《武汉市盘龙城遗址水下勘探及试掘简报》，《江汉考古》2018年第5期。

② 《盘龙城（1963～1994）》，第78页。

③ 盘龙城遗址博物馆：《盘龙城遗址博物馆征集的几件商代青铜器》，《武汉文博》2004年第3期。

④ 武汉市文物考古研究所、盘龙城遗址博物院：《2014年盘龙城遗址部分考古工作主要收获》，《盘龙城与长江文明国际学术研讨会论文集》，第46～57页，科学出版社，2016年。

⑤ 盘龙城遗址博物院、武汉大学历史学院：《武汉市盘龙城遗址王家嘴M4发掘简报》，《江汉考古》2018年第5期。

图 1.2.18　王家嘴当今景观环境（上南，上为夏季，下为冬季）

2. 遗存的分布范围

王家嘴北部与盘龙城南城垣相连，东西两侧分别与李家嘴和小嘴隔湖相望，当代湖水受人工调蓄，水位维持在20.8～22.3米之间。湖水涨落对王家嘴北部地表造成了明显的侵蚀。每年枯水期，王家嘴北部西侧滩地地表可见密集的陶片分布，陶片分布区呈不规则圆形，似出自于灰坑一类的遗迹。而自20世纪70年代以来，由于湖水的侵蚀，对地下遗存造成了明显的破坏。王家嘴北部东侧亦受湖水侵蚀。2014年和2018年，考古人员曾两次在王家嘴北部东侧临湖区域发现商时期墓葬，经过考古发掘，分别编号为王家嘴M3和M4。综上，王家嘴北

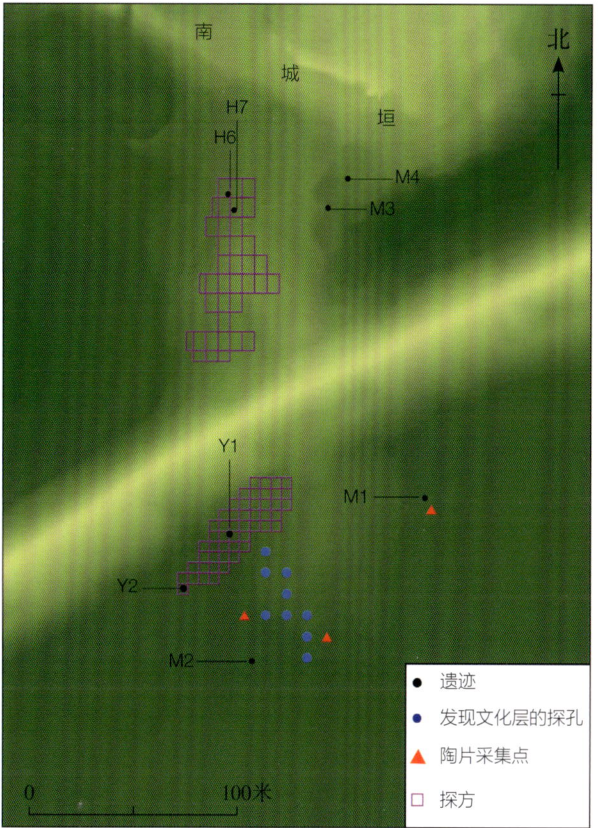

图 1.2.19 王家嘴主要遗迹分布

部西侧分布有商时期建筑基址、窑址、灰坑等遗迹，东侧分布有同时期的墓葬，可见王家嘴北部应分布有较为密集的文化堆积，考虑到王家嘴曾发现有年代早至二里头文化晚期和二里冈文化下层时期的遗存，有学者指出王家嘴区域可能属于盘龙城早期聚落的中心。就目前已知的王家嘴北部遗存分布的密集程度而言，此分析有十分充足的事实依据。

王家嘴南部原本与北部同属一处天然岗地。1979年府河大堤修筑完成后，王家嘴南部沦为府河河床，仅在枯水季显露地表。1979～1985年王家嘴发掘区位于王家嘴西南侧，主要是围绕府河大堤的施工区域展开考古发掘。此外，还在王家嘴东南侧和王家嘴南端发现了两座商时期墓葬，当时分别编号为M1、M2。由于王家嘴南区丰水期均被河水淹没，岗地表面亦无民居或农田分布，除1979～1985年曾在此开展过正式的考古发掘外，数十年间基本未对该区域开展全面的考古调查或勘探。

2016～2019年，武汉大学历史学院等单位对王家嘴南部开展了考古调查和勘探。调查表明王家嘴南部因时常被府河水淹没，地表普遍分布有淤泥层，洪水退去后肥沃的淤泥层上迅速长出茂密的草本植物，因此即便是枯水期，王家嘴南部地表能见度亦极低，难以在地表采集到陶片等常见的古代遗物。该次调查仅在王家嘴岗地南端和东侧零星发现几片商文化时期的陶片，地表陶片的密度低于1片/100平方米。低密度的陶片一方面是由于地表植被茂密，且普遍覆盖有一层淤泥，难以直接发现古代陶片。另一方面亦是因为王家嘴南区已基本处于盘龙城遗址的南界①，遗存零星分布并趋近消失属正常现象。

而除调查地表遗存分布情况以外，调查人员还采用勘探的方式对王家嘴南区进行了全面的考古勘探。勘探方式以10米间距布置探孔，发现文化层后即以该点为中心采用2米、1米间距布设探孔，以确定遗存范围。经过勘探，考古人员在王家嘴南区岗地中脊线南部发现了成片分布的商时期文化堆积，分布范围约1200平方米。该区域在过去报道的考古资料中均未提及，属首次发现，且从探孔高程测算，文化层最低可分布于距离地表2.4米的区域，文化层底部的高程为18.8米。由于2.4米以下渗水十分严重，难以继续向下勘探，我们推测文化层还可能分布于更低的区域。

（七）楼子湾

楼子湾是介于杨家湾、小嘴、艾家嘴之间的一处小型岗地，原本分布有一处自然村，名为楼子湾。楼子湾北与杨家湾岗地相连，东西两侧分别与小嘴和艾家嘴相接，南临破口湖。与小嘴、艾家嘴等临湖岗地不同，楼子湾整体近似三角形，仅南端临湖，没有大片的临湖滩地，整体地势较高，因此楼子湾地貌形态基本不受湖水涨落影响。楼子湾南北长约130、东西最大宽约120米，海拔24.4～29.2米（图1.2.20）。

1963～1980年间，湖北省博物馆等单位为配合楼子湾区域的农田水利建设，对该区域进行了抢救性考古发掘，清理了墓葬10座，灰坑2个，建筑遗迹1处。考古发掘表明楼子湾遗址的文化层平均厚度为1米左右。

2015年，武汉大学历史学院对楼子湾进行了考古勘探，在岗地东部与杨家湾及小嘴岗地的交界地带发现了文化层。文化层分布于楼子湾人工池塘附近。结合当地村民的描述，我们推测在楼子湾人工池塘内原本应分布有文化层。由此可见，杨家湾—楼子湾—小嘴一线商时期的文化堆积呈现出连续分布的态势（图1.2.21）。

（八）艾家嘴

艾家嘴是位于小嘴西侧的一处狭长形岗地，其北部与江家湾相连，南抵府河北岸，岗地南北长约700、东西宽150～170米。艾家嘴地势北高南低，岗地中部隆起一道坡脊，地势由坡脊向东西两侧缓缓降低。破口湖与滩湖分列于艾家嘴的东西两侧，府河大堤穿艾家嘴南段而过。与小嘴岗地类似，艾家嘴岗地边缘常年受到湖水侵蚀，因此枯水时节岗地边缘会暴露出宽约20米的临湖滩地，地表可见大片网纹红土。

较之于杨家湾、李家嘴、王家嘴等地点而言，艾家嘴岗地遗存分布较为稀疏，处于盘龙城遗址的边缘地带。直至目前，考古部门尚未在艾家嘴开展过考古发掘工作。2001年以来，武汉市文物考古研究所、武汉大学历史学院等单位在此开展了多次考古勘探和地面调查工作，对该区域的遗存分布情况获得了相对全面的认知。

2001年，武汉市文物考古研究所对艾家嘴岗地开展了考古勘探，考古人员在该区域发现

① 《盘龙城（1963～1994）》中以王家嘴作为盘龙城遗址的南界。2016～2019年考古人员曾对王家嘴南区及其所属的府河河滩进行了区域系统调查。除王家嘴外，其他地点均未发现任何商文化时期遗物。调查亦确证了王家嘴南区属于盘龙城遗址的南部边界。

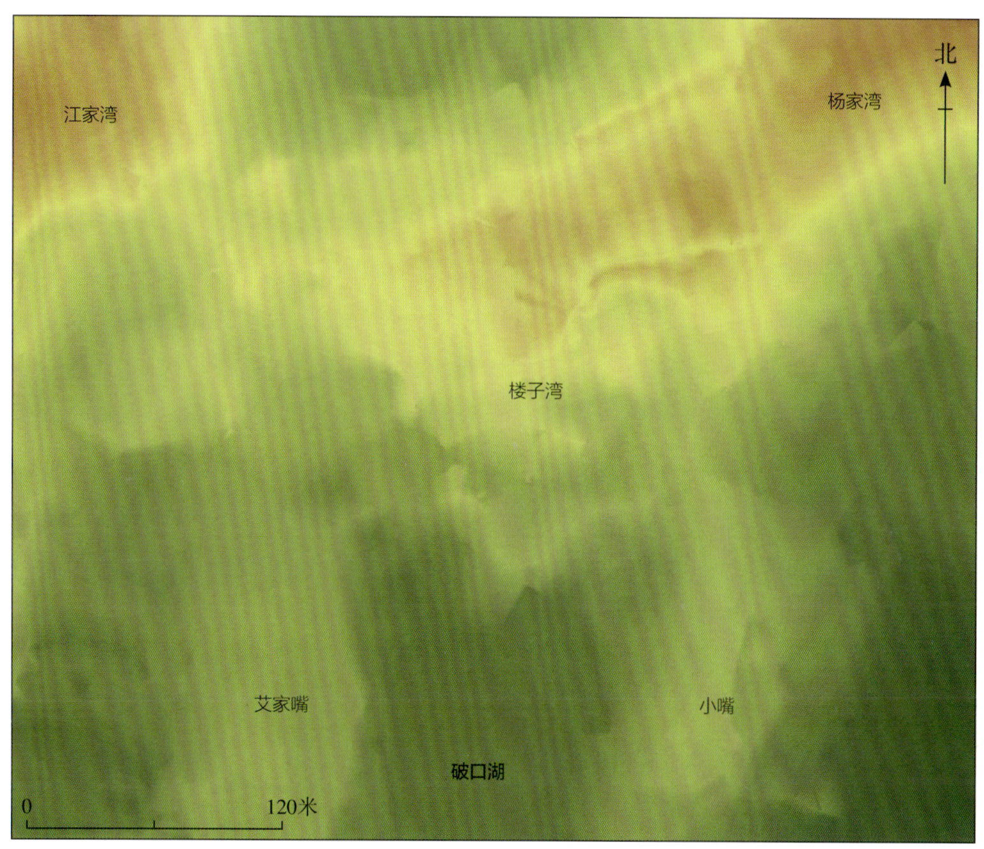

图 1.2.20 楼子湾地貌

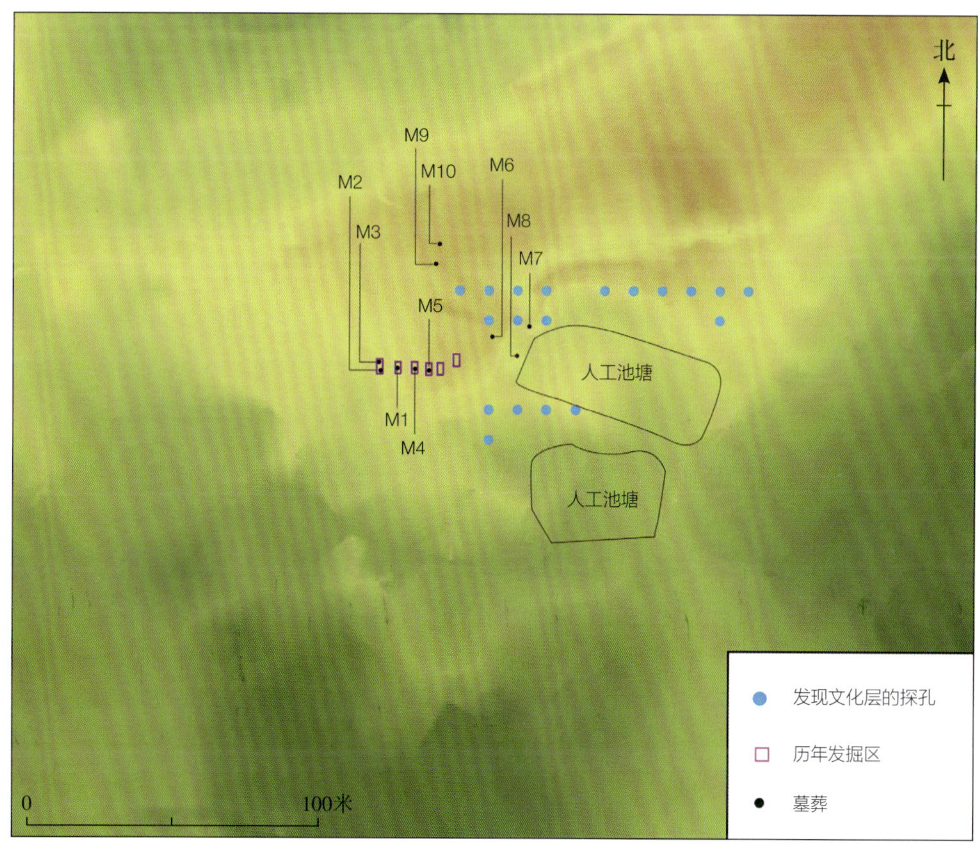

图 1.2.21 楼子湾主要遗迹与遗存分布

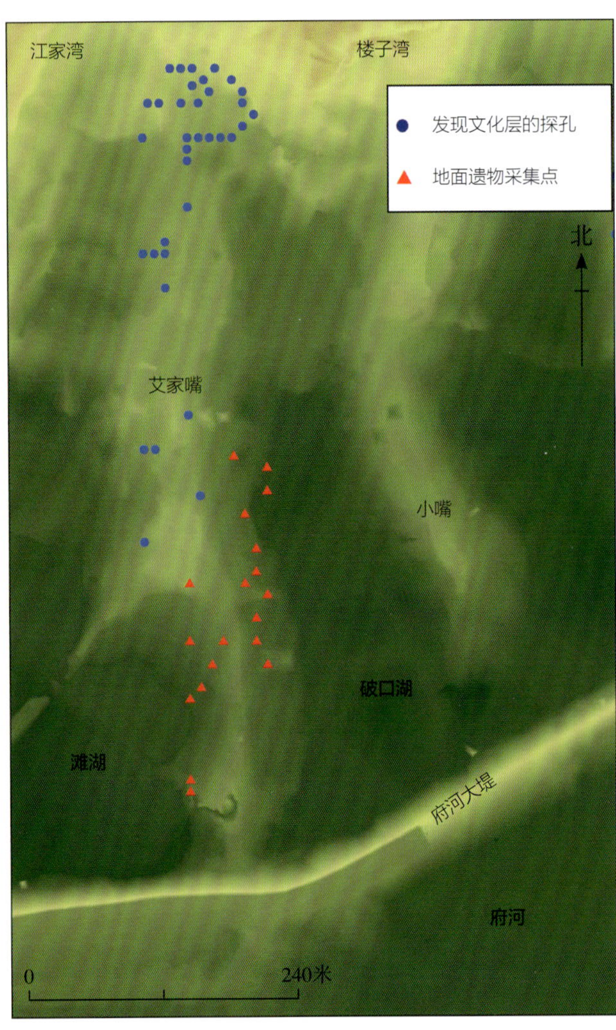

图 1.2.22　艾家嘴遗存分布范围

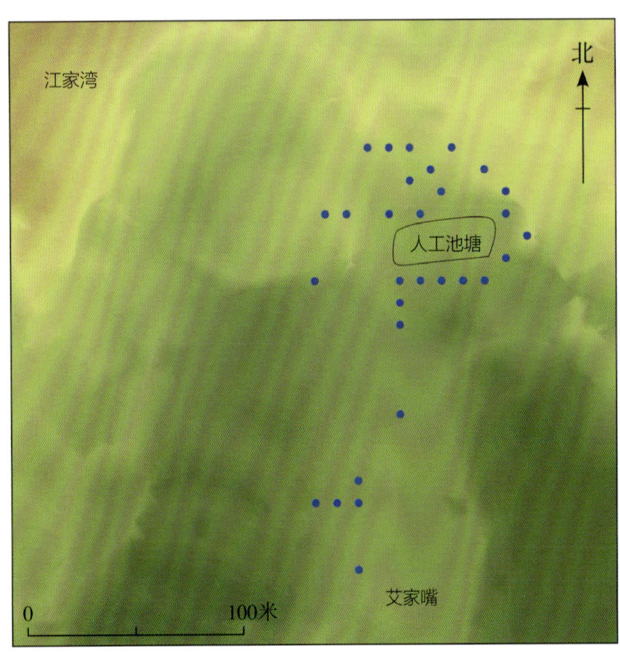

图 1.2.23　艾家嘴北部遗存分布范围

了疑似断续分布的“带状夯土”，并由此推测盘龙城遗址杨家湾至艾家嘴岗地可能分布有一道“外城垣”[①]。

2016年，武汉大学历史学院再次对艾家嘴岗地进行了系统性的考古勘探。此次勘探在艾家嘴北部发现了一处东西长约90、南北宽约80、厚达1～1.5米的灰褐色文化堆积。考虑到这处连续分布的文化堆积处于盘龙城遗址的边缘地带，推测这处遗存的性质可能属聚落外围的小型居址区。2016年度的勘探对此前存疑的“外城垣”遗迹分布区进行了重点勘探。除在该区域发现零星分布的文化层外，并未发现任何夯土遗迹，因此这次勘探可以确认艾家嘴一带应不存在“外城垣”遗迹。近年来考古人员还在杨家湾开展了大量的考古发掘工作，基本排除了“外城垣”的可能[②]（图1.2.22）。

2019年，武汉大学历史学院对艾家嘴进行了考古调查，重点关注枯水时节显露于湖岸地带的地表遗物。此次调查在艾家嘴南部的东、西两侧临湖滩地均发现了集中分布的陶片遗迹，表明该区域也分布有文化堆积。2002年因修筑盘龙大桥造成了艾家嘴西南角被取土破坏，从这次调查的信息来看，被取土破坏的地点也应分布有商时期文化层（图1.2.23）。

同时，这次调查在艾家嘴与小嘴岗地均发现一个现象。在上述两处岗地的东侧滩地发现的分布于地表的陶片可以

① 刘森淼：《盘龙城外缘带状夯土遗迹的初步认识》，《武汉城市之根——商代盘龙城与武汉城市发展研讨会论文集》，武汉出版社，2002年。

② 张昌平：《2012～2017盘龙城考古：思路与收获》，《江汉考古》2018年第5期。

分为两类：第一类，陶片分布区呈不规则椭圆形集中分布，陶片集中区往往可见黑褐色填土，陶片直径5～30厘米，此类陶片原本分布于灰坑之内，因湖水将灰坑填土侵蚀而显露于地表。第二类，陶片较为细碎，直径3～10厘米，陶片磨圆度高于第一类陶片，且此类陶片呈条带状沿湖岸分布，陶片带与湖水回落在地表形成的水痕线平行。从第二类陶片的产状分析，这类陶片很有可能是因地表流水侵蚀自岗地上部位移至湖岸边，并非原生堆积。

（九）江家湾

江家湾是杨家湾与大邓湾之间的一处小型岗地，江家湾东与杨家湾相连，北与大邓湾隔湖相望，南与艾家嘴、车轮嘴相连，西部为一片不知名洼地。江家湾四周距离盘龙湖及破口湖相对较远，因此江家湾岗地地貌几乎不受湖水涨落的影响。与楼子湾类似，江家湾因村得名。该区域地形平坦，地势较高，明清时期以来此处即分布有村庄。江家湾岗地南北长约180、东西宽约90米，海拔29.7～33.3米。

20世纪90年代，江家湾村民在农业耕种活动中意外发现了若干商文化时期的青铜容器、玉器等遗物。盘龙城遗址博物馆考古人员随即对出土文物进行了现场清理和追缴，后确认这批文物出自三座商文化时期的墓葬。此为江家湾首批发现的商文化时期遗存。

2007年，盘龙城遗址博物馆考古人员对江家湾、艾家嘴等区域进行了考古调查，此次调查在江家湾南部采集到了三件石器，包括石臼、石刀和石球形器，此外还采集到了陶鬲足一枚。其中石臼整体截面呈梯形，平底，最大径41.2、最小径33.3、高20厘米，为盘龙城遗址目前发现的体量最大的一件石臼。同样形制的石臼在盘龙城遗址其他地点亦有发现，应属商文化时期遗物。据调查者称，在石臼的出土地点周边，还发现有密集的商文化时期陶片和厚达0.5米以上的文化堆积（图1.2.24）。

2014年，武汉大学历史学院对江家湾及周边区域进行了系统的考古勘探，同时对此前采集石臼的地点进行了实地勘察并测量了其三维坐标。勘探工作表明，江家湾东侧湖汊区域有成片分布的商文化时期遗存，而江家湾岗地顶部及其他区域（包括此前出土青铜器的区域）均未发现文化堆积。江家湾南部曾出土石臼并曾发现有文化堆积分布，但此次勘探并未在该地点发现文化层分布。考虑到该区域曾分布有密集的村庄，村民搬迁后房屋被全部拆毁，该地点分布的文化层可能随之被破坏殆尽。依据原《盘龙城（1963～1994）》考古报告的资料分析，江家湾至艾家嘴一线基本属于盘龙城遗址的西部边界。此次考古勘探工作表明，江家湾至艾家嘴以西确实鲜见文化遗存分布，表明江家湾确实已接近于遗址的边缘地带。

（十）大邓湾与小王家嘴

大邓湾和小王家嘴是位于杨家湾北部的一条天然岗地，东西长约680、南北宽约370米。该岗地东侧临湖地带被称为“小王家嘴”。岗地西侧分布有一处自然村，名为大邓湾。2016年大邓湾自然村已整体搬迁，目前该区域成为盘龙城遗址博物院博物馆所在地。

根据《盘龙城遗址保护总体规划》，大邓湾、小王家嘴属于盘龙城遗址一般保护区，因此相对于遗址重点保护区而言，大邓湾与小王家嘴区域的考古工作相对较为薄弱。且由于大邓湾区域人口相对集中，房屋密集，修建房屋和私搭乱建等活动对地下遗存造成了严重的破

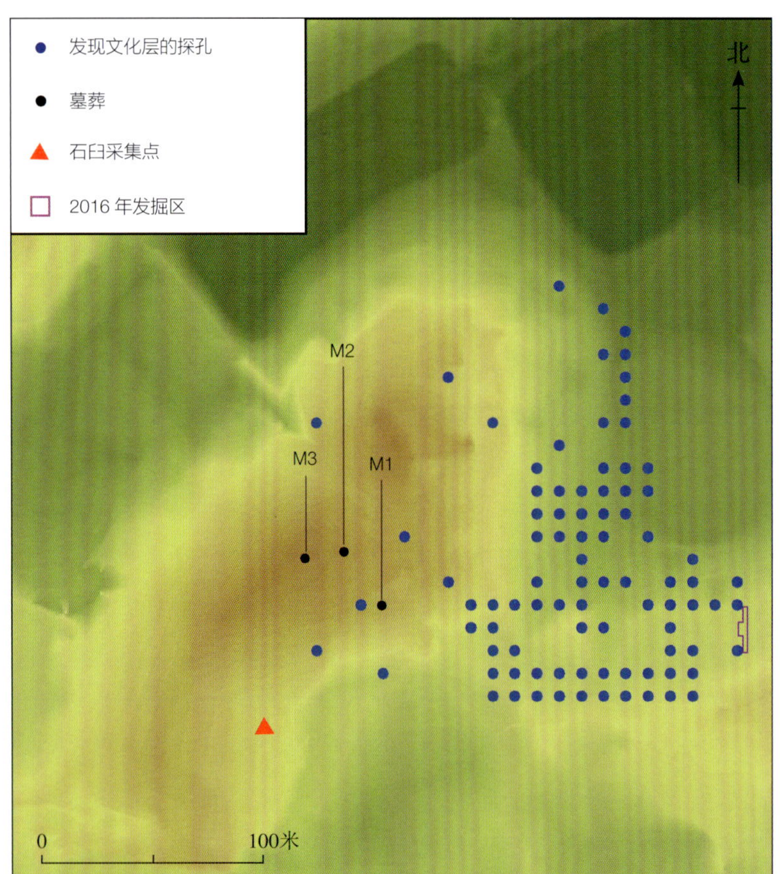

图 1.2.24　江家湾主要遗迹与遗存分布

坏。1980～2003年间，盘龙城遗址博物馆曾多次组织考古人员对大邓湾进行考古调查，曾采集到商文化时期的陶片、石器等遗物。但因大邓湾现代房屋密集，难以开展试掘和勘探工作，对于该区域文化堆积的分布范围和保存状况均难以获得准确信息。

2012年，武汉大学历史学院对大邓湾与小王家嘴岗地进行了考古勘探，在小王家嘴坡顶区域发现了多座商代墓葬。2015年，武汉大学历史学院对勘探发现的小王家嘴墓葬进行了考古发掘，发掘了商代墓葬21座，灰坑8个，确认小王家嘴为一处早商时期墓地[①]。

2016年，为配合盘龙城遗址博物院的建设，大邓湾村整体搬迁。武汉大学历史学院在大邓湾村现代房屋拆迁后，重新对村庄分布区进行了考古调查。然而，此次调查未能发现商文化时期遗存。20世纪80～90年代曾在该区域发现过商时期遗存，可能其在房屋拆迁过程中被彻底破坏。同时，考古人员利用枯水时节，对小王家嘴临湖区域进行了地面调查，地表除天然砂石分布外，并未发现任何商文化时期陶片等遗物。

大邓湾区域由于地表被密集的村舍房屋所占据，难以开展考古勘探，因而在2012年开展的考古勘探中未能发现商文化及其他历史时期的考古遗存。实际上，1980～2003年间，盘龙城遗址博物院考古人员曾多次在大邓湾采集到商文化时期陶器、石器。而随后大邓湾村房屋

① 武汉大学历史学院：《武汉市盘龙城遗址小王家嘴墓地发掘简报》，《江汉考古》2018年第5期。

扩建，地表几乎被现代房屋占据，无法开展考古勘探和调查工作。至2016年，大邓湾村民搬迁后，考古人员重新对大邓湾进行考古勘探和调查时，发现原村舍地表以下0～0.7米的深度基本为现代建筑基址，未能发现古代遗存。考虑到大邓湾与杨家湾及小王家嘴毗邻，同时又曾多次在此采集到商时期遗物，我们推测该区域可能原本分布有商文化时期堆积，后因现代房屋建设等活动影响而被破坏殆尽。

（十一）童家嘴

童家嘴是盘龙城遗址北部的一条天然岗地，与杨家湾隔盘龙湖相望。童家嘴东西长约580、南北宽约280米，海拔19.5～29.3米。因童家嘴岗地属于盘龙城遗址一般保护区，当地村庄尚未进行整体搬迁，岗地上至今仍然分布有村庄、度假山庄等现代建筑以及大片果园和林场。

1980年，当地村民在童家嘴南坡取土时发现一批青铜器，盘龙城考古工作站随即赴现场进行清理，确认青铜器出自一座商时期墓葬，该墓葬位于童家嘴岗地南段的临湖地带①。

2006年，盘龙城遗址博物馆筹建处对童家嘴进行了全面的考古勘探，仅发现了十分零星的商时期陶片。

2012年，湖北省文物考古研究所再次对童家嘴进行了考古勘探，在童家嘴南坡发现了小范围分布的商时期文化层，并采集到一枚青铜爵足。

（十二）长峰港

长峰港是位于盘龙湖东岸的一处自北向南延伸的岗地，地势北高南低，海拔19.5～34.8米。长峰港东南、西、南三面被湖水环绕，平面形态极不规则。实际上长峰港是由三条小型岗地组成——万家汊（北）、丰家嘴（中）、小杨家嘴（南）（图1.2.25）。

当前，长峰港的北部和中部分布有两处自然村落，岗地南端为盘龙湖渔场所在地。20世纪80年代，长峰港的村民利用当地临近湖泊的天然优势，将岗地南端的天然凹地改造成多个人工鱼塘。因此，目前万家汊、丰家嘴及小杨家嘴岗地南端分布有多个小型鱼塘。这些人工鱼塘的出现使得岗地原始地貌遭受破坏。

长峰港由于距离盘龙城遗址核心保护区较远，开展的田野考古工作较为有限。据盘龙城遗址博物馆考古人员在2005年通过寻访得知，长峰港一带的农民曾在耕地时多次采集到残铜器、石器及陶片等遗物②。

2005年，为配合编制《盘龙城遗址保护总体规划》，盘龙城遗址博物馆对长峰港区域展开了考古勘探，在小杨家嘴、丰家嘴、万家汊均发现有商时期文化层，并采集到了陶鬲足、印纹硬陶片及红陶缸残片等。

2012年，为配合盘龙城遗址公园建设，武汉市文物考古研究所再次对长峰港区域开展了考古勘探，在长峰港东侧临湖地带发现了两处商代遗址——小杨家嘴和小尖嘴。经过实地核查，2012年勘探发现的小尖嘴遗址即为2006年考古调查所发现的丰家嘴遗址，而2012年调查

① 《盘龙城（1963～1994）》，第397页。
② 武汉市盘龙城遗址博物馆筹建处：《盘龙城东部长峰港商代遗存调查勘探简报》，《武汉文博》2007年第2期。

图 1.2.25　长峰港夏季丰水期景观环境

发现的小杨家嘴遗址在2006年考古调查亦曾发现。

丰家嘴遗址（小尖嘴）位于丰家嘴岗地最南端，东、西、南三面临湖，该地点春夏秋三季被湖水淹没，冬季显露地表，当地居民将该地点称为“小尖嘴”。勘探表明该地点分布有商时期的文化堆积，小尖嘴东侧分布有一处鱼塘，商时期文化堆积因此遭到了严重破坏，现存堆积南北长40、东西宽13米，总面积约520平方米。勘探表明，该区域地层堆积可以分为4层。其中第1、2层为近现代形成的文化堆积，第3层为唐宋时期文化层，第4层为商文化时期堆积。

小杨家嘴遗址位于长峰港最南端，西与杨家嘴遗址隔湖相望，东与小盘龙湖相接。小杨家嘴地表现被渔场宿舍、苗圃、养猪场等现代设施占据。由于该地点紧邻府河，地表原始地貌曾遭到取土筑堤工程的破坏。勘探表明该区域的地层堆积可以分为2层，第1层为表土层，第2层为商时期文化层，厚0.1～0.5米。商时期文化层底部即为生土。小杨家嘴西侧紧邻盘龙湖，分布于岗地之上的商代遗存向西延伸至盘龙湖区域。由前文的分析可知，盘龙湖水位经历过显著的抬升过程，在商文化时期，小杨家嘴西侧应存在一定的陆地空间。

三、1995 ～ 2019 年考古工作简介

1995～2009年盘龙城遗址田野考古工作主要围绕杨家湾、小嘴、小王家嘴等地点展开。本报告所涉及的历年主要工作可见如下。

1997～1998年对杨家嘴、李家嘴、杨家湾、小嘴和艾家嘴进行物探，并对王家嘴、杨家湾、杨家嘴等地点展开考古发掘。王家嘴和杨家湾发掘面积180平方米，杨家嘴清理墓葬3座。发掘领队：冯少龙；参与发掘的人员有：魏航空、付守平、陈兴付、郑远华、韩用祥、

徐国胜、邓汉生、舒菊华、杨凤霞、刘翠兰、郑自斌、余才山、李桃元、许志斌。

2006年对杨家嘴展开考古发掘，发掘面积400平方米。发掘领队：刘森淼；参与发掘的人员有：韩用祥、杨凤霞、刘翠兰、余才山。

2006～2011年对杨家湾南坡展开考古发掘，发掘面积1475平方米。发掘领队：刘森淼；参与发掘的人员有：鄂学玉、郑远华、陈兴付、韩用祥、徐国胜、余才山、王智、刘永亮、刘勇、杜春华。

2013年度对杨家湾南坡展开考古发掘，发掘面积825平方米。发掘领队：张昌平；参与发掘的人员有：张昌平、孙卓、陈晖、田剑波、王刚、单思伟、庄霞、谢晓庆、刘富强、周燕林、白富元、韩用祥、余才山、朱青华、程建华、邓蔚兰。

2014年对盘龙城城址外围区域展开全面勘探，同时对杨家湾南坡、坡顶、北坡展开考古发掘。2017年进一步对杨家湾坡顶进行了补充发掘。以上总计发掘面积297.6平方米。发掘领队：张昌平；参与发掘的人员有：张昌平、陈晖、邹秋实、廖航、黎骐、段姝杉、张亚莉、刘晓宇、苏昕、徐深、郭剑、铃木舞、石谷慎、陈信恒、陈丽新、韩用祥。

2014年对杨家嘴南端临湖处展开考古发掘，发掘面积100平方米。发掘领队：张昌平；参与发掘的人员有：张昌平、陈晖、黎骐、邹秋实、苏昕、韩用祥。

2014～2016年对城址、李家嘴进行考古勘探，并对城址南城垣、李家嘴进行考古发掘，发掘面积1500平方米。发掘领队：许志斌；参与发掘的人员有：魏航空、张剑、雷霆、曹继文、朱励博、陈兴付、余才山、付海龙、徐国胜。

2015年对小王家嘴东部展开考古发掘，发掘面积约600平方米。发掘领队：张昌平；参与发掘的人员有：何晓琳、李雪婷、黎琪、廖航、王含、徐深、陈鹏、邹秋实。

2015～2017年对小嘴东北部展开考古发掘，发掘面积1190.3平方米。发掘领队：张昌平；参与发掘的人员有：张昌平、邹秋实、廖航、刘晓宇、张亚莉、苏昕、赫德川、徐深、路晋东、段董念、王梦缘、唐梦琦、郝凌云、刘云松、蔡佩玲、王颖。

2016年在大邓湾清理墓葬6座。发掘领队：张昌平；参与发掘的人员有：张昌平、廖航、刘晓宇、赫德川、路晋东、徐深、段董念。

2017～2018年对小嘴地点展开考古发掘，发掘面积394.5平方米。发掘领队：张昌平；参与发掘的人员有：张昌平、路晋东、席乐、陈鹏、段董念、齐晓筠、李喜兰、辛明山、沈劼。

2018年在王家嘴北部清理墓葬1座。发掘领队：张昌平；参与发掘的人员有：韩用祥、陈兴付、付海龙、郭剑、余才山、赵东、孙力、朱青华、李巍、庄松燕。

2018～2019年对小嘴地点展开考古发掘，发掘面积195平方米。发掘领队：张昌平；参与发掘的人员有：张昌平、路晋东、李喜兰、辛明山、宋宇、叶小青、刘云松、郑港繁、姜继豪。

第三节 报 告 编 写

一、基本思路

盘龙城遗址自1954年被发现至今，历经多年持续性的田野考古工作。其中从1954年至1994年，盘龙城遗址的田野考古工作成果，曾由湖北省文物考古研究所编著，于2001年出版，即《盘龙城——1963～1994年考古发掘报告》（简称《盘龙城（1963～1994）》）。自1995～2012年，盘龙城继续有零星的田野考古工作展开。自2013年开始，由武汉大学历史学院主持，并联合湖北省文物考古研究所（现湖北省文物考古研究院）、武汉市文物考古研究所、盘龙城遗址博物院等多家单位，对盘龙城遗址展开了连续性的田野考古发掘。

本报告囊括盘龙城遗址1995～2019年主要田野考古工作成果。这期间，特别是自2013年以来，盘龙城遗址田野考古工作在以往工作的基础上，重点围绕遗址聚落与景观的变迁、城址区外围聚落的布局结构、聚落手工业作坊等方面展开探索。本报告的编写，一方面，将充分尊重原《盘龙城（1963～1994）》报告的编写体例和记述方式，继续以地点为纲要展开论述，各地点发掘遗迹编号以早年发掘遗迹编号顺延。而本报告的年代框架也将继续使用原《盘龙城（1963～1994）》报告七期的说法；只是原报告七期划分过于零碎，部分期别之间遗物特征差异并不明显，因此本报告在年代讨论过程中做了更为宽泛的表述。另一方面，为进一步突出近年田野考古工作的学术目标，适应城市考古报告中以聚落、遗迹为本位的记述方式；并且更加全面、系统地报道田野工作成果，方便相关研究者的使用，本报告在原《盘龙城（1963～1994）》报告的基础上对于报告编写思路做如下说明。

本报告为1995～2019年盘龙城遗址田野考古工作成果的集中报道，所涉及的田野考古工作上承接《盘龙城（1963～1994）》，下限为2019年盘龙城遗址小嘴地点发掘工作结束。在2015～2019年间，盘龙城遗址杨家湾北坡地点还曾围绕石块堆积和相关遗迹进行过多次解剖沟发掘、重点勘探和探方发掘。由于对盘龙城遗址杨家湾北坡石块堆积这一遗迹的探索一直延续至今，目前仍在开展相关考古工作；为保证资料报道的完整性和系统性，本报告暂不收录2015～2019年间有关杨家湾北坡石块堆积遗迹的田野考古工作材料。盘龙城遗址杨家湾北坡相关田野考古工作收获将在完成杨家湾北坡田野考古工作之后，全面收入后续报告中出版。

本报告仍将以发掘地点为纲对各年度发掘遗迹、遗物进行报道。1995～2019年盘龙城遗址的田野考古工作主要集中于杨家湾、小嘴、小王家嘴三处地点。其中在杨家湾南坡发现属于盘龙城聚落晚期的大型建筑、贵族墓葬，由此揭示盘龙城聚落晚期的核心。小嘴发现了属于盘龙城城市聚落的铸铜生产遗存，年代可对应于原《盘龙城（1963～1994）》报告第四、五期，与城址、宫殿同期。小王家嘴则为配合盘龙城遗址博物院博物馆建设，发掘揭露一批属于盘龙城聚落最晚阶段的墓葬。因此，本报告将主要以杨家湾、小嘴、小王家嘴三处地点的考古工作为主线展开论述。而1995～2019年间，盘龙城遗址杨家嘴、王家嘴、大邓湾等其他地点还展开了零星的考古工作，多为配合基建或偶尔发现。下文将按照地点将其放置于《其他地点》一章另行报道。

本报告将以聚落和遗迹为本位报道田野考古资料。盘龙城遗址地势高低起伏，遗存分布破碎，未有统一地层对各发掘区进行串联。与此同时，目前学界对盘龙城遗址分期与年代已基本明了，而以往按照期别将遗迹和遗物分开介绍的方式不便于研究者的使用。因此报告将淡化对各遗存相对年代的讨论，不再按照期别介绍各地点遗存；而是在各地点之下依据发掘区和遗存性质，先介绍发掘区地层堆积状况，再按单位系统公布资料。此外，对各地点发掘概述的讨论，各章节将回溯该地点历年田野考古工作收获和发掘所在区域，形成对该区域遗存分布的整体认识。

目前田野考古工作已呈现出多学科融合的特征。田野考古所获遗存样品的科技检测，常需要在田野考古工作中提前设计，甚至在考古工作过程中即已开展。为适应当下田野考古工作中多学科资料的系统公布，便于研究者检索科技检测样本出土的背景信息，本报告将田野考古工作中涉及的科技检测分析，如碳–14测年、动植物遗存检测、土壤微量元素检测等，放置于相关检测标本所出土的各发掘区、各遗迹或地层堆积中予以报道，不再单独作为附录编排。而对于出土遗物，如青铜器、陶器和玉石器的科技检测分析，则单独收录在盘龙城考古系列研究中的各类遗物专题报告中。

二、资料整理与报告编写过程

盘龙城1995～2019年田野考古工作资料自各年度发掘结束之日即开始整理。其中1995～2012年田野考古工作主要由武汉市文物考古研究所负责，部分发掘资料已在《江汉考古》杂志发表简报。2013～2019年田野考古工作资料在每年度考古工作结束之后第二年完成简报和各发掘区报告初稿的撰写，各年度发掘区简报和相关检测报告目前已在《考古》《江汉考古》等期刊发表。1995～2019年盘龙城遗址田野考古工作目前已发表的简报、检测报告主要如下。

（1）武汉市博物馆、湖北省文物考古所、黄陂县文物管理所：《1997～1998年盘龙城发掘简报》，《江汉考古》1998年第3期。

（2）黄文新、瞿磊：《武汉市黄陂区商代盘龙城遗址》，《中国考古学年鉴·2013年》，中国社会科学出版社，2014年。

（3）孙卓、陈晖：《武汉市盘龙城杨家湾商代遗址及墓葬》，《中国考古学年鉴·2014年》，中国社会科学出版社，2015年。

（4）武汉大学历史学院、湖北省文物考古研究所、盘龙城遗址博物馆筹建处：《2014年盘龙城杨家嘴遗址M26、H14发掘简报》，《江汉考古》2016年第2期。

（5）韩用祥等：《盘龙城遗址首次发现铸造遗物及遗迹》，《江汉考古》2016年第2期。

（6）武汉大学历史学院、盘龙城遗址博物院：《武汉市盘龙城遗址杨家湾商代墓葬发掘简报》，《考古》2017年第3期。

（7）武汉大学历史学院、武汉市文物考古研究所、盘龙城遗址博物院：《武汉市盘龙城遗址杨家湾商代建筑基址发掘简报》，《考古》2017年第3期。

（8）武汉市文物考古研究所、盘龙城遗址博物院：《盘龙城遗址宫城区2014至2016年考古勘探简报》，《江汉考古》2017年第3期。

（9）武汉大学历史学院、湖北省文物考古研究所、武汉市文物考古研究所、盘龙城遗址博物院：《2012～2017年盘龙城考古：思路与收获》，《江汉考古》2018年第5期。

（10）武汉大学历史学院、湖北省文物考古研究所、盘龙城遗址博物院：《武汉市盘龙城遗址杨家湾坡顶发掘简报》，《江汉考古》2018年第5期。

（11）武汉大学历史学院、湖北省文物考古研究所、盘龙城遗址博物院：《武汉市盘龙城遗址杨家湾北坡发掘简报》，《江汉考古》2018年第5期。

（12）武汉大学历史学院、湖北省文物考古研究所、盘龙城遗址博物院：《武汉市盘龙城遗址小嘴M3发掘简报》，《江汉考古》2018年第5期。

（13）盘龙城遗址博物院：《武汉市盘龙城遗址杨家湾M13发掘简报》，《江汉考古》2018年第5期。

（14）盘龙城遗址博物院、武汉大学历史学院：《武汉市盘龙城遗址王家嘴M4发掘简报》，《江汉考古》2018年第5期。

（15）武汉大学历史学院、湖北省文物考古研究所、盘龙城遗址博物院：《武汉市盘龙城遗址小王家嘴墓地发掘简报》，《江汉考古》2018年第5期。

（16）武汉大学历史学院、湖北省文物考古研究所、盘龙城遗址博物院、中国科学院南京地理与湖泊研究所、武汉大学遥感信息工程学院：《武汉市盘龙城遗址水下勘探及试掘简报》，《江汉考古》2018年第5期。

（17）湖北省文物考古研究所、湖北省博物馆、武汉大学历史学院、盘龙城遗址博物院：《武汉市盘龙城遗址出土玉戈》，《江汉考古》2018年第5期。

（18）盘龙城遗址博物院、武汉大学历史学院：《武汉市盘龙城遗址大邓湾明代砖室墓发掘简报》，《江汉考古》2018年第5期。

（19）武汉大学历史学院、湖北省文物考古研究所、盘龙城遗址博物院：《武汉市盘龙城遗址杨家湾2014年发掘简报》，《考古》2018年第11期。

（20）邹秋实：《武汉市黄陂区盘龙城商代遗址》，《中国考古学年鉴·2017年》，中国社会科学出版社，2018年。

（21）Zhuo Sun, Lin Wan, Yongxiang Han, Changping Zhang. The Shang Burials at the Yangjiawan Locality of the Panlongcheng Site in Wuhan. *Chinese Archaeology*, Vol.18, 2018.

（22）武汉大学历史学院、湖北省文物考古研究所、盘龙城遗址博物院：《武汉市盘龙城遗址小嘴2015～2017年发掘简报》，《考古》2019年第6期。

（23）赫德川：《武汉市黄陂区盘龙城商代遗址》，《中国考古学年鉴·2018年》，中国社会科学出版社，2019年。

（24）武汉大学历史学院、湖北省文物考古研究所、武汉市文物考古研究所、盘龙城遗址博物院：《武汉市盘龙城遗址各地点历年考古工作综述》，《江汉考古》2020年第6期。

（25）盘龙城遗址博物院等：《武汉市盘龙城遗址小嘴M1、M2发掘及周边文物调查简报》，《江汉考古》2020年第6期。

（26）武汉大学历史学院、湖北省文物考古研究所、武汉市文物考古研究所、盘龙城遗址博物院：《武汉市盘龙城遗址小嘴2017～2019年发掘简报》，《江汉考古》2020年第6期。

（27）武汉市文物考古研究所、盘龙城遗址博物院：《武汉市盘龙城遗址杨家嘴2006年发掘简报》，《江汉考古》2020年第6期。

（28）孙卓、苏昕、吴小红、潘岩、陈晖、邹秋实、路晋东：《近年来盘龙城遗址的碳十四年代测定》，《江汉考古》2020年第6期。

（29）刘思然、邹秋实、路晋东、陈坤龙、陈建立：《盘龙城遗址小嘴商代冶金遗物的分析与研究》，《江汉考古》2020年第6期。

（30）张昌平：《关于盘龙城的性质》，《江汉考古》2020年第6期。

（31）孙卓、路晋东、邹秋实：《武汉黄陂区盘龙城商代遗址》，《中国考古学年鉴·2019年》，中国社会科学出版社，2021年。

（32）张晗、辛月、付海龙、邓聪、张昌平：《武汉市盘龙城遗址李家嘴、王家嘴商代墓葬出土绿松石器》，《江汉考古》2022年第4期。

（33）付海龙、赵雄、李一帆、赵东：《武汉市盘龙城遗址杨家湾商代墓葬出土绿松石器》，《江汉考古》2022年第4期。

本报告已将上述简报、检测报告完整收录。简报和检测报告如有与本报告有出入者，以本报告为准。

本报告的编写自2016年开始，至2024年完成，编写过程主要分为以下几个阶段。

2016年，申请国家社科基金重大项目“湖北黄陂盘龙城遗址考古发现与综合研究”。初步完成2014年杨家嘴M26及灰坑H14资料的整理。参与编写的人员有：黎骐；绘图：许鑫涛。

2017年，拟定报告体例和章节，开始系统整理2013～2017年各年度发掘区考古资料。初步完成2006～2013年度盘龙城遗址杨家湾南坡考古发掘资料整理。参与编写的人员有：孙卓；绘图：梅迪；照相：郝勤建、刘森淼。

2018年，初步完成2014年度盘龙城遗址杨家湾南坡、2014和2017年杨家湾坡顶、2014年杨家湾北坡、2015年小王家嘴墓葬区、2017年小嘴M3、2001年杨家湾M13、2018年王家嘴M4、2016年大邓湾明墓发掘资料整理。参与编写的人员有：陈晖、路晋东、赫德川、李雪婷、韩用祥、付海龙、廖航、郑远华、余才山、赵东、郭剑；绘图：梅迪、许鑫涛；照相：郝勤建、蓝青。

2020年，初步完成小嘴M1和M2、2017～2019年小嘴、2006年杨家嘴发掘资料整理。参与编写的人员有：路晋东、韩用祥、付海龙、郭剑、吕宁晨；绘图：余才山、许鑫涛、韩用祥、郭剑；照相：郭剑、韩用祥。

2021～2022年，系统整理2018～2019年各年度发掘区考古资料，完成遗迹、遗物绘图，确定报告格式规范。参与编写的人员有：孙卓、朱浩杰、黄天凤、周麟、彭苇苇、马瑶昕、葛澜卿。

2023年，统筹编排1995～2019年盘龙城田野考古工作资料，完成报告初稿。参与编写的人员有：孙卓、邹秋实、刘思琦、柯尊华、崔庆圆、徐子博、王雨果、宋然、任易阳、刘昊燊；绘图：许鑫涛。

2024年，完成1995～2019年盘龙城田野考古工作报告的撰写和校对。参与编写的人员有：张昌平、孙卓、周麟、彭苇苇、马瑶昕、葛澜卿、崔庆圆、柯尊华、刘思琦、宋然、王雨果、徐子博。

三、报告内容与体例

本报告为盘龙城遗址1995～2019年度田野考古工作报告。

本报告正文分为杨家湾、小嘴、小王家嘴和其他地点四大章节。杨家湾按发掘区分为杨家湾南坡、杨家湾坡顶和杨家湾北坡三处地点，其下先论述各发掘区地层堆积状况，之后分灰坑、灰沟、井、房址、墓葬等不同遗迹类型，按单位序号顺次发表各遗迹和所出土遗物、相关标本检测信息资料。小嘴和小王家嘴先论述发掘区层位关系，之后分灰坑、灰沟、房址和墓葬按单位序号顺次发表各遗迹和所出土遗物、相关标本检测信息资料。其他零散地点则先按照城址与李家嘴、杨家嘴、王家嘴和大邓湾不同地点分别论述；各地点下再从不同遗迹类别，按遗迹编号顺次发表各遗迹和所出土遗物、相关标本检测信息资料。

本报告结语则将进一步阐述盘龙城城市聚落的分期和年代、盘龙城城市聚落的性质。

盘龙城遗址各遗迹编号根据以往惯例均依杨家湾、杨家嘴、楼子湾、小嘴等不同地点单独编号。同时，自21世纪初，盘龙城遗址田野考古工作开始使用新的分区系统。探方、地层堆积、遗迹、遗物的编号，全称应为“年号+发掘区号+探方号/遗迹号”，或“年号+发掘区号+探方号或遗迹号+遗物编号”。由于上述编号系统中年号和区号繁琐，且遗迹并非按照年份或区号单独编号，因此为简化记述，报告对探方即其地层堆积的论述，省略年号和遗址英文首字母简称，称之为“发掘区号+探方号+地层编号”；报告对遗迹和遗物的论述，省略年号、发掘区号和所属探方号，同时为标识遗迹所属区域，用汉字在遗迹号前标注发现地点，称之为“发掘地点（汉字）+遗迹号”。

插图和插表均以各节单独编号，即章号+节号+序号，形成3个层级。

探方、各类遗迹英文记录符号以《田野考古工作规程》列举者为准，即探方为T、房址为F、灰沟为G、灰坑为H、窑为Y、墓葬为M、井为J。此外柱洞为D、柱础石为S。柱洞和柱础石均以所属房址或探方单独编号。遗迹内解剖沟编号为JPG。

本报告对各遗存年代的讨论将继续沿用原《盘龙城（1963～1994）》报告已搭建的分期框架，即将盘龙城遗址分为第一至七期。对于部分遗存年代特征不甚明确或难以被准确对应于某一期段者，将采用诸如盘龙城第一至二期等此类更为宽泛的表述方式。

对于同一阶段中原文化年代框架的选取，本报告将遵循目前学术界对二里头文化至殷墟文化早期中原文化分期和年代的一般性认识，即二里头文化第一至四期、二里冈下层第一至二期、二里冈上层第一至二期、洹北花园庄早晚期、殷墟文化第一至四期，并将二里冈下层第一期至二里冈上层第一期称为早商时期，二里冈上层第二期至洹北花园庄晚期称为中商时期。

第二章

杨家湾

第一节 遗址概况

杨家湾地点位于盘龙城遗址城址区以北，盘龙城遗址核心保护区的北部，北邻盘龙湖、东接杨家嘴，是一条东西长约420、南北宽约310米的天然岗地（图2.1.1、图2.1.2）。杨家湾南坡长期分布有自然村舍，2005年为配合遗址公园建设当地村舍整体迁出。

21世纪以前，杨家湾岗地的考古发掘工作主要是为配合当地农田水利建设而展开。1974～1992年，该地点曾展开过较大规模的发掘，集中发现有原《盘龙城（1963～1994）》报告第三、四、六、七期的遗存（图2.1.3）。1980年，湖北省博物馆在杨家湾南坡集中布

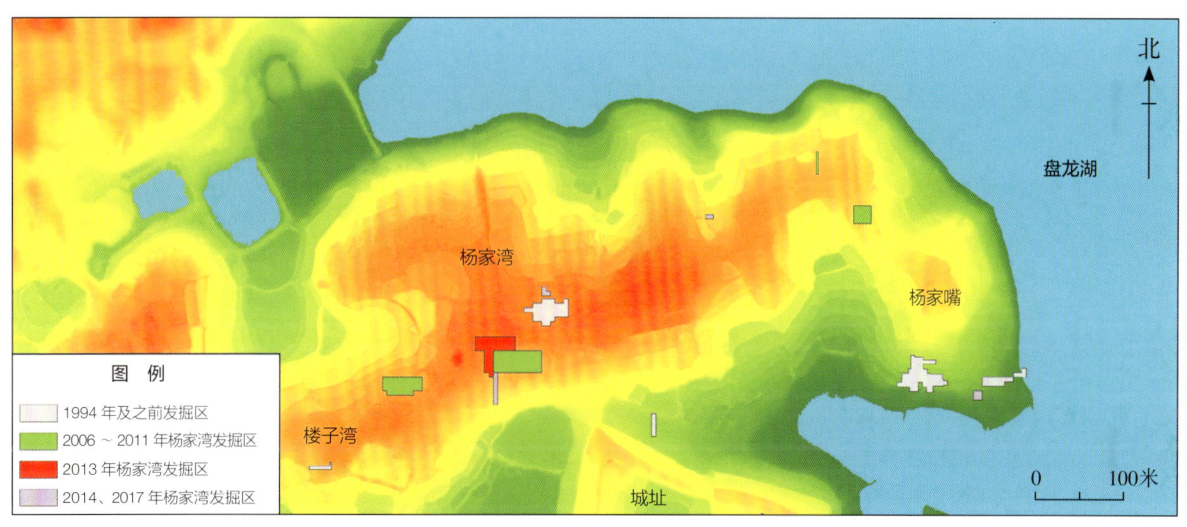

图 2.1.1 杨家湾 DEM 地形图及该地点历年发掘区位置

图 2.1.2 杨家湾正射影像及该地点历年发掘区位置

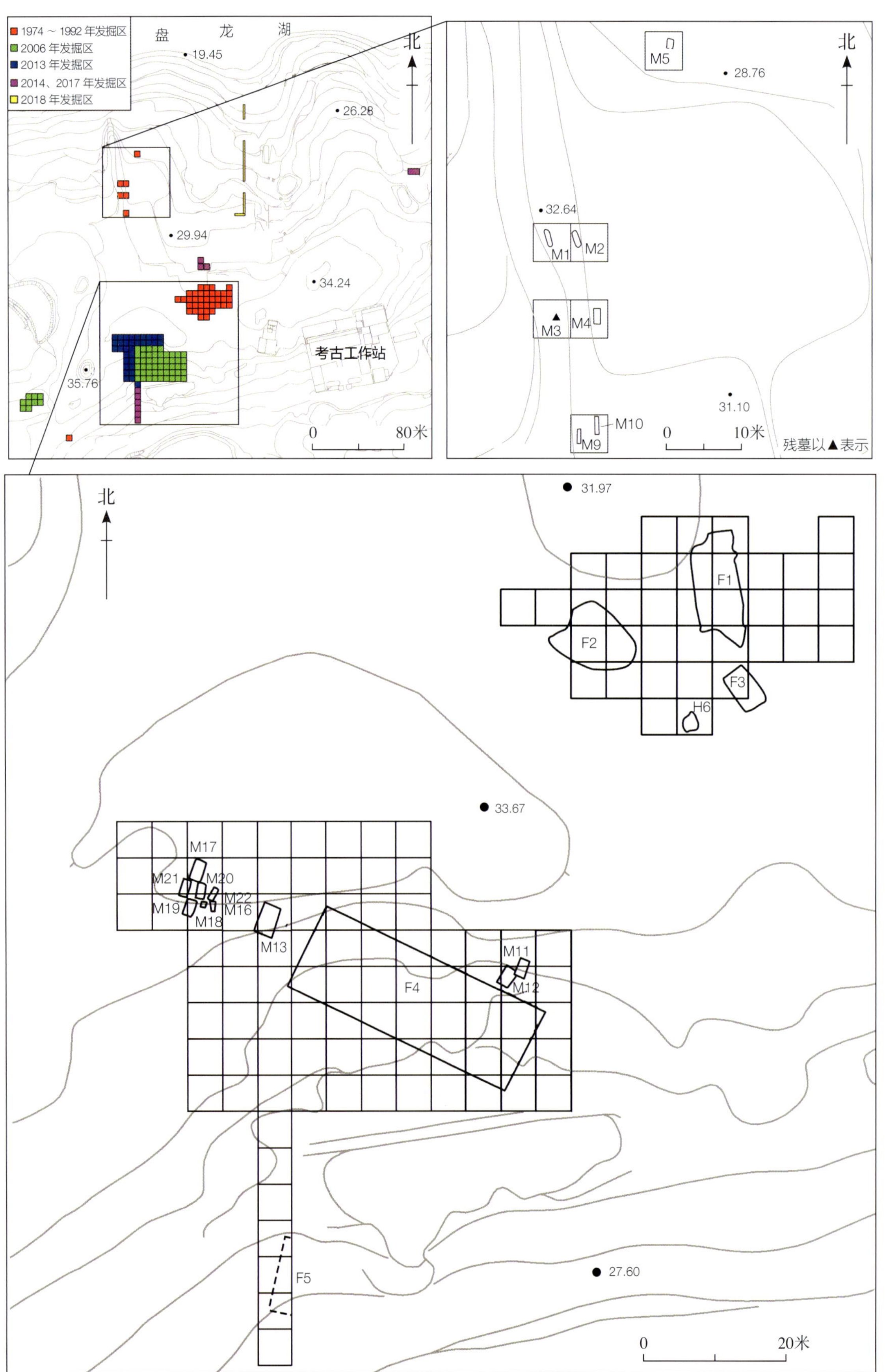

图 2.1.3　杨家湾历年发掘区位置及主要遗迹分布

设了5米×5米探方38个，发掘面积950平方米，发现了3座建筑基址（F1～F3）以及灰烬沟、灰坑等遗迹，另原报告编号PYWH6推测可能属于墓葬。此外，原湖北省博物馆对杨家湾岗地农田水利设施施工过程中偶然发现的11座墓葬进行了清理[①]，墓葬编号M1～M7、M9～M12（图2.1.4～图2.1.15）。杨家湾岗地的早年发掘揭露出其为城址以北区域一处有着丰富遗存内涵、等级较高的聚落点，主体年代属于盘龙城遗址偏晚阶段。

1995～2019年，杨家湾地点的考古发掘主要有以下六次。

（1）1997～1998年，根据物探异常迹象，武汉市博物馆、湖北省文物考古研究所和黄陂县文物管理所在杨家湾布设2米×20米探沟2条，另清理商时期水井1座。

（2）2001年，根据早年杨家湾居民自建房挖出青铜器等线索[②]，武汉市文物考古研究所在居民杨柳青屋后排水沟中清理残墓一座，编号M13。2006年，在杨家湾当地居民搬迁之后，武汉市文物考古研究所、盘龙城遗址博物院对原M13南部被房屋叠压的区域布方发掘，发现原M13进一步向南延伸，由此对M13进行了全面清理。通过后期定位，该墓葬在2006～2011年杨家湾南坡发掘区Q1712T0920、T1020和Q1713T0901、T1001内。

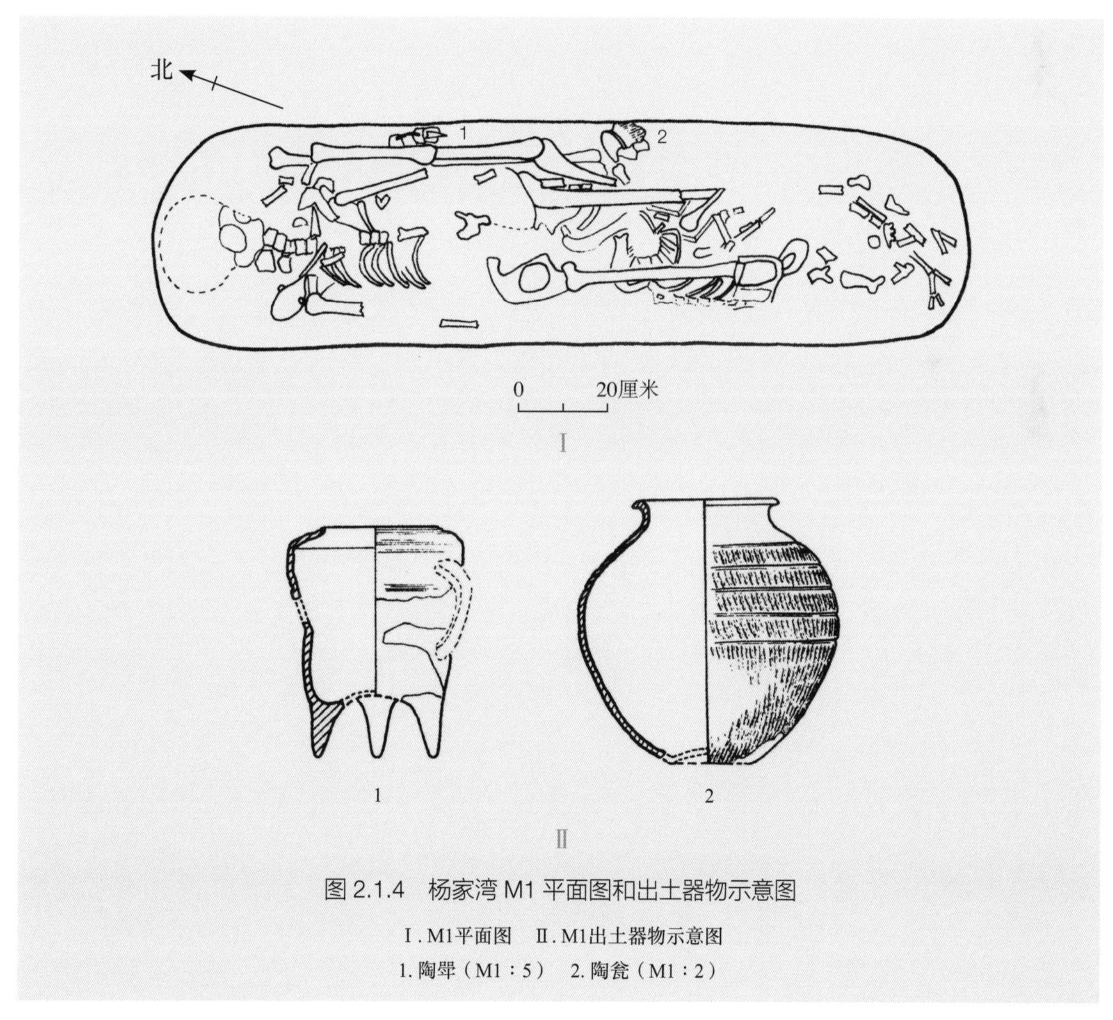

图2.1.4　杨家湾M1平面图和出土器物示意图

Ⅰ. M1平面图　Ⅱ. M1出土器物示意图

1. 陶斝（M1：5）　2. 陶瓮（M1：2）

① 《盘龙城（1963～1994）》，第217页。

② 《盘龙城（1963～1994）》，第397页。报告中村民建房时间为1973年，但采访村民杨柳青回忆建房时间为1967年。

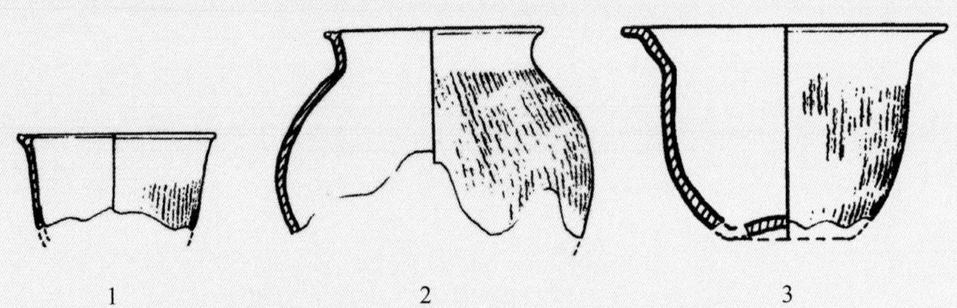

图 2.1.5　杨家湾 M2 出土器物示意图

1. 陶鬲（M2：1）　2. 陶罐（M2：5）　3. 陶盆（M2：4）

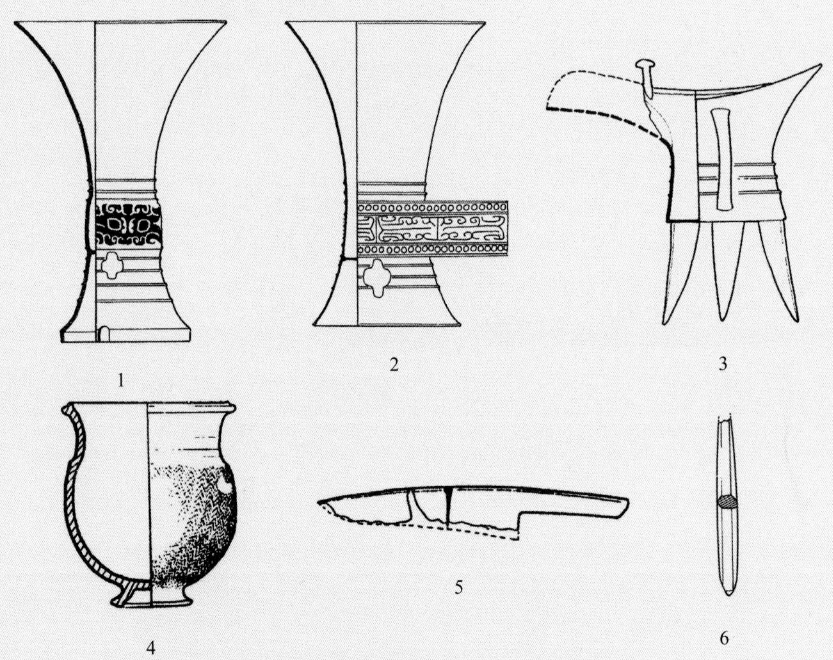

图 2.1.6　杨家湾 M3 出土器物示意图

1、2. 青铜觚（M3：2、M3：3）　3. 青铜爵（M3：1）　4. 陶尊（M3：4）　5. 青铜刀（M3：5）　6. 玉笄（M3：6）

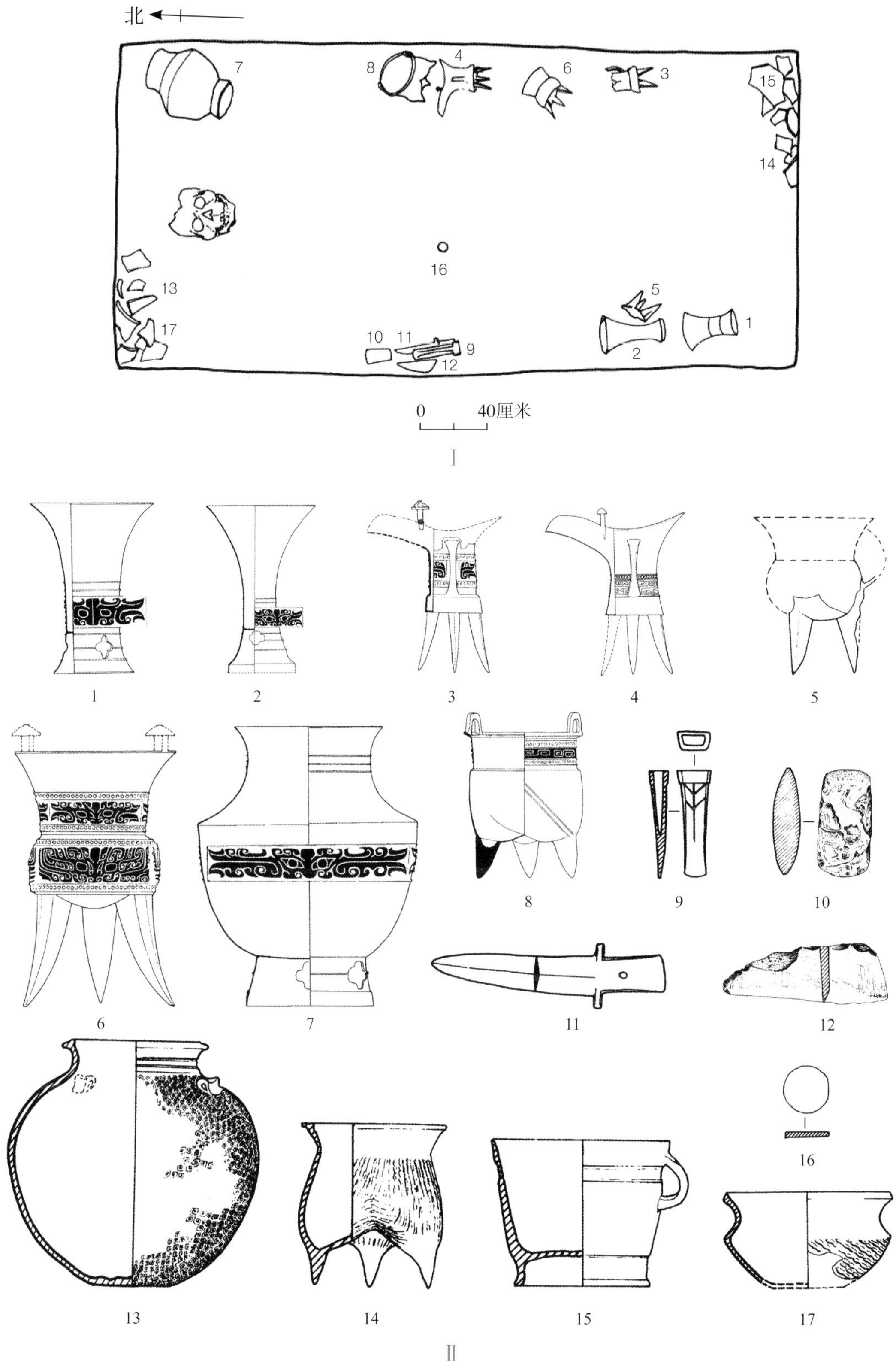

图 2.1.7 杨家湾 M4 平面图和出土器物示意图

Ⅰ. M4平面图 Ⅱ. M4出土器物示意图

1、2. 青铜觚（M4：6、M4：5） 3、4. 青铜爵（M4：14、M4：3） 5、6. 青铜斝（M4：13、M4：4） 7. 青铜尊（M4：1） 8. 青铜鬲（M4：2） 9. 青铜锛（M4：8） 10. 石斧（M4：9） 11. 青铜戈（M4：15） 12. 石镰（M4：10） 13. 原始瓷瓮（M4：12） 14. 陶鬲（M4：16） 15. 陶杯（M4：7） 16. 陶饼（M4：11） 17. 陶尊（M4：17）

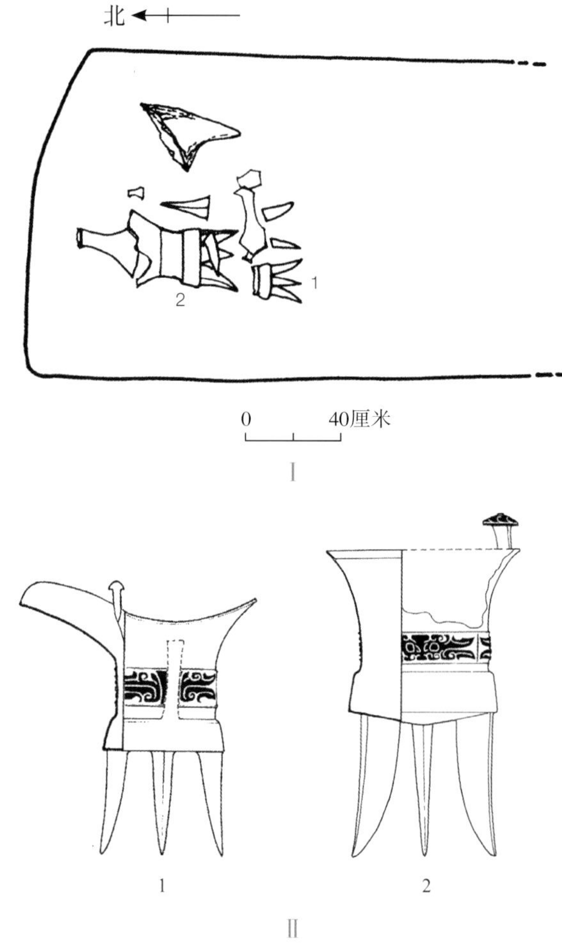

图 2.1.8　杨家湾 M5 平面图和出土器物示意图

Ⅰ. M5平面图　Ⅱ. M5出土器物示意图

1. 青铜爵（M5：4）　2. 青铜斝（M5：3）

（3）2006～2011年，为配合遗址区内居民搬迁，武汉市文物考古研究所、盘龙城遗址博物院在盘龙城遗址杨家湾南坡展开大规模发掘，并于1712区揭露出一座大型建筑基址，编号F4。

（4）2013年，为进一步认识F4大型建筑基址性质、理清F4周边遗迹布局情况，武汉大学历史学院在F4西部和北部进行发掘，布设5米×5米探方33个，并在F4西北角发现7座商时期贵族墓葬（M16～M22），年代属于盘龙城遗址最晚阶段。2014年为了配合盘龙城国家遗址公园建设、了解F4南部堆积状况及性质，武汉大学历史学院在2006～2011年发掘的基础上，持续对探方Q1712T1016以南进行解剖式发掘，布设南北向5米×5米探方6个。

（5）2014年，武汉大学历史学院对盘龙城遗址城址区以外地点进行了全面的普通勘探，并在杨家湾坡顶地带发现有堆积较丰富的黑灰土，包含有较多陶片、炭粒等，疑为生活垃圾区。为了获取碳–14测年样本和可供观察的炭化植物遗存，同年武汉大学历史学院对杨家湾坡顶1813区进行了小规模试掘，布设5米×5米探方1个。此次发掘发现杨家湾地点存在

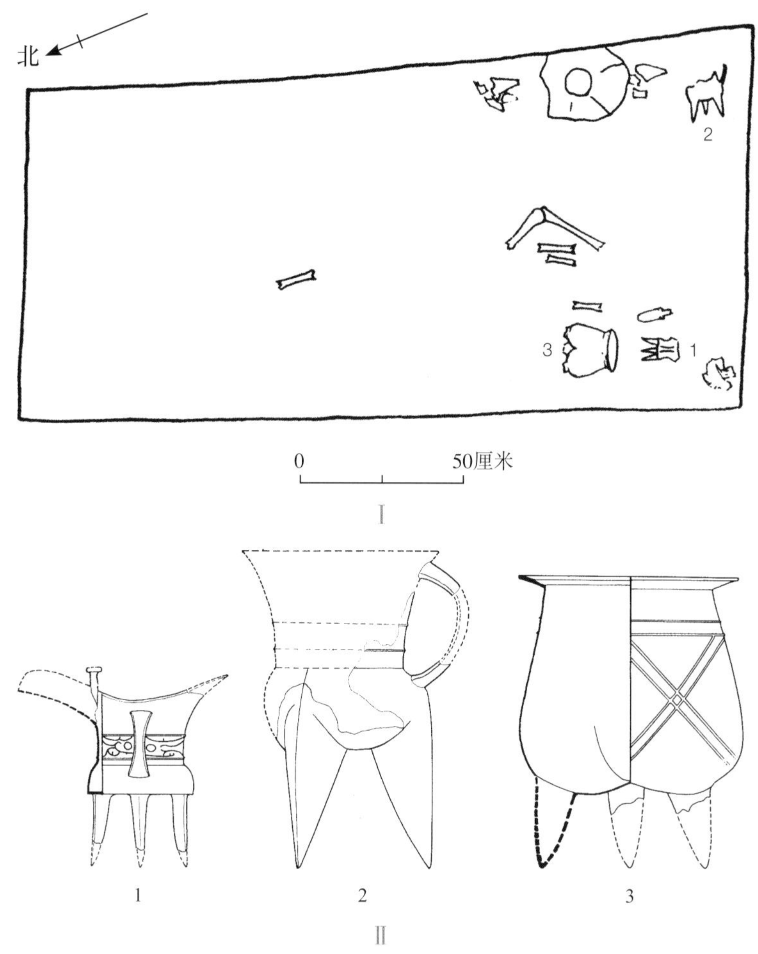

图 2.1.9　杨家湾 M6 平面图和出土器物示意图

Ⅰ. M6平面图　Ⅱ. M6出土器物示意图

1. 青铜爵（M6：1）　2. 青铜斝（M6：4）　3. 青铜鬲（M6：2）

盘龙城遗址偏早阶段的遗存。2017年，为进一步了解杨家湾坡顶偏早阶段遗存的年代和文化性质，武汉大学历史学院对2014年杨家湾坡顶发掘探方南侧再次进行考古发掘，布设东西向5米 × 5米探方2个。

（6）2014年，勘探发现杨家湾北坡位置存在排列规律的石块堆积，推测可能与建筑遗迹相关。同年武汉大学历史学院在相关区域，即1914区，展开小规模试掘，布设5米 × 5米探方2个，发现石块垒砌的建筑基址1座。

除上述考古发掘工作之外，考古人员还曾在杨家湾M11西侧约150米处的水稻田中，采集到青铜觚、青铜勾刀、青铜直内戈各一件①。此外，还在盘龙城考古工作站后院墙处采集到一件长49、宽7.6厘米的玉戈②。杨家湾岗地出土的这些遗物暗示该区域可能分布着等级较

① 盘龙城遗址博物馆：《盘龙城遗址博物馆征集的几件商代青铜器》，《武汉文博》2004年第3期。

② 湖北省文物考古研究所、湖北省博物馆、武汉大学历史学院、盘龙城遗址博物院：《武汉市盘龙城遗址出土玉戈》，《江汉考古》2018年第5期。

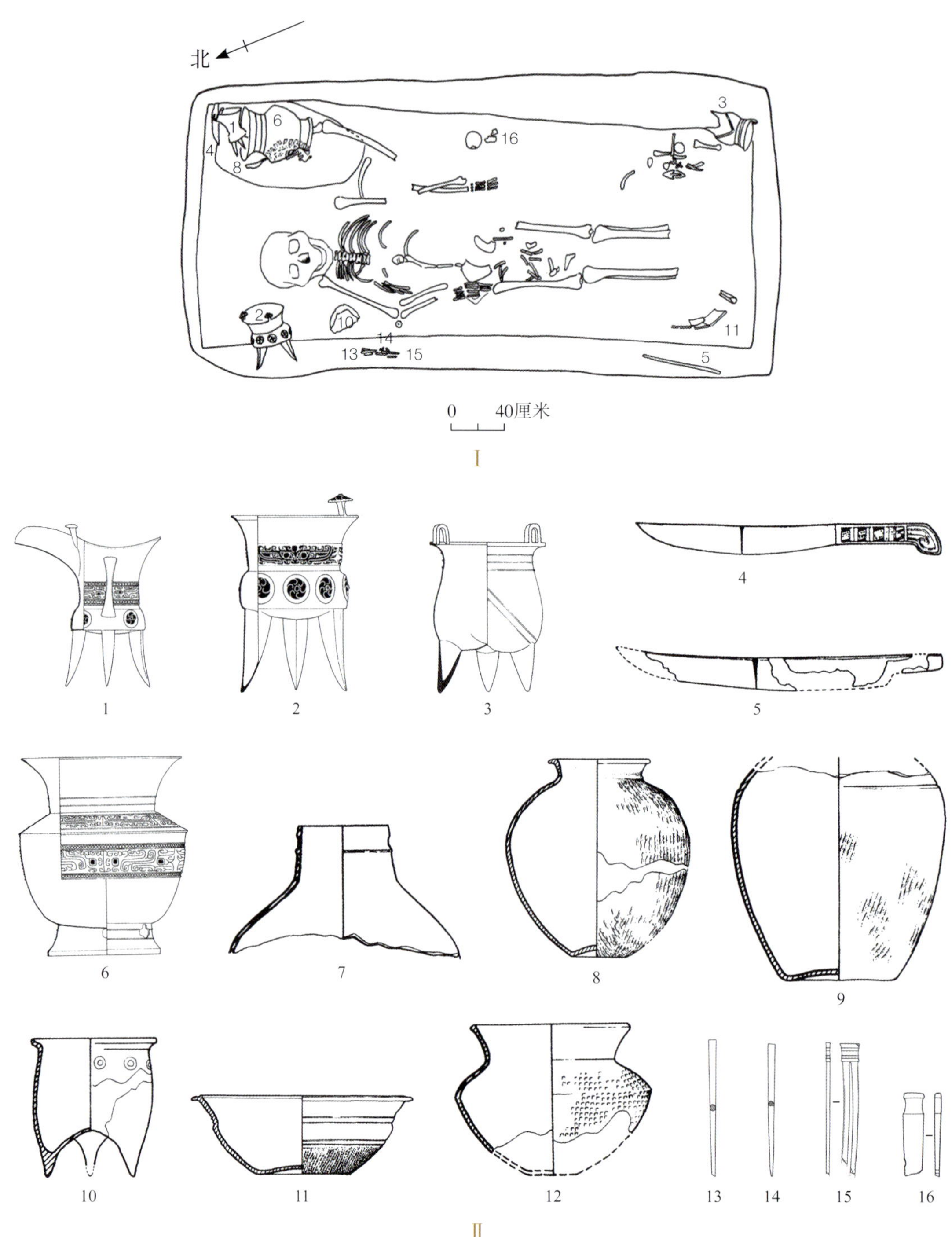

图 2.1.10　杨家湾 M7 平面图和出土器物示意图

Ⅰ. M7平面图　Ⅱ. M7出土器物示意图

（M7：02、M7：03、M7：04为采集品）

1. 青铜爵（M7：7）　2. 青铜斝（M7：3）　3. 青铜鬲（M7：17）　4、5. 青铜刀（M7：4、M7：5）
6. 青铜尊（M7：6）　7. 陶壶（M7：04）　8、9. 陶瓮（M7：13、M7：03）　10. 陶鬲（M7：19）　11. 陶盆（M7：10）
12. 原始瓷尊（M7：02）　13、14. 玉笄（M7：14、M7：16）　15. 玉钗（M7：18）　16. 玉柄形器（M7：11）

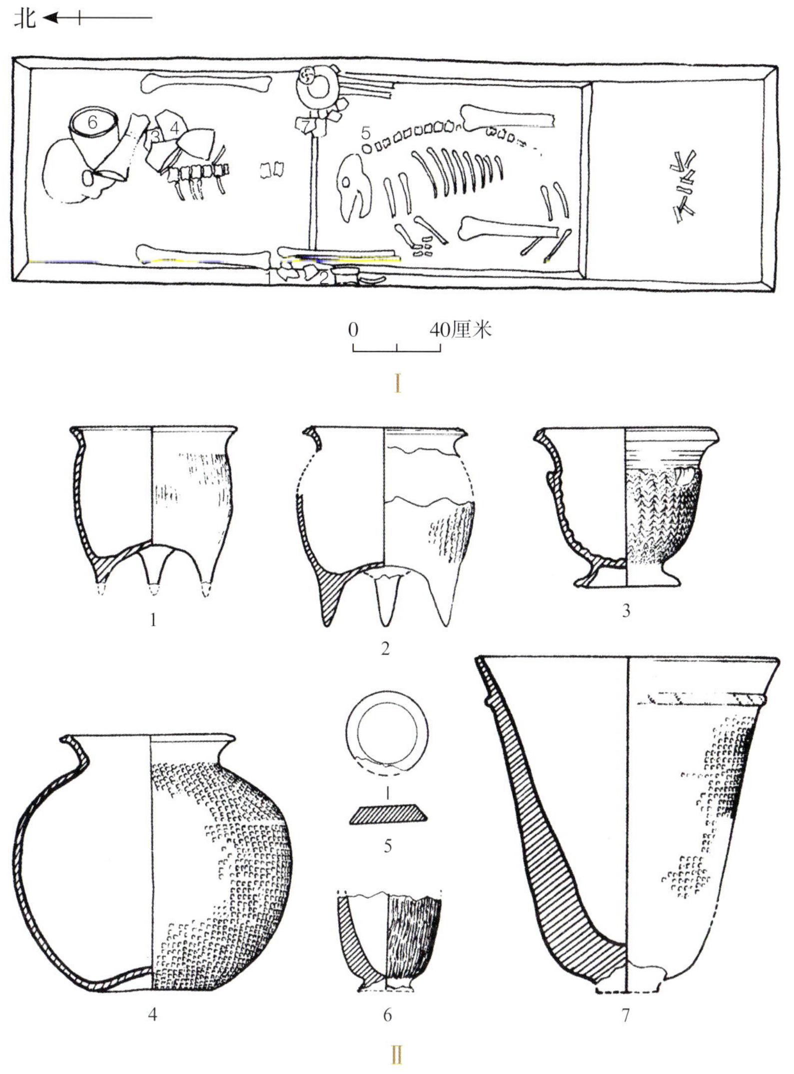

图 2.1.11　杨家湾 M9 平面图和出土器物示意图

Ⅰ. M9平面图　Ⅱ. M9出土器物示意图

1、2. 陶鬲（M9：9、M9：10）　3. 原始瓷杯（M9：5）　4. 印纹硬陶罐（M9：7）

5. 陶饼（M9：8）　6、7. 陶缸（M9：1、M9：6）

高的墓葬或其他类别遗迹。

以上杨家湾地点的考古发掘主要集中于三个区域。其中杨家湾南坡为一处北高南低的坡地，北部最高海拔约29.9米，南部最高海拔约27.6米。自2006至2014年，该区域1713区、1712区连续布设5米×5米探方总计99个，发掘面积2475平方米，共揭露商时期建筑基址3座、灰坑17个、灰沟5个、窑1座、墓葬9座。杨家湾坡顶发掘位置属于1813区，西南距杨家湾南坡发掘区约54米，南邻1979～1982年杨家湾发掘区约5米，海拔32.2米。2014、2017年两个年度布设5米×5米探方3个，并向南扩方3米×6米，发掘面积89平方米，共揭露商时期灰坑17个。杨家湾北坡发掘位置属于1914区，布设5米×5米探方2个，并向北扩方2米×2米，向南扩方2米×2.3米，共发掘面积58.6平方米，揭露商时期房屋遗迹1座。此外，1998年

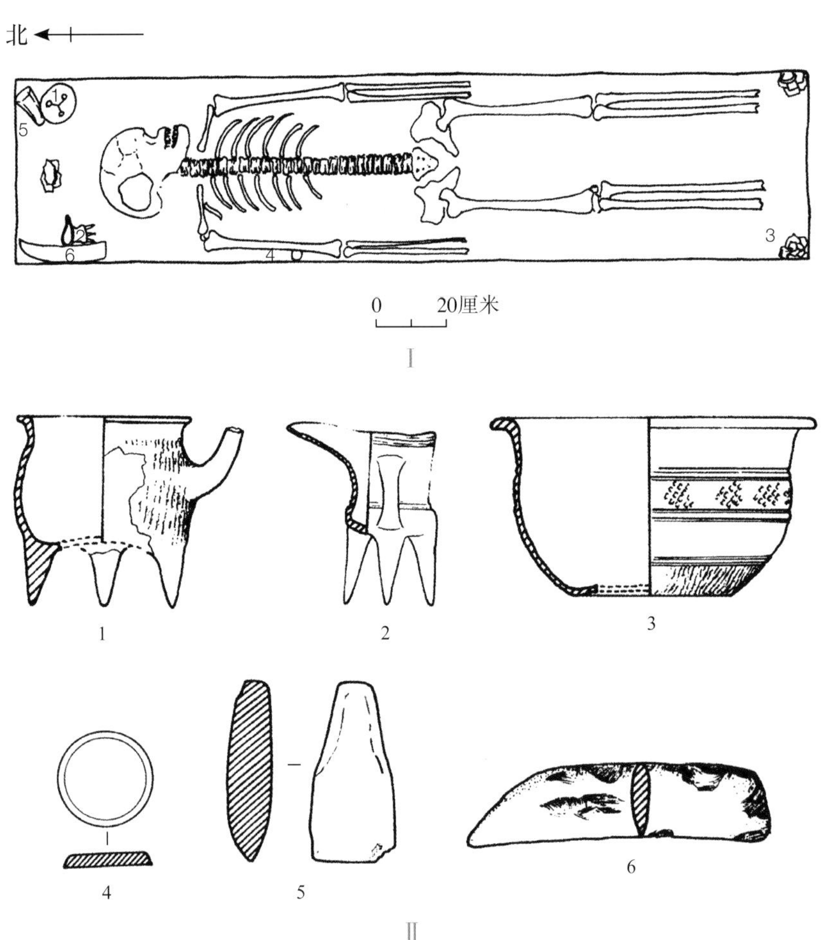

图 2.1.12　杨家湾 M10 平面图和出土器物示意图

Ⅰ. M10平面图　Ⅱ. M10出土器物示意图

1. 陶鬲（M10：2）　2. 陶爵（M10：4）　3. 陶盆（M10：10）　4. 陶饼（M10：6）　5. 石斧（M10：1）　6. 石镰（M10：5）

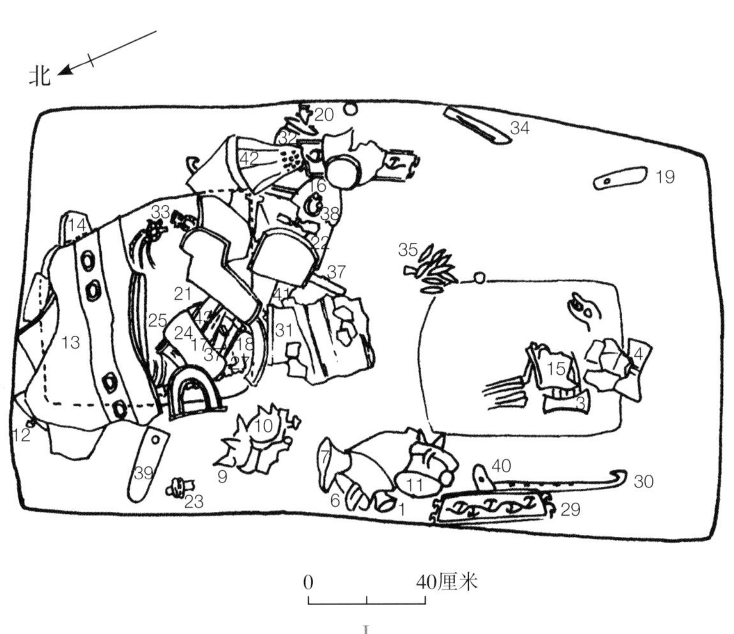

图 2.1.13　杨家湾 M11 平面图和出土器物示意图

Ⅰ. M11平面图

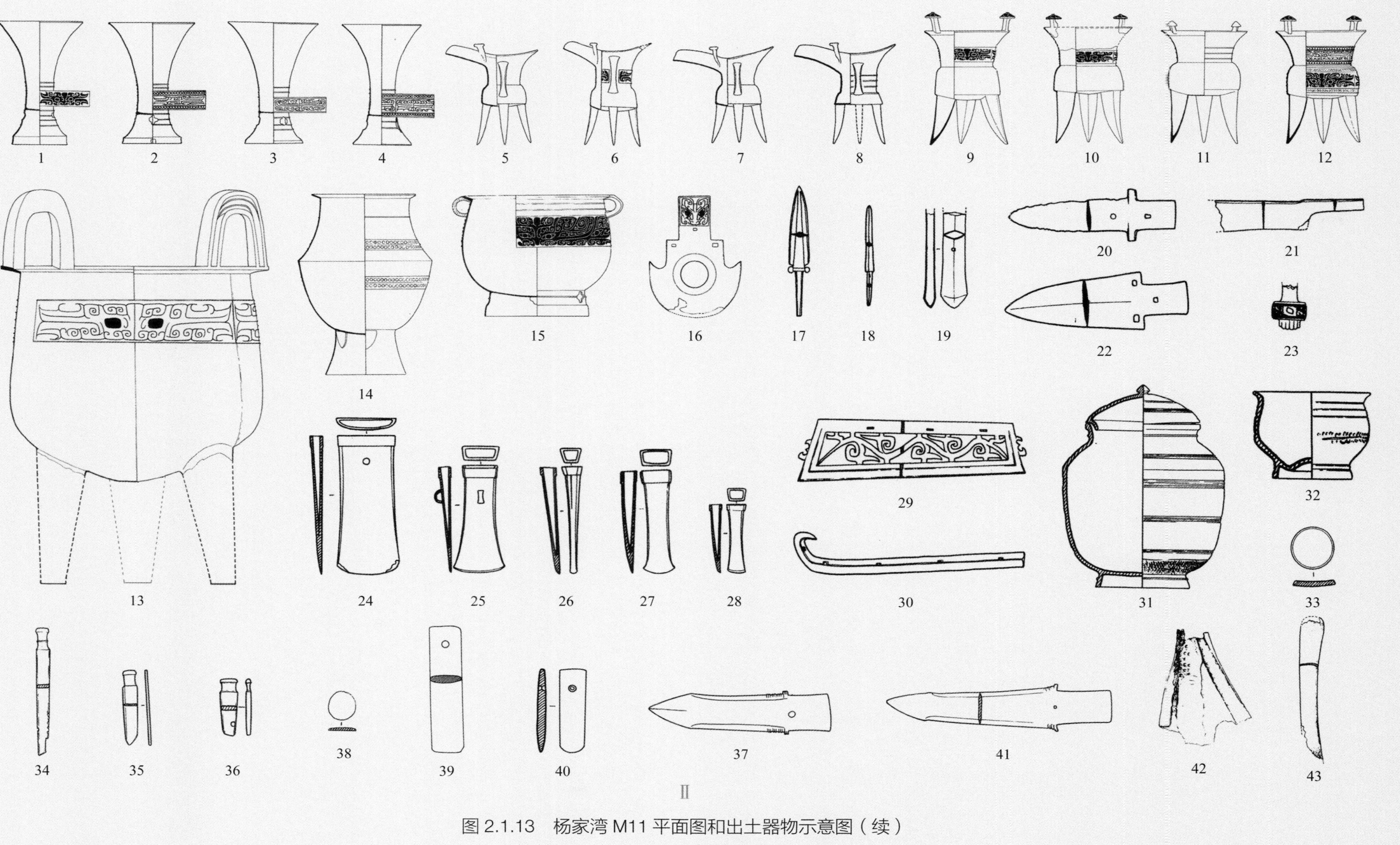

图 2.1.13　杨家湾 M11 平面图和出土器物示意图（续）

Ⅱ. M11出土器物示意图

（2、5、8、28、36叠压于其他器物之下）

1～4. 青铜觚（M11：5、M11：51、M11：11、M11：18）　5～8. 青铜爵（M11：57、M11：6、M11：4、M11：50）　9～12. 青铜斝（M11：29、M11：30、M11：2、M11：31）　13. 青铜鼎（M11：16）　14. 青铜尊（M11：34）　15. 青铜簋（M11：13）　16. 青铜钺（M11：32）　17. 青铜铍（M11：44）　18. 青铜镞（M11：48）　19. 青铜鐏（M11：56）　20. 青铜戈（M11：21）　21. 青铜刀（M11：47）　22. 青铜戣（M11：39）　23. 青铜镦（M11：15）　24. 青铜斨（M11：35）　25. 青铜斧（M11：36）　26. 青铜凿（M11：37）　27、28. 青铜锛（M11：41、M11：46）　29. 青铜饰件（M11：33）　30. 青铜钩刀（M11：7）　31. 陶瓮（M11：40）　32. 陶簋（M11：12）　33. 陶饼（M11：53）　34～36. 玉柄形器（M11：26、M11：20、M11：45）　37. 玉戈（M11：43）　38. 绿松石饰（M11：49）　39、40. 石铲（M11：19、M11：8）　41. 石戈（M11：52）　42. 卜骨（M11：55）　43. 骨匕（M11：38）

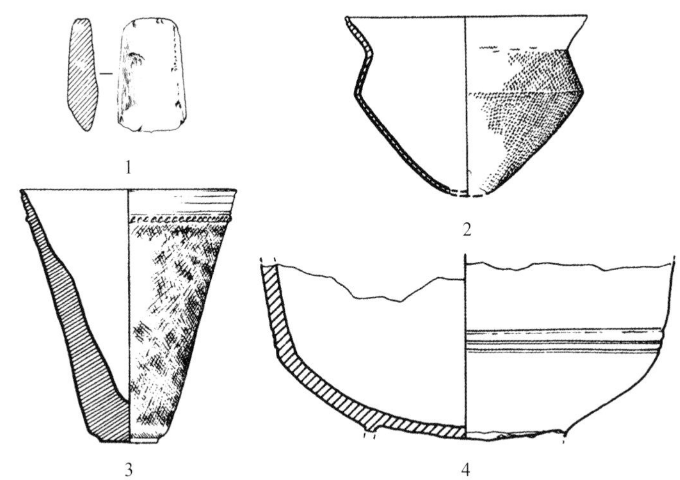

图 2.1.14　杨家湾 M12 出土器物示意图

1. 石斧（M12：2）　2. 印纹硬陶尊（M12：1）　3. 陶大口缸（M12：4）　4. 陶瓮底（M12：3）

图 2.1.15　杨家湾 H6 平面图和出土器物示意图

I . H6平面图

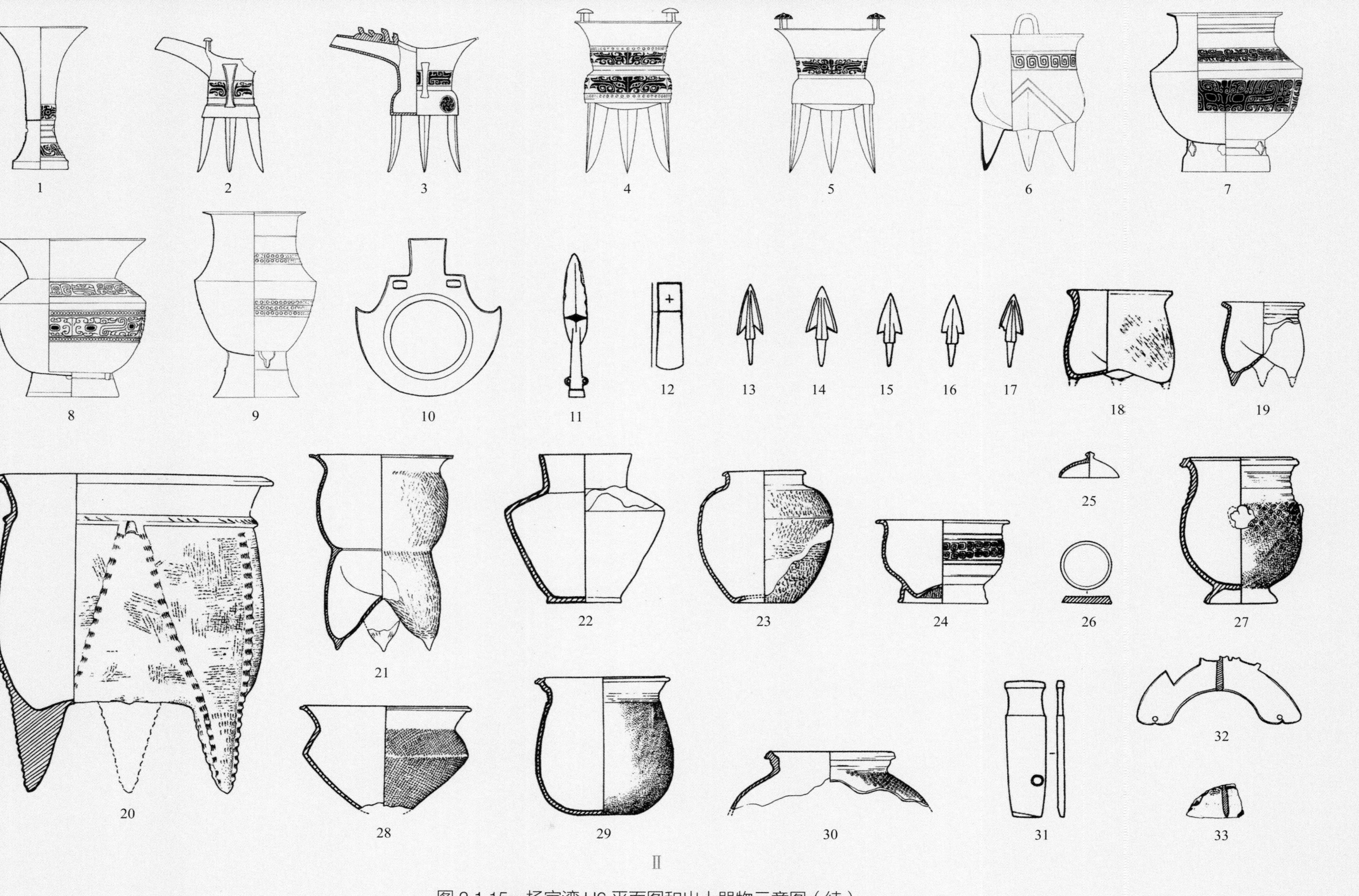

Ⅱ

图 2.1.15　杨家湾 H6 平面图和出土器物示意图（续）

Ⅱ. H6出土器物示意图

（7、8、11～13、19、21、24、25、30、33叠压于其他器物之下）

1. 青铜觚（H6：24）　2、3. 青铜爵（H6：30、H6：28）　4、5. 青铜斝（H6：27、H6：18）　6. 青铜鬲（H6：17）　7～9. 青铜尊（H6：21、H6：20、H6：15）　10. 青铜钺（H6：2）　11. 青铜矛（H6：46）　12. 青铜削刀（H6：31）　13～17. 青铜镞（H6：49、H6：50、H6：6、H6：8、H6：9）　18～20. 陶鬲（H6：40、H6：52、H6：37）　21 陶甗（H6：54）　22. 陶罍（H6：22）　23. 陶罐（H6：41）　24. 陶簋（H6：51）　25. 陶器盖（H6：53）　26. 陶饼（H6：33）　27、28. 原始瓷尊（H6：16、H6：25）　29. 印纹硬陶罐（H6：42）　30. 印纹硬陶瓮残件（H6：57）　31. 玉柄形器（H6：26）　32. 玉璜（H6：44）　33. 石刀（H6：55）

杨家湾另清理水井1个。

历年考古发掘及勘探资料显示，除局部地带遭到晚期人类活动破坏以外，杨家湾岗地几乎遍布商时期遗存。考古遗存的年代特征表明，杨家湾岗地分布的商时期堆积以盘龙城第五～七期的遗存为主，集中分布于杨家湾南坡的大型建筑基址F4，以及高等级墓葬M11、M13、M17等，其年代亦属这一时期（表2.1.1）。因此，杨家湾岗地南坡有可能成为盘龙城聚落最晚阶段的聚落中心地带①。

表2.1.1　杨家湾1963～1994年发掘墓葬登记表

墓葬编号	方向	墓室 长×宽—深（米）	随葬器物
M1	350°	1.88×0.4—（0.48～0.34）	青铜器：爵残片1； 陶器：斝1、鬲2、盆1、瓮1。总数：6
M2	351°	1.8×0.6	陶器：爵1、斝残片2、鬲1、盆1、瓮1。总数：6
M3		长2，宽度和深度不明	青铜器：觚2、爵1、斝柱1、斝足1、刀1； 陶器：印纹硬陶尊1； 玉器：笄1。总数：8
M4	360°	2.1×0.98	青铜器：觚2、爵2、斝2、尊1、鬲1、戈1、锛1； 陶、瓷器：尊1、鬲1、杯1、饼1、原始瓷瓮1； 石器：斧1、镰1、刀1。总数：18
M5	342°	1.1×0.66	青铜器：觚1、爵1、斝1、斝残片1； 陶器：鬲残片1、罐残片1； 玉器：柄形器1。总数：7
M6		2.3×1—1.16	青铜器：爵1、斝1、鬲1； 陶器：盉残片1、鬲1、罐2； 玉器：戈1。总数：8
M7	20°	2.28×1.08—0.26	青铜器：爵1、斝1、尊1、鬲1、刀2； 陶、瓷器：爵1、壶1、鬲1、盆1、瓮2、饼2、纺轮1、原始瓷尊1； 玉器：柄形器1、笄4、钗1。总数：22
M9	360°	1.81×0.5—0.3	青铜器：觚1、爵1、斝1； 陶、瓷器：鬲2、缸2、饼1、印纹硬陶罐1、原始瓷杯1。 总数：10
M10	355°	2.3×0.5—0.3	陶器：爵1、斝残片1、鬲1、盆1、盆残片1、饼1、残陶片2； 石器：斧1、镰1。总数：10
M11	20°	2.5×1.4—1.2	青铜器：觚4、爵4、斝4、尊3、鼎1、簋1、钺1、斧1、戈2、刀1、勾刀2、戣1、镞1、锛2、镦1、凿1、斨1、铍1、鐏1、饰件2； 陶器：罐1、簋1、瓮1、缸2、饼4； 玉、石器：玉柄形器3、玉戈1、石戈1、石铲2、绿松石饰3； 骨器：匕1、卜骨1、镞1。总数：57
M12		2.6×1.85—0.15	陶器：瓮残片1、缸1、纺轮1、印纹硬陶瓮1、印纹硬陶尊1； 石器：斧1。总数：6
H6		2.3×2.18—0.64	青铜器：觚3、爵3、斝3、尊4、鼎足1、鬲1、钺1、戈2、镞15、刀2、矛1、青铜片1； 陶、瓷器：鬲3、甗1、罐1、爵鋬残片1、罍1、簋1、器盖1、饼1、残陶器2、印纹硬陶罐1、印纹硬陶瓮残片1、原始瓷尊2； 玉、石器：玉柄形器1、玉戈1、玉璜1、石刀1。总数：57

① 张昌平、孙卓：《盘龙城聚落布局研究》，《考古学报》2017年第4期。

第二节　杨家湾南坡

杨家湾南坡特指杨家湾岗地南部区域。1997～2019年，该地点陆续经过了多次考古发掘。其中2006～2014年围绕商时期大型建筑基址F4，对这一区域展开了较大规模的发掘，发掘面积2475平方米，共揭露商时期建筑基址3座、灰坑17个、灰沟5个、窑1座、墓葬9座。此外1997～1998年、2001年零星对杨家湾南坡进行了考古发掘，发现水井、青铜器贵族墓葬等。因零星发掘的地点地层堆积资料不详，为此以下仅介绍2006～2014年发掘区地层堆积，后分别阐述本区域发现的灰坑、灰沟、井、房址、墓葬等遗迹及相关出土遗物（图2.2.1）。

一、地层

杨家湾南坡地层堆积较为单纯，表土层或近现代层下即见有商时期文化层、商时期遗迹，而未见其他时期的文化堆积。该地点地势北高南低，地层堆积整体由北向南倾斜。整体上，发掘区西北部文化层堆积较薄，第1层层下除部分商时期遗迹外，已为生土；南部商时期文化层堆积较为丰富，部分探方文化层堆积厚度可达1.7米以上。其中，2006～2011年发掘区北部和2013年发掘区北部第1层下即为生土，使得2013年发掘的南部探方与东北部探方之间地层关系无法串联。2006～2011年发掘区南部揭露F4后，出于对建筑遗迹的保护，未做进一步发掘，该处探方第3层下地层正处于2006～2011年与2013年发掘区之间，使得这两个年度的探方地层之间无法串联。此外，2013年发掘区Q1712T0915～T0918四个探方发掘到第6层下，未至生土，其下地层序列不详。Q1712T0816探方发掘到第5层下，未至生土，其下地层序列不详。

2014年对2006～2011年发掘区的西南角、2014年发掘区的南侧展开考古发掘。该区域拆迁前曾属杨家湾居民生活区，商时期文化堆积虽受到现代人类活动一定程度的破坏和扰乱，但探方均发掘至生土，发现较为丰富的商时期文化堆积。2014年北部探方紧邻2006～2011年发掘区西南角Q1712T1016、2013年发掘区南部Q1712T0915。由于2006～2011年发掘的南部探方地层序列不详、2013年发掘的南部探方仅揭露探方第6层及以上，2014年发掘的北部探方仅部分地层能与2013年发掘的南部探方地层相互串联。

考虑到杨家湾南坡三个阶段的发掘及各发掘探方地层的串联情况，杨家湾南坡地层堆积的论述将以2006年发掘的Q1712T1318～Q1712T1320西壁、2013年发掘的东北部探方Q1713T1203～T1403南壁、2013年发掘的南部探方Q1712T0915～Q1713T0903西壁、2013年发掘的西南部探方Q1712T0816～T0817西壁和2014年发掘的探方Q1712T1010～T1015西壁为例展开。需要说明的是，各探方地层均单独编号，后在整理过程中再对可合并的地层序列进行统一和串联。

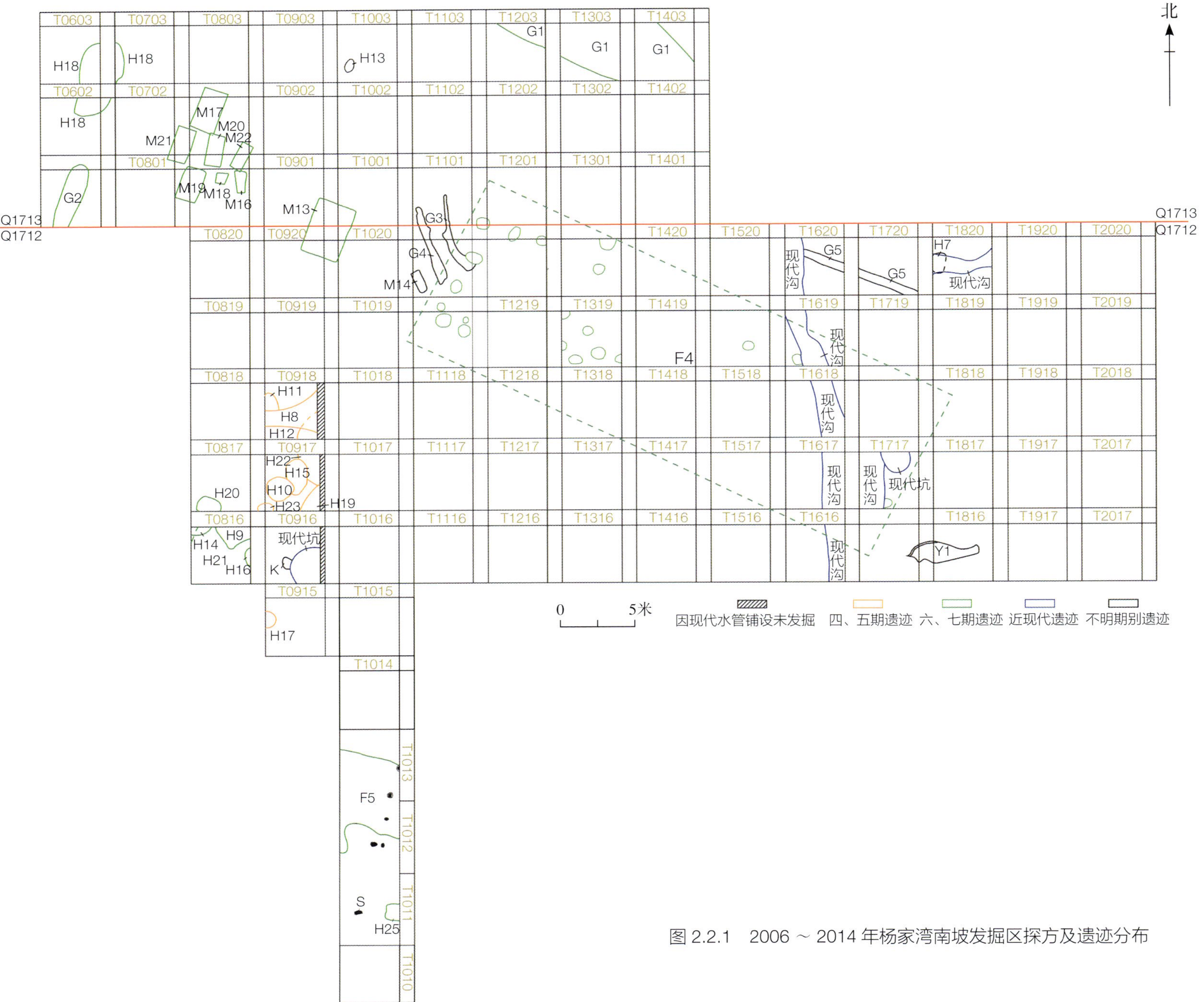

图 2.2.1　2006～2014 年杨家湾南坡发掘区探方及遗迹分布

（一）Q1712T1318～T1320西壁

该处属于原2006～2011年发掘区域，建筑基址F4所在范围。发掘区地层堆积较为简单。第1层为表土层，第2层为扰乱层，均为近现代人类活动形成，建筑遗迹F4位于第2层下，第3、4层为商时期文化层。因出于对建筑遗迹F4的保护，部分探方第3层并未发掘完毕（图2.2.2）。本发掘区主要遗迹F4、G5、H7、Y1位于第2层下，打破第3层（图2.2.3）。

1. 第1层

表土层。灰黄土，土质疏松。厚0.15～0.42米。分布于整个发掘区。包含大量植物根茎和现代废弃垃圾。

2. 第2层

扰乱层。褐黄土，土质疏松。厚0.05～0.3、深0.15～0.42米。分布于2006～2011年发掘区。出土有瓷片、陶片及近现代建筑垃圾，并有少量被扰乱的商时期陶器。此层下叠压有商时期建筑遗迹F4。

陶器

盆　标本1件。

标本Q1712T1519②：1，泥质灰陶。口微侈，小方唇，上腹近直，下腹斜收。上腹饰两周弦纹。复原后口径28.1、残高11.6厘米（图2.2.4，1）。

瓮　标本1件。

标本Q1712T1519②：10，泥质灰陶。侈口，方唇。复原后口径16.8、残高4厘米（图2.2.4，2）。

3. 第3层

商时期文化层。灰褐土，土质致密。第3层只在Q1712T1220、Q1712T1320内被完全揭露，厚0.08～0.2米，在其他探方内未发掘完毕，厚度不详；深0.3～0.55米。分布于2006～2011年发掘区。出土有夹砂陶、泥质陶、印纹硬陶和原始瓷等各类陶、瓷片。陶色以红陶、灰陶为主，印纹硬陶和原始瓷数量较多。纹饰多见绳纹、网格纹、圆圈纹、云雷纹和叶脉纹。可辨识的器类有鬲、大口尊、爵、印纹硬陶罐、印纹硬陶瓮、原始瓷瓮等。F4打破该层。现介绍Q1712T1320第3层及相邻探方同层位的出土器物情况。

陶、瓷器

鬲　标本7件。

标本Q1712T1219③：2，夹砂红胎，外施陶衣。侈口，折沿上仰，沿面内侧有一周凸棱。腹部饰绳纹。复原后口径17.8、残高5.5厘米（图2.2.5，6）。

标本Q1712T1219③：3，夹砂灰陶。侈口，卷沿，沿内侧有一周凸棱，圆唇。腹部饰绳

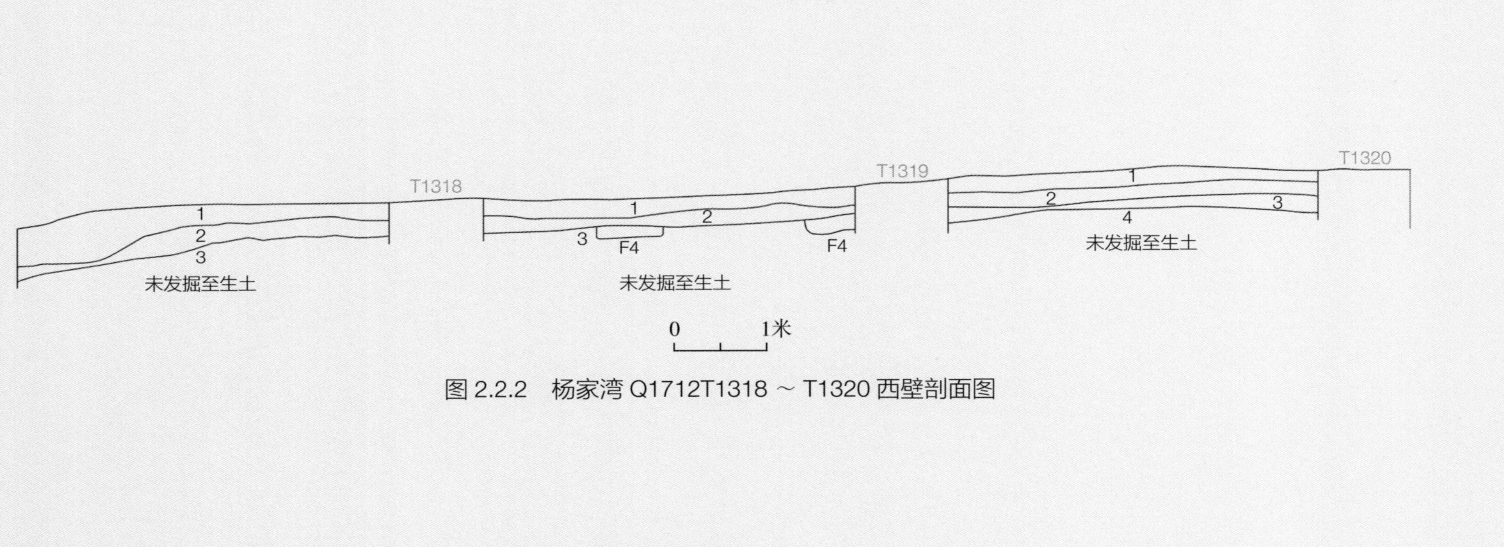

图 2.2.2　杨家湾 Q1712T1318 ～ T1320 西壁剖面图

图 2.2.3　杨家湾 Q1712T1116 ～ T2016、T1117 ～ T2017、T1118 ～ T2018、T1119 ～ T2019、T1120 ～ T2020 主要遗迹层位关系

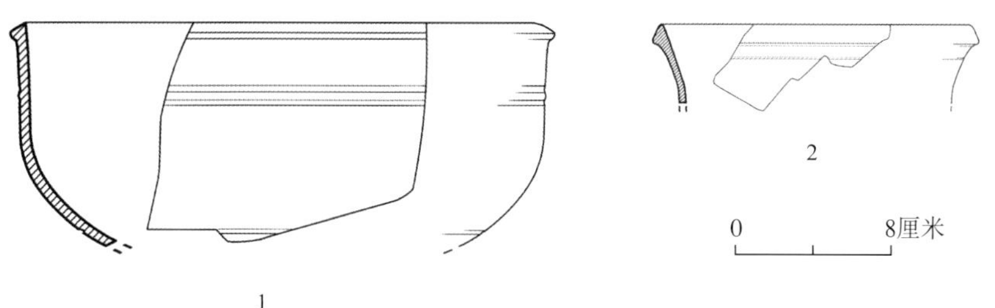

图 2.2.4 杨家湾 Q1712T1519 第 2 层出土陶器

1. 盆（Q1712T1519②：1） 2. 瓮（Q1712T1519②：10）

纹。复原后口径18.9、残高6.6厘米（图2.2.5，5）。

标本Q1712T1220③：19，夹砂灰陶。侈口，折沿上仰，沿面有一周凹槽，厚方唇，唇下缘尖凸带钩。上腹饰一周弦纹，弦纹下饰一周双圆圈纹。复原后口径18、残高4.3厘米（图2.2.5，1）。

标本Q1712T1228③：14，夹砂灰陶。侈口，卷沿，方唇，唇面斜向下内收。素面。复原后口径22.6、残高4.1厘米（图2.2.5，4）。

标本Q1712T1320③：8，夹砂灰陶。侈口，平折沿，沿面内侧有一周凹槽，尖圆唇。颈下饰一周附加堆纹。复原后口径21.5、残高6.6厘米（图2.2.5，7）。

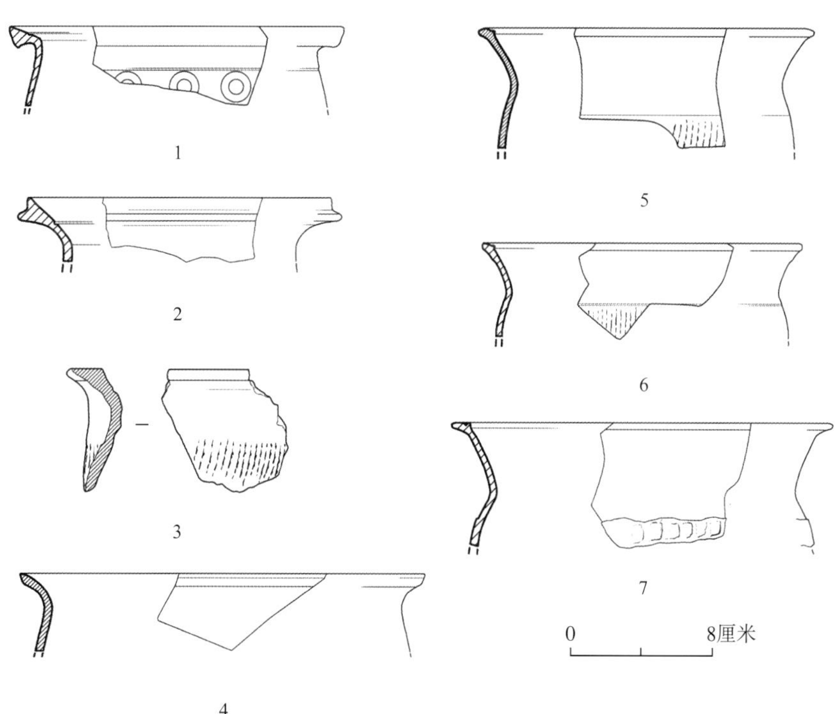

图 2.2.5 杨家湾 Q1712T1219、T1220、T1228、T1320、T1518、T1519 第 3 层出土陶鬲

1. Q1712T1220③：19 2. Q1712T1518③：3 3. Q1712T1519③：1 4. Q1712T1228③：14
5. Q1712T1219③：3 6. Q1712T1219③：2 7. Q1712T1320③：8

标本Q1712T1518③：3，夹砂灰陶。侈口，折沿上仰，沿面较宽，沿内有一周凹槽，厚方唇内凹，唇下缘可见一周凸棱。复原后口径17、残高3.7厘米（图2.2.5，2）。

标本Q1712T1519③：1，夹砂黑皮陶。侈口，平折沿，圆唇。腹部饰绳纹。残高6.8厘米（图2.2.5，3）。

爵 标本1件。

标本Q1712T1519③：4，夹砂灰陶。仅残见三足和錾，腹部微鼓。素面。残高6厘米（图2.2.6，3）。

盆 标本1件。

标本Q1712T1220③：1，泥质黑皮陶。侈口，斜腹，口沿内侧见一周凹槽，腹部饰横向绳纹。复原后口径27.3、残高6.7厘米（图2.2.6，6）。

大口尊 标本1件。

标本Q1712T1220③：18，泥质灰陶。侈口，平折沿，圆唇加厚，肩部微凸，上见一錾。颈肩交界处饰一周凸弦纹，肩部饰一周附加堆纹，錾首饰两颗圆泥饼，仿简化兽面。复原后口径39.3、残高9.3厘米（图2.2.6，7）。

印纹硬陶瓮 标本1件。

标本Q1712T1219③：1，胎芯为灰色。侈口，卷沿，方唇，唇面有两周凹槽，外缘向外尖凸，广肩，腹斜收，器物最大径位于上腹。器身饰叶脉纹。颈部见多道轮制痕迹，肩部以下内壁见多处手捏制痕迹。复原后口径15、腹径33、通高29厘米（图2.2.6，8；图2.2.7，1）。

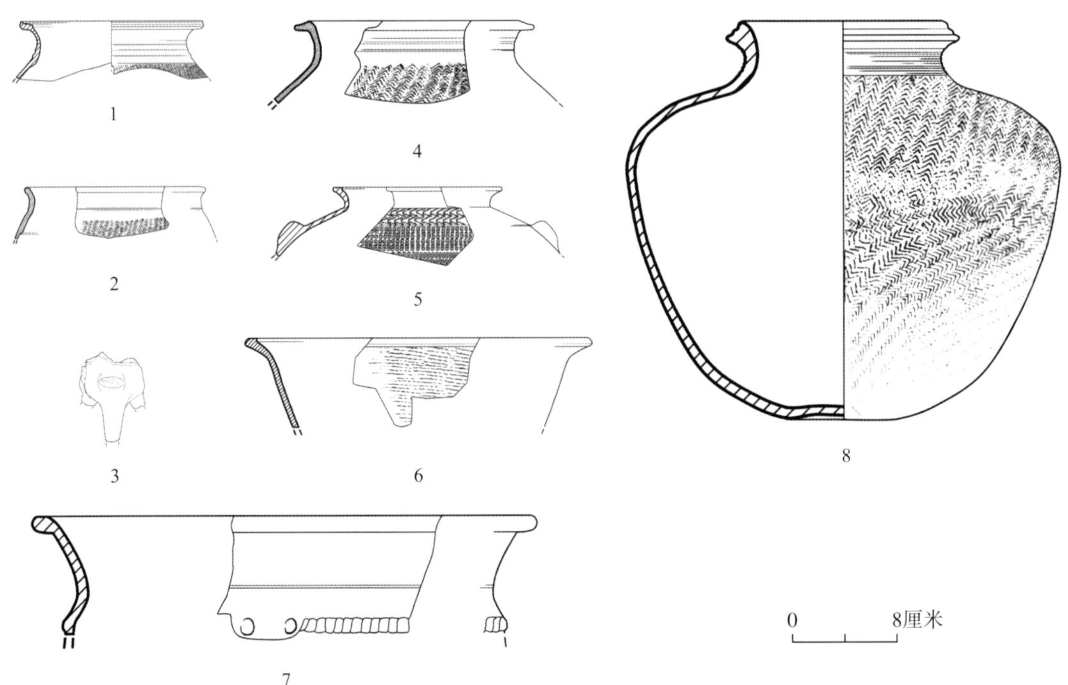

图2.2.6 杨家湾Q1712T1219、T1220、T1320、T1518、T1519、T1919第3层出土陶、瓷器

1、2、4. 印纹硬陶罐（Q1712T1919③：1、Q1712T1518③：1、Q1712T1518③：2）
3. 爵（Q1712T1519③：4） 5. 原始瓷瓮（Q1712T1320③：1） 6. 盆（Q1712T1220③：1）
7. 大口尊（Q1712T1220③：18） 8. 印纹硬陶瓮（Q1712T1219③：1）

1

2

图 2.2.7 杨家湾 Q1712T1219、T1320 第 3 层出土印纹硬陶和原始瓷器照片

1. 印纹硬陶瓮（Q1712T1219③：1）
2. 原始瓷瓮（Q1712T1320③：1）纹饰局部

印纹硬陶罐 标本3件。

标本Q1712T1518③：1，胎芯为灰色。侈口，卷沿，方唇。腹部饰叶脉纹。颈部见有多周轮修痕迹。复原后口径14、残高4.3厘米（图2.2.6，2）。

标本Q1712T1518③：2，胎芯为灰色。侈口，折沿、沿面内凹，尖圆唇，束颈，广肩。肩、腹饰叶脉纹。颈部见有多周轮修痕迹。复原后口径18.7、残高6.1厘米（图2.2.6，4）。

标本Q1712T1919③：1，胎芯为灰色。侈口，折沿，沿内侧有一周凸棱，方唇，唇上缘凸起，外缘有一周凸棱，束颈。肩部饰云雷纹。颈部见多道轮制痕迹，肩部内壁可见手捏制痕迹。复原后口径14、残高4.7厘米（图2.2.6，1）。

原始瓷瓮 标本1件。

标本Q1712T1320③：1，原始瓷，器表施釉。侈口，平折沿，沿面有两周凹槽，方唇，矮领，广肩，肩部残留一系，上见有穿孔痕迹，但未穿透。肩部饰四组七周纹饰带，最上为纵向排列的两周“之”字纹，“之”字纹由麻点纹样组成；第二组为两周卷云纹，每个纹饰单元垂直排列；其下为一周斜向排列的卷云纹；最下面一组为两周横向排列的卷云纹。复原后口径13.3、残高6厘米（图2.2.6，5；图2.2.7，2）。

4. 第4层

商时期文化层。灰黄土，土质较致密。未发掘完毕，厚度不详，深0.38～0.47米。只在Q1712T1220、Q1712T1320、Q1712T1620内露出。出土有鬲、盆、瓮、缸等陶片和罐等印纹硬陶器。

陶器

盆 标本1件。

标本Q1712T1220④：2，泥质灰陶。敛口，折沿外翻，圆唇。上腹部饰一周凹弦纹。复

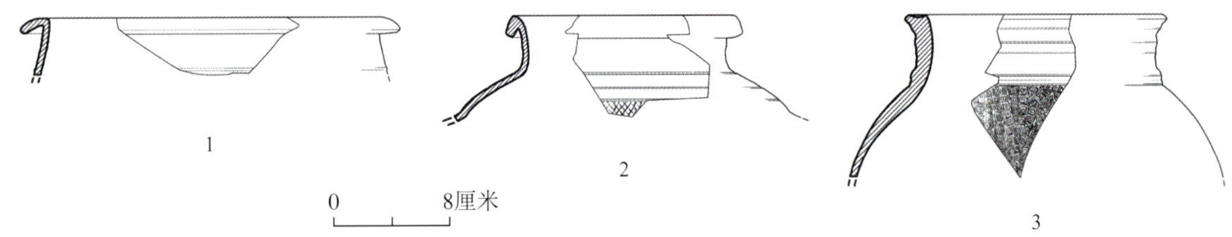

图 2.2.8 杨家湾 Q1712T1220、T1620 第 4 层出土陶器

1. 盆（Q1712T1220④：2） 2. 瓮（Q1712T1620④：1） 3. 印纹硬陶罐（Q1712T1220④：1）

原后口径26.2、残高3.9厘米（图2.2.8，1）。

瓮 标本1件。

标本Q1712T1620④：1，泥质黑皮陶。侈口，折沿外翻，圆唇，微束颈，广肩。肩部饰三周凹弦纹，凹弦纹下饰网格纹。复原后口径16，残高6.7厘米（图2.2.8，2）。

印纹硬陶罐 标本1件。

标本Q1712T1220④：1，胎芯为灰色。口微侈，沿面微内凹，束颈，溜肩。颈部见多道轮制痕迹。腹部饰云雷纹。复原后口径17.9、残高11厘米（图2.2.8，3）。

第4层下未发掘，具体层位信息不详。

（二）Q1713T1203～T1403南壁

属于2013年发掘区的东北部，2006～2011年发掘区北侧。地层堆积较为简单。第1层为表土层，为近现代人类活动形成，第2、3层为商时期地层。遗迹G1位于第2层下，打破第3层。探方南部已被现代建筑破坏，层位上无法与2006～2011年发掘区相衔接（图2.2.9、图2.2.10）。

1. 第1层

表土层。灰黄土，土质疏松。厚0.15～0.6米。包含大量植物根茎和现代废弃垃圾。

2. 第2层

商时期文化层。灰褐土，土质致密。最厚约0.5、深0.05～0.2米。从Q1713T1203东南部向西延伸。出土泥质陶、夹砂陶、印纹硬陶和原始瓷等各类陶、瓷片。夹砂陶占绝大部分。泥质陶、印纹硬陶和原始瓷均较少见。陶色以红陶为主，灰陶次之。纹饰以绳纹为主，附加堆纹、网格纹和篮纹数量较少。陶器可辨器形以缸为主，另见有鬲、甗、豆等（图2.2.11；表2.2.1～表2.2.4）。此层下叠压有G1。

陶器

鬲 标本1件。

标本Q1713T1303②：1，夹砂灰陶。侈口，卷沿，沿面上仰，尖唇。腹部饰绳纹。复原后口径16、残高4.8厘米（图2.2.11，1）。

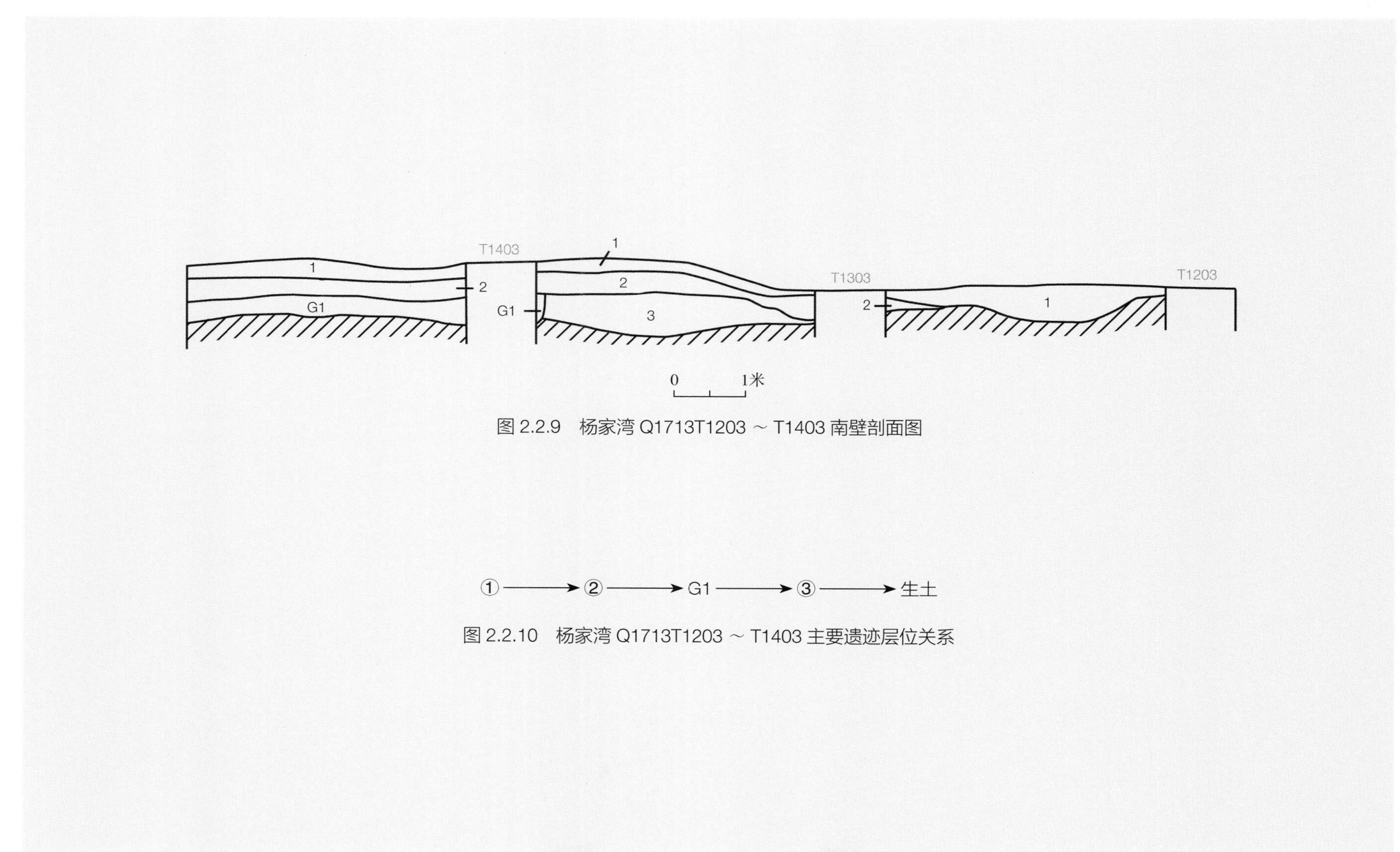

图 2.2.9　杨家湾 Q1713T1203 ～ T1403 南壁剖面图

图 2.2.10　杨家湾 Q1713T1203 ～ T1403 主要遗迹层位关系

豆　标本3件。均为假腹豆。

标本Q1713T1303②：2，泥质灰陶。敞口，方唇。腹部饰两周凸棱。复原后口径12、残高3.5厘米（图2.2.11，2）。

标本Q1713T1403②：1，泥质灰陶。敞口，平折沿，尖圆唇。腹部饰一周弦纹。复原后口径15、残高3.5厘米（图2.2.11，3）。

标本Q1713T1403②：2，泥质灰陶。敞口，沿面外翻，方唇。素面。复原后口径22.3、残高7.5厘米（图2.2.11，4）。

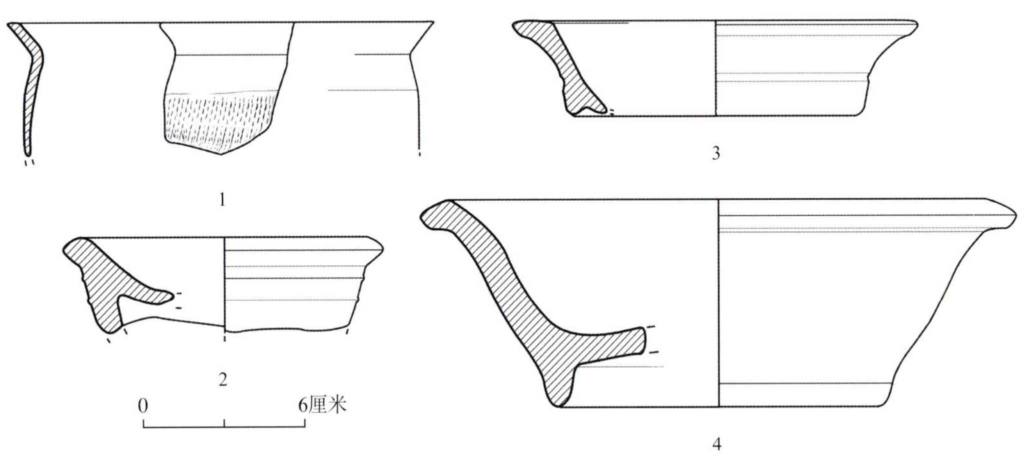

图 2.2.11　杨家湾 Q1713T1303、T1403 第 2 层出土陶器

1. 鬲（Q1713T1303②：1）　2～4. 豆（Q1713T1303②：2、Q1713T1403②：1、Q1713T1403②：2）

表2.2.1　杨家湾Q1713T1303第2层陶系、纹饰统计表　（重量单位：克）

陶质		夹砂				泥质			印纹硬陶和原始瓷	合计	百分比（%）
纹饰 \ 陶色		灰	黑皮[①]	红	黄	灰	黑皮	红			
绳纹	数量	151	17	261	36	47	13	18		543	19.84
	重量	4341.5	230	11390	2362	427.5	186.5	153.5		19091	19.92
绳纹和附加堆纹	数量			22	3	1				26	0.95
	重量			2121.5	232.5	19.5				2373.5	2.48
绳纹和弦纹	数量	9		3		3	2			17	0.62
	重量	345.5		36		44	20			445.5	0.46
网格纹	数量	14		122	37				14	187	6.83
	重量	924		6261.5	2491				245.5	9922	10.35
网格纹和S形纹	数量								1	1	0.04
	重量								31	31	0.03

① 盘龙城遗址出土肉眼所见器表为黑色的陶器，绝大部分实际器表与胎芯颜色不一致，根据以往归类将其称为黑皮陶。不过这并不意味着陶器实际在制作过程中有意施加陶衣或经过渗碳处理；极少量也可能与中原地区的黑陶相类，但我们在统计过程中并未有意将两者区别开来。以下统计表中黑皮陶一栏均同于此。

续表

纹饰 \ 陶质 / 陶色		夹砂				泥质			印纹硬陶和原始瓷	合计	百分比（%）
		灰	黑皮	红	黄	灰	黑皮	红			
篮纹	数量	6		141	68					215	7.86
	重量	328.5		8084.5	3443					11856	12.37
篦纹	数量								1	1	0.04
	重量								17.5	17.5	0.02
附加堆纹	数量	7	1	80	35		1			124	4.53
	重量	480	16	3546.5	2157.5		32.5			6232.5	6.50
附加堆纹和网格纹	数量	2		10	15					27	0.99
	重量	169		885.5	955					2009.5	2.10
附加堆纹和篮纹	数量			11	6					17	0.62
	重量			597.5	1632.5					2230	2.33
附加堆纹和弦纹	数量					2				2	0.07
	重量					69.5				69.5	0.07
弦纹	数量	4		4		35	2		5	50	1.83
	重量	101		60.5		395.5	45		139	741	0.77
弦纹和云雷纹	数量								3	3	0.11
	重量								140	140	0.15
弦纹和叶脉纹	数量								2	2	0.07
	重量								19	19	0.02
窗棂纹	数量					1				1	0.04
	重量					31.5				31.5	0.03
云雷纹	数量							1	26	27	0.99
	重量							4	360	364	0.38
云雷纹和叶脉纹	数量								1	1	0.04
	重量								71.5	71.5	0.07
叶脉纹	数量								12	12	0.44
	重量								218	218	0.23
素面	数量	355		722	312	55	14	15	8	1481	54.11
	重量	6719		21557	10360	469.5	412.5	294.5	174	39986.5	41.72
合计	数量	548	18	1376	512	144	32	34	73	2737	100.00
	重量	13408.5	246	54540.5	23633.5	1457	696.5	452	1415.5	95849.5	100.00
百分比（%）	数量	20.02	0.66	50.27	18.71	5.26	1.17	1.24	2.67	100.00	
		89.66				7.67					
	重量	13.99	0.26	56.90	24.66	1.52	0.73	0.47	1.48	100.00[1]	
		95.80				2.72					

① 本书百分比数据的计算均遵循四舍五入原则，精确至小数点后第二位。由于数值的舍入处理，累计百分比之和可能出现0.01%的误差。

表2.2.2　杨家湾Q1713T1303第2层可辨器形统计表

陶质	夹砂			泥质	印纹硬陶和原始瓷	合计	百分比（%）
器形＼陶色	灰	红	黄	灰			
鬲	12					12	0.64
鬲口或甗口	32					32	1.70
鬲足或甗足	32	29				61	3.25
罐					7	7	0.37
爵	4					4	0.21
豆				1		1	0.05
盆				14		14	0.75
瓮				3		3	0.16
大口尊	2			7		9	0.48
缸	10	1214	512			1736	92.39
合计	92	1243	512	25	7	1879	100.00
百分比（%）	4.90	66.15	27.25	1.33	0.37	100.00	

表2.2.3　杨家湾Q1713T1403第2层陶系、纹饰统计表　（重量单位：克）

陶质		夹砂				泥质			印纹硬陶和原始瓷	合计	百分比（%）
纹饰＼陶色		灰	黑皮	红	黄	灰	黑皮	红			
绳纹	数量	15	6	30	7	34	19	1		112	13.38
	重量	145.5	107	1790.5	241	449	133.5	14		2880.5	9.16
绳纹和附加堆纹	数量			4						4	0.48
	重量			2969.5						2969.5	9.44
绳纹和弦纹	数量		1			5				6	0.72
	重量		14			128				142	0.45
网格纹	数量	14		22	2	3	1			42	5.02
	重量	497.5		905	76.5	23	34			1536	4.88
网格纹和弦纹	数量					1				1	0.12
	重量					12				12	0.04
篮纹	数量	5		58	6					69	8.24
	重量	164.5		3847	156					4167.5	13.25
篮纹和附加堆纹	数量			1						1	0.12
	重量			140.5						140.5	0.45

续表

纹饰＼陶质/陶色		夹砂 灰	夹砂 黑皮	夹砂 红	夹砂 黄	泥质 灰	泥质 黑皮	泥质 红	印纹硬陶和原始瓷	合计	百分比（%）
篮纹和弦纹	数量					1				1	0.12
	重量					12.5				12.5	0.04
附加堆纹	数量	17	2	46	11		2			78	9.32
	重量	4438.5	234	2439.5	510		77.5			7699.5	24.48
弦纹	数量	3	2	3		3	8	1		20	2.39
	重量	43	29	57		21	122.5	10		282.5	0.90
云雷纹	数量								3	3	0.36
	重量								64	64	0.20
叶脉纹	数量								1	1	0.12
	重量								18	18	0.06
素面	数量	109	12	247	84	42		4	1	499	59.62
	重量	1783.5	100.5	7152	1785	559		31.5	6	11417.5	36.30
合计	数量	163	23	411	110	89	30	6	5	837	100.00
	重量	7072.5	484.5	19301	2768.5	1204.5	367.5	55.5	88	31342	100.00
百分比（%）	数量	19.47	2.75	49.1	13.14	10.63	3.58	0.72	0.60	100.00	
		84.47				14.93					
	重量	22.56	1.55	61.58	8.83	3.84	1.17	0.18	0.28	100.00	
		94.53				5.19					

表2.2.4 杨家湾Q1713T1403第2层可辨器形统计表

器形＼陶质/陶色	夹砂 灰	夹砂 红	夹砂 黄	泥质 灰	合计	百分比（%）
鬲	2				2	0.36
鬲足或甗足	11	8			19	3.44
爵	1				1	0.18
豆				3	3	0.54
盆				10	10	1.81
大口尊				2	2	0.36
缸	6	400	110		516	93.31
合计	20	408	110	15	553	100.00
百分比（%）	3.62	73.78	19.89	2.71	100.00	

3. 第3层

商时期文化层。红褐土，土质致密。最厚约0.6、深0.25～0.6米。主要分布于Q1713T1303，东部被G1打破，西部渐薄。出土泥质陶、夹砂陶、印纹硬陶和原始瓷等各类陶、瓷片。夹砂陶数量居多，占出土陶片总数约77%。陶色以红陶为主，灰陶次之。纹饰多见绳纹，另有一定数量的网格纹、篮纹、附加堆纹、弦纹、云雷纹和叶脉纹。器类以缸为大宗，占可辨器类约87%，其他常见器类有鬲或甗、盆、罐、瓮、爵等（表2.2.5、表2.2.6）。

表2.2.5　杨家湾Q1713T1303第3层陶系、纹饰统计表　　（重量单位：克）

陶质		夹砂				泥质		印纹硬陶和原始瓷	合计	百分比（%）
纹饰 \ 陶色		灰	黑皮	红	黄	灰	黑皮			
绳纹	数量	12	1	14	1				28	17.83
	重量	101	8	410.5	38.5				558	17.96
绳纹和附加堆纹	数量	1							1	0.64
	重量	32.5							32.5	1.05
绳纹和弦纹	数量					1			1	0.64
	重量					11			11	0.35
网格纹	数量				5	1	1	2	9	5.73
	重量				115	11	11.5	15	152.5	4.91
篮纹	数量			8	1				9	5.73
	重量			457.5	43.5				501	16.12
篮纹和附加堆纹	数量			1					1	0.64
	重量			59					59	1.90
附加堆纹	数量			5					5	3.18
	重量			145					145	4.67
弦纹	数量					4			4	2.55
	重量					39.5			39.5	1.27
云雷纹	数量							1	1	0.64
	重量							3.5	3.5	0.11
叶脉纹	数量							1	1	0.64
	重量							5.5	5.5	0.18
素面	数量	13		52	7	20	4	1	97	61.78
	重量	206.5		1034	179	124.5	48	7.5	1599.5	51.48

续表

<table>
<tr><th colspan="2">陶质 / 陶色 / 纹饰</th><th colspan="4">夹砂</th><th colspan="2">泥质</th><th rowspan="2">印纹硬陶和原始瓷</th><th rowspan="2">合计</th><th rowspan="2">百分比（%）</th></tr>
<tr><th colspan="2"></th><th>灰</th><th>黑皮</th><th>红</th><th>黄</th><th>灰</th><th>黑皮</th></tr>
<tr><td rowspan="2">合计</td><td>数量</td><td>26</td><td>1</td><td>80</td><td>14</td><td>26</td><td>5</td><td>5</td><td>157</td><td>100.00</td></tr>
<tr><td>重量</td><td>340</td><td>8</td><td>2106</td><td>376</td><td>186</td><td>59.5</td><td>31.5</td><td>3107</td><td>100.00</td></tr>
<tr><td rowspan="4">百分比（%）</td><td rowspan="2">数量</td><td>16.56</td><td>0.64</td><td>50.96</td><td>8.92</td><td>16.56</td><td>3.18</td><td rowspan="2">3.18</td><td rowspan="2" colspan="2">100.00</td></tr>
<tr><td colspan="4">77.07</td><td colspan="2">19.75</td></tr>
<tr><td rowspan="2">重量</td><td>10.94</td><td>0.26</td><td>67.78</td><td>12.10</td><td>5.99</td><td>1.92</td><td rowspan="2">1.01</td><td rowspan="2" colspan="2">100.00</td></tr>
<tr><td colspan="4">91.09</td><td colspan="2">7.90</td></tr>
</table>

表2.2.6　杨家湾Q1713T1303第3层可辨器形统计表

<table>
<tr><th>陶质 / 陶色 / 器形</th><th>夹砂</th><th></th><th></th><th>泥质</th><th rowspan="2">合计</th><th rowspan="2">百分比（%）</th></tr>
<tr><th></th><th>灰</th><th>红</th><th>黄</th><th>灰</th></tr>
<tr><td>鬲或甗</td><td>4</td><td></td><td></td><td></td><td>4</td><td>3.88</td></tr>
<tr><td>罐</td><td>1</td><td></td><td></td><td></td><td>1</td><td>0.97</td></tr>
<tr><td>爵</td><td>1</td><td></td><td></td><td></td><td>1</td><td>0.97</td></tr>
<tr><td>盆</td><td></td><td></td><td></td><td>5</td><td>5</td><td>4.85</td></tr>
<tr><td>瓮</td><td></td><td></td><td></td><td>2</td><td>2</td><td>1.94</td></tr>
<tr><td>缸</td><td></td><td>76</td><td>14</td><td></td><td>90</td><td>87.38</td></tr>
<tr><td>合计</td><td>6</td><td>76</td><td>14</td><td>7</td><td>103</td><td>100.00</td></tr>
<tr><td>百分比（%）</td><td>5.83</td><td>73.79</td><td>13.59</td><td>6.80</td><td colspan="2">100.00</td></tr>
</table>

（三）Q1712T0915～T0918西壁

属于2013年发掘区西南部，地层多由北向南倾斜。其北部商时期堆积较薄，第1层下仅见一层商时期文化堆积和商时期灰坑，灰坑较浅并直接打破生土。南部文化堆积渐厚，见有多层文化堆积。需要注意的是，T0918北部探方Q1712T0919～T0920、Q1713T0901～T0903表土第1层下即为生土，未见商时期文化堆积。因此该区域探方地层和遗迹层位关系无法与北部探方Q1712T0919～T0920、Q1713T0901～T0903以及上述东部探方Q1713T1203～T1403相串联。此外，该区域南部探方均仅发掘至探方第6层，第6层以下未发掘（图2.2.12）。

该区域探方及北部相邻探方遗迹主要分布为两个区域，一处为发掘区西北角Q1713T0603～T0601、Q1713T0703～T0701、Q1713T0803～T0801，发现M16～M21等墓葬和灰坑H18、灰沟G2，遗迹均位于第1层下，打破生土。另一处为上述发掘区南部探方

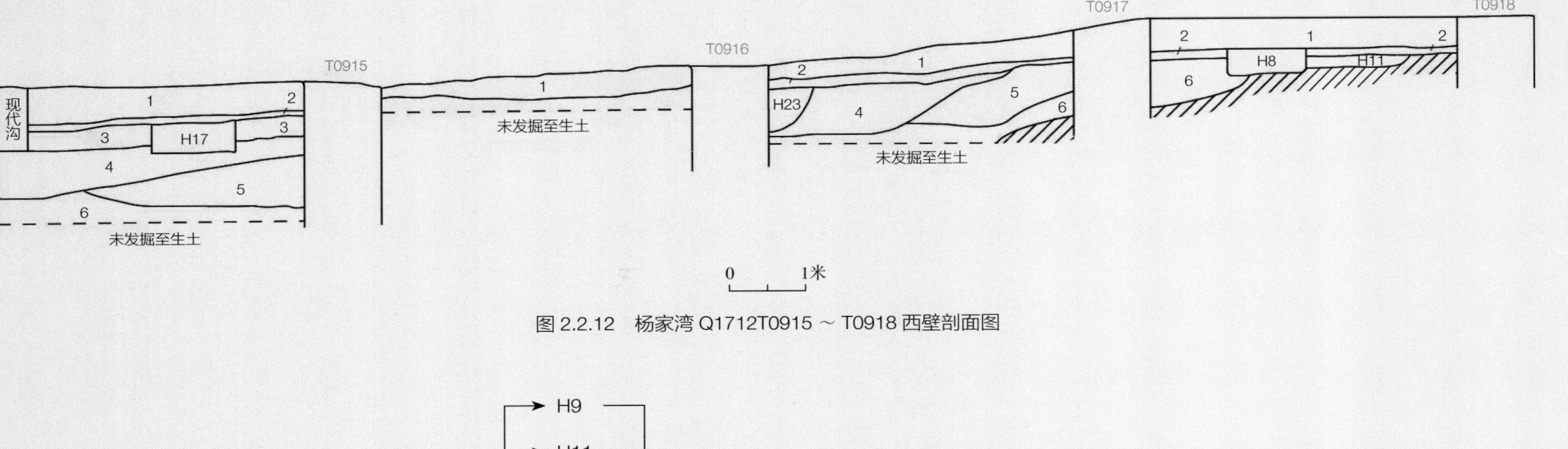

图 2.2.12　杨家湾 Q1712T0915 ～ T0918 西壁剖面图

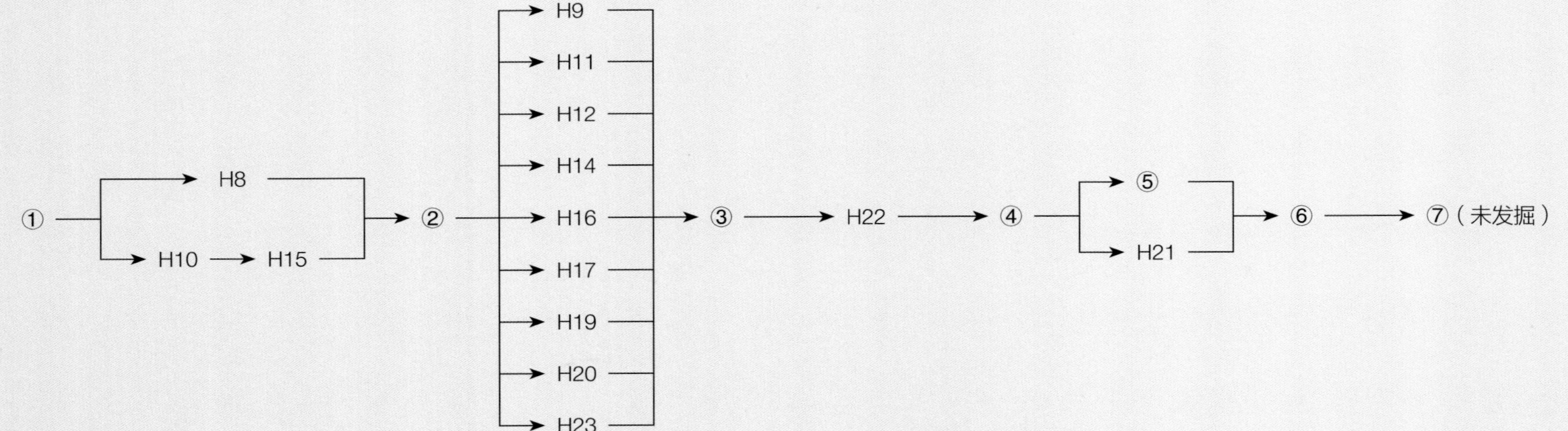

图 2.2.13　杨家湾 Q1712T0816 ～ T0818、T0915 ～ T0918 主要遗迹层位关系

Q1712T0915～Q1713T0918及相邻探方Q1712T0816～T0818，发现多处灰坑遗迹。其中H8、H10、H15叠压于第1层下，打破第2层；H9、H11、H12、H14、H16、H17、H19、H20、H23叠压于第2层下，打破第3层；H22叠压于第3层下，打破第4层；H21叠压于第4层下，打破第6层（图2.2.13、图2.2.14）。

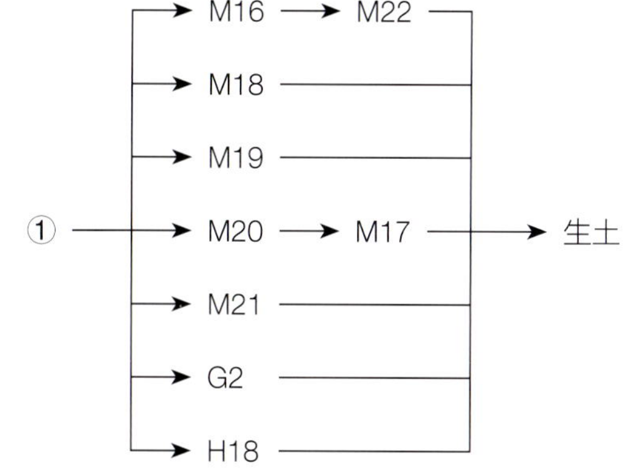

图 2.2.14　杨家湾 Q1713T0601 ～ T0603、T0701 ～ T0703、T0801 ～ T0803 主要遗迹层位关系

1. 第1层

表土层。灰黄土，土质疏松。厚0.1～0.8米。分布于整个发掘区。包含大量植物根茎和现代废弃垃圾。此层下叠压有商时期灰坑H8、H10、H15、H18、灰沟G2及墓葬M16、M17、M18、M19、M20、M21、M22。

2. 第2层

商时期文化层。灰褐土，土质致密。厚0.06～0.25、深0.1～0.5米。分布于Q1712T0918及其以南探方。出土夹砂陶、泥质陶、印纹硬陶和原始瓷等各类陶、瓷片。夹砂陶占大部分，比例为75%～94%。陶色以红陶、黄陶为主，灰陶次之，另有一定比例的黑皮陶。纹饰以绳纹为主，同时见有附加堆纹、网格纹、篮纹和云雷纹。陶器可辨器形以缸为主，另见有鬲、甗、盆、豆、罐等（表2.2.7～表2.2.10）。此层下叠压有H9、H11、H12、H14、H16、H17、H19、H20、H23。

表2.2.7　杨家湾Q1712T0917第2层陶系、纹饰统计表　　（重量单位：克）

陶质		夹砂				泥质			印纹硬陶和原始瓷	合计	百分比（%）
纹饰＼陶色		灰	黑皮	红	黄	灰	黑皮	红			
绳纹	数量	115	110	128	44	80	100	4		581	29.94
	重量	1214	3092	4503	3181	356.5	908	39		13293.5	30.39
绳纹和附加堆纹	数量	3		7		8	10			28	1.44
	重量	131.5		1163.5		524	272			2091	4.78
绳纹和弦纹	数量					20	4	1		25	1.29
	重量					455	64.5	26.5		546	1.25
网格纹	数量			57	25				6	88	4.54
	重量			1989.5	1779				125	3893.5	8.90

续表

纹饰＼陶质/陶色		夹砂				泥质			印纹硬陶和原始瓷	合计	百分比（%）
		灰	黑皮	红	黄	灰	黑皮	红			
网格纹和附加堆纹	数量			2	6					8	0.41
	重量			162.5	632					794.5	1.82
网格纹和弦纹	数量					1	1			2	0.10
	重量					7.5	8.5			16	0.04
篮纹	数量			28	18					46	2.37
	重量			999.5	844.5					1844	4.22
附加堆纹	数量	22		26	28	1	10			87	4.48
	重量	414		1489	1409	22.5	125.5			3460	7.91
弦纹	数量	4				28	14			46	2.37
	重量	47				284	103			434	0.99
云雷纹	数量						1		9	10	0.52
	重量						17		109.5	126.5	0.29
叶脉纹	数量								5	5	0.26
	重量								41.5	41.5	0.09
素面	数量	209	43	406	170	67	109	8	2	1014	52.27
	重量	1658.5	542.5	8047	5457.5	495.5	825	101.5	77.5	17205	39.33
合计	数量	353	153	654	291	205	249	13	22	1940	100.00
	重量	3465	3634.5	18354	13303	2145	2323.5	167	353.5	43745.5	100.00
百分比（%）	数量	18.20	7.89	33.71	15.00	10.57	12.84	0.67	1.13	100.00	
		74.79				24.07					
	重量	7.92	8.31	41.96	30.41	4.90	5.31	0.38	0.81	100.00	
		88.60				10.60					

表2.2.8　杨家湾Q1712T0917第2层可辨器形统计表

器形＼陶质/陶色	夹砂			泥质		印纹硬陶和原始瓷	合计	百分比（%）
	灰	红	黄	灰	黑皮			
鬲	29						29	2.61
鬲或甗	45	2					47	4.24
鬲足或甗足	20	8					28	2.52

续表

陶质	夹砂			泥质		印纹硬陶和原始瓷	合计	百分比（%）
器形＼陶色	灰	红	黄	灰	黑皮			
甗	1						1	0.09
豆				1			1	0.09
盆				7	3		10	0.90
瓮	3			8			11	0.99
大口尊				7	6		13	1.17
尊						1	1	0.09
缸	33	644	291				968	87.29
合计	131	654	291	23	9	1	1109	100.00
百分比（%）	11.81	58.97	26.24	2.07	0.81	0.09	100.00	

表2.2.9　杨家湾Q1712T0918第2层陶系、纹饰统计表　（重量单位：克）

陶质		夹砂				泥质	印纹硬陶和原始瓷	合计	百分比（%）
纹饰＼陶色		灰	黑皮	红	黄	灰			
绳纹	数量	32	16	19	29	10		106	24.26
	重量	417	199	772	2445	86		3919	22.19
绳纹和附加堆纹	数量			3	5			8	1.83
	重量			402	359			761	4.31
绳纹和弦纹	数量	2						2	0.46
	重量	32						32	0.18
网格纹	数量		8	8	12			28	6.41
	重量		484	408	449			1341	7.59
网格纹和附加堆纹	数量				4			4	0.92
	重量				528			528	2.99
网格纹和弦纹	数量	1						1	0.23
	重量	24						24	0.14
篮纹	数量				2			2	0.46
	重量				150			150	0.85
附加堆纹	数量	3	1	5	5			14	3.20
	重量	43	6	318	538			905	5.13

续表

陶质		夹砂				泥质	印纹硬陶和原始瓷	合计	百分比（%）
纹饰＼陶色		灰	黑皮	红	黄	灰			
弦纹	数量				1			1	0.23
	重量				38			38	0.22
云雷纹	数量						2	2	0.46
	重量						41	41	0.23
叶脉纹	数量	2						2	0.46
	重量	19						19	0.11
划纹	数量	2	1			2		5	1.14
	重量	18	11			13		42	0.24
素面	数量	31	46	55	116	13		261	59.73
	重量	1154	1184	2251	5181	88		9858	55.96
合计	数量	74	72	90	174	25	2	437	100.00
	重量	1707	1884	4151	9688	187	41	17658	100.00
百分比（%）	数量	16.93	16.48	20.59	39.82	5.72	0.46	100.00	
		93.82							
	重量	9.67	10.67	23.51	54.86	1.06	0.23	100.00	
		98.71							

表2.2.10　杨家湾Q1712T0918第2层可辨器形统计表

陶质	夹砂				合计	百分比（%）
器形＼陶色	灰	黑皮	红	黄		
鬲	1				1	0.32
鬲足或甗足	2	8		2	12	3.88
罐				1	1	0.32
斝	1				1	0.32
爵	1				1	0.32
豆		1			1	0.32
盆	2	1			3	0.97
缸	8	25	82	174	289	93.53
合计	15	35	82	177	309	100.00
百分比（%）	4.85	11.33	26.54	57.28	100.00	

3. 第3层

商时期文化层。黑灰土，土质致密。最厚约0.35、深0.35～0.6米。此层下叠压有H22。从Q1712T0917东南部向南倾斜，至探方Q1712T0915。出土少量的青铜残片和夹砂陶、泥质陶、印纹硬陶和原始瓷等各类陶、瓷片。夹砂陶占大部分，比例约73%。陶色以红陶为主，灰陶次之，有少量的黑皮陶和黄陶。纹饰以绳纹为主，同时见有附加堆纹、网格纹、篮纹、弦纹、圆圈纹、直棱纹、云雷纹、篦纹、叶脉纹等。陶器可辨器形以缸为主，占可辨器类总数约97%，另见有鬲、甗、盆、瓮、大口尊、斝、爵和硬陶尊等（图2.2.15；表2.2.11、表2.2.12）。

陶器

盆　标本4件。多为泥质灰陶，部分为泥质黑皮陶。

标本Q1712T0917③：1，泥质灰陶。斜腹盆。敞口，折沿外翻，方唇，腹部斜收。腹部饰一周弦纹，下饰交错绳纹，内壁饰两周弦纹。复原后口径34、残高6.4厘米（图2.2.15，1）。

标本Q1712T0917③：2，泥质灰陶。直腹盆。直口，平折沿，方唇，外壁沿下加厚处理，腹部近直。上腹部饰五周弦纹，间断绳纹抹光，下腹部饰绳纹，近底部绳纹交错。复原后口径25、残高16.4厘米（图2.2.15，2）。

标本Q1712T0917③：3，泥质灰陶。鼓腹盆。卷沿外翻，圆唇，腹外鼓。上腹部饰三周弦纹，下饰绳纹。复原后口径26.8、残高9.6厘米（图2.2.15，3）。

标本Q1712T0917③：24，夹砂灰陶。直腹盆。折沿，尖唇，腹部近直。沿面近口部有一周凹槽。腹部饰两周凹弦纹。复原后口径32、残高9.5厘米（图2.2.15，4）。

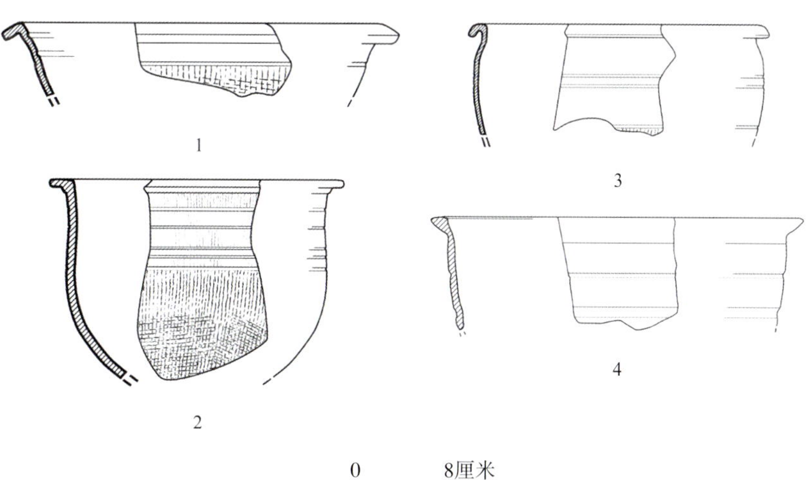

图 2.2.15　杨家湾 Q1712T0917 第 3 层出土陶盆

1. Q1712T0917③：1　2. Q1712T0917③：2　3. Q1712T0917③：3　4. Q1712T0917③：24

表2.2.11　杨家湾Q1712T0917第3层陶系、纹饰统计表　　（重量单位：克）

纹饰 \ 陶质 / 陶色		夹砂				泥质			印纹硬陶和原始瓷	合计	百分比（%）
		灰	黑皮	红	黄	灰	黑皮	红			
绳纹	数量	133	69	294	29	145	47	34		751	35.64
	重量	2612	1937	15310	2108.5	1149.5	663	279.5		24059.5	35.92
绳纹和附加堆纹	数量	2		17	8		1			28	1.33
	重量	202.5		1607	5789		29.5			7628	11.39
绳纹和弦纹	数量					9	17			26	1.23
	重量					646.5	282			928.5	1.39
网格纹	数量		1	57	26				2	86	4.08
	重量		147.5	2239	1806				62	4254.5	6.35
网格纹和附加堆纹	数量			6	1			2		9	0.43
	重量			235.5	1145			2929.5		4310	6.44
网格纹和弦纹	数量					1		1		2	0.09
	重量					10		44		54	0.08
篮纹	数量			35	4					39	1.85
	重量			1495.5	131.5					1627	2.43
篮纹和附加堆纹	数量			1						1	0.05
	重量			10.5						10.5	0.02
附加堆纹	数量	12		39	4	4	4			63	2.99
	重量	1093		2684.5	221.5	53.5	127.5			4180	6.24
附加堆纹和弦纹	数量							2		2	0.09
	重量							123		123	0.18
弦纹	数量					30	23			53	2.52
	重量					503	418			921	1.38
云雷纹	数量						1		5	6	0.28
	重量						4		101	105	0.16
叶脉纹	数量								3	3	0.14
	重量								17.5	17.5	0.03
篦纹	数量								4	4	0.19
	重量								86.5	86.5	0.13
圆圈纹	数量						1			1	0.05
	重量						10			10	0.01

续表

纹饰 \ 陶质/陶色		夹砂 灰	夹砂 黑皮	夹砂 红	夹砂 黄	泥质 灰	泥质 黑皮	泥质 红	印纹硬陶和原始瓷	合计	百分比（%）
窗棂纹	数量							2		2	0.09
	重量							47		47	0.07
素面	数量	275	28	462	44	80	115	25	2	1031	48.93
	重量	4140	232.5	9764.5	1777.5	813	1289.5	543.5	52	18612.5	27.79
合计	数量	422	98	911	116	269	209	66	16	2107	100.00
	重量	8047.5	2317	33346.5	12979	3175.5	2823.5	3966.5	319	66974.5	100.00
百分比（%）	数量	20.03	4.65	43.24	5.51	12.77	9.92	3.13	0.76	100.00	
		73.42				25.82					
	重量	12.02	3.46	49.79	19.38	4.74	4.22	5.92	0.48	100.00	
		84.64				14.88					

表2.2.12　杨家湾Q1712T0917第3层可辨器形统计表

器形 \ 陶质/陶色	夹砂 灰	夹砂 红	夹砂 黄	泥质 灰	泥质 黑皮	印纹硬陶和原始瓷	合计	百分比（%）
鬲	10						10	0.92
鬲足或甗足	2						2	0.18
甗	1						1	0.09
斝	1						1	0.09
爵	2						2	0.18
盆	1			6	3		10	0.92
瓮				3			3	0.28
大口尊				1	4		5	0.46
尊						1	1	0.09
缸	22	911	116				1049	96.77
合计	39	911	116	10	7	1	1084	100.00
百分比（%）	3.60	84.04	10.70	0.92	0.65	0.09	100.00	

4. 第4层

商时期文化层。褐色土，土质致密。最厚约0.65、深0.38～0.85米。从Q1712T0917北部向南倾斜。出土石器和夹砂陶、泥质陶、印纹硬陶和原始瓷等各类陶、瓷片。夹砂陶占绝大多数。陶色以红陶为主，并多见有灰陶和黄陶。纹饰以绳纹为主，同时可见网格纹、篮纹、附加堆纹、弦纹、云雷纹、叶脉纹、“回”字形纹、圆圈纹、窗棂纹。器类以缸为大宗，占可辨器类总数约80%。常见器类还有鬲、甗、盆、豆、罐、大口尊等（图2.2.16、图2.2.17；表2.2.13～表2.2.16）。

1）陶器

大口尊　标本1件。

标本Q1712T0917④：18，泥质黑皮陶。敞口，圆唇，肩部略突出。素面，颈部见轮制修整的痕迹。复原后口径33、残高7.9厘米（图2.2.16，2）。

缸　标本3件。

标本Q1712T0915④：1，夹砂灰陶。敞口，圆唇，直腹。口沿下饰一周附加堆纹，口部

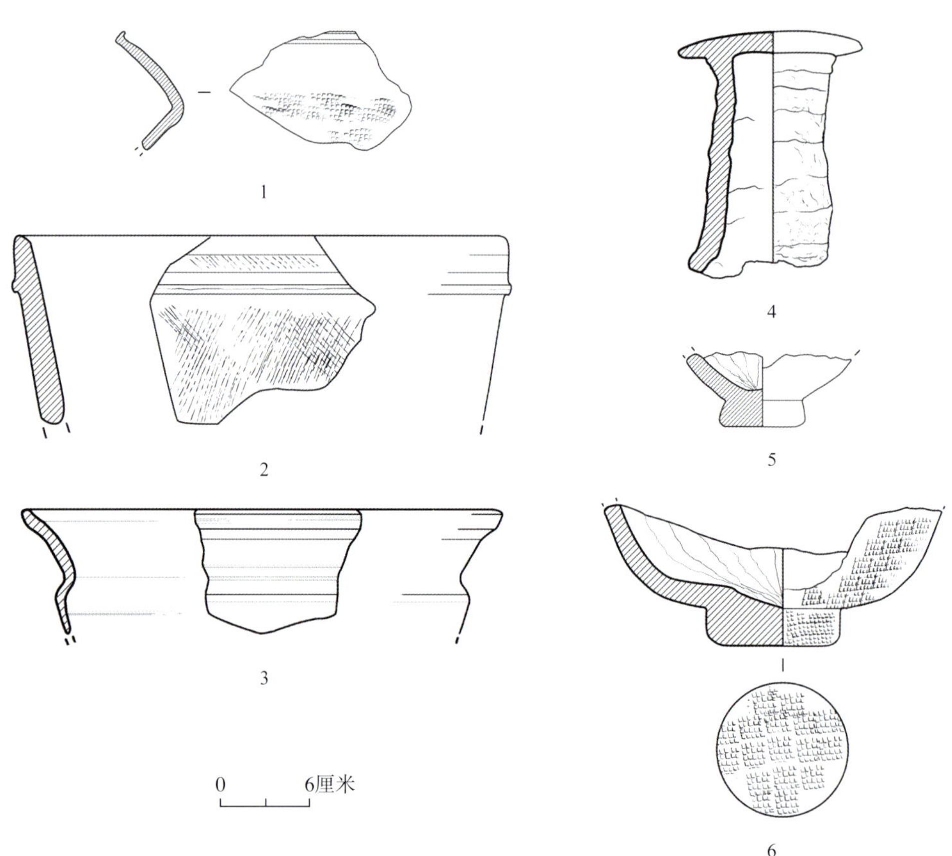

图2.2.16　杨家湾Q1712T0915、T0917第4层出土陶器

1. 印纹硬陶尊（Q1712T0917④：17）　2. 大口尊（Q1712T0917④：18）　3、5、6. 缸（Q1712T0915④：1、Q1712T0915④：2、Q1712T0917④：19）　4. 中柱盂（Q1712T0915④：3）

饰斜向绳纹，腹部饰交错绳纹。复原后口径32.8、残高12厘米（图2.2.16，3）。

标本Q1712T0915④：2，夹砂黄陶。小平底，假圈足。素面。内壁见纵向条状向中心汇聚的泥条痕迹。复原后底径5.5、残高4.9厘米（图2.2.16，5）。

标本Q1712T0917④：19，夹砂黄陶。小平底，假圈足。器底通体饰网格纹。器内壁见纵向条状向中心汇聚的泥条痕迹。复原后底径8.7、残高9厘米（图2.2.16，6）。

中柱盂 标本1件。

标本Q1712T0915④：3，夹砂灰陶。伞状柱。器表陶衣已脱落，见有明显的泥条堆筑痕迹。伞状器顶直径12、残高16.2厘米（图2.2.16，4）。

印纹硬陶尊 标本1件。

标本Q1712T0917④：17，胎芯为灰色。敞口，方唇，唇面钩状向内突出，折肩。肩部饰小网格纹，网格纹排列杂乱。颈部见明显的轮制痕迹，肩下则见手捏制的痕迹。残高7.5厘米（图2.2.16，1）。

2）石器

臼 标本1件。

标本Q1712T0917④：1，石质为麻石。器形完整，横截面近圆角方形，中心有凹孔。外径15.8、通高14.7厘米，中心孔直径4.7、深6.2厘米（图2.2.17，1、2）。

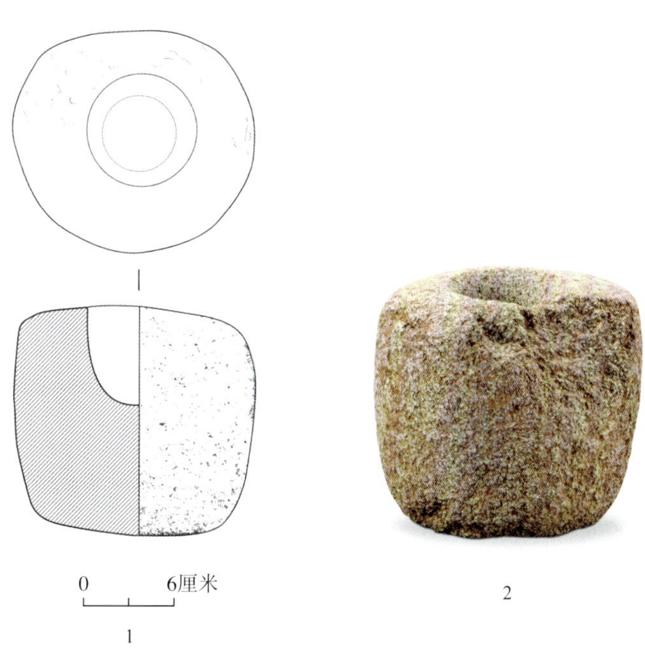

图2.2.17　石臼（杨家湾Q1712T0917④：1）

1. 线图　2. 照片

表2.2.13　杨家湾Q1712T0915第4层陶系、纹饰统计表　　（重量单位：克）

纹饰 \ 陶质、陶色		夹砂				泥质			印纹硬陶和原始瓷	合计	百分比（%）
		灰	黑皮	红	黄	灰	黑皮	红			
绳纹	数量	195	131	229	164	81	89	6		895	42.18
	重量	3506	5954	16286	15049	1125	1345	94		43359	44.19
绳纹和附加堆纹	数量	13	6	17	21					58	2.69
	重量	294	150	1530	3327					5301	5.40
绳纹和弦纹	数量	4	2			15	30	7		58	2.73
	重量	34	139			477	930	103		1683	1.72
网格纹	数量	11	2	51	69		3		14	150	7.07
	重量	634	527	3066	5085		100		284	9696	9.88
网格纹和附加堆纹	数量			6	16					22	1.04
	重量			448	2051					2499	2.55
网格纹和弦纹	数量					1	2			3	0.14
	重量					25	51			76	0.08
篮纹	数量		2	26						28	1.32
	重量		120	2385						2505	2.55
附加堆纹	数量	9	8	17	27	1	10	2		74	3.49
	重量	269	308	1350	2038	17	255	104		4341	4.42
附加堆纹和弦纹	数量					2	5			7	0.33
	重量					97	332			429	0.44
弦纹	数量	10	1	7		35	41	1	4	99	4.67
	重量	27	9	52		497	1559	20	158	2322	2.37
云雷纹	数量				2				11	13	0.61
	重量				1455				281	1736	1.77
圆圈纹	数量					1	2			3	0.14
	重量					40	31			71	0.07
叶脉纹	数量	2							7	9	0.42
	重量	51							163	214	0.22
窗棂纹	数量		1			2	2			5	0.24
	重量		65			47	26			138	0.14
素面	数量	244	43	171	114	38	83		6	699	32.94
	重量	6608	985	7168	6088	1130	1681		87	23747	24.20
合计	数量	488	196	524	413	176	267	16	42	2122	100.00
	重量	11423	8257	32285	35093	3455	6310	321	973	98117	100.00

续表

陶质		夹砂				泥质			印纹硬陶和原始瓷	合计	百分比（%）
纹饰 \ 陶色		灰	黑皮	红	黄	灰	黑皮	红			
百分比（%）	数量	23.00	9.24	24.69	19.46	8.30	12.58	0.75	1.98	100.00	
		76.39				21.63					
	重量	11.64	8.42	32.90	35.77	3.52	6.43	0.33	0.99	100.00	
		88.73				10.28					

表2.2.14　杨家湾Q1712T0915第4层可辨器形统计表

陶质	夹砂				泥质		印纹硬陶和原始瓷	合计	百分比（%）
器形 \ 陶色	灰	黑皮	红	黄	灰	黑皮			
鬲	51	22	1					74	6.16
鬲足或甗足	26	5	50					81	6.74
甗	1							1	0.08
罐	2				13	5	2	12	1.00
豆					2	1		1	0.08
盆	2				4	2		4	0.33
中柱盂	1							1	0.08
大口尊	2	3	2		39	16		30	2.50
器盖					3	1		2	0.17
缸	51	68	414	413				946	78.70
合计	136	98	467	413	61	25	2	1202	100.00
百分比（%）	11.31	8.15	38.85	34.36	5.07	2.08	0.17	100.00	

表2.2.15　杨家湾Q1712T0917第4层陶系、纹饰统计表　　（重量单位：克）

陶质		夹砂				泥质			印纹硬陶和原始瓷	合计	百分比（%）
纹饰 \ 陶色		灰	黑皮	红	黄	灰	黑皮	红			
绳纹	数量	56	26	118	26	80	57	24		387	30.37
	重量	1164.5	852.5	6398	2300	703	555	165		12138	27.86
绳纹和附加堆纹	数量	1		19						20	1.57
	重量	193		2914						3107	7.13
绳纹和弦纹	数量					9	2			11	0.86
	重量					220	70.5			290.5	0.67

续表

纹饰＼陶质	陶色	夹砂				泥质			印纹硬陶和原始瓷	合计	百分比（%）
		灰	黑皮	红	黄	灰	黑皮	红			
网格纹	数量	2	1	66	16		2		6	93	7.30
	重量	372.5	66.5	5464	1476.5		11		152.5	7543	17.31
网格纹和附加堆纹	数量	1		6	8					15	1.18
	重量	132		827.5	758					1717.5	3.94
网格纹和弦纹	数量						10			10	0.78
	重量						157.5			157.5	0.36
篮纹	数量		2	13	8					23	1.81
	重量		53.5	721.5	438.5					1213.5	2.79
篮纹和附加堆纹	数量			4	3					7	0.55
	重量			566	247					813	1.87
附加堆纹	数量	7	1	30	8		2			48	3.77
	重量	78.5	16.5	1617.5	373		37.5			2123	4.87
弦纹	数量	2				18	10			30	2.35
	重量	86				308.5	73			467.5	1.07
弦纹和叶脉纹	数量					1				1	0.08
	重量					11				11	0.03
云雷纹	数量								5	5	0.39
	重量								120.5	120.5	0.28
叶脉纹	数量								3	3	0.24
	重量								51.5	51.5	0.12
“回”字形纹	数量				1					1	0.08
	重量				517.5					517.5	1.19
素面	数量	109	7	363	35	36	59	10	1	620	48.67
	重量	1902.5	119	8719.5	1370.5	286	790.5	70.5	35.5	13294	30.52
合计	数量	178	37	619	105	144	142	34	15	1274	100.00
	重量	3929	1108	27228	7481	1528.5	1695	235.5	360	43565	100.00
百分比（%）	数量	13.97	2.90	48.59	8.24	11.30	11.15	2.67	1.18	100.00	
		73.70				25.12					
	重量	9.02	2.54	62.50	17.17	3.51	3.89	0.54	0.83	100.00	
		91.23				7.94					

表2.2.16　杨家湾Q1712T0917第4层可辨器形统计表

陶质	夹砂				泥质			印纹硬陶和原始瓷	合计	百分比（%）
器形 \ 陶色	灰	黑皮	红	黄	灰	黑皮	红			
鬲	10		1						11	1.32
鬲或甗	32	3	5						40	4.80
鬲足或甗足	29		12						41	4.92
甗	3								3	0.36
罐	4		2						6	0.72
罐或瓮	3								3	0.36
斝	2								2	0.24
爵	1								1	0.12
盆					7	4			11	1.32
盆或簋					5				5	0.60
刻槽盆	1								1	0.12
壶						1			1	0.12
瓮	2				8				10	1.20
大口尊					5	3			8	0.96
尊							1	1	2	0.24
缸	10		573	105					688	82.59
合计	97	3	593	105	25	8	1	1	833	100.00
百分比（%）	11.64	0.36	71.19	12.61	3.00	0.96	0.12	0.12	100.00	

5. 第5层

商时期文化层。红褐土，土质致密。厚0.4～0.65、深0.35～1.03米。仅分布于Q1712T0917北部，并由北向南倾斜。出土夹砂陶、泥质陶、印纹硬陶和原始瓷等各类陶、瓷片。夹砂陶最多，约占总数量的79%。陶色以灰陶和红陶为主，另有少量的黄陶和黑皮陶。纹饰以绳纹为主，同时还见有网格纹、附加堆纹、篮纹、弦纹、云雷纹、叶脉纹、篦纹等。器类以缸为大宗，约占可辨器类总数的90%。常见器类还有鬲、甗、盆、罐、瓮、大口尊等（图2.2.18；表2.2.17、表2.2.18）。

陶器

大口尊　标本1件。

标本Q1712T0917⑤：7，泥质灰陶。敞口，卷沿，圆唇，肩部微鼓出。肩下饰斜向的绳纹。复原后口径38.6、残高11.5厘米（图2.2.18，1）。

缸　标本1件。

标本Q1712T0917⑤：8，夹细砂灰陶，双层胎。小平底，假圈足。内壁可见有泥片堆筑的痕迹，腹部饰交错绳纹，圈足素面。底径7.1、残高19.5厘米（图2.2.18，2）。

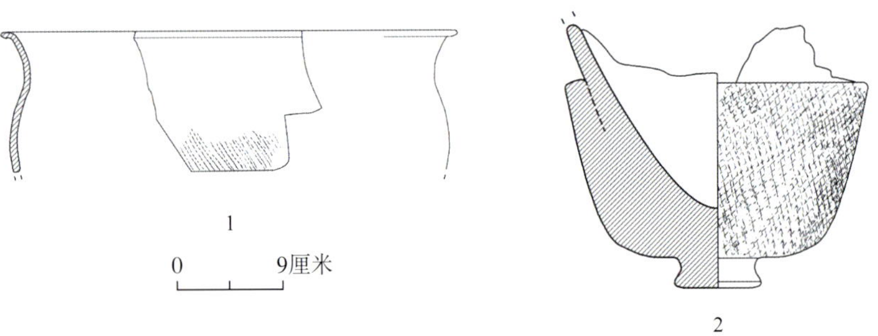

图2.2.18　杨家湾Q1712T0917第5层出土陶器

1. 大口尊（Q1712T0917⑤：7）　2. 缸（Q1712T0917⑤：8）

表2.2.17　杨家湾Q1712T0917第5层陶系、纹饰统计表　（重量单位：克）

陶质 / 纹饰	陶色	夹砂				泥质		印纹硬陶和原始瓷	合计	百分比（%）
		灰	黑皮	红	黄	灰	黑皮			
绳纹	数量	84	31		21	33	8		177	24.18
	重量	1043	199.5		893	427.5	157		2720	11.83
绳纹和附加堆纹	数量			2	1				3	0.41
	重量			80	94.5				174.5	0.76
网格纹	数量	1	1	23	8	23		4	60	8.20
	重量	43	24	2450.5	543.5	32.5		27	3120.5	13.58
网格纹和附加堆纹	数量				5				5	0.68
	重量				333				333	1.45
篮纹	数量	1		64	4			1	70	9.56
	重量	143		8471.5	156.5			3.5	8774.5	38.18
篮纹和附加堆纹	数量			4					4	0.55
	重量			448.5					448.5	1.95
附加堆纹	数量	7		19	7				33	4.51
	重量	209.5		543.5	254.5				1007.5	4.38
弦纹	数量	7	2			8	3	2	22	3.01
	重量	96	74			118	15	23	326	1.42

续表

纹饰＼陶质陶色		夹砂 灰	夹砂 黑皮	夹砂 红	夹砂 黄	泥质 灰	泥质 黑皮	印纹硬陶和原始瓷	合计	百分比（%）
云雷纹	数量							6	6	0.82
	重量							103.5	103.5	0.45
叶脉纹	数量						2	3	5	0.68
	重量						8.5	122.5	131	0.57
篦纹	数量							1	1	0.14
	重量							12	12	0.05
素面	数量	121	13	120	33	40	12	7	346	47.27
	重量	1385	83.5	2779	1068	371.5	71	70	5828	25.36
合计	数量	221	47	232	79	104	25	24	732	100.00
	重量	2919.5	381	14773	3343	949.5	251.5	361.5	22979	100.00
百分比（%）	数量	30.19	6.42	31.69	10.79	14.21	3.42	3.28	100.00	
		79.10				17.62				
	重量	12.71	1.66	64.29	14.55	4.13	1.09	1.57	100.00	
		93.20				5.23		1.57		

表2.2.18　杨家湾Q1712T0917第5层可辨器形统计表

器形＼陶质陶色	夹砂 灰	夹砂 黑皮	夹砂 红	夹砂 黄	泥质 灰	泥质 黑皮	合计	百分比（%）
鬲	5						5	1.37
鬲或甗	11		2				13	3.56
鬲足或甗足	7		1				8	2.19
甗	1						1	0.27
罐	1						1	0.27
盆					1	1	2	0.55
瓮	1				4		5	1.37
大口尊					2		2	0.55
缸	21	5	223	79			328	89.86
合计	47	5	226	79	7	1	365	100.00
百分比（%）	12.88	1.37	61.92	21.64	1.92	0.27	100.00	

6. 第6层

商时期文化层。灰褐土，土质致密。Q1712T0918内最厚约0.65米，Q1712T0915内最厚约0.67米，Q1712T0917内未发掘完毕，厚度不详；深0.55～1.5米。Q1712T0918南部向南倾斜，至Q1712T0915中部逐步消失。出土磨石、动物骨骼及夹砂陶、泥质陶、印纹硬陶和原始瓷等各类陶、瓷片。夹砂陶居多，占出土陶片总数约78%。陶色以灰陶为主，红陶和黄陶次之， 黑皮陶较少。纹饰以绳纹为主，同时见有网格纹、篮纹、附加堆纹、弦纹、云雷纹、叶脉纹、圆圈纹等。常见器类以缸为大宗，约占可辨器类总数的76%。其他器类有鬲、甗、盆、豆、刻槽盆、瓮、大口尊、斝、爵等（图2.2.19、图2.2.20；表2.2.19、表2.2.20）。

1）陶器

鬲　标本2件。均为平折沿，口沿较大者颈部饰附加堆纹。

标本Q1712T0915⑥：3，夹砂灰陶。侈口，折沿外翻，尖唇。颈部绳纹抹光，颈腹交界处饰附加堆纹，下饰绳纹。复原后口径27.6、残高10.2厘米（图2.2.19，7）。

标本Q1712T0917⑥：2，夹砂灰陶。侈口较甚，平折沿，尖圆唇，沿面内凹，近口部饰一周凸棱。腹部饰绳纹。复原后口径16、残高7厘米（图2.2.19，3）。

盆　标本3件。分为斜腹盆和直腹盆两类。多为泥质灰陶，部分外施陶衣。纹饰多见绳纹、弦纹和网格纹。

标本Q1712T0917⑥：5，泥质黑皮陶，红色胎芯。直腹盆。口微侈，折沿，圆唇。腹部两两一组饰四周弦纹，中间内饰斜向的网格纹。复原后口径24、残高8厘米（图2.2.19，1）。

标本Q1712T0917⑥：7，泥质灰陶。斜腹盆。侈口，折沿外翻，圆唇。腹部见一周弦纹。复原后口径36、残高6.4厘米（图2.2.19，4）。

标本Q1712T0917⑥：8，泥质灰陶，直腹盆。平折沿，方唇，沿面近口部起一周凸棱，直腹。上腹部饰一周弦纹，下饰交错绳纹。复原后口径21.5、残高6厘米（图2.2.19，2）。

瓮　标本3件。多为泥质灰陶，少部分为泥质黑皮陶。形态多为小口广肩。纹饰见有绳纹和网格纹。

标本Q1712T0915⑥：6，泥质灰陶。直口微侈，方唇，束颈，肩部外鼓，颈肩交界处内凹。颈部素面，见轮制修整痕迹，肩部饰两周弦纹，中间饰网格纹。复原后口径15、残高6厘米（图2.2.19，8）。

标本Q1712T0917⑥：4，泥质灰陶。侈口，方唇，束颈，肩部外鼓。肩部饰两周弦纹，下饰网格纹。复原后口径14、残高6厘米（图2.2.19，6）。

标本Q1712T0917⑥：6，泥质黑皮陶。侈口，唇部向上尖凸，外内凹，肩部微外鼓。肩部饰斜向绳纹。复原后口径14、残高6厘米（图2.2.19，5）。

缸　标本4件。多为平底假圈足，少数为矮圈足。

标本Q1712T0915⑥：2，夹砂黄陶。矮圈足。腹部饰网格纹，内壁见条状向中心汇聚的泥条痕迹。复原后底径5.3、残高6.3厘米（图2.2.19，10）。

标本Q1712T0915⑥：4，夹砂黄陶。平底假圈足。器底外饰四瓣叶脉纹，内壁见条状向中心汇聚的泥条痕迹。复原后底径6、残高2.1厘米（图2.2.19，9）。

标本Q1712T0915⑥：5，夹砂红陶。侈口，圆唇，腹部斜收较甚。口沿下饰一周附加堆纹，腹部饰横向的篮纹。复原后口径58.8、残高11厘米（图2.2.19，13）。

标本Q1712T0917⑥：1，夹砂红陶。出土时完整位于地层中。敞口，尖唇，唇外侧内凹，腹部斜收，底部为小圈足。口沿下饰一周附加堆纹，腹部通体饰网格纹。复原后口径28、通高33厘米（图2.2.19，12；图2.2.20）。

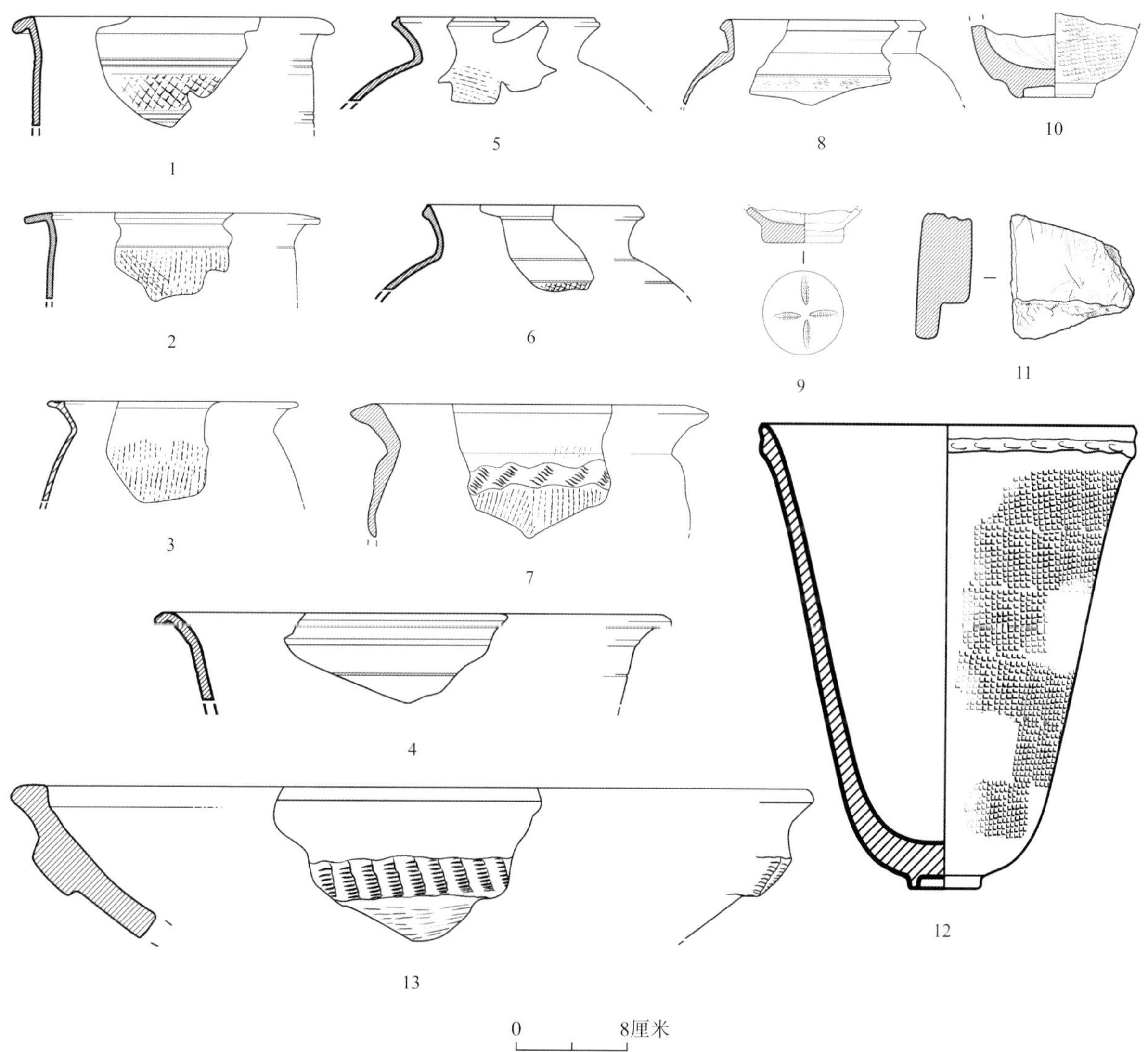

图2.2.19　杨家湾Q1712T0915、T0917第6层出土陶器和石器

1、2、4. 陶盆（Q1712T0917⑥：5、Q1712T0917⑥：8、Q1712T0917⑥：7）　3、7. 陶鬲（Q1712T0917⑥：2、Q1712T0915⑥：3）　5、6、8. 陶瓮（Q1712T0917⑥：6、Q1712T0917⑥：4、Q1712T0915⑥：6）　9、10、12、13. 陶缸（Q1712T0915⑥：4、Q1712T0915⑥：2、Q1712T0917⑥：1、Q1712T0915⑥：5）　11. 磨石（Q1712T0915⑥：1）

图 2.2.20　陶缸照片（杨家湾 Q1712T0917 ⑥：1）

2）石器

磨石　标本1件。

标本Q1712T0915⑥：1，一侧突出，呈阶梯状。左右两侧可见切割痕迹，上下表面平滑，见有较多磨制的痕迹。残高9.2、厚4.1厘米（图2.2.19，11）。

第6层以下未发掘，具体层位信息不详。

表2.2.19　杨家湾Q1712T0917第6层陶系、纹饰统计表　（重量单位：克）

陶质		夹砂				泥质			印纹硬陶和原始瓷	合计	百分比（%）
纹饰＼陶色		灰	黑皮	红	黄	灰	黑皮	红			
绳纹	数量	158	26	143	81	84	50	10		552	37.19
	重量	6781.5	663	9301	4595	1191.5	662	103		23297	36.43
绳纹和网格纹	数量	1					1			2	0.13
	重量	79					90.5			169.5	0.27
绳纹和附加堆纹	数量	4	1	27	22					54	3.64
	重量	360	10	2639.5	2652.5					5662	8.85
绳纹和弦纹	数量					28				28	1.89
	重量					465				465	0.73
网格纹	数量	13		130	42				1	186	12.53
	重量	315.5		7491.5	2816				17.5	10640.5	16.64
网格纹和附加堆纹	数量			11	11					22	1.48
	重量			6760.5	836.5					7597	11.88
网格纹和弦纹	数量					17				17	1.15
	重量					308				308	0.48

续表

陶质 纹饰＼陶色		夹砂				泥质			印纹硬陶和原始瓷	合计	百分比（%）
		灰	黑皮	红	黄	灰	黑皮	红			
篮纹	数量			40	2					42	2.83
	重量			2748	55.5					2803.5	4.38
附加堆纹	数量	12	1	16	5		3			37	2.49
	重量	176.5	24.5	596.5	198.5		76.5			1072.5	1.68
弦纹	数量	1	1			13	18	6		39	2.63
	重量	11	17.5			215.5	237	49		530	0.83
云雷纹	数量			1	1				5	7	0.47
	重量			25.5	26				137	188.5	0.29
叶脉纹	数量								7	7	0.47
	重量								87	87	0.14
圆圈纹	数量					1	1			2	0.13
	重量					11	64			75	0.12
素面	数量	198	11	150	49	39	26	16		489	32.95
	重量	2680	174.5	5123.5	2099.5	516	340.5	127		11061	17.29
合计	数量	387	40	518	213	182	99	32	13	1484	100.00
	重量	10403.5	889.5	34686	13279.5	2707	1470.5	279	241.5	63956.5	100.00
百分比（%）	数量	26.08	2.70	34.91	14.35	12.26	6.67	2.16	0.88	100.00	
		78.03				21.09					
	重量	16.27	1.39	54.23	20.76	4.23	2.30	0.44	0.38	100.00	
		92.65				6.97					

表2.2.20　杨家湾Q1712T0917第6层可辨器形统计表

陶质 器形＼陶色	夹砂				泥质		合计	百分比（%）
	灰	黑皮	红	黄	灰	黑皮		
鬲	34	3	10				47	5.07
鬲或甗	52	4	3				59	6.36
鬲足或甗足	40		14				54	5.83
甗	3						3	0.32
斝	10		1				11	1.19
爵	2						2	0.22
豆					1		1	0.11

续表

陶质	夹砂				泥质		合计	百分比（%）
器形＼陶色	灰	黑皮	红	黄	灰	黑皮		
簋或盆	1				6	2	9	0.97
盆	3				9	3	15	1.62
刻槽盆	1						1	0.11
瓮					8	3	11	1.19
大口尊	2				4	3	9	0.97
缸	34		458	213			705	76.05
合计	182	7	486	213	28	11	927	100.00
百分比（%）	19.63	0.75	52.43	22.98	3.02	1.19	100.00	

（四）Q1712T0816～T0817西壁

同样属于2013年发掘区西南部，地层堆积多由北向南倾斜，其北部文化层被现代居民破坏严重，形成了很厚的近现代堆积，商时期文化层较为单薄；南部商时期遗存保存较好、文化堆积较厚，并见有少量灰坑。此处探方地层可与上述Q1712T0915～Q1713T0903部分探方地层相串联，其中第1～5层分别对应Q1712T0915～T0917第1～5层。Q1712T0816探方第6层及以下未发掘（图2.2.21）。Q1712T0816～T0817所见遗迹的层位关系可见上述Q1712T0915～T0918层位关系的讨论。

1. 第1层

表土层。灰黄土，土质疏松。厚0.2～0.87米。包含大量植物根茎和现代废弃垃圾。

2. 第2层

商时期文化层。灰褐土，土质致密。厚0.05～0.4、深0.2～0.87米。分布于Q1712T0817

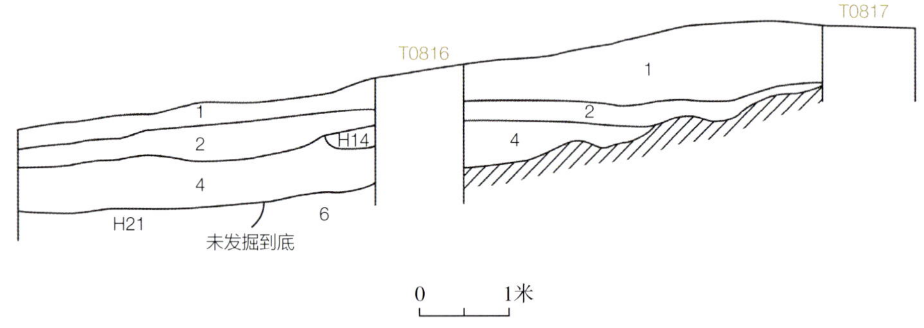

图 2.2.21　杨家湾 Q1712T0816 ～ T0817 西壁剖面图

及其以南探方。地层由北向南倾斜，北部较薄，南部较厚。出土夹砂陶、泥质陶、印纹硬陶和原始瓷等各类陶、瓷片。夹砂数量居多，占全部陶片数量的54%～73%。泥质陶数量较少，少见印纹硬陶与原始瓷。陶色以灰陶和红陶为主，另可见相当比例的黄陶、黑皮陶。纹饰以绳纹为主，少见网格纹、篮纹、附加堆纹、弦纹、云雷纹、叶脉纹、乳钉纹、窗棂纹、刻划纹等。器类以缸为主，占所有可辨器类总数85%～88%。其他常见器类还有鬲、甗、盆、豆、罐、瓮、大口尊、斝等（图2.2.22、图2.2.23；表2.2.21～表2.2.24）。此层下叠压有H9、H14、H16、H20、H23。

陶器

鼎足 标本1件。

标本Q1712T0816②：29，夹砂红陶。尖锥足，足横截面近椭圆，正对器足，两侧略窄，前后略宽。足外侧上方有一类似扉棱凸出的装饰。接足的器物腹部可见有三周弦纹。通高11.7厘米（图2.2.22，1）。

鬲 标本1件。

标本Q1712T0816②：1，夹砂灰陶。敞口，平折沿，尖唇，沿面有一周凹槽，沿面转折处向内有一周凸棱，鼓腹，分裆，三尖锥足较长。腹部饰纵向绳纹，裆部饰横向绳纹，绳纹

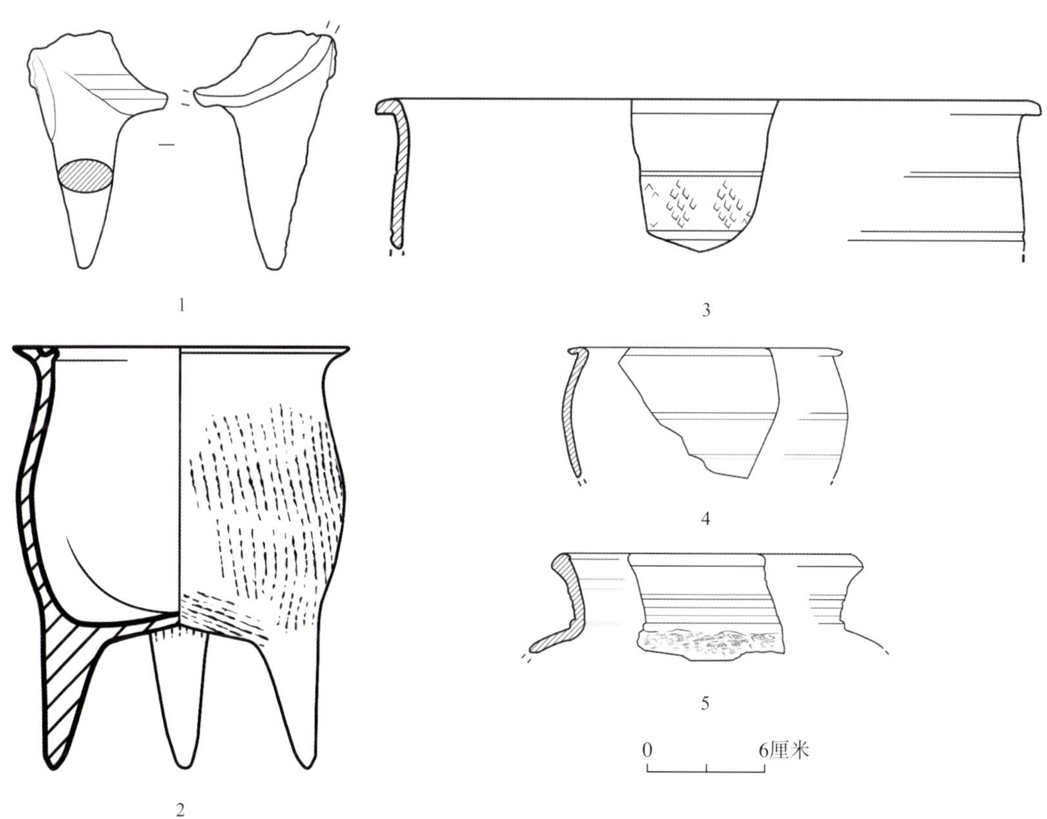

图2.2.22 杨家湾Q1712T0816、T0817第2层出土陶器

1. 鼎足（Q1712T0816②：29） 2. 鬲（Q1712T0816②：1） 3、4. 盆（Q1712T0816②：30、Q1712T0817②：1）
5. 印纹硬陶罐（Q1712T0817②：2）

图 2.2.23　陶鬲照片
（杨家湾 Q1712T0816②：1）

痕迹较浅；尖锥足素面，外见刮削痕迹。复原后口径14.2、腹径17.2、通高20厘米（图2.2.22，2；图2.2.23）。

盆　标本2件。分为直腹盆和鼓腹盆。

标本Q1712T0816②：30，泥质灰陶。直腹盆。口近直，折沿，圆唇。上腹部饰两周弦纹，弦纹中间饰网格纹。复原后口径34、残高7.5厘米（图2.2.22，3）。

标本Q1712T0817②：1，泥质灰陶。鼓腹盆。敛口，折沿，沿面较短，圆唇，鼓腹。腹部饰两周弦纹。复原后口径13、残高7厘米（图2.2.22，4）。

印纹硬陶罐　标本1件。

标本Q1712T0817②：2，胎芯为灰色。侈口，圆唇，唇面内沿微凸起，束颈。颈部见多周轮制痕迹，肩部饰云雷纹，内壁见手捏制痕迹。复原后口径16、残高6厘米（图2.2.22，5）。

表2.2.21　杨家湾Q1712T0816第2层陶系、纹饰统计表　（重量单位：克）

陶质		夹砂				泥质			印纹硬陶和原始瓷	合计	百分比（%）
纹饰 \ 陶色		灰	黑皮	红	黄	灰	黑皮	红			
绳纹	数量	79	94	184	59	228	71	15		730	58.45
	重量	4662	1244	9894	4571	1629	435	119		22554	54.29
绳纹和附加堆纹	数量	13		27	11					51	4.08
	重量	1247		2997	2716					6960	16.75
绳纹和弦纹	数量	1				9	4			14	1.12
	重量	24				79	39			142	0.34
网格纹	数量	10	3	21	54	1			2	91	7.29
	重量	653	25	1568	1456	5			19	3726	8.97
网格纹和弦纹	数量					5				5	0.40
	重量					59				59	0.14
篮纹	数量			1	2					3	0.24
	重量			373	622					995	2.39
附加堆纹	数量		3	6	4	4	1			18	1.44
	重量		662	207	304	109	31			1313	3.16

续表

纹饰＼陶质/陶色		夹砂				泥质			印纹硬陶和原始瓷	合计	百分比（%）
		灰	黑皮	红	黄	灰	黑皮	红			
附加堆纹和弦纹	数量		1							1	0.08
	重量		5							5	0.01
弦纹	数量	2	3	4		9	10			28	2.24
	重量	13	81	12		137	115			358	0.86
云雷纹	数量		1		2				13	16	1.28
	重量		46		164				131	341	0.82
叶脉纹	数量							1	13	14	1.12
	重量							23	186	209	0.50
乳钉纹	数量					1				1	0.08
	重量					3				3	< 0.01
刻划纹	数量						1		1	2	0.16
	重量						6		12	18	0.04
窗棂纹	数量						2			2	0.16
	重量						14			14	0.03
素面	数量	7	35	27	16	88	83	10	7	273	21.86
	重量	78	826	561	1579	758	834	150	62	4848	11.67
合计	数量	112	140	270	148	345	172	26	36	1249	100.00
	重量	6677	2889	15612	11412	2779	1474	292	410	41545	100.00
百分比（%）	数量	8.97	11.21	21.62	11.85	27.62	13.77	2.08	2.88	100.00	
		53.65				43.47					
	重量	16.07	6.95	37.58	27.47	6.69	3.55	0.70	0.99	100.00	
		88.07				10.94					

表2.2.22 杨家湾Q1712T0816第2层可辨器形统计表

器形＼陶质/陶色	夹砂				泥质			印纹硬陶和原始瓷	合计	百分比（%）
	灰	黑皮	红	黄	灰	黑皮	红			
鬲	3	9							12	2.16
甗	1	1	1						3	0.54
罐	1			4	8	8	1		22	3.96
斝	1	7							8	1.44
豆	1					1			2	0.36
簋					1				1	0.18
盆	1	1			13	2			17	3.06

续表

陶质	夹砂				泥质			印纹硬陶和原始瓷	合计	百分比（%）
器形＼陶色	灰	黑皮	红	黄	灰	黑皮	红			
瓮	2	1							3	0.54
大口尊		2			2	8			12	2.16
尊								2	2	0.36
缸	75	6	253	140					474	85.25
合计	85	27	254	144	24	19	1	2	556	100.00
百分比（%）	15.29	4.86	45.68	25.90	4.32	3.42	0.18	0.36	100.00	

表2.2.23　杨家湾Q1712T0817第2层陶系、纹饰统计表　（重量单位：克）

陶质		夹砂				泥质			印纹硬陶和原始瓷	合计	百分比（%）
纹饰＼陶色		灰	黑皮	红	黄	灰	黑皮	红			
绳纹	数量	227	77	166	133	189	61	8		861	40.86
	重量	3967	2111	5840	4655	1435	748	58		18814	38.96
绳纹和附加堆纹	数量	5	3	3	18					29	1.38
	重量	298	233	115	2778					3424	7.09
绳纹和弦纹	数量	2	1			26	8			37	1.76
	重量	33	6			531	174			744	1.54
网格纹	数量	21	1	24	42	2	1		6	97	4.60
	重量	1829	23	826	1531	5	11		59	4284	8.87
网格纹和附加堆纹	数量			8	2					10	0.47
	重量			207	212					419	0.87
网格纹和弦纹	数量					7				7	0.33
	重量					78				78	0.16
篮纹	数量	5	3	2	3					13	0.62
	重量	140	127	29	211					507	1.05
附加堆纹	数量	16	5	6	18	2	4			51	2.42
	重量	283	106	336	676	12	172			1585	3.28
弦纹	数量	6				34	21	1		62	2.94
	重量	53				392	353	23		821	1.70
窗棂纹	数量					2				2	0.09
	重量					45				45	0.09

续表

陶质		夹砂				泥质			印纹硬陶和原始瓷	合计	百分比（%）
纹饰＼陶色		灰	黑皮	红	黄	灰	黑皮	红			
云雷纹	数量	2	1	2	1		1		10	17	0.81
	重量	65	54	246	168		78		252	863	1.79
叶脉纹	数量					1	1		8	10	0.47
	重量					11	10		67	88	0.18
素面	数量	325	37	198	198	98	50	4	1	911	43.24
	重量	5208	493	4405	5006	820	640	36	16	16624	34.42
合计	数量	609	128	409	415	361	147	13	25	2107	100.00
	重量	11876	3153	12004	15237	3329	2186	117	394	48296	100.00
百分比（%）	数量	28.90	6.07	19.41	19.70	17.13	6.98	0.62	1.19	100.00	
		74.08				24.73					
	重量	24.59	6.53	24.86	31.55	6.89	4.53	0.24	0.81	100.00	
		87.53				11.66					

表2.2.24　杨家湾Q1712T0817第2层可辨器形统计表

陶质	夹砂				泥质			印纹硬陶和原始瓷	合计	百分比（%）
器形＼陶色	灰	黑皮	红	黄	灰	黑皮	红			
鬲	42		4						46	3.94
鬲足或甗足	4		34						38	3.25
甗	2								2	0.17
罐	5	1			9	4	1	3	23	1.97
斝	2				1				3	0.26
豆						1			1	0.09
盆					7	3			10	0.86
刻槽盆						1			1	0.09
瓮					1	1			2	0.17
大口尊					7	5			12	1.03
缸	184	78	353	415					1030	88.18
合计	239	79	391	415	25	15	1	3	1168	100.00
百分比（%）	20.46	6.76	33.48	35.53	2.14	1.28	0.09	0.26	100.00	

3. 第3层

商时期文化层。黑灰土，土质致密。厚0.28、深0.62米。由Q1712T0816西部向东南倾斜，与Q1712T0915东部第3层相连，未延伸至Q1712T0816、Q1712T0817探方西壁。出土有石器和夹砂陶、泥质陶、印纹硬陶和原始瓷等各类陶、瓷片。陶片以夹砂为主，占所有陶片数量的73%～94%。陶色以灰陶为主，其次为红陶、黄陶，另有少量黑皮陶。陶器纹饰以绳纹、网格纹多见，同时少量见有篮纹、附加堆纹、弦纹、云雷纹等。器类以缸为大宗，占可辨器类总数的87%～88%。其他常见器类有鬲、甗、盆、豆、罐、瓮、大口尊、斝、爵、器盖等（图2.2.24、图2.2.25；表2.2.25～表2.2.28）。

1）陶器

罐　标本1件。

标本Q1712T0816③：31，夹砂灰陶，胎体较厚。侈口，卷沿，圆唇，下腹略鼓，颈部饰两周弦纹，腹部饰绳纹。复原后口径18.4、残高13.5厘米（图2.2.24，4）。

缸　标本2件。

标本Q1712T0816③：1，夹细砂灰陶。底部残。敞口，尖唇，腹部斜收，器壁由口至底逐步加厚，底部中心有孔，与器腹连通，应是接器底的位置。口沿饰两周弦纹，兼以交错绳纹，下饰附加堆纹一周，腹部饰交错绳纹。内壁可见有泥片堆筑的痕迹。复原后口径24、通高26.8厘米（图2.2.24，5；图2.2.25，1、2）。

标本Q1712T0817③：1，夹砂红陶。小圈足，内底见有旋涡状的泥条痕迹。内壁见有汇向器底中心的泥条痕迹。外壁饰网格纹，多杂乱。复原后底径5、残高4.5厘米（图2.2.24，2）。

2）石器

镰　标本1件。

标本Q1712T0816③：2，残片。石质青灰色。磨制。短轴一端单面刃，长轴一侧也曾磨制成型。器物轮廓似一镰刀状，似原为石镰改制而成。残长8.5、宽5厘米（图2.2.24，1）。

残件　标本1件。

标本Q1712T0816③：3，器物残，类别不详。石质青灰色。长轴一侧磨平，应为器物的一端。两侧均刻划有纹饰，为菱形纹加饰弦纹。此类纹饰常见于戈或璋形器的内部，推测为石戈或石璋形器的残件。残长6、宽5厘米（图2.2.24，3；图2.2.25，3）。

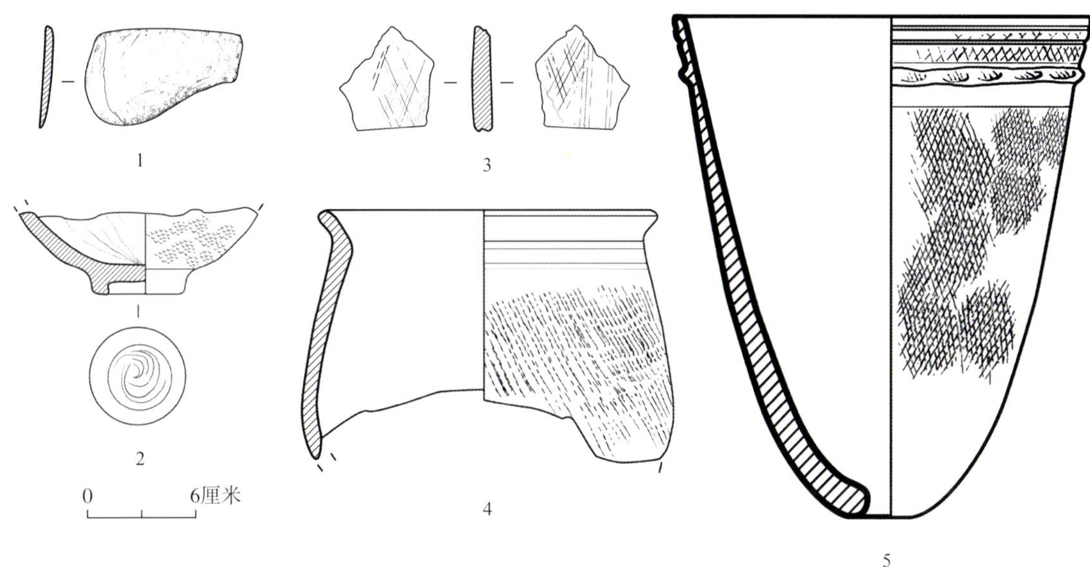

图 2.2.24　杨家湾 Q1712T0816、T0817 第 3 层出土陶器和石器

1. 石镰（Q1712T0816③：2）　2、5. 陶缸（Q1712T0817③：1、Q1712T0816③：1）
3. 石器残件（Q1712T0816③：3）　4. 陶罐（Q1712T0816③：31）

图 2.2.25　杨家湾 Q1712T0816 第 3 层出土陶器和石器照片

1、2. 陶缸（杨家湾Q1712T0816③：1）　3. 石器残件（Q1712T0816③：3）

表2.2.25 杨家湾Q1712T0816第3层陶系、纹饰统计表 （重量单位：克）

陶质		夹砂				泥质			合计	百分比（%）
纹饰＼陶色		灰	黑皮	红	黄	灰	黑皮	红		
绳纹	数量	425	129	393	335	1	62		1345	36.91
	重量	6439	5130	21346	17143	7	816		50881	36.46
绳纹和附加堆纹	数量	7	7	48	77				139	3.81
	重量	649	267	4434	4646				9996	7.16
绳纹和弦纹	数量	6	13	1	1	7	2		30	0.82
	重量	92	348	10	77	141	42		710	0.51
绳纹、弦纹和附加堆纹	数量	1							1	0.03
	重量	1170							1170	0.84
网格纹	数量	11	68	66	380	5			530	14.54
	重量	580	2754	3526	23388	74			30322	21.73
网格纹和附加堆纹	数量	2	1	12	31				46	1.26
	重量	542	86	1112	2768				4508	3.23
网格纹和弦纹	数量	2	1			16	2		21	0.58
	重量	53	9			228	27		317	0.23
篮纹	数量	6	4	13	8				31	0.85
	重量	897	149	696	672				2414	1.73
篮纹和附加堆纹	数量	1		1	1				3	0.08
	重量	60		47	85				192	0.14
附加堆纹	数量	19	6	60	81				166	4.56
	重量	614	155	2302	4694				7765	5.56
附加堆纹和弦纹	数量	2							2	0.05
	重量	58							58	0.04
弦纹	数量	40	17	3	5	16	3	1	85	2.33
	重量	470	284	45	39	209	41	3	1091	0.78
云雷纹	数量				4				4	0.11
	重量				386				386	0.28
素面	数量	309	175	225	427	77	15	13	1241	34.06
	重量	5800	2079	6887	13430	1262	199	101	29758	21.32
合计	数量	831	421	822	1350	122	84	14	3644	100.00
	重量	17424	11261	40405	67328	1921	1125	104	139568	100.00

续表

陶质		夹砂				泥质			合计	百分比（%）
纹饰 \ 陶色		灰	黑皮	红	黄	灰	黑皮	红		
百分比（%）	数量	22.80	11.55	22.56	37.05	3.35	2.31	0.38	100.00	
		93.96				6.04				
	重量	12.48	8.07	28.95	48.24	1.38	0.81	0.07	100.00	
		97.74				2.26				

表2.2.26　杨家湾Q1712T0816第3层可辨器形统计表

陶质	夹砂				泥质		合计	百分比（%）
器形 \ 陶色	灰	黑皮	红	黄	灰	黑皮		
鬲	33	78	14	1			126	4.91
鬲足或甗足	43	4		1			48	1.87
甗	2						2	0.08
罐	36	29		3	11		79	3.08
斝	3						3	0.12
盆	13	2			11		26	1.01
瓮	2						2	0.08
大口尊	3	5			8	1	17	0.66
缸	167	112	689	1293			2261	88.18
合计	302	230	703	1298	30	1	2564	100.00
百分比（%）	11.78	8.97	27.42	50.62	1.17	0.04	100.00	

表2.2.27　杨家湾Q1712T0817第3层陶系、纹饰统计表　　（重量单位：克）

陶质		夹砂				泥质		印纹硬陶和原始瓷	合计	百分比（%）
纹饰 \ 陶色		灰	黑皮	红	黄	灰	黑皮			
绳纹	数量	158	12	34	66	106	12	1	389	41.83
	重量	4574	516	2058	3094	1010	132	26	11410	45.25
绳纹和附加堆纹	数量	6	2	13					21	2.26
	重量	103	155	180					438	1.74
绳纹和弦纹	数量			2		4	1		7	0.75
	重量			40		57	7		104	0.41

续表

陶质		夹砂				泥质		印纹硬陶和原始瓷	合计	百分比（%）
纹饰 \ 陶色		灰	黑皮	红	黄	灰	黑皮			
绳纹、网格纹和附加堆纹	数量			1					1	0.11
	重量			175					175	0.69
绳纹、附加堆纹和弦纹	数量					1			1	0.11
	重量					121			121	0.48
绳纹、弦纹和圆圈纹	数量	1							1	0.11
	重量	10							10	0.04
网格纹	数量	20	1	20	41	3			85	9.14
	重量	299	32	823	1568	30			2752	10.92
网格纹和附加堆纹	数量			3	9				12	1.29
	重量			139	152				291	1.15
网格纹和弦纹	数量					5			5	0.54
	重量					93			93	0.37
网格纹、篮纹和附加堆纹	数量			1					1	0.11
	重量			819					819	3.25
篮纹	数量	2	2	2	13				19	2.04
	重量	24	142	56	400				622	2.47
附加堆纹	数量	1	1	4	15	1			22	2.37
	重量	30	39	292	759	26			1146	4.55
附加堆纹和云雷纹	数量				2				2	0.22
	重量				205				205	0.81
弦纹	数量	3				16	8	1	28	3.01
	重量	44				218	824	18	1104	4.38
云雷纹	数量							1	1	0.11
	重量							58	58	0.23
素面	数量	107	1	59	75	70	21	2	335	36.02
	重量	1480	29	1306	2190	612	193	55	5865	23.26
合计	数量	298	19	139	221	206	42	5	930	100.00
	重量	6564	913	5888	8368	2167	1156	157	25213	100.00
百分比（%）	数量	32.04	2.04	14.95	23.76	22.15	4.52	0.54	100.00	
		72.79				26.67				
	重量	26.03	3.62	23.35	33.19	8.59	4.58	0.62	100.00	
		86.19				13.17				

表2.2.28 杨家湾Q1712T0817第3层可辨器形统计表

陶质	夹砂				泥质		合计	百分比（%）
器形 / 陶色	红	灰	黑皮	黄	灰	黑皮		
鬲	74	36	6				116	9.50
鬲足或甗足		1	3				4	0.33
甗		1					1	0.08
罐		3	1		5	7	16	1.31
斝		2					2	0.16
爵		4					4	0.33
豆						1	1	0.08
盆		1			8	2	11	0.90
器盖		1					1	0.08
大口尊		1			2	1	4	0.33
缸	358	28	51	624			1061	86.90
合计	432	78	61	624	15	11	1221	100.00
百分比（%）	35.38	6.39	5.00	51.10	1.23	0.90	100.00	

4. 第4层

商时期文化层。褐色土，土质致密。厚0.3～0.5、深0.4～1米。从Q1712T0817中部向南倾斜，与Q1712T0917、T0915第4层相连接。第4层北部较薄，往南愈厚。此层下叠压有H21。出土夹砂陶、泥质陶、印纹硬陶和原始瓷等各类陶、瓷片。夹砂陶数量居多，占整个陶片数量总数的73%～86%。陶色以灰陶、红陶和黄陶居多，黑皮陶较少。少见印纹硬陶与原始瓷。纹饰以绳纹居多，常见纹饰还有网格纹、篮纹、附加堆纹、弦纹、云雷纹、叶脉纹。器类以缸为大宗，占可辨器类总数近90%。其他常见器类还有鬲、甗、盆、豆、罐、瓮、大口尊、斝等（图2.2.26；表2.2.29～表2.2.32）。

陶器

鬲 标本1件。

标本Q1712T0816④：27，夹砂灰陶。侈口，平折沿，沿面较短，沿内有一周凹槽，腹部微鼓。腹部饰绳纹。复原后口径16、残高7厘米（图2.2.26，1）。

鬲足 标本1件。

标本Q1712T0816④：26，夹砂红陶。外见按窝，按窝内饰绳纹，上部见足窝。残高18厘米（图2.2.26，7）。

盆 标本2件。分为鼓腹盆和斜腹盆两类。

标本Q1712T0816④：24，泥质灰陶。鼓腹盆。侈口，卷沿，圆唇，束颈，腹部微鼓。颈部饰一周弦纹。复原后口径约48、残高7厘米（图2.2.26，6）。

标本Q1712T0816④：25，泥质灰陶。斜腹盆。侈口，折沿外翻，圆唇，腹部斜收。腹上部素面，下饰绳纹。复原后口径26、残高11.4厘米（图2.2.26，3）。

大口尊 标本1件。

标本Q1712T0816④：22，泥质灰陶。侈口，圆唇，颈部斜收。颈部上饰一周凸弦纹。复原后口径31.8、残高9厘米（图2.2.26，4）。

缸 标本1件。

标本Q1712T0817④：1，夹砂黄陶。侈口，方唇，唇向外加厚，腹部斜收。口沿下饰一周附加堆纹，腹部上饰网格纹，下饰绳纹。复原后口径42、残高18厘米（图2.2.26，5）。

印纹硬陶尊 标本1件。

标本Q1712T0816④：23，胎芯为灰色。侈口，卷沿圆唇，沿面外翻，颈部微束。器内、外壁可见有明显的轮制痕迹。复原后口径15、残高8.5厘米（图2.2.26，2）。

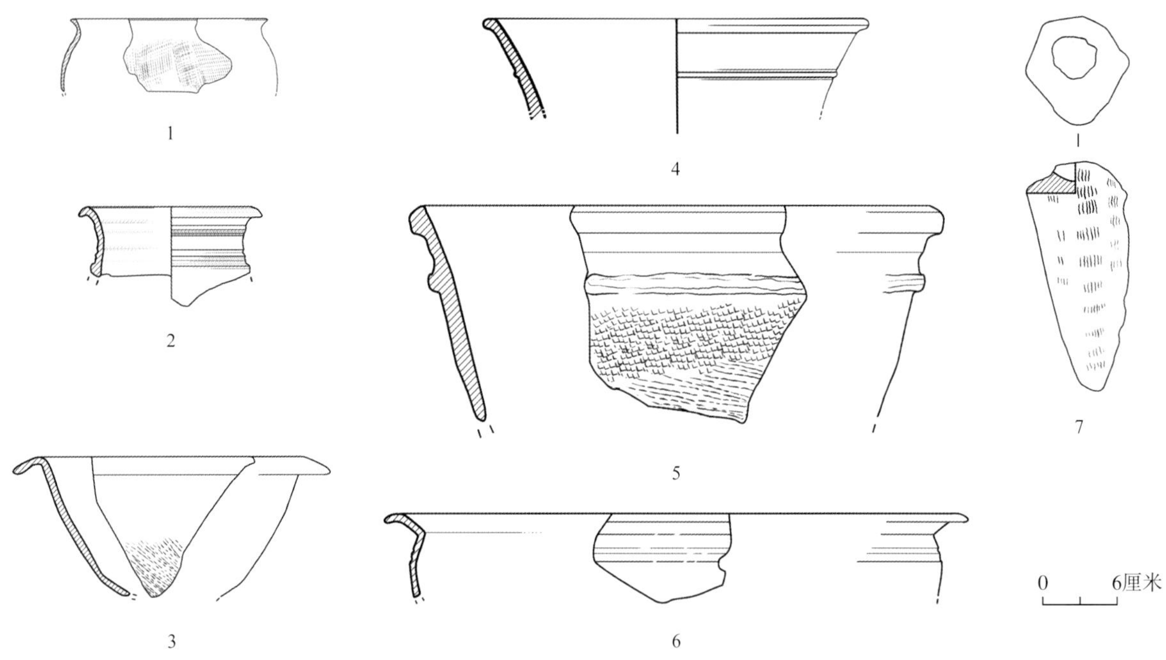

图2.2.26 杨家湾Q1712T0816、T0817第4层出土陶器

1. 鬲（Q1712T0816④：27） 2. 印纹硬陶尊（Q1712T0816④：23） 3、6. 盆（Q1712T0816④：25、Q1712T0816④：24） 4. 大口尊（Q1712T0816④：22） 5. 缸（Q1712T0817④：1） 7. 鬲足（Q1712T0816④：26）

表2.2.29 杨家湾Q1712T0816第4层陶系、纹饰统计表 （重量单位：克）

纹饰＼陶质／陶色		夹砂				泥质			印纹硬陶和原始瓷	合计	百分比（%）
		灰	黑皮	红	黄	灰	黑皮	红			
绳纹	数量	164	257	267	323	4	44	154	1	1214	37.83
	重量	2002	2838	14087	15317	19	523	1734	37	36557	39.09
绳纹和网格纹	数量		1							1	0.03
	重量		522							522	0.56
绳纹和附加堆纹	数量	1	3	13	35		1			53	1.65
	重量	45	557	779	3560		16			4957	5.30
绳纹和弦纹	数量	2	1		1	10	2	11		27	0.84
	重量	61	31		108	198	46	172		616	0.66
网格纹	数量	3	38	65	284				1	391	12.18
	重量	96	1565	2872	14355				30	18918	20.23
网格纹和附加堆纹	数量		4	11	30					45	1.40
	重量		677	814	2841					4332	4.63
网格纹和弦纹	数量							15		15	0.47
	重量							171		171	0.18
篮纹	数量			83	49					132	4.11
	重量			3109	2342					5451	5.83
附加堆纹	数量	6	23	57	36		3	3		128	3.99
	重量	211	324	2150	1942		51	85		4763	5.09
弦纹	数量	6	2		4	4	26	41		83	2.59
	重量	179	60		85	31	488	498		1341	1.43
云雷纹	数量							1	4	5	0.16
	重量							35	47	82	0.09
叶脉纹	数量								1	1	0.06
	重量								55	55	0.06
素面	数量	303	95	294	283	1	52	84		1112	34.65
	重量	2986	1150	2850	7261	12	545	943		15767	16.86
合计	数量	485	424	790	1045	19	128	309	7	3207	100.00
	重量	5580	7724	26661	47811	260	1669	3638	189	93532	100.00
百分比（%）	数量	15.12	13.22	24.63	32.59	0.59	3.99	9.64	0.22	100.00	
		85.56				14.22					
	重量	5.96	8.26	28.51	51.11	0.28	1.78	3.89	0.20	100.00	
		93.85				5.95					

表2.2.30　杨家湾Q1712T0816第4层可辨器形统计表

陶质 / 器类＼陶色	夹砂 灰	夹砂 黑皮	夹砂 红	夹砂 黄	泥质 灰	合计	百分比（%）
鬲	78	23		3		104	5.16
鬲或甗			1			1	0.05
鬲足或甗足	32		32	24		88	4.36
甗	3		2			5	0.25
盆					2	2	0.10
瓮	2				8	10	0.50
缸	72	68	708	959		1807	89.59
合计	187	91	743	986	10	2017	100.00
百分比（%）	9.27	4.51	36.84	48.88	0.50	100.00	

表2.2.31　杨家湾Q1712T0817第4层陶系、纹饰统计表　　（重量单位：克）

陶质 / 纹饰＼陶色		夹砂 灰	夹砂 黑皮	夹砂 红	夹砂 黄	泥质 灰	泥质 黑皮	印纹硬陶和原始瓷	合计	百分比（%）
绳纹	数量	158	12	34	66	106	12	1	389	41.83
	重量	4574	516	2058	3094	1010	132	26	11410	45.25
绳纹和附加堆纹	数量	6	2	13					21	2.26
	重量	103	155	180					438	1.74
绳纹和弦纹	数量			2		4	1		7	0.75
	重量			40		57	7		104	0.41
绳纹、网格纹和附加堆纹	数量			1					1	0.11
	重量			175					175	0.69
绳纹、附加堆纹和弦纹	数量					1			1	0.11
	重量					121			121	0.48
绳纹、弦纹和圆圈纹	数量	1							1	0.11
	重量	10							10	0.04
网格纹	数量	20	1	20	41	3			85	9.14
	重量	299	32	823	1568	30			2752	10.92
网格纹和附加堆纹	数量			3	9				12	1.29
	重量			139	152				291	1.15
网格纹和弦纹	数量					5			5	0.54
	重量					93			93	0.37

续表

陶质		夹砂				泥质		印纹硬陶和原始瓷	合计	百分比（%）
纹饰 \ 陶色		灰	黑皮	红	黄	灰	黑皮			
网格纹、篮纹和附加堆纹	数量			1					1	0.11
	重量			819					819	3.25
篮纹	数量	2	2	2	13				19	2.04
	重量	24	142	56	400				622	2.47
附加堆纹	数量	1	1	4	15	1			22	2.37
	重量	30	39	292	759	26			1146	4.55
附加堆纹和云雷纹	数量				2				2	0.22
	重量				205				205	0.81
弦纹	数量	3				16	8	1	28	3.01
	重量	44				218	824	18	1104	4.38
云雷纹	数量							1	1	0.11
	重量							58	58	0.23
素面	数量	107	1	59	75	70	21	2	335	36.02
	重量	1480	29	1306	2190	612	193	55	5865	23.26
合计	数量	298	19	139	221	206	42	5	930	100.00
	重量	6564	913	5888	8368	2167	1156	157	25213	100.00
百分比（%）	数量	32.04	2.04	14.95	23.76	22.15	4.52	0.54	100.00	
		72.79				26.67				
	重量	26.03	3.62	23.35	33.19	8.60	4.59	0.62	100.00	
		86.19				13.19				

表2.2.32　杨家湾Q1712T0817第4层可辨器形统计表

陶质	夹砂				泥质		合计	百分比（%）
器形 \ 陶色	红	灰	黑皮	黄	灰	黑皮		
鬲		12					12	2.36
鬲足或甗足	14	4					18	3.54
甗		4					4	0.79
罐		12			3	1	16	3.14
斝			1				1	0.20
豆		1			1		2	0.39
盆		1			1		2	0.39

续表

陶质	夹砂				泥质		合计	百分比（%）
器形＼陶色	红	灰	黑皮	黄	灰	黑皮		
瓮					2		2	0.39
大口尊		1			2		3	0.59
缸	118	79	19	233			449	88.21
合计	132	114	20	233	9	1	509	100.00
百分比（%）	25.93	22.39	3.93	45.78	1.77	0.20	100.00	

5. 第5层

商时期文化层。红褐土，土质致密。厚0.39～0.68、深0.82～1.01米。仅分布于Q1712T0817东北部，由北向南倾斜，并未延伸至探方南部和Q1712T0816。地层可与Q1712T0917第5层相对应，出土遗物情况可参见上文关于Q1712T0917第5层的叙述。

6. 第6层

商时期文化层。灰褐土，土质致密。Q1712T0817内厚0.22～0.31米；Q1712T0816内未发掘，厚度不详；深1.13～1.33厘米。从Q1712T0817东北部向南倾斜，未延伸至Q1712T0817西壁，但向南出现在Q1712T0816第4层下。Q1712T0817第6层出土遗物情况可参见以上关于Q1712T0917第6层的叙述。

第6层以下未发掘，具体层位信息不详。

（五）Q1712T1010～T1015西壁

为2014年杨家湾南坡发掘区，北部紧邻2006～2011年发掘探方Q1712T1016、2013年发掘探方Q1712T0915。该区域探方地层堆积同样呈现出由北向南倾斜的情况，北部文化堆积较厚，南部文化堆积渐薄。探方第1层为表土层，第2层为近现代人类活动的扰乱层，其下为商时期文化层（图2.2.27）。在发掘过程中，各探方地层均单独编号，后依据地层土质土色及出土陶器的年代特征将其对应合并。此外，Q1712T1015探方第1～6层可与Q1712T0915第1～6层相对应。

Q1712T1010～T1015探方地层统一为9层。以下按照统一后的编号展开叙述；同时统一后的各层包含物，特别是陶器编号，仍保留原出土时所属各探方地层编号，并依据地层关系对应表进行归属（表2.2.33）。

1. 第1层

表土层。黄灰色土，土质疏松，厚0.15～0.55米。Q1712T1010～T1015均有分布。包含有大量植物根茎和塑料、砖块、瓦片、瓷片等现代生活垃圾及建筑垃圾，并包含有当代杨家湾村民居住后废弃的石墙基。

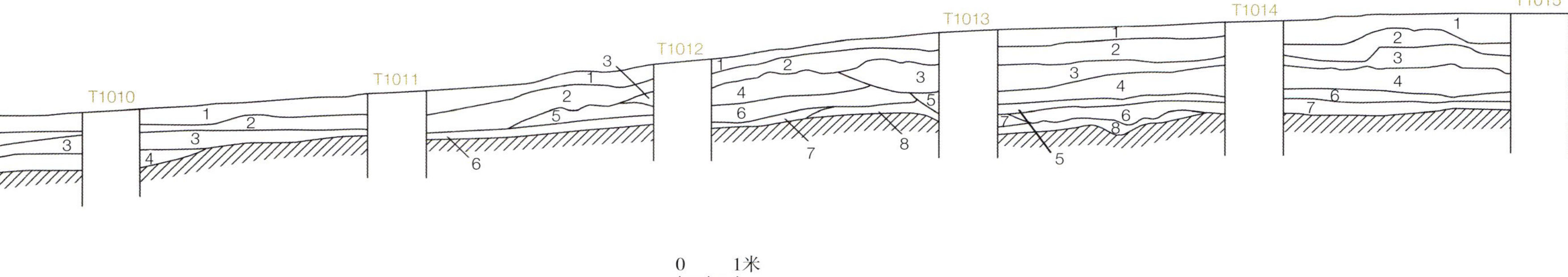

图 2.2.27　杨家湾 Q1712T1010 ~ T1015 西壁剖面图

表2.2.33　杨家湾Q1712T1010～T1015发掘探方地层关系对应表

	统一编号	探方号					
		T1010	T1011	T1012	T1013	T1014	T1015
地层编号	①	①	①	①	①	①	①
	②	②	②	②	②	②	②
	③				③	③	③
	④			③	④		
	⑤			④	⑤	④、⑤	④、⑤、⑥
	⑥			⑤	⑥		
	⑦	③	③	⑥	⑦		
	⑧a	④	④				
	⑧b				⑧	⑥、⑦、⑧	⑦
	⑨	⑤					

2. 第2层

扰乱层。黄褐土，土质疏松，厚0.1～0.5、深0.15～0.55米。Q1712T1010～T1015均有分布。包含有较多陶片及现代生活垃圾和建筑废料。

该层出土有少量被扰乱的商时期陶器。

陶、瓷器

鬲　标本3件。多为折沿或卷沿厚方唇类，少数为平折沿、小方唇。

标本Q1712T1010②：2，夹砂灰陶。侈口，平折沿，小方唇，沿面内侧有一周凹槽。颈部饰一周附加堆纹，堆纹上饰绳纹。复原后口径20、残高6.5厘米（图2.2.28，9）。

标本Q1712T1015②：1，夹砂灰陶。侈口，卷沿，厚方唇，唇下缘起钩。腹部饰绳纹。复原后口径17.8、残高7厘米（图2.2.28，8）。

标本Q1712T1015②：5，夹砂黑皮陶，胎芯为红色。侈口，卷沿，厚方唇。颈部饰两周弦纹，腹部饰绳纹。复原后口径17、残高6.5厘米（图2.2.28，7）。

甗　标本2件。均为侈口、厚方唇。

标本Q1712T1015②：2，夹砂灰陶。侈口，折沿，厚方唇，唇外缘内凹。颈部饰一周附加堆纹。复原后口径25、残高5厘米（图2.2.28，2）。

标本Q1712T1015②：3，夹砂黑皮陶，胎芯为红色。侈口，卷沿，厚方唇。腹部饰一周弦纹。复原后口径27、残高4.5厘米（图2.2.28，3）。

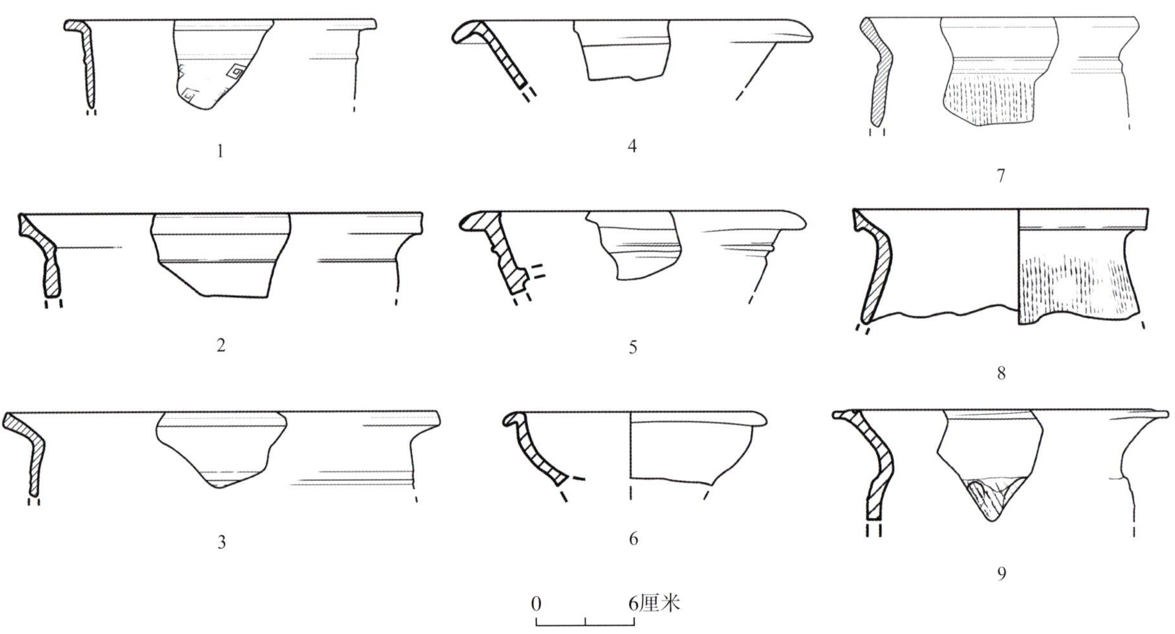

图2.2.28　杨家湾Q1712T1010、T1015第2层出土陶器

1、4. 盆（Q1712T1015②：4、Q1712T1010②：6）　2、3. 甗（Q1712T1015②：2、Q1712T1015②：3）
5、6. 豆（Q1712T1010②：4、Q1712T1010②：5）　7～9. 鬲（Q1712T1015②：5、Q1712T1015②：1、Q1712T1010②：2）

豆　标本2件。可分为假腹和真腹两类。

标本Q1712T1010②：4，泥质灰陶。侈口，平折沿，圆唇，假腹，腹部斜收。腹部饰一周凸弦纹。复原后口径20、残高4.5厘米（图2.2.28，5）。

标本Q1712T1010②：5，泥质灰陶。口微侈，沿面外翻，圆唇，真腹，腹部微鼓。素面。复原后口径16、残高4.5厘米（图2.2.28，6）。

盆　标本2件。可分为斜腹和直腹两类。

标本Q1712T1010②：6，泥质灰陶。侈口，沿面外翻，小方唇，腹部斜收。素面。复原后口径22、残高4厘米（图2.2.28，4）。

标本Q1712T1015②：4，泥质灰陶。口微侈，平折沿，小方唇，腹部微内收。腹部饰一周凸弦纹，弦纹下见云雷纹。复原后口径19、残高5.5厘米（图2.2.28，1）。

杯形器　标本1件。

标本Q1712T1010②：3，泥质灰陶。侈口，尖唇，颈部微内收。颈部饰三组弦纹，每组由2～3周组成，每组弦纹之间则见有戳印的小点组成的纵向线条装饰。下腹残缺。复原后口径14、残高10.2厘米（图2.2.29，6）。

缸　标本7件。

标本Q1712T1010②：1，夹砂红陶。侈口，方唇。口沿下和颈部饰两周附加堆纹，口下及腹部饰绳纹。复原后口径42、残高12.5厘米（图2.2.29，9）。

标本Q1712T1011②：2，夹砂红陶。口微侈，圆唇。口下饰一周附加堆纹，腹部饰绳纹。复原后口径40、残高13厘米（图2.2.29，3）。

标本Q1712T1011②：3，夹砂灰陶，胎质较细腻。侈口，方唇。口下饰一周附加堆纹，附加堆纹上饰竖向绳纹，腹部饰交错绳纹。复原后口径40、残高14厘米（图2.2.29，10）。

标本Q1712T1011②：4，夹砂红陶。侈口，圆唇。口下饰一周附加堆纹，附加堆纹上饰网格纹，腹部饰网格纹。复原后口径42、残高10.2厘米（图2.2.29，2）。

标本Q1712T1012②：2，夹砂黄陶。口微侈，腹近直，口下饰一周附加堆纹。口径40、残高16.5厘米（图2.2.29，4）。

标本Q1712T1014②：104，夹砂红陶。微侈口，方唇，上腹部近直。口下饰一周附加堆纹，附加堆纹上饰网格纹，腹部饰网格纹。复原后口径46、残高28厘米（图2.2.29，11）。

标本Q1712T1015②：10，夹砂红陶，胎质较为细腻。口微侈，圆唇，腹部近直。口下饰一周附加堆纹，堆纹上饰斜向的绳纹，腹部饰交错绳纹。复原后口径46、残高17.8厘米（图2.2.29，5）。

印纹硬陶罐　标本3件。

标本Q1712T1010②：7，胎芯为灰色。侈口，方唇，唇面内凹。腹部饰云雷纹。颈部见有多周轮修痕迹。复原后口径14、残高9厘米（图2.2.29，7）。

标本Q1712T1011②：1，胎芯为灰色。侈口，方唇，腹部外鼓。腹部饰云雷纹。颈部见有多周轮修痕迹。复原后口径15、残高7.8厘米（图2.2.29，8）。

标本Q1712T1012②：1，胎芯为灰色。侈口，方唇，束颈，腹微鼓。颈外壁饰5周弦纹，颈内壁见四周弦纹，腹部装饰云雷纹。口部可见器物因烧制扭曲变形。复原后口径24、残高7.5厘米（图2.2.29，1）。

印纹硬陶瓮　标本1件。

标本Q1712T1015②：6，胎芯为灰色。侈口，方唇，束颈。腹部饰云雷纹。颈部见多周轮修痕迹。复原后口径27、残高7厘米（图2.2.29，12）。

原始瓷尊　标本1件。

标本Q1712T1010②：8，胎芯为灰色。侈口、小方唇。鼓腹。腹部饰云雷纹，上残见浅褐色釉。复原后口径18、残高6厘米（图2.2.29，13）。

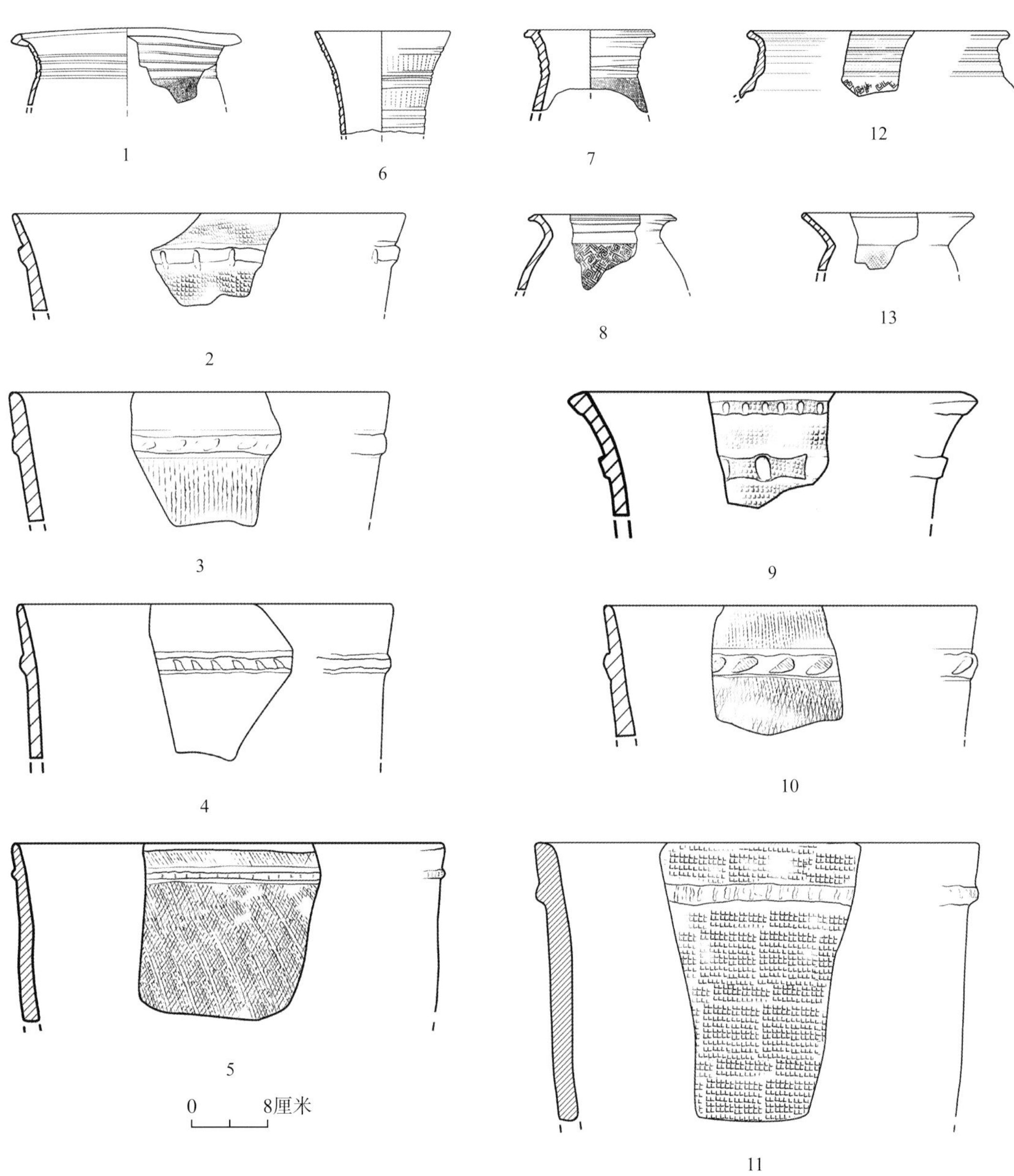

图2.2.29　杨家湾Q1712T1010～T1012、T1014、T1015第2层出土陶、瓷器

1、7、8. 印纹硬陶罐（Q1712T1012②：1、Q1712T1010②：7、Q1712T1011②：1）　2～5、9～11. 缸（Q1712T1011②：4、Q1712T1011②：2、Q1712T1012②：2、Q1712T1015②：10、Q1712T1010②：1、Q1712T1011②：3、Q1712T1014②：104）　6. 杯形器（Q1712T1010②：3）　12. 印纹硬陶瓮（Q1712T1015②：6）　13. 原始瓷尊（Q1712T1010②：8）

3. 第3层

商时期文化层。黑褐土，土质较致密，最厚约0.55、深0.4～0.8米。仅分布在Q1712T1013北部及Q1712T1014、T1015内，主要为Q1712T1013③、T1014③和T1015③。包含物有较多商时期陶片，并零星见有残青铜片、青铜镞、绿松石片等，另有炭屑和动物骨骼。该层堆积较厚，包含陶片较多。陶片以夹砂陶为主，泥质陶数量较少，另见有少量印纹硬陶和原始瓷。夹砂陶中又以红陶、灰陶、黄陶等最为多见，泥质陶则以灰陶和黑皮陶为主。陶片纹饰以绳纹为主，其他纹饰还见有网格纹、附加堆纹、弦纹、云雷纹、圆圈纹、兽面纹、“回”字形纹等。可辨陶器器类有缸、鬲、罐、大口尊、豆、假腹豆、盆、刻槽盆、甑、簋、器盖、甗、爵、罍、瓮、壶等。其中缸占据可辨陶器数量的绝大部分，可超过80%（图2.2.30～图2.2.49；表2.2.34～表2.2.39）。Q1712T1013第3层、T1014第3层和T1015第3层共取6个炭样，做了碳–14年代测定（表2.2.40）。此层下叠压有H25。

陶、瓷器

鬲 标本59件。

标本Q1712T1013③：35，夹砂灰陶。侈口，平折沿，沿面内凹，方唇。颈部饰一周附加堆纹，腹部饰绳纹。复原后口径24、残高6.8厘米（图2.2.30，2）。

标本Q1712T1013③：36，夹砂灰陶。侈口，平折沿，沿面内凹，圆唇。腹部饰绳纹。复原后口径18、残高8厘米（图2.2.30，5）。

标本Q1712T1013③：37，夹砂灰陶。侈口，卷沿，沿面内凹，方唇。腹部饰绳纹。复原后口径14.5、残高7.5厘米（图2.2.30，4）。

标本Q1712T1013③：38，夹砂灰陶。侈口，平折沿，沿面内凹，方唇。颈部绳纹抹光，颈腹交界处饰一周弦纹，腹饰绳纹。复原后口径32、残高7.3厘米（图2.2.30，6）。

标本Q1712T1013③：39，夹砂灰陶。侈口，平折沿，沿面有两周凹槽，方唇。腹部饰绳纹。复原后口径24、残高7厘米（图2.2.30，1）。

标本Q1712T1013③：40，夹砂灰陶。侈口，卷沿，方唇，唇外缘见有一周较宽的凹槽。腹部饰绳纹。复原后口径20、残高6厘米（图2.2.30，3）。

标本Q1712T1013③：41，夹砂灰陶。侈口，平折沿，沿面内凹，圆唇。颈部饰一周附加堆纹，腹部饰绳纹。复原后口径22.6、残高8.8厘米（图2.2.31，5）。

标本Q1712T1013③：42，夹砂灰陶。侈口，卷沿，沿面有一周凸棱，小方唇。颈部饰绳纹抹光，颈腹交界处饰一周附加堆纹，腹部饰绳纹。复原后口径24、残高12厘米（图2.2.31，7）。

标本Q1712T1013③：43，夹砂灰陶。侈口，卷沿，沿面近唇处有一周凸棱，厚方唇，唇上缘内凹。颈部饰两周弦纹。复原后口径24、残高6厘米（图2.2.31，2）。

标本Q1712T1013③：44，夹砂灰陶。侈口，卷沿，厚方唇，唇面向下内收，下缘起钩。腹部饰绳纹。复原后口径16、残高4.5厘米（图2.2.31，4）。

标本Q1712T1013③：45，夹砂灰陶。侈口，卷沿，方唇，唇上缘内凹，外缘有一周凹槽。颈、腹饰绳纹。复原后口径24、残高9厘米（图2.2.31，9）。

标本Q1712T1013③：46，夹砂灰陶。侈口，卷沿，沿面内凹，厚方唇。腹部饰绳纹。复原后口径19.3、残高6.7厘米（图2.2.30，8）。

标本Q1712T1013③：47，夹砂灰陶。侈口，折沿，沿面有一周凸棱，厚方唇，唇外缘内凹。腹部饰交错绳纹。复原后口径20、残高7.5厘米（图2.2.30，9）。

标本Q1712T1014③：1，夹砂灰陶。侈口，折沿，厚方唇，唇外缘内凹，下缘起钩，颈部饰一周不规则的弦纹，弦纹下见附加堆纹，腹部饰绳纹。颈部见有泥条盘筑的痕迹。复原后口径24、通高13.5厘米（图2.2.30，13）。

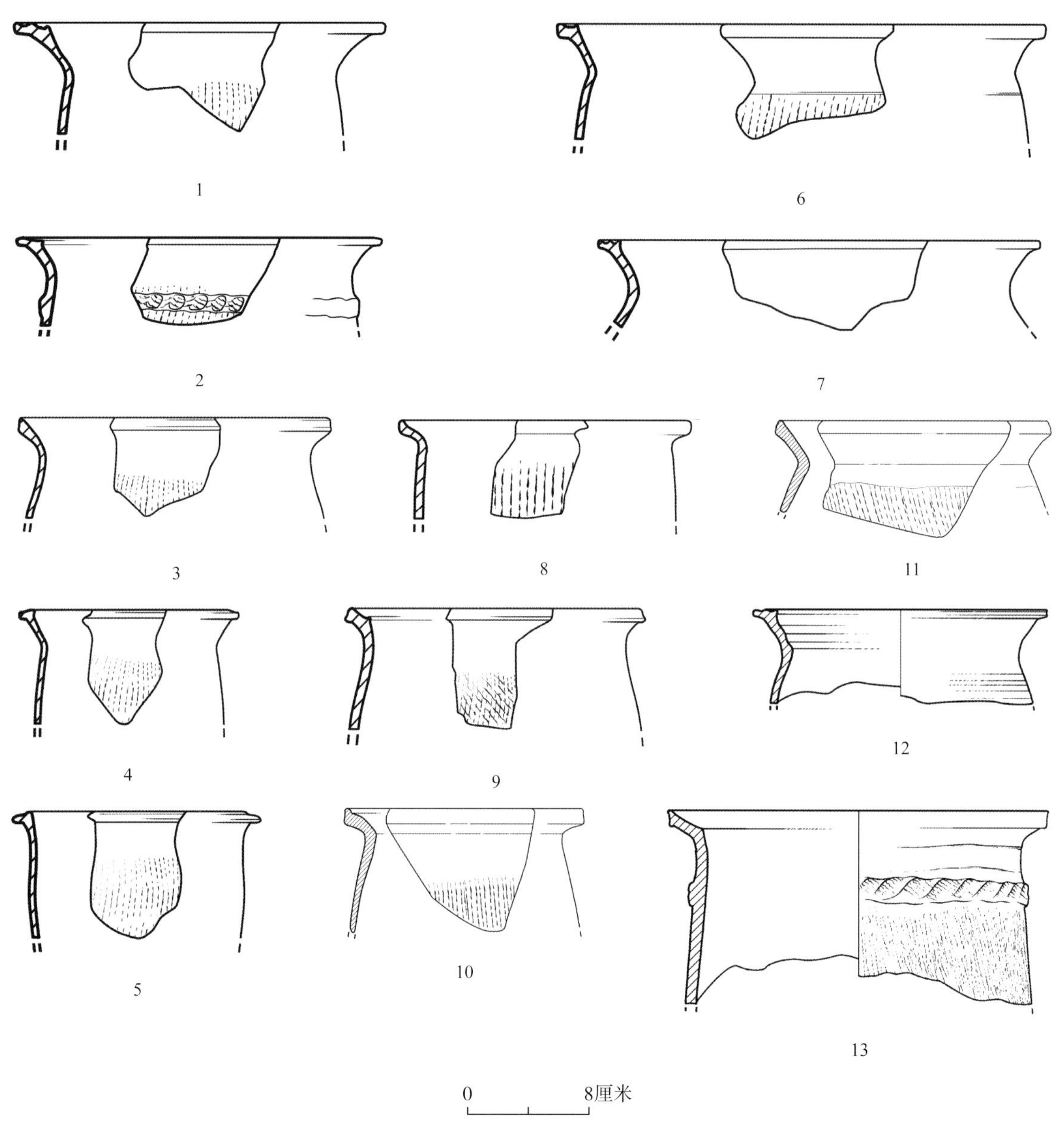

图2.2.30　杨家湾Q1712T1013、T1014第3层出土陶鬲

1. Q1712T1013③：39　2. Q1712T1013③：35　3. Q1712T1013③：40　4. Q1712T1013③：37　5. Q1712T1013③：36　6. Q1712T1013③：38　7. Q1712T1014③：19　8. Q1712T1013③：46　9. Q1712T1013③：47　10. Q1712T1014③：7　11. Q1712T1014③：6　12. Q1712T1014③：8　13. Q1712T1014③：1

标本Q1712T1014③：3，夹砂灰陶。侈口，平折沿，沿面见一周凹槽，方唇。颈部饰一周附加堆纹，腹部饰绳纹。复原后口径28、残高7.5厘米（图2.2.31，8）。

标本Q1712T1014③：6，夹砂红胎黑皮陶。侈口，折沿，方唇。腹部饰绳纹。复原后口径18、残高7.5厘米（图2.2.30，11）。

标本Q1712T1014③：7，夹砂灰陶，内壁和外壁皆有一层红衣。折沿，沿上有一道凹槽，方唇。颈部以下饰绳纹。复原后口径16、残高8厘米（图2.2.30，10）。

标本Q1712T1014③：8，夹砂灰陶。折沿，沿上有两道凹槽，方唇。器表纹饰脱落。内壁颈部有两周指压轮旋的痕迹。复原后口径19、残高6.5厘米（图2.2.30，12）。

标本Q1712T1014③：9，夹砂灰陶。侈口，平折沿，沿面近口处有一周凸棱，圆唇，颈部饰一周弦纹，下饰绳纹。复原后口径28、残高8厘米（图2.2.31，6）。

标本Q1712T1014③：11，夹砂红陶。折沿，方唇，唇上沿向上凸。颈部绳纹经抹制，颈部以下饰绳纹。腹部内壁有指捏压痕迹。复原后口径11、残高9.5厘米（图2.2.32，10）。

标本Q1712T1014③：12，夹砂灰陶。侈口，平折沿，薄方唇，沿内侧有一周凹槽。腹部饰绳纹。复原后口径17、残高7厘米（图2.2.31，3）。

标本Q1712T1014③：14，夹砂灰陶。侈口，折沿，方唇内凹。颈部抹光，颈部以下饰绳纹。内壁颈部以下有手指捏压痕迹。复原后口径18、残高8厘米（图2.2.31，10）。

标本Q1712T1014③：17，夹砂灰陶。平折沿，薄方唇，口近折沿的位置见一周凹槽。颈部饰一周附加堆纹。复原后口径26、残高5.5厘米（图2.2.31，1）。

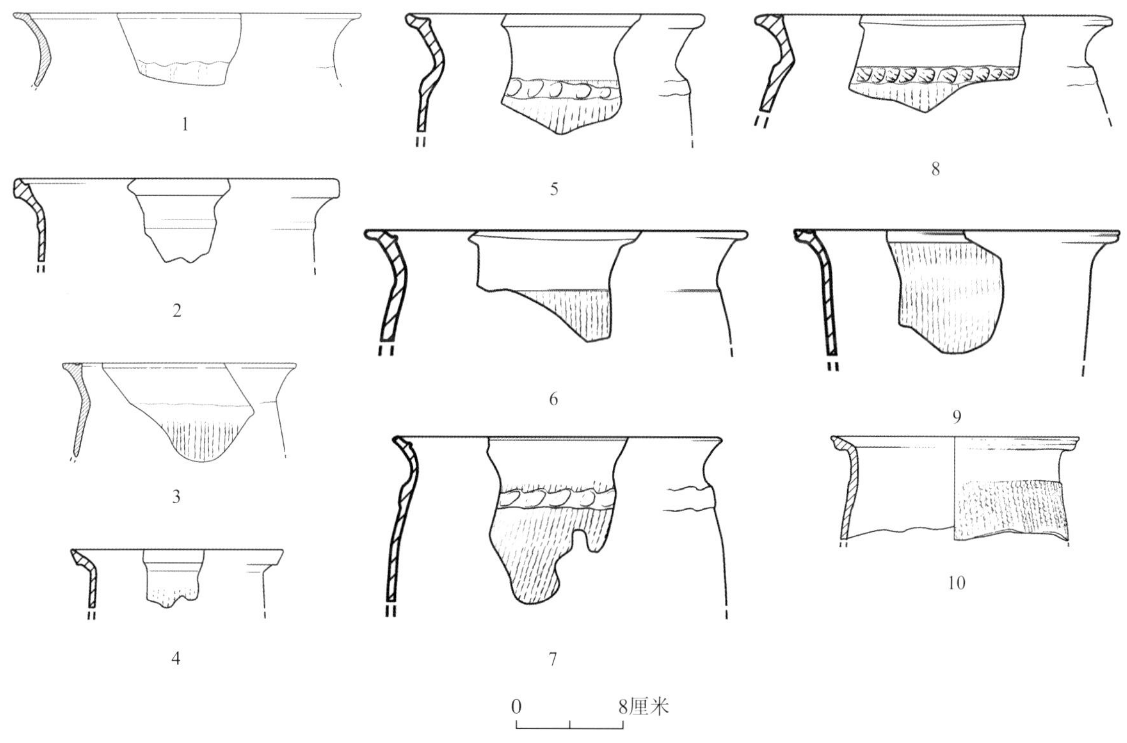

图2.2.31　杨家湾Q1712T1013、T1014第3层出土陶鬲

1. Q1712T1014③：17　2. Q1712T1013③：43　3. Q1712T1014③：12　4. Q1712T1013③：44　5. Q1712T1013③：41　6. Q1712T1014③：9　7. Q1712T1013③：42　8. Q1712T1014③：3　9. Q1712T1013③：45　10. Q1712T1014③：14

标本Q1712T1014③：18，夹砂红陶。侈口，折沿，沿面内凹，厚方唇。腹部饰绳纹。复原后口径14、残高7厘米（图2.2.32，8）。

标本Q1712T1014③：19，夹砂灰陶。侈口，平折沿、沿面有两周凹槽，方唇。复原后口径29、残高6厘米（图2.2.30，7）。

标本Q1712T1014③：20，夹砂灰陶。侈口，平折沿，沿面近口处有一周凹槽，方唇。复原后口径14.3、残高7厘米（图2.2.32，7）。

标本Q1712T1014③：22，夹砂灰陶。侈口，平折沿，沿面近口处有一周凹槽，圆唇。颈部饰附加堆纹。复原后口径20.1、残高7厘米（图2.2.32，4）。

标本Q1712T1014③：23，夹砂黑皮陶。侈口，折沿，厚方唇，唇下缘起钩。颈部饰两周弦纹。复原后口径10、残高7厘米（图2.2.32，9）。

标本Q1712T1014③：24，夹砂红胎黑皮陶。宽沿，方唇，唇上沿凸起，高出沿部较多。肩部饰两周弦纹，弦纹下饰一周双圆圈纹。沿内外有轮修痕迹，颈部以下内壁有手指捏压痕。复原后口径26、残高6.5厘米（图2.2.32，6）。

标本Q1712T1014③：25，夹砂灰陶。侈口，平折沿，沿面内侧见一周凹槽，尖圆唇。腹部饰斜向的绳纹。复原后口径26、残高7厘米（图2.2.32，2）。

标本Q1712T1014③：27，夹砂灰陶。侈口，平折沿，方唇。颈部饰一周附加堆纹。复原后口径15.7、残高6.9厘米（图2.2.32，11）。

标本Q1712T1014③：28，夹砂红胎黑皮陶。侈口，方唇，唇面微内凹。腹部饰绳纹。复原后口径20、残高6.5厘米（图2.2.32，5）。

标本Q1712T1014③：29，夹砂灰陶。侈口，平折沿，沿面内凹，方唇。颈部饰附加堆纹，腹部饰圜络纹。复原后口径25、残高7.8厘米（图2.2.32，3）。

标本Q1712T1014③：30，夹砂红胎黑皮陶。侈口，平折沿，圆唇。腹部饰绳纹。复原后口径32厘米，通高5.5厘米（图2.2.32，1）。

标本Q1712T1014③：31，夹砂灰陶。侈口，卷沿，沿面内凹，方唇，唇面向下内收、下缘微突起。颈部饰一周附加堆纹，腹部饰绳纹。残高10.9厘米（图2.2.33，6）。

标本Q1712T1014③：32，夹砂红陶。侈口，平折沿，沿面见两周凹槽，方唇。颈部饰一周附加堆纹。复原后口径22、残高6.5厘米（图2.2.33，3）。

标本Q1712T1014③：33，夹砂红胎黑皮陶。侈口，折沿，沿面内凹，厚方唇。腹部饰绳纹。复原后口径20、残高5厘米（图2.2.33，4）。

标本Q1712T1014③：34，夹砂红陶。侈口，平折沿，沿面近口处有一周凹槽，方唇。复原后口径30、残高4厘米（图2.2.33，1）。

标本Q1712T1014③：35，夹砂灰陶。侈口，折沿，厚方唇，唇外缘有一周凹槽。复原后口径16、残高5.5厘米（图2.2.33，7）。

标本Q1712T1014③：36，夹砂红陶。侈口，卷沿，沿面内凹形成台阶状，厚方唇。颈部残见一周附加堆纹。复原后口径18、残高4厘米（图2.2.33，8）。

标本Q1712T1014③：37，夹砂灰陶。侈口，卷沿，沿面见一周凹槽，厚方唇，唇下缘突起。颈部见有一周弦纹。复原后口径17、残高6厘米（图2.2.33，5）。

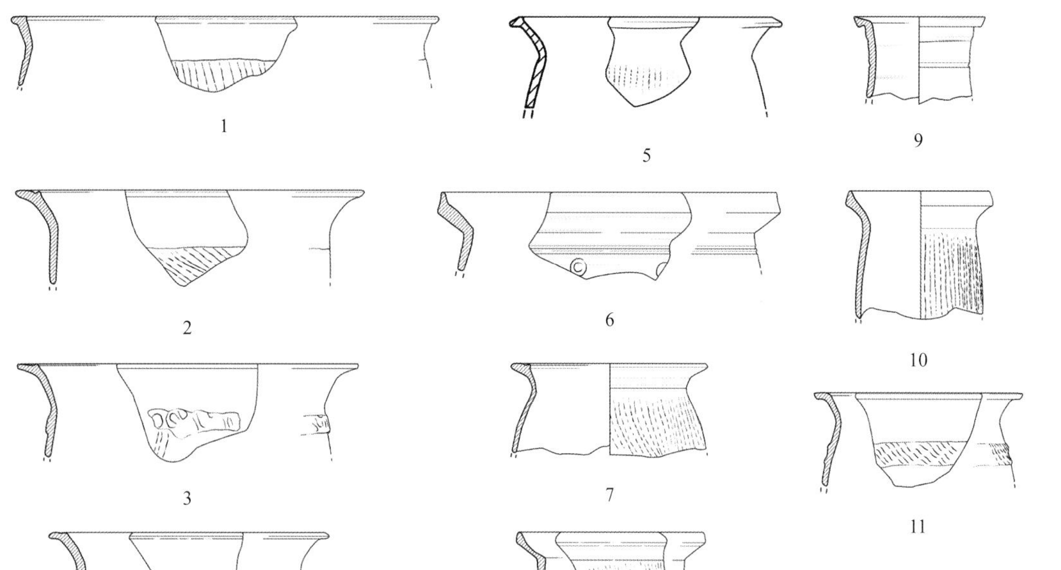

图 2.2.32 杨家湾 Q1712T1014 第 3 层出土陶鬲

1. Q1712T1014③：30 2. Q1712T1014③：25 3. Q1712T1014③：29 4. Q1712T1014③：22 5. Q1712T1014③：28 6. Q1712T1014③：24 7. Q1712T1014③：20 8. Q1712T1014③：18 9. Q1712T1014③：23 10. Q1712T1014③：11 11. Q1712T1014③：27

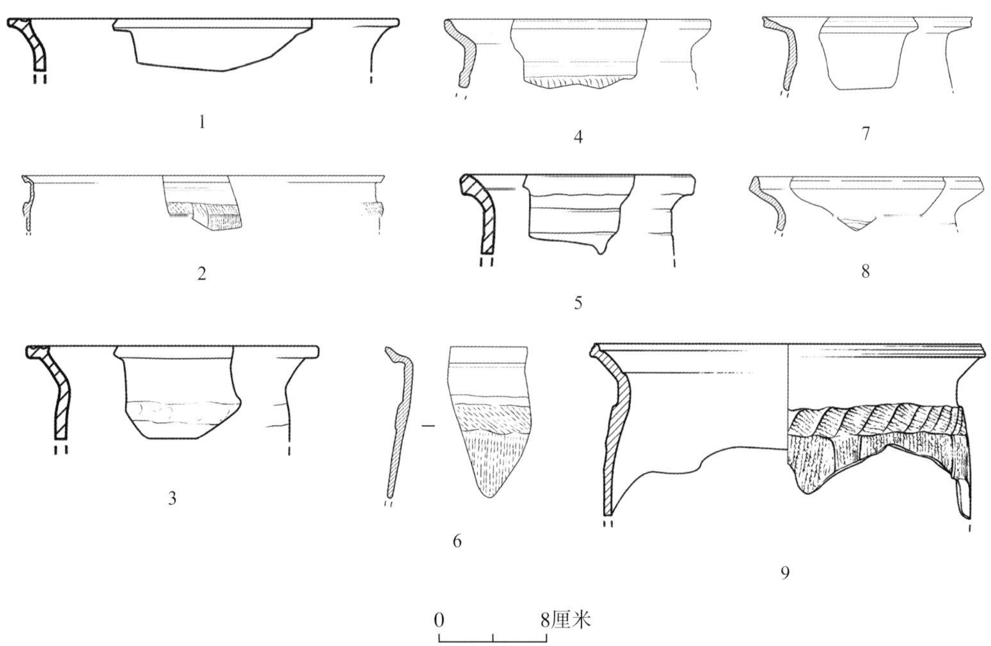

图 2.2.33 杨家湾 Q1712T1014、T1015 第 3 层出土陶鬲

1. Q1712T1014③：34 2. Q1712T1014③：106 3. Q1712T1014③：32 4. Q1712T1014③：33 5. Q1712T1014③：37 6. Q1712T1014③：31 7. Q1712T1014③：35 8. Q1712T1014③：36 9. Q1712T1015③：2

标本Q1712T1014③：38，夹砂灰陶。侈口，平折沿，沿面近口有一周凹槽，方唇。腹部残见圜络纹。复原后口径28、残高6.5厘米（图2.2.34，9）。

标本Q1712T1014③：39，夹砂红陶。侈口，卷沿，沿面内凹，厚方唇。腹部饰斜向的绳纹。复原后口径17、残高5.5厘米（图2.2.35，3）。

标本Q1712T1014③：40，夹砂灰陶。侈口，卷沿，沿面微内凹，方唇。腹部饰绳纹。复原后口径22、残高5厘米（图2.2.35，4）。

标本Q1712T1014③：41，夹砂红胎黑皮陶。侈口，平折沿，沿内侧有一周凹槽，尖圆唇。腹部饰绳纹。复原后口径13、残高6厘米（图2.2.35，2）。

标本Q1712T1014③：42，夹砂灰陶。侈口，卷沿，沿面微内凹，厚方唇。颈部饰两周弦纹。复原后口径12.8、残高3.4厘米（图2.2.35，1）。

标本Q1712T1014③：49，夹砂灰陶。侈口，卷沿，圆唇。腹部饰绳纹。复原后口径15、残高6.5厘米（图2.2.34，2）。

标本Q1712T1014③：106，夹砂灰陶。侈口，折沿，厚方唇、唇下缘起钩，颈部微凸起。腹部饰圜络纹和绳纹。复原后口径27、残高4厘米（图2.2.33，2）。

标本Q1712T1015③：2，夹砂灰陶。折沿，方唇，唇上沿凸起与沿形成盘口状。沿下部有一周弦纹，颈部以下饰圜络纹及绳纹。唇上有轮制的旋痕，内壁腹部有指捏痕。复原后口径25、残高13厘米（图2.2.33，9）。

标本Q1712T1015③：11，夹砂灰陶。侈口，平折沿，沿上有一周凸棱，方唇。颈部经抹制，肩部饰一周附加堆纹，附加堆纹以下饰绳纹。复原后口径24、残高12厘米（图2.2.34，7）。

标本Q1712T1015③：12，夹砂灰陶。侈口，平折沿，沿面见两周凹槽。腹部饰绳纹。复原后口径26、残高7.4厘米（图2.2.34，6）。

标本Q1712T1015③：13，夹砂灰陶。侈口，平折沿，口近沿面见有一周凸棱，方唇。颈部饰一周附加堆纹，腹部饰绳纹。复原后口径24、残高10厘米（图2.2.34，4）。

标本Q1712T1015③：14，夹砂红陶，胎芯为灰色。折沿，方唇，唇上沿上翘。颈部饰一周附加堆纹，腹部饰绳纹。复原后口径30、残高7.5厘米（图2.2.34，5）。

标本Q1712T1015③：16，夹砂灰陶。侈口，卷沿，厚方唇，唇外缘有一周较宽的凹槽。腹部饰绳纹。复原后口径20、残高6厘米（图2.2.35，6）。

标本Q1712T1015③：17，夹砂灰陶。侈口，卷沿，厚方唇，唇外缘有一周宽凹槽。腹部饰绳纹。复原后口径16、残高5.5厘米（图2.2.35，7）。

标本Q1712T1015③：18，夹砂灰陶。侈口，平折沿，沿上有一周较深的凹槽，方唇。颈部以下饰粗绳纹。内壁有手指纵向抹痕。复原后口径18、残高10厘米（图2.2.35，5）。

标本Q1712T1015③：19，夹砂灰陶。侈口，卷沿，方唇，唇外缘有一周凹槽。腹部饰绳纹。复原后口径23.7、残高7厘米（图2.2.34，8）。

标本Q1712T1015③：21，夹砂灰陶。侈口，卷沿，厚方唇，唇上缘突起，外缘有一周较宽的凹槽。腹部饰绳纹。复原后口径20、残高4.5厘米（图2.2.34，3）。

标本Q1712T1015③：22，夹砂灰陶。侈口，卷沿，沿面见一周凹槽，厚方唇，唇外缘

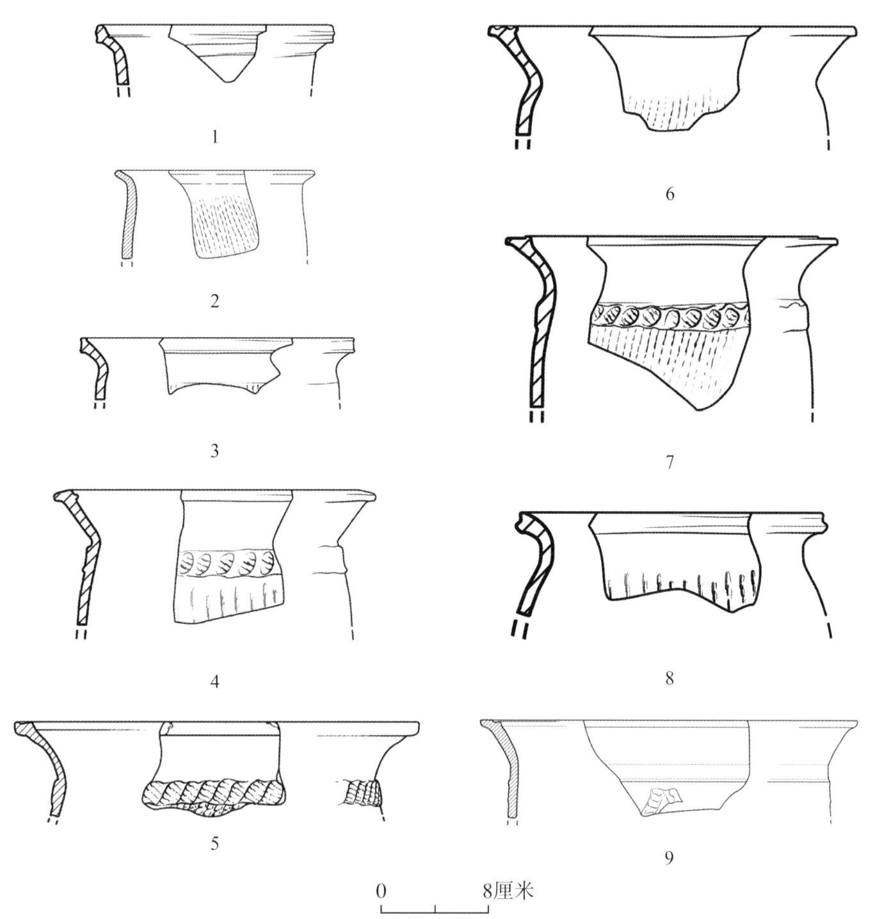

图 2.2.34 杨家湾 Q1712T1014、T1015 第 3 层出土陶鬲

1. Q1712T1015③：22 2. Q1712T1014③：49 3. Q1712T1015③：21 4. Q1712T1015③：13 5. Q1712T1015③：14
6. Q1712T1015③：12 7. Q1712T1015③：11 8. Q1712T1015③：19 9. Q1712T1014③：38

见一周凸棱。颈部饰一周弦纹。复原后口径18、残高4.5厘米（图2.2.34，1）。

罐 标本9件。

标本Q1712T1013③：19，泥质灰陶。侈口，卷沿，厚方唇，颈部微内收，鼓腹。腹部饰斜绳纹，下接水平方向绳纹。复原后口径15.5、残高9.5厘米（图2.2.36，2）。

标本Q1712T1014③：46，夹砂红陶。直口，方唇，微束颈。复原后口径12、残高5.5厘米（图2.2.36，6）。

标本Q1712T1014③：73，泥质灰陶。圆唇，束颈，颈部与腹部连接处成台阶状。颈部以下饰交错绳纹。复原后口径11、残高7.5厘米（图2.2.36，4）。

标本Q1712T1014③：86，夹砂灰陶。直口。颈部饰两组各两周弦纹。残高8.3厘米（图2.2.36，3）。

标本Q1712T1014③：88，夹砂灰陶。侈口，折沿，方唇。颈部可见几道深浅不一的弦纹，腹部饰斜向的绳纹。复原后口径27.1、残高8.3厘米（图2.2.36，8）。

标本Q1712T1014③：92，夹砂红陶。侈口，折沿，沿内侧有微凸起，圆唇。颈部以下

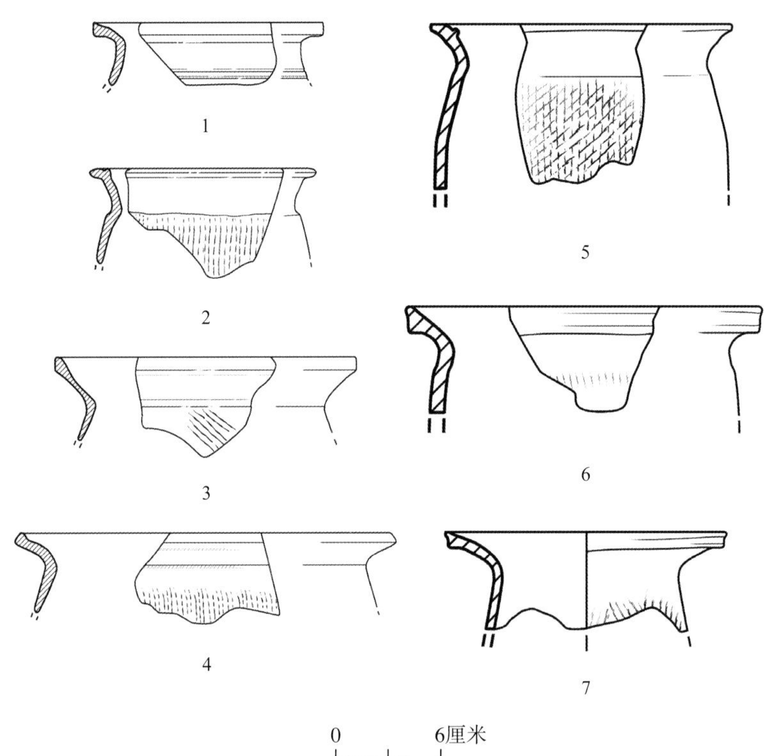

图 2.2.35　杨家湾 Q1712T1014、T1015 第 3 层出土陶鬲

1. Q1712T1014③：42　2. Q1712T1014③：41　3. Q1712T1014③：39　4. Q1712T1014③：40
5. Q1712T1015③：18　6. Q1712T1015③：16　7. Q1712T1015③：17

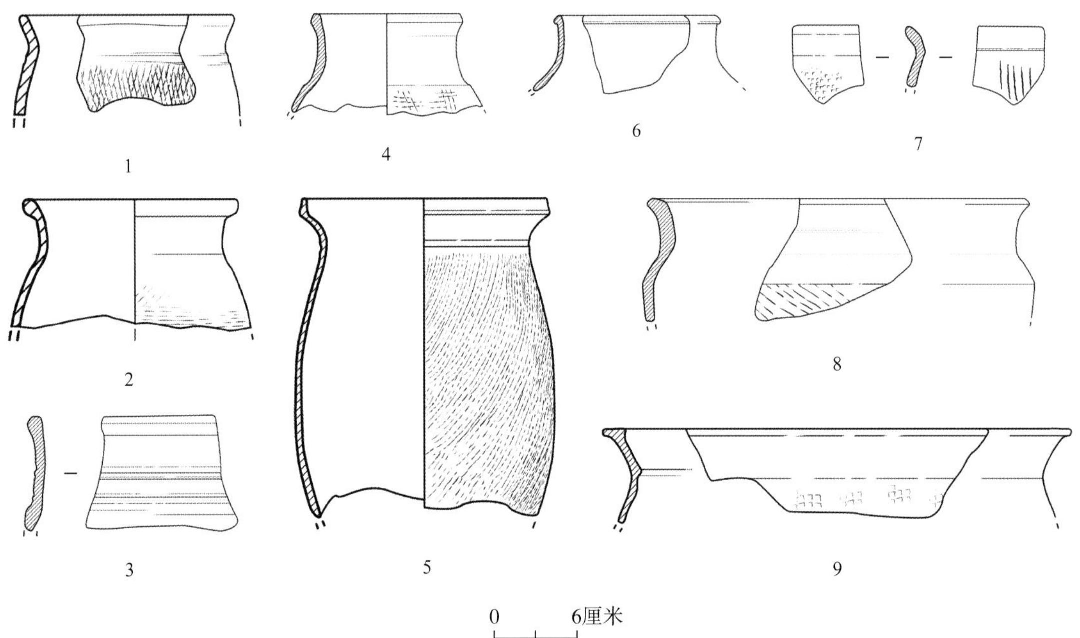

图 2.2.36　杨家湾 Q1712T1014、T1015 第 3 层出土陶罐

1. Q1712T1015③：20　2. Q1712T1013③：19　3. Q1712T1014③：86　4. Q1712T1014③：73　5. Q1712T1015③：3
6. Q1712T1014③：46　7. Q1712T1014③：92　8. Q1712T1014③：88　9. Q1712T1014③：108

饰网格纹，内壁见有刮削痕迹。残高5.5厘米（图2.2.36，7）。

标本Q1712T1014③：108，夹砂灰陶。侈口，折沿，沿面内凹，圆唇，唇面较宽。颈部内侧有一道凸棱。颈部以下饰网格纹。复原后口径32.8、残高6.7厘米（图2.2.36，9）。

标本Q1712T1015③：3，夹砂灰陶。折沿，方唇，唇内凹，溜肩，深腹。颈部绳纹经抹制，颈部以下饰绳纹。沿上见多道轮旋痕。复原后口径19、残高22厘米（图2.2.36，5）。

标本Q1712T1015③：20，夹砂红陶。侈口，卷沿，沿面较宽，方唇。颈部纹饰经轮旋抹，靠近肩部位置可以观察到高低不一的抹痕形成的交错痕，颈部以下饰绳纹。复原后口径15、残高6.8厘米（图2.2.36，1）。

豆　标本5件，可分为假腹和真腹两类。

标本Q1712T1013③：14，夹砂灰陶，假腹。平折沿，圆唇。腹部饰一周凸弦纹。复原后口径14、残高4厘米（图2.2.37，1）。

标本Q1712T1013③：21，泥质黑皮陶，真腹。敞口，折沿，方唇，盘壁斜弧，外壁有两道凸棱，盘底微圜。复原后口径16.2、残高5.2厘米（图2.2.37，5）。

标本Q1712T1013③：23，泥质灰陶，真腹。仰折沿，方唇，颈部收束。复原后口径18.5、残高4.5厘米（图2.2.37，2）。

标本Q1712T1013③：29，泥质灰胎，内外壁有一层红衣，假腹。侈口，平折沿，尖唇。腹部饰两周弦纹。复原后口径16.4、残高8.4厘米（图2.2.37，6）。

标本Q1712T1014③：67，泥质灰陶，内外壁有一层红衣，假腹。侈口，圆唇，假腹与圈足交界处呈台阶状。腹部饰两周弦纹。复原后口径13、残高7.5厘米（图2.2.37，4）。

簋　标本4件。

标本Q1712T1013③：2，泥质红胎黑皮陶。侈口，平折沿，圆唇。上腹部有一道凸弦纹，下腹部另见一周弦纹，底部饰绳纹。复原后口径24、残高8.2厘米（图2.2.37，9）。

标本Q1712T1013③：15，泥质红胎黑皮陶。直口，平折沿，圆唇。腹部饰多周弦纹，弦纹下见有卷云纹样。复原后口径24、残高5.5厘米（图2.2.37，8）。

标本Q1712T1014③：61，泥质红陶，内外壁有黑皮。仅残见圈足。圈足上有两周凸弦纹，腹底部饰绳纹。复原后底径18、残高7厘米（图2.2.37，7）。

标本Q1712T1015③：7，泥质灰陶，内外壁有黑皮，多已脱落。直口，折沿，方唇。腹部饰一周云雷纹，云雷纹上下各有一周弦纹。每个雷纹单元大小与形状皆相同，应为同一模型压制而成。复原后口径18、残高5.3厘米（图2.2.37，3）。

盆　标本38件。

标本Q1712T1013③：1，泥质灰陶。直口，平折沿，沿面上有一周凹槽，方唇，唇上有一道凹槽。器表饰多道弦纹。复原后口径27、残高11厘米（图2.2.38，8）。

标本Q1712T1013③：4，泥质红胎黑皮陶。敞口，平折沿，圆唇，唇上有一道较细的弦纹，斜腹。器表饰绳纹，可见有多周手指宽的凹陷，应为指压轮修痕迹。复原后口径36、残高6厘米（图2.2.38，1）。

标本Q1712T1013③：5，泥质红胎黑皮陶。敞口，平折沿，沿上及内壁有弦纹，方唇。复原后口径34、残高5厘米（图2.2.38，7）。

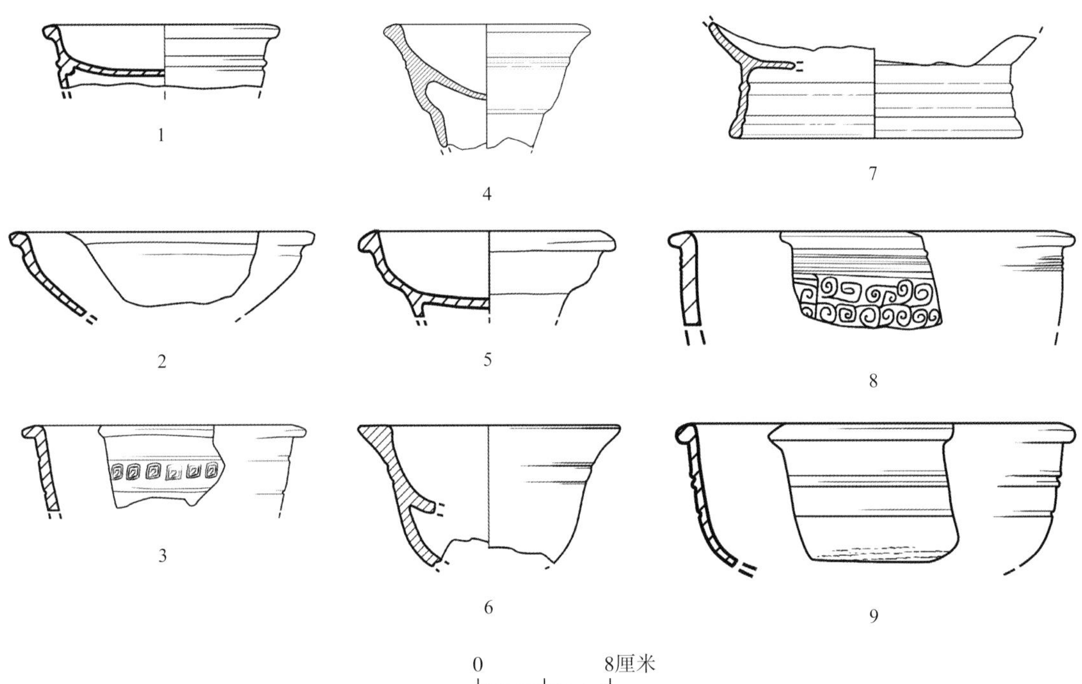

图 2.2.37　杨家湾 Q1712T1013、T1014、T1015 第 3 层出土陶器

1、2、4～6. 豆（Q1712T1013③：14、Q1712T1013③：23、Q1712T1014③：67、Q1712T1013③：21、Q1712T1013③：29）
3、7～9. 簋（Q1712T1015③：7、Q1712T1014③：61、Q1712T1013③：15、Q1712T1013③：2）

标本Q1712T1013③：7，泥质灰陶。敞口，平折沿，方唇。沿下可见一周弦纹，口沿以下饰绳纹。复原后口径38、残高4.2厘米（图2.2.38，6）。

标本Q1712T1013③：16，泥质灰陶。侈口，折沿，圆唇。颈部以下饰雷纹。复原后口径24、残高4.3厘米（图2.2.38，5）。

标本Q1712T1013③：17，泥质黑皮陶。敞口，平折沿，方唇，颈部有一周宽带凸起。颈部以下饰圆圈纹。复原后口径21.5、残高6.8厘米（图2.2.38，2）。

标本Q1712T1013③：18，泥质红陶。敞口，折沿，圆唇。颈部以下饰卷云纹。复原后口径16.8、残高5厘米（图2.2.38，3）。

标本Q1712T1013③：25，泥质黑皮陶，胎分为两层，中间为灰色胎，内外为红色。侈口，平折沿，尖唇，微束颈，溜肩。肩部饰三周弦纹，其中上两周弦纹相邻形成似凸弦纹状，下间隔再见一周弦纹。复原后口径24、残高10.7厘米（图2.2.38，4）。

标本Q1712T1014③：2，夹砂黑皮陶，红胎内外为灰色胎，内外壁有黑皮，黑皮多已脱落。敞口，折沿，方唇，斜腹逐渐内收。颈部不饰纹饰，颈部以下饰绳纹。复原后口径30、残高12厘米（图2.2.39，6）。

标本Q1712T1014③：4，泥质灰陶。侈口，折沿，沿内有一周凹槽，方唇，唇部斜向外敞。口沿下饰几周弦纹，弦纹深浅不一。复原后口径37.9、残高5.4厘米（图2.2.39，10）。

标本Q1712T1014③：5，泥质黑皮陶。侈口，卷沿微折，尖唇，束颈。口沿下可见几周深浅不一的弦纹，腹部饰绳纹。复原后口径17.7、残高6.1厘米（图2.2.39，13）。

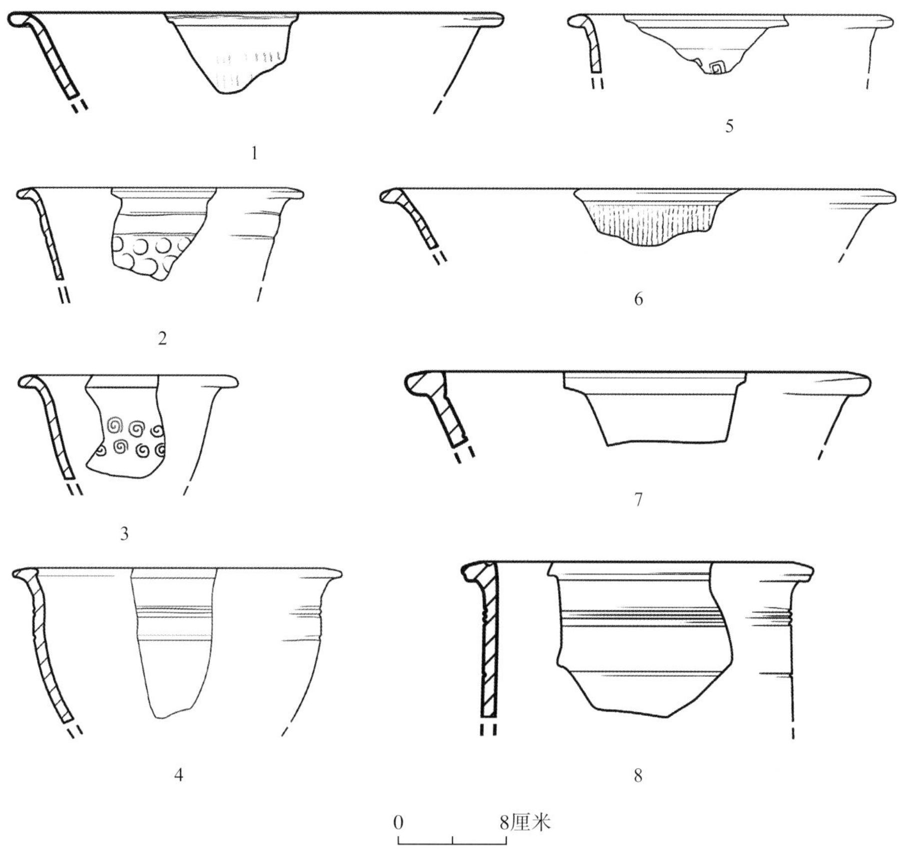

图 2.2.38 杨家湾 Q1712T1013 第 3 层出土陶盆

1. Q1712T1013③：4 2. Q1712T1013③：17 3. Q1712T1013③：18 4. Q1712T1013③：25
5. Q1712T1013③：16 6. Q1712T1013③：7 7. Q1712T1013③：5 8. Q1712T1013③：1

标本Q1712T1014③：13，夹砂红陶。敞口，折沿，圆唇。颈部以下饰绳纹。复原后口径32、残高6.5厘米（图2.2.39，8）。

标本Q1712T1014③：26，夹砂红陶。敞口，卷沿，圆唇。复原后口径27、残高5厘米（图2.2.39，4）。

标本Q1712T1014③：45，夹砂红陶。侈口，折沿，尖唇，唇面斜向外，腹部斜收，下腹部作台阶状。复原后口径16、残高4.5厘米（图2.2.39，11）。

标本Q1712T1014③：55，夹砂红陶。敞口，圆唇，直腹。复原后口径19、残高3.5厘米（图2.2.39，12）。

标本Q1712T1014③：62，泥质红胎黑皮陶。敞口，窄沿，圆唇。颈部以下可见多周弦纹。复原后口径28、残高5厘米（图2.2.39，3）。

标本Q1712T1014③：64，泥质黑皮陶。直口，平折沿，圆唇。口沿下可见相邻的一周凹槽和一道凸起，其下间隔再见一周凹槽。复原后口径20、残高7厘米（图2.2.40，7）。

标本Q1712T1014③：65，泥质红陶。侈口，平折沿，方唇。腹部饰多道深浅不一的弦纹。复原后口径36、残高7厘米（图2.2.40，4）。

标本Q1712T1014③：66，泥质黑皮陶。侈口，卷沿，圆唇，弧腹。沿内侧有一周弦纹。复原后口径23.5、残高6厘米（图2.2.40，11）。

标本Q1712T1014③：69，夹砂红胎黑皮陶。敞口，仰折沿，沿上有一道凹槽，方唇。颈部以下饰弦纹及绳纹。复原后口径36、残高6厘米（图2.2.40，5）。

标本Q1712T1014③：70，泥质红陶。敞口，卷沿，方唇。上腹饰一道深浅不一的弦纹。复原后口径38、残高5厘米（图2.2.41，5）。

标本Q1712T1014③：72，泥质灰陶，内外壁有黑色陶衣。侈口，折沿，方唇，圆腹。腹部可见两组各两周弦纹。复原后口径15、残高7厘米（图2.2.40，3）。

标本Q1712T1014③：75，泥质红陶。口微侈，卷沿，尖唇。唇下可见多道深浅不一的弦纹。复原后口径28、残高4.5厘米（图2.2.40，10）。

标本Q1712T1014③：80，泥质红陶。敞口，折沿，沿面微内凹，方唇，束颈。口沿部分饰多周弦纹，弦纹深浅不一。复原后口径27、残高4厘米（图2.2.39，5）。

标本Q1712T1014③：82，泥质红陶。口微侈，折沿，方唇，唇面斜向外敞。口沿下饰一周弦纹，弦纹深浅不一。复原后口沿24、残高4厘米（图2.2.39，14）。

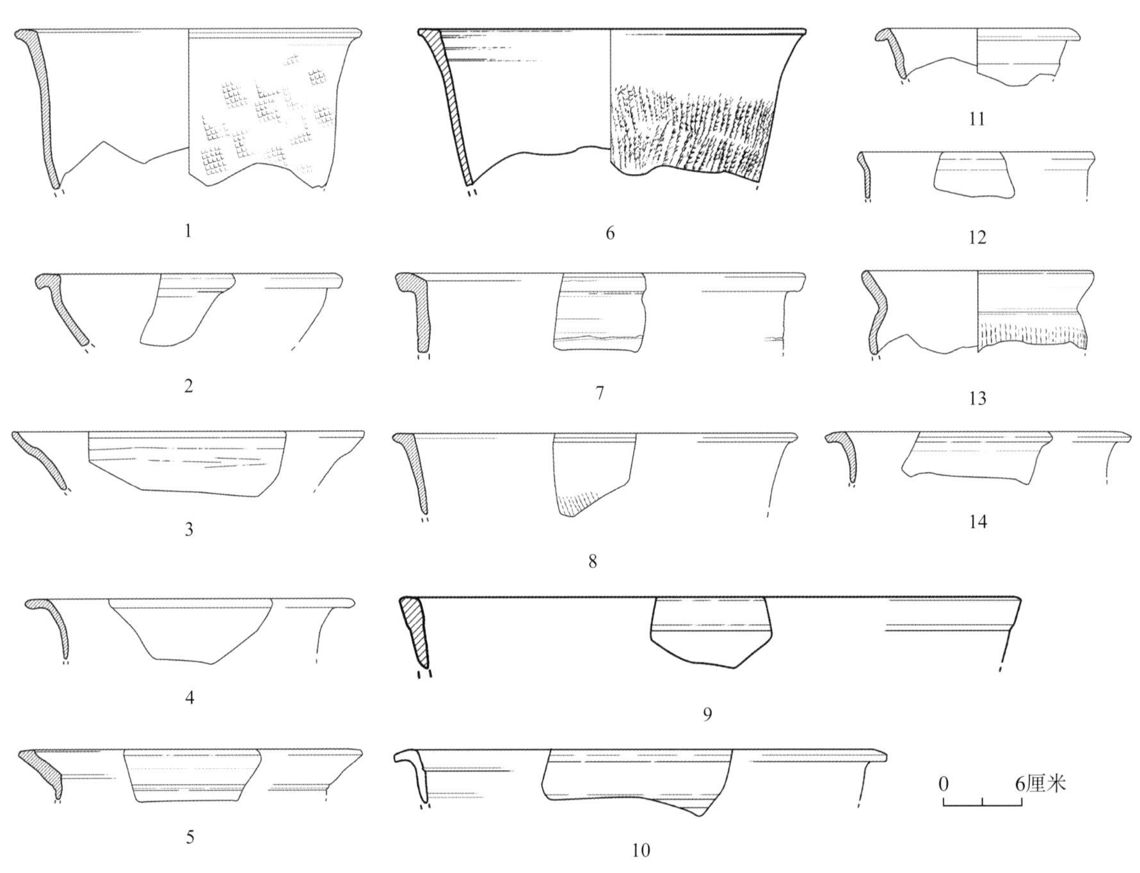

图2.2.39 杨家湾Q1712T1014第3层出土陶盆

1. Q1712T1014③：109 2. Q1712T1014③：85 3. Q1712T1014③：62 4. Q1712T1014③：26 5. Q1712T1014③：80 6. Q1712T1014③：2 7. Q1712T1014③：90 8. Q1712T1014③：13 9. Q1712T1014③：89 10. Q1712T1014③：4 11. Q1712T1014③：45 12. Q1712T1014③：55 13. Q1712T1014③：5 14. Q1712T1014③：82

标本Q1712T1014③：85，夹砂红陶。敞口，折沿，厚方唇。沿下可见两周弦纹，弦纹深浅不一。复原后口径24、残高5.5厘米（图2.2.39，2）。

标本Q1712T1014③：87，泥质黑皮陶。口微侈，卷沿，方唇，斜腹。腹部饰绳纹。残高8厘米（图2.2.40，2）。

标本Q1712T1014③：89，泥质黑皮陶。侈口，口沿外壁下缘与腹交界的位置呈台阶状，斜腹。复原后口径48、残高5.5厘米（图2.2.39，9）。

标本Q1712T1014③：90，泥质黑皮陶。直口，折沿，厚方唇，唇面斜向内收。腹部饰一周弦纹。复原后口径32、残高6厘米（图2.2.39，7）。

标本Q1712T1014③：93，泥质黑皮陶。敛口，折沿，尖唇。颈部饰几周弦纹，弦纹深浅不一。复原后口径15、残高3厘米（图2.2.40，9）。

标本Q1712T1014③：95，泥质黑皮陶。口微侈，卷沿，尖唇。腹部下有一周凹弦纹。复原后口径20、残高6厘米（图2.2.40，8）。

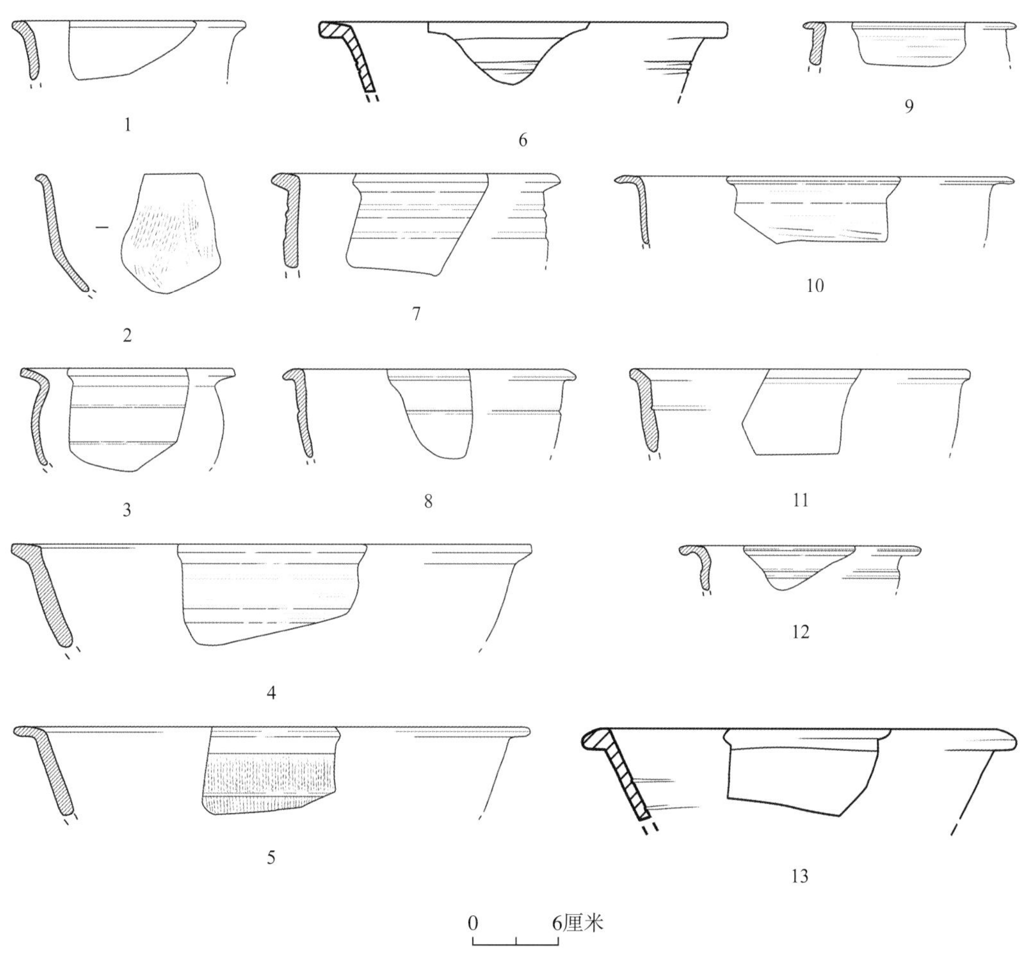

图 2.2.40 杨家湾 Q1712T1014、T1015 第 3 层出土陶盆

1. Q1712T1014③：96 2. Q1712T1014③：87 3. Q1712T1014③：72 4. Q1712T1014③：65 5. Q1712T1014③：69 6. Q1712T1015③：5 7. Q1712T1014③：64 8. Q1712T1014③：95 9. Q1712T1014③：93 10. Q1712T1014③：75 11. Q1712T1014③：66 12. Q1712T1014③：98 13. Q1712T1015③：8

标本Q1712T1014③：96，泥质红陶。敞口，卷沿，圆唇。复原后口径16、残高4厘米（图2.2.40，1）。

标本Q1712T1014③：98，泥质黑皮陶。口微侈，平折沿，圆唇，颈部微内收。腹部饰两周弦纹。复原后口径17、残高3厘米（图2.2.40，12）。

标本Q1712T1014③：109，泥质灰陶。敞口，折沿，圆唇，颈部微收。沿下可见一条弦纹，口沿以下饰网格纹。复原后口径26.7、残高12.1厘米（图2.2.39，1）。

标本Q1712T1015③：5，泥质红陶。敞口，仰折沿，方唇，斜腹。腹部饰两周弦纹。复原后口径28、残高4.8厘米（图2.2.40，6）。

标本Q1712T1015③：6，泥质灰陶。敞口，卷沿，方唇，唇中央有一道凹槽，唇下部有一道凹槽，微束颈，颈下有两道间隔的凹槽。复原后口径37.4、残高10.1厘米（图2.2.41，1）。

标本Q1712T1015③：8，泥质黑皮陶。敞口，折沿，方唇，斜腹。腹内壁饰两周弦纹。复原后口径29.1、残高5.9厘米（图2.2.40，13）。

标本Q1712T1015③：15，夹砂灰陶。敞口，平折沿，圆唇，唇斜向外敞，斜腹。器表有抹痕，内壁有两周弦纹。复原后口径34、残高8.2厘米（图2.2.41，2）。

中柱盂 标本1件。

标本Q1712T1013③：28，夹砂灰陶。平底。素面。复原后残高8厘米（图2.2.41，6）。

刻槽盆 标本2件。

标本Q1712T1013③：24，夹砂灰陶。敞口，卷沿，圆唇。器表饰横向的绳纹。复原后口径28.8、残高12.2厘米（图2.2.41，4）。

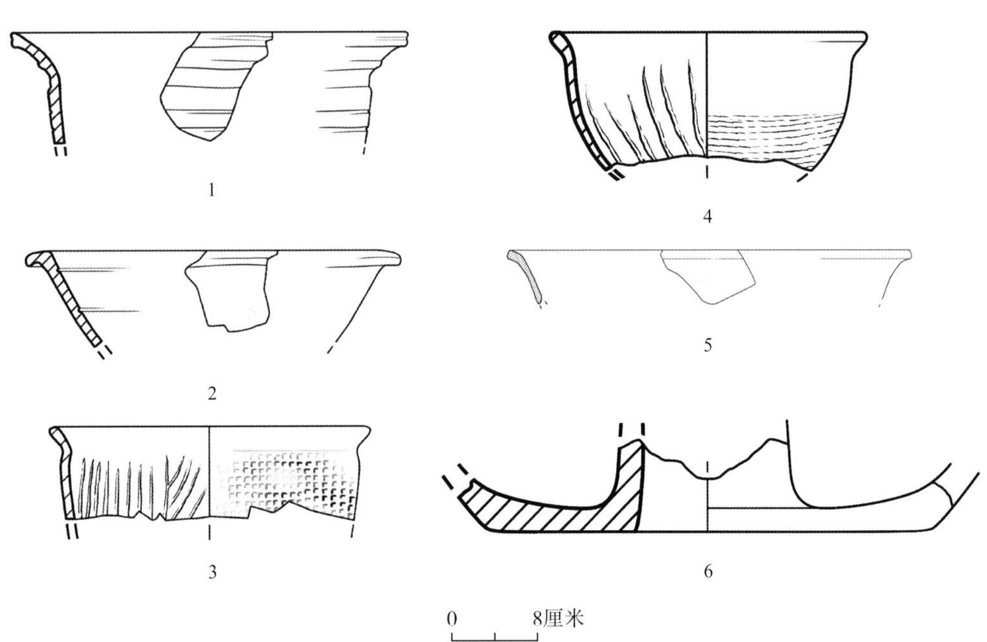

图2.2.41 杨家湾Q1712T1013、T1014、T1015第3层出土陶器

1、2、5. 盆（Q1712T1015③：6、Q1712T1015③：15、Q1712T1014③：70）
3、4. 刻槽盆（Q1712T1013③：27、Q1712T1013③：24） 6. 中柱盂（Q1712T1013③：28）

标本Q1712T1013③：27，夹砂灰陶。卷沿，圆唇。颈部以下饰网格纹。复原后口径30、残高8.5厘米（图2.2.41，3）。

瓿 标本1件。

标本Q1712T1014③：99，夹砂灰陶。敛口，折肩。肩部饰两周弦纹。复原后口径10.4、残高4厘米（图2.2.42，6）。

瓮 标本19件。

标本Q1712T1013③：26，泥质灰陶。侈口，卷沿，沿内侧口沿处有一道凹槽，圆唇，束颈，圆肩。肩部饰四周凹弦纹，两周分布在颈肩交界处，其下间隔再见两周相邻的凹弦纹。复原后口径18、残高7.5厘米（图2.2.42，9）。

标本Q1712T1014③：44，夹砂红陶。近直口，方唇，唇面斜向外敞，斜肩，肩部有一周宽带凸起。复原后口径12、残高5.5厘米（图2.2.43，2）。

标本Q1712T1014③：47，夹砂灰陶。侈口，卷沿，方唇，唇面有一周凹槽，短颈。腹

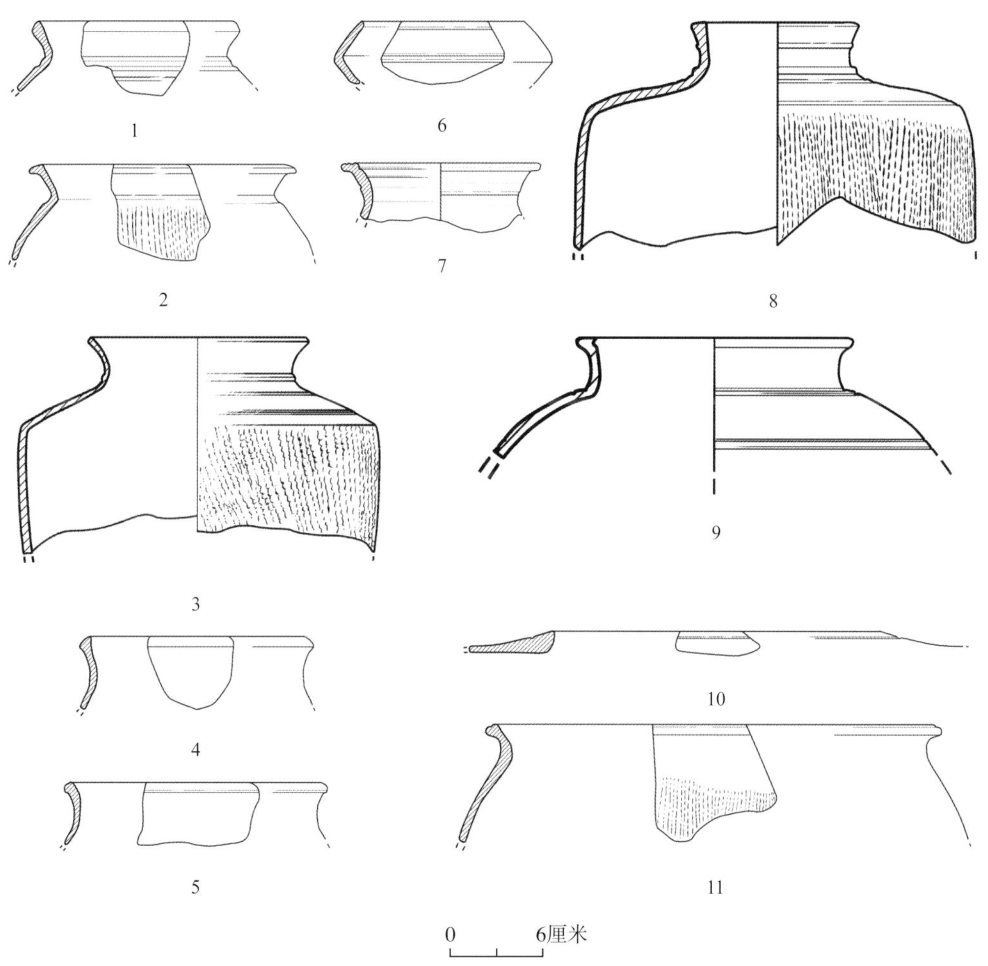

图2.2.42 杨家湾Q1712T1013、T1014、T1015第3层出土陶器

1～5、7～11. 瓮（Q1712T1014③：57、Q1712T1014③：48、Q1712T1015③：9、Q1712T1014③：56、Q1712T1014③：50、Q1712T1014③：76、Q1712T1014③：107、Q1712T1013③：26、Q1712T1014③：91、Q1712T1014③：47）6. 瓿（Q1712T1014③：99）

部饰绳纹。内壁有指捏痕迹。复原后口径30、残高7.5厘米（图2.2.42，11）。

标本Q1712T1014③：48，夹砂红陶。侈口，折沿，方唇，唇面斜向外敞，束颈，圆肩，肩部有一周凸棱。颈部以下饰绳纹。复原后口径17.5、残高6厘米（图2.2.42，2）。

标本Q1712T1014③：50，夹砂红陶。侈口，卷沿，方唇，束颈。复原后口径17、残高4厘米（图2.2.42，5）。

标本Q1712T1014③：51，泥质红陶。侈口，卷沿，沿上有一周凸起，圆唇，束颈。颈部饰四组各三周弦纹，弦纹深浅不一。复原后口径10、残高5厘米（图2.2.43，5）。

标本Q1712T1014③：53，夹砂红陶。侈口，卷沿，方唇，束颈，颈下有一周凸起。复原后口径11、残高4.5厘米（图2.2.43，7）。

标本Q1712T1014③：54，夹砂红陶。口微侈，卷沿，方唇，微束颈。颈部饰两周深浅不一的弦纹。复原后口径13、残高4.5厘米（图2.2.43，4）。

标本Q1712T1014③：56，夹砂红陶。侈口，卷沿，方唇，束颈。复原后口径15、残高4.5厘米（图2.2.42，4）。

标本Q1712T1014③：57，夹砂灰陶。侈口，卷沿，方唇，束颈。颈部饰两周弦纹。复原后口径12.5、残高4.6厘米（图2.2.42，1）。

标本Q1712T1014③：71，泥质灰陶，灰胎内外为红胎，器表为灰色。敛口，圆唇。颈部饰两周凸棱纹。复原后口径11.9、残高8厘米（图2.2.43，6）。

标本Q1712T1014③：74，泥质红陶。敞口，卷沿，方唇，束颈，斜肩，肩上有一周宽带凸起。复原后口径12、残高5厘米（图2.2.43，8）。

标本Q1712T1014③：76，泥质黑皮陶。侈口，折沿，沿面内凹，沿内侧有两道间隔的

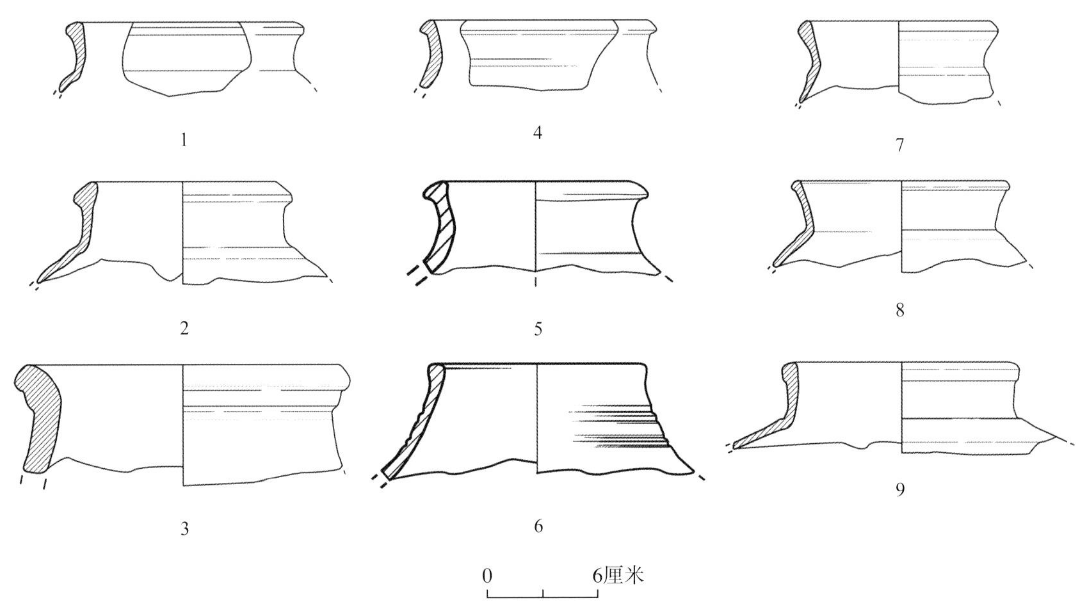

图2.2.43　杨家湾Q1712T1014第3层出土陶瓮

1. Q1712T1014③：111　2. Q1712T1014③：44　3. Q1712T1014③：112　4. Q1712T1014③：54　5. Q1712T1014③：51　6. Q1712T1014③：71　7. Q1712T1014③：53　8. Q1712T1014③：74　9. Q1712T1014③：110

凹槽，方唇，唇面有两周凹槽，束颈。肩部饰两周弦纹。复原后口径13、残高4.5厘米（图2.2.42，7）。

标本Q1712T1014③：91，泥质黑皮陶，灰胎，灰胎外为一层红胎。敛口，折肩。外壁近口处有一道弦纹。复原后口径21、残高1.5厘米（图2.2.42，10）。

标本Q1712T1014③：107，夹砂灰陶。侈口，折沿，沿面有一周凸弦纹，束颈，颈下有一周凸弦纹，折肩，与颈部衔接处有一道凸弦纹，折肩处有两道弦纹。腹部饰绳纹。复原后口径10.9、残高14.8厘米（图2.2.42，8）。

标本Q1712T1014③：110，泥质灰陶，外施黑衣。直口，折沿，圆唇，短颈，斜肩。颈部以下饰绳纹，肩部有一周弦纹。复原后口径13、残高5厘米（图2.2.43，9）。

标本Q1712T1014③：111，泥质红陶。侈口，沿内侧近平，方唇，束颈。复原后口径13、残高4厘米（图2.2.43，1）。

标本Q1712T1014③：112，泥质红陶。敞口，卷沿，方唇，口沿下有几道深浅不一的划痕。复原后口径28、残高5厘米（图2.2.43，3）。

标本Q1712T1015③：9，夹砂红陶。侈口，卷沿，方唇，束颈，斜折肩。颈部饰一周凸棱纹，肩部饰两组各两周弦纹。复原后口径13.9、残高13.5厘米（图2.2.42，3）。

大口尊　标本12件。

标本Q1712T1013③：8，泥质黑皮陶。敞口，口径大于肩径，卷沿，圆唇，折肩。颈部饰一周凸弦纹，肩部饰一周锯齿状附加堆纹，腹部饰窗棂纹。复原后口径24、残高13.2厘米（图2.2.44，9）。

标本Q1712T1013③：9，泥质灰陶。敞口，卷沿，圆唇，束颈。口沿下饰一周凸弦纹。复原后口径44.3、残高14.9厘米（图2.2.44，10）。

标本Q1712T1013③：10，夹砂黑皮陶，胎芯为红色。敞口，口径大于肩径，折沿，方唇，折肩。颈部饰一周凸弦纹，肩部饰一周附加堆纹，腹部饰弦纹。复原后口径30、残高10.2厘米（图2.2.44，8）。

标本Q1712T1014③：58，泥质黑皮陶，胎芯为灰色。敞口，口径大于肩径，圆唇，圆肩。颈部饰一周凹弦纹，肩部饰两周附加堆纹，上腹部有两周凹弦纹。复原后口径46、残高23厘米（图2.2.44，4）。

标本Q1712T1014③：59，泥质黑皮陶。敞口，卷沿，圆厚唇。颈部有一周凸弦纹，凸肩不明显。肩部饰两周附加堆纹，腹部饰三周弦纹。复原后口径51、残高16厘米（图2.2.44，12）。

标本Q1712T1014③：60，泥质红陶。侈口，卷沿，圆唇，束颈。口沿内壁可见几周深浅不一的弦纹，颈部有两周凸弦纹。复原后口径36.4、残高9厘米（图2.2.44，3）。

标本Q1712T1014③：63，泥质黑皮陶。敞口，口径大于肩径，卷沿，方唇，束颈。口沿下可见一周凸弦纹和几周深浅不一的弦纹。复原后口径31.1、残高8厘米（图2.2.44，7）。

标本Q1712T1014③：68，泥质黑皮陶。敞口，沿微卷，沿内侧有一道凹槽，尖唇，束颈。复原后口径36、残高5厘米（图2.2.44，6）。

标本Q1712T1014③：77，泥质红陶，内外皆施黑衣，已脱落。敞口，平折沿，尖唇。

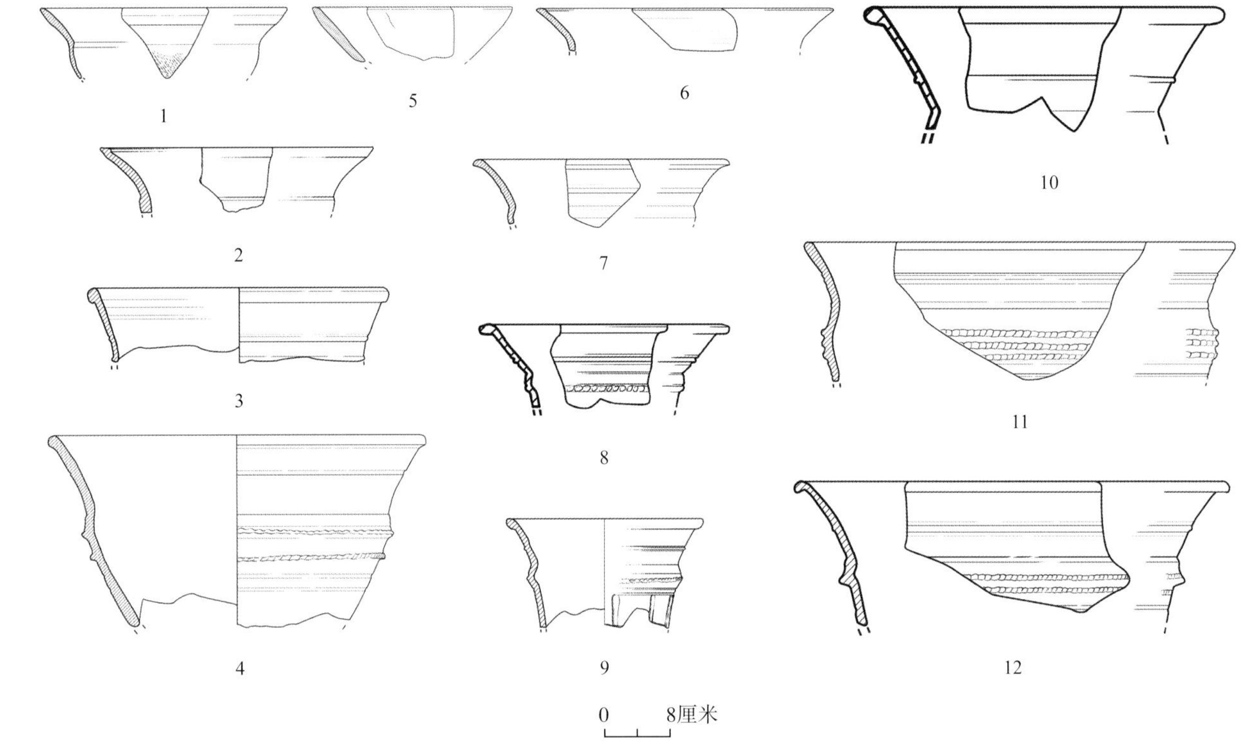

图 2.2.44 杨家湾 Q1712T1013、T1014、T1015 第 3 层出土陶大口尊

1. Q1712T1014③：78 2. Q1712T1014③：77 3. Q1712T1014③：60 4. Q1712T1014③：58 5. Q1712T1014③：79 6. Q1712T1014③：68 7. Q1712T1014③：63 8. Q1712T1013③：10 9. Q1712T1013③：8 10. Q1712T1013③：9 11. Q1712T1015③：10 12. Q1712T1014③：59

复原后口径31.6、残高7.2厘米（图2.2.44，2）。

标本Q1712T1014③：78，泥质黑皮陶。敞口，口径大于肩径，卷沿，尖唇，圆肩。颈部饰一周弦纹，颈部以下饰绳纹。复原后口径30、残高8.5厘米（图2.2.44，1）。

标本Q1712T1014③：79，泥质黑皮陶。敞口，尖唇，束颈。口沿处可见一道刻划的凹槽。复原后口径24、残高6.5厘米（图2.2.44，5）。

标本Q1712T1015③：10，泥质，胎芯为红色，内外壁有黑皮，外壁黑皮已脱落。侈口，口径大于肩径，卷沿，圆唇。颈部饰多周弦纹，肩部饰三周附加堆纹，其下饰一周凹弦纹。复原后口径52、残高16.6厘米（图2.2.44，11）。

缸 标本18件。

标本Q1712T1013③：48，夹砂红陶。仅存口部和上腹部。侈口。器表饰网格纹及多周附加堆纹，附加堆纹贴在器表，现已全部脱落。内壁有多道泥条盘筑痕。复原后口径46、残高43厘米（图2.2.46，11）。

标本Q1712T1014③：81，夹砂红陶。敞口，尖唇。器表有一四瓣花形刻划纹饰。复原后口径22、残高5.7厘米（图2.2.45，4）。

标本Q1712T1014③：84，夹砂灰陶。仅有下腹部及圈足。饼状假圈足。复原后圈足底径3.5、残高5厘米（图2.2.46，4）。

标本Q1712T1014③：100，夹砂红陶。侈口，微束颈，腹近直。口沿下及腹部饰网格纹，颈部饰一周附加堆纹。复原后口径41、残高16厘米（图2.2.45，5）。

标本Q1712T1014③：101，夹砂红陶，羼和料见有较多云母。敞口。器表饰绳纹，肩部饰一周附加堆纹。内壁有泥条盘筑痕，泥条宽4～5厘米。复原后口径49、残高16厘米（图2.2.45，3）。

标本Q1712T1014③：102，夹砂红陶。敞口，斜腹内收。器表饰绳纹，肩部饰一周附加堆纹。复原后口径36.7、残高15.5厘米（图2.2.45，1）。

标本Q1712T1014③：103，夹砂红陶。侈口，微束颈，腹部外鼓。器表饰网格纹，颈部饰一周附加堆纹。复原后口径46、残高16厘米（图2.2.45，2）。

标本Q1712T1014③：104，夹砂红陶。仅存口沿及腹部残片。敞口。器表饰网格纹，肩部饰一周附加堆纹。附加堆纹纵向按压纹饰，每个按压纹饰单元形状相同，为同一工具按压而成，内壁按压有网格纹。复原后口径46、残高28厘米（图2.2.45，7）。

标本Q1712T1014③：105，夹碎石灰陶。器表饰篮纹，颈部饰一周附加堆纹，部分已脱落。附加堆纹制法是在肩部指压轮旋一周凹槽，在凹槽里贴塑附加堆纹，然后在附加堆纹上

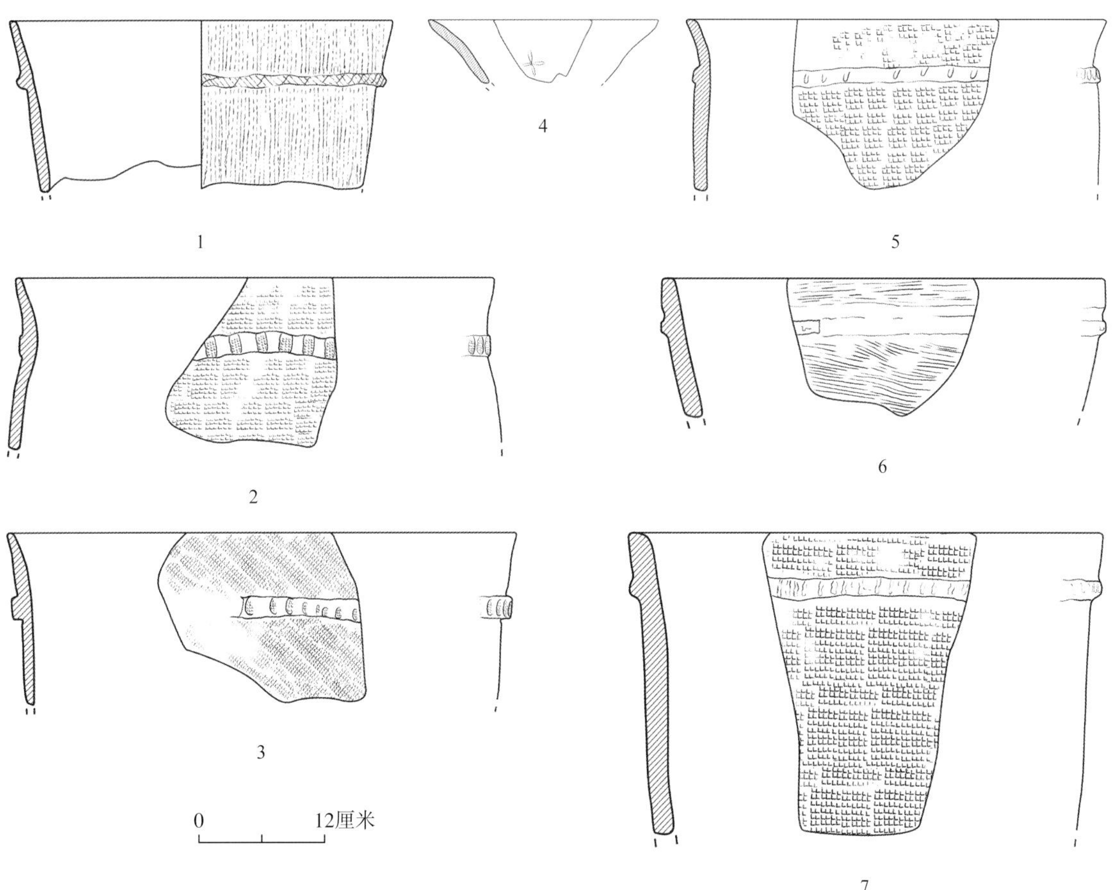

图2.2.45 杨家湾Q1712T1014第3层出土陶缸

1. Q1712T1014③：102 2. Q1712T1014③：103 3. Q1712T1014③：101 4. Q1712T1014③：81
5. Q1712T1014③：100 6. Q1712T1014③：105 7. Q1712T1014③：104

按压纹饰。复原后口径43、残高13厘米（图2.2.45，6）。

标本Q1712T1015③：1，泥质红胎灰陶。喇叭口，束腰，小饼状底。口沿下见一周凹纹，近口处饰一周附加堆纹。腹部饰网格纹复原后口径26、残高30厘米（图2.2.46，3；图2.2.47）。

标本Q1712T1015③：23，夹砂灰陶。仅存口沿及腹部残片。直口微敞。器表饰网格纹，肩部有一周附加堆纹。内壁有多道泥条盘筑痕，泥条宽度约为6厘米。残高30厘米（图2.2.46，2）。

标本Q1712T1015③：24，夹砂红陶。仅残下腹部及圈足。实心饼状假圈足，器表饰网格纹，内壁见多周深浅不一的泥条捏制划痕。残高15厘米（图2.2.46，1）。

标本Q1712T1015③：25，夹砂黄陶。侈口，口沿微收，斜腹。器表饰篮纹，肩部饰一周附加堆纹。复原后口径40、残高13.5厘米（图2.2.46，10）。

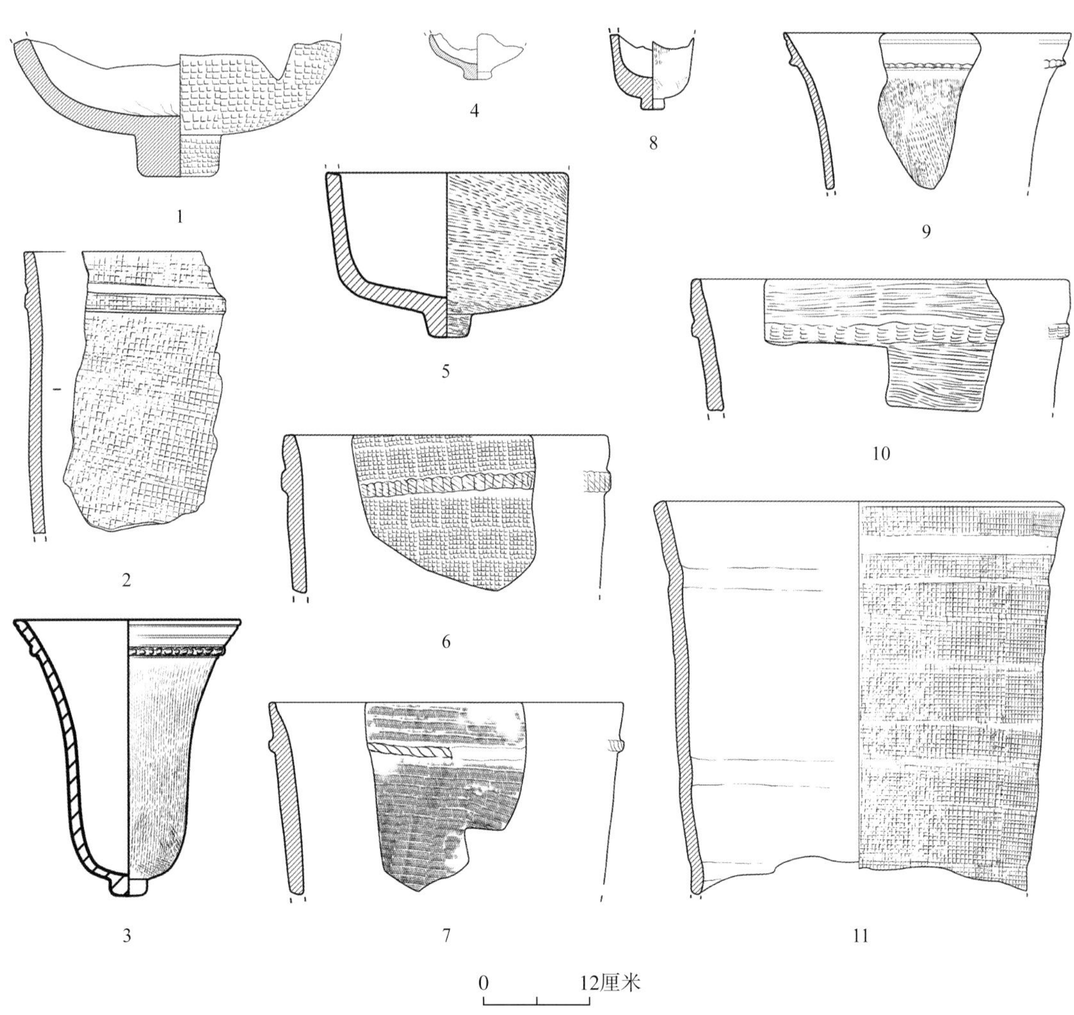

图2.2.46　杨家湾Q1712T1013、T1014、T1015第3层出土陶缸

1. Q1712T1015③：24　2. Q1712T1015③：23　3. Q1712T1015③：1　4. Q1712T1014③：84　5. Q1712T1015③：28　6. Q1712T1015③：27　7. Q1712T1015③：26　8. Q1712T1015③：100　9. Q1712T1015③：59　10. Q1712T1015③：25　11. Q1712T1013③：48

标本Q1712T1015③：26，夹砂红陶。侈口，斜腹。器表饰网格纹，口沿处、腹部部分地方纹饰抹光，肩部饰一周附加堆纹。复原后口径40、残高20.5厘米（图2.2.46，7）。

标本Q1712T1015③：27，夹砂黄陶。口微侈，折沿，直腹微内收。器表饰网格纹，肩部饰一周附加堆纹。复原后口径37、残高17厘米（图2.2.46，6）。

标本Q1712T1015③：28，夹砂灰陶。斜腹近平，斜底，圈足较厚。器表饰绳纹，圈足饰绳纹。残高18厘米（图2.2.46，5）。

标本Q1712T1015③：59，夹砂灰陶。敞口，沿外侧有一道凹槽，腹部内收。肩部饰一周附加堆纹，腹部饰绳纹。复原后口径32、残高17.8厘米（图2.2.46，9）。

图 2.2.47　陶缸照片
（杨家湾 Q1712T1015 ③：1）

标本Q1712T1015③：100，夹砂灰陶。斜腹，饼状的假圈足。腹壁饰深浅不一的绳纹。复原后底径8、残高9厘米（图2.2.46，8）。

圈足　标本2件。

标本Q1712T1013③：3，泥质红陶。圈足较高，斜壁上内收。圈足上饰两周平行凸弦纹和多道深浅不一的弦纹。复原后口径20、残高8.4厘米（图2.2.48，4）。

标本Q1712T1014③：97，泥质黑皮陶。圈足下呈台阶状。圈足上部装饰两周弦纹。复原后底径12.6、残高5厘米（图2.2.48，1）。

器底　标本2件。

标本Q1712T1014③：83，泥质红陶。底部微内凹。复原后底径20、残高4、底厚0.8厘米（图2.2.48，3）。

标本Q1712T1014③：94，夹砂红陶。斜腹，平底。复原后底径10、残高4.5、底厚0.5厘米（图2.2.48，2）。

印纹硬陶罐　标本3件。

标本Q1712T1013③：11，卷沿，方唇。颈部以下饰云雷纹。颈部内外及唇上有轮修的痕迹。复原后口径18、残高9厘米（图2.2.49，6）。

标本Q1712T1013③：12，侈口，卷沿，方唇，唇面斜向外敞，束颈，圆肩。颈部见多道深浅不一的弦纹，肩部饰叶脉纹，部分叶脉纹延伸至颈部，肩部叶脉纹下再饰云雷纹，云雷纹深浅不一，部分被抹光。复原后口径18.8、残高7厘米（图2.2.49，5）。

标本Q1712T1013③：13，侈口，卷沿，沿内侧有一道凹槽，方唇，束颈，圆肩。肩部饰云雷纹。复原后口径18.8、残高7厘米（图2.2.49，4）。

印纹硬陶瓮　标本1件。

标本Q1712T1013③：33，直口，平折沿，方唇，沿面有一道较宽的凹槽，唇外侧有一道凸起，短束颈，圆肩。颈部饰叶脉纹，颈下有一周弦纹，肩部以下饰云雷纹。内壁可见多个深浅不一的按窝。复原后口径37、残高12.5厘米（图2.2.49，1）。

原始瓷尊 标本1件。

标本Q1712T1013③：34，卷沿，方唇，短颈。颈部抹制不饰纹饰，颈部以下饰小网格纹。复原后口径12、残高6.5厘米（图2.2.49，3）。

原始瓷罐 标本1件。

标本Q1712T1013③：31，胎呈黄褐色，颈部内外有一层酱色釉。侈口，方唇，唇近口处有一周凸棱。颈部外侧有轮制的凸棱，颈部以下饰叶脉纹。颈内壁有轮制的横向旋痕。复原后口径16、残高7厘米（图2.2.49，2）。

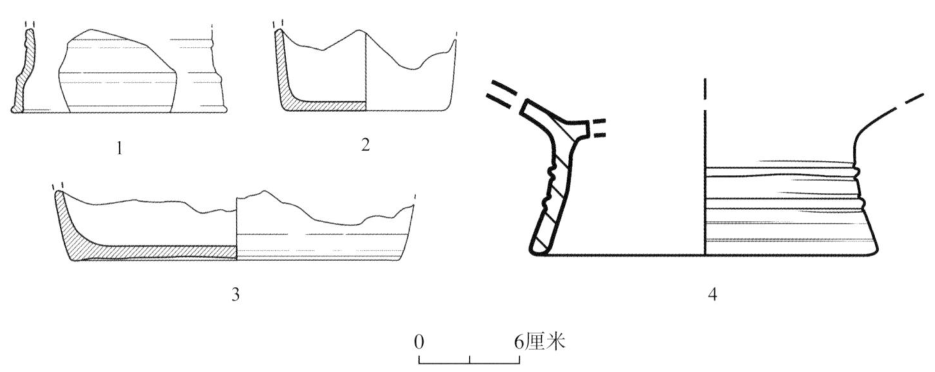

图2.2.48 杨家湾Q1712T1013、T1014第3层出土陶器

1、4. 圈足（Q1712T1014③：97、Q1712T1013③：3） 2、3. 器底（Q1712T1014③：94、Q1712T1014③：83）

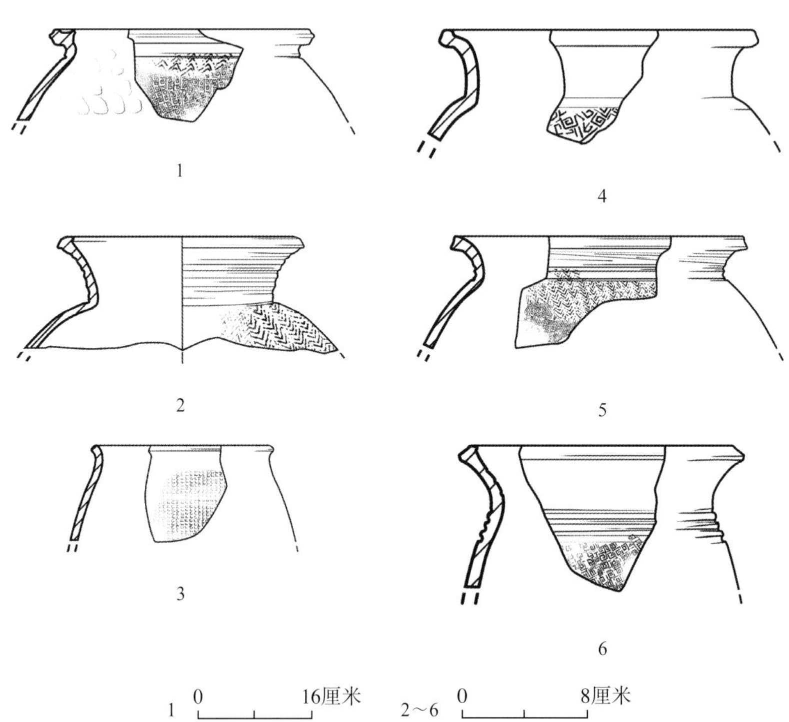

图2.2.49 杨家湾Q1712T1013第3层出土印纹硬陶和原始瓷器

1. 印纹硬陶瓮（Q1712T1013③：33） 2. 原始瓷罐（Q1712T1013③：31） 3. 原始瓷尊（Q1712T1013③：34）
4～6. 印纹硬陶罐（Q1712T1013③：13、Q1712T1013③：12、Q1712T1013③：11）

表2.2.34 杨家湾Q1712T1013第3层陶系、纹饰统计表 （重量单位：克）

纹饰＼陶质		夹砂					泥质			印纹硬陶和原始瓷	合计	百分比（%）
纹饰＼陶色		灰	黑皮	红	黄	白	灰	黑皮	红			
绳纹	数量	414	715	871	236	26	344	214	16		2836	37.06
	重量	17952	21945	22062	14781	2862	7987	5946	573		94108	29.74
绳纹和附加堆纹	数量	10	12	46	27	3		13	3		114	1.49
	重量	2646	1230	4709	10692	752		508	153		20690	6.54
绳纹和弦纹	数量	1					13	55	1		70	0.91
	重量	100					252	2630	37		3019	0.95
网格纹	数量	266	20	39	212	28				19	584	7.63
	重量	16492	2330	1933	18264	1874				348	41241	13.03
网格纹和附加堆纹	数量	13	1	47	25	3					89	1.16
	重量	794	187	5539	14643	655					21818	6.89
篮纹	数量	6		160	62	5					233	3.04
	重量	297		11273	4613	257					16440	5.20
附加堆纹	数量	18	12	184	63	18		15			310	4.05
	重量	760	333	11656	3163	2480		1212			19604	6.19
附加堆纹和弦纹	数量		1								1	0.01
	重量		210								210	0.07
附加堆纹和云雷纹	数量				2						2	0.03
	重量				937						937	0.30
附加堆纹、弦纹和窗棂纹	数量							1			1	0.01
	重量							370			370	0.12
弦纹	数量	5					22	402	6		435	5.68
	重量	208					412	6323	286		7229	2.28
弦纹、云雷纹和叶脉纹	数量									1	1	0.01
	重量									120	120	0.04
弦纹和卷云纹	数量							1			1	0.01
	重量							200			200	0.06
云雷纹	数量						1			28	29	0.38
	重量						85			807	892	0.28
云雷纹和叶脉纹	数量									1	1	0.01
	重量									90	90	0.03

续表

陶质		夹砂					泥质			印纹硬陶和原始瓷	合计	百分比（%）
纹饰	陶色	灰	黑皮	红	黄	白	灰	黑皮	红			
卷云纹	数量								1		1	0.01
	重量								80		80	0.03
叶脉纹	数量									16	16	0.21
	重量									1566	1566	0.49
圆圈纹	数量							1			1	0.01
	重量							70			70	0.02
窗棂纹	数量							46	9		55	0.72
	重量							1782	351		2133	0.67
素面	数量	495	362	931	345	77	87	497	63	15	2872	37.53
	重量	12336	5175	38252	12537	4006	1901	8339	2836	251	85633	27.06
合计	数量	1228	1123	2278	972	160	467	1245	99	80	7652	100.00
	重量	51585	31410	95424	79630	12886	10637	27380	4316	3182	316450	100.00
百分比（%）	数量	16.05	14.68	29.77	12.70	2.09	6.10	16.27	1.29	1.05	100.00	
		75.29					23.67					
	重量	16.30	9.93	30.15	25.16	4.07	3.36	8.65	1.36	1.01		
		85.62					13.38					

表2.2.35　杨家湾Q1712T1013第3层可辨器形统计表

陶质	夹砂					泥质			印纹硬陶和原始瓷	合计	百分比（%）
器形 / 陶色	灰	黑皮	红	黄	白	灰	黑皮	红			
鼎	1		1							2	0.04
鬲	224	56	37							317	7.07
甗	1	12	1							14	0.31
鬲足或甗足	37		1							38	0.85
罐	1					5	9		6	21	0.47
爵	1		1							2	0.04
豆	1					1	1	1		4	0.09
簋							13		1	14	0.31
盆						3	4	1		8	0.18

续表

陶质 器形＼陶色	夹砂					泥质			印纹硬陶和原始瓷	合计	百分比（%）
	灰	黑皮	红	黄	白	灰	黑皮	红			
刻槽盆	2									2	0.04
瓮						1			1	2	0.04
中柱盂	1							1		2	0.04
大口尊	4	1	1			9	66	11	1	93	2.07
尊									1	1	0.02
缸	236	343	2250	972	160					3961	88.34
器盖								1		1	0.02
器圈足								1		1	0.02
器把								1		1	0.02
合计	509	412	2292	972	160	19	93	17	10	4484	100.00
百分比（%）	11.35	9.19	51.12	21.68	3.57	0.42	2.07	0.38	0.22	100.00	

表2.2.36　杨家湾Q1712T1014第3层陶系、纹饰统计表　（重量单位：克）

陶质 纹饰＼陶色		夹砂					泥质			印纹硬陶和原始瓷	合计	百分比（%）
		灰	黑皮	红	黄	白	灰	黑皮	红			
绳纹	数量	1736	211	1281	570	12	563	37	83	1	4494	47.85
	重量	52816	14244	78768	42878	824	9836	1099	1918	49	202432	38.46
绳纹和附加堆纹	数量	39	24	49	79	5	4	1	1		202	2.15
	重量	4650	2660	26836	18622	1253	208	214	138		54581	10.37
绳纹和圜络纹	数量	101		43							144	1.53
	重量	3591		1187							4778	0.91
绳纹和弦纹	数量	25	1	1			93	10	15		145	1.54
	重量	701	110	42			3036	416	408		4713	0.90
绳纹、弦纹和附加堆纹	数量	1									1	0.01
	重量	340									340	0.06
绳纹和云雷纹	数量						1				1	0.01
	重量						34				34	0.01
绳纹和“回”字形纹	数量	2									2	0.02
	重量	111									111	0.02

续表

纹饰 \ 陶质 陶色		夹砂					泥质			印纹硬陶和原始瓷	合计	百分比（%）
		灰	黑皮	红	黄	白	灰	黑皮	红			
绳纹和圆圈纹	数量	1									1	0.01
	重量	19									19	< 0.01
绳纹、弦纹和“回”字形纹	数量	1									1	0.01
	重量	41									41	0.01
绳纹、弦纹和窗棂纹	数量						4	6			10	0.11
	重量						285	1031			1316	0.25
网格纹	数量	71	25	180	189	16	4	1	3	16	505	5.38
	重量	6093	3264	19027	18324	1302	58	10	71	497	48646	9.24
网格纹和附加堆纹	数量	5	3	65	101	2					176	1.87
	重量	452	693	8906	13573	181					23805	4.52
网格纹和弦纹	数量						2				2	0.02
	重量						61				61	0.01
篮纹	数量	15		61	30	15				4	125	1.33
	重量	971		3995	2754	1022				139	8881	1.69
附加堆纹	数量	31	67	57	68	7	30	37	15		312	3.32
	重量	2130	7151	6403	23898	746	950	1825	583		43686	8.30
附加堆纹和弦纹	数量						2	16			18	0.19
	重量						102	3740			3842	0.73
附加堆纹、弦纹和窗棂纹	数量						2	2			4	0.04
	重量						152	116			268	0.05
附加堆纹和圆络纹	数量	1									1	0.01
	重量	180									180	0.03
弦纹	数量	34		7	4		116	171	19		351	3.74
	重量	1153		356	48		3979	7110	608		13254	2.51
弦纹和“回”字形纹	数量	7									7	0.07
	重量	102									102	0.02
弦纹和圆圈纹	数量		1		1			2			4	0.04
	重量		220		105			66			391	0.07
弦纹和窗棂纹	数量			4				9			13	0.14
	重量			199				378			577	0.11

续表

陶质		夹砂					泥质			印纹硬陶和原始瓷	合计	百分比（%）
纹饰＼陶色		灰	黑皮	红	黄	白	灰	黑皮	红			
云雷纹	数量			3	2		3	3		20	31	0.33
	重量			212	107		35	47		456	857	0.16
云雷纹和圆圈纹	数量							1			1	0.01
	重量							42			42	0.01
叶脉纹	数量									24	24	0.26
	重量									889	889	0.17
席纹	数量									10	10	0.11
	重量									124	124	0.02
窗棂纹	数量	6		2			22	84	6		120	1.28
	重量	96		23			750	2524	156		3549	0.67
刻划纹	数量			1							1	0.01
	重量			90							90	0.02
兽面纹	数量	2									2	0.02
	重量	17									17	< 0.01
素面	数量	562	46	623	614	22	231	490	75	20	2683	28.57
	重量	13045	1692	37429	37497	1065	4862	11092	1623	472	108777	20.66
合计	数量	2640	378	2377	1658	79	1077	870	217	95	9391	100.00
	重量	86508	30034	183473	157806	6393	24348	29710	5505	2626	526403	100.00
百分比（%）	数量	28.11	4.03	25.31	17.66	0.84	11.47	9.26	2.31	1.01	100.00	
		75.95					23.04					
	重量	16.43	5.71	34.85	29.98	1.21	4.63	5.64	1.05	0.50	100.00	
		88.19					11.32					

表2.2.37　杨家湾Q1712T1014第3层可辨器形统计表

陶质	夹砂					泥质			合计	百分比（%）
器形＼陶色	灰	黑皮	红	黄	白	灰	黑皮	红		
鬲	345	7	64						416	8.38
甗	21		8						29	0.58
甑			1						1	0.02

续表

陶质	夹砂					泥质			合计	百分比（%）
器形＼陶色	灰	黑皮	红	黄	白	灰	黑皮	红		
罐	46		9			12	12	2	81	1.63
豆	6					7	5	2	20	0.40
簋						1	3		4	0.08
盆	9	2	5			12	61	6	95	1.91
刻槽盆			1						1	0.02
壶	1								1	0.02
瓮	2		6			2	2	4	16	0.32
瓿	1								1	0.02
罍						2	1		3	0.06
大口尊	8		2			28	80	12	130	2.62
缸	544	313	1584	1635	79	3			4158	83.75
器盖	2					1	3		6	0.12
器圈足							1		1	0.02
器底			1					1	2	0.04
合计	985	322	1681	1635	79	68	168	27	4965	100.00
百分比（%）	19.84	6.49	33.86	32.93	1.59	1.37	3.38	0.54	100.00	

表2.2.38　杨家湾Q1712T1015第3层陶系、纹饰统计表　　（重量单位：克）

陶质		夹砂				泥质			印纹硬陶和原始瓷	合计	百分比（%）
纹饰＼陶色		灰	黑皮	红	黄	灰	黑皮	红			
绳纹	数量	214	131	49		98	37	14	4	547	17.98
	重量	15896	4442.5	6625		2417	761.5	237.5	98	30477.5	14.27
绳纹和附加堆纹	数量	58	16	15	29					118	3.88
	重量	5762.5	916	1871	4782					13331.5	6.24
绳纹和圜络纹	数量	1								1	0.03
	重量	470								470	0.22
绳纹和弦纹	数量	28	22			7	7	9		73	2.40
	重量	1485	1518.5			246.5	881	297.5		4428.5	2.07
绳纹、网格纹和弦纹	数量	1								1	0.03
	重量	431.5								431.5	0.20

续表

纹饰 \ 陶质 / 陶色		夹砂				泥质			印纹硬陶和原始瓷	合计	百分比（%）
		灰	黑皮	红	黄	灰	黑皮	红			
绳纹、附加堆纹和弦纹	数量	1	2							3	0.10
	重量	860	170							1030	0.48
网格纹	数量	151	4	82	227	1			8	473	15.54
	重量	9749	147	6212	23188	29			227	39552	18.51
网格纹和附加堆纹	数量	13		37	1					51	1.68
	重量	4590		6279	410					11279	5.28
网格纹、附加堆纹和弦纹	数量					1				1	0.03
	重量					1100				1100	0.51
篮纹	数量	52		69						121	3.98
	重量	5946		9285						15231	7.13
篮纹和附加堆纹	数量				20					20	0.66
	重量				4006					4006	1.88
附加堆纹	数量	31	14	60	27		22			154	5.06
	重量	2028.5	941	3584.5	1420		919			8893	4.16
附加堆纹和弦纹	数量	6	2	1		3	15	2		29	0.95
	重量	502	76	146		437	1114	75		2350	1.10
附加堆纹和窗棂纹	数量	2		1						3	0.10
	重量	252		146						398	0.19
附加堆纹、弦纹和窗棂纹	数量	3	32			2	1			38	1.25
	重量	625.5	76			853	206			1760.5	0.82
弦纹	数量	37	14	7		45	65	7	2	177	5.82
	重量	1873.5	442	128		2126	2523	345	44	7481.5	3.50
弦纹和云雷纹	数量					2	1			3	0.10
	重量					23	104			127	0.06
弦纹和圆圈纹	数量	1								1	0.03
	重量	16								16	0.01
弦纹和窗棂纹	数量		3				1			4	0.13
	重量		84				23			107	0.05
弦纹和压印纹	数量			1						1	0.03
	重量			20						20	0.01
云雷纹	数量			6		1			13	20	0.66
	重量			206		12			575	793	0.37

续表

纹饰＼陶色		夹砂				泥质			印纹硬陶和原始瓷	合计	百分比（%）
		灰	黑皮	红	黄	灰	黑皮	红			
叶脉纹	数量								14	14	0.46
	重量								318	318	0.15
窗棂纹	数量	9	4			14	6	3		36	1.18
	重量	509	173.5			725	624	282.5		2314	1.08
乳钉纹	数量					1				1	0.03
	重量					17.5				17.5	0.01
素面	数量	422	65	182	131	191	109	45	8	1153	37.89
	重量	12000	1779	3617	7053	40001	2122	872	252	67696	31.69
合计	数量	1030	309	510	435	366	264	80	49	3043	100.00
	重量	62996.5	10765.5	38119.5	40859	47987	9277.5	2109.5	1514	213628.5	100.00
百分比（%）	数量	33.85	10.15	16.76	14.30	12.03	8.68	2.63	1.61	100.00	
		75.06				23.33					
	重量	29.49	5.04	17.84	19.13	22.46	4.34	0.99	0.71	100.00	
		71.50				27.79					

表2.2.39　杨家湾Q1712T1015第3层可辨器形统计表

器形＼陶色	夹砂				泥质			印纹硬陶和原始瓷	合计	百分比（%）
	灰	黑皮	红	黄	灰	黑皮	红			
鼎	1								1	0.06
鬲	139	10	60						209	13.38
甗	2	1	1						4	0.26
罐	1	3	2			1		18	25	1.60
盆	3				1	10	1		15	0.96
瓮	5		4			1			10	0.64
大口尊	16					22			38	2.43
尊								1	1	0.06
缸	466	43	313	434	1				1257	80.47
器盖	1					1			2	0.13
合计	634	57	380	434	2	35	1	19	1562	100.00
百分比（%）	40.59	3.65	24.33	27.78	0.13	2.24	0.06	1.22	100.00	

表2.2.40　杨家湾Q1712T1013第3层、T1014第3层、T1015第3层木炭样品加速质谱仪（AMS）碳–14测年数据

Lab 编号	样品种类	样品原编号	出土地点	碳–14 年代（BP）	树轮校正后年代	
					1σ（68.2%）	2σ（95.4%）
BA151627	炭样	Q1712T1015③：1	杨家湾	3025±25	1380BC（17.7%）1340BC 1320BC（50.5%）1250BC	1390BC（95.4%）1200BC
BA151628	炭样	Q1712T1015③：2	杨家湾	3010±30	1370BC（7.1%）1350BC 1320BC（61.1%）1210BC	1390BC（95.4%）1120BC
BA151629	炭样	Q1712T1014③：1	杨家湾	3030±30	1380BC（24.1%）1330BC 1320BC（44.1%）1250BC	1400BC（95.4%）1190BC
BA151630	炭样	Q1712T1014③：7	杨家湾	2990±25	1300BC（64.0%）1190BC 1150BC（4.2%）1130BC	1370BC（1.0%）1350BC 1320BC（94.4%）1120BC
BA151634	炭样	Q1712T1013③：1	杨家湾	2945±25	1260BC（5.4%）1240BC 1220BC（62.8%）1120BC	1260BC（95.4%）1050BC
BA151635	炭样	Q1712T1013③：3	杨家湾	2970±20	1260BC（47.1%）1190BC 1180BC（21.1%）1130BC	1290BC（95.4%）1120BC

4. 第4层

商时期文化层。黄色土，土质较致密，最厚约0.5、深0.4～0.9米。主要分布在Q1712T1012北侧和Q1712T1013南侧，以Q1712T1012③和Q1712T1013④为代表。包含物少，只发现有少量陶片。陶质以夹砂陶为主，约占74%，其次为泥质陶、印纹硬陶与原始瓷。陶色以红陶为主，其次为灰陶、黄陶与黑皮陶。可辨陶器器类以缸为主，另有鬲、罐、大口尊、盆等（图2.2.50；表2.2.41、表2.2.42）。

陶器

鬲　标本1件。

标本Q1712T1013④：1，夹砂灰陶。平折沿，沿上有一道凹槽，圆唇。复原后口径20、残高6.5厘米（图2.2.50，1）。

盆　标本1件。

标本Q1712T1013④：3，泥质灰陶。直口，折沿，方唇。上腹部饰三道弦纹。复原后口径20、残高8.5厘米（图2.2.50，2）。

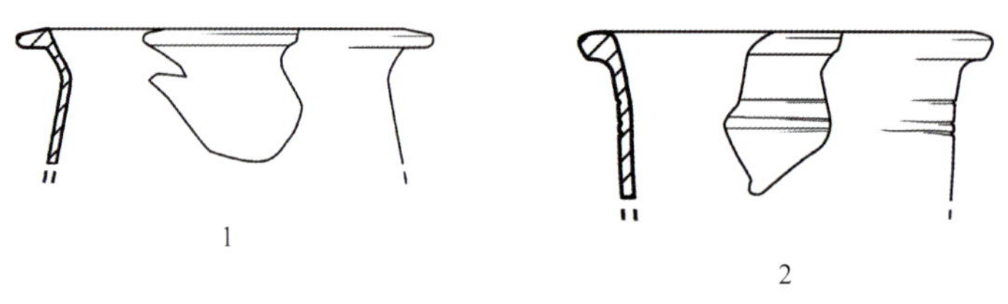

图 2.2.50 杨家湾 Q1712T1013 第 4 层出土陶器

1. 鬲（Q1712T1013④：1） 2. 盆（Q1712T1013④：3）

表2.2.41 杨家湾Q1712T1013第4层陶系、纹饰统计表 （重量单位：克）

陶质		夹砂					泥质			印纹硬陶和原始瓷	合计	百分比（%）
纹饰	陶色	灰	黑皮	红	黄	白	灰	黑皮	红			
绳纹	数量	10	3	27	20	3	13	6			82	30.82
	重量	750	8921	1380	1735	134	117	126			13163	59.04
绳纹和附加堆纹	数量	1	1	6	2				1		11	4.13
	重量	147	16	627	147				27		964	4.32
绳纹和弦纹	数量							1	2		3	1.13
	重量							17	158		175	0.78
网格纹	数量	4		9	10						23	8.65
	重量	207		1316	577						2100	9.42
网格纹和附加堆纹	数量	1									1	0.38
	重量	83									83	0.37
篮纹	数量			4							4	1.50
	重量			270							270	1.21
附加堆纹	数量	8	1		3						12	4.51
	重量	511	72		62						645	2.89
弦纹	数量	2					6	8			16	6.02
	重量	16					77	439			532	2.39
云雷纹	数量									1	1	0.38
	重量									46	46	0.21
素面	数量	18	4	37	20	4	17	13			113	42.48
	重量	633	74	1705	751	399	406	350			4318	19.37
合计	数量	44	9	83	55	7	36	28	3	1	266	100.00
	重量	2347	9083	5298	3272	533	600	932	185	46	22296	100.00

续表

陶质		夹砂					泥质			印纹硬陶和原始瓷	合计	百分比（%）
纹饰＼陶色		灰	黑皮	红	黄	白	灰	黑皮	红			
百分比（%）	数量	16.54	3.38	31.20	20.68	2.63	13.53	10.53	1.13	0.38	100.00	
		74.43					25.19					
	重量	10.53	40.74	23.76	14.68	2.39	2.69	4.18	0.83	0.20	100.00	
		92.09					7.70					

表2.2.42　杨家湾Q1712T1013第4层可辨器形统计表

陶质	夹砂					泥质		合计	百分比（%）
器形＼陶色	灰	黑皮	红	黄	白	灰	黑皮		
鬲	5	2						7	3.68
鬲足或甗足	1		2					3	1.58
罐						1		1	0.53
盆						2	1	3	1.58
刻槽盆							1	1	0.53
大口尊						1	4	5	2.63
缸	22	4	82	55	7			170	89.47
合计	28	6	84	55	7	4	6	190	100.00
百分比（%）	14.74	3.16	44.21	28.95	3.68	2.11	3.16	100.00	

5. 第5层

商时期文化层。黑褐色土，土质较致密，最厚约0.7、深0.75～1.1米。主要分布在发掘区北部，包括Q1712T1012④，T1013⑤，T1014④、⑤，T1015④、⑤、⑥。以上探方地层包含有较多商时期陶片、少量碎石块及青铜残片，还出土有炭粒和动物骨骼等。出土陶器的陶质以夹砂为主。陶色以红陶为主，其次为灰陶、黄陶等。可辨陶器器类主要为缸，另有大口尊、豆、瓮、盆、鬲、罐、爵、中柱盂等。Q1712T1014第4层和T1015第4～6层共取8个炭样，做了碳–14年代测定。此层下叠压有F5（图2.2.51～图2.2.55；表2.2.43～表2.2.55）。

陶、瓷器

鬲　标本54件。

标本Q1712T1013⑤：10，夹砂黑皮陶，胎芯为灰色。侈口，平折沿，沿内侧有一道较深的凹槽，方唇。肩部饰一周附加堆纹。附加堆纹上饰斜向按压纹饰，内壁颈部以下有手指按压痕迹。复原后口径30、残高6.5厘米（图2.2.51，5）。

标本Q1712T1013⑤：11，夹砂灰陶。侈口，卷沿，方唇，唇上缘有一周凹槽，外缘内凹。腹部饰绳纹。复原后口径24、残高5.8厘米（图2.2.53，3）。

标本Q1712T1013⑤：12，夹砂灰陶。侈口，卷沿，沿内侧与颈部交界处有一周凸棱，方唇，唇内侧内凹，并于沿交界处形成一周凸棱，外缘呈台阶状。腹部饰绳纹。复原后口径20、残高7.5厘米（图2.2.53，1）。

标本Q1712T1013⑤：13，夹砂灰陶。侈口，折沿，沿面近唇处有一周凹槽，厚方唇。颈部饰两周弦纹。复原后口径22、残高4.5厘米（图2.2.51，17）。

标本Q1712T1013⑤：14，夹砂红陶。侈口，平折沿，沿面有一周凹槽，尖唇。颈部、腹部饰绳纹。复原后口径24、残高6厘米（图2.2.51，4）。

标本Q1712T1013⑤：15，夹砂灰陶。侈口，平折沿，沿面有一周凹槽，方唇。复原口径18、残高4.3厘米（图2.2.53，2）。

标本Q1712T1014④：15，夹砂灰陶。侈口，卷沿，沿内有一周凹槽，圆唇。颈部与腹部交界处饰附加堆纹，腹部饰绳纹。复原后口径22、残高10厘米（图2.2.54，3）。

标本Q1712T1014④：16，夹砂红陶。侈口，卷沿，沿内有一周凹槽，尖唇。肩部饰附加堆纹，腹部饰绳纹。复原后口径28、残高10厘米（图2.2.54，11）。

标本Q1712T1014④：18，夹砂灰陶。敞口，折沿，方唇，唇上有一周凹槽。颈部绳纹经抹制，颈部与肩部之间有小台阶分开，颈部以下饰绳纹。复原后口径17、残高9厘米（图2.2.51，15）。

标本Q1712T1014④：21，夹砂灰陶，内外壁有一层黑衣。侈口，折沿，方唇，唇上沿向上凸。肩部一周双圆圈纹，圆圈纹下饰绳纹。内壁有指压痕迹。复原后口径17、残高4.5厘米（图2.2.51，12）。

标本Q1712T1014④：23，夹砂灰陶。折沿，方唇，唇外缘有一周凹槽。颈部不施纹，颈部以下饰绳纹。内壁有手指捏压的痕迹。复原后口径17、残高7.5厘米（图2.2.51，13）。

标本Q1712T1014④：24，夹砂红陶。侈口，平折沿，圆唇。颈部饰附加堆纹，腹部饰绳纹。复原后口径25、残高7.5厘米（图2.2.54，8）。

标本Q1712T1014④：25，夹砂红陶。侈口，平折沿，沿面有一周凹槽，尖唇。腹部饰绳纹。复原后口径19、残高9厘米（图2.2.54，2）。

标本Q1712T1014④：26，夹砂红陶。侈口，平折沿，尖唇，唇下缘起钩。腹部饰绳纹。复原后口径23、残高7厘米（图2.2.54，9）。

标本Q1712T1014④：28，夹砂灰陶。侈口，平折沿，沿上有一道凹槽，圆唇，颈部外折呈台阶状。肩部饰一周附加堆纹。颈部绳纹抹光，腹部饰绳纹。复原后口径17.5、残高5.2厘米（图2.2.51，1）。

标本Q1712T1014④：29，夹砂灰陶。侈口，折沿上仰，方唇。腹部饰绳纹。复原后口径15.5、残高5厘米（图2.2.53，13）。

标本Q1712T1014④：30，夹砂红陶。侈口，平折沿，尖唇。腹部饰网格纹。复原后口

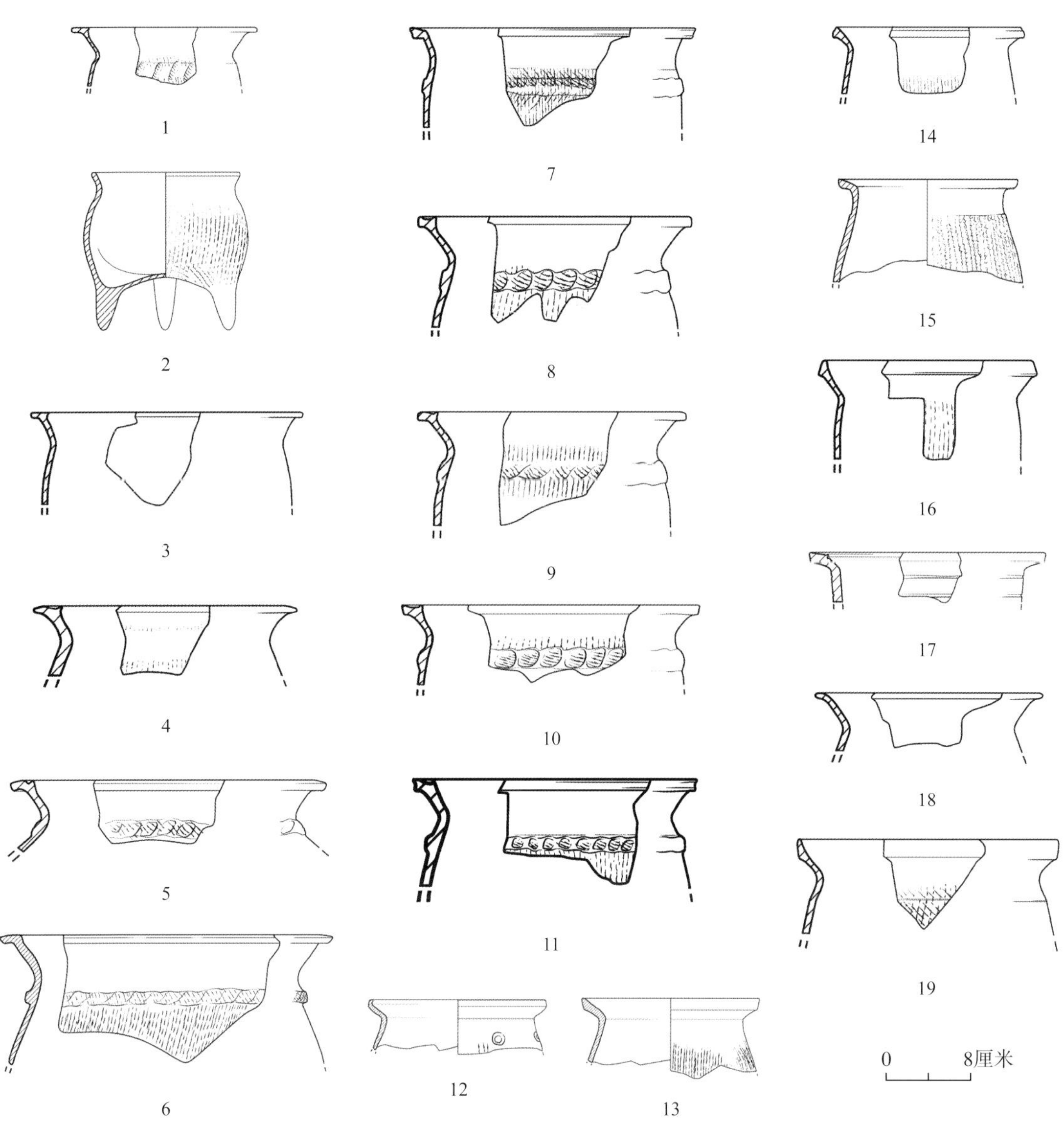

图 2.2.51　杨家湾 Q1712T1013 第 5 层、T1014 第 4 层和 T1015 第 4、6 层出土陶鬲

1. Q1712T1014④：28　2. Q1712T1014④：81　3. Q1712T1015④：25　4. Q1712T1013⑤：14　5. Q1712T1013⑤：10　6. Q1712T1015⑥：2　7. Q1712T1015④：15　8. Q1712T1015④：13　9. Q1712T1015④：16　10. Q1712T1015④：19　11. Q1712T1015④：18　12. Q1712T1014④：21　13. Q1712T1014④：23　14. Q1712T1015④：20　15. Q1712T1014④：18　16. Q1712T1015④：21　17. Q1712T1013⑤：13　18. Q1712T1015④：23　19. Q1712T1015④：24

径16、残高5.8厘米（图2.2.53，7）。

标本Q1712T1014④：31，夹砂灰陶。侈口，卷沿，方唇。复原后口径22、残高4.6厘米（图2.2.53，15）。

标本Q1712T1014④：32，夹砂红陶。侈口，平折沿，圆唇，唇外缘呈台阶状。腹部饰绳纹。复原后口径20、残高6.5厘米（图2.2.55，1）。

标本Q1712T1014④：33，夹砂灰陶。侈口，卷沿，方唇。腹部饰绳纹。复原后口径20、残高5厘米（图2.2.53，6）。

标本Q1712T1014④：36，夹砂红陶。侈口，平折沿，沿面有一周凸棱，方唇。腹部饰绳纹。复原口径24、残高5.5厘米（图2.2.53，9）。

标本Q1712T1014④：37，夹砂灰陶。侈口，平折沿，沿面有一周凹槽，方唇。复原后口径30、残高4.5厘米（图2.2.53，11）。

标本Q1712T1014④：38，夹砂红陶。侈口，卷沿，方唇，唇外缘呈台阶状。腹部饰绳纹。复原后口径24、残高5厘米（图2.2.53，10）。

标本Q1712T1014④：40，夹砂红陶。侈口，平折沿，沿面有一周凹槽，尖圆唇。腹部饰绳纹。复原后口径16、残高5厘米（图2.2.55，2）。

标本Q1712T1014④：42，夹砂灰陶。侈口，平折沿，沿面有两周凹槽，方唇。颈部饰附加堆纹，腹部可见圆圈纹和弦纹。复原后口径19.5、残高6.5厘米（图2.2.55，3）。

标本Q1712T1014④：43，夹砂红陶。侈口，平折沿，尖唇。腹部饰绳纹。复原后口径25.5、残高5.5厘米（图2.2.55，7）。

标本Q1712T1014④：44，夹砂灰陶。侈口，卷沿，圆唇，唇外缘呈台阶状。腹部饰绳纹。复原后口径23、残高6.5（图2.2.55，6）。

标本Q1712T1014④：45，夹砂灰陶。侈口，平折沿，方唇。颈部饰附加堆纹。复原后口径17.5、残高8厘米（图2.2.54，7）。

标本Q1712T1014④：47，夹砂灰陶。侈口，折沿，厚方唇。复原后口径17.5、残高5厘米（图2.2.54，6）。

标本Q1712T1014④：48，夹砂红陶。侈口，平折沿，圆唇，沿面有一周凹槽。复原后口径16、残高4.3厘米（图2.2.54，5）。

标本Q1712T1014④：81，夹砂灰陶。侈口，卷沿，尖唇，圆肩，下部接三尖锥足，颈部以下饰绳纹。外壁有黑色烟炱痕迹。复原后口径14、通高14厘米（图2.2.51，2；图2.2.52）。

标本Q1712T1015④：13，夹砂黑皮陶，胎芯为红褐。侈口，平折沿，沿面较宽，沿上有轮制的较浅的凹槽，沿内侧向内凸出颈部，方唇。颈部外壁有轮制的旋痕，颈部以下饰附加堆纹及绳纹。复原后口径25.3、残高10.5厘米（图2.2.51，8）。

图 2.2.52　陶鬲照片
（杨家湾 Q1712T1014④：81）

标本Q1712T1015④：14，夹砂灰陶。侈口，平折沿，沿面有一周凹槽，圆唇。肩部饰附加堆纹，腹部饰绳纹。复原后口径28、残高8.4厘米（图2.2.54，4）。

标本Q1712T1015④：15，泥质灰陶。侈口，平折沿，沿内侧有一周较深的凹槽，方唇。颈部外壁绳纹经抹制，颈部以下饰绳纹及一周附加堆纹。复原后口径26、残高8.7厘米（图2.2.51，7）。

标本Q1712T1015④：16，夹砂灰陶。侈口，平折沿，方唇，唇略内凹，颈部与肩部形成一个台阶。颈部绳纹经抹制，颈部以下饰绳纹及一周附加堆纹。复原后口径25、残高9.5厘米（图2.2.51，9）。

标本Q1712T1015④：17，夹砂红陶。侈口，平折沿，沿面有一周凹槽，圆唇。肩部饰附加堆纹，腹部饰绳纹。复原后口径26、残高7.2厘米（图2.2.53，14）。

标本Q1712T1015④：18，夹砂黑皮陶，胎芯为灰色。侈口，折沿，沿上有一周轮旋的凹槽，方唇，方唇内凹。外壁颈部有指压轮旋痕，颈部以下饰绳纹及一周附加堆纹。复原后口径26、残高10厘米（图2.2.51，11）。

标本Q1712T1015④：19，夹砂红陶，胎芯为灰色。侈口，平折沿，沿面有一周凹槽，方唇。颈部绳纹抹光肩部饰一周附加堆纹。复原后口径28、残高8.2厘米（图2.2.51，10）。

标本Q1712T1015④：20，夹砂红陶。侈口，卷沿，方唇。器表饰绳纹。复原后口径18、残高6厘米（图2.2.51，14）。

标本Q1712T1015④：21，夹砂红陶。侈口，折沿内收，方唇。外壁颈部抹制，颈部以下饰绳纹。内壁有指压痕迹。复原后口径22、残高9厘米（图2.2.51，16）。

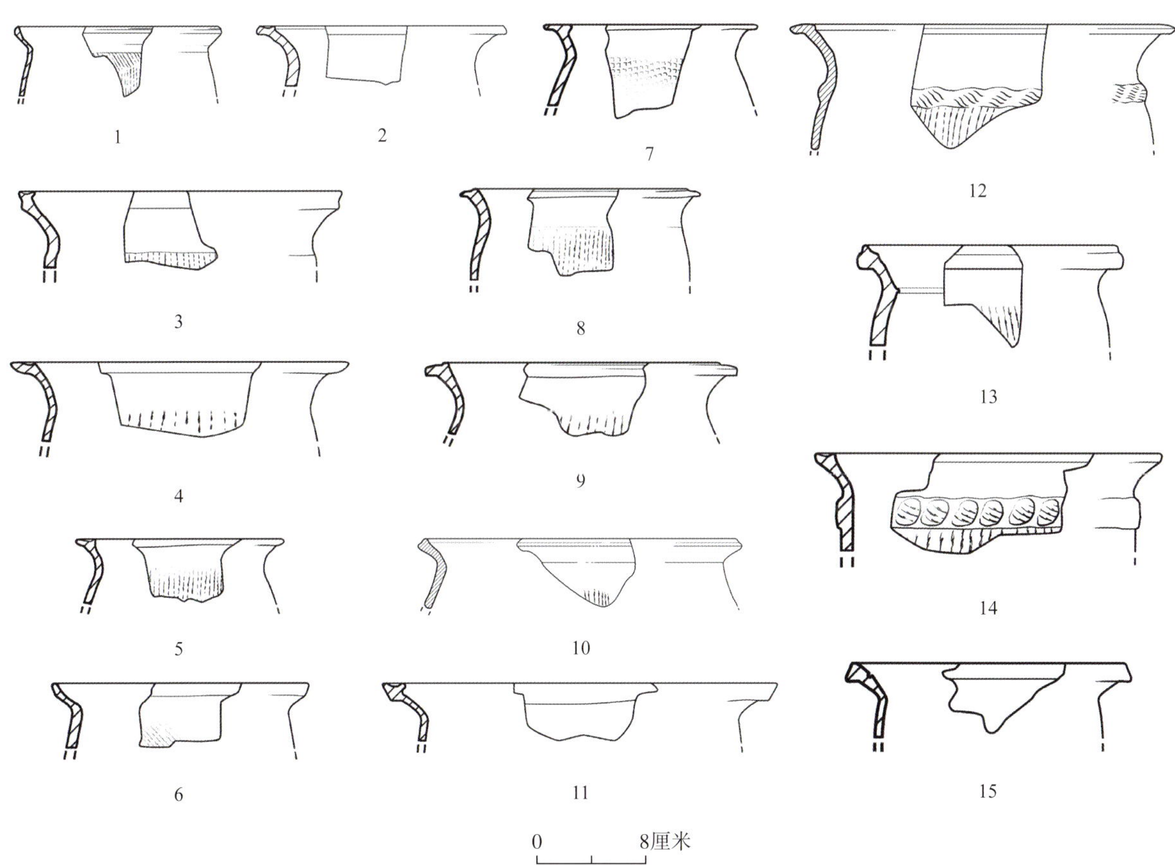

图 2.2.53　杨家湾 Q1712T1014、T1015 第 4 层、T1013 第 5 层和 T1015 第 6 层出土陶鬲

1. Q1712T1013⑤：12　2. Q1712T1013⑤：15　3. Q1712T1013⑤：11　4. Q1712T1015④：22　5. Q1712T1015④：27　6. Q1712T1014④：33　7. Q1712T1014④：30　8. Q1712T1015④：26　9. Q1712T1014④：36　10. Q1712T1014④：38　11. Q1712T1014④：37　12. Q1712T1015⑥：4　13. Q1712T1014④：29　14. Q1712T1015④：17　15. Q1712T1014④：31

标本Q1712T1015④：22，夹砂黑皮陶，侈口，平折沿，沿面有一周凹槽，尖唇。腹部饰绳纹。复原后口径25、残高5.4厘米（图2.2.53，4）。

标本Q1712T1015④：23，夹砂灰陶。侈口，折沿，圆唇，束颈。复原后口径22、残高5.6厘米（图2.2.51，18）。

标本Q1712T1015④：24，夹砂红陶，外壁有黑衣已脱落。侈口，宽折沿上仰，方唇。颈部绳纹经抹制，颈部以下有一周弦纹，弦纹以下饰绳纹。复原后口径24.5、残高7.5厘米（图2.2.51，19）。

标本Q1712T1015④：25，夹砂灰陶。侈口，平折沿，沿上有一道凹槽，圆唇。复原后口径25.3、残高8.7厘米（图2.2.51，3）。

标本Q1712T1015④：26，夹砂红陶。侈口，平折沿，沿面有一周凸棱，尖唇。腹部饰绳纹。复原口径18、残高6.8厘米（图2.2.53，8）。

标本Q1712T1015④：27，夹砂灰陶。侈口，平折沿，沿面有一周凹槽，圆唇。腹部饰绳纹。复原后口径16、残高5厘米（图2.2.53，5）。

标本Q1712T1015⑥：2，夹砂红陶。侈口，宽平折沿，方唇。颈部以下饰附加堆纹及绳纹。内壁颈部以下有指捏压痕。复原后口径30、残高12厘米（图2.2.51，6）。

标本Q1712T1015⑥：4，夹砂红陶。侈口，平折沿，尖唇。腹部一周附加堆纹，其下饰绳纹。复原后口径30、残高9厘米（图2.2.53，12）。

标本Q1712T1015⑥：10，夹砂灰陶。侈口，平折沿，尖唇。肩部饰附加堆纹，腹部饰绳纹。复原后口径29、残高10.5厘米（图2.2.54，12）。

标本Q1712T1015⑥：12，夹砂红陶。敞口，折沿上仰，方唇。腹部饰绳纹。复原后口径17.8、残高7.4厘米（图2.2.55，4）。

标本Q1712T1015⑥：18，夹砂红陶。侈口，平折沿，圆唇，颈部与腹部交界处呈台阶状。腹部饰绳纹。复原后15.7、残高6.8厘米（图2.2.54，1）。

标本Q1712T1015⑥：19，夹砂灰陶。侈口，折沿，沿内侧有一道凹槽，圆唇。颈部以下饰附加堆纹及绳纹。复原后口径24、残高7.5厘米（图2.2.55，8）。

标本Q1712T1015⑥：20，夹砂红陶。侈口，平折沿，圆唇。颈部饰附加堆纹。复原后口径22、残高6厘米（图2.2.55，5）。

标本Q1712T1015⑥：25，夹砂灰陶。侈口，平折沿，尖唇。肩部饰附加堆纹，腹部饰绳纹。复原后口径20、残高6.5厘米（图2.2.54，10）。

罐　标本7件。

标本Q1712T1013⑤：9，夹砂红陶。侈口，平折沿，沿面有一周凹槽，圆唇束颈。颈部以下饰绳纹。复原后口径14、残高5厘米（图2.2.56，5）。

标本Q1712T1014④：19，夹砂灰陶。折沿，圆唇。器表饰绳纹。复原后口径17、残高9厘米（图2.2.56，2）。

标本Q1712T1014④：39，夹砂灰陶。侈口，卷沿，圆唇，束颈。颈部可见轮制痕迹，腹部饰绳纹，并可见一周弦纹。复原后口径22、残高5厘米（图2.2.56，7）。

标本Q1712T1014④：41，夹砂灰陶。侈口，平折沿，圆唇。器表有刮抹痕迹。复原后

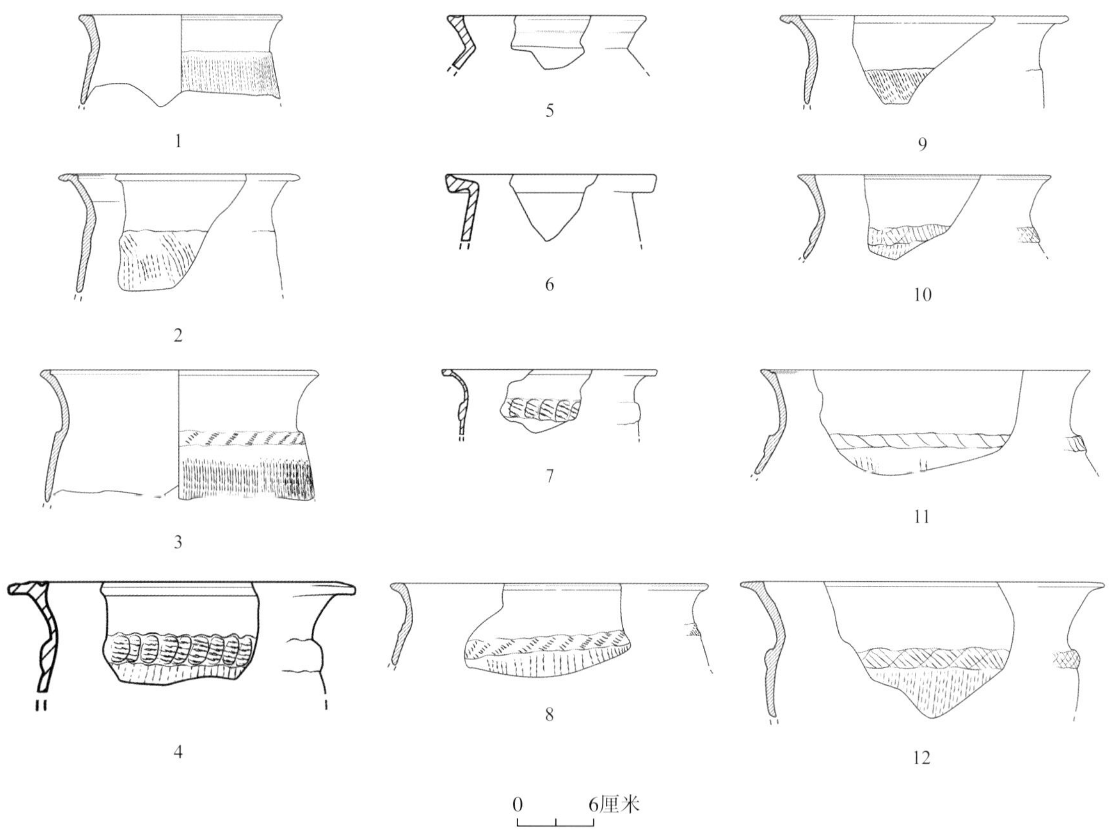

图 2.2.54 杨家湾 Q1712T1014 第 4 层和 T1015 第 4、6 层出土陶鬲

1. Q1712T1015⑥：18 2. Q1712T1014④：25 3. Q1712T1014④：15 4. Q1712T1015④：14 5. Q1712T1014④：48 6. Q1712T1014④：47 7. Q1712T1014④：45 8. Q1712T1014④：24 9. Q1712T1014④：26 10. Q1712T1015⑥：25 11. Q1712T1014④：16 12. Q1712T1015⑥：10

口径21、残高5厘米（图2.2.56，1）。

标本Q1712T1014④：46，夹砂红陶。侈口，折沿，圆唇，束颈。复原后口径18、残高4.3厘米（图2.2.56，6）。

标本Q1712T1014⑤：13，泥质灰陶。侈口，折沿，圆唇，唇部有手指捏压形成的圆形凹陷，溜肩。复原后口径16、残高6.7厘米（图2.2.56，3）。

标本Q1712T1015⑤：2，夹砂红陶。侈口，折沿，尖唇。复原后口径16、残高3.5厘米（图2.2.56，4）。

爵 标本3件。

标本Q1712T1014④：50，夹砂灰陶。腹部可见两周弦纹。口、流、足均残，残高7厘米（图2.2.57，3）。

标本Q1712T1015④：45，夹砂灰陶。圜底，颈、腹部附一桥形鋬。口、流、足均残，残高8.2厘米（图2.2.57，1）。

标本Q1712T1015⑥：26，夹砂灰陶。束腰。腹部饰绳纹。仅存一扁状鋬，残高8厘米（图2.2.57，2）。

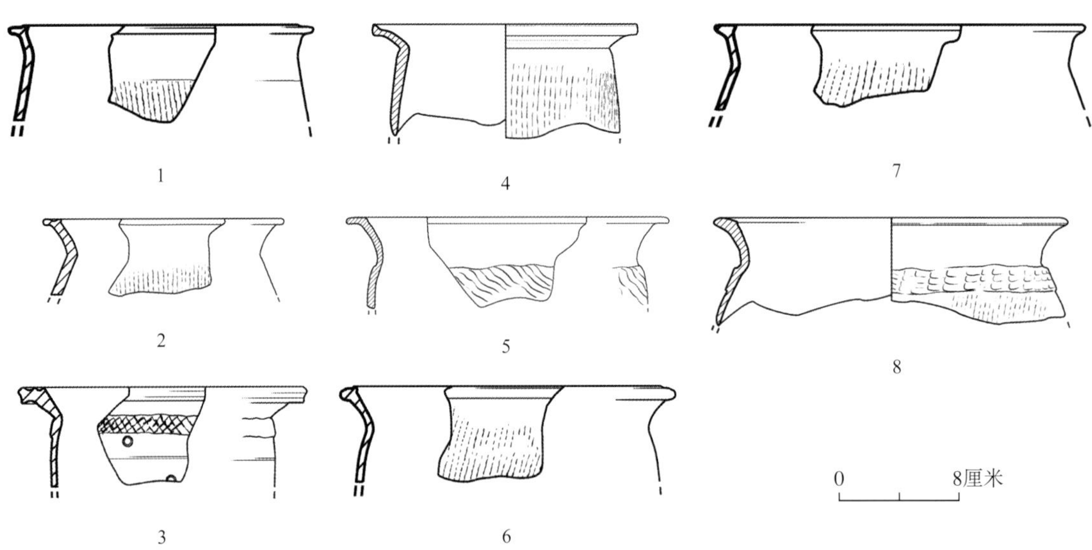

图 2.2.55 杨家湾 Q1712T1014 第 4 层、T1015 第 6 层出土陶鬲

1. Q1712T1014④：32 2. Q1712T1014④：40 3. Q1712T1014④：42 4. Q1712T1015⑥：12
5. Q1712T1015⑥：20 6. Q1712T1014④：44 7. Q1712T1014④：43 8. Q1712T1015⑥：19

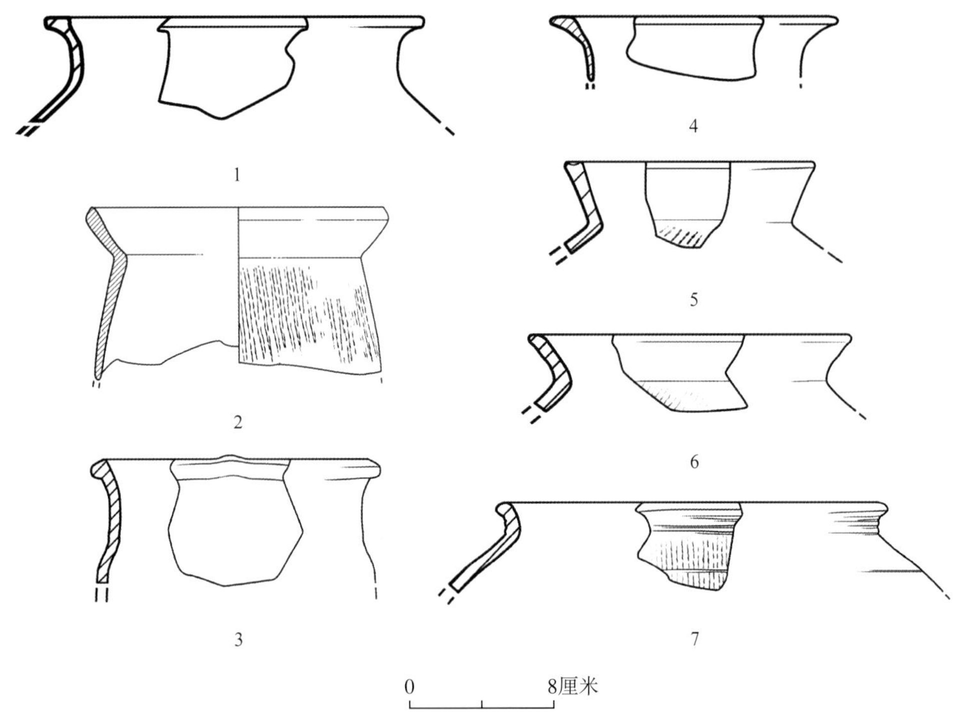

图 2.2.56 杨家湾 Q1712T1014 第 4、5 层出土陶罐

1. Q1712T1014④：41 2. Q1712T1014④：19 3. Q1712T1014⑤：13
4. Q1712T1015⑤：2 5. Q1712T1013⑤：9 6. Q1712T1014④：46 7. Q1712T1014④：39

斝 标本1件。

标本Q1712T1014④：17，泥质灰陶。侈口，平折沿，尖唇。颈部饰三周凹弦纹，其中上两周凹弦纹相邻形成似凸弦纹状，下间隔再见一周弦纹。复原后口径16.7、残高7厘米（图2.2.57，6）。

豆 标本2件。

标本Q1712T1013⑤：6，泥质黑皮陶。平折沿，圆唇。腹部有两周凸弦纹。复原后口径16、残高5.2厘米（图2.2.57，4）。

标本Q1712T1015⑥：38，泥质红陶。敞口，尖圆唇，内壁可见泥条盘筑的痕迹。复原后口径16、残高6厘米（图2.2.57，5）。

盆 标本36件。

标本Q1712T1012④：1，泥质灰陶。侈口，折沿，圆唇。颈内侧有一周凹槽，器表饰多周弦纹。复原后口径27.2、残高6.5厘米（图2.2.60，1）。

标本Q1712T1014④：20，夹砂红陶。口微侈，卷沿，方唇，短颈。复原后口径31、残高9厘米（图2.2.59，3）。

标本Q1712T1014④：27，夹砂红陶。敞口，卷沿，方唇，唇面斜向外撇。腹部饰绳纹。复原后口径26、残高6厘米（图2.2.59，2）。

标本Q1712T1014④：34，泥质灰陶。侈口，折沿，方唇，唇下缘内凹。沿内侧有两周凹槽。复原后口径20、残高3.8厘米（图2.2.59，1）。

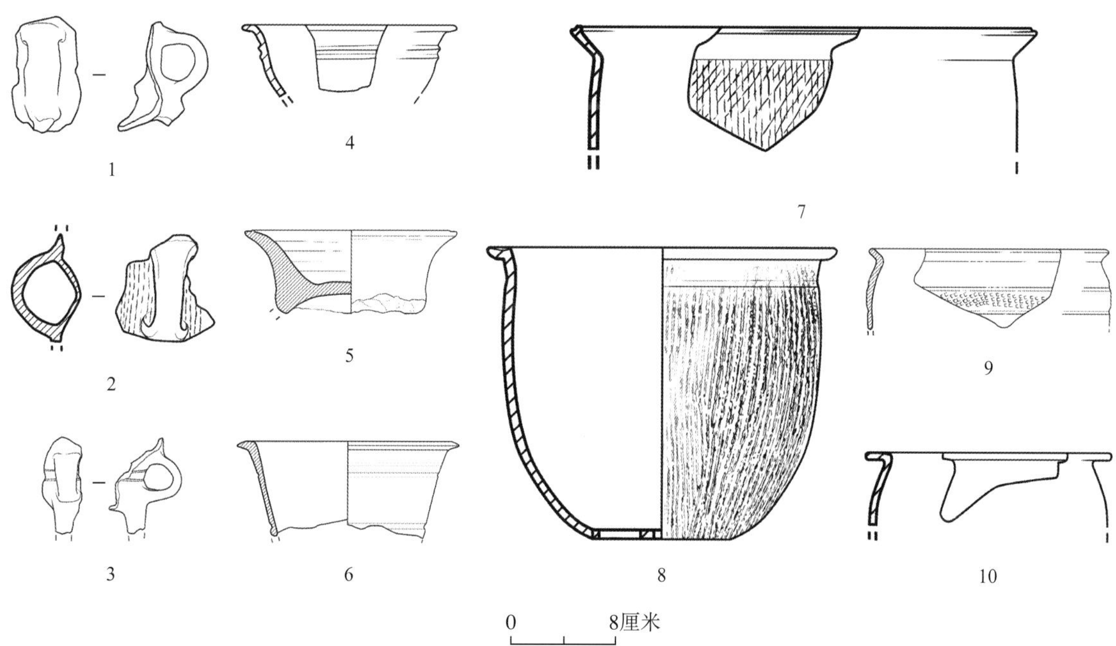

图 2.2.57 杨家湾 Q1712T1014 第 4 层和 T1015 第 4、5、6 层出土陶器

1～3. 爵（Q1712T1015④：45、Q1712T1015⑥：26、Q1712T1015⑥：50）

4、5. 豆（Q1712T1013⑤：6、Q1712T1015⑥：38） 6. 斝（Q1712T1014④：17）

7～10. 盆（Q1712T1015④：36、Q1712T1014④：51、Q1712T1014④：65、Q1712T1015④：34）

标本Q1712T1014④：51，泥质灰陶。侈口，折沿，圆唇，平底。颈部饰一周弦纹，腹部饰绳纹。口径26.5、通高21.5厘米（图2.2.57，8）。

标本Q1712T1014④：57，泥质红胎黑皮陶。敞口，卷沿，圆唇，斜腹。器表饰绳纹。复原后口径38、残高11.5厘米（图2.2.58，4）。

标本Q1712T1014④：58，泥质红胎灰衣陶。直口，折沿略上仰，方唇较厚，略内凹，深腹。器表饰四周凹弦纹。复原后口径29、残高11厘米（图2.2.58，8）。

标本Q1712T1014④：60，泥质灰陶。直口，平折沿，厚方唇。颈部饰三周弦纹。复原后口径30、残高9厘米（图2.2.58，10）。

标本Q1712T1014④：61，泥质红胎黑皮陶。侈口，平折沿，圆唇，短颈略束。腹中部饰绳纹。上腹部内外均有轮制痕迹。复原后口径30、残高9.5厘米（图2.2.58，3）。

标本Q1712T1014④：65，泥质黑皮陶。侈口，折沿，圆唇。腹部饰两周弦纹，弦纹中间饰网格纹。复原后口径19、残高6厘米（图2.2.57，9）。

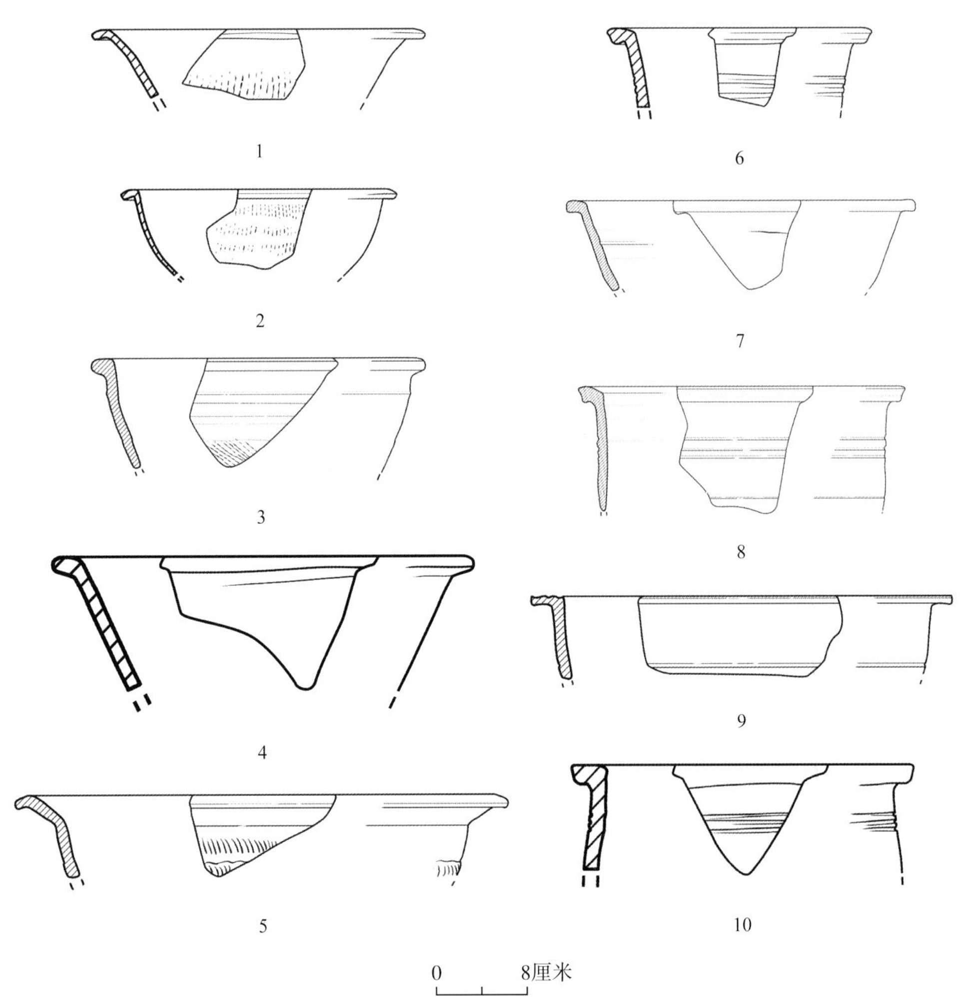

图2.2.58　杨家湾Q1712T1014第4、5层和T1015第4、6层出土陶盆

1. Q1712T1014⑤：11　2. Q1712T1015④：32　3. Q1712T1014④：61　4. Q1712T1014④：57　5. Q1712T1015⑥：5　6. Q1712T1014④：72　7. Q1712T1014④：67　8. Q1712T1014④：58　9. Q1712T1015④：71　10. Q1712T1014④：60

标本Q1712T1014④：66，泥质黑皮陶。敞口，平折沿，方唇。复原后口径30、残高7厘米（图2.2.60，2）。

标本Q1712T1014④：67，夹砂灰陶。敞口，平折沿，方唇，斜腹。内壁有两周弦纹。复原后口径30、残高7.5厘米（图2.2.58，7）。

标本Q1712T1014④：68，泥质黄陶。敞口，平折沿，圆唇。颈部有多周较宽的凹槽，腹部饰绳纹。复原后口径32、残高5.5厘米（图2.2.60，4）。

标本Q1712T1014④：69，泥质灰陶。直口，折沿，方唇。颈部饰一周凸弦纹，腹部另饰一周凹弦纹。复原后口径19.2、残高4.4厘米（图2.2.60，5）。

标本Q1712T1014④：71，泥质灰陶。直口，平折沿，方唇，唇面有一周凹槽。颈部饰一周弦纹。复原后口径38、残高6.5厘米（图2.2.60，8）。

标本Q1712T1014④：72，泥质红胎黑皮陶。侈口，折沿，厚方唇，唇略内凹，深腹。器表饰三周弦纹。复原后口径24、残高7厘米（图2.2.58，6）。

标本Q1712T1014④：73，泥质灰陶。侈口，平折沿，圆唇。唇下与颈交界处有一周突起，颈部饰绳纹抹光。复原后口径36、残高3.5厘米（图2.2.60，12）。

标本Q1712T1014④：74，泥质灰陶。侈口，折沿，方唇，唇下突起。颈部饰一周弦纹，腹部饰绳纹。复原后口径31.2、残高5.5厘米（图2.2.60，3）。

标本Q1712T1014④：75，泥质灰陶。侈口，卷沿，方唇，圆腹。颈部饰两周凸弦纹。复原后口径34.8、残高6.4厘米（图2.2.60，13）。

标本Q1712T1014④：76，泥质黑皮陶。侈口，折沿，沿内侧与颈部交界处有一周凸棱，方唇，斜腹。复原后26、残高5.5厘米（图2.2.59，4）。

标本Q1712T1014⑤：11，夹砂红胎黑皮陶。敞口，折沿，沿内侧有一道较浅的凹槽，方唇，斜腹。颈部有横向旋抹痕，颈部以下饰绳纹。复原后口径30、残高6厘米（图2.2.58，1）。

标本Q1712T1015④：31，泥质灰陶。直口，平折沿，方唇。颈部饰两周弦纹。复原后口径50.4、残高10厘米（图2.2.59，6）。

标本Q1712T1015④：32，泥质灰陶，内外壁有黑衣。折沿，方唇，唇略内凹。器表饰绳纹。复原后口径25、残高7.5厘米（图2.2.58，2）。

标本Q1712T1015④：34，泥质灰陶。敛口，平折沿，圆唇。复原后口径20、残高5.5厘米（图2.2.57，10）。

标本Q1712T1015④：35，泥质黑皮陶。侈口，折沿，方唇，唇面斜向外撇。复原后口径40.8、残高7.2厘米（图2.2.60，7）。

标本Q1712T1015④：36，夹砂灰陶。侈口，折沿，方唇，唇外缘呈台阶状。复原后口径37、残高10.5厘米（图2.2.57，7）。

标本Q1712T1015④：37，泥质灰陶。侈口，卷沿，圆唇。颈部饰一周弦纹，腹部饰绳纹。复原后口径18、残高6.5厘米（图2.2.60，6）。

标本Q1712T1015④：39，泥质灰陶。敞口，平折沿，圆唇。腹部饰绳纹。复原后口径41.2、残高3.5厘米（图2.2.59，9）。

标本Q1712T1015④：42，泥质灰陶。侈口，平折沿，方唇，唇面有一周凹槽。复原后

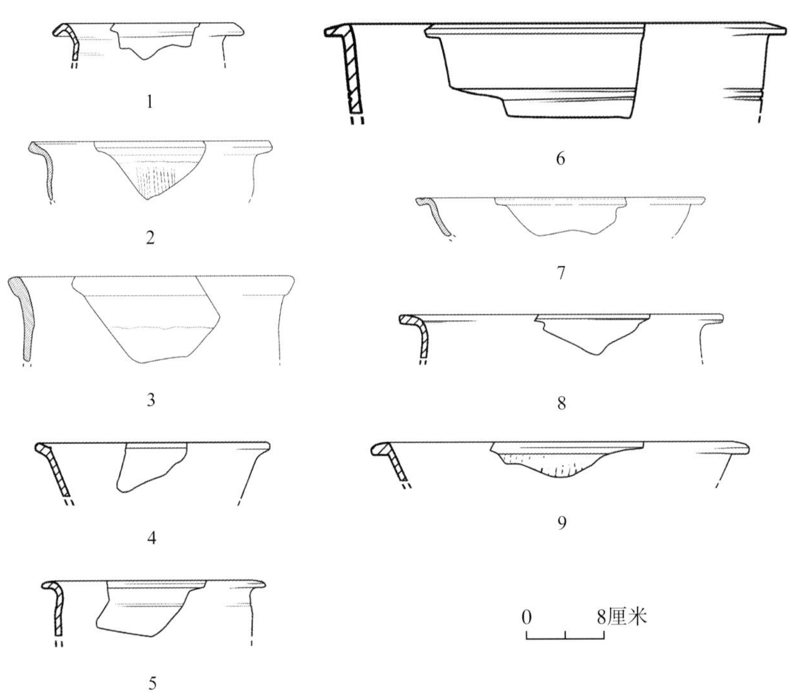

图 2.2.59 杨家湾 Q1712T1014 第 4 层和 T1015 第 4、6 层出土陶盆

1. Q1712T1014④：34 2. Q1712T1014④：27 3. Q1712T1014④：20 4. Q1712T1014④：76 5. Q1712T1015④：43 6. Q1712T1015④：31 7. Q1712T1015⑥：22 8. Q1712T1015④：42 9. Q1712T1015④：39

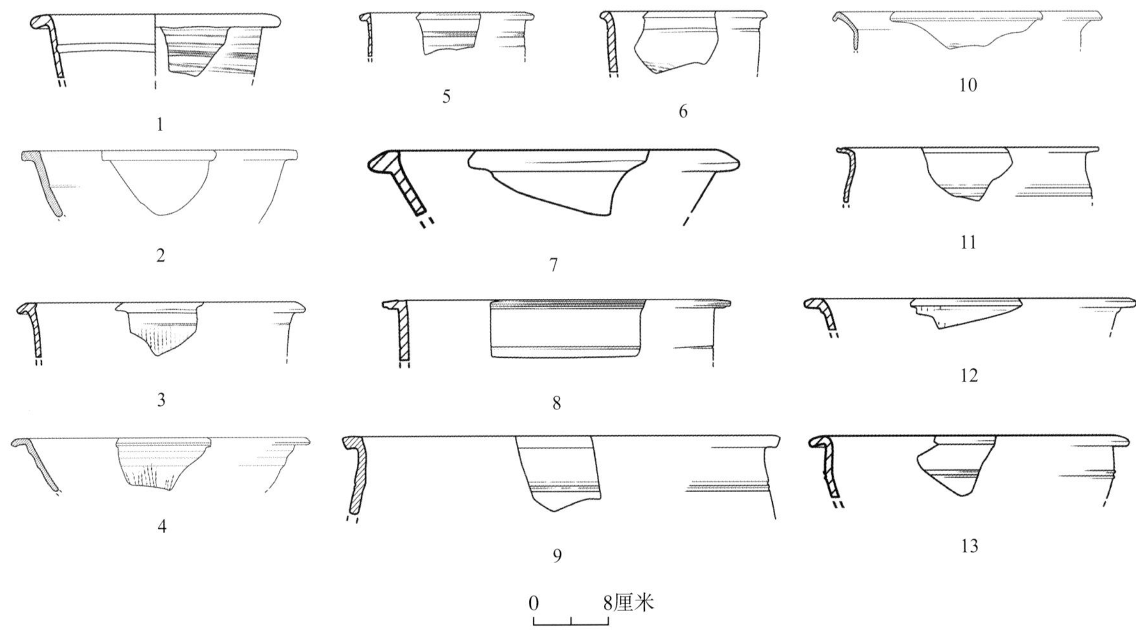

图 2.2.60 杨家湾 Q1712T1012、T1014 第 4 层和 T1015 第 4、6 层出土陶盆

1. Q1712T1012④：1 2. Q1712T1014④：66 3. Q1712T1014④：74 4. Q1712T1014④：68 5. Q1712T1014④：69 6. Q1712T1015④：37 7. Q1712T1015④：35 8. Q1712T1014④：71 9. Q1712T1015⑥：11 10. Q1712T1015⑥：15 11. Q1712T1015⑥：14 12. Q1712T1014④：73 13. Q1712T1014④：75

口径35.2、残高4.8厘米（图2.2.59，8）。

标本Q1712T1015④：43，泥质灰陶。侈口，平折沿，尖唇。颈部饰一周弦纹。复原后口径24、残高5.8厘米（图2.2.59，5）。

标本Q1712T1015④：71，泥质灰胎黑皮陶。直口，平折沿较宽，沿上有三周轮制的凹槽，方唇，唇下部也有一周凹槽。腹部饰一周弦纹。复原后口径37、残高7厘米（图2.2.58，9）。

标本Q1712T1015⑥：5，夹砂灰陶。敞口，折沿，圆唇，束颈。颈部以下饰绳纹，绳纹下饰一周附加堆纹。复原后口径44、残高7厘米（图2.2.58，5）。

标本Q1712T1015⑥：11，泥质灰陶。侈口，平折沿，方唇。颈部饰多周弦纹。复原后口径48、残高8厘米（图2.2.60，9）。

标本Q1712T1015⑥：14，泥质黑皮陶。侈口，折沿，沿面有一周凸棱，圆唇。颈部饰两周弦纹。复原后口径28、残高5.5厘米（图2.2.60，11）。

标本Q1712T1015⑥：15，泥质红陶。敞口，折沿，方唇。颈部可见弦纹。复原后口径29、残高4厘米（图2.2.60，10）。

标本Q1712T1015⑥：22，泥质灰陶。敞口，平折沿，沿面有一周凹槽，方唇。复原后口径32、残高4.5厘米（图2.2.59，7）。

中柱盂　标本1件。

标本Q1712T1014⑤：14，仅残存柱柄。夹砂黑皮陶，胎芯为灰色。蘑菇状，有多周盘筑痕。复原后残高12厘米（图2.2.61，8）。

壶　标本2件。

标本Q1712T1013⑤：8，泥质灰陶。侈口，沿微卷，沿面内侧与颈交界处有一周凸棱，尖唇。复原后口径16、残高6厘米（图2.2.61，7）。

标本Q1712T1014④：63，泥质灰陶。侈口，圆唇，直颈，圆肩，肩设桥形耳。颈部饰弦纹。复原后口径14、残高9.7厘米（图2.2.61，12）。

瓮　标本14件。

标本Q1712T1013⑤：7，泥质灰陶。敛口，尖圆唇，折肩。器表饰多周弦纹。复原后口径22、残高9厘米（图2.2.62，2）。

标本Q1712T1014④：35，泥质红陶。侈口，卷沿，圆唇。复原后口径26、残高5.5厘米（图2.2.61，4）。

标本Q1712T1014④：59，夹砂灰胎，灰胎内外各施一层红灰色陶衣。敞口，宽圆唇。颈部绳纹经抹制，颈部以下饰绳纹及弦纹。复原后口径34、残高15.5厘米（图2.2.62，4）。

标本Q1712T1014④：77，泥质红陶。微侈口，厚方唇。肩部复原后口径12、残高5.5厘米（图2.2.61，1）。

标本Q1712T1015④：29，泥质灰陶。侈口，尖圆唇。复原后口径14、残高5.2厘米（图2.2.61，11）。

标本Q1712T1015④：30，夹砂红陶。侈口，卷沿，圆唇。肩部饰绳纹。复原后口径10、残高5.2厘米（图2.2.61，9）。

标本Q1712T1015④：38，泥质灰陶。侈口，折沿，尖圆唇。肩部有一周凹弦纹。复原

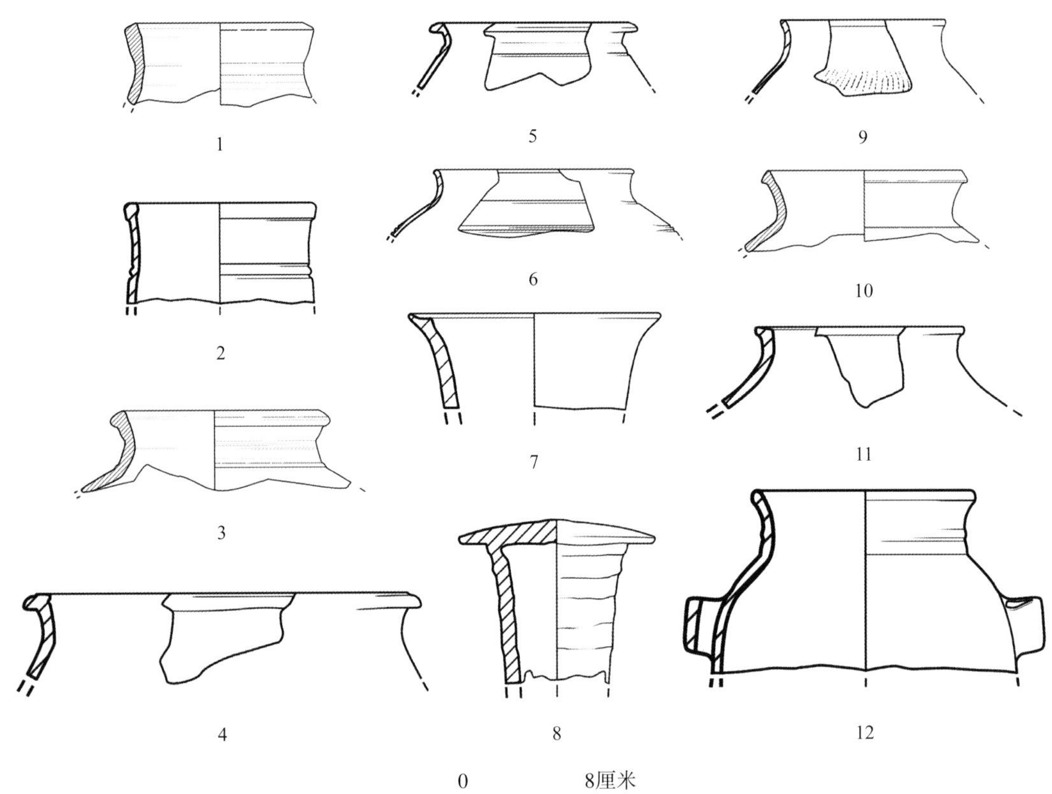

图2.2.61　杨家湾Q1712T1013第5层、T1014第4、5层和T1015第4、6层出土陶器

1～6、9～11. 瓮（Q1712T1014④：77、Q1712T1015④：41、Q1712T1015⑥：6、Q1712T1014④：35、Q1712T1015④：38、Q1712T1015④：40、Q1712T1015④：30、Q1712T1015⑥：13、Q1712T1015④：29）
7、12. 壶（Q1712T1013⑤：8、Q1712T1014④：63）　8. 中柱盂（Q1712T1014⑤：14）

后口径13、残高4.2厘米（图2.2.61，5）。

标本Q1712T1015④：40，泥质灰陶。侈口，圆唇。颈部饰一周弦纹，肩部饰两周弦纹。复原后口径12.7、残高4.5厘米（图2.2.61，6）。

标本Q1712T1015④：41，泥质黑皮陶。微侈口，圆唇。颈部饰一周凸弦纹。复原后口径12、残高6.5厘米（图2.2.61，2）。

标本Q1712T1015④：44，泥质灰陶。侈口，窄平沿，尖圆唇，短颈，丰肩。颈部以下饰绳纹。复原后口径18、残高6.5厘米（图2.2.62，3）。

标本Q1712T1015⑥：6，泥质红陶。侈口，卷沿，方唇束颈，颈与肩交界处饰一周凸弦纹。复原后口径13、残高5厘米（图2.2.61，3）。

标本Q1712T1015⑥：13，泥质黑皮陶。侈口，卷沿，方唇，唇面斜向外撇。肩部饰一周凸弦纹。复原后口径13、残高5厘米（图2.2.61，10）。

标本Q1712T1015⑥：23，泥质红胎黑皮陶。敛口，沿微卷，尖唇，斜长颈。肩部饰一周椭圆形按窝，每个按窝内有3排每排4个不规整的网格纹，按窝下饰一周弦纹。残高7.5厘米（图2.2.62，1）。

标本Q1712T1015⑥：33，夹砂红胎，内外壁有一层黑皮，黑皮多已脱落。侈口，窄平

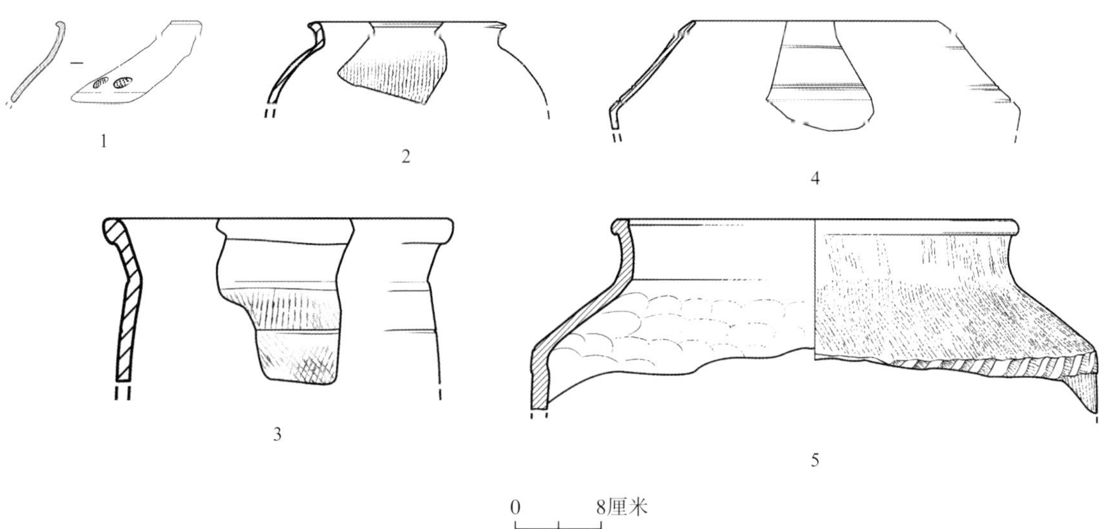

图2.2.62 杨家湾Q1712T1013第5层、T1014第4层和T1015第4、6层出土陶瓮

1. Q1712T1015⑥：23 2. Q1712T1013⑤：7 3. Q1712T1015④：44 4. Q1712T1014④：59 5. Q1712T1015⑥：33

沿，圆唇，直颈，折肩。颈部绳纹经抹制，颈部以下饰绳纹，肩部贴一周附加堆纹。内壁有较多掌腹按压制作痕迹。复原后口径38、残高17厘米（图2.2.62，5）。

大口尊 标本13件。

标本Q1712T1013⑤：3，泥质红胎黑皮陶，部分黑皮已脱落。敞口，厚圆唇，圆肩外凸，腹部略内收，平底微凹。颈部饰一周凸弦纹。腹部饰四周弦纹，腹中部及下部饰绳纹。内壁有泥条盘筑痕。复原后口径36.5、通高41厘米（图2.2.63，4；图2.2.64）。

标本Q1712T1013⑤：4，泥质灰陶。敞口，窄平沿，厚方唇。颈部可见三周弦纹，其中上两周弦纹相邻形成似凸弦纹状，下间隔再见一周凹弦纹。复原后口径42、残高10厘米（图2.2.65，6）。

标本Q1712T1013⑤：5，泥质黑皮陶。敞口，方唇。颈部饰一周凸弦纹，肩部饰一周弦纹。口径38.5、残高9厘米（图2.2.65，4）。

标本Q1712T1014④：49，泥质灰陶。侈口，平折沿，厚方唇，唇外缘有一周凹槽，折肩。颈部饰一周凸弦纹。复原后口径24、残高4.7厘米（图2.2.65，5）。

标本Q1712T1014④：52，夹砂灰陶。下腹略内收，凹圜底。上腹部饰多周弦纹，腹部及底部饰绳纹，残高25厘米（图2.2.63，5）。

标本Q1712T1014④：53，泥质红胎灰皮陶。敞口，窄平沿，厚圆唇，圆肩较凸。颈部一周凸弦纹，肩部饰一周附加堆纹。复原后口径33、残高12厘米（图2.2.63，2）。

标本Q1712T1014④：54，夹砂红陶。敞口，口径大于肩径，厚方唇，唇下缘突起，折肩，腹部内收。颈部饰一周凸弦纹。复原后口径34、残高11厘米（图2.2.65，2）。

标本Q1712T1014④：56，夹砂红陶。敞口，窄平沿，口径大于肩径，厚方唇，折肩，腹部内收。颈部饰一周凸弦纹，肩下绳纹抹光。复原后口径36、残高14厘米（图2.2.65，3）。

标本Q1712T1014④：62，泥质黑皮陶，胎芯为红色。敞口，尖圆唇，唇面微内凹，肩部微鼓

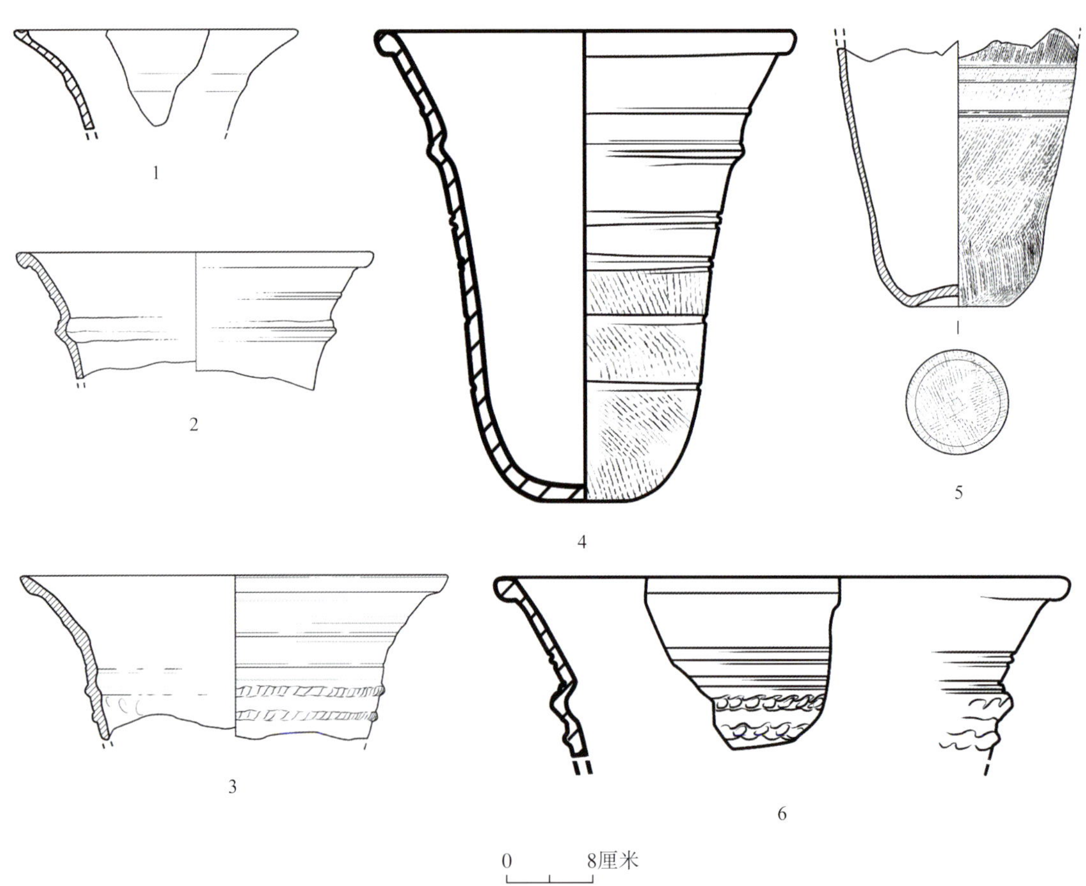

图 2.2.63　杨家湾 Q1712T1013 第 5 层、T1014 第 4 层和 T1015 第 4、6 层出土陶大口尊

1. Q1712T1014④：64　2. Q1712T1014④：53　3. Q1712T1015⑥：9
4. Q1712T1013⑤：3　5. Q1712T1014④：52　6. Q1712T1015④：33

图 2.2.64　陶大口尊照片
（杨家湾 Q1712T1013 ⑤：3）

出。复原后口径29、残高7.9厘米（图2.2.65，1）。

标本Q1712T1014④：64，泥质红陶，内外有黑皮。敞口尖唇，唇面有一周凹槽，肩部凸出不明显。复原后口径27、残高8.6厘米（图2.2.63，1）。

标本Q1712T1015④：33，泥质灰陶。侈口，窄平沿，厚圆唇，圆肩外凸。颈部有一周凸弦纹。肩部饰两周附加堆纹。复原后口径52、残高16厘米（图2.2.63，6）。

标本Q1712T1015⑥：7，夹砂红陶。敞口，厚方唇，唇下缘突起。颈部饰一周附加堆纹。复原后口径49、残高11厘米（图2.2.65，7）。

标本Q1712T1015⑥：9，泥质灰陶，内外有一层黑衣，多已脱落。敞口，宽方唇内凹，肩部

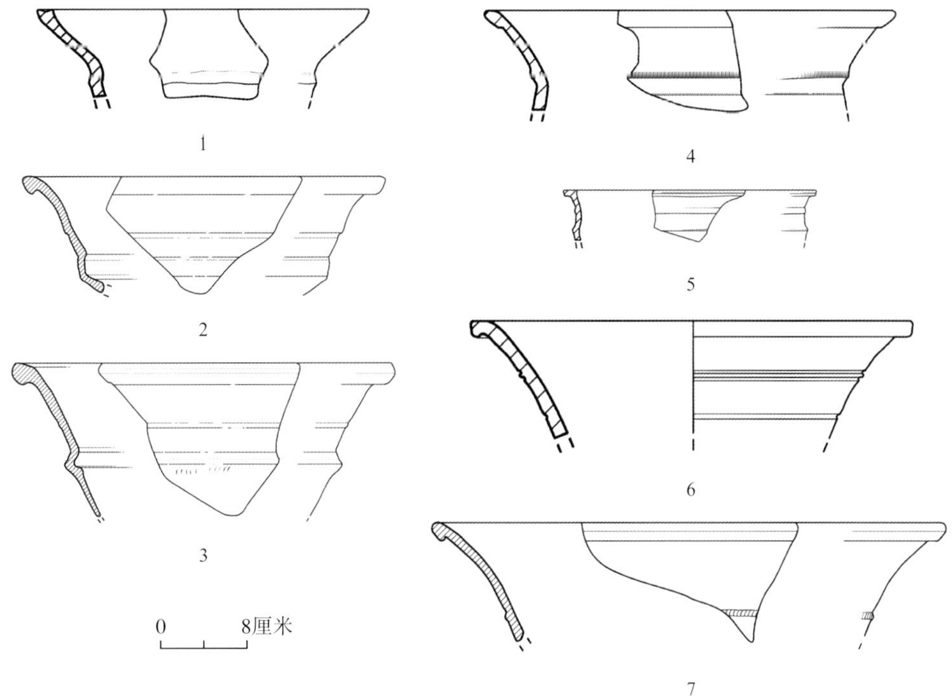

图 2.2.65　杨家湾 Q1712T1013 第 5 层、T1014 第 4 层、T1015 第 6 层出土陶大口尊

1. Q1712T1014④：62　2. Q1712T1014④：54　3. Q1712T1014④：56　4. Q1712T1013⑤：5
5. Q1712T1014④：49　6. Q1712T1013⑤：4　7. Q1712T1015⑥：7

外凸不明显。肩部贴塑两周齿状附加堆纹。复原后口径40、残高15.5厘米（图2.2.63，3）。

罍　标本1件。

标本Q1712T1015⑥：3，泥质灰陶。直口，窄平沿，圆唇。颈部饰一周凸棱，其下饰一周弦纹。复原后口径13、残高6厘米（图2.2.66，1）。

缸　标本38件。

标本Q1712T1013⑤：1，夹砂红陶。直口，圆唇。口沿下饰附加堆纹，腹部饰绳纹。复原后口径38、残高14厘米（图2.2.70，8）。

标本Q1712T1013⑤：2，夹砂黄陶。敞口，圆唇，腹内收。口沿下饰附加堆纹，腹部饰网格纹。复原后口径36、残高16.5厘米（图2.2.71，11）。

标本Q1712T1014④：1，夹砂黄陶。敞口，底部为饼状底。器表饰网格纹，口沿下贴一周附加堆纹。复原后口径42、通高44.5厘米（图2.2.68，8；图2.2.69，1）。

标本Q1712T1014④：2，夹砂红陶。侈口，厚圆唇。口沿下饰一周附加堆纹，腹饰网格纹。复原后口径37、残高13厘米（图2.2.70，1）。

标本Q1712T1014④：3，夹砂红陶。侈口，厚圆唇。口沿下饰附加堆纹，腹部饰绳纹。复原后口径35、残高14.5厘米（图2.2.70，3）。

标本Q1712T1014④：4，夹砂黄陶。侈口，尖圆唇。口沿下饰附加堆纹，腹部饰云雷纹。复原后口径39、残高14厘米（图2.2.70，7）。

标本Q1712T1014④：5，夹砂黄陶。直口，厚圆唇。器表饰绳纹，口沿下饰一周附加堆

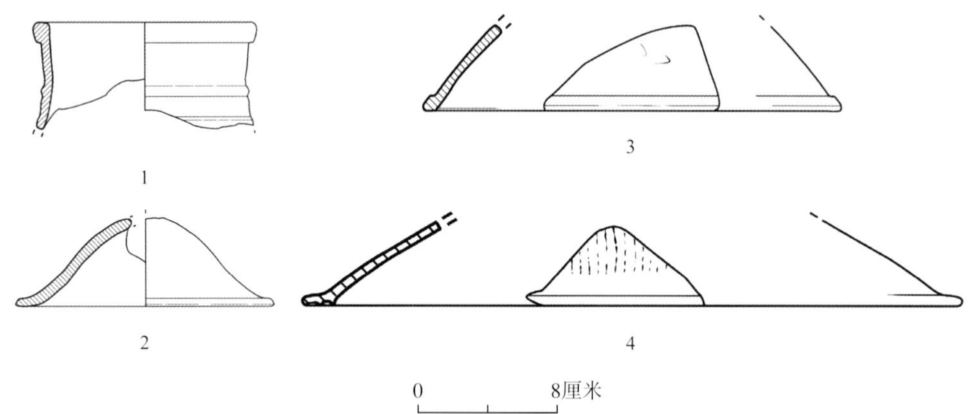

图 2.2.66 杨家湾 Q1712T1013、T1014 第 5 层和 T1015 第 4、6 层出土陶器

1. 罍（Q1712T1015⑥：3） 2～4. 器盖（Q1712T1015⑥：21、Q1712T1015⑥：17、Q1712T1015④：28）

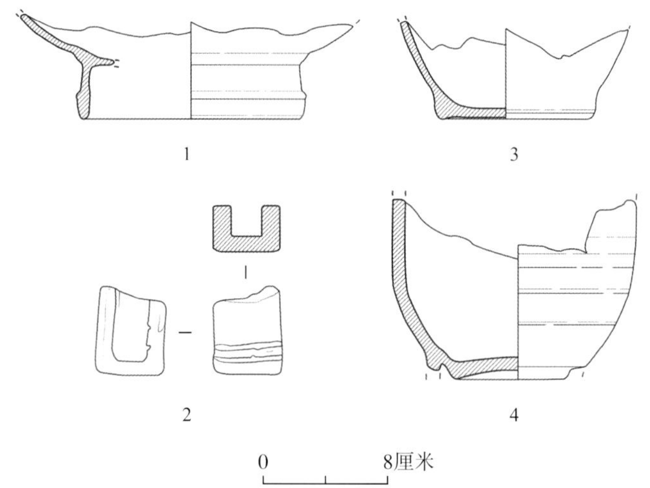

图 2.2.67 杨家湾 Q1712T1014 第 4 层和 T1015 第 4、6 层出土陶器

1. 圈足（Q1712T1015⑥：8） 2. 槽形器（Q1712T1015⑥：27） 3、4. 器底（Q1712T1015⑥：24、Q1712T1014④：55）

纹。复原后口径42.5、残高14.5厘米（图2.2.71，3）。

标本Q1712T1014④：6，夹砂黄陶。口微侈，圆唇。器表饰网格纹，口沿下饰一周附加堆纹。复原后口径46、残高14.5厘米（图2.2.71，4）。

标本Q1712T1014④：7，夹砂红陶。直口，圆唇。器表饰绳纹，口沿下饰附加堆纹，堆纹上下经抹制。复原后口径44、残高14厘米（图2.2.70，9）。

标本Q1712T1014④：8，夹砂红陶。敞口，圆唇。器表饰网格纹，口沿下饰一周附加堆纹。复原后口径38、残高9厘米（图2.2.71，5）。

标本Q1712T1014④：9，夹砂红陶。直口，圆唇。器表饰绳纹，口沿下饰一周附加堆纹。复原后口径38、残高13.5厘米（图2.2.71，9）。

标本Q1712T1014④：10，夹砂黄陶。敞口，厚圆唇。器表饰网格纹，口沿下饰一周附加堆纹。复原后口径37、残高14厘米（图2.2.71，6）。

标本Q1712T1014④：11，夹砂红陶。侈口，厚圆唇。口沿下饰两周附加堆纹。复原后

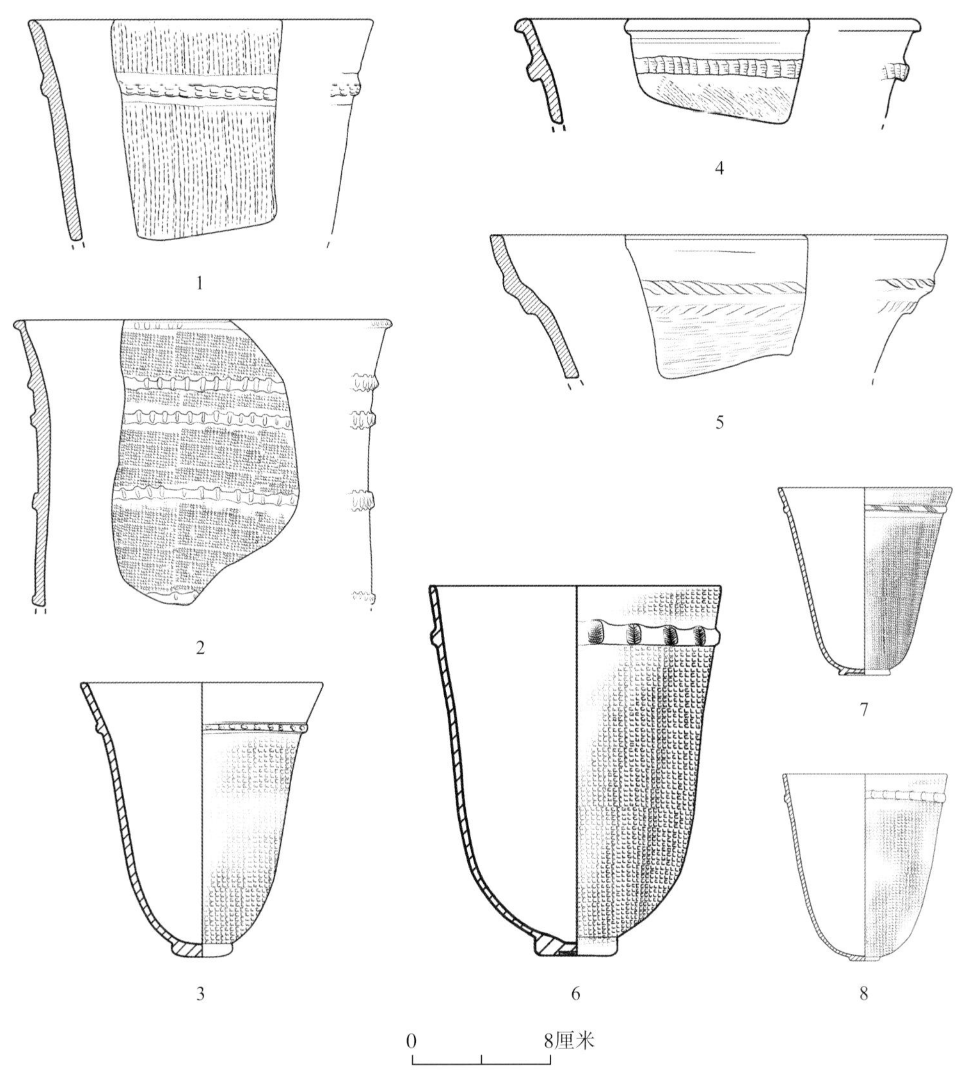

图 2.2.68　杨家湾 Q1712T1015 第 4、6 层和 T1014 第 4 层出土陶缸

1. Q1712T1015⑥：32　2. Q1712T1015④：8　3. Q1712T1015⑥：31　4. Q1712T1015④：9
5. Q1712T1015⑥：29　6. Q1712T1015④：2　7. Q1712T1015④：1　8. Q1712T1014④：1

口径46、残高11厘米（图2.2.70，4）。

标本Q1712T1014④：12，夹砂红陶。侈口，厚圆唇。口沿下饰附加堆纹，腹部饰横向的篮纹。复原后口径36、残高9厘米（图2.2.70，2）。

标本Q1712T1014④：13，夹砂红陶。侈口，尖圆唇，颈部斜内收。口沿下饰附加堆纹，腹部饰绳纹。复原后口径44、残高11.5厘米（图2.2.70，5）。

标本Q1712T1014④：14，夹砂黄陶。侈口，厚圆唇。口沿下饰两周附加堆纹，腹部饰绳纹。复原后口径46、残高23厘米（图2.2.70，6）。

标本Q1712T1014④：82，夹砂灰陶。口部残缺，斜腹，近底器壁较厚。腹部饰网格纹。底径3.5、残高28厘米（图2.2.72，1）。

标本Q1712T1015④：1，夹少量碎石，红陶。敞口，直腹斜收，底部有矮圈足。器表饰

图 2.2.69　杨家湾 Q1712T1014 第 4 层、T1015 第 4 层出土陶缸照片

1. Q1712T1014④：1　2. Q1712T1015④：1　3. Q1712T1015④：2

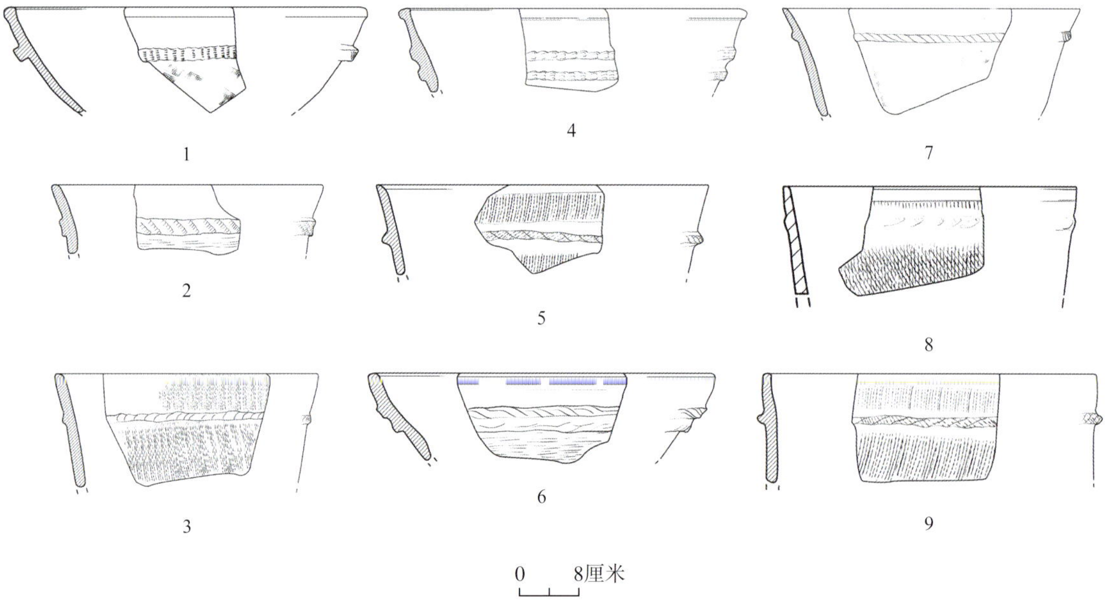

图 2.2.70　杨家湾 Q1712T1013 第 5 层、T1014 第 4 层出土陶缸

1. Q1712T1014④：2　2. Q1712T1014④：12　3. Q1712T1014④：3　4. Q1712T1014④：11　5. Q1712T1014④：13　6. Q1712T1014④：14　7. Q1712T1014④：4　8. Q1712T1013⑤：1　9. Q1712T1014④：7

网格纹，肩部贴一周附加堆纹，堆纹上下经抹制。复原后口径43、通高44厘米（图2.2.68，7；图2.2.69，2）。

标本Q1712T1015④：2，夹砂黄陶。侈口，腹壁较直，至近底处弧收，底部为饼状底。器表饰网格纹，口沿下饰一周附加堆纹，堆纹上压印叶脉纹，平底上压印四个叶脉纹组成的十字形纹。复原后口径36、底径10、通高45厘米（图2.2.68，6；图2.2.69，3）。

标本Q1712T1015④：3，夹砂黄陶。敞口，尖圆唇。器表饰网格纹，口沿下饰一周附加堆纹。复原后口径38、残高24.5厘米（图2.2.72，2）。

标本Q1712T1015④：5，夹砂红陶。侈口，厚方唇。器表饰绳纹，口沿下饰附加堆纹，堆纹上下经抹制。复原后口径43、残高23.8厘米（图2.2.71，12）。

标本Q1712T1015④：6，夹砂红陶。直口，圆唇。器表饰网格纹，口沿下饰一周附加堆纹。复原后口径43、残高24厘米（图2.2.71，8）。

标本Q1712T1015④：7，夹砂红陶。敞口，圆唇。口沿下饰一周附加堆纹，腹部饰网格纹。复原后口径44、残高18.5厘米（图2.2.71，7）。

标本Q1712T1015④：8，夹碎石红陶。敞口，窄平沿，圆唇。器表饰网格纹，腹部贴多周附加堆纹，堆纹上纵向按压凹槽，每条堆纹两侧经抹制。腹内壁有泥条盘筑痕，每条泥条宽约6厘米。复原后口径44、残高32.5厘米（图2.2.68，2）。

标本Q1712T1015④：9，夹少量碎石，白陶。侈口，窄平沿，沿上有旋痕，圆唇。肩部贴塑一周较厚的附加堆纹，堆纹上下经抹制，其下饰篮纹。复原后口径49、残高12.5厘米（图2.2.68，4）。

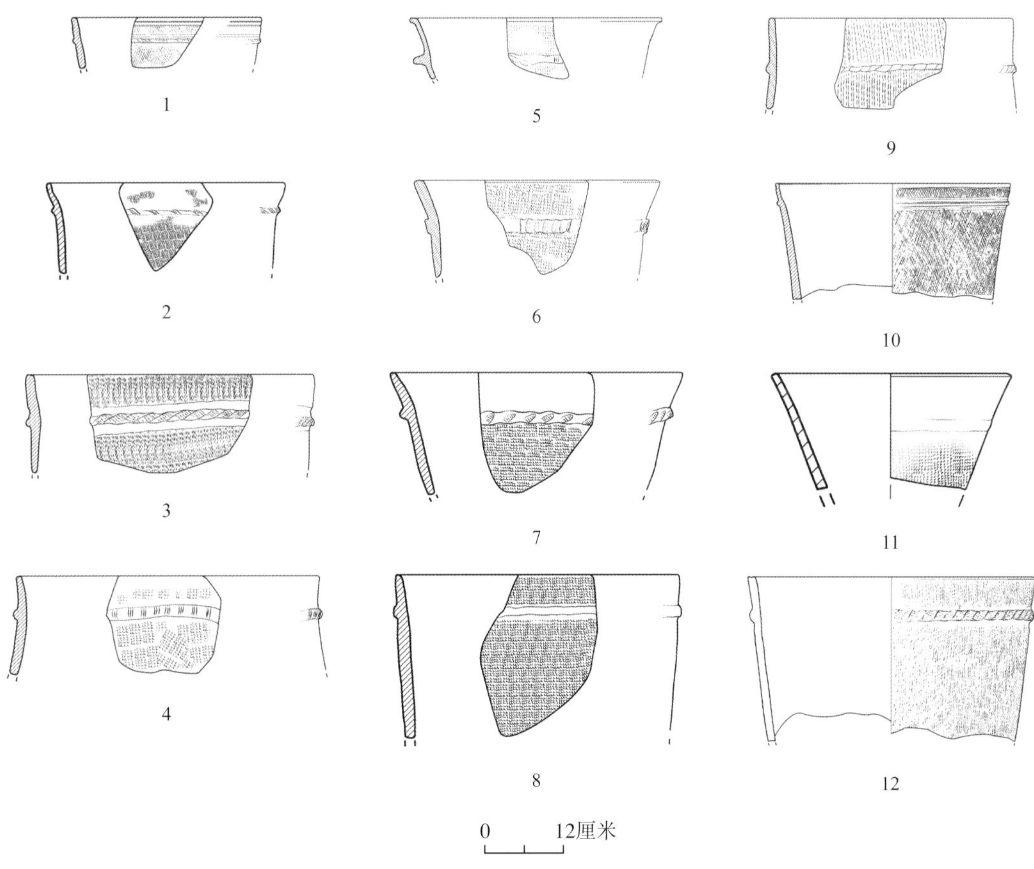

图2.2.71 杨家湾Q1712T1013第5层、T1014第4层、T1015第4层出土陶缸

1. Q1712T1015④：11 2. Q1712T1015④：12 3. Q1712T1014④：5 4. Q1712T1014④：6 5. Q1712T1014④：8 6. Q1712T1014④：10 7. Q1712T1015④：7 8. Q1712T1015④：6 9. Q1712T1014④：9 10. Q1712T1015④：10 11. Q1712T1013⑤：2 12. Q1712T1015④：5

标本Q1712T1015④：10，夹砂黄陶。敞口，圆唇。器表饰网格纹，肩部饰一周凸弦纹，凸弦纹上下经抹制。复原后口径35、残高17厘米（图2.2.71，10）。

标本Q1712T1015④：11，夹砂灰陶。侈口，圆唇。近口沿处饰两周弦纹，肩部饰附加堆纹，弦纹与附加堆纹之间、腹部均饰网格纹。复原后口径29、残高7.5厘米（图2.2.71，1）。

标本Q1712T1015④：12，夹砂黄陶。口微侈，圆唇。器表饰网格纹，肩部饰一周附加堆纹。复原后口径36、残高13厘米（图2.2.71，2）。

标本Q1712T1015④：13，夹砂黄陶。敞口，圆唇。器表饰绳纹，口沿下部分绳纹被抹光，近口沿处饰附加堆纹，堆纹上下经抹制。器壁厚1.5、残高33.5厘米（图2.2.72，8）。

标本Q1712T1015⑥：23，夹砂红陶。直口，厚圆唇。器表饰网格纹，肩部饰一周附加堆纹。复原后口径37、残高31.5厘米（图2.2.72，4）。

标本Q1712T1015⑥：28，夹砂红陶。敞口，圆唇。唇面饰绳纹，肩部饰附加堆纹。复原后口径74.5、残高8厘米（图2.2.72，7）。

标本Q1712T1015⑥：29，夹砂白色陶。敞口，厚方唇，腹部内收。肩部饰两周附加堆纹，堆纹以下饰篮纹。复原后口径54、残高16.5厘米（图2.2.68，5）。

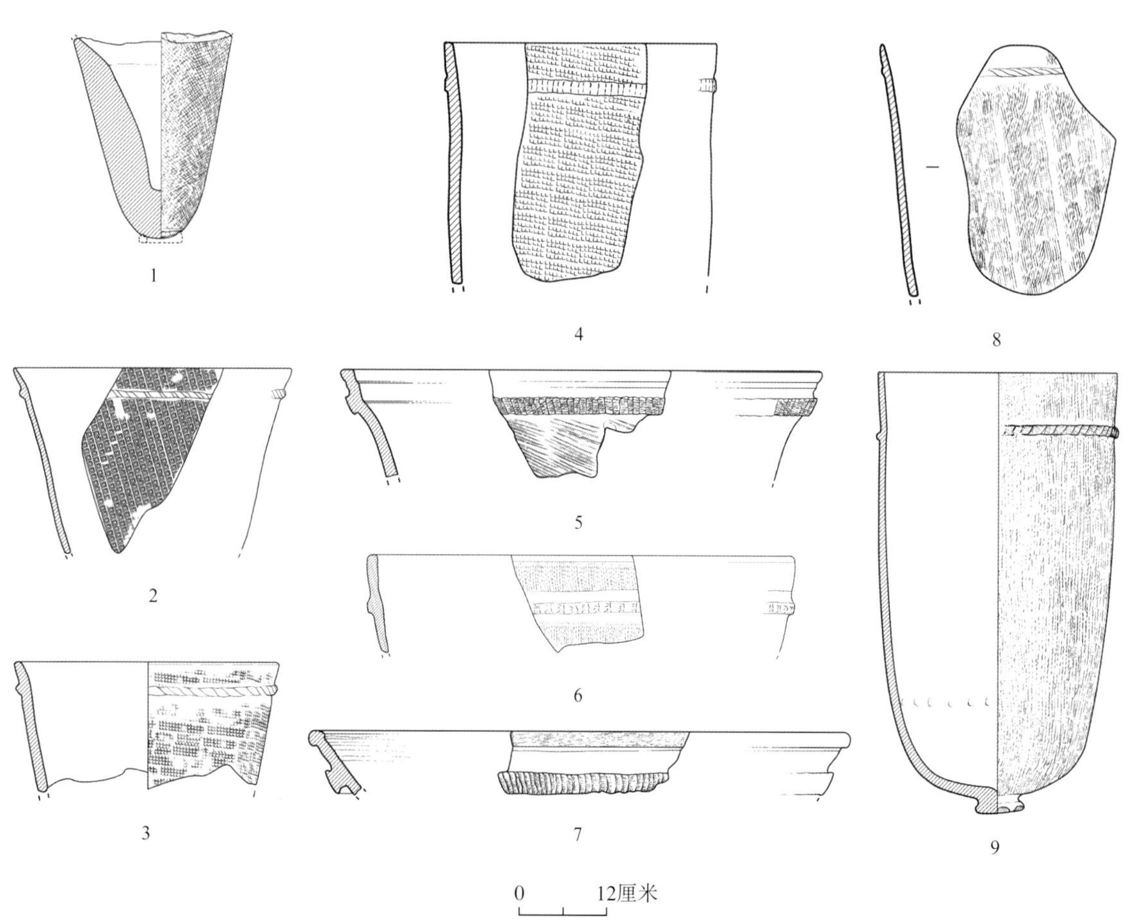

图2.2.72　杨家湾Q1712T1014第4层和T1015第4、6层出土陶缸

1. Q1712T1014④：82　2. Q1712T1015④：3　3. Q1712T1015⑥：39　4. Q1712T1015⑥：23　5. Q1712T1015⑥：34　6. Q1712T1015⑥：30　7. Q1712T1015⑥：28　8. Q1712T1015④：13　9. Q1712T1015⑥：36

标本Q1712T1015⑥：30，夹砂黄陶。侈口，厚圆唇。器表饰绳纹，肩部饰一周附加堆纹，堆纹上下经抹制。复原后口径29、残高13厘米（图2.2.72，6）。

标本Q1712T1015⑥：31，夹砂黄陶。敞口，圆唇，腹部弧收，底部为饼状底。上腹近口处贴附一周附加堆纹，附加堆纹以下饰网格纹。器内壁有泥条盘筑痕。复原后口径28、通高29厘米（图2.2.68，3）。

标本Q1712T1015⑥：32，夹砂红陶。敞口，直腹。器表饰竖向绳纹，肩部贴一周附加堆纹，堆纹上下经抹制。内壁有多道泥条盘筑痕。复原后口径40、残高25厘米（图2.2.68，1）。

标本Q1712T1015⑥：34，夹砂红陶。侈口，折沿，圆唇。口沿下饰一周弦纹，弦纹下饰附加堆纹，堆纹上下经抹制，腹部饰篮纹。复原后口径65、残高14厘米（图2.2.72，5）。

标本Q1712T1015⑥：36，夹砂红陶。直口，尖圆唇，直腹弧收，饼状圈足。器身饰绳纹，肩部饰一周附加堆纹。复原后口径32.5、高58.5厘米（图2.2.72，9）。

标本Q1712T1015⑥：39，夹砂红陶。敞口，圆唇。器表饰网格纹，近口处饰一周附加堆纹。复原后口径36、残高17厘米（图2.2.72，3）。

器盖　标本3件。

标本Q1712T1015④：28，夹砂灰陶。喇叭状口，宽平沿，沿上有一道凹槽。盖壁上饰绳纹。复原后口径37.9、残高4.6厘米（图2.2.66，4）。

标本Q1712T1015⑥：17，泥质陶，胎分为两层，中间为灰色胎，外为红色胎，内外壁有黑色陶衣。敞口，平折沿。圆唇外翻，圆腹。复原后口径24、残高4.8厘米（图2.2.66，3）。

标本Q1712T1015⑥：21，夹砂陶，灰色胎，内壁红色，外壁灰色。敞口，卷沿，圆唇弧壁。盖口沿上有一道凹槽。复原后口径15、残高5厘米（图2.2.66，2）。

圈足　标本1件。

标本Q1712T1015⑥：8，夹砂灰陶。与器身连接处饰弦纹。底部做加厚处理。底径14、残高6.5厘米（图2.2.67，1）。

槽形器　标本1件。

标本Q1712T1015⑥：27，夹砂灰陶。平底，有方形一槽。外壁近底见两周弦纹。底面边长4.3、器壁厚0.9、残高5.5厘米（图2.2.67，2）。

器底　标本2件。

标本Q1712T1014④：55，夹砂红陶。圆腹，平底微内凹。腹部饰多周弦纹，腹部近底处饰一周附加堆纹。残高11、底厚1厘米（图2.2.67，4）。

标本Q1712T1015⑥：24，夹砂红陶。平底微内凹。底径10.3、残高6厘米（图2.2.67，3）。

印纹硬陶罐　标本3件。

标本Q1712T1014④：78，胎芯为灰色。侈口，折沿，沿中部向上凸起，方唇。颈部内外有轮制的痕迹。颈部以下外壁有云雷纹。颈部外壁及口沿处有一层酱色的釉，内壁有指压痕迹。复原后口径19、残高7.5厘米（图2.2.73，1）。

标本Q1712T1014④：80，灰色。侈口，折沿，尖唇。外壁颈部以下饰叶脉纹。颈部内外有轮制痕迹，内壁颈部以下有指压痕迹。复原后口径14、残高6.7厘米（图2.2.73，2）。

标本Q1712T1015⑥：1，灰褐色。侈口，窄平沿，方唇，唇中部凸起，垂腹，平底。上

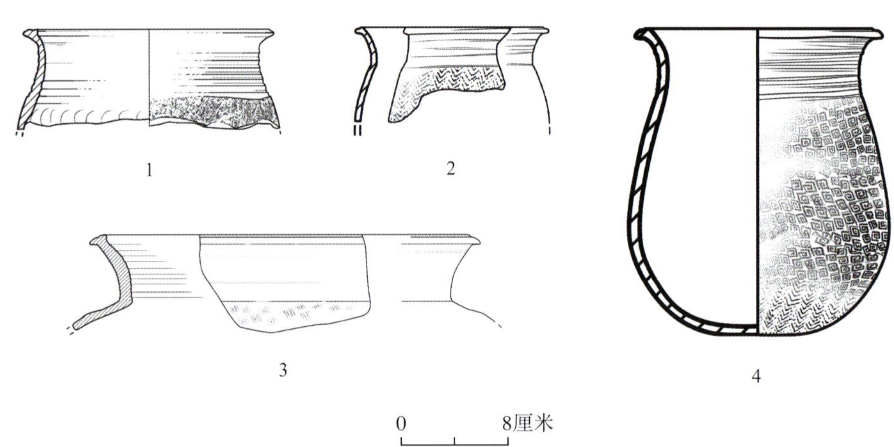

图 2.2.73　杨家湾 Q1712T1014 第 4 层、T1015 第 6 层出土印纹硬陶和原始瓷器

1、2、4. 印纹硬陶罐（Q1712T1014④：78、Q1712T1014④：80、Q1712T1015⑥：1）　3. 原始瓷尊（Q1712T1015⑥：37）

图 2.2.74　印纹硬陶罐照片
（杨家湾 Q1712T1015⑥：1）

腹部饰云雷纹，下腹部及底部饰叶脉纹。颈部及口部内外有酱色釉，内壁有指压按窝痕。复原后口径19、通高22厘米（图2.2.73，4；图2.2.74）。

原始瓷尊　标本1件。

标本Q1712T1015⑥：37，灰色。侈口，圆弧沿略下垂，尖圆唇，斜颈，折肩。颈部以下饰小网格纹。器表及内壁颈部施较薄的酱色釉，沿和内壁颈部有多道轮制的旋痕。复原后口径29、残高7厘米（图2.2.73，3）。

表2.2.43　杨家湾Q1712T1013第5层陶系、纹饰统计表　（重量单位：克）

陶质		夹砂					泥质			印纹硬陶和原始瓷	合计	百分比（%）
纹饰＼陶色		灰	黑皮	红	黄	白	灰	黑皮	红			
绳纹	数量	165	242	329	86		53	55	65		995	40.09
	重量	5479	6129	17245	5940		699	596	767		36855	37.36
绳纹和附加堆纹	数量	12	15	32	10						69	2.78
	重量	1347	1299	3606	1114						7366	7.47
绳纹和弦纹	数量	5					6	13	6		30	1.21
	重量	222					114	593	124		1053	1.07

续表

陶质 / 纹饰	陶色	夹砂					泥质			印纹硬陶和原始瓷	合计	百分比（%）
		灰	黑皮	红	黄	白	灰	黑皮	红			
绳纹和圆圈纹	数量	1									1	0.04
	重量	14									14	0.01
网格纹	数量	11	11	113	102	17	9		7	5	275	11.08
	重量	934	541	6680	6787	1659	90		179	150	17020	17.25
网格纹和附加堆纹	数量			27	17	4					48	1.93
	重量			3235	4262	258					7755	7.86
篮纹	数量		5	34	17	12					68	2.74
	重量		314	1338	1305	753					3710	3.76
篮纹和附加堆纹	数量			1							1	0.04
	重量			154							154	0.16
附加堆纹	数量	10	1	34	39		2	4			90	3.63
	重量	622	105	1393	2321		33	322			4796	4.86
弦纹	数量	11	1	2			25	2	19		60	2.42
	重量	151	7	10			430	200	567		1365	1.38
弦纹和圆圈纹	数量	2									2	0.08
	重量	23									23	0.02
云雷纹	数量				1			2		5	8	0.32
	重量				58			43		87	188	0.19
叶脉纹	数量									9	9	0.36
	重量									169	169	0.17
席纹	数量									2	2	0.08
	重量									69	69	0.07
圆圈纹	数量							1			1	0.04
	重量							27			27	0.03
压印纹	数量						1				1	0.04
	重量						10				10	0.01
兽面纹	数量	1									1	0.04
	重量	8									8	0.01
素面	数量	218	67	212	98	40	4	132	43	7	821	33.08
	重量	3546	1499	4970	3707	1298	541	1841	513	149	18064	18.31

续表

陶质		夹砂					泥质			印纹硬陶和原始瓷	合计	百分比（%）
纹饰 \ 陶色		灰	黑皮	红	黄	白	灰	黑皮	红			
合计	数量	436	342	784	370	73	100	209	140	28	2482	100.00
	重量	12346	9894	38631	25494	3968	1917	3622	2150	624	98646	100.00
百分比（%）	数量	17.57	13.78	31.59	14.91	2.94	4.03	8.42	5.64	1.13	100.00	
		80.78					18.09					
	重量	12.52	10.03	39.16	25.84	4.02	1.94	3.67	2.18	0.63	100.00	
		91.57					7.79					

表2.2.44 杨家湾Q1712T1013第5层可辨器形统计表

陶质	夹砂					泥质			合计	百分比（%）
器形 \ 陶色	灰	黑皮	红	黄	白	灰	黑皮	红		
鬲	55	13	1						69	4.43
鬲足或甗足	11	9							20	1.28
罐	1		1			1	5	2	10	0.64
豆	1					2	3		6	0.39
盆						2	1		3	0.19
壶						1			1	0.06
瓮						1			1	0.06
大口尊						3	5	1	9	0.58
缸	118	150	728	370	73				1439	92.36
合计	186	172	730	370	73	10	14	3	1558	100.00
百分比（%）	11.94	11.04	46.85	23.75	4.69	0.64	0.90	0.19	100.00	

表2.2.45 杨家湾Q1712T1014第4层陶系、纹饰统计表 （重量单位：克）

陶质		夹砂					泥质				印纹硬陶和原始瓷	合计	百分比（%）
纹饰 \ 陶色		灰	黑皮	红	黄	白	灰	黑皮	红	黄			
绳纹	数量	747	195	755	782	11	132	161	12	1		2796	41.42
	重量	25852	20129	37746	27653	1113	2797	4966	161	180		120597	36.71
绳纹和附加堆纹	数量	80	21	72	29	5	22					229	3.39
	重量	3942	1799	10205	5590	726	725					22987	7.00

续表

纹饰 \ 陶质/陶色		夹砂					泥质				印纹硬陶和原始瓷	合计	百分比（%）
		灰	黑皮	红	黄	白	灰	黑皮	红	黄			
绳纹和弦纹	数量	20	6	2			14	15				57	0.84
	重量	992	201	82			1676	692				3643	1.11
绳纹和圆圈纹	数量	1										1	0.01
	重量	190										190	0.06
网格纹	数量	36	19	137	199	12		1			22	426	6.31
	重量	2544	1387	9194	17128	1196		55			599	32103	9.77
网格纹和附加堆纹	数量	2	1	73	47	16						139	2.06
	重量	391	155	7991	13704	601						22842	6.95
网格纹和弦纹	数量	1					2	3				6	0.09
	重量	6					42	141				189	0.06
篮纹	数量	22		56	60	6						144	2.13
	重量	395		6228	7333	2111						16067	4.89
篮纹和附加堆纹	数量			15	8							23	0.34
	重量			2762	1450							4212	1.28
篮纹和弦纹	数量			2								2	0.03
	重量			39								39	0.01
附加堆纹	数量	31	2	3	53	15	11	17				132	1.96
	重量	1088	98	323	4253	2088	608	1143				9601	2.92
附加堆纹和弦纹	数量	2		1			15	5				23	0.34
	重量	144		230			1209	382				1965	0.60
附加堆纹和云雷纹	数量				1							1	0.01
	重量				420							420	0.13
附加堆纹和窗棂纹	数量	4	2	1			8	14				29	0.43
	重量	320	225	58			679	2324				3606	1.10
附加堆纹、弦纹和圆圈纹	数量	1										1	0.01
	重量	135										135	0.04
弦纹	数量	45	8	8			90	92	5			248	3.67
	重量	2631	145	1156			4657	4931	121			13641	4.15
云雷纹	数量			3	3			1			62	69	1.02
	重量			149	3117			17			610	3893	1.19

续表

陶质		夹砂					泥质				印纹硬陶和原始瓷	合计	百分比（%）
纹饰＼陶色		灰	黑皮	红	黄	白	灰	黑皮	红	黄			
叶脉纹	数量										36	36	0.53
	重量										1154	1154	0.35
席纹	数量										2	2	0.03
	重量										219	219	0.07
圆圈纹	数量	7						1				8	0.12
	重量	215						77				292	0.09
窗棂纹	数量	4	1				17	26				48	0.71
	重量	364	63				643	794				1864	0.57
兽面纹	数量						1					1	0.01
	重量						19					19	0.01
压印纹	数量	12	3				3	3				21	0.31
	重量	287	72				42	95				496	0.15
素面	数量	585	201	497	503	63	171	263	9		17	2309	34.20
	重量	9731	2439	22404	17205	4200	4311	7427	202		407	68326	20.80
合计	数量	1600	459	1625	1685	128	486	602	26	1	139	6751	100.00
	重量	49227	26713	98567	97853	12035	17408	23044	484	180	2989	328500	100.00
百分比（%）	数量	23.70	6.80	24.07	24.96	1.90	7.20	8.92	0.39	0.01	2.06	100.00	
		81.42					16.52						
	重量	14.99	8.13	30.01	29.79	3.66	5.30	7.01	0.15	0.05	0.91	100.00	
		86.57					12.52						

表2.2.46　杨家湾Q1712T1014第4层可辨器形统计表

陶质	夹砂					泥质				印纹硬陶和原始瓷	合计	百分比（%）
器形＼陶色	灰	黑皮	红	黄	白	灰	黑皮	红	黄			
鬲	92	30	23			1	4	1			151	3.56
鬲足或甗足	26	21	113								160	3.77
甗	2		1			1					4	0.09
罐	22	4	1			19	16			13	75	1.77
斝	1					1					2	0.05

续表

陶质	夹砂					泥质				印纹硬陶和原始瓷	合计	百分比（%）
器形＼陶色	灰	黑皮	红	黄	白	灰	黑皮	红	黄			
爵	1	1									2	0.05
豆		1				2	3				6	0.14
簋						4					4	0.09
盆	1		2			21	11		1		36	0.85
壶						1					1	0.02
中柱盂	1										1	0.02
瓮			1				1	2			4	0.09
大口尊	15		7			45	72	3			142	3.35
尊										1	1	0.02
缸	319	180	1323	1684	128						3634	85.61
器盖						11	6	1			18	0.42
器鋬	1	1									2	0.05
器底			1								1	0.02
动物装饰		1									1	0.02
合计	481	239	1472	1684	128	106	113	7	1	14	4245	100.00
百分比（%）	11.33	5.63	34.68	39.67	3.02	2.50	2.66	0.16	0.02	0.33	100.00	

表2.2.47　杨家湾Q1712T1014第5层陶系、纹饰统计表　（重量单位：克）

陶质		夹砂					泥质			印纹硬陶和原始瓷	合计	百分比（%）
纹饰＼陶色		灰	黑皮	红	黄	白	灰	黑皮	红			
绳纹	数量	82	59	70	47		9	24	8		299	4.91
	重量	11749	2174	4732	4080		158	240	78		23211	52.98
绳纹和附加堆纹	数量	4		5	6	2					17	0.28
	重量	377		800	863	458					2498	5.70
绳纹和弦纹	数量	1						5	1		7	0.12
	重量	17						124	80		221	0.51
网格纹	数量	8	3	14	14	3		1		4	47	0.77
	重量	548	119	662	911	146		12		79	2477	5.65

续表

纹饰	陶质／陶色	夹砂					泥质			印纹硬陶和原始瓷	合计	百分比（%）
		灰	黑皮	红	黄	白	灰	黑皮	红			
网格纹和附加堆纹	数量			1	1	1					3	0.05
	重量			38	107	106					251	0.57
网格纹和弦纹	数量						5				5	0.08
	重量						25				25	0.06
篮纹	数量	9	2	14	10						35	0.58
	重量	712	108	1574	310						2704	6.17
附加堆纹	数量	16	2	10	9		2	1			40	0.66
	重量	853	48	933	811		183	32			2860	6.53
弦纹	数量	5	2	1			4	10			22	0.36
	重量	327	21	12			54	574			988	2.26
弦纹和窗棂纹	数量						2	1			3	0.05
	重量						242	87			329	0.75
云雷纹	数量									2	2	0.03
	重量									57	57	0.13
叶脉纹	数量									4	4	0.07
	重量									122	122	0.28
窗棂纹	数量						7	1			8	0.13
	重量						196	38			234	0.53
素面	数量	53	14	5415	38	5	22	41	2	2	5592	91.91
	重量	1659	621	3291	1086	82	452	575	32	33	7831	17.88
合计	数量	178	82	5530	125	11	51	84	11	12	6084	100.00
	重量	16242	3091	12042	8168	792	1310	1682	190	291	43808	100.00
百分比（%）	数量	2.93	1.35	90.89	2.05	0.18	0.84	1.38	0.18	0.20	100.00	
		97.40					2.40					
	重量	37.08	7.06	27.49	18.64	1.81	2.99	3.84	0.43	0.66	100.00	
		92.08					7.26					

表2.2.48　杨家湾Q1712T1014第5层可辨器形统计表

陶质	夹砂					泥质			合计	百分比（%）
器形 \ 陶色	灰	黑皮	红	黄	白	灰	黑皮	红		
鬲	18	3	2				1		24	5.09
鬲足或甗足	11	3	11						25	5.31
罐	1		1			5	3	1	11	2.34
簋	1								1	0.21
盆		1				1	3		5	1.06
中柱盂		2							2	0.42
大口尊	2	1				12	10		25	5.31
缸	69	13	157	125	11				375	79.62
器盖							2	1	3	0.64
合计	102	23	171	125	11	18	19	2	471	100.00
百分比（%）	21.66	4.88	36.31	26.54	2.34	3.82	4.03	0.42	100.00	

表2.2.49　杨家湾Q1712T1015第4层陶系、纹饰统计表　　（重量单位：克）

陶质		夹砂					泥质			印纹硬陶和原始瓷	合计	百分比（%）
纹饰 \ 陶色		灰	黑皮	红	黄	白	灰	黑皮	红			
绳纹	数量	343	999	48	172	22	1	220	49		1854	38.61
	重量	43453	15416	1207	17061	2069	243	3607	1480		84536	32.19
绳纹和附加堆纹	数量	70	72	4	48	7	1	8			210	4.37
	重量	3700	3831	82	15645	3800	370	211			27639	10.52
绳纹和弦纹	数量		1				1	16			18	0.37
	重量		175				95	434			704	0.27
绳纹和圆圈纹	数量	2									2	0.04
	重量	56									56	0.02
绳纹、附加堆纹和弦纹	数量							1			1	0.02
	重量							121			121	0.05
绳纹、弦纹和窗棂纹	数量							1			1	0.02
	重量							65			65	0.02
网格纹	数量	169		1	166	16				12	364	7.58
	重量	16371		12	13908	1184				270	31745	12.09

续表

陶质		夹砂					泥质			印纹硬陶和原始瓷	合计	百分比（%）
纹饰	陶色	灰	黑皮	红	黄	白	灰	黑皮	红			
网格纹和附加堆纹	数量			4	50	10					64	1.33
	重量			6230	19488	1036					26754	10.19
网格纹和弦纹	数量				1						1	0.02
	重量				688						688	0.26
网格纹、附加堆纹和弦纹	数量	1									1	0.02
	重量	252									252	0.10
篮纹	数量	12			60	32					104	2.17
	重量	981			11367	3278					15626	5.95
篮纹和附加堆纹	数量					1					1	0.02
	重量					517					517	0.20
附加堆纹	数量	9			41	4		17			71	1.48
	重量	940			3553	3455		864			8812	3.36
附加堆纹和弦纹	数量	4	5				1	2			12	0.25
	重量	253	617.5				215	276			1361.5	0.52
附加堆纹、弦纹和窗棂纹	数量							2			2	0.04
	重量							374			374	0.14
弦纹	数量	47	51				4	2	1		105	2.19
	重量	1123	1463				632	300	10		3528	1.34
弦纹和云雷纹	数量									3	3	0.06
	重量									33	33	0.01
弦纹和圆圈纹	数量	2									2	0.04
	重量	9									9	0.00
弦纹和窗棂纹	数量							15			15	0.31
	重量							691			691	0.26
弦纹和压印纹	数量	3									3	0.06
	重量	72									72	0.03
云雷纹	数量	5								19	24	0.50
	重量	553								418	971	0.37
云雷纹和叶脉纹	数量									5	5	0.10
	重量									226	226	0.09
叶脉纹	数量									20	20	0.42
	重量									531	531	0.20

续表

陶质/陶色/纹饰		夹砂					泥质			印纹硬陶和原始瓷	合计	百分比（%）
		灰	黑皮	红	黄	白	灰	黑皮	红			
圆圈纹	数量							1			1	0.02
	重量							12			12	0.00
窗棂纹	数量		2					17			19	0.40
	重量		91					766			857	0.33
压印纹	数量		1					6			7	0.15
	重量		4					143			147	0.06
兽面纹	数量							2			2	0.04
	重量							13			13	0.00
素面	数量	690	624	40	254	15	3	254	2	8	1890	39.36
	重量	20462	16890	521	12164	1011	295	4826	44	82	56295	21.43
合计	数量	1357	1755	97	792	107	11	564	52	67	4802	100.00
	重量	88225	38487.5	8052	93874	16350	1850	12703	1534	1560	262635.5	100.00
百分比（%）	数量	28.26	36.55	2.02	16.49	2.23	0.23	11.75	1.08	1.40	100.00	
		85.55					13.06					
	重量	33.59	14.65	3.07	35.74	6.23	0.70	4.84	0.58	0.59	100.00	
		93.28					6.13					

表2.2.50　杨家湾Q1712T1015第4层可辨器形统计表

陶质/陶色/器形	夹砂					泥质			合计	百分比（%）
	灰	黑皮	红	黄	白	灰	黑皮	红		
鬲	5	234	19			1			259	14.59
甗		2							2	0.11
罐	14	7				19		2	42	2.37
爵	1	7							8	0.45
豆		1							1	0.06
盆	1	5				8	2		16	0.90
瓮			1			4	1		6	0.34
大口尊		10				17			27	1.52
缸	510		5	791	106				1412	79.55
器盖	1	1							2	0.11
合计	532	267	25	791	106	49	3	2	1775	100.00
百分比（%）	29.97	15.04	1.41	44.56	5.97	2.76	0.17	0.11	100.00	

表2.2.51　杨家湾Q1712T1015第5层陶系、纹饰统计表　　（重量单位：克）

陶质		夹砂				泥质	合计	百分比（%）
纹饰＼陶色		灰	黑皮	红	黄	黑皮		
绳纹	数量	52	7	1	10		70	87.50
	重量	2406	531	4027	1083		8047	79.45
附加堆纹	数量	4					4	5.00
	重量	307					307	3.03
附加堆纹和窗棂纹	数量					2	2	2.50
	重量					1518	1518	14.99
素面	数量	3		1			4	5.00
	重量	207		50			257	2.54
合计	数量	59	7	2	10	2	80	100.00
	重量	2920	531	4077	1083	1518	10129	100.00
百分比（%）	数量	73.75	8.75	2.50	12.50	2.50	100.00	
		97.50						
	重量	28.83	5.24	40.25	10.69	14.99	100.00	
		85.01						

表2.2.52　杨家湾Q1712T1015第5层可辨器形统计表

陶质	夹砂				泥质	合计	百分比（%）
器形＼陶色	灰	黑皮	红	黄	黑皮		
鬲	3					3	6.67
罐		1	1			2	4.44
大口尊					2	2	4.44
缸	27		1	10		38	84.44
合计	30	1	2	10	2	45	100.00
百分比（%）	66.67	2.22	4.44	22.22	4.44	100.00	

表2.2.53　杨家湾Q1712T1015第6层陶系、纹饰统计表　　　（重量单位：克）

陶质		夹砂						泥质			印纹硬陶和原始瓷	合计	百分比（%）
纹饰＼陶色		灰	黑皮	红	褐	黄	白	灰	黑皮	红			
绳纹	数量	411	37	114	22	39	38	1				662	47.94
	重量	14777	956	15483	6117	14820	3260	405				55818	40.63
绳纹和附加堆纹	数量	45	1	15		12	9					82	5.94
	重量	19214	366	4481		2009	1928					27998	20.38
网格纹	数量	67				26	8				1	102	7.39
	重量	3179				3701	725				88	7693	5.60
网格纹和附加堆纹	数量	5		2		15						22	1.59
	重量	658		835		5232						6725	4.90
网格纹和弦纹	数量								1			1	0.07
	重量								95			95	0.07
篮纹	数量	3				1	5					9	0.65
	重量	276				3665	346					4287	3.12
篮纹和附加堆纹	数量						1					1	0.07
	重量						413					413	0.30
篮纹、附加堆纹和弦纹	数量			1								1	0.07
	重量			392								392	0.29
附加堆纹	数量		14	2		9		11	16			52	3.77
	重量		432	222		2431		715	2205			6005	4.37
附加堆纹和弦纹	数量					5						5	0.36
	重量					7965						7965	5.80
弦纹	数量	17	14	4				32	11	2		80	5.79
	重量	780	1094	188				1081	745	182		4070	2.96
云雷纹	数量					2						2	0.14
	重量					242						242	0.18
云雷纹和叶脉纹	数量										1	1	0.07
	重量										523	523	0.38
窗棂纹	数量		1					2				3	0.22
	重量		42					388				430	0.31
乳钉纹	数量		1									1	0.07
	重量		52									52	0.04
素面	数量	182	28	89				32	26			357	25.85
	重量	6086	927	4473				2165	1006			14657	10.67

续表

陶质		夹砂						泥质			印纹硬陶和原始瓷	合计	百分比（%）
纹饰＼陶色		灰	黑皮	红	褐	黄	白	灰	黑皮	红			
合计	数量	730	96	227	22	109	61	78	54	2	2	1381	100.00
	重量	44970	3869	26074	6117	40065	6672	4754	4051	182	611	137365	100.00
百分比（%）	数量	52.86	6.95	16.44	1.59	7.89	4.42	5.65	3.91	0.14	0.14	100.00	
		90.15						9.70					
	重量	32.74	2.82	18.98	4.45	29.17	4.86	3.46	2.95	0.13	0.44	100.00	
		93.01						6.54					

表2.2.54　杨家湾Q1712T1015第6层可辨器形统计表

陶质	夹砂					泥质			印纹硬陶和原始瓷	合计	百分比（%）
器形＼陶色	灰	红	褐	黄	白	灰	黑皮	红			
鬲	74	34								108	14.71
鬲足或甗足	35	45								80	10.90
罐	1	1	1		1	2			1	7	0.95
斝	1									1	0.14
爵	1									1	0.14
豆								1		1	0.14
盆						1				1	0.14
刻槽盆	1									1	0.14
瓮		1				1	2	1		5	0.68
罍						1				1	0.14
大口尊	1	1				22	30			54	7.36
尊									1	1	0.14
缸	188	89	22	109	60					468	63.76
器盖	1						1			2	0.27
圈足	1									1	0.14
器底		1								1	0.14
槽形器	1									1	0.14
合计	305	172	23	109	61	27	33	2	2	734	100.00
百分比（%）	41.55	23.43	3.13	14.85	8.31	3.68	4.50	0.27	0.27	100.00	

表2.2.55 杨家湾Q1712T1014第4层、T1015第4～6层木炭样品加速质谱仪（AMS）碳–14测年数据

Lab 编号	样品种类	样品原编号	出土地点	碳 –14 年代（BP）	树轮校正后年代	
					1σ（68.2%）	2σ（95.4%）
BA151631	炭样	Q1712T1014④：3	杨家湾	3080±25	1410BC（36.5%）1365BC 1350BC（31.7%）1315BC	1420BC（94.2%）1290BC 1280BC（1.2%）1270BC
BA151632	炭样	Q1712T1014④：15	杨家湾	3040±25	1380BC（28.6%）1330BC 1320BC（39.6%）1260BC	1400BC（91.2%）1250BC 1240BC（4.2%）1210BC
BA151621	炭样	Q1712T1015⑥：9	杨家湾	3180±30	1495BC（23.4%）1470BC 1465BC（44.8%）1425BC	1510BC（95.4%）1400BC
BA151622	炭样	Q1712T1015⑤：1	杨家湾	3100±25	1415BC（49.8%）1375BC 1340BC（18.4%）1315BC	1430BC（95.4%）1300BC
BA151623	炭样	Q1712T1015⑤：2	杨家湾	3070±25	1395BC（68.2%）1310BC	1410BC（95.4%）1260BC
BA151624	炭样	Q1712T1015⑤：3	杨家湾	3075±25	1400BC（27.6%）1365BC 1360BC（40.6%）1310BC	1420BC（93.3%）1290BC 1280BC（2.1%）1260BC
BA151625	炭样	Q1712T1015④：11	杨家湾	3095±25	1415BC（46.2%）1370BC 1340BC（22.0%）1315BC	1430BC（95.4%）1300BC
BA151626	炭样	Q1712T1015④：1	杨家湾	3075±30	1400BC（68.2%）1310BC	1420BC（95.4%）1260BC

6. 第6层

商时期文化层。黄色土，土质较致密，最厚约0.35、深0.55～0.95米。主要分布在发掘区中部，包括Q1712T1012⑤和Q1712T1013⑥。包含物较少，该层仅发现有少许碎陶片，并且在该层底部发现有排列有序的柱础石，应该为小型房基F5的垫土层。可辨陶器器类有鬲等。

7. 第7层

商时期文化层。灰黑土，土质致密，最厚约0.35、深0.35～1.35米。主要分布在发掘区中部和南部，包括Q1712T1010③、Q1712T1011③、Q1712T1012⑥和Q1712T1013⑦。该层发现有较多陶片，另有少许炭粒和骨骼。出土陶片的陶质以夹砂陶为主，另有少量泥质陶、印纹硬陶与原始瓷。陶色以红陶、黄陶、灰陶为主，另有少量黑皮陶。可辨陶器器类以缸为主，另有鬲、大口尊、簋、豆、罐、爵等（图2.2.75～图2.2.82；表2.2.56～表2.2.59）。

陶、瓷器

鬲　标本19件。

标本Q1712T1010③：1，夹细砂红陶，外壁有一层黑色陶衣，多已脱落。侈口，折沿，圆唇。颈部以下饰绳纹。复原后口径18、残高5.5厘米（图2.2.75，6）。

标本Q1712T1010③：2，夹砂灰陶。侈口，平折沿，沿内侧有一道凹槽，圆唇，束颈，溜肩。颈部绳纹经抹制，颈部以下饰纵向绳纹。实足跟脱落，与足跟相接处有凸榫。复原后口径16、残高15厘米（图2.2.75，14；图2.2.76，2）。

标本Q1712T1010③：3，夹砂灰陶。直口，腹部伸出一向上翘约与口平齐的鋬。颈部以下饰绳纹。复原后口径10、通高10厘米（图2.2.75，4；图2.2.76，1）。

标本Q1712T1010③：4，夹砂黑皮陶。侈口，卷沿，沿面有一周凹槽，圆唇。颈部以下饰绳纹。实足跟已脱落。外壁有黑色烟炱痕迹，或经过长时间使用。复原后口径15.5、残高13.5厘米（图2.2.75，18；图2.2.76，3）。

标本Q1712T1010③：5，夹砂灰陶。侈口，平折沿，尖圆唇，唇内侧有一道凹槽，溜肩。颈部以下饰绳纹。复原后口径16、残高10厘米（图2.2.75，16）。

标本Q1712T1010③：6，夹砂灰陶。侈口，折沿，下垂尖唇，折颈。器表饰绳纹。复原后口径19、残高6.2厘米（图2.2.75，7）。

标本Q1712T1010③：8，夹砂红陶。侈口，折沿，沿面有一周凸棱，圆唇。腹部饰绳纹。复原后口径18、残高6厘米（图2.2.75，1）。

标本Q1712T1010③：9，夹砂灰陶。侈口，卷沿，沿面有一周凸棱，圆唇。腹部饰绳纹。复原后口径16、残高6.6厘米（图2.2.75，3）。

标本Q1712T1011③：6，夹砂灰陶。侈口，折沿，方唇，颈部饰两周凹弦纹。复原后口径24、残高7.7厘米（图2.2.75，15）。

标本Q1712T1011③：7，夹砂灰陶。侈口，方唇，沿部内凹较甚，向上形成盘口状。颈部素面，颈部以下饰绳纹。复原后口径23、残高7.2厘米（图2.2.75，9）。

标本Q1712T1011③：8，夹砂灰陶。侈口，折沿，沿内侧有一周凸棱，圆唇。肩部饰附加堆纹，腹部饰绳纹。复原后口径20、残高6.7厘米（图2.2.75，12）。

标本Q1712T1012⑥：1，夹砂陶，外壁为灰色，胎及内壁为红色。侈口，卷沿，厚方唇。器表饰绳纹，肩部饰一周压印堆纹。复原后口径26、残高9.5厘米（图2.2.75，5）。

标本Q1712T1013⑦：9，夹砂红陶。侈口，卷沿，沿面有一周凹槽，圆唇。肩部饰附加堆纹，腹部饰绳纹。复原后口径24.3、残高9厘米（图2.2.75，19）。

标本Q1712T1013⑦：10，夹砂红胎黑皮陶。侈口，平折沿，沿内侧有一道凹槽，圆唇。颈部涂抹光滑，肩部饰一周附加堆纹，下饰绳纹。复原后口径31.3、残高7厘米（图2.2.75，10）。

标本Q1712T1013⑦：11，夹砂灰陶。侈口，卷沿，方唇，唇上部向上突起，短颈。肩部饰一周单圆圈纹，圆圈纹上下各饰一周弦纹，腹部饰绳纹。复原后口径16、残高7.5厘米（图2.2.75，8）。

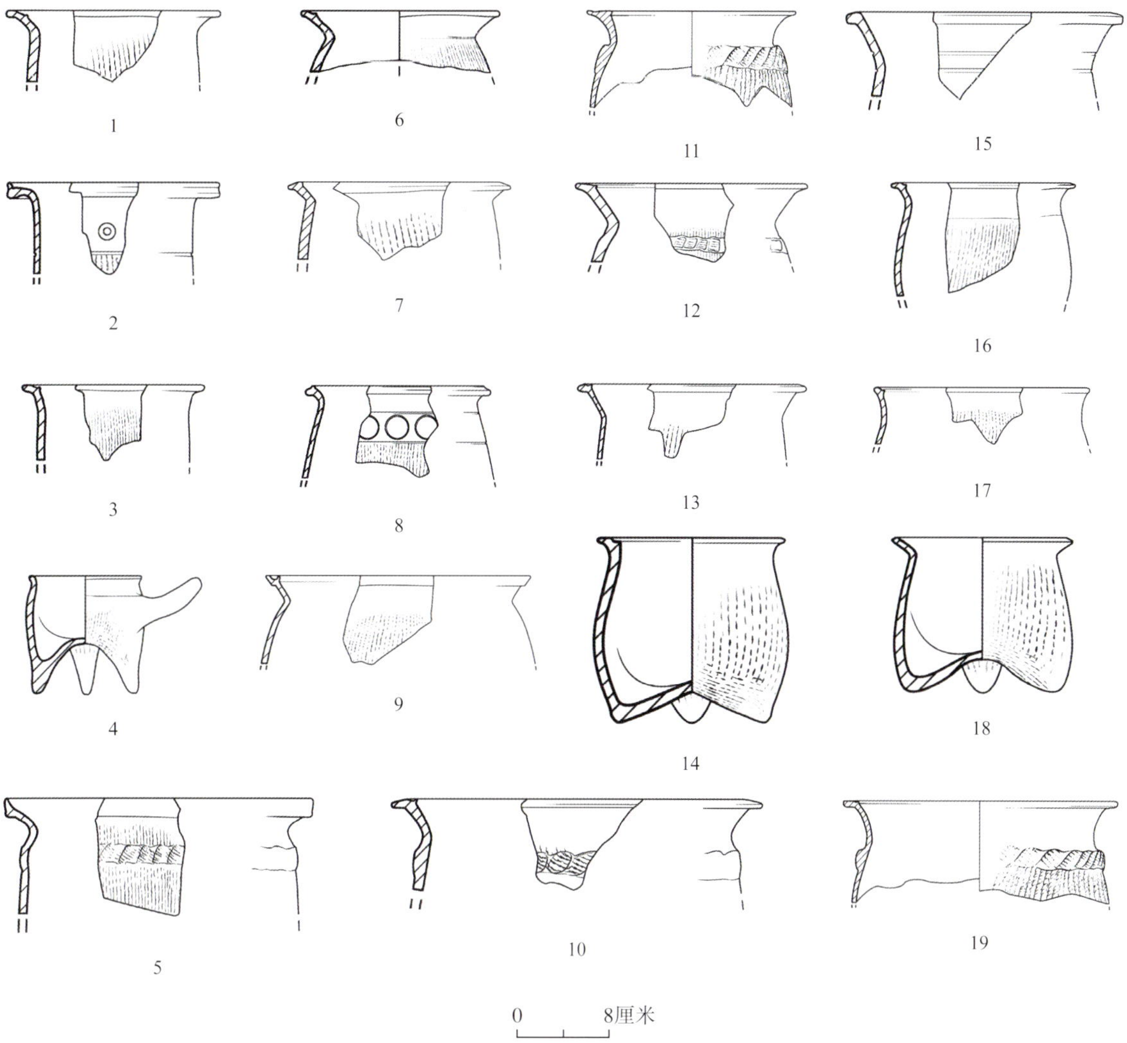

0 8厘米

图 2.2.75 杨家湾 Q1712T1010 第 3 层、T1011 第 3 层、T1012 第 6 层和 T1013 第 7 层出土陶鬲

1. Q1712T1010③：8 2. Q1712T1013⑦：13 3. Q1712T1010③：9 4. Q1712T1010③：3 5. Q1712T1012⑥：1 6. Q1712T1010③：1 7. Q1712T1010③：6 8. Q1712T1013⑦：11 9. Q1712T1011③：7 10. Q1712T1013⑦：10 11. Q1712T1013⑦：14 12. Q1712T1011③：8 13. Q1712T1013⑦：12 14. Q1712T1010③：2 15. Q1712T1011③：6 16. Q1712T1010③：5 17. Q1712T1013⑦：15 18. Q1712T1010③：4 19. Q1712T1013⑦：9

1 2 3

图 2.2.76 杨家湾 Q1712T1010 第 3 层出土陶鬲

1. Q1712T1010③：3 2. Q1712T1010③：2 3. Q1712T1010③：4

标本Q1712T1013⑦：12，夹砂红陶。侈口，平折沿，沿面有一周凹槽，圆唇。腹部饰绳纹。复原后口径20、残高6厘米（图2.2.75，13）。

标本Q1712T1013⑦：13，夹砂灰陶。侈口，仰折沿，沿上有一周凹槽，方唇，唇下沿向下垂凸，颈肩无明显过渡，溜肩。颈部饰一周双圆圈纹，肩部饰一周弦纹，下饰绳纹。复原后口径18、残高6.8厘米（图2.2.75，2）。

标本Q1712T1013⑦：14，夹砂灰陶。侈口，平折沿，沿内侧有一道凸起，圆唇。器表饰绳纹，肩部饰一周附加堆纹。复原后口径18、残高8.4厘米（图2.2.75，11）。

标本Q1712T1013⑦：15，夹砂灰陶。侈口，卷沿，沿面有一周凹槽，圆唇鼓腹。腹部饰绳纹。复原后口径19、残高4.8厘米（图2.2.75，17）。

爵　标本2件。

标本Q1712T1010③：20，夹砂灰陶。仅残余鋬和一足。口、流、足均残，扁状鋬。腰部饰一周弦纹。残高9厘米（图2.2.77，7）。

标本Q1712T1012⑥：6，夹砂灰陶。仅残余腹片和一足。腹部饰两周弦纹。残高6.5厘米（图2.2.77，8）。

斝　标本1件。

标本Q1712T1010③：7，夹砂红陶。鋬残。侈口，平折沿，沿内侧有一道凹槽，圆唇，长颈，圆肩。肩部饰两周弦纹，腹部饰绳纹。内壁有指按痕。复原后口径16、通高18厘米（图2.2.77，9；图2.2.78）。

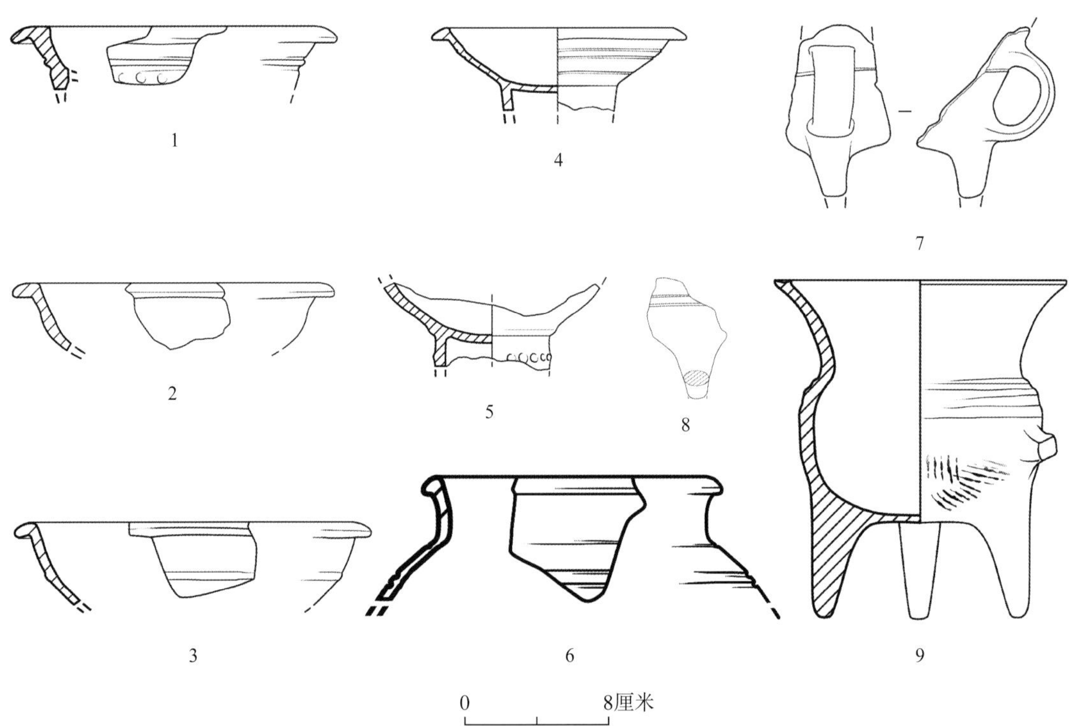

图2.2.77　杨家湾Q1712T1010、T1011第3层、T1012第6层和T1013第7层出土陶器

1～5. 豆（Q1712T1010③：13、Q1712T1012⑥：5、Q1712T1012⑥：4、Q1712T1011③：4、Q1712T1010③：12）
6. 瓮（Q1712T1013⑦：18）　7、8. 爵（Q1712T1010③：20、Q1712T1012⑥：6）　9. 斝（Q1712T1010③：7）

图 2.2.78　陶斝照片
（杨家湾 Q1712T1010 ③：7）

豆　可分为真腹和假腹两类，标本5件。

标本Q1712T1010③：12，泥质黑皮陶。仅残存豆盘下部和圈足。圆腹。圈足上部外饰一周乳钉纹。残高4.6厘米（图2.2.77，5）。

标本Q1712T1010③：13，泥质灰陶。敞口，沿略向下卷，圆唇。腹部饰一周凸弦纹，弦纹下饰乳钉纹。复原后口径18、残高3.5厘米（图2.2.77，1）。

标本Q1712T1011③：4，泥质灰胎黑皮陶。敞口，窄折沿，尖圆唇。腹部饰三周凹弦纹。豆盘和柄部结合处可见多道加固连接的划痕。复原后口径14、残高4.5厘米（图2.2.77，4）。

标本Q1712T1012⑥：4，泥质黑皮陶。敞口，折沿略向下翻卷。腹部饰一周弦纹。复原后口径20、残高4.5厘米（图2.2.77，3）。

标本Q1712T1012⑥：5，泥质灰陶。敞口，折沿，圆唇。复原后口径18、残高3.7厘米（图2.2.77，2）。

簋　标本1件。

标本Q1712T1010③：11，泥质灰陶。直口，折沿，内外两侧均有一道凹槽，方唇。沿肩部有一周凸棱。复原后口径26、残高8.6厘米（图2.2.79，4）。

盆　标本3件。

标本Q1712T1012⑥：3，泥质灰陶。敞口，宽折沿，圆唇。外表饰一周凸弦纹。内壁有轮制的痕迹。复原后口径28、残高7.6厘米（图2.2.79，3）。

标本Q1712T1013⑦：16，泥质灰陶。侈口，折沿，方唇，唇外缘有一周凹槽。颈部饰绳纹。复原后口径24、残高3厘米（图2.2.79，2）。

标本Q1712T1013⑦：17，泥质灰胎黑皮陶，黑皮多已脱落。侈口，折沿，圆唇。上腹部饰两周凹弦纹。复原后口径26、残高4.8厘米（图2.2.79，1）。

刻槽盆　标本1件。

标本Q1712T1012⑥：7，泥质红胎黑皮陶。敞口，窄平沿，方唇，束颈。颈部以下饰绳纹。复原后口径22、残高10.6厘米（图2.2.79，5）。

壶　标本1件。

标本Q1712T1013⑦：8，夹细砂红陶。侈口，方唇，长颈，溜肩，鼓腹。颈部以下饰多周弦纹，弦纹间饰绳纹。复原后口径11、残高21厘米（图2.2.79，7）。

瓮　标本2件。

标本Q1712T1013⑦：18，泥质黑皮陶。侈口，圆唇，束颈，广肩。肩部饰两周凹弦纹。复原后口径16、残高6.8厘米（图2.2.77，6）。

标本Q1712T1013⑦：21，夹砂红胎黑皮陶。侈口，平沿，圆唇，束颈，宽圆肩。肩部饰两周波浪形纹，每组波浪形纹上下皆有一周弦纹。复原后口径18.2、残高12厘米（图2.2.79，6）。

大口尊　标本4件。

标本Q1712T1010③：10，泥质灰陶。敞口，折沿，圆唇。颈部饰一周凸弦纹，下饰一周弦纹。复原后口径35、残高9厘米（图2.2.79，9）。

标本Q1712T1011③：1，泥质灰陶。敞口，方唇，圆肩外凸。颈部饰一周凸弦纹，肩上饰一周锯齿状附加堆纹，腹部饰绳纹，多已脱落。复原后口径47、残高15厘米（图2.2.79，11）。

标本Q1712T1011③：9，泥质红陶，外壁灰色。颈部饰两周凸弦纹，肩部贴两周附加堆纹，堆纹按压成锯齿状。复原后口径43、残高11.5厘米（图2.2.79，10）。

标本Q1712T1012⑥：2，泥质黑皮陶，胎芯为红色。敞口，折沿，方唇，折肩，口径大于肩径。肩上部饰一周凸弦纹。复原后口径21、残高6.4厘米（图2.2.79，8）。

缸　标本26件。

标本Q1712T1010③：16，夹砂红陶。敞口。器表饰绳纹，口沿下饰一周附加堆纹。腹中部及以下内外壁皆有手掌压痕。复原后口径30.1、残高33.9厘米（图2.2.80，13）。

标本Q1712T1010③：17，夹砂红陶。敞口，圆唇。器表饰绳纹，口沿下饰一周附加堆纹。复原后口径43.4、残高13厘米（图2.2.80，3）。

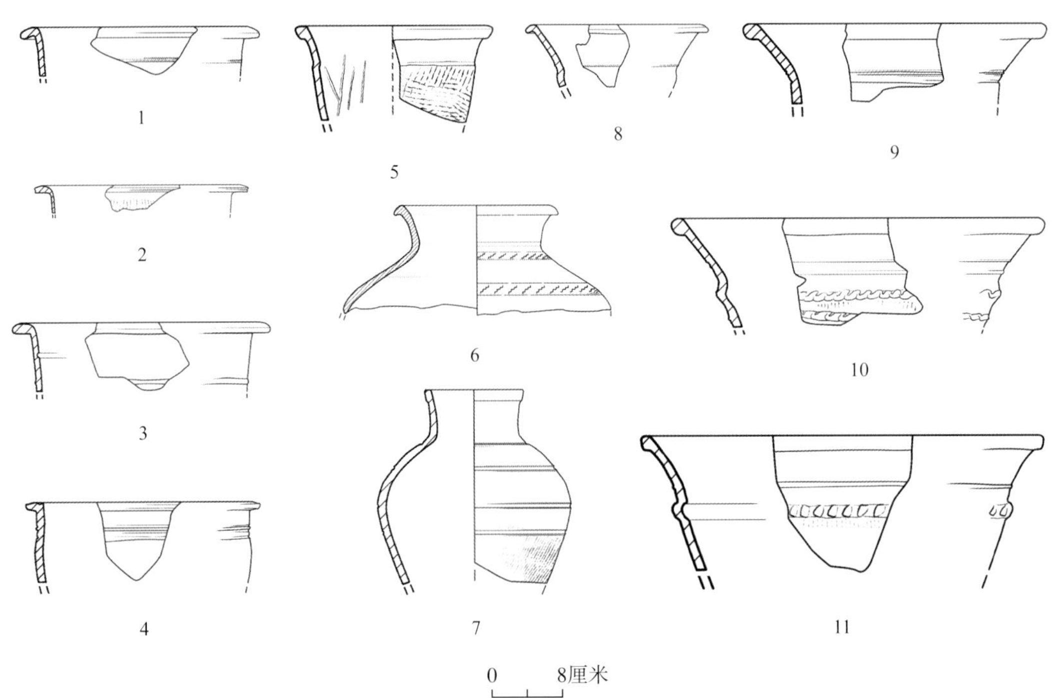

图2.2.79　杨家湾Q1712T1010、T1011第3层、T1012第6层、T1013第7层出土陶器

1～3. 盆（Q1712T1013⑦：17、Q1712T1013⑦：16、Q1712T1012⑥：3）　4. 簋（Q1712T1010③：11）　5. 刻槽盆（Q1712T1012⑥：7）　6. 瓮（Q1712T1013⑦：21）　7. 壶（Q1712T1013⑦：8）　8～11. 大口尊（Q1712T1012⑥：2、Q1712T1010③：10、Q1712T1011③：9、Q1712T1011③：1）

标本Q1712T1010③：18，夹砂红陶，砂粒径较大。敞口，口沿下贴附一周较厚的附加堆纹，肩部以下饰篮纹。复原后口径42、残高13厘米（图2.2.80，1）。

标本Q1712T1010③：19，夹砂红陶，砂粒径较大。敞口。器表饰网格纹，多已脱落，口沿下饰一周附加堆纹。复原后口径34、残高18.8厘米（图2.2.80，12）。

标本Q1712T1011③：2，夹砂灰陶。下腹较弧，小圈足。器表饰网格纹。残高13.5厘米（图2.2.81，9）。

标本Q1712T1011③：5，夹砂黄陶。饼状小圈足。残高9.2厘米（图2.2.81，5）。

标本Q1712T1011③：10，夹砂红陶。直口。器表饰网格纹，口沿下饰一周附加堆纹。复原后口径50、残高16厘米（图2.2.81，13）。

标本Q1712T1011③：11，夹砂黄陶。敞口。器表饰绳纹，口沿下饰一周附加堆纹。复原后口径38、残高11厘米（图2.2.81，11）。

标本Q1712T1011③：12，夹砂灰陶。器表饰绳纹，口沿下饰一周附加堆纹，附加堆纹两侧经抹制。器内壁局部也拍印有绳纹。复原后口径54、残高16.2厘米（图2.2.81，8）。

标本Q1712T1011③：13，夹细砂红陶。敞口，方唇，口沿下饰一周较宽厚的附加堆纹，附加堆纹上纵向压印锯齿状纹，下饰篮纹。器内壁有三道轮制的旋痕。复原后口径55.5、残高8.8厘米（图2.2.81，7）。

标本Q1712T1011③：14，夹砂黄陶。敞口，方唇。口沿下饰一周较窄的附加堆纹，附加堆纹下饰绳纹，复原后口径26、残高8厘米（图2.2.81，1）。

标本Q1712T1011③：15，夹砂红陶。平底内凹。器表饰绳纹。残高17.5厘米（图2.2.81，10）。

标本Q1712T1011③：16，夹砂黄陶。敞口。器表饰绳纹，口沿下饰一周附加堆纹，附加堆纹上下各饰一周弦纹。复原后口径30、残高14厘米（图2.2.81，3）。

标本Q1712T1011③：17，夹砂灰陶。直口。器表饰绳纹，口沿下饰一周附加堆纹。复原后口径46.8、残高21.6厘米（图2.2.81，12）。

标本Q1712T1011③：18，夹砂灰陶。敞口。口沿下饰一周附加堆纹，腹部饰绳纹抹光。复原后口径30、残高9厘米（图2.2.81，2）。

标本Q1712T1011③：19，夹砂红陶。敞口，方唇，唇内侧有一道凸起，器表饰绳纹，口沿下饰一周附加堆纹。复原后口径38、残高16厘米（图2.2.81，4）。

标本Q1712T1011③：20，夹砂红陶，外壁略呈黄色。侈口。器表饰网格纹，口沿下饰一周附加堆纹。复原后口径45.6、残高15.6厘米（图2.2.81，6）。

标本Q1712T1012⑥：8，夹粗砂及云母，黄陶。敞口。口部及上腹饰两周附加堆纹。复原后口径42、残高13.2厘米（图2.2.80，9）。

标本Q1712T1012⑥：9，夹碎石红陶。敞口。上腹饰一周附加堆纹，堆纹上有斜向压印纹。复原后口径42、残高24.2厘米（图2.2.80，8）。

标本Q1712T1013⑦：1，夹砂黄陶。敞口，圆唇。器表饰网格纹，口沿下饰一周附加堆纹。复原后口径49.1、残高16厘米（图2.2.80，4）。

标本Q1712T1013⑦：2，夹砂黄陶。敛口。口沿下贴塑一周附加堆纹，堆纹上饰一周圆圈纹，腹部饰绳纹。复原后口径24、残高13厘米（图2.2.80，5）。

标本Q1712T1013⑦：3，夹砂黄陶。敞口。口沿下饰一周附加堆纹，腹部饰网格纹。复原后口径22、残高13厘米（图2.2.80，6）。

标本Q1712T1013⑦：4，夹砂黄陶。敞口，方唇。口沿下饰一周附加堆纹，腹部饰绳纹。复原后口径38、残高15厘米（图2.2.80，10）。

标本Q1712T1013⑦：5，夹砂黄陶，胎芯为灰色，砂粒径偏小。器表饰网格纹。口沿下饰一周附加堆纹，附加堆纹两侧有横向抹痕。口部至腹部逐渐加厚。复原后口径31、残高10.5厘米（图2.2.80，11）。

标本Q1712T1013⑦：6，夹砂红陶。敞口，厚方唇。口沿下饰一周附加堆纹。复原后口径32、残高10厘米（图2.2.80，2）。

标本Q1712T1013⑦：7，夹砂黄陶。敞口。器表饰绳纹，口沿下饰一周附加堆纹。复原后口径41.5、残高10.5厘米（图2.2.80，7）。

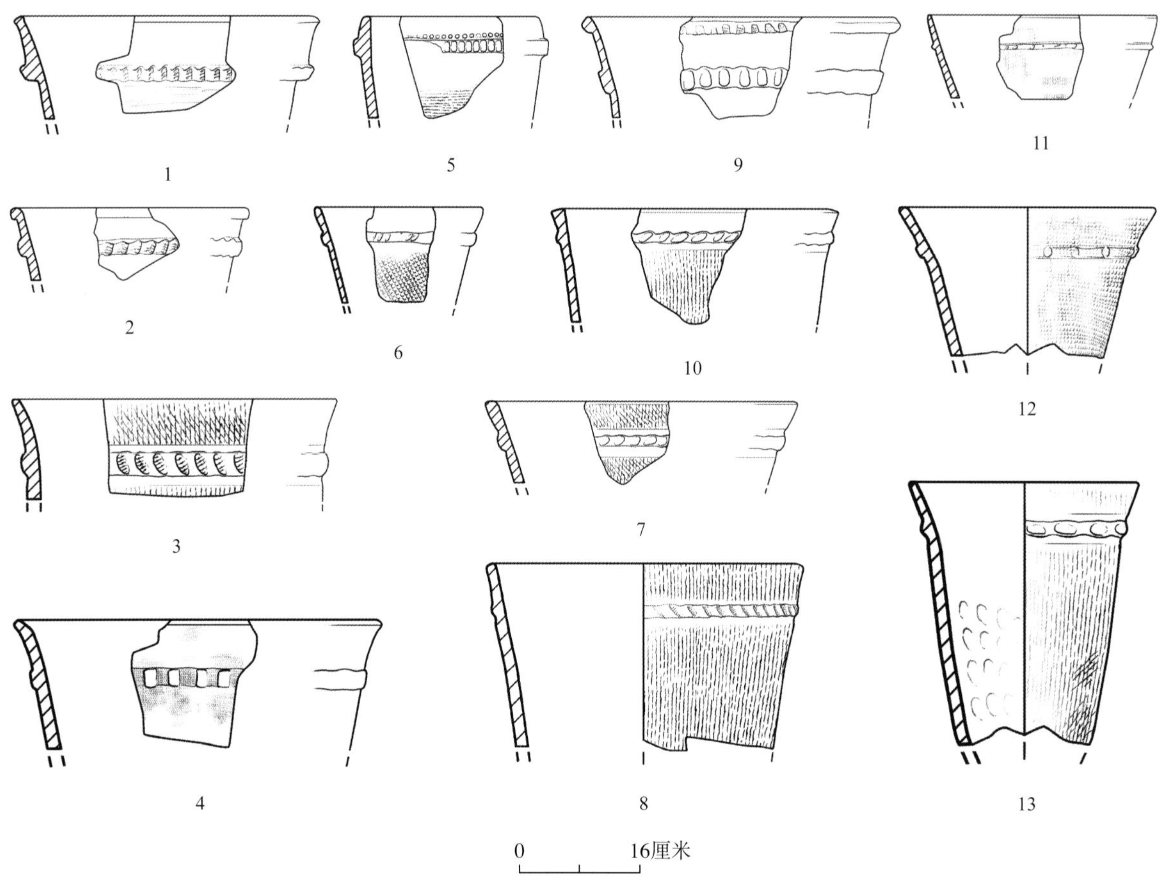

图2.2.80　杨家湾Q1712T1010第3层、T1012第6层、T1013第7层出土陶缸

1. Q1712T1010③：18　2. Q1712T1013⑦：6　3. Q1712T1010③：17　4. Q1712T1013⑦：1　5. Q1712T1013⑦：2　6. Q1712T1013⑦：3　7. Q1712T1013⑦：7　8. Q1712T1012⑥：9　9. Q1712T1012⑥：8　10. Q1712T1013⑦：4　11. Q1712T1013⑦：5　12. Q1712T1010③：19　13. Q1712T1010③：16

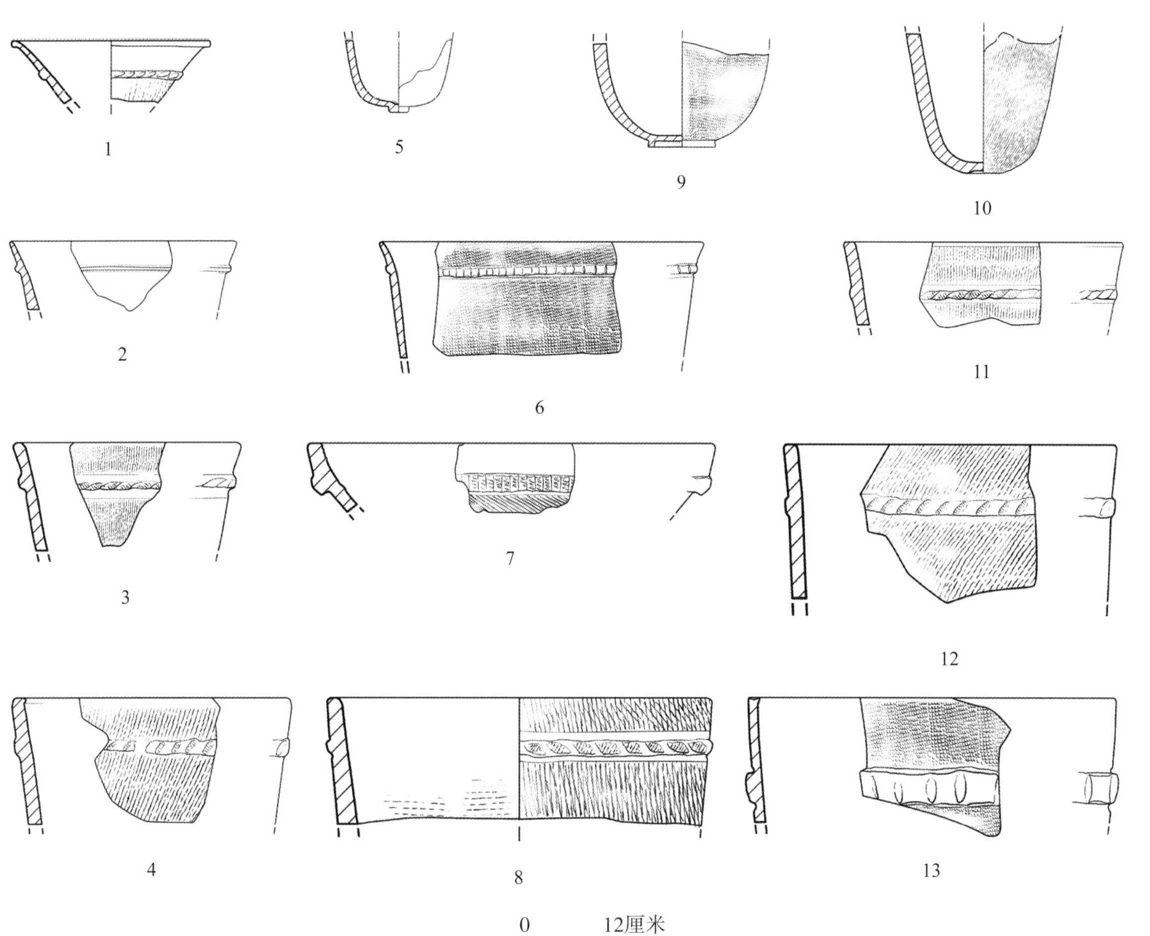

图 2.2.81　杨家湾 Q1712T1011 第 3 层出土陶缸

1. Q1712T1011③：14　2. Q1712T1011③：18　3. Q1712T1011③：16　4. Q1712T1011③：19　5. Q1712T1011③：5　6. Q1712T1011③：20　7. Q1712T1011③：13　8. Q1712T1011③：12　9. Q1712T1011③：2　10. Q1712T1011③：15　11. Q1712T1011③：11　12. Q1712T1011③：17　13. Q1712T1011③：10

圈足　标本1件。

标本Q1712T1013⑦：22，泥质灰陶。腹部饰绳纹，圈足见多周弦纹。底径18.4、残高7.9厘米（图2.2.82，1）。

器底　标本1件。

标本Q1712T1013⑦：20，夹砂灰陶，胎芯为灰色。仅存器底，近平底。器表绳纹抹光。残高5.5厘米（图2.2.82，3）。

印纹硬陶罐　标本1件。

标本Q1712T1010③：14，胎芯为红色。敞口，折沿，沿上有一周弦纹，方唇。颈部以下外壁饰雷纹。颈部外壁有轮制的凸棱，内壁有轮制的旋痕，内壁有指压按窝痕迹。与普通的硬陶有差异，火候不如一般的硬陶高。复原后口径19.5、残高11厘米（图2.2.82，2）。

印纹硬陶瓮　标本1件。

标本Q1712T1010③：15，胎芯为灰色。侈口，沿下垂，方唇，丰肩。颈部以下饰叶脉纹。颈部内外两侧均有轮制痕迹。肩部耳已脱落。火候较高。复原后口径16、残高9厘米（图2.2.82，4）。

原始瓷尊 标本1件。

标本Q1712T1013⑦：19，器表施酱色釉，多已脱落，胎体灰色。敞口，方唇。颈部饰两周弦纹。颈部以下饰小网格纹。复原后口径19、残高7厘米（图2.2.82，5）。

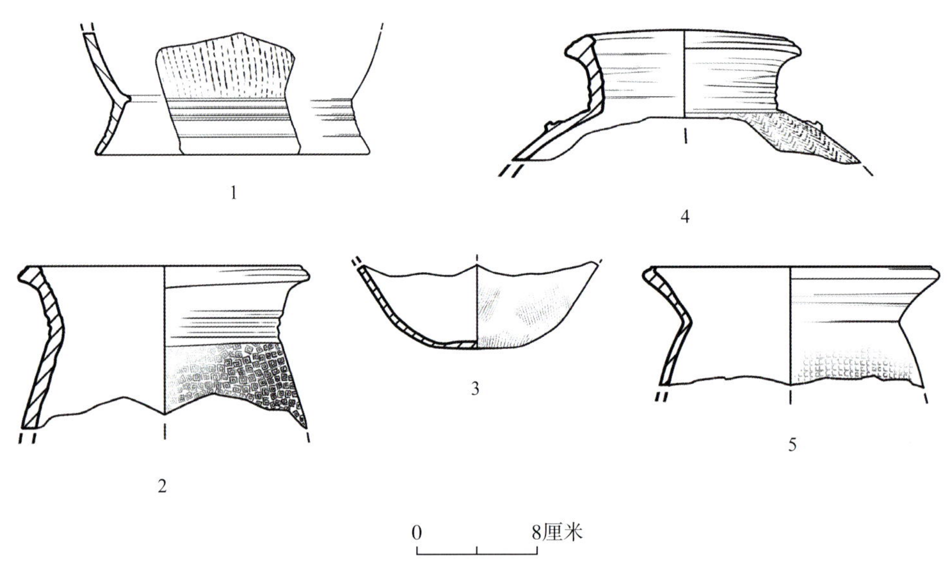

图2.2.82 杨家湾Q1712T1010第3层、T1013第7层出土陶、瓷器

1. 圈足（Q1712T1013⑦：22） 2. 印纹硬陶罐（Q1712T1010③：14） 3. 器底（Q1712T1013⑦：20） 4. 印纹硬陶瓮（Q1712T1010③：15） 5. 原始瓷尊（Q1712T1013⑦：19）

表2.2.56 杨家湾Q1712T1011第3层陶系、纹饰统计表 （重量单位：克）

陶质		夹砂					泥质		印纹硬陶和原始瓷	合计	百分比（%）
纹饰 \ 陶色		灰	黑皮	红	黄	白	灰	黑皮			
绳纹	数量	420	15	351	163	39	155	33	2	1178	32.26
	重量	22097	354	16609	11263	2845	1703	533	38	55442	31.23
绳纹和附加堆纹	数量	1		38	26	18	14	1		98	2.68
	重量	325		7041	8080	1335	621	40		17442	9.83
绳纹、附加堆纹和弦纹	数量						1			1	0.03
	重量						114			114	0.06
绳纹和弦纹	数量	2					7	2		11	0.30
	重量	86					656	53		795	0.45
网格纹	数量	90		23	182		1		3	299	8.19
	重量	6029		3188	13147		11		65	22440	12.64

续表

纹饰 \ 陶质 / 陶色		夹砂					泥质		印纹硬陶和原始瓷	合计	百分比（%）
		灰	黑皮	红	黄	白	灰	黑皮			
网格纹和附加堆纹	数量			164	32					196	5.37
	重量			11303	3909					15212	8.57
篮纹	数量	18		34	23					75	2.05
	重量	736		3040	3137					6913	3.89
篮纹和附加堆纹	数量			1	1					2	0.05
	重量			255	270					525	0.30
附加堆纹	数量	27	1	81	42	2	5		5	163	4.46
	重量	1134	10	5760	2706	476	274		146	10506	5.92
附加堆纹和弦纹	数量				1		3			4	0.11
	重量				216		90			306	0.17
弦纹	数量	7		1			45	18	4	75	2.05
	重量	211		52			963	421	177	1824	1.03
弦纹和乳钉纹	数量	1								1	0.03
	重量	29								29	0.02
弦纹和兽面纹	数量						1			1	0.03
	重量						11			11	0.01
云雷纹	数量				1				6	7	0.19
	重量				48				242	290	0.16
叶脉纹	数量								5	5	0.14
	重量								120	120	0.07
窗棂纹	数量				2	2				4	0.11
	重量				169	44				213	0.12
素面	数量	482	12	314	427	38	182	69	8	1532	41.95
	重量	12593	132	10442	16906	1321	2416	1236	275	45321	25.53
合计	数量	1048	28	1007	900	99	414	123	33	3652	100.00
	重量	43240	496	57690	59851	6021	6859	2283	1063	177503	100.00
百分比（%）	数量	28.70	0.77	27.57	24.64	2.71	11.34	3.37	0.90	100.00	
		84.39					14.70				
	重量	24.36	0.28	32.50	33.72	3.39	3.86	1.29	0.60		
		94.25					5.15				

表2.2.57　杨家湾Q1712T1011第3层可辨器形统计表

陶质	夹砂					泥质			印纹硬陶和原始瓷	合计	百分比（%）
器形 \ 陶色	灰	黑皮	红	黄	白	灰	黑皮	红			
鬲	99	2	12							113	8.65
鬲足或甗足	88									88	6.73
甗	12	1	2							15	1.15
罐	5	1	1			6			1	14	1.07
斝	1									1	0.15
爵	3					2				5	0.38
豆	1						1			2	0.08
簋						6				6	0.46
盆	1		1			10	3			15	1.15
大口尊						26	10	1		37	2.83
尊									2	2	0.15
缸	245		295	427	38					1005	76.89
器鋬	2		2							4	0.31
合计	457	4	313	427	38	50	14	1	3	1307	100.00
百分比（%）	34.96	0.31	23.95	32.67	2.91	3.82	1.07	0.08	0.23	100.00	

表2.2.58　杨家湾Q1712T1013第7层陶系、纹饰统计表　（重量单位：克）

陶质		夹砂				泥质			印纹硬陶和原始瓷	合计	百分比（%）
纹饰 \ 陶色		灰	黑皮	红	黄	灰	黑皮	红			
绳纹	数量	403	130	495	126	90	64	17		1325	39.65
	重量	10905	1574	26859	5963	1326	1087	82		47796	40.54
绳纹和附加堆纹	数量	43		21	8	17	5			94	2.81
	重量	2368		1507	764	242	169			5050	4.28
绳纹和弦纹	数量			1		1	5	4		11	0.33
	重量			332		56	32	79		499	0.42
绳纹、附加堆纹和圆圈纹	数量				1					1	0.03
	重量				290					290	0.25
绳纹、弦纹和圆圈纹	数量	2								2	0.06
	重量	182								182	0.15

续表

陶质 / 纹饰		夹砂				泥质			印纹硬陶和原始瓷	合计	百分比（%）
陶色		灰	黑皮	红	黄	灰	黑皮	红			
网格纹	数量	35		230	65	8		1	15	354	10.59
	重量	1908		12960	3709	62		29	741	19409	16.46
网格纹和附加堆纹	数量	5		37	13					55	1.65
	重量	548		2866	2607					6021	5.11
网格纹和弦纹	数量								1	1	0.03
	重量								55	55	0.05
篮纹	数量	7		36	3					46	1.38
	重量	483		1937	387					2807	2.38
篮纹和附加堆纹	数量				1					1	0.03
	重量				460					460	0.39
附加堆纹	数量	8		43	11	1	11			74	2.21
	重量	410		2462	872	23	383			4150	3.52
弦纹	数量	14		4		41	29	7		95	2.84
	重量	152		52		848	805	22		1879	1.59
弦纹和波浪形纹	数量		1							1	0.03
	重量		145							145	0.12
云雷纹	数量								8	8	0.24
	重量								234	234	0.20
叶脉纹	数量								4	4	0.12
	重量								143	143	0.12
圆圈纹	数量	9								9	0.27
	重量	144								144	0.12
窗棂纹	数量					1	2			3	0.09
	重量					27	108			135	0.11
素面	数量	416	23	449	117	51	170	26	6	1258	37.64
	重量	5813	356	14984	3685	804	2450	325	95	28512	24.18
合计	数量	942	154	1316	345	210	286	55	34	3342	100.00
	重量	22913	2075	63959	18737	3388	5034	537	1268	117911	100.00
百分比（%）	数量	28.19	4.61	39.38	10.32	6.28	8.56	1.65	1.02	100.00	
	重量	82.50				16.49					
	数量	19.43	1.76	54.24	15.89	2.87	4.27	0.46	1.08		
	重量	91.33				7.60					

表2.2.59　杨家湾Q1712T1013第7层可辨器形统计表

陶质	夹砂				泥质			印纹硬陶和原始瓷	合计	百分比（%）
器形＼陶色	灰	黑皮	红	黄	灰	黑皮	红			
鬲	49	12	20						81	3.91
鬲足或甗足	28		65						93	4.49
罐	2		1		2	3		5	13	0.63
爵	2								2	0.10
豆						1			1	0.05
盆					4	3			7	0.34
刻槽盆					1				1	0.05
壶			1						1	0.05
瓮		1				1			2	0.10
大口尊					5	5	1		11	0.53
缸	358		1153	344					1855	89.65
圈足					1				1	0.05
器底					1				1	0.05
合计	439	13	1240	344	14	13	1	5	2069	100.00
百分比（%）	21.22	0.63	59.93	16.62	0.68	0.63	0.05	0.24	100.00	

8. 第8a层

商时期文化层。灰黑土，土质较紧密。最厚约0.5、深约0.7～0.9米。主要分布在发掘区南部，有Q1712T1010④、Q1712T1011④。包含有较多陶片及骨骼，还包含有少许青铜残片等。可辨陶器器类有鬲、大口尊、缸、罐、爵等（图2.2.83、图2.2.84；表2.2.60、表2.2.61）。

陶、瓷器

鬲　标本4件。

标本Q1712T1010④：1，夹砂灰陶。侈口，平折沿，沿上有内外两道凹槽，方唇。肩部饰一周附加堆纹。肩部以下饰绳纹。复原后口径32、残高8.5厘米（图2.2.83，11）。

标本Q1712T1010④：3，夹砂红陶。侈口，平折沿，沿面见一周凹槽，薄方唇。腹部饰绳纹。复原后口径20、残高5厘米（图2.2.83，5）。

标本Q1712T1010④：5，夹砂灰陶。侈口，平折沿，沿内侧一道较深的凹槽，薄圆唇。颈部以下饰绳纹。复原后口径18、残高6厘米（图2.2.83，7）。

标本Q1712T1010④：7，夹砂灰陶。侈口，平折沿，沿面见两周凹槽，圆唇。颈部饰两周弦纹。复原后口径18、残高5.5厘米（图2.2.83，4）。

罐　标本1件。

标本Q1712T1010④：6，夹砂红陶。侈口，卷沿，方唇。器表绳纹已脱落。复原后口径20、残高5厘米（图2.2.83，6）。

爵　标本3件。

标本Q1712T1010④：8，夹砂灰陶。束腰，尖锥足，鋬残。腰残见一周弦纹。残高8.5厘米（图2.2.83，1）。

标本Q1712T1010④：9，夹砂灰陶。束腰，足、鋬残。腰残见一周弦纹。残高6.2厘米（图2.2.83，2）。

标本Q1712T1011④：1，夹砂灰陶。束腰，腰部截面为圆形，底部截面略呈三角形，三柱状足，鋬与一足相对。腰部饰两周弦纹。残高9.5厘米（图2.2.83，3）。

盆　标本2件。

标本Q1712T1010④：2，泥质灰陶。口微敛，平折沿，沿面有两周凹槽。上腹部饰两周弦纹。复原后口径27.1、残高6.3厘米（图2.2.83，9）。

标本Q1712T1011④：3，泥质灰陶。侈口，宽折沿，略向下垂，圆唇。器表饰绳纹。复原后口径35.5、残高7厘米（图2.2.83，10）。

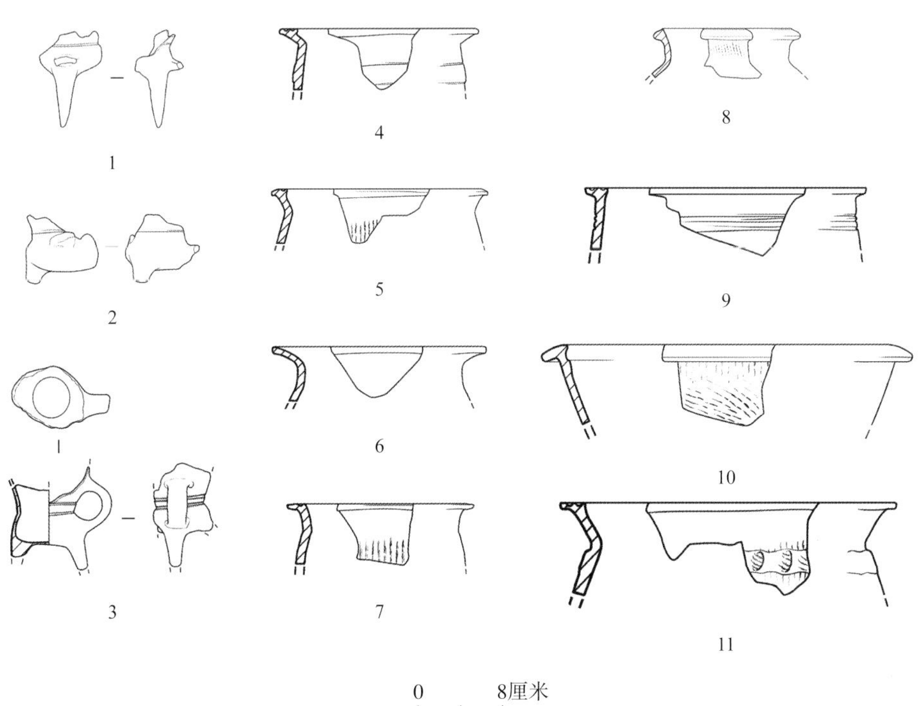

图 2.2.83　杨家湾 Q1712T1010、T1011 第 4 层出土陶器

1～3. 爵（Q1712T1010④：8、Q1712T1010④：9、Q1712T1011④：1）　4、5、7、11. 鬲（Q1712T1010④：7、Q1712T1010④：3、Q1712T1010④：5、Q1712T1010④：1）　6. 罐（Q1712T1010④：6）　8. 瓮（Q1712T1011④：4）　9、10. 盆（Q1712T1010④：2、Q1712T1011④：3）

大口尊 标本1件。

标本Q1712T1010④：4，泥质红陶。敞口，窄平沿，肩部外凸不明显。复原后口径42、残高10.8厘米（图2.2.84，7）。

瓮 标本1件。

标本Q1712T1011④：4，泥质灰陶。侈口，卷沿，方唇，束颈，颈部微鼓。颈部可见绳纹抹光。复原后口径14、残高4.5厘米（图2.2.83，9）。

缸 标本7件。

标本Q1712T1010④：12，泥质灰陶。喇叭状口，壁较厚，可以明显地分为内外两层。器表饰绳纹。残高15.5厘米（图2.2.84，1）。

标本Q1712T1010④：13，夹砂黄陶。口部残。圜底，圈足。器表绳纹脱落。圈足为单独连接到器身上。残高33.5厘米（图2.2.84，3）。

标本Q1712T1010④：14，夹砂黄陶。筒状，底为小圈足，壁较厚。器表饰绳纹。圈足径10、残高25.5厘米（图2.2.84，2）。

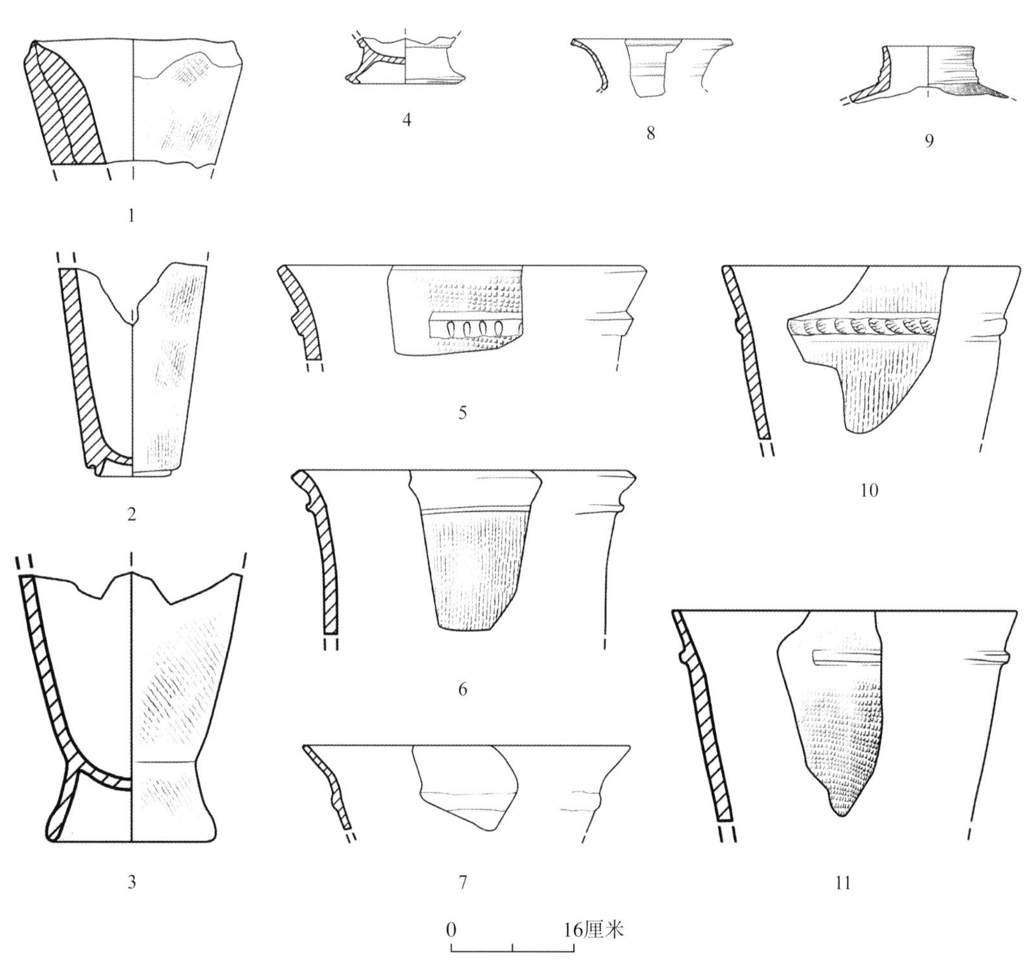

图2.2.84 杨家湾Q1712T1010第4层出土陶、瓷器

1～3、5、6、10、11. 缸（Q1712T1010④：12、Q1712T1010④：14、Q1712T1010④：13、Q1712T1010④：17、Q1712T1010④：15、Q1712T1010④：18、Q1712T1010④：16） 4. 印纹硬陶圈足（Q1712T1010④：11） 7. 大口尊（Q1712T1010④：4） 8. 原始瓷尊（Q1712T1011④：2） 9. 印纹硬陶瓮（Q1712T1010④：10）

标本Q1712T1010④：15，夹砂灰陶。侈口，卷沿，方唇，口沿下饰一周附加堆纹，其下饰绳纹。复原后口径44、残高19.8厘米（图2.2.84，6）。

标本Q1712T1010④：16，夹砂黄陶，掺石英石。敞口。器表饰网格纹，肩部饰一周附加堆纹，部分已脱落。复原后口径44.2、残高25厘米（图2.2.84，11）。

标本Q1712T1010④：17，夹砂红陶。敞口，卷沿，方唇。器表饰网格纹，口沿下饰一周附加堆纹。复原后口径48、残高11.5厘米（图2.2.84，5）。

标本Q1712T1010④：18，夹砂黄陶。敞口，圆唇。器表饰绳纹，口沿下饰一周附加堆纹，堆纹按窝内另饰有绳纹。复原后口径38、残高21厘米（图2.2.84，10）。

印纹硬陶瓮　标本1件。

标本Q1712T1010④：10，胎芯为灰色。直口，广肩。颈部有多道轮制凸棱，肩部饰雷纹。复原后口径12、残高6.5厘米（图2.2.84，9）。

印纹硬陶圈足　标本1件。

标本Q1712T1010④：11，胎芯为灰色。腹身与圈足相接处呈台阶状，圈足外撇，近底内收。素面。残高5.7厘米（图2.2.84，4）。

原始瓷尊　标本1件。

标本Q1712T1011④：2，胎芯为灰色。侈口，卷沿，方唇，唇外缘内凹，束颈。颈部见三周弦纹。复原后口径20、残高7厘米（图2.2.84，8）。

表2.2.60　杨家湾Q1712T1011第4层陶系、纹饰统计表　（重量单位：克）

陶质		夹砂						泥质		印纹硬陶和原始瓷	合计	百分比（%）
纹饰＼陶色		灰	黑皮	红	褐	黄	白	灰	黑皮			
绳纹	数量	64	10	62	19	15	10	16	12		208	36.30
	重量	1940	165	6282	1358	1183	1143	153	210		12434	42.83
绳纹和附加堆纹	数量	10		6		4					20	3.49
	重量	439		505		940					1884	6.49
绳纹和弦纹	数量							2			2	0.35
	重量							32			32	0.11
网格纹	数量	5		31	8	33	10				87	15.18
	重量	1641		1128	700	2227	681				6377	21.97
网格纹和附加堆纹	数量			4	2	5	3				14	2.44
	重量			472	67	517	290				1346	4.64
篮纹	数量			14		3	1				18	3.14
	重量			881		62	33				976	3.36
附加堆纹	数量			11		3			3		17	2.97
	重量			849		235			130		1214	4.18

续表

陶质		夹砂						泥质		印纹硬陶和原始瓷	合计	百分比（%）
纹饰＼陶色		灰	黑皮	红	褐	黄	白	灰	黑皮			
弦纹	数量	5	3					5	7	1	21	3.66
	重量	38	15					40	125	85	303	1.04
弦纹和云雷纹	数量									1	1	0.17
	重量									110	110	0.38
云雷纹	数量			1				1		1	3	0.52
	重量			129				27		15	171	0.59
窗棂纹	数量								1		1	0.17
	重量								7		7	0.02
压印纹	数量	1									1	0.17
	重量	39									39	0.13
素面	数量	45	10	49	2	37	3	18	15	1	180	31.41
	重量	1037	111	1233	48	1205	71	204	222	5	4136	14.25
合计	数量	130	23	178	31	100	27	42	38	4	573	100.00
	重量	5134	291	11479	2173	6369	2218	456	694	215	29029	100.00
百分比（%）	数量	22.69	4.01	31.06	5.41	17.45	4.71	7.33	6.63	0.70	100.00	
	重量	17.69	1.00	39.54	7.49	21.94	7.64	1.57	2.39	0.74	100.00	

表2.2.61　杨家湾Q1712T1011第4层可辨器形统计表

陶质	夹砂						泥质		印纹硬陶和原始瓷	合计	百分比（%）
器形＼陶色	灰	黑皮	红	褐	黄	白	灰	黑皮			
鬲	7	6						5		18	4.17
鬲足或甗足	23									23	5.32
罐	1						2	1		4	0.93
斝		1								1	0.23
爵	1						1			2	0.46
瓮							1			1	0.23
尊										1	0.23
大口尊								5	1	5	1.16
缸	41		178	31	100	27				377	87.27
合计	73	7	178	31	100	27	4	11	1	432	100.00
百分比（%）	16.90	1.62	41.20	7.17	23.15	6.25	0.93	2.55	0.23	100.00	

9. 第8b层

商时期文化层。黄灰土，土质较致密。最厚约0.52、深1.1～1.8米。主要分布在发掘区北部，有Q1712T1013⑧，Q1712T1014⑥、⑦、⑧，Q1712T1015⑦。包含陶片较少，但包含有较多动物骨骼，同时包含有部分炭粒。可辨陶器器类有缸、大口尊、盆、鬲、硬陶罐、硬陶瓮等（图2.2.85～图2.2.88；表2.2.62～表2.2.69）。Q1712T1015第7层共取1个炭样，做了碳-14年代测定（表2.2.70）。此层下叠压有F5。

陶器

鼎足　标本1件。

标本Q1712T1015⑦：13，夹砂红陶，外壁有黑皮，多已脱落。扁圆锥足，足外侧有一道扉棱，扉棱按压成锯齿状。残高10.5厘米（图2.2.85，2）。

鬲　标本5件。

标本Q1712T1014⑥：5，夹砂红胎灰皮陶。侈口，折沿，沿上有一道凹槽，圆唇。颈部绳纹抹光，颈部以下饰绳纹。内壁有指压痕。复原后口径16、残高7.5厘米（图2.2.85，6）。

标本Q1712T1014⑥：6，夹砂红陶，器壁中间有一层薄的灰胎。侈口，平折沿，圆唇，圆肩。器表绳纹多已脱落。复原后口径19.1、残高9.3厘米（图2.2.85，8）。

标本Q1712T1014⑥：8，夹砂灰陶。侈口，卷沿，圆唇，束颈，圆肩。器表饰绳纹。复原后口径20、残高5.5厘米（图2.2.85，7）。

标本Q1712T1015⑦：6，夹砂灰陶，内外壁有黑衣，部分已脱落。侈口，宽折沿，沿上有三道凹槽，沿内壁向内凸，方唇。颈部饰一周附加堆纹，以下饰绳纹。颈部有指压轮旋修整痕。复原后口径33、残高7.2厘米（图2.2.85，9）。

标本Q1712T1015⑦：8，夹砂红陶。侈口，平折沿，方唇，束颈。肩部饰一周附加堆纹。复原后口径24、残高7厘米（图2.2.85，5）。

鬲足　标本1件。

标本Q1712T1015⑦：12，夹砂红陶。截面为圆形，足顶端残。足两侧饰圜络纹。残高12厘米（图2.2.85，1）。

罐　标本1件。

标本Q1712T1014⑥：7，夹砂灰陶。侈口，卷沿，圆唇，短束颈，圆肩。颈部以下饰绳纹。复原后口径16、残高5.8厘米（图2.2.85，4）。

斝　标本1件。

标本Q1712T1014⑥：12，夹砂红陶。侈口，折沿，沿内侧起一周凸棱，尖圆唇，上腹斜直内收。腹部饰五周弦纹。复原后口径24、残高8厘米（图2.2.86，10）。

豆　标本1件。

标本Q1712T1014⑦：2，泥质红胎黑皮陶。豆盘残，仅保留豆柄和豆座。细柄，底座喇叭形。柄中部饰螺旋盘绕的弦纹，底座上饰三周平行的弦纹。残高10厘米（图2.2.85，3）。

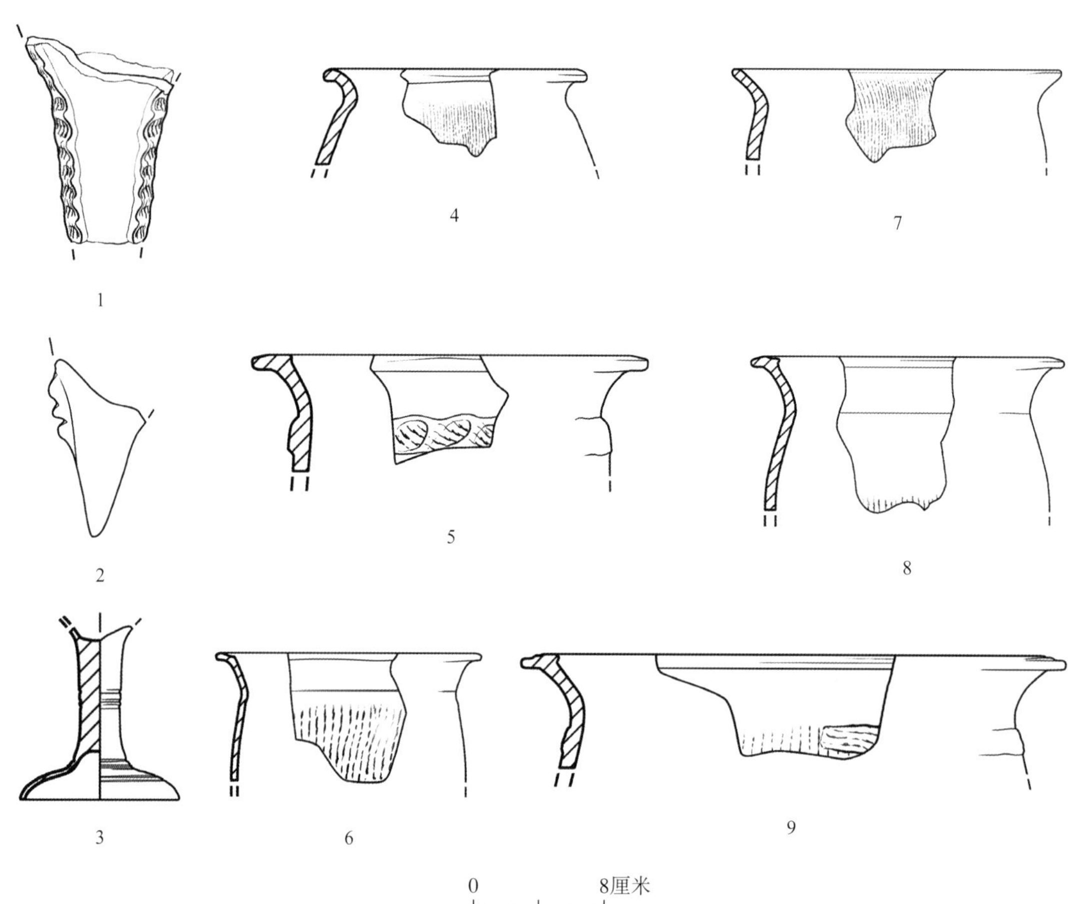

图2.2.85　杨家湾Q1712T1014第6层和T1014、T1015第7层出土陶器

1. 鬲足（Q1712T1015⑦：12）　2. 鼎足（Q1712T1015⑦：13）　3. 豆（Q1712T1014⑦：2）　4. 罐（Q1712T1014⑥：7）
5～9. 鬲（Q1712T1015⑦：8、Q1712T1014⑥：5、Q1712T1014⑥：8、Q1712T1014⑥：6、Q1712T1015⑦：6）

盆　标本9件。

标本Q1712T1014⑥：9，夹砂灰陶，胎芯为红色。侈口，折沿，圆唇，束颈，溜肩。颈部以下饰绳纹。复原后口径24、残高5.8厘米（图2.2.86，2）。

标本Q1712T1014⑥：10，泥质红胎黑皮陶，中部有一层薄的灰色胎。直口，圆弧沿下卷，圆唇，腹部斜向内收。上腹部饰一周网格纹带，网格纹带上下两侧饰弦纹。复原后口径25.5、残高7厘米（图2.2.86，1）。

标本Q1712T1014⑥：11，泥质灰陶。敞口，方唇，颈部微外鼓，腹部斜内收。素面。复原后口径30、残高5厘米（图2.2.86，3）。

标本Q1712T1014⑥：16，泥质灰陶。敛口，平折沿，圆唇，腹部微鼓。腹部饰三周弦纹。复原后口径29.8、残高6厘米（图2.2.86，8）。

标本Q1712T1014⑥：17，泥质灰陶。直口，平折沿，方唇，唇下凸起。颈部饰两周凹弦纹。复原后口径47.3、残高8厘米（图2.2.86，5）。

标本Q1712T1015⑦：4，夹砂黑皮陶，胎芯为灰色，内外壁黑衣多已脱落。敞口，折沿

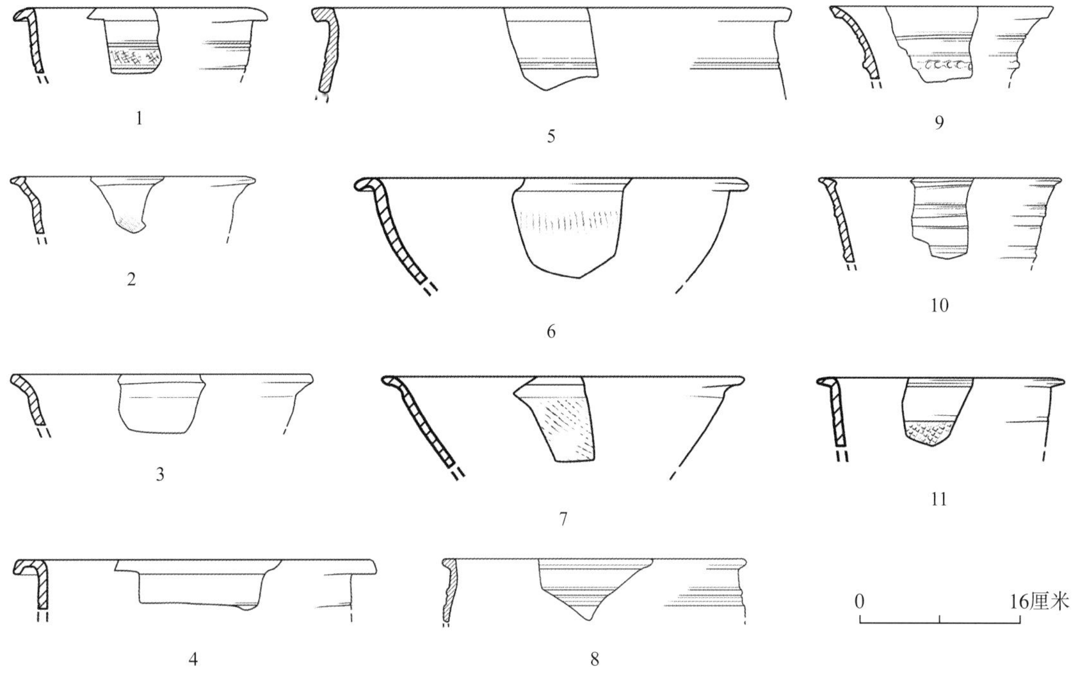

图 2.2.86 杨家湾 Q1712T1014 第 6 层、T1015 第 7 层出土陶器

1～8、11. 盆（Q1712T1014⑥：10、Q1712T1014⑥：9、Q1712T1014⑥：11、Q1712T1015⑦：7、Q1712T1014⑥：17、Q1712T1015⑦：4、Q1712T1015⑦：5、Q1712T1014⑥：16、Q1712T1015⑦：10） 9. 大口尊（Q1712T1015⑦：3） 10. 斝（Q1712T1014⑥：12）

略向下翻卷，圆唇。口沿下饰绳纹。内壁靠近颈部有一道指压轮旋痕。复原后口径40、残高10.2厘米（图2.2.86，6）。

标本Q1712T1015⑦：5，泥质灰陶。敞口，卷沿，沿上靠内侧有一道凹槽，圆唇，短颈，浅腹内收。器表纹饰已脱落。颈部有旋抹痕。复原后口径36.4、残高8.2厘米（图2.2.86，7）。

标本Q1712T1015⑦：7，泥质灰陶。直口，平折沿，唇向外翻折。腹部残见一周弦纹。复原后口径36、残高5厘米（图2.2.86，4）。

标本Q1712T1015⑦：10，泥质灰胎黑皮陶。直口，平折沿，圆唇。肩部饰一周网格纹带，网格纹上下各饰一周弦纹。复原后口径24、残高6.5厘米（图2.2.86，11）。

大口尊 标本1件。

标本Q1712T1015⑦：3，泥质灰陶。敞口，宽方唇略内凹，圆肩略外凸。颈部饰一周凸棱，肩部饰一周齿状附加堆纹。复原后口径22、残高7厘米（图2.2.86，9）。

缸 标本8件。

标本Q1712T1014⑥：1，夹砂黄陶。直口，折沿，沿外侧有两周凹弦纹，直壁。口沿下饰两周附加堆纹。复原后口径45、残高11.5厘米（图2.2.87，8）。

标本Q1712T1014⑥：2，夹砂红陶。侈口，折沿，斜壁。器表饰绳纹，肩部饰一周附加堆纹。复原后口径49、残高12.4厘米（图2.2.87，9）。

标本Q1712T1014⑥：3，夹砂红陶。敞口，折沿，沿内侧凸起，圆唇，弧腹。口沿下饰一周附加堆纹。复原后口径64、残高8.5厘米（图2.2.87，3）。

标本Q1712T1014⑥：4，夹砂黄陶。敞口，折沿，沿内侧有一道凸起，斜壁。口沿下饰一周附加堆纹。复原后口径34、残高8厘米（图2.2.87，5）。

标本Q1712T1014⑥：28，夹砂红陶。侈口，折沿，斜弧腹。器表饰网格纹，口沿下饰一周凸弦纹，其下饰一周附加堆纹。复原后口径40、残高10厘米（图2.2.87，4）。

标本Q1712T1014⑥：35，夹砂红陶。敞口，卷沿。口沿下饰一周附加堆纹，器表饰篮纹。复原后口径40、残高17厘米（图2.2.87，2）。

标本Q1712T1015⑦：1，夹砂红陶。敞口。器表饰绳纹，肩部饰两周弦纹，弦纹之间饰一周附加堆纹。复原后口径35.2、残高10.5厘米（图2.2.87，7）。

标本Q1712T1015⑦：2，夹砂红陶，砂粒径较大。敞口。器表饰网格纹，肩部饰一周附加堆纹。复原后口径36、残高16厘米（图2.2.87，1）。

器鋬　标本1件。

标本Q1712T1015⑦：11，夹砂灰陶。仅存一扁状鋬。残高7厘米（图2.2.87，6）。

印纹硬陶尊　标本3件。

标本Q1712T1014⑥：14，胎芯为红褐色。侈口，圆弧沿，沿上有旋制的凹槽，尖唇，直颈。颈部外侧有旋制的凸棱，肩部饰叶脉纹。耳已脱落。复原后口径16、残高7.5厘米（图2.2.88，1）。

标本Q1712T1014⑦：1，胎芯为灰色。侈口，折沿，方唇，唇面有两道凹槽。颈部饰两周弦纹。复原后口径22、残高5厘米（图2.2.88，2）。

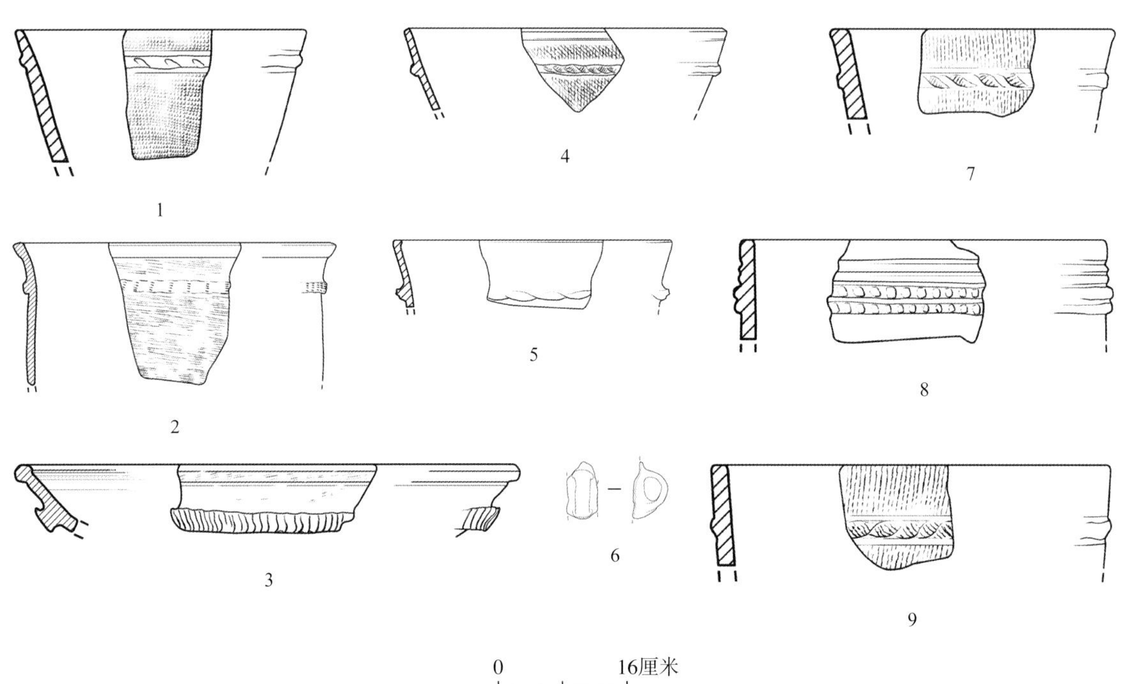

图2.2.87　杨家湾Q1712T1014第6层、T1015第7层出土陶器

1~5、7~9. 缸（Q1712T1015⑦：2、Q1712T1014⑥：35、Q1712T1014⑥：3、Q1712T1014⑥：28、Q1712T1014⑥：4、Q1712T1015⑦：1、Q1712T1014⑥：1、Q1712T1014⑥：2）　6. 器鋬（Q1712T1015⑦：11）

标本Q1712T1015⑦：9，胎芯为灰色。侈口，斜折沿，方唇。肩部饰叶脉纹。沿上有轮制痕，颈部内外有轮旋痕。复原后口径18、残高5.7厘米（图2.2.88，4）。

印纹硬陶瓮　标本2件。

标本Q1712T1014⑥：13，胎芯为灰色。侈口，卷沿，沿内侧有一道凸起，圆唇。肩部饰云雷纹。颈部有横向旋抹痕。复原后口径24、残高6.5厘米（图2.2.88，5）。

标本Q1712T1014⑥：15，胎芯为灰色。侈口，卷沿，圆唇，口沿下有一道凸起。颈部饰多周弦纹。复原后口径16、残高5.5厘米（图2.2.88，3）。

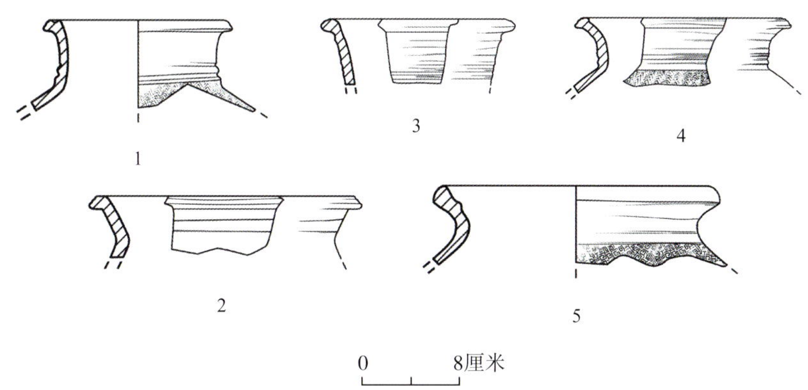

图 2.2.88　杨家湾 Q1712T1014 第 6、7 层出土印纹硬陶器

1、2、4. 尊（Q1712T1014⑥：14、Q1712T1014⑦：1、Q1712T1015⑦：9）　3、5. 瓮（Q1712T1014⑥：15、Q1712T1014⑥：13）

表2.2.62　杨家湾Q1712T1014第6层陶系、纹饰统计表　（重量单位：克）

陶质		夹砂					泥质			印纹硬陶和原始瓷	合计	百分比（%）
纹饰＼陶色		灰	黑皮	红	黄	白	灰	黑皮	红			
绳纹	数量	140	38	192	218	11	23	26			648	31.36
	重量	7098	1554	9734	12559	985	231	322			32483	31.45
绳纹和附加堆纹	数量	7	2	31	12	1					53	2.57
	重量	597	87	4723	1182	373					6962	6.74
绳纹和弦纹	数量						4	1			5	0.24
	重量						59	16			75	0.07
网格纹	数量	25	4	59	107	14	1			10	220	10.65
	重量	1554	182	4585	7591	618	13			308	14851	14.38
网格纹和附加堆纹	数量	14		10	21	4					49	2.37
	重量	1224		4585	1390	253					7452	7.22
网格纹和弦纹	数量							1			1	0.05
	重量							63			63	0.06

续表

纹饰＼陶色＼陶质		夹砂					泥质			印纹硬陶和原始瓷	合计	百分比（%）
		灰	黑皮	红	黄	白	灰	黑皮	红			
网格纹、附加堆纹和弦纹	数量			1							1	0.05
	重量			120							120	0.12
篮纹	数量	10	5	33	65	1					114	5.52
	重量	983	300	642	4467	21					6413	6.21
篮纹和附加堆纹	数量	1		2	13						16	0.77
	重量	109		255	1615						1979	1.92
附加堆纹	数量	16	5	54	60	8	3	1			147	7.12
	重量	615	154	2990	4134	530	36	100			8559	8.29
弦纹	数量	3		1			16	9	1	2	32	1.55
	重量	28		45			350	226	40	79	768	0.74
云雷纹	数量									17	17	0.82
	重量									392	392	0.38
云雷纹和叶脉纹	数量									6	6	0.29
	重量									539	539	0.52
叶脉纹	数量									16	16	0.77
	重量									309	309	0.30
席纹	数量									2	2	0.10
	重量									41	41	0.04
圆圈纹	数量	1									1	0.05
	重量	14									14	0.01
素面	数量	99	38	213	274	42	14	37	5	16	738	35.72
	重量	3408	781	6684	8520	1088	363	599	97	720	22260	21.55
合计	数量	316	92	596	770	81	61	75	6	69	2066	100.00
	重量	15630	3058	34363	41458	3868	1052	1326	137	2388	103280	100.00
百分比（%）	数量	15.30	4.45	28.85	37.27	3.92	2.95	3.63	0.29	3.34	100.00	
		89.79					6.87					
	重量	15.13	2.96	33.27	40.14	3.75	1.02	1.28	0.13	2.31	100.00	
		95.25					2.44					

表2.2.63 杨家湾Q1712T1014第6层可辨器形统计表

陶质	夹砂					泥质			印文硬陶和原始瓷	合计	百分比（%）
器形＼陶色	灰	黑皮	红	黄	白	灰	黑皮	红			
鬲	16	6	1							23	1.36
甗		1								1	0.06
鬲足或甗足	5	1	1							7	0.41
罐	1					2		1	8	12	0.71
簋						1	1			2	0.12
盆						4	1			5	0.29
瓮									2	2	0.12
大口尊						4	4			8	0.47
尊									2	2	0.12
缸	255	50	570	670	81					1626	95.93
器盖							1		1	2	0.12
器鋬	3	2								5	0.29
合计	280	60	572	670	81	11	7	1	13	1695	100.00
百分比（%）	16.52	3.54	33.75	39.53	4.78	0.65	0.41	0.06	0.77	100.00	

表2.2.64 杨家湾Q1712T1014第7层陶系、纹饰统计表 （重量单位：克）

陶质		夹砂					泥质		印纹硬陶和原始瓷	合计	百分比（%）
纹饰＼陶色		灰	黑皮	红	黄	白	灰	黑皮			
绳纹	数量	22	14	9	18	3	4	5		75	28.63
	重量	540	334	507	1322	42	110	62		2917	33.31
绳纹和附加堆纹	数量	1	3					4		8	3.05
	重量	143	120					77		340	3.88
绳纹和弦纹	数量	1						1		2	0.76
	重量	13						109		122	1.39
网格纹	数量	7	1	6	6		1		1	22	8.40
	重量	352	79	264	212		28		14	949	10.84
网格纹和附加堆纹	数量	1		1						2	0.76
	重量	48		152						200	2.28
篮纹	数量			1	2					3	1.15
	重量			37	193					230	2.63

续表

纹饰＼陶质／陶色		夹砂 灰	夹砂 黑皮	夹砂 红	夹砂 黄	夹砂 白	泥质 灰	泥质 黑皮	印纹硬陶和原始瓷	合计	百分比（%）
附加堆纹	数量	2	1	4	3		1			11	4.20
	重量	57	32	192	201		15			497	5.67
弦纹	数量						2	5	1	8	3.05
	重量						40	75	114	229	2.61
云雷纹	数量								3	3	1.15
	重量								70	70	0.80
叶脉纹	数量								1	1	0.38
	重量								31	31	0.35
圆圈纹	数量		1							1	0.38
	重量		54							54	0.62
素面	数量	23	6	48	16	1	10	22		126	48.09
	重量	849	94	1123	484	13	169	387		3119	35.61
合计	数量	57	26	69	45	4	18	37	6	262	100.00
	重量	2002	713	2275	2412	55	362	710	229	8758	100.00
百分比（%）	数量	21.76	9.92	26.34	17.18	1.53	6.87	14.12	2.29	100.00	
	重量	22.86	8.14	25.98	27.54	0.63	4.13	8.11	2.61	100.00	

表2.2.65　杨家湾Q1712T1014第7层可辨器形统计表

器形＼陶质／陶色	夹砂 灰	夹砂 黑皮	夹砂 红	夹砂 黄	夹砂 白	泥质 灰	泥质 黑皮	印纹硬陶和原始瓷	合计	百分比（%）
鬲	4	1							5	2.86
鬲足或甗足	1		7						8	4.57
罐	2					1		1	4	2.29
豆							1		1	0.57
盆							1		1	0.57
尊								1	1	0.57
缸	29	14	63	45	4				155	88.57
合计	36	15	70	45	4	1	2	2	175	100.00
百分比（%）	20.57	8.57	40.00	25.72	2.29	0.57	1.14	1.14	100.00	

表2.2.66　杨家湾Q1712T1014第8层陶系、纹饰统计表　　（重量单位：克）

纹饰＼陶质		夹砂				泥质		印纹硬陶和原始瓷	合计	百分比（%）
纹饰＼陶色		灰	黑皮	红	黄	灰	黑皮			
绳纹	数量	5	5	3	1				14	41.18
	重量	161	53	61	9				284	30.97
绳纹和附加堆纹	数量			2					2	5.88
	重量			130					130	14.18
网格纹	数量			1				1	2	5.88
	重量			51				6	57	6.22
网格纹和附加堆纹	数量		1						1	2.94
	重量		80						80	8.72
附加堆纹	数量			1					1	2.94
	重量			43					43	4.69
叶脉纹	数量							1	1	2.94
	重量							22	22	2.40
素面	数量		1	8	2	1	1		13	38.24
	重量		9	216	55	14	7		301	32.82
合计	数量	5	7	15	3	1	1	2	34	100.00
	重量	161	142	501	64	14	7	28	917	100.00
百分比（%）	数量	14.71	20.59	44.12	8.82	2.94	2.94	5.88	100.00	
	重量	17.56	15.49	54.63	6.98	1.53	0.76	3.05	100.00	

表2.2.67　杨家湾Q1712T1014第8层可辨器形统计表

器形＼陶质	夹砂				泥质	合计	百分比（%）
器形＼陶色	灰	黑皮	红	黄	黑皮		
鬲		1				1	3.57
缸	4	3	15	3		25	89.29
器盖					1	1	3.57
圆陶片	1					1	3.57
合计	5	4	15	3	1	28	100.00
百分比（%）	17.86	14.29	53.57	10.71	3.57	100.00	

表2.2.68　杨家湾Q1712T1015第7层陶系、纹饰统计表　　（重量单位：克）

陶质 / 陶色 / 纹饰		夹砂				泥质		印纹硬陶和原始瓷	合计	百分比（%）
		灰	黑皮	红	白	灰	黑皮			
绳纹	数量	79	31	101	66				277	45.63
	重量	5390	655	11067	7201				24313	50.66
绳纹和附加堆纹	数量	2	12	13	8		8		43	7.08
	重量	228	506	2578	1362		327		5001	10.42
网格纹	数量			18	14			4	36	5.93
	重量			1516	1299			128	2943	6.13
网格纹和附加堆纹	数量			2	4				6	0.99
	重量			576	722				1298	2.70
网格纹和弦纹	数量						1		1	0.16
	重量						60		60	0.13
附加堆纹	数量	6		17					23	3.79
	重量	1637		1696					3333	6.95
附加堆纹和弦纹	数量	3				1	12		16	2.64
	重量	355				90	675		1120	2.33
圜络纹	数量			1					1	0.16
	重量			88					88	0.18
弦纹	数量			1		1			2	0.33
	重量			25		55			80	0.17
云雷纹	数量							2	2	0.33
	重量							56	56	0.12
叶脉纹	数量							4	4	0.66
	重量							217	217	0.45
圆圈纹	数量	2		2					4	0.66
	重量	12		15					27	0.06
素面	数量	68		101	7		16		192	31.63
	重量	1787		7039	467		159		9452	19.70
合计	数量	160	43	256	99	2	37	10	607	100.00
	重量	9409	1161	24600	11051	145	1221	401	47988	100.00
百分比（%）	数量	26.36	7.08	42.17	16.31	0.33	6.10	1.65	100.00	
		91.93				6.43				
	重量	19.61	2.42	51.26	23.03	0.30	2.54	0.84	100.00	
		96.32				2.85				

表2.2.69 杨家湾Q1712T1015第7层可辨器形统计表

陶质	夹砂					泥质		印纹硬陶和原始瓷	合计	百分比（%）
器形＼陶色	灰	黑皮	红	褐	白	灰	黑皮			
鼎足			1						1	0.18
鬲	75	1	34						110	19.57
鬲足或甗足	35		45						80	14.23
罐	1	1	1	1	1				5	0.89
斝	1								1	0.18
盆		1				2	1		4	0.71
刻槽盆	1								1	0.18
尊								1	1	0.18
大口尊	1					30			31	5.52
器鋬	1								1	0.18
缸	45		183		99				327	58.19
合计	160	3	264	1	100	32	1	1	562	100.00
百分比（%）	28.47	0.53	46.98	0.18	17.79	5.69	0.18	0.18	100.00	

表2.2.70 杨家湾Q1712T1015第7层木炭样品加速质谱仪（AMS）碳–14测年数据

Lab 编号	样品种类	样品原编号	出土地点	碳–14 年代（BP）	树轮校正后年代	
					1σ（68.2%）	2σ（95.4%）
BA151620	炭样	Q1712T1015⑦：6	杨家湾	3070±25	1395BC（68.2%）1310BC	1410BC（95.4%）1260BC

10. 第9层

商时期文物层。深黑色土，土质极致密，最厚约0.2、深0.9～1.2米。仅分布在发掘区最南部，主要有Q1712T1010⑤。包含陶片较少且细碎。可辨陶器器类有鬲、盆等。

陶器

鬲 标本1件。

Q1712T1010⑤：2，夹砂灰陶。侈口，折沿，方唇。复原后口径22、残高3.5厘米（图2.2.89，2）。

盆 标本1件。

Q1712T1010⑤：1，泥质红胎黑皮陶。侈口，平折沿，圆唇。颈部饰一周凹弦纹。内壁

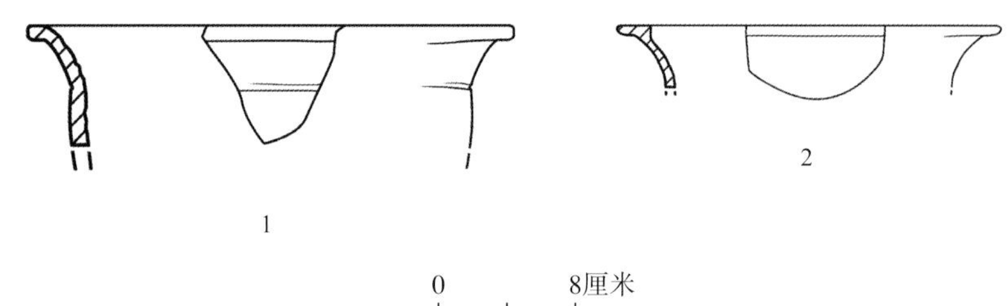

图 2.2.89　杨家湾 Q1712T1010 第 5 层出土陶器

1. 盆（Q1712T1010⑤：1）　2. 鬲（Q1712T1010⑤：2）

有轮制痕迹。复原后口径29、残高6.8厘米（图2.2.89，1）。

11. 第10层

生土。

二、灰坑

2013年度发掘灰坑编号自H8～H23，2024年度发掘灰坑编号H25，共计16处。其中H13出土遗物较少，年代特征不详；H21位于Q1712T0816第5层下，未发掘完毕。以下选择代表性单位，按照编号顺序依次介绍。

（一）H8

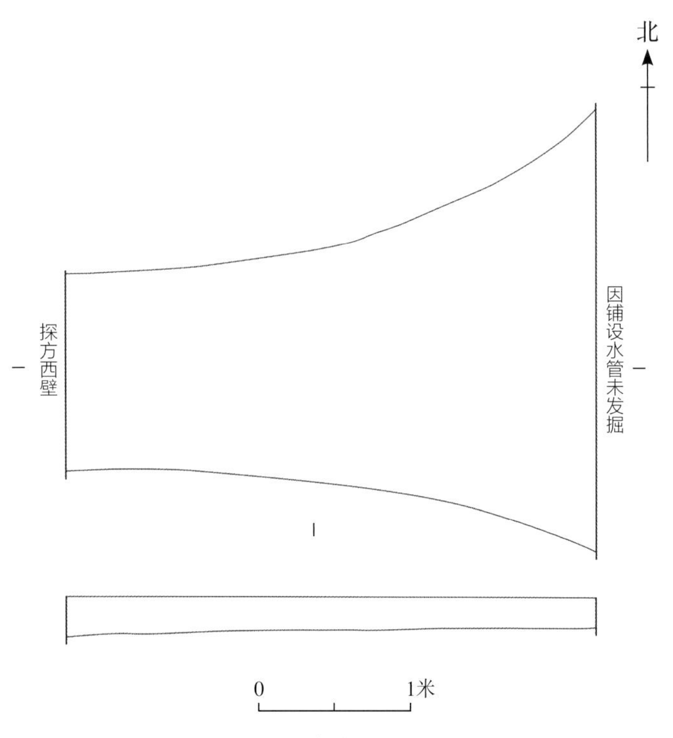

图 2.2.90　杨家湾 H8 平、剖面图

位于2013HPQ1712T0918中部，东、西两侧分别延伸进探方东壁和西壁。开口于第1层下，打破H11。平面呈不规则形，东部较宽，西部渐窄，直壁平底，已发掘部分长3.5、宽1.5～3、距坑口最深0.25米（图2.2.90）。灰坑填土为灰褐色黏土，土质较疏松。出土陶片分为夹砂和泥质两类，以夹砂陶为主，占全部陶片约95%，泥质陶数量较少，另有少量的印纹硬陶和原始瓷。陶色以红陶为主，黄陶和灰陶次之。纹饰以绳纹为主，另见有网格纹、篮纹和附加堆纹等。出土器类主要有缸，约占可辨器类96%。除缸外，另有鬲、甗、盆、大口尊等（图2.2.91、图2.2.92；表2.2.71、表2.2.72）。

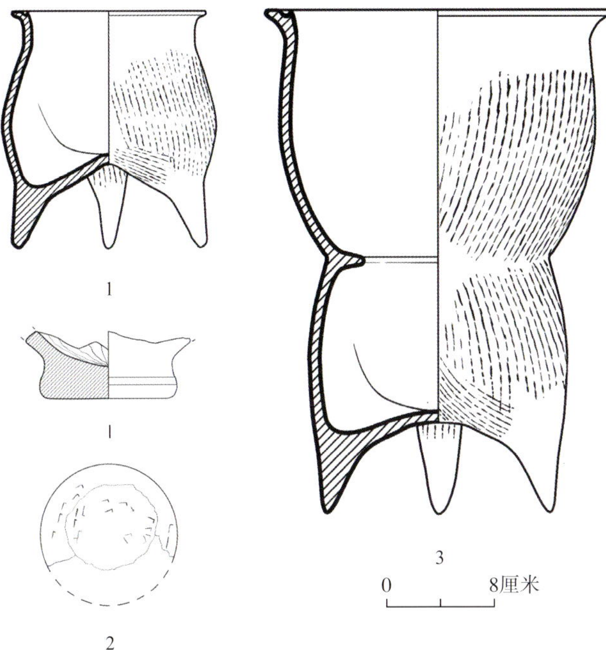

图 2.2.91 杨家湾 H8 出土陶器

1. 鬲（H8：1） 2. 缸（H8：10） 3. 甗（H8：2）

陶器

鬲 标本1件。

标本H8：1，夹砂灰陶。口微侈，沿面较短，微上仰，面上有一周凹槽，尖唇，下腹外鼓，分裆，三尖锥足外撇。腹部饰绳纹。复原后口径12、最大腹径15.8、通高17厘米（图2.2.91，1；图2.2.92，1、2）。

甗 标本1件。

标本H8：2，夹砂灰陶。口微侈，沿面较短，微上仰，沿面有一周凹槽，尖唇，甑部腹微鼓，鬲部整体形态近方形，腹部近直，分裆，三尖锥足矮胖。甑部自颈下至鬲部均饰绳纹，至足端变为素面。复原后口径24.5、甑部最大腹径23、鬲部最大腹径16、通高35.5厘米（图2.2.91，3；图2.2.92，3）。

1

2

3

图 2.2.92 杨家湾 H8 出土陶器照片

1、2. 鬲（H8：1） 3. 甗（H8：2）

缸　标本1件。

标本H8∶10，夹砂红陶。缸底。圆饼足，小平底。内壁可见有泥条顺缕成型的痕迹，底部外一周贴加泥条。底部见有戳印痕迹。底径5、残高5厘米（图2.2.91，2）。

表2.2.71　杨家湾H8陶系、纹饰统计表　　（重量单位：克）

纹饰＼陶质／陶色		夹砂				泥质			印纹硬陶和原始瓷	合计	百分比（%）
		灰	黑皮	红	黄	灰	黑皮	红			
绳纹	数量	149	45	100	54	4	11			363	32.67
	重量	2711	785	2341	2051	63	174			8125	22.09
绳纹和附加堆纹	数量	3	3	4	9		1			20	1.80
	重量	258	200	445	1050		19			1972	5.36
绳纹和弦纹	数量	6	3		2					11	0.99
	重量	68	29		34					131	0.36
网格纹	数量	10	6	26	15				3	60	5.40
	重量	613	431	2314	770				228	4356	11.84
网格纹和附加堆纹	数量	1	2	5	1					9	0.81
	重量	61	21	213	56					351	0.95
网格纹和弦纹	数量		1							1	0.09
	重量		17							17	0.05
篮纹	数量	3	2	15	68					88	7.92
	重量	99	23	629	2239					2990	8.13
篮纹和附加堆纹	数量	1								1	0.09
	重量	93								93	0.25
附加堆纹	数量	8	2	28	13					51	4.59
	重量	328	16	2314	770					3428	9.32
附加堆纹和弦纹	数量			2						2	0.18
	重量			242						242	0.66
弦纹	数量	1	6			1	2			10	0.90
	重量	4	80			46	26			156	0.42
云雷纹	数量							1	5	6	0.54
	重量							47	112	159	0.43
叶脉纹	数量								9	9	0.81
	重量								232	232	0.63

续表

纹饰 \ 陶质 / 陶色		夹砂 灰	夹砂 黑皮	夹砂 红	夹砂 黄	泥质 灰	泥质 黑皮	泥质 红	印纹硬陶和原始瓷	合计	百分比（%）
刻划纹	数量						1			1	0.01
	重量						11			11	0.03
素面	数量	85	56	182	139	11	5		1	479	43.11
	重量	1610	614	6481	5641	79	44		47	14516	39.46
合计	数量	267	126	362	301	16	20	1	18	1111	100.00
	重量	5845	2216	14979	12611	188	274	47	619	36779	100.00
百分比（%）	数量	24.03	11.34	32.58	27.09	1.44	1.80	0.09	1.62	100.00	
		95.04				3.33					
	重量	15.89	6.03	40.73	34.29	0.51	0.74	0.13	1.68	100.00	
		96.93				1.38					

表2.2.72　杨家湾H8可辨器形统计表

器形 \ 陶质 / 陶色	夹砂 灰	夹砂 黑皮	夹砂 红	夹砂 黄	泥质 黑皮	印纹硬陶和原始瓷	合计	百分比（%）
鬲	3						3	0.38
鬲足或甗足	3		14				17	2.14
甗	1						1	0.13
罐或瓮	2			1	1		4	0.50
爵	1		1				2	0.25
簋	1						1	0.13
簋或盆	1	1					2	0.25
盆	1						1	0.13
大口尊	2						2	0.25
尊						1	1	0.13
缸	111	25	342	281			759	95.59
器足	1						1	0.13
合计	127	26	357	282	1	1	794	100.00
百分比（%）	15.99	3.27	44.96	35.52	0.13	0.13	100.00	

（二）H9

位于Q1712T0816东北部，北侧和东侧伸入探方壁，未发掘。开口于第2层下，打破第3层。已发掘部分平面为不规则形，直壁，底不平，东西长2.4、南北宽2.1、距坑口最深0.5米（图2.2.93）。灰坑填土为黑灰色黏土，土质较致密，出土少量石器、青铜器及陶片。出土陶片中夹砂陶数量较多，占全部陶片的比例近79%。陶色以灰陶为主，另有相当数量的红陶，部分器物外壁见有黄褐色的陶衣。纹饰以绳纹为主，其他纹饰均较少见，可见有篮纹、网格纹、附加堆纹、弦纹、简化兽面纹、云雷纹、叶脉纹等。可辨器类以缸为主，常见器类还有鬲、甗等，盆、豆等盛食器少见（图2.2.94～图2.2.96；表2.2.73、表2.2.74）。

陶器

鬲 标本7件。以夹砂灰陶为主，部分器表施陶衣，少数为夹砂红陶。腹部多饰绳纹，少数口径较大者，颈部加饰附加堆纹。

标本H9：1，夹砂红陶。侈口，平折沿，尖唇，沿面内侧有一周凹槽，腹部微鼓，联裆，三尖锥足较高，略外撇。腹部饰绳纹。复原后口径14.5、腹径17.5、通高18.8厘米（图2.2.94，5；图2.2.95，1）。

标本H9：6，夹砂灰陶。侈口，平折沿，沿面内凹，薄方唇。颈下饰一周附加堆纹，颈部饰绳纹后经抹光，腹部饰绳纹。复原后口径20、残高8.6厘米（图2.2.94，1）。

标本H9：7，夹砂灰胎，外施灰色陶衣。侈口，平折沿，尖唇。颈下饰一周附加堆纹，颈部饰绳纹后经抹光，腹部饰绳纹。复原后口径22、残高9.5厘米（图2.2.94，2）。

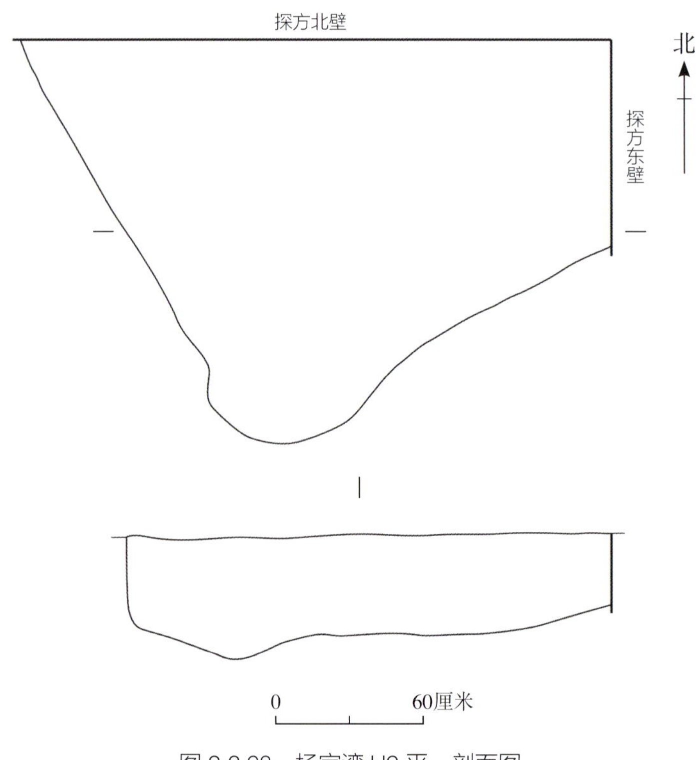

图 2.2.93　杨家湾 H9 平、剖面图

标本H9：8，夹砂灰胎，外施浅黄色陶衣。侈口，折沿，沿面有一周凹槽。颈下饰附加堆纹，颈部饰绳纹后经抹光，腹部饰绳纹。复原后口径24、残高12厘米。

标本H9：9，夹砂灰陶。卷沿，方唇，唇上、下缘凸起，形成截面近似“T”形的结构。颈部以下饰绳纹。复原后口径20、残高5厘米（图2.2.94，3）。

标本H9：11，夹砂灰陶。侈口，平折沿，沿面有一周凹槽，腹中部外鼓，裆部残损，三尖锥足较细长。腹部饰绳纹。复原后口径14、残高19.5厘米（图2.2.94，4）。

标本H9：22，夹砂红胎，外施红色陶衣。侈口，平折沿，尖唇，沿面有一周凹槽。腹部饰绳纹。复原后口径16、残高8.5厘米。

瓮　标本1件。

标本H9：4，夹砂红胎，外施红色陶衣。口微敛，方唇，圆肩。肩部见一周网格纹，上下分别装饰多道弦纹，腹部饰绳纹。复原后口径12、残高8.5厘米（图2.2.94，6）。

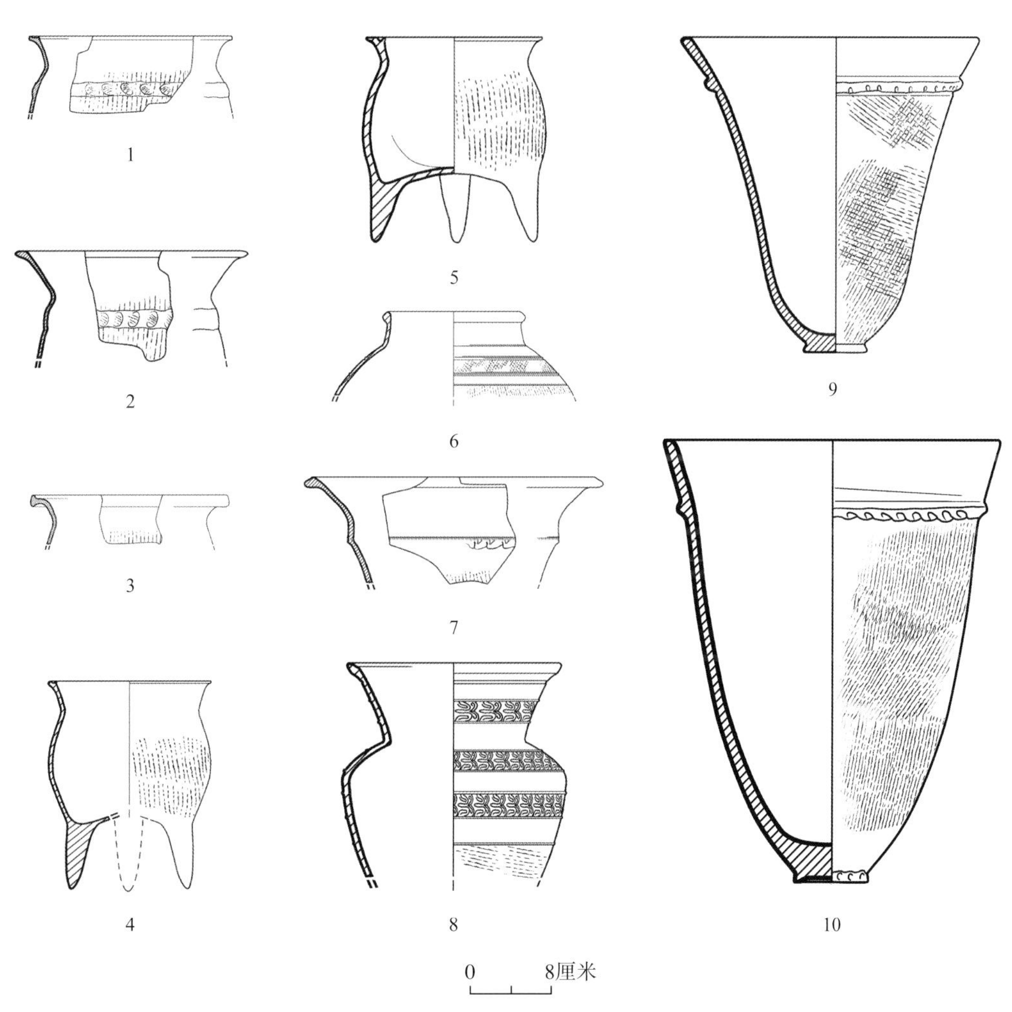

图2.2.94　杨家湾H9出土陶器

1～5. 鬲（H9：6、H9：7、H9：9、H9：11、H9：1）　6. 瓮（H9：4）　7. 大口尊（H9：5）
8. 尊（H9：10）　9、10. 缸（H9：2、H9：3）

大口尊　标本1件。

标本H9∶5，泥质红胎黑皮陶。敞口，方唇，唇面内凹，束颈，折肩。肩部饰一周附加堆纹，腹部以下饰绳纹。复原后口径26、残高10.5厘米（图2.2.94，7）。

尊　标本1件。

标本H9∶10，泥质灰陶。侈口，折肩，腹部斜收，饼状足。颈、肩和上腹部各饰一周不规则的几何印纹纹样，应是简化的兽面纹（图2.2.96，2），下腹部饰绳纹。复原后口径20.5、残高23厘米（图2.2.94，8；图2.2.96，1）。

中柱盂　标本1件。

标本H9∶16，夹砂灰陶。仅存中柱部分。外壁见有明显的泥条堆筑痕迹。残高10.5厘米。

1　2　3

图 2.2.95　杨家湾 H9 出土陶器照片

1. 鬲（H9∶1）　2、3. 缸（H9∶2、H9∶3）

1

2

图 2.2.96　杨家湾 H9 出土陶尊照片

1. 器身正视　2. 尊腹部纹饰细部（H9∶10）

缸　标本2件。数量较多，多数为夹砂红陶，少数见夹砂黄陶。纹饰多呈颈部饰附加堆纹，腹部饰绳纹或网格纹的组合。

标本H9：2，夹砂红陶。大敞口，尖唇，下腹斜收，器底为小平底。颈部饰一周附加堆纹，腹部饰小网格纹。复原后口径30.5、通高34.5厘米（图2.2.94，9；图2.2.95，2）。

标本H9：3，夹砂黄陶。侈口，圆唇，下腹微外鼓，器底为小平底，略内凹。颈部饰一周附加堆纹，腹部饰纵向绳纹，器底外贴塑一周花边状的附加堆纹。复原后口径33.5、通高45.5厘米（图2.2.94，10；图2.2.95，3）。

表2.2.73　杨家湾H9陶系、纹饰统计表　（重量单位：克）

纹饰 \ 陶质/陶色		夹砂				泥质			印纹硬陶和原始瓷	合计	百分比（%）
		灰	黑皮	红	黄	灰	黑皮	红			
绳纹	数量	256	70	193	48	69	70	23		729	43.52
	重量	3544.5	405.5	7800.5	8388.5	8035.5	1374.5	109		29658	45.59
绳纹和弦纹	数量					14				14	0.84
	重量					169				169	0.26
绳纹和附加堆纹	数量	9		10	9			1		29	1.73
	重量	2793.5		5340.5	1372.5			542.5		10049	15.45
网格纹	数量	1		11	26	17				55	3.28
	重量	29		197.5	1434.5	96.5				1757.5	2.70
网格纹和附加堆纹	数量				5					5	0.30
	重量				514					514	0.79
网格纹和弦纹	数量	1				2				3	0.18
	重量	997.5				76.5				1074	1.65
篮纹	数量			15	6					21	1.25
	重量			763	161.5					924.5	1.42
附加堆纹	数量	1		14	7	2	1			25	1.49
	重量	97.5		1023.5	214	157.5	396.5			1889	2.90
附加堆纹和弦纹	数量					1		2		3	0.18
	重量					202		33		235	0.36
附加堆纹和刻划纹	数量							1		1	0.06
	重量							37.5		37.5	0.06
弦纹	数量	4		3		3	12			22	1.31
	重量	27.5		77.5		70	104.5			279.5	0.43
云雷纹	数量				1				2	3	0.18
	重量				139				23	162	0.25

续表

纹饰＼陶质、陶色		夹砂				泥质			印纹硬陶和原始瓷	合计	百分比（%）
		灰	黑皮	红	黄	灰	黑皮	红			
叶脉纹	数量								8	8	0.48
	重量								72.5	72.5	0.11
篦纹	数量				4					4	0.24
	重量				423					423	0.65
兽面纹	数量					1				1	0.06
	重量					456.5				456.5	0.70
素面	数量	263	17	275	76	80	41			752	44.90
	重量	5661.5	91.5	7773	2770	685.5	378			17359.5	26.68
合计	数量	535	87	521	182	189	124	27	10	1675	100.00
	重量	13151	497	22975.5	15417	9949	2253.5	722	95.5	65060.5	100.00
百分比（%）	数量	31.94	5.19	31.10	10.87	11.28	7.40	1.61	0.60	100.00	
		79.10				20.30					
	重量	20.21	0.76	35.31	23.70	15.29	3.46	1.11	0.15	100.00	
		79.99				19.87					

表2.2.74　杨家湾H9可辨器形统计表

器形＼陶质、陶色	夹砂				泥质		印纹硬陶和原始瓷	合计	百分比（%）
	灰	黑皮	红	黄	灰	黑皮			
鬲	66		10					76	6.45
鬲足或甗足	388	12	36					436	37.01
甗	7							7	0.59
簋或盆					6	3		9	0.76
盆					5			5	0.42
刻槽盆	1							1	0.08
中柱盂	1							1	0.08
豆					3			3	0.25
罐	2						1	3	0.25
瓮			1		11	5		17	1.44
大口尊	5				2	5		12	1.02
斝	13	3						16	1.35
缸			410	182				592	50.30
合计	483	15	457	182	27	13	1	1178	100.00
百分比（%）	41.04	1.27	38.79	15.44	2.29	1.10	0.08	100.00	

（三）H10

位于Q1712T0917西部偏南。开口于第1层下，打破H15西南角。平面呈近椭圆形，东西较宽，南北较窄，斜壁近圜底。东西长1.94、南北宽1.8、最深处距坑口0.52米（图2.2.97）。灰坑填土为深褐色黏土，土质致密，出土有青铜块（片）、绿松石及夹砂陶、泥质陶、印纹硬陶和原始瓷等各类陶、瓷片。夹砂陶数量较多，占全部陶片比例约77%，泥质陶较少，少见印纹硬陶和原始瓷。陶色以灰陶为主，并有相当数量的红陶、黑皮陶，另有少量黄陶。纹饰以绳纹为主，网格纹、篮纹、附加堆纹、云雷纹等较少见。常见器类以缸为主，占可辨器类总数约82%，其余多见有鬲、甗、盆，少见豆、罐、瓮、大口尊、爵、斝、中柱盂等（图2.2.98、图2.2.99；表2.2.75、表2.2.76）。在灰坑西部立有一完整的缸，口部朝西北方向斜向放置，周围有大量细小炭屑，内部另有一缸套接其中。灰坑内的陶片大多出于陶缸附近（见图2.2.97）。

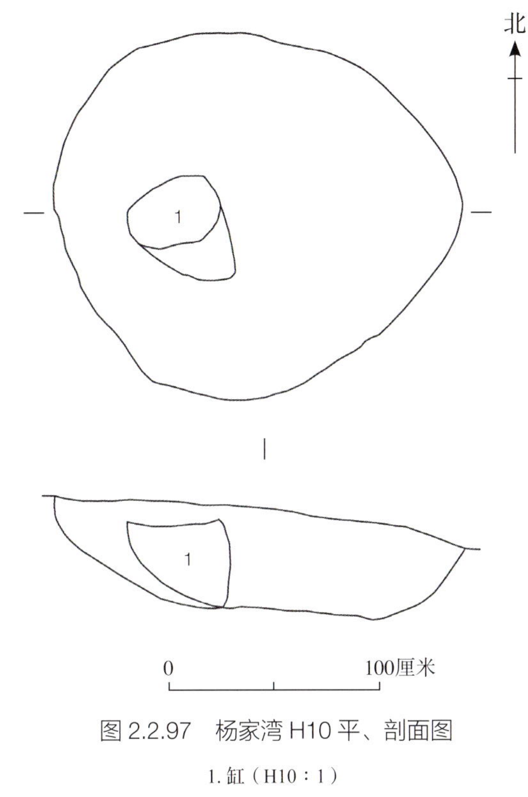

图2.2.97　杨家湾H10平、剖面图

1. 缸（H10：1）

陶器

中柱盂　标本1件。

标本H10：3，夹砂黑皮陶。残留中柱部分。柱上部外张，顶有弧形盖帽。素面。可见

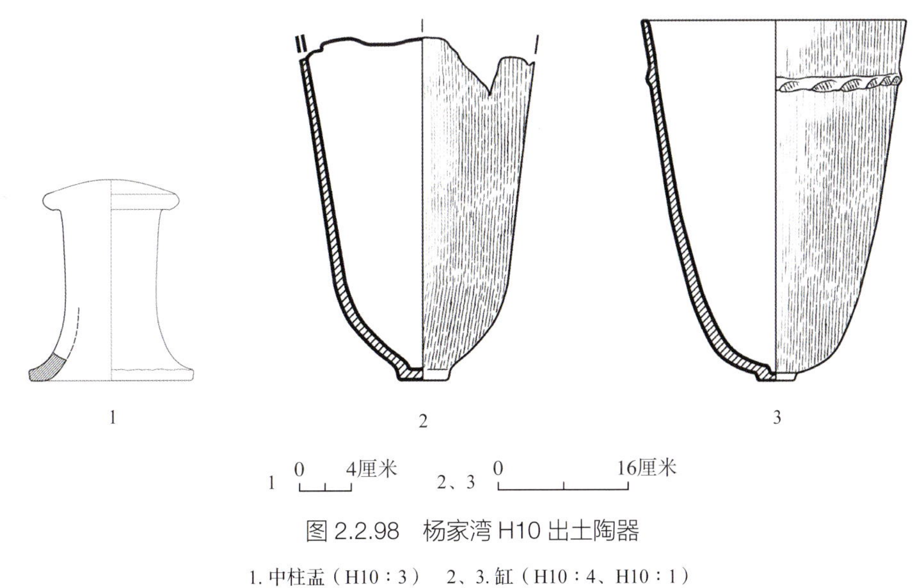

图2.2.98　杨家湾H10出土陶器

1. 中柱盂（H10：3）　2、3. 缸（H10：4、H10：1）

图 2.2.99　陶缸照片（杨家湾 H10：1）

有泥条堆筑的痕迹。顶径10.5、底径12.5、残高15.3厘米（图2.2.98，1）。

缸　标本2件。多为夹砂红陶、黄陶，少数为夹砂灰陶。纹饰多绳纹、网格纹等，器表近口沿处多饰一周附加堆纹。

标本H10：1，夹砂黄陶，下腹部外壁青灰。出土时完整置于灰坑西部，口朝西北方向斜向放置。直口，深腹，小平底实圈足。口部和腹部饰绳纹，近口沿处饰附加堆纹。口径33、通高43厘米（图2.2.98，3；图2.2.99）。

标本H10：4，夹砂灰陶。出土时置于缸H10：1内。口部不存，残留下腹和底部。腹部斜收，小平底实圈足。通体饰绳纹。残高41.5厘米（图2.2.98，2）。

表2.2.75　杨家湾H10陶系、纹饰统计表　（重量单位：克）

陶质		夹砂				泥质			印纹硬陶和原始瓷	合计	百分比（%）
纹饰＼陶色		灰	黑皮	红	黄	灰	黑皮	红			
绳纹	数量	87	43	51	21	68	69	6		345	34.12
	重量	1588.5	218.5	5181	5933	493	535.5	60.5		14010	33.15
绳纹和附加堆纹	数量	2			5					7	0.69
	重量	241			19155					19396	45.90
网格纹	数量	2		18	7	1	4		2	34	3.36
	重量	183		700	295	12	160		51.5	1401.5	3.32
网格纹和附加堆纹	数量				4					4	0.40
	重量				385					385	0.91
篮纹	数量			14						14	1.38
	重量			794						794	1.88
篮纹和附加堆纹	数量				3					3	0.30
	重量				294					294	0.70
附加堆纹	数量	6		11	2		7			26	2.57
	重量	275		437.5	98		205			1015.5	2.40
弦纹	数量					12	7			19	1.88
	重量					127.5	64.5			192	0.45

续表

纹饰＼陶质·陶色		夹砂				泥质			印纹硬陶和原始瓷	合计	百分比（%）
		灰	黑皮	红	黄	灰	黑皮	红			
云雷纹	数量								3	3	0.30
	重量								38	38	0.09
叶脉纹	数量								1	1	0.10
	重量								10.5	10.5	0.02
篦纹	数量								1	1	0.10
	重量								11	11	0.03
素面	数量	219	11	217	52	29	25		1	554	54.80
	重量	2197.5	1023	3463.5	1205	234.5	801		42.5	8967	21.22
合计	数量	316	54	311	94	110	112	6	8	1011	100.00
	重量	9492.5	898	21437	9139.5	741.5	377	31	144.5	42261	100.00
百分比（%）	数量	31.26	5.34	30.76	9.30	10.88	11.08	0.59	0.79	100.00	
		76.66				22.55					
	重量	22.46	2.12	50.73	21.63	1.75	0.89	0.07	0.34	100.00	
		96.94				2.72					

表2.2.76　杨家湾H10可辨器形统计表

器形＼陶质·陶色	夹砂				泥质		合计	百分比（%）
	灰	黑皮	红	黄	灰	黑皮		
鬲	3						3	0.62
鬲或甗	40		3				43	8.83
鬲足或甗足	13		3				16	3.29
罐	2						2	0.41
斝	3						3	0.62
爵	2						2	0.41
豆					1		1	0.21
盆	4	1			4	3	12	2.46
中柱盂		1					1	0.21
瓮					2		2	0.41
大口尊					2	1	3	0.62
缸	24		280	94			398	81.72
器盖		1					1	0.21
合计	91	3	286	94	9	4	487	100.00
百分比（%）	18.68	0.62	58.73	19.30	1.85	0.82	100.00	

（四）H11

位于Q1712T0918西北部。开口于第2层下，被H8打破。已发掘部分平面呈扇形，斜壁圜底，坑口东西长1.28、南北宽0.9、距坑口最深0.3米。灰坑填土为红褐色黏土，土质致密。出土较少数量的陶片，陶质以夹砂陶为主，占出土陶片总数约87%，泥质陶较少，未见印纹硬陶与原始瓷。陶色多为黑皮陶和黄陶，另有相当数量的红陶和灰陶。可辨器类以缸为主，另见有鬲或甗（表2.2.77、表2.2.78）。

表2.2.77　杨家湾H11陶系、纹饰统计表　（重量单位：克）

陶质		夹砂				泥质		合计	百分比（%）
纹饰＼陶色		灰	黑皮	红	黄	灰	黑皮		
绳纹	数量	10	10		7	1	1	29	34.12
	重量	38	106		281	12	9	446	39.57
绳纹和附加堆纹	数量			1				1	1.18
	重量			52				52	4.61
网格纹	数量	2		3				5	5.88
	重量	14		88				102	9.05
篮纹	数量				5			5	5.88
	重量				138			138	12.24
附加堆纹	数量				2			2	2.35
	重量				46			46	4.08
素面	数量		15	13	7	9		44	51.76
	重量		136	159	13	35		343	30.43
合计	数量	12	25	16	21	10	1	85	100.00
	重量	52	242	299	478	47	9	1127	100.00
百分比（%）	数量	14.12	29.41	18.82	24.71	11.76	1.18	100.00	
		87.06				12.94			
	重量	4.61	21.47	26.53	42.41	4.17	0.80	100.00	
		95.03				4.97			

表2.2.78 杨家湾H11可辨器形统计表

陶质 \ 陶色 / 器形	夹砂			合计	百分比（%）
	黑皮	红	黄		
鬲足或甗足	1	4		5	10.00
缸	12	13	20	45	90.00
合计	13	17	20	50	100.00
百分比（%）	26.00	34.00	40.00	100.00	

（五）H12

位于Q1712T0918东南部，开口于第2层下，被H8打破。已发掘部分平面呈扇形，斜壁平底（图2.2.100）。坑口长2、宽1.3、距坑口最深0.66米。灰坑填土为黑褐色黏土，土质较致密，出土有夹砂陶、泥质陶和印纹硬陶等各类陶片。夹砂陶数量较多，占全部陶片的比例约88%，泥质陶和印纹硬陶数量较少。陶色以红陶居多，另有相当比例的灰陶，黄陶和黑皮陶少见。纹饰以绳纹为主，其次是网格纹、篮纹、附加堆纹、云雷纹等比例较少。器类以缸为主，占可辨器类总数约77%，其他常见器类还有鬲、甗、盆或簋、瓮、大口尊、爵、尊等（图2.2.101；表2.2.79、表2.2.80）。

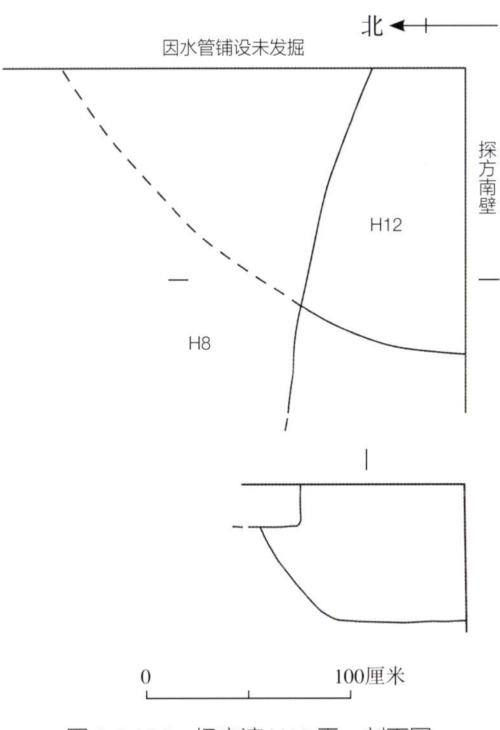

图2.2.100 杨家湾H12平、剖面图

陶器

印纹硬陶尊 标本1件。

标本H12：1，胎芯为灰色。侈口，唇面加厚，呈近T形，高领。肩部饰云雷纹。颈部见有多周轮制痕迹。复原后口径15、残高7.5厘米（图2.2.101）。

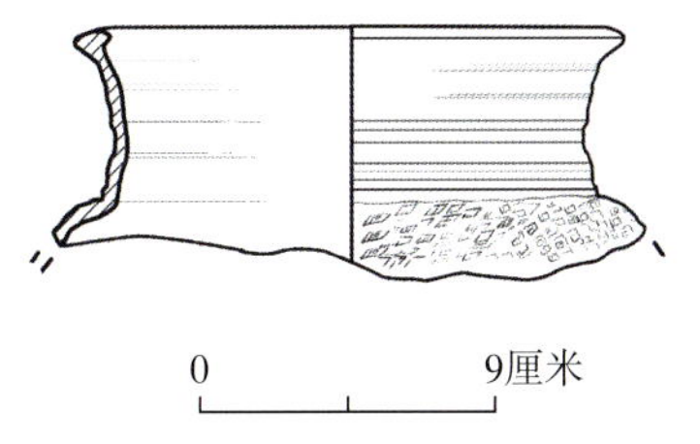

图2.2.101 印纹硬陶尊（杨家湾H12：1）

表2.2.79　杨家湾H12陶系、纹饰统计表　　（重量单位：克）

陶质		夹砂				泥质		印纹硬陶和原始瓷	合计	百分比（%）
纹饰＼陶色		灰	黑皮	红	黄	灰	红			
绳纹	数量	53	79	48	28	34			242	33.02
	重量	1728	1031	2162	924	228			6073	47.67
绳纹和附加堆纹	数量			1					1	0.14
	重量			156					156	1.22
绳纹和弦纹	数量					4			4	0.55
	重量					40			40	0.31
网格纹	数量	13	6	38	14	1			72	9.82
	重量	679	209	987	608	10			2493	19.57
网格纹和附加堆纹	数量				5				5	0.68
	重量				464				464	3.64
网格纹和弦纹	数量					7			7	0.95
	重量					23			23	0.18
篮纹	数量			7	1				8	1.09
	重量			176	177				353	2.77
附加堆纹	数量	6		8	17				31	4.23
	重量	44		323	475				842	6.61
附加堆纹和弦纹	数量	1							1	0.14
	重量	31							31	0.24
弦纹	数量	4	4			8	1		17	2.32
	重量	65	52			68	7		192	1.51
云雷纹	数量							1	1	0.14
	重量							54	54	0.42
窗棂纹	数量					1			1	0.14
	重量					37			37	0.29
素面	数量	72	33	134	75	29			343	46.79
	重量	936	285	367	186	208			1982	15.56
合计	数量	149	122	236	140	84	1	1	733	100.00
	重量	3483	1577	4171	2834	614	7	54	12740	100.00
百分比（%）	数量	20.33	16.64	32.20	19.10	11.46	0.14	0.14	100.00	
		88.26				11.60				
	重量	27.34	12.38	32.74	22.24	4.82	0.05	0.43	100.00	
		94.70				4.87				

表2.2.80 杨家湾H12可辨器形统计表

陶质	夹砂				印纹硬陶和原始瓷	合计	百分比（%）
器形＼陶色	灰	黑皮	红	黄			
鬲	3	1	16	1		21	3.95
鬲足或甗足	2					2	0.38
罐		1				1	0.19
爵		1				1	0.19
簋或盆	81					81	15.25
盆	2	7				9	1.69
瓮	3					3	0.57
大口尊	1	1				2	0.38
尊					1	1	0.19
缸	39	33	221	117		410	77.21
合计	131	44	237	118	1	531	100.00
百分比（%）	24.67	8.29	44.63	22.22	0.19	100.00	

（六）H14

位于Q1712T0816西北部，西侧与北侧伸入探方壁，未发掘。开口于第2层下，打破第3层。已发掘部分开口近似四分之一椭圆形，斜壁，近平底。坑口东西长1.4、南北宽0.6、距坑口最深0.3米（图2.2.102）。填土为黑褐色黏土，土质致密，出土有夹砂陶、泥质陶、印纹硬陶和原始瓷等各类陶、瓷片1412片，复原陶大口尊1件，瓮1件。夹砂陶数量最多，占整个陶片数量约77%。陶色以红陶为主，另有相当比例的灰陶。纹饰以绳纹为多，可分为细绳纹和粗绳纹两类，还有少量的附加堆纹、网格纹、弦纹、云雷纹和叶脉纹等。器类以缸为主，占可辨器类总数约48%，另可见有鬲、甗、盆、豆、瓮、大口尊、斝、器盖等（图2.2.103、图2.2.104；表2.2.81、表2.2.82）。

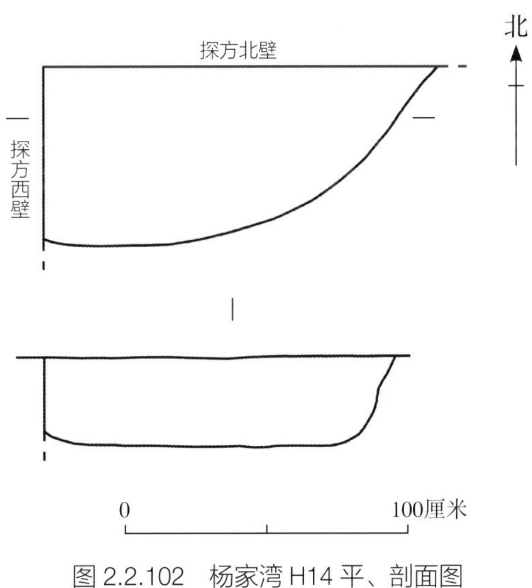

图 2.2.102 杨家湾 H14 平、剖面图

陶器

鬲　标本3件。均为侈口平折沿鬲。夹砂灰陶居多，少数为夹砂红陶。腹部多饰绳纹，口径较大者在颈下还饰有附加堆纹。

标本H14：8，夹砂灰陶。侈口，平折沿，沿面近口部略内凹，形成一道凹槽，唇部加厚。颈部素面，腹部绳纹不甚明晰。口部有烧坏的痕迹，部分唇部扭曲外翻。复原后口径18、残高6.5厘米（图2.2.103，1）。

标本H14：12，夹砂灰胎，外施灰色陶衣。侈口，平折沿，唇部近沿面处略内凹，外唇近方形。颈部饰绳纹后抹光，颈下饰附加堆纹。复原后口径19、残高6厘米（图2.2.103，2）。

标本H14：22，夹砂灰陶。平折沿，沿面有一周凹槽，尖唇，腹部外鼓。颈部饰一周凸弦纹，腹部饰绳纹。复原后口径15、残高6厘米（图2.2.103，3）。

斝　标本1件。

标本H14：5，夹砂灰胎，外施灰色陶衣。侈口，折沿，沿面较窄，上腹斜内收出腰，腰部见一弧形鋬。上腹饰四周弦纹。残高14厘米（图2.2.103，4）。

盆　标本1件。

标本H14：3，泥质灰胎，外施灰色陶衣。侈口，折沿外翻，方唇，下腹斜收。上腹部见多道泥条堆筑痕迹，下腹部饰绳纹。复原后口径32、残高12.4厘米（图2.2.103，5）。

瓮　标本2件，多为泥质灰陶，少数为泥质黑皮陶。

标本H14：2，泥质黑皮陶。方唇，唇内缘有一周凸棱，斜圆肩，鼓腹，凹圜底。肩部和下腹部饰绳纹，其间以三周弦纹隔开。复原后口径15、腹径30.5、通高25厘米（图2.2.103，7；图2.2.104，2）。

标本H14：4，泥质灰陶。侈口，方唇。肩部饰四周弦纹，两两一组。复原后口径10、残高5厘米（图2.2.103，6）。

大口尊　标本1件，多为泥质灰陶，少数为泥质黑皮陶和夹砂灰陶，多饰绳纹，部分在肩部饰附加堆纹。

标本H14：1，泥质灰陶。敞口，方唇，唇面内凹，肩部凸出不甚明显，下腹斜收，平底。上腹素面，下腹饰交错绳纹。复原后口径36.5、通高32.5厘米（图2.2.103，8；图2.2.104，1）。

器盖　标本1件。

标本H14：19，夹砂红胎，外施陶衣。盖顶有伞状盖纽。器表素面。高3.5厘米。

缸　标本1件。多为夹砂红陶，少数为夹砂黄陶、夹砂灰陶。纹饰多见绳纹，另有一定数量的网格纹、篮纹等，多在口沿下饰附加堆纹。

标本H14：7，夹砂黄陶。小平底，底部外一周饰花边堆纹。底部见螺旋形的制作痕迹，内壁有泥条捏制痕迹。底径6、残高2.5厘米。

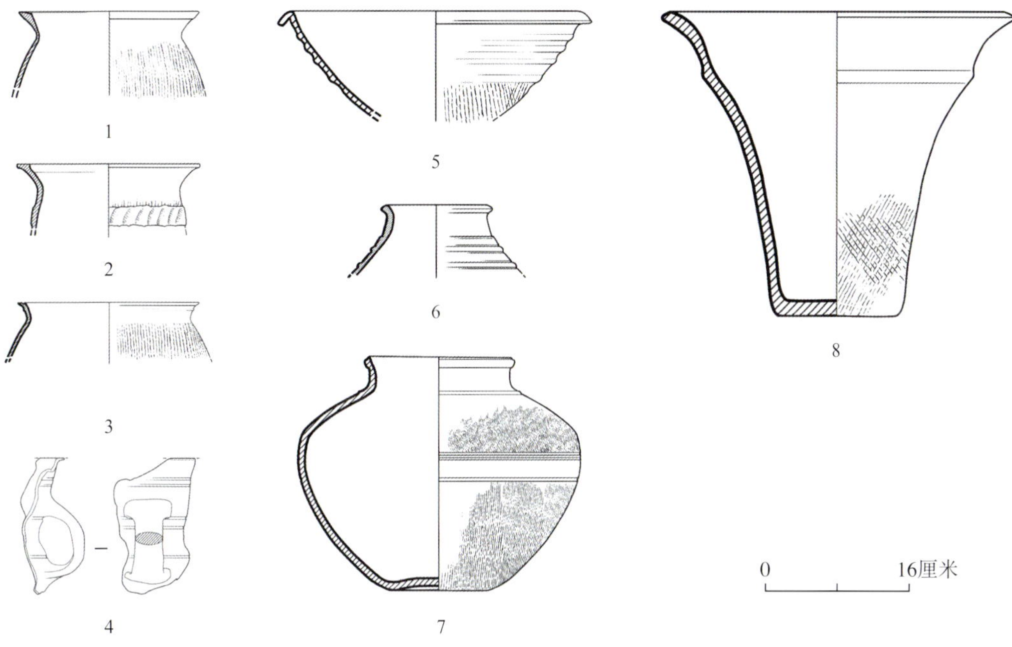

图 2.2.103 杨家湾 H14 出土陶器

1~3. 鬲（H14：8、H14：12、H14：22） 4. 斝（H14：5） 5. 盆（H14：3）
6、7. 瓮（H14：4、H14：2） 8. 大口尊（H14：1）

图 2.2.104 杨家湾 H14 出土陶器照片

1. 大口尊（H14：1） 2. 瓮（H14：2）

表2.2.81　杨家湾H14陶系、纹饰统计表　　（重量单位：克）

陶质 \ 陶色 \ 纹饰		夹砂				泥质			印纹硬陶和原始瓷	合计	百分比（%）
		灰	黑皮	红	黄	灰	黑皮	红			
绳纹	数量	150	123	167	9	37	24	83		593	42.00
	重量	1727	790	1846	367	2186.5	173.5	469.5		7559.5	30.85
绳纹和弦纹	数量		2			7	5			14	0.99
	重量		26.5			903	204			1133.5	4.63
绳纹和附加堆纹	数量			12						12	0.85
	重量			642						642	2.62
网格纹	数量	7	2	30	1				1	41	2.90
	重量	265	122.5	1317.5	30				42	1777	7.25
网格纹和附加堆纹	数量			9						9	0.64
	重量			1079.5						1079.5	4.41
网格纹和弦纹	数量					7	3			10	0.71
	重量					65.5	43			108.5	0.44
篮纹	数量			11						11	0.78
	重量			547.5						547.5	2.23
篮纹和附加堆纹	数量			3						3	0.21
	重量			297						297	1.21
附加堆纹	数量	5		18			2			25	1.77
	重量	223.5		543.5			33.5			800.5	3.27
附加堆纹和弦纹	数量						3			3	0.21
	重量						94			94	0.38
弦纹	数量	4		2		9	13	2		30	2.12
	重量	103.5		32		292	225.5	31		684	2.79
云雷纹	数量			1					2	3	0.21
	重量			68					44.5	112.5	0.46
叶脉纹	数量								2	2	0.14
	重量								13.5	13.5	0.06
素面	数量	238	48	238	8	20	98	5	1	656	46.46
	重量	2823.5	597	4825.5	394.5	248	660	96	7	9651.5	39.39
合计	数量	404	175	491	18	80	148	90	6	1412	100.00
	重量	5142.5	1536	11198.5	791.5	3695	1433.5	596.5	107	24500.5	100.00
百分比（%）	数量	28.61	12.39	34.77	1.27	5.67	10.48	6.37	0.43	100.00	
		77.05				22.52					
	重量	20.99	6.27	45.71	3.23	15.08	5.85	2.43	0.44	100.00	
		76.20				23.36					

表2.2.82　杨家湾H14可辨器形统计表

陶质	夹砂				泥质		合计	百分比（%）
器形＼陶色	灰	黑皮	红	黄	灰	黑皮		
鬲	49		12				61	19.24
鬲足或甗足	30		24				54	17.03
甗	4						4	1.26
斝	8	6					14	4.42
豆					4		4	1.26
盆					1		1	0.32
瓮					8	5	13	4.10
大口尊	2				6	4	12	3.79
缸	5		130	18			153	48.26
器盖			1				1	0.32
合计	98	6	167	18	19	9	317	100.00
百分比（%）	30.92	1.89	52.68	5.68	5.99	2.84	100.00	

（七）H15

位于Q1712T0917中部偏北。开口于第1层下，被H10打破，打破第2层。灰坑平面为椭圆形，直壁，平底。灰坑南北长2.46、东西宽1.54、最深处距离坑口约0.76米。填土为黑褐色黏土，土质致密，出土有青铜器和夹砂陶、泥质陶、印纹硬陶、原始瓷等各类陶、瓷片2617片。陶质以夹砂陶为主，占陶片数量约72%，泥质陶次之，印纹硬陶与原始瓷数量较少。陶色以灰陶为主，并有相当数量的红陶，黑皮陶的数量次之。纹饰以绳纹为主，并可见少量的网格纹、篮纹、附加堆纹、弦纹、窗棂纹、云雷纹、叶脉纹等。器类多见缸，占可辨器类约78%，此外缸、鬲和甗的数量相对较多，盆、瓮、罐、大口尊、爵、器盖数量较少（图2.2.105；表2.2.83、表2.2.84）。

陶器

鬲　标本2件。以夹砂灰陶为主，多饰绳纹。

标本H15：1，夹砂灰陶。侈口，平折沿，沿面有一周凹槽，方唇，束颈，腹部微鼓。颈下饰一周弦纹，腹部饰绳纹。复原后口径16.5、残高8.5厘米（图2.2.105，1）。

标本H15：2，夹砂灰陶。沿面上斜，尖圆唇。腹部饰绳纹。复原后口径15.4、残高3.8厘米（图2.2.105，2）。

簋　标本1件。

标本H15：5，泥质灰陶。口微侈，圆唇，上腹部近直，下腹部斜收。上下腹部之间饰弦纹，下腹部饰绳纹。上腹部可见泥条堆筑痕迹。复原后口径24、残高7厘米（图2.2.105，3）。

盆　标本1件。

标本H15：18，泥质灰胎黑皮陶。折沿外翻，圆唇，腹部斜收。腹部见多道泥条堆筑痕迹。复原后口径约30、残高5.5厘米。

瓮　标本1件。

标本H15：19，泥质灰胎黑皮陶。口微侈，方唇，束颈。颈肩交界处有两周弦纹。复原后口径12、残高4.5厘米。

缸　标本2件。多为夹砂红陶，部分为夹砂黄陶、夹砂灰陶。

标本H15：6，夹砂黄陶。直口，腹部斜收。口部和腹部饰绳纹，口沿下饰附加堆纹。复原后口径36.3、残高16.5厘米（图2.2.105，5）。

标本H15：3，夹砂灰陶。仅余下腹及底部，下腹斜收，小平底。器表素面。器物内壁可见有泥条手捏制痕迹。底径3、残高5厘米（图2.2.105，4）。

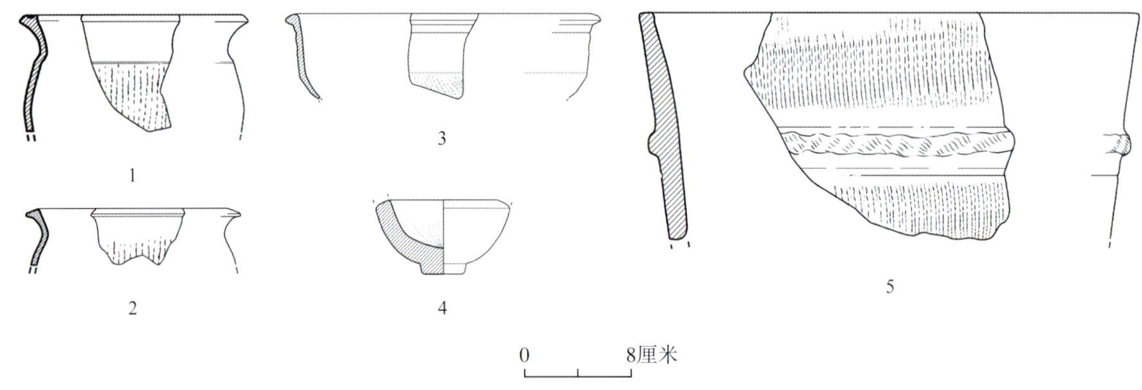

图 2.2.105　杨家湾 H15 出土陶器

1、2. 鬲（H15：1、H15：2）　3. 簋（H15：5）　4、5. 缸（H15：3、H15：6）

表2.2.83　杨家湾H15陶系、纹饰统计表　（重量单位：克）

陶质		夹砂				泥质			印纹硬陶和原始瓷	合计	百分比（%）
纹饰＼陶色		灰	黑皮	红	黄	灰	黑皮	红			
绳纹	数量	269	106	137	5	84	179		2	782	29.88
	重量	3182.5	2809.5	4731.5	147	645	965		24	12504.5	22.66
绳纹和附加堆纹	数量	3		8	4		1			16	0.61
	重量	1885		563	624.5		29			3101.5	5.62

续表

纹饰＼陶质/陶色		夹砂 灰	夹砂 黑皮	夹砂 红	夹砂 黄	泥质 灰	泥质 黑皮	泥质 红	印纹硬陶和原始瓷	合计	百分比（%）
绳纹和弦纹	数量					18	15			33	1.26
	重量					340.5	204			544.5	0.99
网格纹	数量	1		62	27					90	3.44
	重量	77.5		3018	1594					4689.5	8.50
网格纹和附加堆纹	数量			8						8	0.31
	重量			768						768	1.39
网格纹和弦纹	数量					30	17			47	1.80
	重量					184	147.5			331.5	0.60
篮纹	数量			14	7					21	0.80
	重量			470	436					906	1.64
附加堆纹	数量	38	7	22	14	7				88	3.36
	重量	1123.5	116	782	1140.5	169				3331	6.04
附加堆纹和弦纹	数量							1		1	0.04
	重量							14.5		14.5	0.03
弦纹	数量	2		1		10	27			40	1.53
	重量	43.5		52		108	196.5			400	0.72
云雷纹	数量	1	1						4	6	0.23
	重量	62	5.5						87.5	155	0.28
云雷纹和叶脉纹	数量								1	1	0.04
	重量								11.5	11.5	0.02
叶脉纹	数量								6	6	0.23
	重量								64	64	0.12
窗棂纹	数量		1							1	0.04
	重量		35							35	0.06
素面	数量	401	66	500	178	129	178	20	5	1477	56.44
	重量	5925	591.5	13739.5	5493	929.5	1375	163	108	28324.5	51.33
合计	数量	715	181	752	235	278	417	21	18	2617	100.00
	重量	12299	3557.5	24124	9435	2376	2917	177.5	295	55181	100.00
百分比（%）	数量	27.32	6.92	28.74	8.98	10.62	15.93	0.80	0.69	100.00	
		71.96				27.35					
	重量	22.29	6.45	43.72	17.10	4.31	5.29	0.32	0.53	100.00	
		89.55				9.92					

表2.2.84　杨家湾H15可辨器形统计表

陶质	夹砂			泥质		印纹硬陶和原始瓷	合计	百分比（%）
器形＼陶色	灰	红	黄	灰	黑皮			
鬲	7	1					8	0.62
鬲或甗	103	44					147	11.45
鬲足或甗足	32	25					57	4.44
甗	3						3	0.23
罐	1					2	3	0.23
爵	2						2	0.16
簋				2			2	0.16
盆				13	16		29	2.26
瓮				8	5		13	1.01
大口尊				11	2		13	1.01
尊						1	1	0.08
缸	103	667	235				1005	78.27
器盖		1					1	0.08
合计	251	738	235	34	23	3	1284	100.00
百分比（%）	19.63	57.40	18.30	2.65	1.79	0.23	100.00	

（八）H16

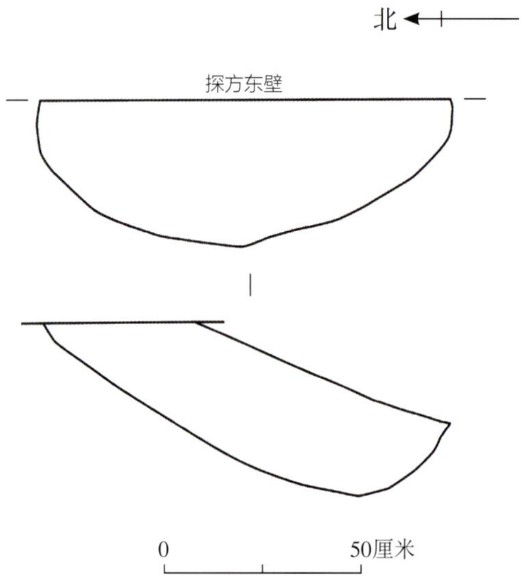

位于Q1712T0816东部，部分伸入探方东壁。开口于第2层下，打破第3层。灰坑平面近椭圆形，斜壁圜底（图2.2.106）。坑口最大径1.26、距坑口最深约0.4米。灰坑填土为黑褐色黏土，土质较致密，在灰坑中部完整放置一件缸的底部，上部已被破坏。出土夹砂陶、泥质陶、印纹硬陶、原始瓷等各类陶、瓷片457片，陶质以夹砂陶数量最多，占全部陶片数量近79%。泥质陶、印纹硬陶与原始瓷的数量较少。陶色以灰陶为主，另有相当比例的红陶、黄陶和黑皮陶。纹饰多见绳纹，其他还可见有网格纹、篮纹、附加堆纹、弦纹、云雷纹和篦纹等。常见器类以缸为主，占可辨器类总数约80%，此外还有鬲、甗、盆、罐、瓮、大口尊、斝、爵等（图2.2.107、图2.2.108；表2.2.85、表2.2.86）。

北
探方东壁
0　50厘米

图2.2.106　杨家湾H16平、剖面图

陶器

瓮 标本1件。

标本H16：6，泥质红胎黑皮陶。侈口，方唇，颈部微外鼓，溜肩。肩部饰两周弦纹，其下饰网格纹。颈部有泥条衔接的痕迹。复原后口径13、残高7厘米（图2.2.107，1）。

大口尊 标本2件。

标本H16：2，泥质灰陶。敞口，平沿，方唇，折肩。颈部饰一周凸棱纹。复原后口径36、残高11厘米（图2.2.108，1）。

标本H16：3，泥质灰陶。敞口，方唇，折肩。颈部饰一周凸棱纹，折肩处饰一周附加堆纹。复原后口径34、残高20厘米（图2.2.108，2）。

缸 标本1件。

标本H16：1，夹砂红陶，见有两层胎。残存器底，正置于灰坑中部。下接小平底假圈足。内层胎素面，外层器表饰绳纹，圈足底绳纹抹光。底径8、残高18厘米（图2.2.107，2）。

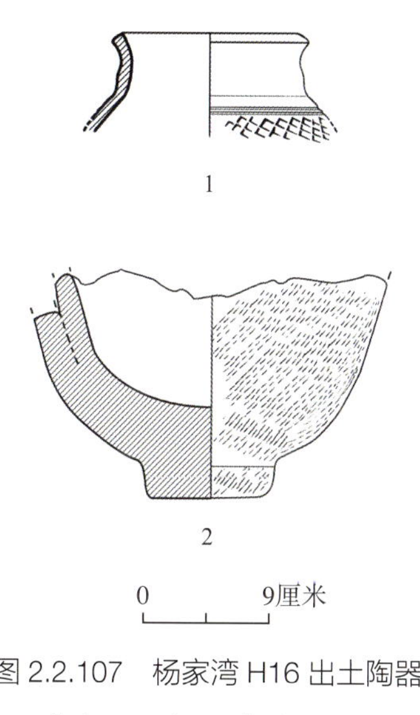

图2.2.107 杨家湾H16出土陶器

1. 瓮（H16：6） 2. 缸（H16：1）

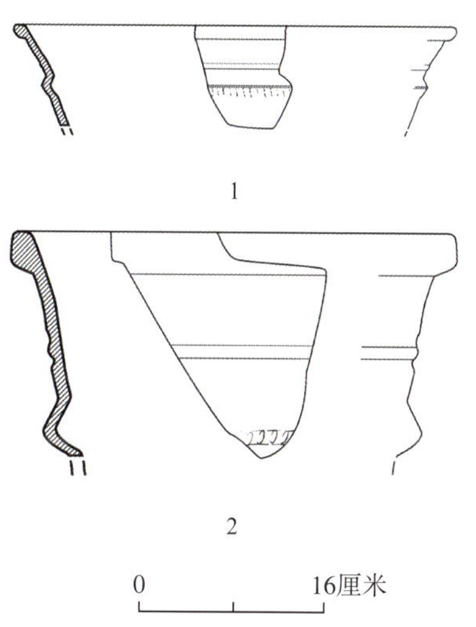

图2.2.108 杨家湾H16出土陶大口尊

1. H16：2 2. H16：3

表2.2.85 杨家湾H16陶系、纹饰统计表 （重量单位：克）

陶质		夹砂				泥质			印纹硬陶和原始瓷	合计	百分比（%）
纹饰＼陶色		灰	黑皮	红	黄	灰	黑皮	红			
绳纹	数量	76	9	53	36	19	11			204	44.64
	重量	7805	118	2465	4302	162	155			15007	55.39
绳纹和附加堆纹	数量	3		7	5					15	3.28
	重量	2065		658	1336					4059	14.98

续表

纹饰		夹砂 灰	夹砂 黑皮	夹砂 红	夹砂 黄	泥质 灰	泥质 黑皮	泥质 红	印纹硬陶和原始瓷	合计	百分比（%）
绳纹和弦纹	数量	1	1			2	4			8	1.75
	重量	22	4			88	106			220	0.81
网格纹	数量			8	16	3	5	1		33	7.22
	重量			247	1127	26	35	19		1454	5.37
网格纹和附加堆纹	数量			2	1					3	0.66
	重量			147	428					575	2.12
网格纹和弦纹	数量						1			1	0.22
	重量						129			129	0.48
篮纹	数量			1	3					4	0.88
	重量			95	175					270	1.00
附加堆纹	数量	4		4	8					16	3.50
	重量	146		232	231					609	2.25
弦纹	数量		1	1		5	11			18	3.94
	重量		4	10		41	211			266	0.98
云雷纹	数量								3	3	0.66
	重量								33	33	0.12
篦纹	数量								1	1	0.22
	重量								24	24	0.09
素面	数量	48	4	41	28	11	17		2	151	33.04
	重量	743	71	2120	1006	142	342		22	4446	16.41
合计	数量	132	15	117	97	40	49	1	6	457	100.00
	重量	10781	197	5974	8605	459	978	19	79	27092	100.00
百分比（%）	数量	28.88	3.28	25.60	21.23	8.75	10.72	0.22	1.31	100.00	
		78.99				19.69					
	重量	39.79	0.73	22.05	31.76	1.69	3.61	0.07	0.29	100.00	
		94.33				5.37					

表2.2.86 杨家湾H16可辨器形统计表

陶质	夹砂				泥质		合计	百分比（%）
器形＼陶色	灰	黑皮	红	黄	灰	黑皮		
鬲	11	3	1				15	6.88
鬲足或甗足	9	1	3				13	5.96
罐						1	1	0.46
斝	1	1	1				3	1.38
爵	1						1	0.46
盆					3	2	5	2.29
瓮					1		1	0.46
大口尊					1	3	4	1.83
缸	21	1	89	64			175	80.28
合计	43	6	94	64	5	6	218	100.00
百分比（%）	19.72	2.75	43.12	29.36	2.29	2.75	100.00	

（九）H17

位于Q1712T0915西部，部分伸入探方西壁。开口于第2层下，打破第3层。已发掘部分平面呈半圆形，直壁平底。坑口南北长1.1、东西宽0.6、最深处距坑口0.4米。灰坑填土为黑灰色黏土，土质较疏松。出土夹砂陶、泥质陶等陶片93片，以夹砂陶为主，占全部陶片约90%。陶色以红陶为主，约占46%，灰陶次之，并多见黑皮陶、黄陶。绳纹陶占全部陶器数量的42%，另可见有网格纹、篮纹、附加堆纹、弦纹等。常见器类以缸为主，占所有可辨器类约78%，其他还见有鬲、大口尊、盆等（表2.2.87、表2.2.88）。

表2.2.87 杨家湾H17陶系、纹饰统计表 （重量单位：克）

陶质		夹砂				泥质			合计	百分比（%）
纹饰＼陶色		灰	黑皮	红	黄	灰	黑皮	红		
绳纹	数量	15	5	14	2	2		1	39	41.94
	重量	218	46	444	140	19		5	872	33.60
绳纹和附加堆纹	数量		1						1	1.08
	重量		151						151	5.82

续表

陶质		夹砂				泥质			合计	百分比（%）
纹饰＼陶色		灰	黑皮	红	黄	灰	黑皮	红		
网格纹	数量				4				4	4.30
	重量				144				144	5.55
网格纹和附加堆纹	数量				1				1	1.08
	重量				34				34	1.31
篮纹	数量		1	2	1				4	4.30
	重量		19	48	53				120	4.62
附加堆纹	数量			1	1				2	2.15
	重量			44	113				157	6.05
附加堆纹和弦纹	数量						1		1	1.08
	重量						42		42	1.62
弦纹	数量	2	2					1	5	5.38
	重量	87	46					7	140	5.39
素面	数量	8		23	1		3	1	36	38.71
	重量	117		674	25		101	18	935	36.03
合计	数量	25	9	40	10	2	4	3	93	100.00
	重量	422	262	1210	509	19	143	30	2595	100.00
百分比（%）	数量	26.88	9.68	43.01	10.75	2.15	4.30	3.23	100.00	
		90.32				9.68				
	重量	16.26	10.10	46.63	19.61	0.73	5.51	1.16	100.00	
		92.60				7.40				

表2.2.88　杨家湾H17可辨器形统计表

陶质	夹砂				泥质		合计	百分比（%）
器形＼陶色	灰	黑皮	红	黄	灰	黑皮		
鬲	1	1					2	3.17
鬲足或甗足	1		3				4	6.35
盆	1						1	1.59
大口尊	1				3	3	7	11.11
缸	2	2	35	10			49	77.78
合计	6	3	38	10	3	3	63	100.00
百分比（%）	9.52	4.76	60.32	15.87	4.76	4.76	100.00	

（十）H18

位于Q1713T0602、T0603、T0703三个探方交界处。开口于第1层下，打破生土。灰坑平面近椭圆形，斜壁圜底。坑口最大径为5.6、最深处距离坑口0.31米。灰坑填土为灰色粉砂土，土质较致密，出土泥质陶、夹砂陶、印纹硬陶、原始瓷等各类陶、瓷片849片，以夹砂陶为大宗，占全部出土陶片总数的约82%。陶色以红陶居多，另多见灰陶、黄陶和少量的黑皮陶。纹饰以篮纹为主，占陶片总数约13%，绳纹次之，约12%，另见有网格纹、附加堆纹、弦纹、云雷纹等。常见器类有缸，占可辨器类总数约84%，其余还可见有鬲、盆、豆、罐或瓮、大口尊、斝、器盖等（表2.2.89、表2.2.90）。

表2.2.89　杨家湾H18陶系、纹饰统计表　（重量单位：克）

陶质		夹砂				泥质			印纹硬陶和原始瓷	合计	百分比（%）
纹饰＼陶色		灰	黑皮	红	黄	灰	黑皮	红			
绳纹	数量	30	10	14		23	16	7		100	11.78
	重量	178	74.5	521.5		161.5	130	57		1122.5	5.88
绳纹和弦纹	数量	1	1					1		3	0.35
	重量	8.5	21.5					4		34	0.18
网格纹	数量			19	2				1	22	2.59
	重量			755	53				11	819	4.29
网格纹和附加堆纹	数量	4		2						6	0.71
	重量	186		179.5						365.5	1.91
网格纹和弦纹	数量			1						1	0.12
	重量			29						29	0.15
篮纹	数量	8		81	19					108	12.72
	重量	223		3228	594					4045	21.19
篮纹和附加堆纹	数量			8				2		10	1.18
	重量			530.5				25		555.5	2.91
附加堆纹	数量			22	5	1		8		36	4.24
	重量			1382	441	6.5		53.5		1883	9.86
弦纹	数量	3				5	10			18	2.12
	重量	68.5				48	104			220.5	1.15
云雷纹	数量							2	1	3	0.35
	重量							13.5	4.5	18	0.09

续表

纹饰＼陶质 陶色		夹砂 灰	夹砂 黑皮	夹砂 红	夹砂 黄	泥质 灰	泥质 黑皮	泥质 红	印纹硬陶和原始瓷	合计	百分比（%）
素面	数量	129	7	237	93	47	22	6	1	542	63.84
	重量	1218.5	93.5	6089.5	1868.5	427.5	203.5	95	5.5	10001.5	52.38
合计	数量	175	18	384	119	76	48	26	3	849	100.00
	重量	1882.5	189.5	12715	2956.5	643.5	437.5	248	21	19093.5	100.00
百分比（%）	数量	20.61	2.12	45.23	14.02	8.95	5.65	3.06	0.36	100.00	
		81.98				17.66					
	重量	9.86	0.99	66.59	15.48	3.37	2.29	1.30	0.11	100.00	
		92.93				6.96					

表2.2.90　杨家湾H18可辨器形统计表

器类＼陶质 陶色	夹砂 灰	夹砂 红	夹砂 黄	泥质 灰	泥质 黑皮	合计	百分比（%）
鬲	23	3				26	4.08
鬲或甗	28	4				32	5.02
鬲足或甗足	8	3				11	1.73
罐或瓮	2			5		7	1.10
斝	1					1	0.16
豆	2			8	2	12	1.88
盆				3		3	0.47
大口尊	2			4	3	9	1.41
器盖	2					2	0.31
缸	52	363	119			534	83.83
合计	120	373	119	20	5	637	100.00
百分比（%）	18.84	58.56	18.68	3.14	0.78	100.00	

（十一）H19

位于Q1713T0917东南部，部分伸入探方东隔梁和南壁，未发掘完毕。开口于第2层下，打破第3层。已发掘部分平面近椭圆形，弧壁平底，南北长1.86、东西宽1.4、最深处距坑口约0.7米（图2.2.109）。灰坑填土为黄灰色黏土，土质致密。出土夹砂陶、泥质陶、印纹硬陶、原始瓷等各类陶、瓷片541片，以夹砂陶为大宗，占全部出土陶片总数约80%。陶色以红陶为主，灰陶次之，黑皮陶和黄陶数量较少。纹饰以绳纹为主，另有网格纹、篮纹、附加堆纹、弦纹、云雷纹、刻画纹等。常见器类以缸为大宗，占可辨器类总数约86%，其他器类还有鬲、甗、盆、大口尊、爵等（图2.2.110；表2.2.91、表2.2.92）。

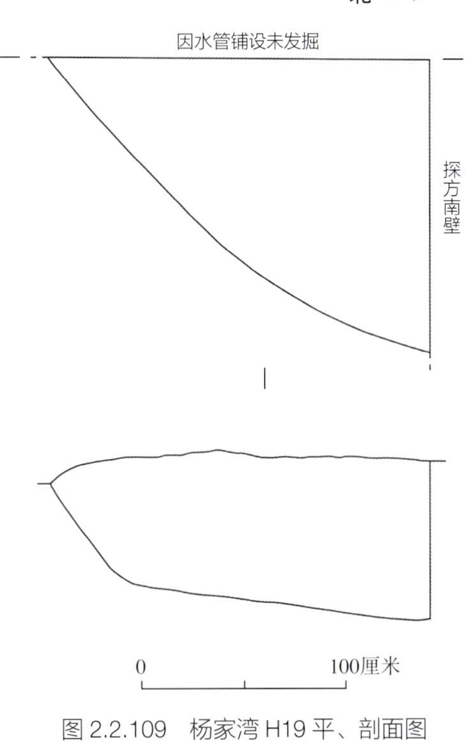

图 2.2.109　杨家湾 H19 平、剖面图

陶器

缸　多数为夹砂红陶，另多见夹砂黄陶。纹饰以绳纹为主，常见还饰有网格纹、篮纹、附加堆纹等。标本2件。

标本H19：1，夹砂灰陶，砂粒径较细。残存缸口沿。直口，尖圆唇。口沿下贴加泥条，口部和腹部饰交错绳纹。残高9.2厘米（图2.2.110，1）。

标本H19：2，夹砂灰陶，砂粒径较细。为厚胎缸。上部器壁较薄，底部逐步加厚。通体饰交错绳纹。残高15厘米（图2.2.110，2）。

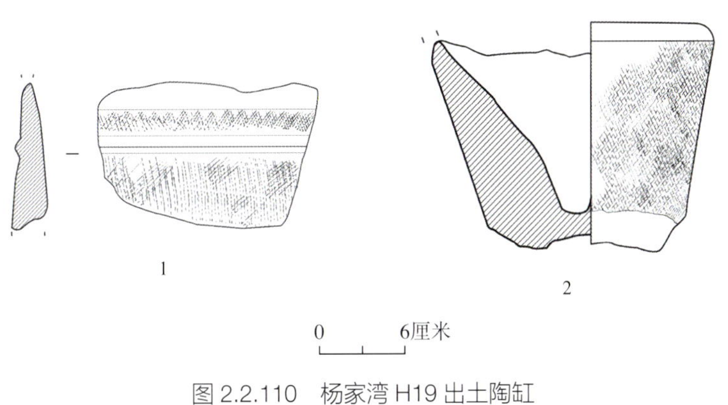

图 2.2.110　杨家湾 H19 出土陶缸

1. H19：1　2. H19：2

表2.2.91　杨家湾H19陶系、纹饰统计表　　（重量单位：克）

纹饰＼陶质	陶色	夹砂				泥质			印纹硬陶和原始瓷	合计	百分比（%）
		灰	黑皮	红	黄	灰	黑皮	红			
绳纹	数量	51	15	74	7	23	18			188	34.75
	重量	1282	46	4759	466	13125	310.5			19988.5	49.10
绳纹和网格纹	数量					3				3	0.55
	重量					173.5				173.5	0.43
绳纹和附加堆纹	数量	3		11	5	1				20	3.70
	重量	582.5		1764	2473	710				5529.5	13.58
绳纹和弦纹	数量					1	1			2	0.37
	重量					31.5	53.5			85	0.21
网格纹	数量			25	3				3	31	5.73
	重量			1263	90.5				433.5	1787	4.39
网格纹和附加堆纹	数量			8	4					12	2.22
	重量			687	820.5					1507.5	3.70
网格纹和弦纹	数量						1			1	0.18
	重量						45.5			45.5	0.11
篮纹	数量			34	4					38	7.02
	重量			3583	661					4244	10.42
附加堆纹	数量	6		4			2			12	2.22
	重量	628.5		213.5			89.5			931.5	2.29
弦纹	数量						7			7	1.29
	重量						98.5			98.5	0.24
弦纹和刻划纹	数量						2			2	0.37
	重量						21.5			21.5	0.05
云雷纹	数量						1		1	2	0.37
	重量						12.5		14	26.5	0.07
素面	数量	72		97	10	17	22	5		223	41.22
	重量	874		4527.5	357	112	322	80.5		6273	15.41
合计	数量	132	15	253	33	45	54	5	4	541	100.00
	重量	3367	46	16797	4868	14152	953.5	80.5	447.5	40711.5	100.00
百分比（%）	数量	24.40	2.77	46.77	6.10	8.32	9.98	0.92	0.74	100.00	
		80.04				19.22					
	重量	8.27	0.11	41.26	11.96	34.76	2.34	0.20	1.10	100.00	
		61.60				37.30					

表2.2.92 杨家湾H19可辨器形统计表

陶质	夹砂			泥质		合计	百分比（%）
器类＼陶色	灰	红	黄	灰	黑皮		
鬲	12					12	3.63
鬲或甗	5	2				7	2.11
鬲足或甗足	11	6				17	5.14
爵	2					2	0.60
盆				4		4	1.21
大口尊				3	3	6	1.81
缸	11	239	33			283	85.50
合计	41	247	33	7	3	331	100.00
百分比（%）	12.39	74.62	9.97	2.11	0.91	100.00	

（十二）H20

位于Q1712T0817南部，部分伸入探方南壁。开口于第2层下，打破第3层。已发掘部分开口呈半椭圆形（图2.2.111）。东西长约1.8、南北宽1.2、最深处距坑口约0.62米。灰坑填土为黑色黏土。出土动物骨骼及夹砂陶、泥质陶、印纹硬陶、原始瓷等各类陶、瓷片847片，以夹砂陶数量居多，占全部出土陶片约80%，泥质陶次之，印纹硬陶与原始瓷数量较少。陶色以红陶为主，灰陶次之，另见一定数量的黑皮陶和黄陶。纹饰以绳纹为主，另见有网格纹、篮纹、附加堆纹、弦纹、云雷纹等。器类以缸为主，占可辨器类总数约64.92%，其他常见器类还有鬲、甗、盆、罐、大口尊、爵、中柱盂等（图2.2.112；表2.2.93、表2.2.94）。

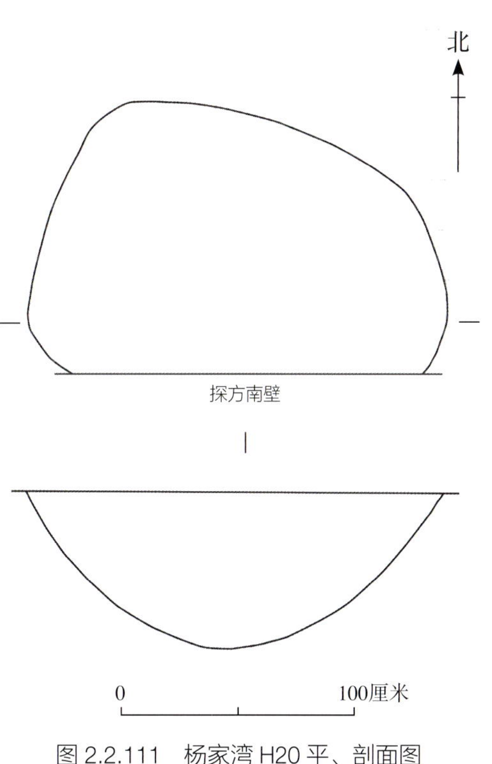

图 2.2.111 杨家湾 H20 平、剖面图

陶器

大口尊 标本1件。

标本H20：1，泥质黑皮陶。敞口，平沿，圆唇，颈部微凸，腹部斜收。肩部饰一周附

加堆纹，腹部饰四周凸弦纹。复原后口径42、残高14.4厘米（图2.2.112，1）。

中柱盂 标本1件。

标本H20：2，泥质黑皮陶。仅余柱，伞状柱。素面。顶部直径7、底部直径9、残高11厘米（图2.2.112，2）。

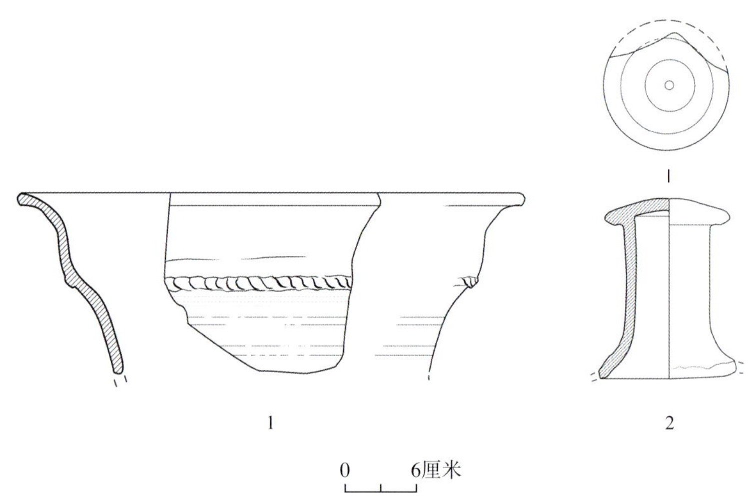

图2.2.112 杨家湾H20出土陶器

1. 大口尊（H20：1） 2. 中柱盂（H20：2）

表2.2.93 杨家湾H20陶系、纹饰统计表 （重量单位：克）

陶质		夹砂				泥质		印纹硬陶和原始瓷	合计	百分比（%）
纹饰 \ 陶色		灰	黑皮	红	黄	灰	黑皮			
绳纹	数量	114	14	114	25	56	30		353	41.68
	重量	924	156	1198	2312	810	366		5766	20.73
绳纹和附加堆纹	数量	3		6	3				12	1.42
	重量	200		7200	429				7829	28.15
绳纹和弦纹	数量	8	1			7			16	1.89
	重量	61	36			80			177	0.64
网格纹	数量	1		31	18			3	53	6.26
	重量	21		2255	1347			72	3695	13.28
网格纹和附加堆纹	数量			3					3	0.35
	重量			922					922	3.31
网格纹和弦纹	数量					10			10	1.18
	重量					113			113	0.41

续表

陶质 纹饰＼陶色		夹砂				泥质		印纹硬陶和原始瓷	合计	百分比（%）
		灰	黑皮	红	黄	灰	黑皮			
篮纹	数量			3					3	0.35
	重量			241					241	0.87
附加堆纹	数量			10	4				14	1.65
	重量			621	239				860	3.09
弦纹	数量	3	2			10	7		22	2.60
	重量	17	29			87	60		193	0.69
云雷纹	数量				1			2	3	0.35
	重量				52			17	69	0.25
素面	数量	82	23	184	28	19	22		358	42.27
	重量	1257	309	4570	1238	289	288		7951	28.58
合计	数量	211	40	351	79	102	59	5	847	100.00
	重量	2480	530	17007	5617	1379	714	89	27816	100.00
百分比（%）	数量	24.91	4.72	41.44	9.33	12.04	6.97	0.59	100.00	
		80.40				19.01				
	重量	8.92	1.91	61.14	20.19	4.96	2.57	0.32	100.00	
		92.16				7.53				

表2.2.94 杨家湾H20可辨器形统计表

陶质 器形＼陶色	夹砂				泥质		合计	百分比（%）
	灰	黑皮	红	黄	灰	黑皮		
鬲	19	9	13				41	12.62
鬲足或甗足	10		56				66	20.31
罐					2		2	0.62
爵	1						1	0.31
盆					1	1	2	0.62
中柱盂						1	1	0.31
大口尊						1	1	0.31
缸	24		108	79			211	64.92
合计	54	9	177	79	3	3	325	100.00
百分比（%）	16.62	2.77	54.46	24.31	0.92	0.92	100.00	

（十三）H21

占据了Q1712T0816除西北角外的全部探方，部分伸入探方北隔梁、东隔梁、南壁和西壁。灰坑开口于第4层下，打破第6层。由于发掘时间有限，根据工地统一安排，T0816至H21层面后并未进一步发掘，因此H21未发掘到底部。由于发掘面积有限，灰坑具体形状不详（图2.2.113）。灰坑上层填土为黄色偏黑的黏土，土质致密。出土有动物骨骼、石器及夹砂陶、泥质陶等各类陶片1883片。夹砂陶数量居多，占整个出土陶片总数约83%。陶色以红陶为主，灰陶、黄陶次之，另有一定数量的黑皮陶。纹饰以绳纹为主，其次为网格纹，另见少量篮纹、附加堆纹、弦纹、云雷纹、乳钉纹等。器类以缸为大宗，占全部可辨器类总数约88%，其他常见器类还有鬲、甗、盆、刻槽盆、豆、罐、大口尊等（图2.2.114；表2.2.95、表2.2.96）。

1）陶器

盆　标本2件。主要为直腹和鼓腹两类，斜腹较少。

标本H21：14，泥质灰陶。侈口，折沿外翻，方唇，腹部近直。腹部饰绳纹。复原后口径50、残高8厘米（图2.2.114，6）。

标本H21：16，泥质灰陶。敛口，折沿，圆唇，鼓腹。上腹部饰两周弦纹。复原后口径19.5、残高7厘米（图2.2.114，2）。

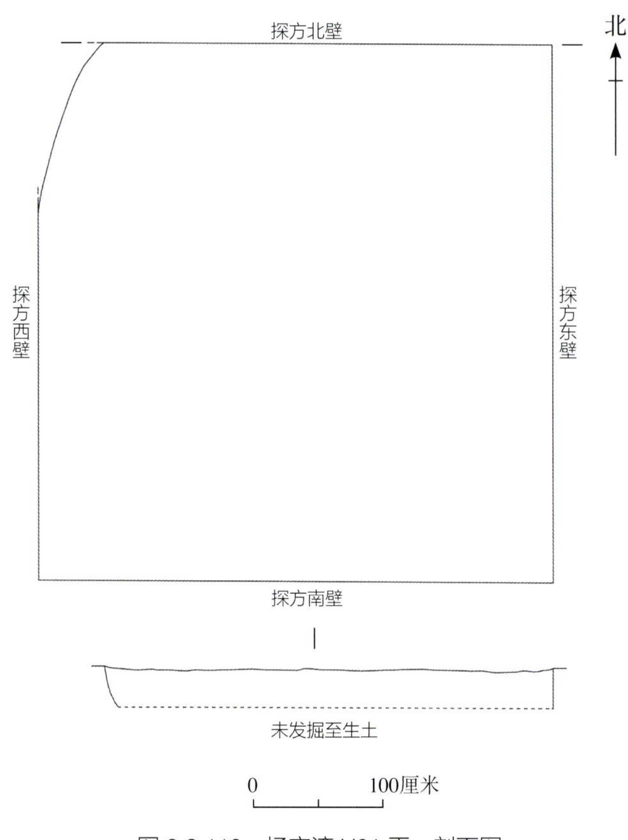

图2.2.113　杨家湾H21平、剖面图

瓮　标本1件。

标本H21：15，泥质灰陶。直口，圆唇，广肩。颈部饰一周弦纹，肩部饰两周凸弦纹。复原后口径6.5、残高6厘米（图2.2.114，1）。

2）石器

3件，分别为石镰和磨石两类。

镰　标本2件。

标本H21：1，残，青质砂岩。残长6、宽4厘米（图2.2.114，3）。

标本H21：2，残，青质砂岩。残长9、宽4.5厘米（图2.2.114，4）。

磨石　标本1件。

标本H21：3，青质岩石。上下两面光滑，左右两端见有切割痕迹。长8.6、宽6厘米（图2.2.114，5）。

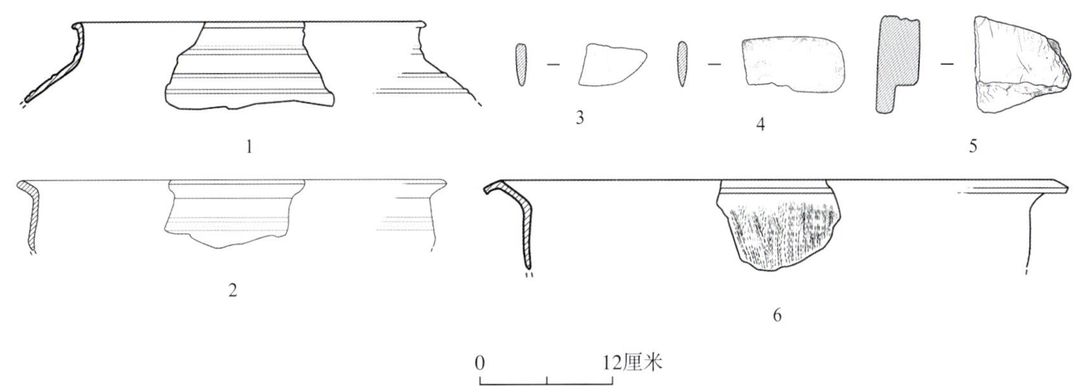

图2.2.114　杨家湾H21出土陶器和石器

1. 陶瓮（H21：15）　2、6. 陶盆（H21：16、H21：14）　3、4. 石镰（H21：1、H21：2）　5. 磨石（H21：3）

表2.2.95　杨家湾H21陶系、纹饰统计表　（重量单位：克）

陶质 / 陶色 / 纹饰		夹砂				泥质			合计	百分比（%）
		灰	黑皮	红	黄	灰	黑皮	红		
绳纹	数量	124	149	176	147	82	45	13	736	39.09
	重量	2381	4761	5497	9205	871	449	180	23344	35.36
绳纹和附加堆纹	数量	23	22	26	25				96	5.10
	重量	582	1702	1872	1874				6030	9.13
绳纹和弦纹	数量	1	5		2	22			30	1.59
	重量	5	86		242	290			623	0.94

续表

纹饰 \ 陶质 / 陶色		夹砂				泥质			合计	百分比（%）
		灰	黑皮	红	黄	灰	黑皮	红		
网格纹	数量	12	22	77	124	2		2	239	12.69
	重量	418	1702	3755	7588	45		31	13539	20.51
网格纹和附加堆纹	数量	4	1	12	2				19	1.01
	重量	323	184	916	128				1551	2.35
网格纹和弦纹	数量					8			8	0.42
	重量					57			57	0.09
篮纹	数量			13	9				22	1.17
	重量			638	371				1009	1.53
篮纹和附加堆纹	数量				2				2	0.11
	重量				119				119	0.18
附加堆纹	数量	2	6	22	17	4		2	53	2.81
	重量	66	109	1007	2462	53		33	3730	5.65
附加堆纹和弦纹	数量		1			2			3	0.16
	重量		43			18			61	0.09
弦纹	数量	10	2			23	8	2	45	2.39
	重量	220	28			332	131	69	780	1.18
云雷纹	数量				4				4	0.21
	重量				98				98	0.15
乳钉纹	数量					1			1	0.05
	重量					8			8	0.01
素面	数量	118	67	212	117	51	39	21	625	33.19
	重量	2280	1096	6950	3286	535	561	362	15070	22.83
合计	数量	294	275	538	449	195	92	40	1883	100.00
	重量	6275	9711	20635	25373	2209	1141	675	66019	100.00
百分比（%）	数量	15.61	14.60	28.57	23.84	10.36	4.89	2.12	100.00	
		82.62				17.37				
	重量	9.50	14.71	31.26	38.43	3.35	1.73	1.02	100.00	
		93.90				6.10				

表2.2.96　杨家湾H21可辨器形统计表

陶质	夹砂				泥质			合计	百分比（%）
器形＼陶色	灰	黑皮	红	黄	灰	黑皮	红		
鬲	27	18	4			2		51	3.80
鬲足或甗足	17	5	17					39	2.91
甗	3							3	0.22
罐					5	11	9	25	1.86
豆					2			2	0.15
盆					20			20	1.49
刻槽盆					1			1	0.07
瓮		1			3	2		6	0.45
大口尊		1			4		11	16	1.19
缸	75	157	506	440				1178	87.84
合计	122	182	527	440	35	15	20	1341	100.00
百分比（%）	9.10	13.57	39.30	32.81	2.61	1.12	1.49	100.00	

（十四）H22

位于Q1712T0917东北部，部分伸入探方东隔梁和北隔梁。开口于第3层下，被开口于第2层下的H15打破。已发掘部分平面呈四分之一椭圆形，南北长2.2、东西宽1.7、最深处距坑口约0.76米。灰坑填土为灰褐色黏土，土质较致密。出土夹砂陶、泥质陶、印纹硬陶、原始瓷等各类陶片，以夹砂陶为主，占整个出土陶片总数约75%，泥质陶次之，另有少量印纹硬陶与原始瓷。陶色以红陶为主，同时见有灰陶、黄陶和黑皮陶。纹饰多见有绳纹，少量陶器装饰附加堆纹、网格纹、弦纹、云雷纹、叶脉纹、篦纹、刻划纹等。器类以缸为大宗，占可辨器类陶片总数的91.28%，其他还见有鬲、鬲足或甗足、盆、大口尊等（图2.2.115、图2.2.116；表2.2.97、表2.2.98）。

陶器

盆　标本1件。

标本H22：1，夹砂灰陶。敞口，平折沿，尖圆唇，器壁斜直，平底。颈部饰有一周弦纹，其下饰竖向粗绳纹。颈部至口沿处可见轮修痕迹。口径15.5、底径7、通高12.5厘米（图2.2.115，2；图2.2.116，2）。

缸　标本1件。

标本H22：2，夹砂黄陶。侈口，尖圆唇，器壁斜直，颈部略内凹，腹部斜收，小平底，外接圆饼形实圈足。口沿处至颈部饰竖向粗绳纹，颈部饰有一周附加堆纹，堆纹之上可见手指按压的痕迹，颈部以下饰竖向和斜向粗绳纹。口径19.5、底径4.5、通高49厘米（图2.2.115，1；图2.2.116，1）。

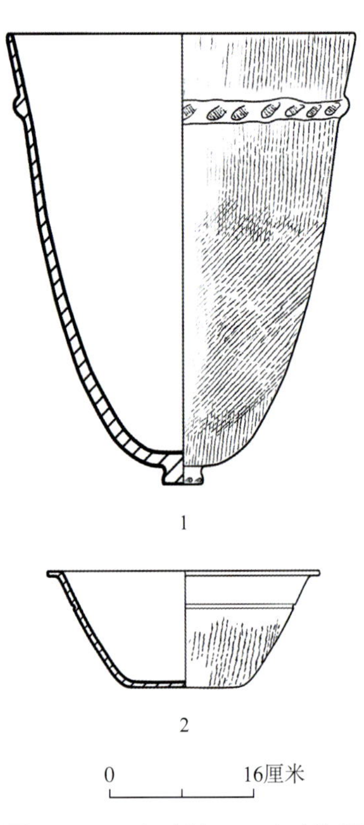

图 2.2.115　杨家湾 H22 出土陶器

1. 缸（H22：2）　2. 盆（H22：1）

图 2.2.116　杨家湾 H22 出土陶器照片

1. 缸（H22：2）　2. 盆（H22：1）

表2.2.97　杨家湾H22陶系、纹饰统计表　　（重量单位：克）

陶质		夹砂				泥质			印纹硬陶和原始瓷	合计	百分比（%）
纹饰	陶色	灰	黑皮	红	黄	灰	黑皮	红			
绳纹	数量	24		35	11	8	6	1		85	27.16
	重量	918.5		1555	620	51	57	225.5		3427	17.85
绳纹和附加堆纹	数量	5	4	7			1			17	5.43
	重量	2185	113.5	6612			25			8935.5	46.54
绳纹和弦纹	数量						2			2	0.64
	重量						58			58	0.30

续表

陶质		夹砂				泥质			印纹硬陶和原始瓷	合计	百分比（%）
纹饰 \ 陶色		灰	黑皮	红	黄	灰	黑皮	红			
网格纹	数量			15	7				1	23	7.35
	重量			831.5	267				4	1102.5	5.74
网格纹和附加堆纹	数量				4				1	5	1.60
	重量				526.5				7	533.5	2.78
网格纹和弦纹	数量					2				2	0.64
	重量					28				28	0.15
附加堆纹	数量	3		4	1	3				11	3.51
	重量	128.5		432	121	55				736.5	3.84
附加堆纹和弦纹	数量						1			1	0.32
	重量						13.5			13.5	0.07
弦纹	数量			1		16	4			21	6.71
	重量			7.5		58.5	39.5			105.5	0.55
云雷纹	数量								1	1	0.32
	重量								24	24	0.13
叶脉纹	数量								1	1	0.32
	重量								24	24	0.13
篦纹	数量								1	1	0.32
	重量								19.5	19.5	0.10
刻划纹	数量						1			1	0.32
	重量						18.5			18.5	0.10
素面	数量	19		91	5	9	17	1		142	45.37
	重量	526		2075.5	1181	70	317.5	2		4172	21.73
合计	数量	51	4	153	28	38	32	2	5	313	100.00
	重量	3758	113.5	11513.5	2715.5	262.5	529	227.5	78.5	19198	100.00
百分比（%）	数量	16.29	1.28	48.88	8.95	12.14	10.22	0.64	1.60	100.00	
		75.40				23.00					
	重量	19.57	0.59	59.97	14.14	1.37	2.76	1.19	0.41	100.00	
		94.27				5.32					

表2.2.98 杨家湾H22可辨器形统计表

陶质	夹砂			泥质		合计	百分比（%）
器形＼陶色	灰	红	黄	灰	黑皮		
鬲	5					5	2.56
鬲或甗	2					2	1.03
鬲足或甗足	2					2	1.03
盆				3	1	4	2.05
大口尊				2	2	4	2.05
缸		150	28			178	91.28
合计	9	150	28	5	3	195	100.00
百分比（%）	4.62	76.92	14.36	2.56	1.54	100.00	

（十五）H23

位于Q1712T0817东部，部分伸入探方东隔梁和南壁。开口于第2层下，打破第3层。已发掘部分平面呈半椭圆形，弧壁平底，灰坑东西长1.05、南北宽0.6、最深处距坑口约0.26米。灰坑填土为黑色和黄褐色黏土混杂，土质较致密。在灰坑中部直立有两个完整的陶缸，并于周边出土夹砂陶、泥质陶等各类陶片。夹砂陶数量居多，占全部出土陶片总数约81%。纹饰以绳纹为主，占陶片总数约45%，其他纹饰有网格纹、附加堆纹、弦纹等。器类以缸为大宗，占可辨器类总数约87%，包括两件完整的缸。此外常见器类还有鬲、甗、罐等（图2.2.117；表2.2.99、表2.2.100）。

陶器

缸 标本2件。两件完整，并列正立于灰坑中部，底部多见陶片支撑。

标本H23：1，夹砂黄陶。直口微侈，桶形腹，下腹微斜收，小平底假圈足。口沿下饰一周附加堆纹，腹部饰绳纹。口径29、通高43厘米（图2.2.117，3）。

标本H23：2，夹砂黄陶。直口，桶形腹，腹部微鼓，小平底假圈足。口沿下饰一周附加堆纹，通体饰绳纹。口径32、通高46厘米（图2.2.117，1、2）。

图 2.2.117 杨家湾 H23 出土陶缸

1、2. H23：1 3. H23：2

表2.2.99 杨家湾H23陶系、纹饰统计表 （重量单位：克）

纹饰 \ 陶质 / 陶色		夹砂				泥质		合计	百分比（%）
		灰	黑皮	红	黄	灰	黑皮		
绳纹	数量	2	21	15	13	15	3	69	44.81
	重量	16	332	258	955	88	98	1747	32.19
绳纹和附加堆纹	数量				4			4	2.60
	重量				301			301	5.55
网格纹	数量			7	3			10	6.49
	重量			263	1226			1489	27.44
网格纹和附加堆纹	数量			1	1			2	1.30
	重量			141	122			263	4.85
附加堆纹	数量			1	1			2	1.30
	重量			37	23			60	1.11
弦纹	数量					1		1	0.65
	重量					17		17	0.31
素面	数量	15	9	14	17		11	66	42.86
	重量	153	175	410	696		116	1550	28.56

续表

陶质		夹砂				泥质		合计	百分比（%）
纹饰	陶色	灰	黑皮	红	黄	灰	黑皮		
合计	数量	17	30	38	39	16	14	154	100.00
	重量	169	507	1109	3323	105	214	5427	100.00
百分比（%）	数量	11.04	19.48	24.68	25.32	10.39	9.09	100.00	
		80.52				19.48			
	重量	3.11	9.34	20.43	61.23	1.93	3.94	100.00	
		94.12				5.88			

表2.2.100　杨家湾H23可辨器形统计表

陶质	夹砂				泥质	合计	百分比（%）
器类　陶色	灰	黑皮	红	黄	黑皮		
鬲		1				1	1.28
鬲足或甗足	3		2			5	6.41
罐			1		3	4	5.13
缸		6	23	39		68	87.18
合计	3	7	26	39	3	78	100.00
百分比（%）	3.85	8.97	33.33	50.00	3.85	100.00	

（十六）H25

位于Q1712T1011东部，部分伸入东壁，未发掘完整。开口于第3层下，打破生土层。平面略呈不规则的长方形，上部为斜壁，中部以下壁略直，底部不平，略有起伏（图2.2.118）。基线方向为90°和0°，发掘部分东西长0.94、南北最宽1.26、距坑口最深1.08米。H25北壁上有一内凹的小坑，可能作为供上下所用的脚坑。填土为黄色夹杂有黑色颗粒的黏土，土质较致密。包含有少许陶片及较多的石块。陶片大多较碎小，出土夹砂陶、泥质陶等各类陶片。夹砂陶数量居多，占全部出土陶片总数约90%。陶色以绳纹、网格纹为主，其他纹饰有附加堆纹、篮纹、弦纹、压印纹、云雷纹等。器类以缸、鬲足或甗足为大宗，出土有较完整的鬲和垂腹罐。常见器类还有罐、爵、壶等（图2.2.119～图2.2.121；表2.2.101、表2.2.102）。H25废弃前可能作为F5的配套设施使用。

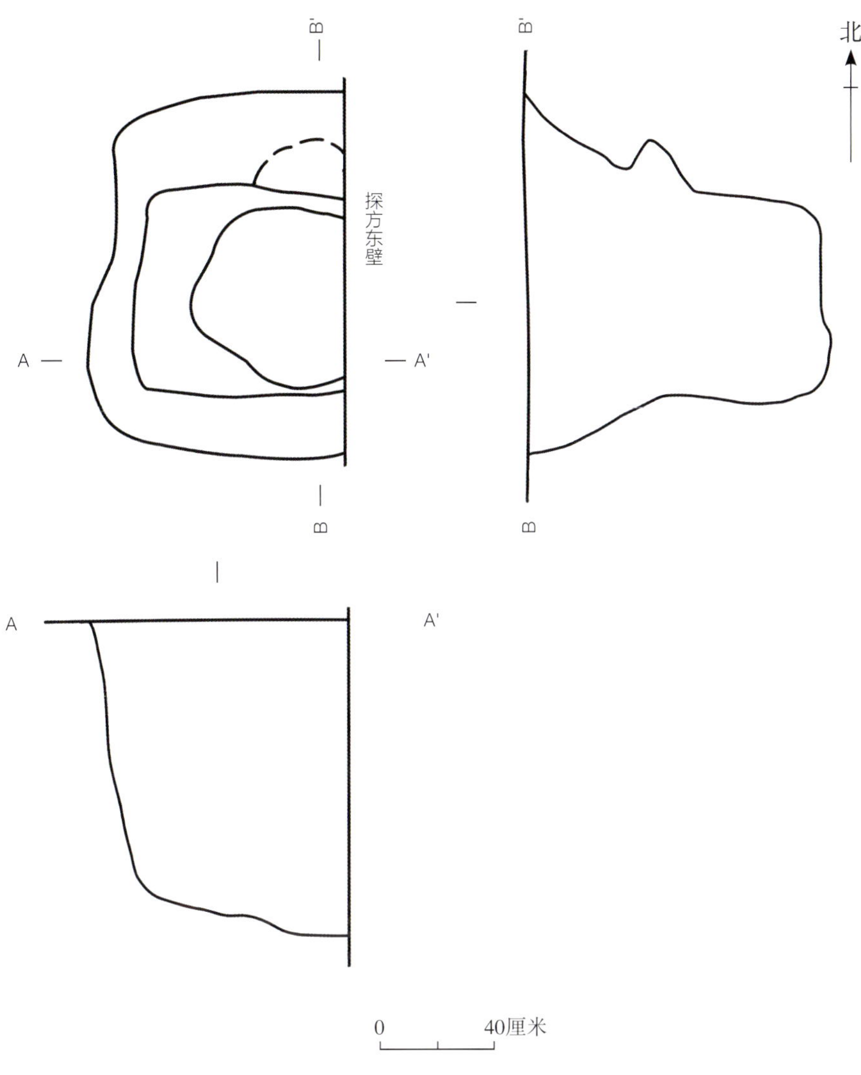

图 2.2.118　杨家湾 H25 平、剖面图

陶器

鬲　标本1件。

标本H25：1，夹砂红陶。折沿略下弧，方唇，实足跟已脱落。颈部饰一周弦纹，颈部以下饰绳纹。复原后口径12、通高11.5厘米（图2.2.120，1；图2.2.121，1）。

罐　标本1件。

标本H25：2，夹砂红陶。卷沿，圆唇，束颈，圆肩，垂腹，凹圜底。颈部以下饰绳纹。腹内壁有多道泥条盘筑痕（图2.2.119）。复原后口径13、通高20厘米（图2.2.120，2；图2.2.121，2）。

图 2.2.119　陶罐（杨家湾 H25：2）制作细节照片

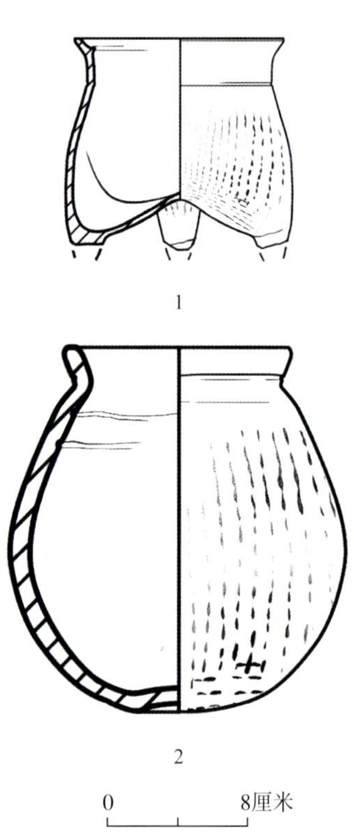

图 2.2.120　杨家湾 H25 出土陶器

1. 鬲（H25：1）　2. 罐（H25：2）

图 2.2.121　杨家湾 H25 出土陶器照片

1. 鬲（H25：1）　2. 罐（H25：2）

表2.2.101　杨家湾H25陶系、纹饰统计表

陶质		夹砂					泥质		印纹硬陶和原始瓷	合计	百分比（%）
纹饰＼陶色		灰	黑皮	红	黄	白	灰	黑皮			
绳纹	数量	16	2	45	12	2	9	5		91	28.53
	重量	207	33	2340	597	92	75	69		3413	23.23
绳纹和附加堆纹	数量			2		1				3	0.94
	重量			300		122				422	2.87
网格纹	数量	3		41	20	7			2	73	22.88
	重量	173		3695	712	261			16	4857	33.06
网格纹和附加堆纹	数量			5	2	1				8	2.51
	重量			416	283	22				721	4.91
篮纹	数量	2		1	2					5	1.57
	重量	95		50	85					230	1.57

续表

纹饰＼陶色＼陶质		夹砂					泥质		印纹硬陶和原始瓷	合计	百分比（%）
		灰	黑皮	红	黄	白	灰	黑皮			
附加堆纹	数量			7	5	1				13	4.08
	重量			297	225	26				548	3.73
弦纹	数量	1		2			3	2		8	2.51
	重量	16		37			56	35		144	0.98
云雷纹	数量								2	2	0.63
	重量								18	18	0.12
压印纹	数量			1	3					4	1.25
	重量			67	197					264	1.80
素面	数量	25		53	20	4	3	6	1	112	35.11
	重量	569		2714	570	49	46	108	18	4074	27.73
合计	数量	47	2	157	64	16	15	13	5	319	100.00
	重量	1060	33	9916	2669	572	177	212	52	14691	100.00
百分比（%）	数量	14.73	0.63	49.22	20.06	5.02	4.70	4.08	1.57	100.00	
		89.66					10.35				
	重量	7.22	0.22	67.50	18.17	3.89	1.20	1.44	0.35	100.00	
		97.00					2.99				

表2.2.102　杨家湾H25可辨器形统计表

器形＼陶色＼陶质	夹砂			泥质		合计	百分比（%）
	灰	红	黄	灰	黑皮		
鬲	1					1	4.17
鬲足或甗足	5	4				9	37.50
罐		2			1	3	12.50
爵	1					1	4.17
壶				1		1	4.17
缸		5	4			9	37.50
合计	7	11	4	1	1	24	100.00
百分比（%）	29.17	45.83	16.67	4.17	4.17	100.00	

三、灰沟

杨家湾南坡在2013年发现商时期灰沟两处，位于发掘区北部和西部。在此依次介绍。

（一）G1

位于Q1713T1203、T1303和T1403。开口于第2层下，打破第3层。因西北和东南方向均延伸至所布探方外，未发掘完毕。开口平面形状呈长条形，为西北—东南走向，北部开口较宽，南部逐渐变窄，斜壁，圜底。已发掘的部分长13、宽4、最深0.63米（图2.2.122）。灰沟填土为灰褐色黏土。出土遗物有陶器和石器。

1）陶、瓷器

G1出土陶器数量较多，共计10375片，包括泥质陶、夹砂陶、印纹硬陶和原始瓷。其中夹砂陶占绝大部分，达到近89%，泥质陶较少，另多见印纹硬陶和原始瓷。陶色以红陶为主，所占比例约68%，灰陶次之，约占17.7%，还可见黄陶、黑皮陶等。纹饰以篮纹为大宗，同时可见相当数量的绳纹，网格纹和附加堆纹数量较少。印纹硬陶和原始瓷还饰有篦纹、叶脉纹、S形纹、云雷纹、几何纹饰等。陶器可辨器形中，缸占绝大部分，鬲、甗、瓮、大口尊的数量也较多，豆、罐、壶、斝、刻槽盆、器盖等少见（图2.2.123～图2.2.127；表2.2.103、表2.2.104）。

鬲　标本10件，多为夹砂灰陶，少数见夹砂红陶。腹部多饰绳纹，少数尺寸较大者，颈部饰附加堆纹。

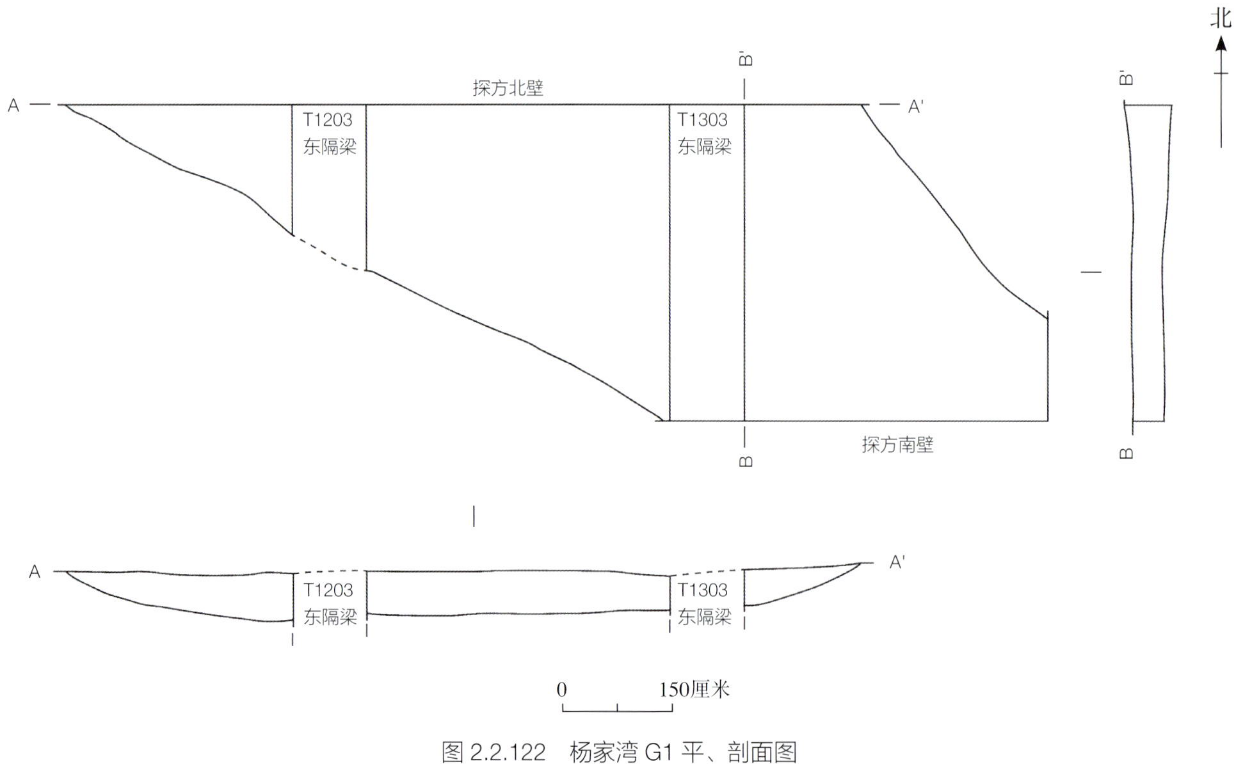

图 2.2.122　杨家湾 G1 平、剖面图

标本G1：1，夹砂灰陶。口近直，卷沿上仰，沿面内凹，厚方唇，唇上缘尖凸，外缘内凹，内有一周凸棱，腹部近直。颈部饰一周弦纹，腹部饰绳纹。复原后口径12.2、残高4.5厘米（图2.2.123，10）。

标本G1：6，夹砂灰陶。口近直，折沿上仰，沿面内凹，厚方唇，唇外缘内凹。颈部见两周弦纹。复原后口径16.5、残高3.9厘米（图2.2.123，5）。

标本G1：10，夹砂灰陶，内壁泛青。侈口，平折沿，沿面见一周凹槽，圆唇，束颈。口沿下绳纹抹光，近颈部饰附加堆纹，腹部饰绳纹。复原后口径28、残高6.5厘米（图2.2.123，1）。

标本G1：13，夹砂灰陶。敛口，折沿上仰，薄方唇。腹部饰绳纹。复原后口径12、残高8.8厘米（图2.2.123，9）。

标本G1：17，夹砂灰陶。侈口，平折沿，沿面见两周凹槽，方唇，束颈。腹部饰绳纹。复原后口径25、残高5.6厘米（图2.2.123，4）。

标本G1：18，夹砂灰陶。平折沿，沿面近口沿处见一周凹槽，圆唇。腹部饰绳纹。复原后口径14、残高4.5厘米（图2.2.123，7）。

标本G1：19，夹砂灰陶。口微敛，折沿上仰，沿面较平，厚方唇，唇外缘有一周凸棱。腹部饰绳纹。复原后口径16.5、残高4.6厘米（图2.2.123，6）。

标本G1：31，夹砂灰陶。平折沿，沿面较宽，内凹，近口沿处起一周凸棱，圆唇方

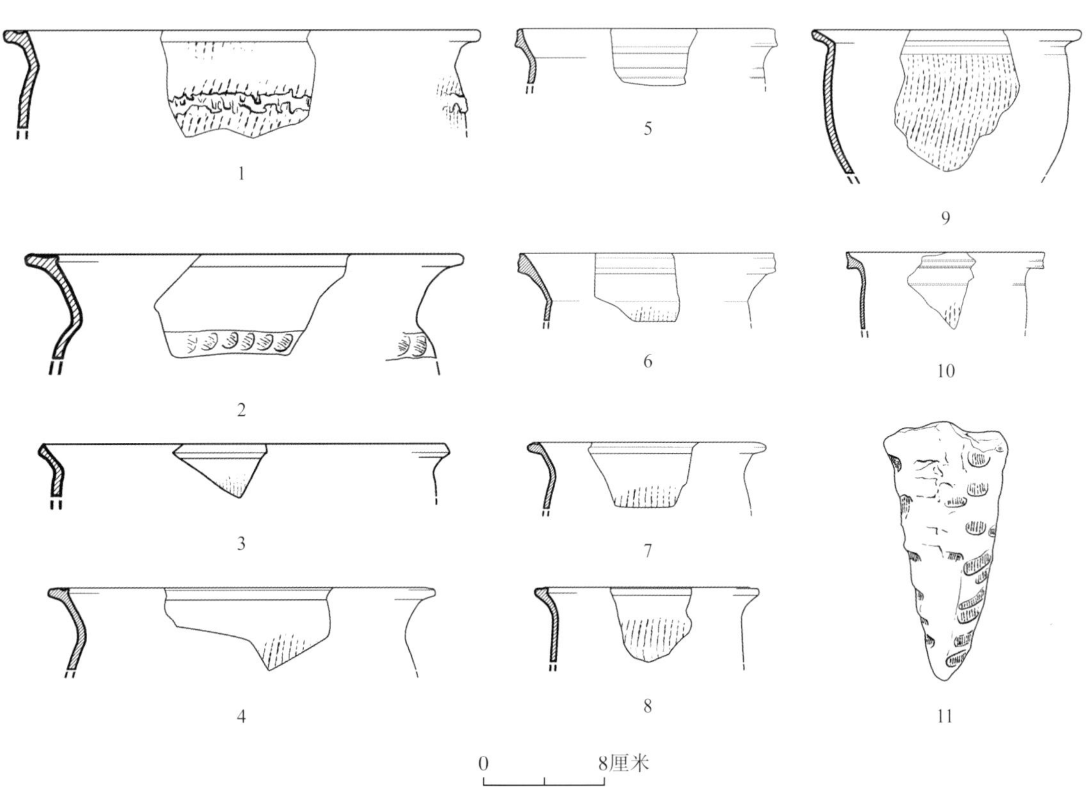

图 2.2.123　杨家湾 G1 出土陶器

1～10. 鬲（G1：10、G1：31、G1：32、G1：17、G1：6、G1：19、G1：18、G1：33、G1：13、G1：1）　11. 鬲足（G1：11）

钝。颈部饰附加堆纹。复原后口径29、残高6.1厘米（图2.2.123，2）。

标本G1：33，夹砂灰陶。平折沿，沿面有两周凹槽，唇外缘方钝。腹部饰绳纹。复原后口径12、残高4.8厘米（图2.2.123，8）。

标本G1：32，夹砂灰陶。卷沿，方唇，唇部贴加泥条。颈部绳纹抹光。复原后口径约27、残高3.6厘米（图2.2.123，3）。

鬲足（或甗足） 标本1件。

标本G1：11，夹砂红陶。尖锥足。外见按窝，按窝内饰绳纹，上部见足窝。残高17厘米（图2.2.123，11）。

甗 标本3件。

标本G1：20，夹砂灰陶。卷沿方唇，方唇外缘内凹。颈部绳纹抹光，腹部饰绳纹。复原后口径约26、残高6厘米（图2.2.124，5）。

标本G1：29，夹砂灰陶，外施陶衣。侈口，折沿方唇，唇面中部有一道凹槽。腹部饰绳纹。复原后口径30、残高20厘米（图2.2.124，11）。

标本G1：54，夹砂灰陶。侈口，卷沿，厚方唇，沿面见一周凹槽，方唇外缘内凹。颈部绳纹抹光，腹部饰绳纹。复原后口径33.5、残高15.5厘米（图2.2.124，9）。

斝 标本1件。

标本G1：5，夹砂灰陶，外施陶衣。直口，折沿，圆唇，唇上缘见一周凹槽，下缘尖凸。唇面可见一乳钉装饰。复原后口径16、残高5厘米（图2.2.124，6）。

罐 标本1件。

标本G1：37，夹砂红陶。侈口，方唇，束颈，斜直肩。肩部饰绳纹。复原后口径14、残高5厘米（图2.2.124，1）。

豆 标本1件。

标本G1：4，泥质灰陶。真腹豆，仅余豆盘。敛口，圆唇，腹部斜收。腹部素面。复原后口径16、残高4厘米（图2.2.124，7）。

簋 标本2件。

标本G1：2，泥质灰陶。直口，尖圆唇，腹部微鼓。颈部饰一周弦纹。复原后口径22、残高5.6厘米（图2.2.124，3）。

标本G1：3，泥质黑皮陶。口近直，折沿，圆唇。腹部饰回字形图案。复原后口径20、残高3.6厘米（图2.2.124，2）。

盆 标本2件。

标本G1：34，泥质灰陶。直口，折沿，圆唇。腹部近口沿处饰三周弦纹，下腹部饰两周弦纹，中间纹饰模糊不清。复原后口径25、残高7.6厘米（图2.2.124，8）。

标本G1：41，泥质灰陶。敛口，折沿，圆唇，肩部微凸。肩部和上腹部饰四周弦纹，下腹部饰绳纹。复原后口径37.5、残高17.3厘米（图2.2.124，10）。

刻槽盆 标本1件。

标本G1：35，泥质灰陶。侈口，卷沿，尖唇，器内壁刻划多道竖向沟槽。复原后口径26、残高9厘米（图2.2.124，4）。

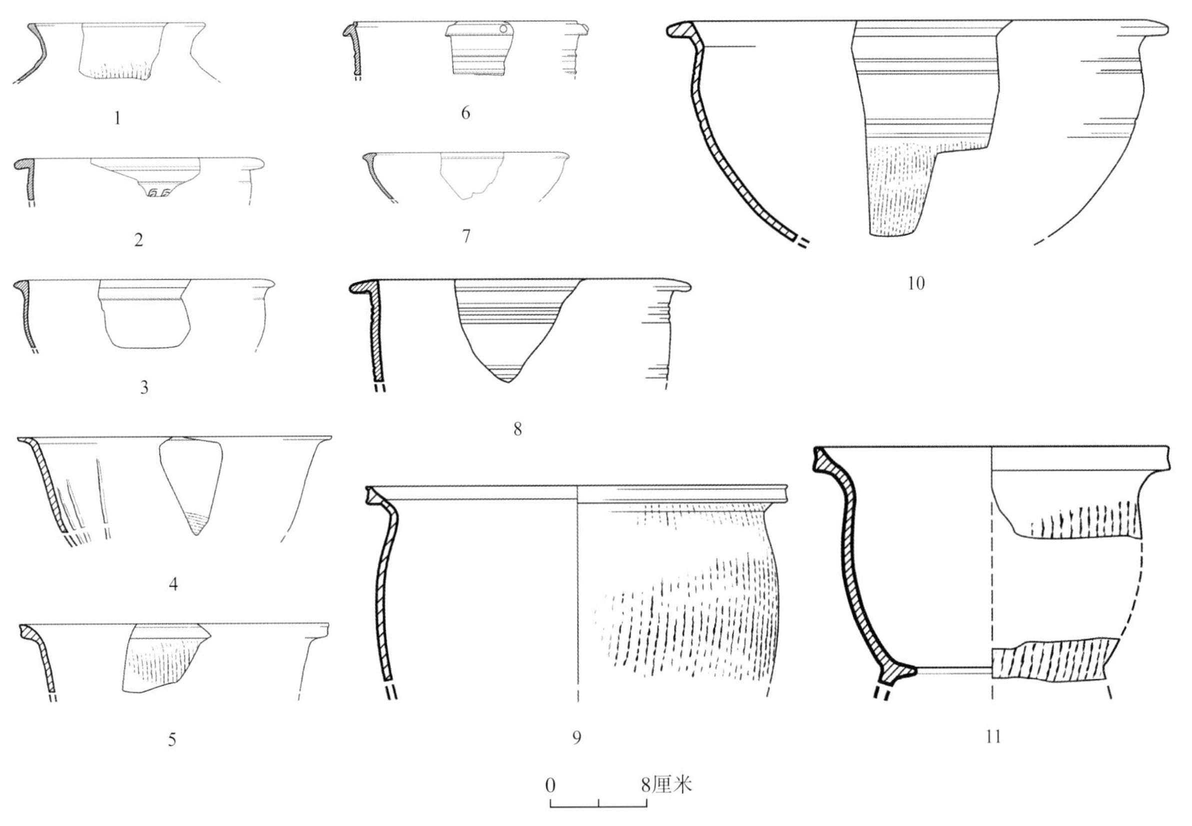

图 2.2.124　杨家湾 G1 出土陶器

1. 罐（G1：37）　2、3. 簋（G1：3、G1：2）　4. 刻槽盆（G1：35）　5、9、11. 甗（G1：20、G1：54、G1：29）
6. 斝（G1：5）　7. 豆（G1：4）　8、10. 盆（G1：34、G1：41）

钵　标本1件。

标本G1：16，泥质黑皮陶。口沿处加厚，圆唇。下腹饰交错绳纹。复原后口径20、残高5.7厘米（图2.2.125，6）。

壶　标本1件。

标本G1：30，泥质灰陶。敛口，直领，肩部有两鼻。领部饰一周弦纹。复原后口径10、通高8.5厘米（图2.2.125，3）。

瓮　标本1件。

标本G1：15，夹砂灰陶。口微侈，方唇，唇面可见一周凹槽，广肩。肩部饰五周弦纹和一周螺旋纹的印纹图案，腹部饰绳纹。复原后口径13.5、残高10厘米（图2.2.125，4）。

大口尊　标本1件。

标本G1：12，泥质灰陶。残存肩部。肩部微凸，饰附加堆纹，腹部饰窗棂纹。残高9.4厘米（图2.2.125，5）。

缸　在可辨别器形陶片中，出土数量占比高达93%左右。胎质多较粗糙，主要为夹砂红陶和夹砂黄陶，夹砂灰陶和黑皮陶少见。器形多较一致，敞口，深腹。口沿下饰一周附加堆纹，腹部多饰篮纹、网格纹或绳纹。标本2件。

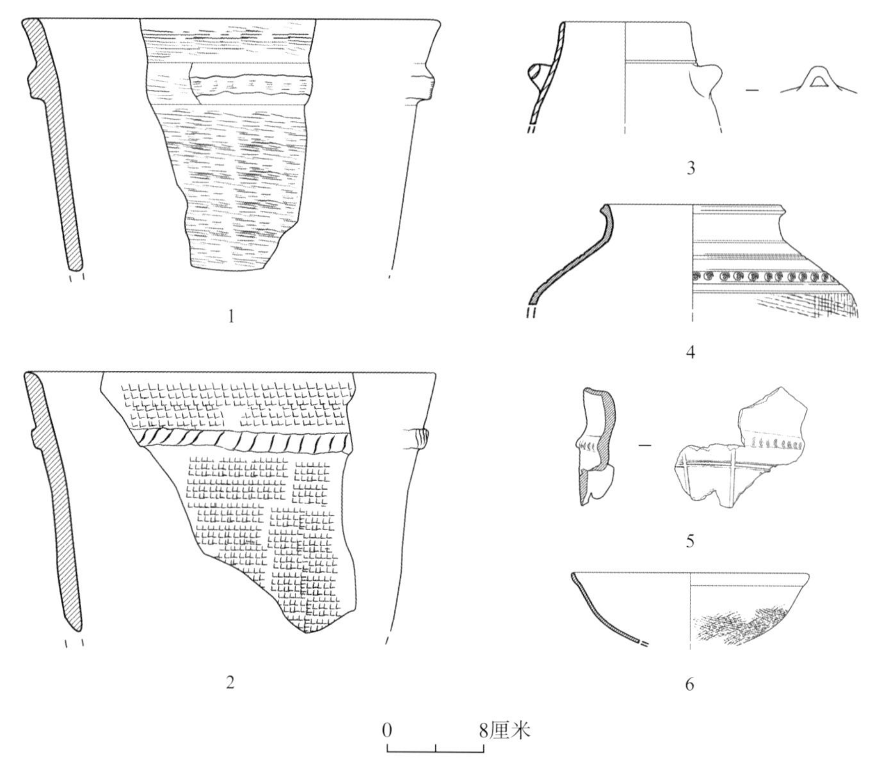

图 2.2.125　杨家湾 G1 出土陶器

1、2. 缸（G1：55、G1：56）　3. 壶（G1：30）　4. 瓮（G1：15）　5. 大口尊（G1：12）　6. 钵（G1：16）

标本G1：55，夹砂黄陶。器壁可见粗砂颗粒。侈口，腹部斜收。通体饰附加堆纹，腹部饰篮纹。复原后口径35、残高20.5厘米（图2.2.125，1）。

标本G1：56，夹砂黄陶。侈口，腹部斜收。通体饰网格纹，近口沿处饰附加堆纹。复原后口径35、残高21厘米（图2.2.125，2）。

器盖　标本2件。

标本G1：14，夹砂红陶。仅见盖纽。盖面饰弦纹。盖底径7、残高3厘米。

标本G1：38，泥质灰陶。子盖，外檐承器口。盖面饰一周弦纹。盖底径6、高4厘米。

印纹硬陶瓮　标本2件。

标本G1：57，印纹硬陶。侈口，唇面见多周凹槽，束颈，广肩。颈部见有轮制痕迹，肩部饰小网格纹和两周附加堆纹。复原后口径18、通高8.4厘米（图2.2.126，1）。

标本G1：58，印纹硬陶。敛口，卷沿，广肩，腹部斜收。肩部饰六周S形纹，且两两成组，形成三周纹饰带。复原后口径18、残高8.4厘米（图2.2.126，5）。

印纹硬陶罐　标本3件。

标本G1：21，印纹硬陶。口微侈，方唇，唇横截面近T形。腹部饰云雷纹。颈部见多道轮制痕迹。复原后口径22、残高5.8厘米（图2.2.126，3）。

标本G1：22，印纹硬陶。口微侈，方唇，唇内缘见一周凹槽。腹部饰云雷纹。颈部见多道轮制痕迹，腹部内壁可见手捏制痕迹。复原后口径10、残高4.5厘米（图2.2.126，4）。

标本G1：59，印纹硬陶。口部近直，沿面见多周凹槽，束颈。肩部饰横向的叶脉纹。颈部见多道轮制痕迹。复原后口径18、残高5厘米（图2.2.126，2）。

原始瓷瓮 标本1件。

标本G1：27，原始瓷。侈口，圆唇，束颈，广肩，腹部斜收。肩部见四个等距分布的方形纽。肩部饰四周折线纹，折线纹之间以多道弦纹相隔，腹部饰小网格纹。肩、腹均可见施釉痕迹。复原后口径15、残高22厘米（图2.2.126，6）。

2）石器

2件，可见有石凿和石锛。

凿 标本1件。

标本G1：28，青灰色砂岩。单面刃，磨制。长10、宽3～4厘米（图2.2.126，7）。

锛 标本1件。

标本G1：42，青灰色砂岩。单面刃，器身截面呈梯形，磨制。长13、宽3～4厘米（图2.2.126，8）。

G1出土印纹硬陶与原始瓷纹饰对比如图2.2.127。

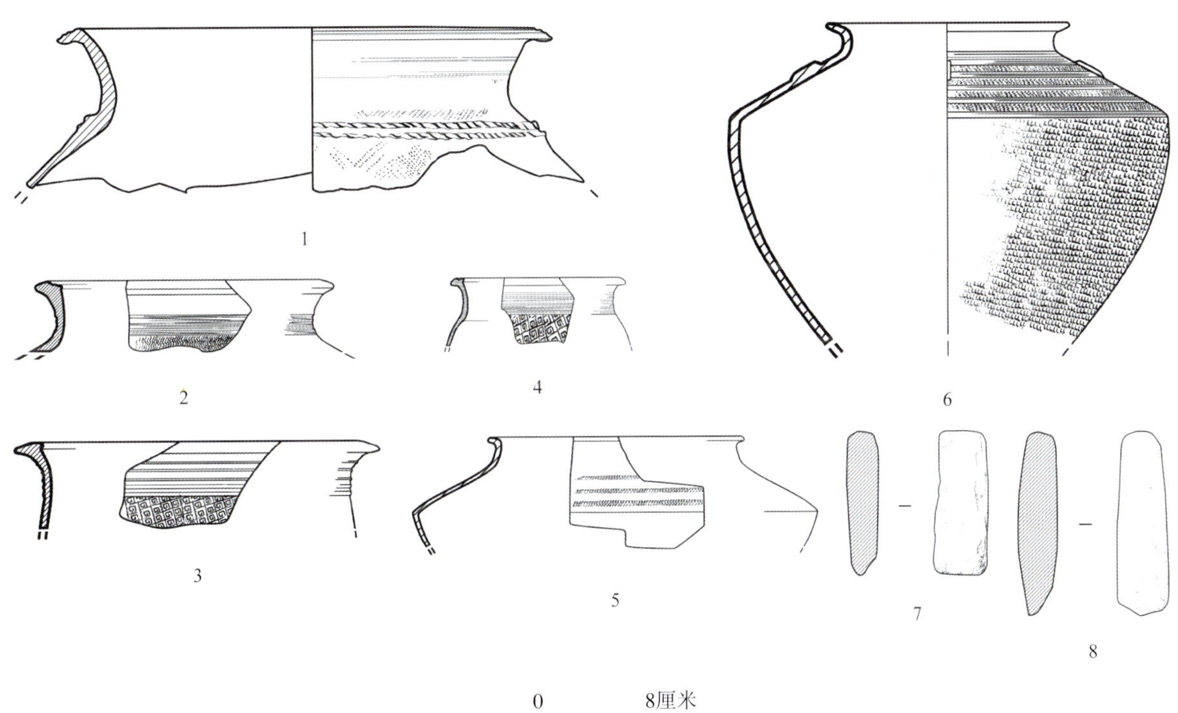

图2.2.126 杨家湾G1出土印纹硬陶、原始瓷器和石器

1、5. 印纹硬陶瓮（G1：57、G1：58） 2～4. 印纹硬陶罐（G1：59、G1：21、G1：22） 6. 原始瓷瓮（G1：27） 7. 石凿（G1：28） 8. 石锛（G1：42）

图 2.2.127　杨家湾 G1 出土印纹硬陶和原始瓷器纹饰照片

1. 几何刻划纹原始瓷（G1：44）　2、6. S形纹原始瓷（G1：45、G1：49）　3. 篦纹原始瓷（G1：46）　4、5. 叶脉纹印纹硬陶（G1：47、G1：48）　7. 网格纹印纹硬陶（G1：51）　8. 网格纹原始瓷（G1：52）　9. 云雷纹原始瓷（G1：53）

表2.2.103　杨家湾G1陶系、纹饰统计表　（重量单位：克）

陶质		夹砂				泥质			印纹硬陶和原始瓷	合计	百分比（%）
纹饰＼陶色		灰	黑皮	红	黄	灰	黑皮	红			
绳纹	数量	573	152	642	41	154	217	16		1795	17.30
	重量	7228.5	1311	14146	2170	833.5	407	17.5		26113.5	5.64
绳纹和附加堆纹	数量	19	56	57	3	3				138	1.33
	重量	411	113	9926.5	285.5	63				10799	2.33
绳纹和弦纹	数量	14	3	4		16	8	3		48	0.46
	重量	228.5	211.5	133		617.5	314.5	199.5		1704.5	0.37

续表

纹饰 \ 陶质/陶色		夹砂 灰	夹砂 黑皮	夹砂 红	夹砂 黄	泥质 灰	泥质 黑皮	泥质 红	印纹硬陶和原始瓷	合计	百分比（%）
网格纹	数量	11		783	30	9	3		36	872	8.40
	重量	628		33123	5753	234	102		1279.5	41109.5	8.89
网格纹和附加堆纹	数量	1	1	98	5					105	1.01
	重量	1255	22	16051	8460.5					25788.5	5.57
网格纹和弦纹	数量	1				7	1			9	0.09
	重量	10				49	11			70	0.02
网格纹和圆圈纹	数量					1				1	0.01
	重量					13				13	0.01
网格纹和S形纹	数量								5	5	0.05
	重量								1162	1162	0.25
篮纹	数量	14		1984	118	1				2117	20.40
	重量	2372.5		100226	9515	9.5				112123	24.24
篮纹和附加堆纹	数量			161	7					168	1.63
	重量			22707.5	14698.5					37406	8.09
附加堆纹	数量	41		360	32	1	8	1	1	444	4.28
	重量	1823		21391.5	1190	47	112	26.5	16	24606	5.32
附加堆纹和弦纹	数量			1		3				4	0.04
	重量			6734		265				6999	1.51
附加堆纹和云雷纹	数量			1						1	0.01
	重量			76						76	0.02
附加堆纹和窗棂纹	数量					1				1	0.01
	重量					66				66	0.01
弦纹	数量	17	3	5		53	28	6	3	115	1.11
	重量	70	25	124		880	454	160	34	1747	0.38
弦纹和云雷纹	数量						1			1	0.01
	重量						7			7	0.01
弦纹和S形纹	数量								9	9	0.09
	重量								262.5	262.5	0.06
云雷纹	数量			7		1		1	84	93	0.90
	重量			79		21			2647	2747	0.59

续表

纹饰 \ 陶质 陶色		夹砂				泥质			印纹硬陶和原始瓷	合计	百分比（%）
		灰	黑皮	红	黄	灰	黑皮	红			
云雷纹和叶脉纹	数量								5	5	0.05
	重量								317	317	0.07
云雷纹和S形纹	数量								1	1	0.01
	重量								3	3	0.01
叶脉纹	数量			1					86	87	0.84
	重量			2					1968	1970	0.43
S形纹	数量	1								1	0.01
	重量	8								8	0.01
篦纹	数量								2	2	0.02
	重量								40	40	0.01
圆圈纹	数量						1			1	0.01
	重量						62.5			62.5	0.01
素面	数量	734	74	3001	184	156	136	29	37	4351	41.93
	重量	13909	932.5	97496.5	7176.5	2550.5	2379	719	714.5	125877.5	27.21
合计	数量	1427	289	7105	420	406	403	56	269	10375	100.00
	重量	34028	3693.5	350653	50558	7694.5	6216	1294.5	8460.5	462598	100.00
百分比（%）	数量	13.75	2.79	68.48	4.05	3.91	3.88	0.54	2.59	100.00	
		89.07				8.34					
	重量	7.36	0.80	75.80	10.93	1.66	1.34	0.28	1.83	100.00	
		94.88				3.29					

表2.2.104　杨家湾G1可辨器形统计表

器形 \ 陶质 陶色	夹砂				泥质			印纹硬陶和原始瓷	合计	百分比（%）
	灰	黑皮	红	黄	灰	黑皮	红			
鬲	68	3	7						78	1.22
鬲口或甗口	41								41	0.64
鬲足或甗足	55		102						157	2.44
甗	18		3						21	0.33
罐	3		2					16	21	0.33

续表

陶质	夹砂				泥质			印纹硬陶和原始瓷	合计	百分比（%）
器形＼陶色	灰	黑皮	红	黄	灰	黑皮	红			
斝	8								8	0.12
爵	2								2	0.03
豆	3				7				10	0.16
簋					2		1		3	0.05
簋或盆					1				1	0.02
盆	8				41	1			50	0.78
刻槽盆	5								5	0.08
钵							1		1	0.02
壶					1				1	0.02
瓮	5				22			5	32	0.50
大口尊	13				21	7			41	0.64
缸	10	21	5517	420					5968	92.63
器盖	1		1						2	0.03
合计	267	24	5632	420	95	8	2	21	6443	100.00
百分比（%）	4.14	0.37	87.41	6.52	1.47	0.12	0.03	0.33	100.00	

（二）G2

位于Q1713T0601中部，部分伸入探方南壁和北壁。开口于第1层下，打破生土。灰沟平面呈长条形，为南北走向，斜壁近平底。已发掘部分南北长约4.6、东西宽约1.35米，灰沟最深处距开口约0.7米。灰沟填土为灰白色，较致密。出土石器、动物骨骼和夹砂陶、泥质陶、印纹硬陶和原始瓷等各类陶、瓷片。出土陶片共计971片，夹砂陶数量居多，占全部出土陶片数量近90%，泥质陶和印纹硬陶与原始瓷数量较少。陶色以红陶为主，另有相当比例的灰陶和黄陶，黑皮陶少见。常见纹饰出现频率由高到低依次为网格纹、绳纹、附加堆纹和篮纹，同时还见有弦纹、云雷纹、叶脉纹和戳印纹等。器类以缸为大宗，占可辨器类总数约95%，另见有鬲、盆、大口尊（表2.2.105、表2.2.106）。

表2.2.105　杨家湾G2陶系、纹饰统计表　　（重量单位：克）

纹饰 \ 陶质 陶色		夹砂				泥质			印纹硬陶和原始瓷	合计	百分比（%）
		灰	黑皮	红	黄	灰	黑皮	红			
绳纹	数量	47	28	23		13	7			118	12.15
	重量	2502	698.5	1190		124	67.5			4582	10.84
绳纹和附加堆纹	数量			6	4		2			12	1.24
	重量			420	193		39			652	1.54
绳纹和弦纹	数量					2				2	0.21
	重量					69				69	0.16
网格纹	数量	42	1	73	12	1			2	131	13.49
	重量	3608	32	7235.5	458	25			35.5	11394	26.96
网格纹和附加堆纹	数量			15	4					19	1.96
	重量			1242	308					1550	3.67
篮纹	数量			38	47					85	8.75
	重量			2054	2222.5					4276.5	10.12
篮纹和附加堆纹	数量			3	4					7	0.72
	重量			517	353					870	2.06
篮纹和弦纹	数量				3					3	0.31
	重量				108					108	0.26
附加堆纹	数量	12		48	32		1			93	9.58
	重量	495		2174.5	1520		10			4199.5	9.94
弦纹	数量		1		1	9				11	1.13
	重量		17.5		95	226.5				339	0.80
云雷纹	数量								2	2	0.21
	重量								82	82	0.19
叶脉纹	数量								3	3	0.31
	重量								27	27	0.06
戳印纹	数量						1			1	0.10
	重量						19			19	0.04
素面	数量	156	13	145	111	30	27	2		484	49.85
	重量	2887.5	150	6604	3882	297	241.5	31		14093	33.35
合计	数量	257	43	351	218	55	38	2	7	971	100.00
	重量	9492.5	898	21437	9139.5	741.5	377	31	144.5	42261	100.00

续表

陶质		夹砂				泥质			印纹硬陶和原始瓷	合计	百分比（%）
纹饰＼陶色		灰	黑皮	红	黄	灰	黑皮	红			
百分比（%）	数量	26.47	4.43	36.15	22.45	5.66	3.91	0.21	0.72	100.00	
		89.50				9.78					
	重量	22.46	2.12	50.73	21.63	1.75	0.89	0.07	0.34	100.00	
		96.94				2.72					

表2.2.106　杨家湾G2可辨器形统计表

陶质	夹砂			泥质	合计	百分比（%）
器形＼陶色	灰	红	黄	灰		
鬲	4				4	0.54
鬲或甗	16				16	2.16
鬲足或甗足	10	1			11	1.48
盆				2	2	0.27
大口尊				1	1	0.13
缸	139	350	218		707	95.41
合计	169	351	218	3	741	100.00
百分比（%）	22.81	47.37	29.42	0.40	100.00	

四、井

为配合“武汉建城年代及商周时期武汉历史综合科研”项目，武汉市博物馆和湖北省文物考古研究所盘龙城工作站、黄陂县文物管理所联合组成考古队，于1997年11月～1998年4月对盘龙城遗址杨家湾地点进行考古发掘，发现水井一处，编号J1。

J1

位于杨家湾村民邓志元屋后3米许。开口在第2层下。形状略呈圆形，深至距坑口1.5米处一直到底呈长方形。基线方向为90°。口部最大径2.9、最小径2.76米，中部长1.8、宽1米，底部长1.2、宽0.52、深6.2米（图2.2.128）。上部填土为褐黄色，并可见青色水垢，下部为黄色，近底部以灰色淤泥土为主，壁为原生砂石层，部分壁有石块，越近底部陶片堆积越丰富。出土各类质地的器物数以百计，其中可复原的陶器达40余件。

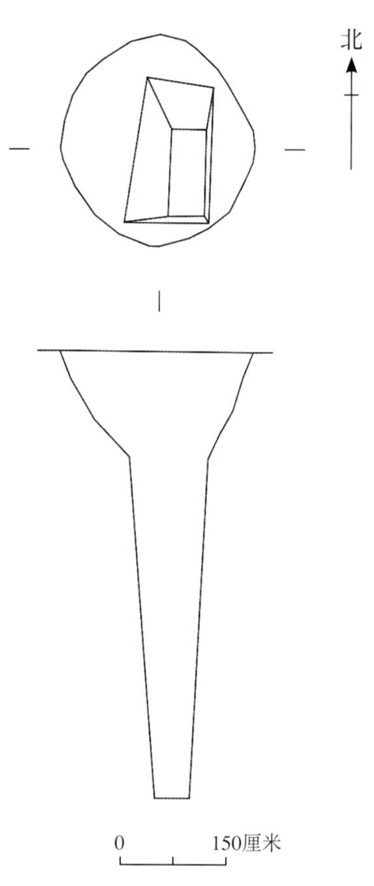

图 2.2.128　杨家湾 J1 平、剖面图

杨家湾J1出土遗物较丰富，包括生产工具和生活用具在内，有陶器、玉器、石器、青铜器、漆器五类器物。陶器包含生活用具，也有少量工具。可辨器形有爵、斝、鼎、鬲、甗、盆、罐、鼓形壶、豆、尊、缸、器盖、纺轮、印纹硬陶罐、印纹硬陶瓮等。据初步统计，以夹砂陶为主，另有部分泥质陶，极少量的印纹硬陶和原始瓷，陶色以红陶、灰陶为主。不过主要是夹砂红陶、黄陶缸片，占54.98%，除去缸片外，其他器物却是以灰陶为主，另可见一定数量的黑皮陶（图2.2.129～图2.2.140；表2.2.107、表2.2.108）。

J1出土的遗物分述如下：

1）青铜器

镞　标本3件，皆残。

标本J1：15，前锋残，脊作椭圆状，薄刃，燕尾翼，圆柱铤。残长4.5厘米（图2.2.129，3）。

标本J1：55，前锋及叶残，脊作菱形，铤上端也为菱形，下作圆柱形。残长6.1厘米（图2.2.129，1）。

标本J1：56，窄叶，平翼略斜，脊作菱形，铤作圆柱状。残长4.2厘米（图2.2.129，2）。

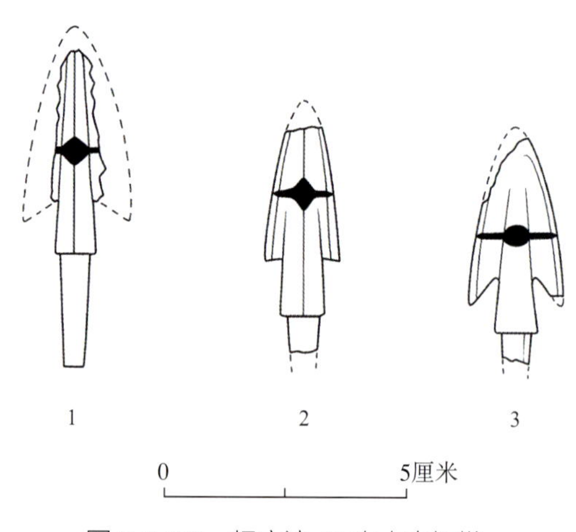

图 2.2.129　杨家湾 J1 出土青铜镞

1. J1：55　2. J1：56　3. J1：15

2）陶器

鼎　标本1件。

标本J1∶19，夹砂黑皮陶。口外侈，沿面略内倾，高颈内束，弧腹，足残。沿面有一周凸弦纹，腹部饰交错绳纹。复原后口径13.7、残高8厘米（图2.2.130，2）。

鬲　标本3件。

标本J1∶11，夹砂黑皮陶。口微侈，沿外斜，方唇，束颈，下腹略鼓，足残。腹饰绳纹。复原后口径15.4、残高15.1厘米（图2.2.130，4）。

标本J1∶28，夹砂灰陶。口微侈，沿外斜，方唇内凹，束颈，腹微鼓，分裆，足残。肩饰一周附加堆纹，腹饰绳纹。复原后口径17.1、残高18.8厘米（图2.2.130，3）。

标本J1∶31，夹砂黑皮陶。侈口，平沿略外折，沿面有一周凹槽，颈微束，联裆，尖锥足略外撇。腹饰米粒状绳纹。复原后口径15.4、残高15.1厘米（图2.2.130，6）。

甗　标本2件。皆不完整，其中一件仅见口沿，一件仅剩下部。

标本J1∶3，夹砂灰陶。侈口，平折沿，沿面起棱，束颈，弧腹。甑体腹部饰粗绳纹。复原后口径21.7、残高8厘米（图2.2.130，1）。

标本J1∶9，夹砂灰陶，足呈黄色。束腰，分裆，足外撇。鬲体饰粗绳纹，足部为素面。复原后口径14.8、残高16厘米（图2.2.130，5）。

罐　标本6件。

标本J1∶17，泥质灰陶。直口微侈，颈较高，斜鼓腹，平底。素面。复原后口径6.8、通高8.2厘米（图2.2.131，4）。

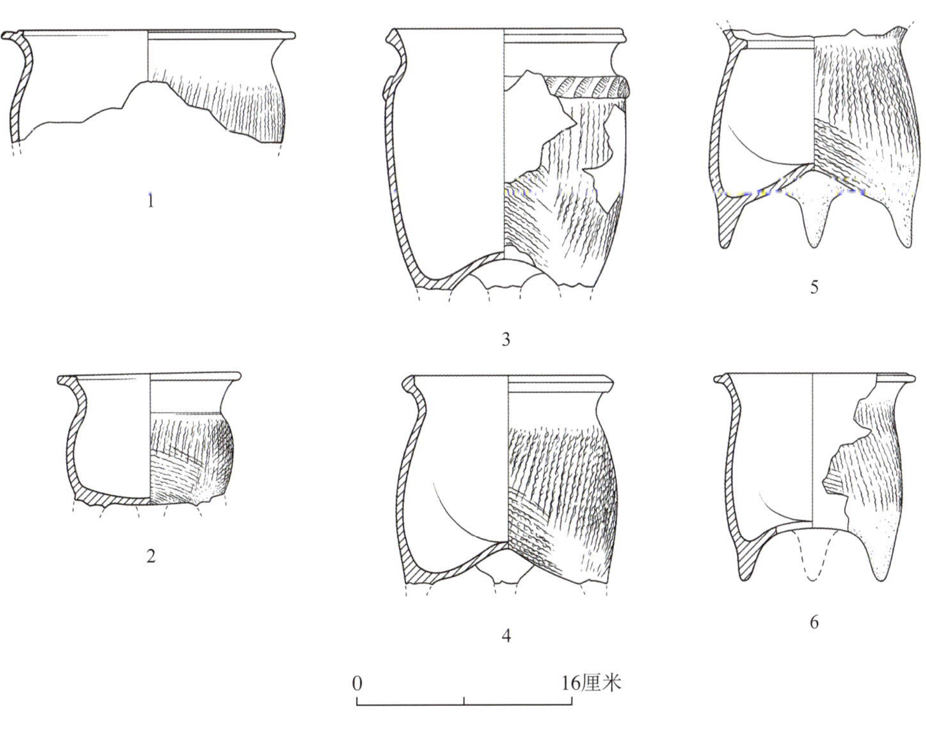

图 2.2.130　杨家湾 J1 出土陶器

1、5. 甗（J1∶3、J1∶9）　2. 鼎（J1∶19）　3、4、6. 鬲（J1∶28、J1∶11、J1∶31）

标本J1：32，夹砂黄陶。器形不规整。直口，溜肩，肩部有两个对称的系，两系对应的底部还有2个相应穿绳的凹槽，弧腹较深，凹底。素面。复原后口径10.4、通高19.6厘米（图2.2.131，3）。

标本J1：37，夹砂红胎灰皮陶。敛口，沿面内倾，束颈，肩微折，直腹略弧，底部残。素面。复原后口径10、残高11.6厘米（图2.2.131，2）。

标本J1：40，夹砂灰陶。器体近方形，直口微侈，沿面外倾，束颈，直腹略弧，凹平底。通体饰粗绳纹。手制。复原后口径10.2、通高14.7厘米（图2.2.131，6）。

标本J1：42，夹砂灰陶。直口略侈，尖圆唇，束颈，直腹略弧，凹平底。腹饰粗绳纹。复原后口径6.3、通高7.6厘米（图2.2.131，1）。

标本J1：50，夹砂黑皮陶。直口微侈，尖唇，矮颈，斜鼓腹，平底。腹饰粗绳纹。复原后口径8.8、通高8.9厘米（图2.2.131，5）。

斝　标本2件。其中一件仅余鋬部。

标本J1：25，夹砂红胎黑皮陶。敛口，束腰，腹部有一扁平鋬分裆，短锥足，足根外撇。上腹素面，下腹饰粗绳纹。手制。复原后口径11.3、高15.1厘米（图2.2.132，3）。

标本J1：52，夹砂红胎黑皮陶。仅剩鋬部，形制较特殊。扁平鋬中间另加支柄，陶片显示斝似敛口束腰状。残高7.7厘米（图2.2.132，2）。

爵　标本1件。

标本J1：27，夹砂红陶。口部残，是否有流不明，口微敛，横断面呈圆形，束腰，扁平鋬，鋬面内凹，鋬正对一足，三短锥足。沿外侧一周弦纹，腹饰一周凸弦纹。复原后口径

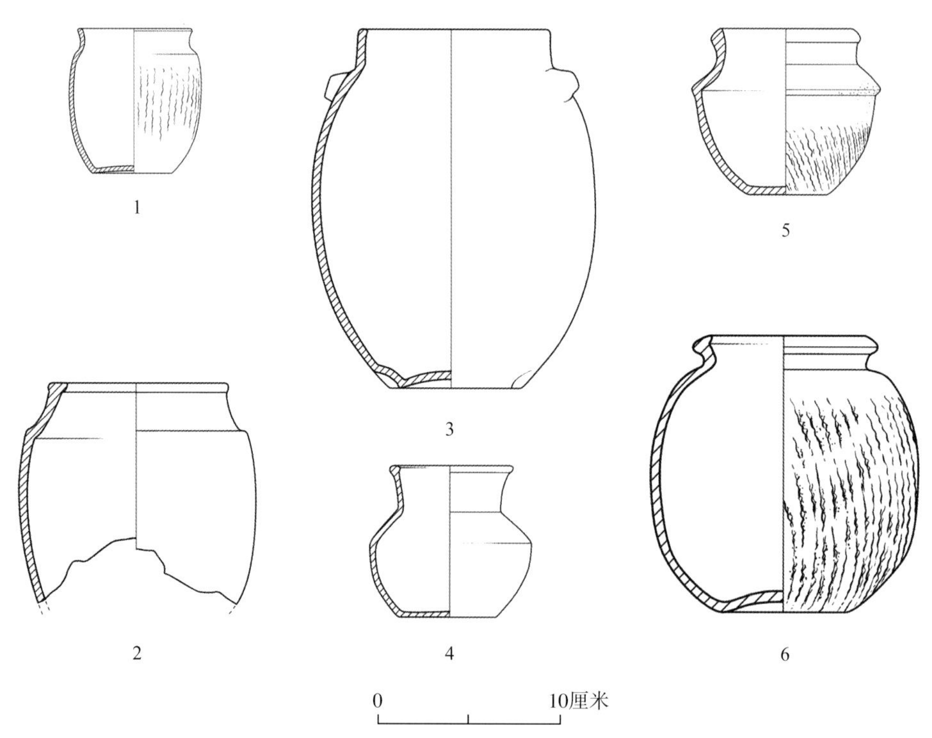

图 2.2.131　杨家湾 J1 出土陶罐

1. J1：42　2. J1：37　3. J1：32　4. J1：17　5. J1：50　6. J1：40

7.1、通高10.1厘米（图2.2.132，1）。

豆 标本4件。圈足皆残，全为假腹豆。

标本J1：18，泥质红胎黑皮陶。沿面向外，圆唇较厚，浅盘，粗曲足残。周身饰数周凸弦纹。复原后口径19.8、盘深3.4厘米（图2.2.132，8）。

标本J1：26，泥质红陶。平折沿，深盘，腹微鼓，粗曲足外撇，有波折。饰数周弦纹，足部弦纹很粗，几乎成齿状。复原后口径20.7、盘深10.1厘米（图2.2.132，5）。

标本J1：30，泥质灰陶。直口，折沿外倾，浅盘。复原后口径16.6、盘深3.2厘米（图2.2.132，7）。

标本J1：36，泥质灰陶。平沿外倾，浅盘，粗圈足。素面。复原后口径16.3、盘深3.6厘米（图2.2.132，4）。

盆 标本2件。

标本J1：7，泥质灰陶。敞口，宽平沿微卷，深腹，平底微凹。上腹饰一周弦纹，弦纹以下饰粗绳纹。复原后口径25.5、通高16厘米（图2.2.132，6）。

标本J1：39，泥质黑皮陶。口残，束颈，折肩，斜腹壁。周身饰数周弦纹，下腹饰绳纹，中部一周绳索状按纹构成的弦纹。器内壁自肩以下涂朱砂。残高13.6厘米（图2.2.132，9）。

壶 标本2件。

标本J1：24，泥质灰陶。带流壶。直口微敛，溜肩鼓腹，肩部一侧有流孔痕，圜底，圈

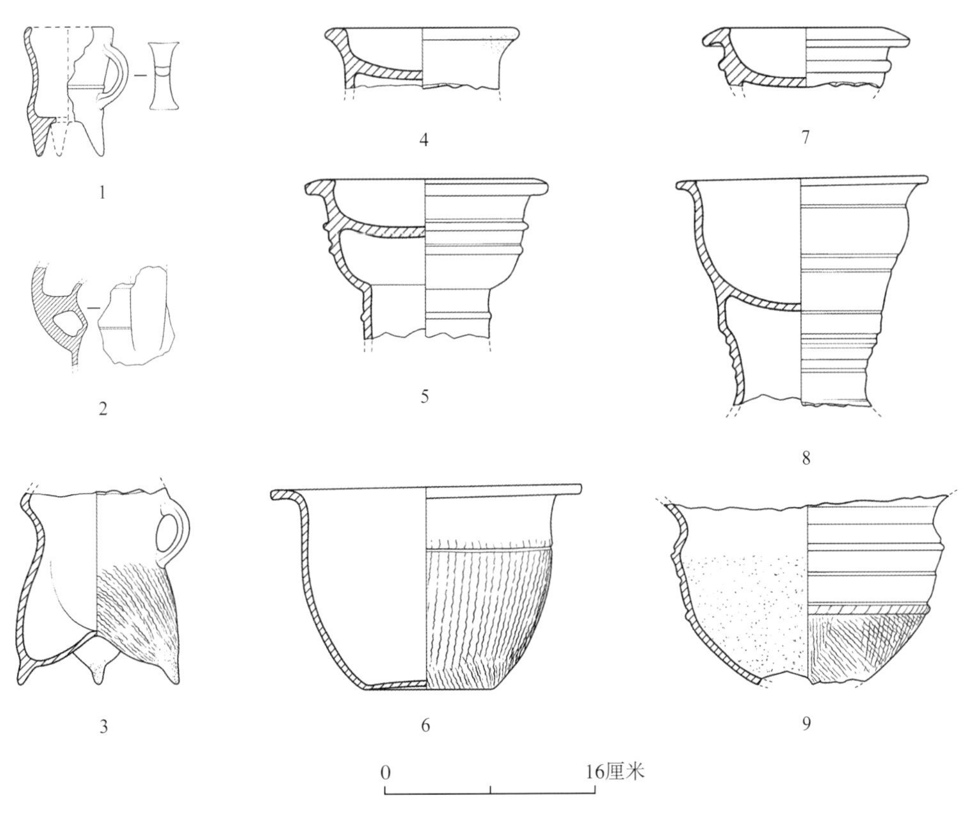

图2.2.132 杨家湾J1出土陶器

1.爵（J1：27） 2、3.斝（J1：52、J1：25） 4、5、7、8.豆（J1：36、J1：26、J1：30、J1：18） 6、9.盆（J1：7、J1：39）

足已残。素面。手制。复原后口径7.6、腹径13.2、通高15.8厘米（图2.2.133，2）。

标本J1：45，泥质灰胎黑皮陶。鼓形壶，外形似鼓，身作扁圆筒体，鼓面微凸，两侧壁面与鼓匡交汇处各饰两周并排的小圆泥饼饰构成的乳钉，鼓面上乳钉都是31个，鼓匡上一侧32个，另一侧27个，乳钉多为直径0.5～0.8厘米的小泥饼直接黏附在器身上，鼓匡上方有口，与鼓身连通，口为圆形，微敞，口径6.5、高5厘米，口两侧鼓匡上有对应桥形穿孔横耳，鼓匡下部喇叭状圈足上有与横耳对应的2个圆形镂孔。手制。鼓面直径16、通高24.4厘米（图2.2.133，1）。

大口尊　标本3件。仅2件完整，1件不见口部。

标本J1：5，泥质灰陶。腹中部内收并下垂，凹平底。腰部一道弦纹，上腹部饰竖状窗棂纹，下腹饰粗绳纹。底径17.5、残高33.5厘米（图2.2.133，4）。

标本J1：6，泥质黄陶。通体矮胖，体较粗，底近平。侈口，圆唇，折肩略鼓，弧腹内收，平底。肩饰一周按纹带。复原后口径23.3、肩径20.4、通高21.8厘米（图2.2.133，5）。

标本J1：23，夹砂灰陶。敞口，厚唇，小凸肩，直腹略内收，凹底。腹饰粗绳纹。复原后口径19.6、通高20.4厘米（图2.2.133，6）。

尊　标本1件。

标本J1：33，泥质黑皮陶。圈足尊，仅剩腰部。束腰鼓腹。腰部有一凸弦纹，上腹部饰由斜方格组成的三角形划纹带。复原后口径9.5厘米（图2.2.133，3）。

缸　标本16件。

标本J1：01[①]，直口，厚唇。口沿下饰条状附加堆纹。残高5.6厘米（图2.2.135，3）。

标本J1：02，侈口。口沿下饰条状堆纹，堆纹上有按窝，腹部饰方格纹。残高9.4厘米

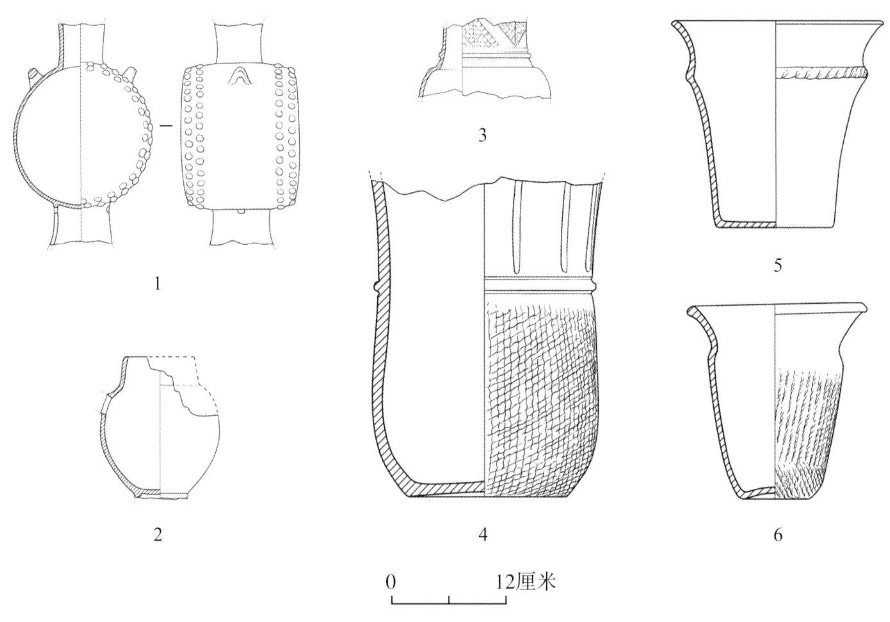

图2.2.133　杨家湾J1出土陶器

1、2. 壶（J1：45、J1：24）　3. 尊（J1：33）　4～6. 大口尊（J1：5、J1：6、J1：23）

① 杨家湾J1部分陶器标本在原简报中编号为0××。本书收录未做改动，与本书其他章节标本编号0××含义不同。

（图2.2.135，1）。

标本J1：05，直口，方唇。口沿下饰条状附加堆纹，腹部饰横篮纹。残高4.1厘米（图2.2.135，4）。

标本J1：09，夹砂红陶。厚胎。敞口，方唇。口沿下饰网格纹和条状附加堆纹。残高16厘米（图2.2.134，3）。

标本J1：010，夹砂红陶。饼形足，圜底微凸。底部有泥条旋转状装饰的云形纹。复原后底径6.25、残高2.5厘米（图2.2.135，8）。

标本J1：012，夹砂红陶。薄胎。敞口，圆唇。口沿下饰方格纹和条状附加堆纹。残高18.5厘米（图2.2.134，1）。

标本J1：015，夹砂红陶。薄胎。敞口，尖唇。沿下饰方格纹和附加堆纹。残高7.1厘米（图2.2.134，2）。

标本J1：017，夹砂黄陶。厚胎。敞口，方唇，唇部有凹槽。口沿下饰横行绳纹和绳索状附加堆纹。残高14.8厘米（图2.2.134，4）。

标本J1：018，夹砂黄陶。侈口，方唇。口沿下饰条状堆纹，腹饰方格纹。残高18.5厘米（图2.2.134，5）。

标本J1：020，夹砂红陶。侈口。口沿下饰条状堆纹，腹部饰竖行绳纹。残高6.9厘米（图2.2.135，2）。

标本J1：021，夹砂黄陶。尖底，似饼足。复原后底径5.6、残高3.1厘米（图2.2.135，9）。

标本J1：022，夹砂红陶。侈口。口沿下饰网格纹和条状附加堆纹。残高14.2厘米（图2.2.134，6）。

标本J1：024，夹砂黄陶。浅圈足，似饼足。腹饰篮纹。复原后底径4.5、残高3.7厘米（图2.2.135，10）。

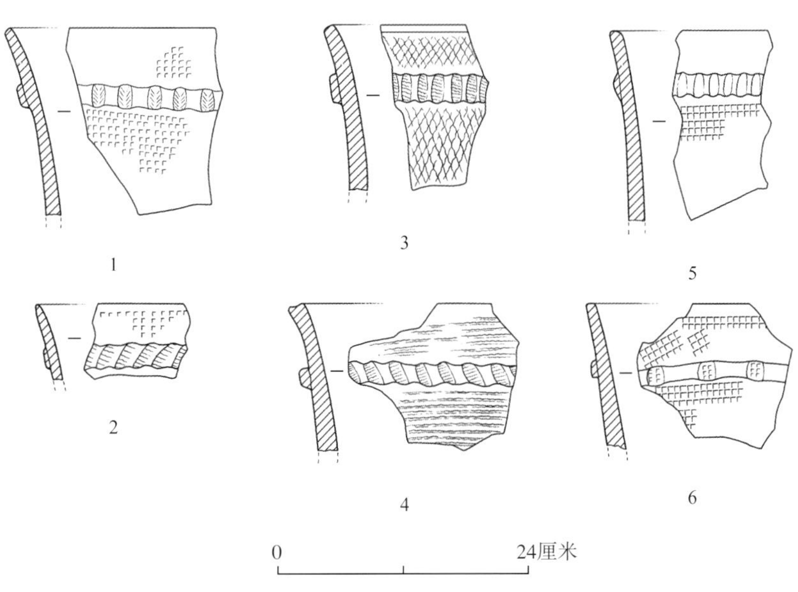

图2.2.134　杨家湾J1出土陶缸

1. J1：012　2. J1：015　3. J1：09　4. J1：017　5. J1：018　6. J1：022

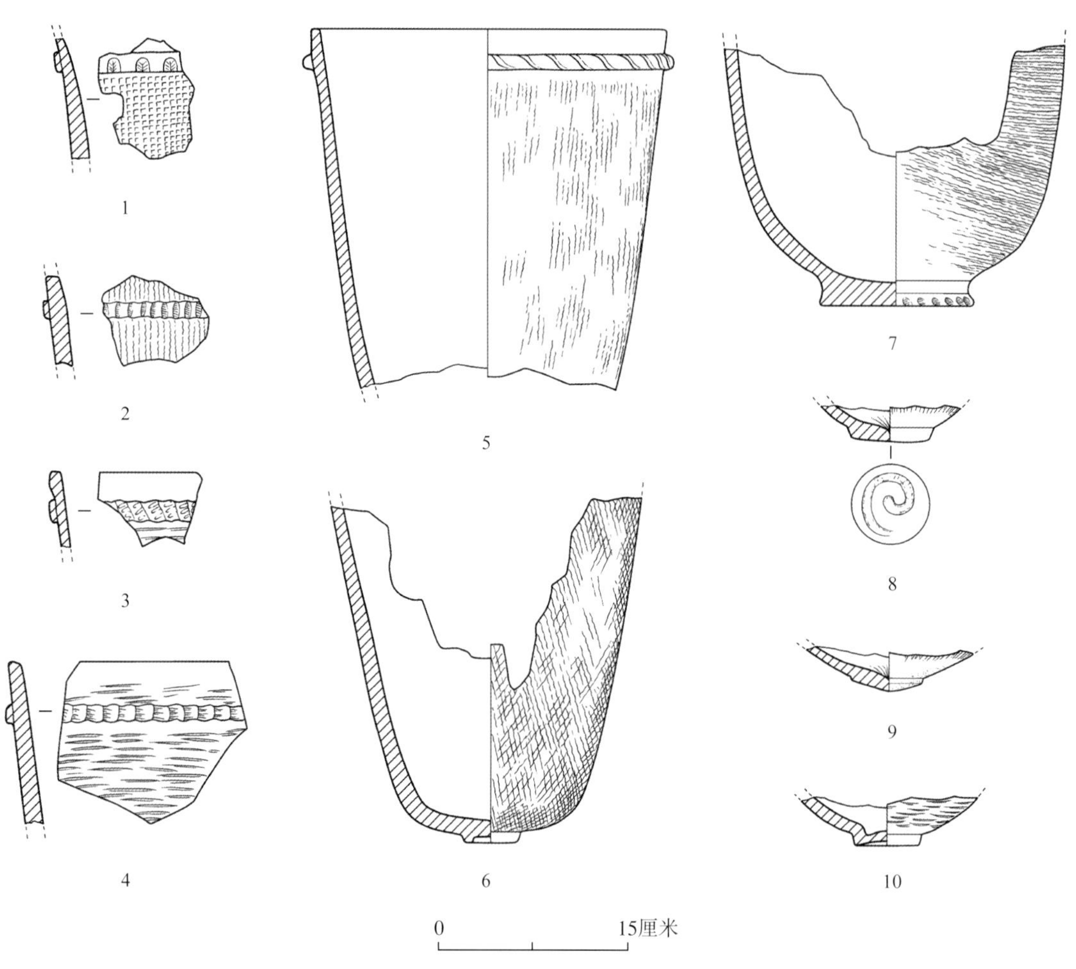

图 2.2.135 杨家湾 J1 出土陶缸

1. J1：02 2. J1：020 3. J1：01 4. J1：05 5. J1：35 6. J1：54 7. J1：34 8. J1：010 9. J1：021 10. J1：024

标本J1：34，夹砂红陶。直腹壁，平底饼足，底较大。有按窝构成的花边，腹饰横向绳纹。复原后底径11.9、残高20厘米（图2.2.135，7）。

标本J1：35，直口，圆唇。口沿下饰附加堆纹，腹部饰细绳纹。复原后口径28.8、残高27厘米（图2.2.135，5）。

标本J1：54，夹砂灰陶。小圈足，斜腹壁。饰交错细绳纹。复原后底径4.4、残高26.6厘米（图2.2.135，6）。

器盖 标本3件。

标本J1：43，泥质黄胎黑皮陶。体作圆弧顶形，纽残，子母口。顶上饰弦纹。复原后口径6.4、残高4.4厘米（图2.2.136，2）。

标本J1：48，泥质红胎黑皮陶。体作覆锅状，浅盘盖，顶上有圆形菌状纽。素面。复原后口径16、通高6.8厘米（图2.2.136，1）。

标本J1：51，泥质黑皮陶。已残。细高柄，呈竹节状，顶近平，下呈喇叭形，柄中空。手制。残高8.3厘米（图2.2.136，3）。

纺轮　标本4件。

标本J1∶4，泥质黑皮陶。厚体。直壁较平。直径3.5、厚1.1厘米（图2.2.136，4）。

标本J1∶20，夹砂灰陶。薄体。直壁，边缘较中部薄。直径3.9、厚0.8厘米（图2.2.136，6）。

标本J1∶22，夹砂灰陶。薄体。直径4.4、厚1.4厘米（图2.2.136，7）。

标本J1∶38，泥质灰陶。厚体。弧壁，边缘稍薄。直径4.4、厚1.1厘米（图2.2.136，5）。

印纹硬陶罐　标本3件。

标本J1∶41，灰色。方体，侈口，尖唇，束颈，垂腹，圜底。颈部饰数周弦纹，上腹拍印云雷纹，下腹及底拍印叶脉纹。手制，口部经轮修，内壁留下垫窝痕。复原后口径21.6、通高22.6厘米（图2.2.137，5）。

标本J1∶46，灰色。器体扁平。矮颈，鼓腹，圜底。上腹拍印回纹，下腹及底拍印叶脉纹。手制，口经轮修整，器内壁有制坯时留下的垫窝痕，肩部饰三个泥突。复原后口径11.6、通高11.6厘米（图2.2.137，3）。

标本J1∶47，灰色。方体，侈口，尖唇束颈，垂腹，圜底。腹身拍印回纹。复原后口径18、通高18厘米（图2.2.137，4）。

印纹硬陶瓮　标本1件。

标本J1∶4，灰色。口部残，溜肩，鼓腹，圜底。上腹饰云雷纹，下腹饰叶脉纹。手制。腹径19.2、残高15.4厘米（图2.2.137，2）。

印纹硬陶鼎足　标本1件。

标本J1∶53，灰色。肩圆锥状，截面呈桃形，内侧起棱，足根外撇。手制。足高7.6厘米（图2.2.137，1）。

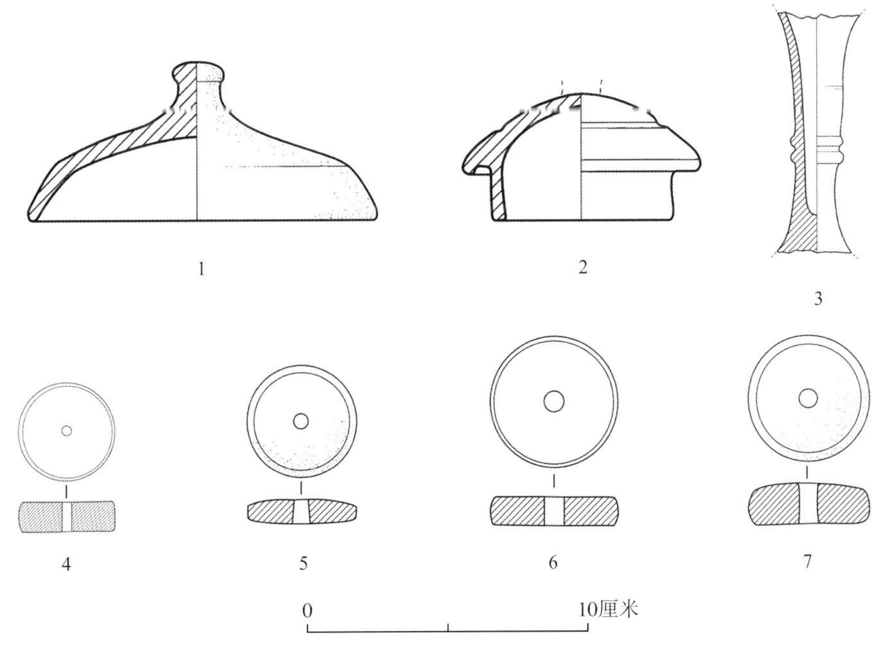

图 2.2.136　杨家湾 J1 出土陶器

1～3. 器盖（J1∶48、J1∶43、J1∶51）　4～7. 纺轮（J1∶4、J1∶38、J1∶20、J1∶22）

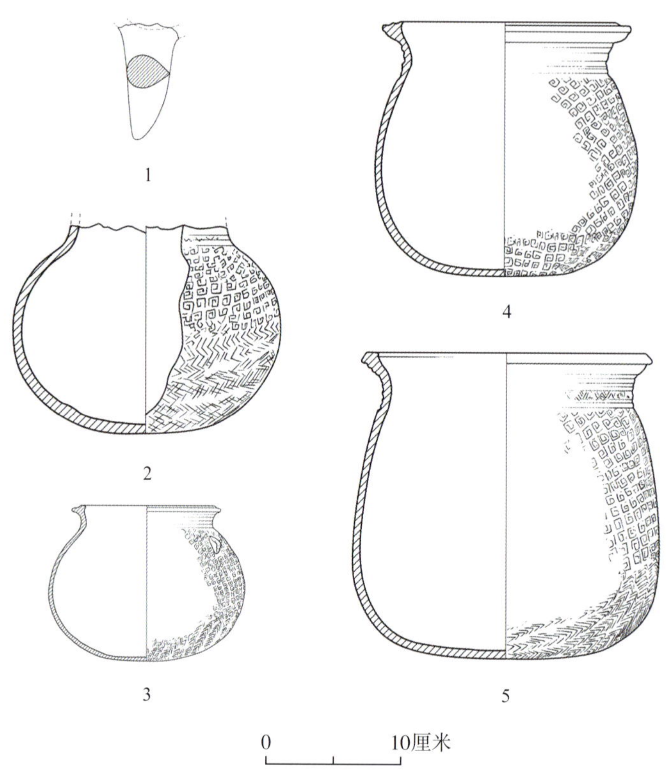

图 2.2.137　杨家湾 J1 出土印纹硬陶器

1. 鼎足（J1：53）　2. 瓮（J1：4）　3～5. 罐（J1：46、J1：47、J1：41）

3）石器

锛　标本2件。

标本J1：8，打磨兼制，石料为灰白色石灰岩。体呈梯形，弧状单面刃，顶近平。长11、厚1.8、刃宽6.6厘米（图2.2.138，6）。

标本J1：16，灰色石灰岩磨制。体呈梯形，弧状单面刃，顶近平。长8、厚2、刃宽4.4厘米（图2.2.138，5）。

镰　标本3件。

标本J1：12，青灰色石灰岩磨制。窄弧，凹形刃，锋较尖。刃和背部皆见打制痕迹且未磨光，有对钻穿孔。长10.3、宽3.5、最大厚度1、孔径1.2厘米（图2.2.138，3）。

标本J1：13，石灰岩磨制。薄体近三角形，凹面刃，弧背。残长8.6、宽4.6、厚0.9厘米（图2.2.138，1）。

标本J1：21，刃微凹，背略弧。残长11.8、宽4.7、厚1厘米（图2.2.138，2）。

刀　标本1件。

标本J1：1，青石磨制。残。体薄，平刃，直背。两面有竖向暗条纹。刃及背部打片痕迹仍在，磨制不精。残长9.8、宽5.2、厚1.1厘米（图2.2.138，4）。

4）玉器

残件 标本1件。残损严重，器形难辨。

标本J1：2，器表白色泛灰。疑为玉钺或玉璧。体薄。有一单面大孔。打磨光滑。孔径可计算出为6.4、厚0.5厘米（图2.2.139）。

5）漆器

觚 标本1件。

标本J1：57，木胎。已腐朽，仍可辨出器形为漆觚。黑底饰窄带状朱绘，纹样不清。漆皮厚约0.05毫米，腰径2.6、残高16.6厘米（图2.2.140）。

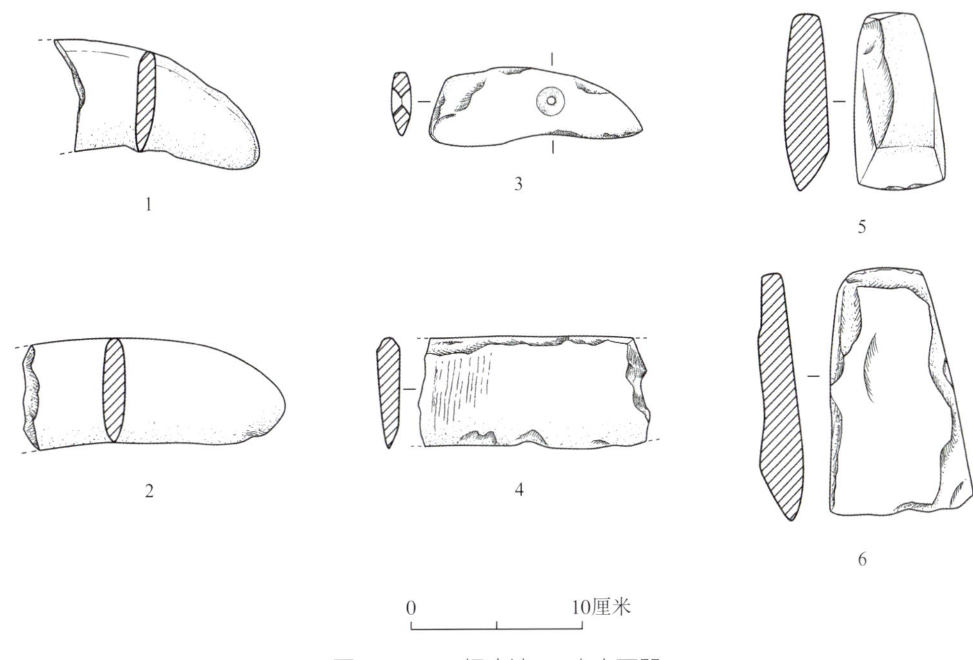

图2.2.138 杨家湾J1出土石器

1～3. 镰（J1：13、J1：21、J1：12） 4. 刀（J1：1） 5、6. 锛（J1：16、J1：8）

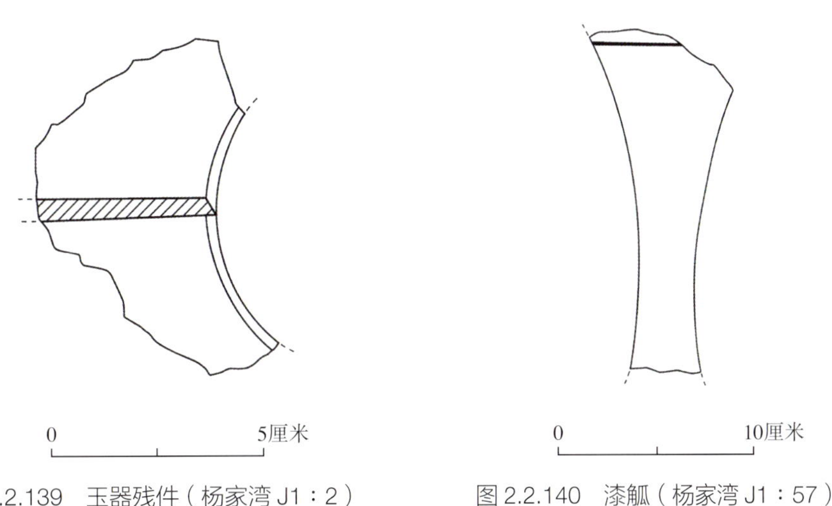

图2.2.139 玉器残件（杨家湾J1：2）

图2.2.140 漆觚（杨家湾J1：57）

表2.2.107 杨家湾J1陶系、纹饰统计表①

（重量单位：克）

纹饰＼陶质／陶色		夹砂				泥质			印纹硬陶和原始瓷	合计
		灰	黑皮	红	黄	灰	黑皮	红		
绳纹	数量	234	229	297	35	22		11		828
	百分比（%）	9.7	9.5	12.4	1.6	0.9		0.6		34.7
网格纹	数量	57		306	72				20	455
	百分比（%）	2.4		12.7	2.9				0.8	18.8
篮纹	数量	71		216	98					385
	百分比（%）	2.9		9	4.1					16
附加堆纹	数量	17	13	114	35					179
	百分比（%）	0.7	0.5	4.7	1.5					7.4
弦纹	数量	12	1	8		20	3	4	15	63
	百分比（%）	0.5	0.04	0.3		0.8	0.1	0.2	0.6	2.5
叶脉纹	数量								15	15
	百分比（%）								0.6	0.6
云雷纹	数量								37	37
	百分比（%）								1.5	1.5
圆圈纹	数量	1		2						3
	百分比（%）	0.04		0.08						0.12
素面	数量	129	18	148	31	45	6	50	18	445
	百分比（%）	5.4	0.7	6.1	1.3	1.9	0.2	2.1	0.7	18.4
合计	数量	521	261	1091	271	87	9	65	105	2410
	百分比（%）	21.64	10.74	45.28	11.4	3.6	0.3	2.9	4.2	100

表2.2.108 杨家湾J1可辨器形统计表②

器形＼陶质／陶色	夹砂				泥质			印纹硬陶和原始瓷	合计	百分比（%）
	灰	黑皮	红	黄	灰	黑皮	红			
鼎			6					5	11	0.46
鬲	131	192	28						351	14.5

① J1为1997～1998年进行的考古发掘，整理时的统计方式与2013年及以后的工作不同，没有进行陶片重量的统计，同时只保留小数点后一位。为保证原始资料的完整性，本书在收录该资料时未作修改。

② 出土的陶纺轮未计入可辨器形统计表。

续表

陶质	夹砂				泥质			印纹硬陶和原始瓷	合计	百分比（%）
器形＼陶色	灰	黑皮	红	黄	灰	黑皮	红			
甗	16	41							57	2.37
罐	45	27	36		15	8		32	163	6.76
斝							14		14	0.58
爵							9		9	0.37
豆					10		18		28	1.16
簋			3				3		6	0.25
盆	18		30		6		13		67	2.78
壶		17			17				34	1.41
瓮	58		45		2			14	119	4.94
大口尊	33		78		35		8		154	6.39
尊								54	54	2.24
缸	201	1	865	271					1338	55.52
器盖	2				3				5	0.21
合计	504	278	1091	271	88	8	65	105	2410	100.00
百分比（%）	20.91	11.54	45.27	11.24	3.65	0.33	2.70	4.36	100.00	

五、房址

杨家湾南坡1995～2018年考古发掘主要发现有两处房屋基址。其中2006～2011年发现大型房屋基址，编号F4。2014年在F4南部发现房屋基址，编号F5。另在2006～2014年杨家湾南坡发掘区部分探方发现有石块，怀疑可能为建筑的柱础石。以下主要介绍F4、F5两处房屋基址。

（一）F4

位于整个发掘区的中南部。F4所在的杨家湾南坡，原属于杨家湾自然村居民建房用地，遗址上部破坏严重，以致F4仅残存部分柱坑。柱坑位于第2层下，部分被第2层下的现代坑打破，同时打破第3层。层位关系：

② ⟶ F4（柱坑）⟶ ③ ⟶ ④

由于晚期破坏严重，目前F4仅残存部分柱坑，整体呈西北—东南走向，方向约为26°。其中，F4南部的K6西侧至K16东侧长33米，F4西部的K3北侧至K6南侧宽9米。柱坑所在范围面积约297平方米（图2.2.141）。此外，2008年发掘负责人之一郑阮华于发掘总日记中描述，在柱坑外侧1米左右的位置发现有小型柱坑，怀疑是擎檐柱。而在柱坑K13以南还发现有疑似柱础石迹象（S2～S5）。以上遗迹现象分布范围东西长约34、南北宽约12米，由此推断，建筑范围最大可能至408平方米。

目前F4残存柱坑可见20个，编号K1～K20。只发现石块，怀疑为柱础石者有10处，编号S1～S10。此外，另有8处柱坑，当时的发掘负责人之一郑阮华在2006、2008年发掘日记中补记了相对位置和大致规模，这些柱坑我们以虚线的形式标记在图中（见图2.2.141）。

F4柱坑一般近圆形，直径多0.8～1、残深0.1～0.65米。在已解剖或残存的柱坑内均发现有柱础石。柱础石形状多不规整，长径在0.2～0.5米。柱础石表面较平整，应经过初步修整，用于立柱（图2.2.142）。目前在已解剖的柱坑内未发现夯打迹象。以K1为例（图2.2.143），柱坑为直壁，平底，底部放置一块柱础石。础石厚约0.15米。其他各柱坑和础石大小、深度情况可见表2.2.109、表2.2.110。

F4西部的柱坑保存较好（图2.2.144），其中K1～K7排列较为有序，形成以F4为主体建筑的西界和西北、西南两处拐角。K1～K7中相邻柱坑内侧间距多在1.5米左右，相邻柱坑

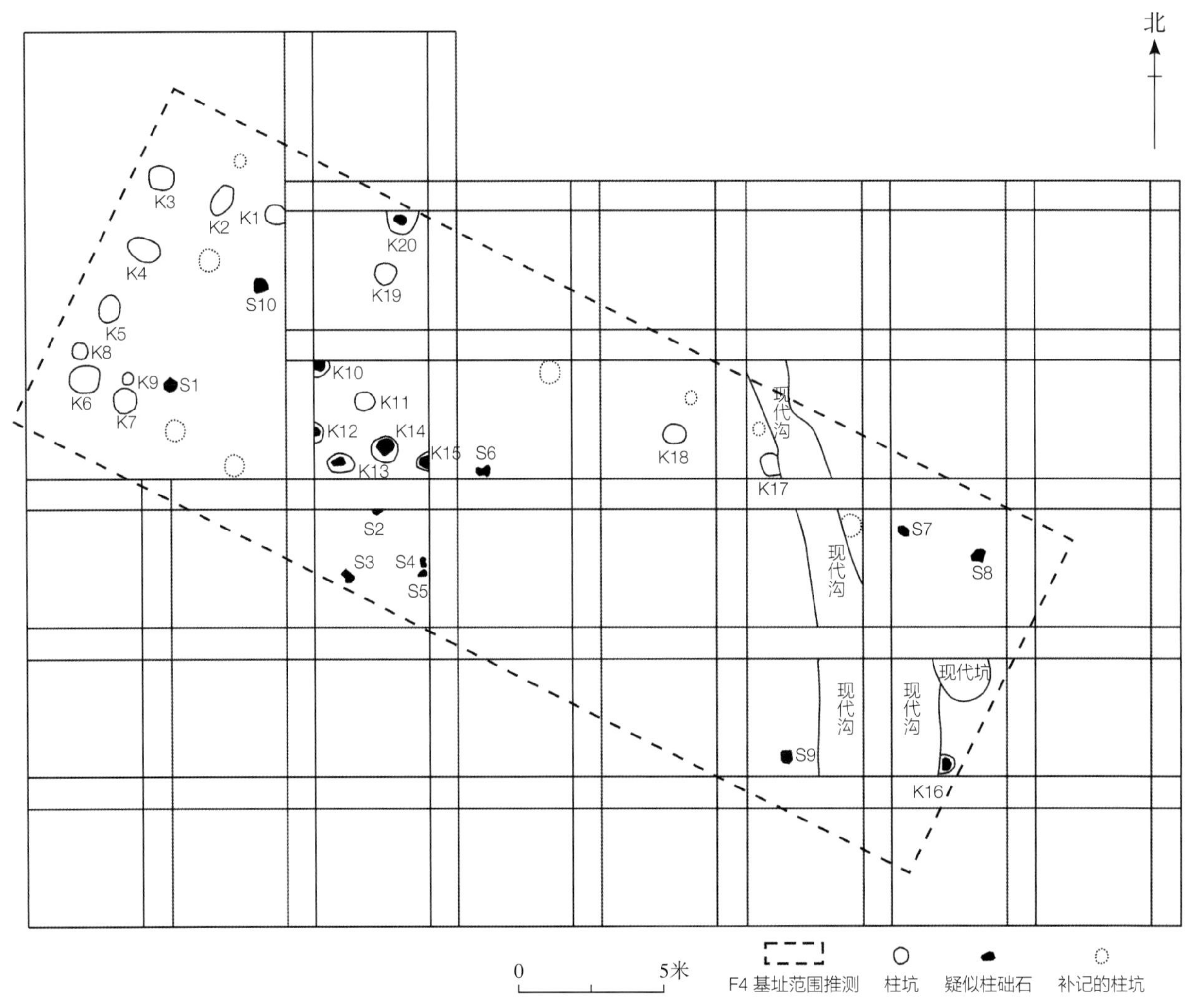

图 2.2.141　杨家湾 F4 总平面图

图 2.2.142　杨家湾 F4 柱坑解剖照片

1. F4K1　2. F4K2　3. F4K3　4. F4K4　5. F4K5　6. F4K6

中心点间距在1.8～2.5米。其中K3～K6近似等距分布，K3与K4柱坑内侧间距为1.7米，K4与K5柱坑内侧间距为1.5米，K5与K6柱坑内侧间距为1.55米。北面K2与K3柱坑内侧间距较宽，为1.95米，K1与K2柱坑内侧间距较短，为1.2米。南面K6与K7之间距离也较短，柱坑内侧间距则为0.65米。

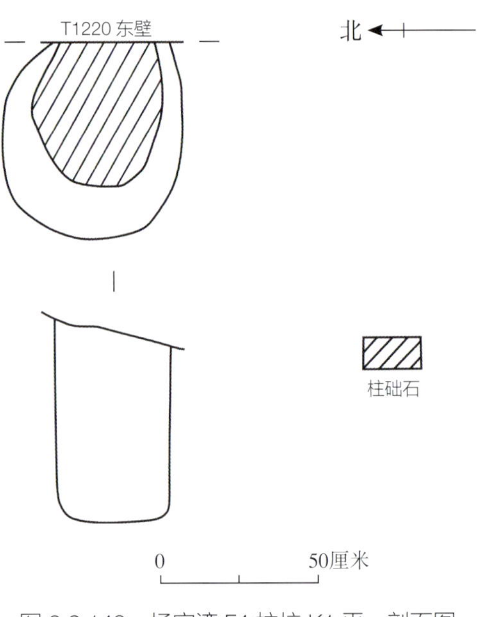

图 2.2.143　杨家湾 F4 柱坑 K1 平、剖面图

F4中南部柱坑分布较为密集。所属探方Q1712T1319内即见有6个柱坑，编号K10～K15。其中K12～K15相邻柱坑内侧间距在0.75～0.96米之间。在其南部，探方Q1712T1318发现有四处疑似柱础石，编号S2～S5，其中S3与S4间距最大为2.44米，S4与S5间距最小，仅约0.1米。多个柱坑和础石在同一地点密集排列，暗示其不应全为同一时间建造。这批柱坑可能属于不同建筑，抑或是F4在使用过程中多次修葺的结果。

此外，F4东部柱坑分布稀疏，K15～K16之间约20.5米的距离未发现有柱坑，部分地点仅发现有柱础石迹象。考虑到该区域地表原建有现代建筑，部分柱坑和房屋结构应已被晚期人类活动破坏。

F4上部破坏严重，其相关的开间、分室与门道等结构情况不明。然而从房屋西侧K1～K7观察，F4进深可能为3间，每间宽1.5～1.7米。F4面阔开间数不详，从K1～K3的分布来看，开间宽度可能在1.2～1.95米。

图 2.2.144　杨家湾 F4 西部柱坑排列情况（上为南）

F4未见明确的门道迹象。但其所在的杨家湾岗地，地势北高南低，现海拔落差近3米左右，南可俯视盘龙湖，北侧即为岗脊。因此推测F4顺沿地势，门向朝南而略偏西。F4周边未发现与其相关的廊庑、配殿等其他附属建筑。F4西南Q1712T0916内曾发现一个柱坑遗迹，编号Q1712T0916K1，距离F4约19米。该柱坑填土纯净，内有一近方形柱础石。柱坑长0.3、宽0.24米，其内柱础石长径0.22、短径0.18米（图2.2.145）。结构和大小与F4柱坑相近。因此不排除F4之南还存在相关的建筑遗迹的可能性。

图 2.2.145 杨家湾 Q1712T0916K1（右为北）

表2.2.109 杨家湾F4柱坑登记表[1]　　（单位：米）

编号	柱坑			柱础石		
	形状	尺寸		形状	尺寸	
		平面大小（长径 × 短径）	深度		平面大小（长径 × 短径）	厚度
K1	椭圆形	0.8 × 0.6	0.65	近圆形	0.35 × 0.38	0.14
K2	椭圆形	1.1 × 0.7	不详	不详	不详	不详
K3	近圆形	0.9 × 0.85	不详	不详	不详	不详
K4	椭圆形	1.15 × 0.75	不详	不详	不详	不详
K5	椭圆形	0.9 × 0.75	不详	不详	不详	不详
K6	近圆形	1 × 0.95	不详	不详	不详	不详
K7	近圆形	0.9 × 0.8	不详	不详	不详	不详
K8	近圆形	0.55 × 0.5	不详	不详	不详	不详
K9	近圆形	0.45 × 0.4	不详	不详	不详	不详
K10	椭圆形	0.95 × 0.65	0.17	不规则	0.3 × 0.3	0.2
K11	近圆形	0.8 × 0.65	不详	不详	不详	不详
K12	近圆形	0.75 × 0.6	0.13	不规则	0.2 × 0.2	0.15
K13	椭圆形	0.85 × 0.65	不详	长方形	0.23 × 0.45	不详

① 由于发掘工作时间跨度较长，部分资料后期保管不善，一些柱坑和础石的数据现已遗失。

续表

编号	柱坑			柱础石		
	形状	尺寸		形状	尺寸	
		平面大小（长径×短径）	深度		平面大小（长径×短径）	厚度
K14	近圆形	0.95×0.9	不详	近方形	0.5×0.6	不详
K15	椭圆形	0.9×0.85	0.15	不规则	0.38×0.4	0.15
K16	近圆形	0.8×0.7	不详	不规则	0.3×0.4	不详
K17	椭圆形	0.85×0.65	不详	不规则	0.35×0.55	不详
K18	椭圆形	0.9×0.85	不详	不详	不详	不详
K19	近圆形	0.8×0.75	不详	不详	不详	不详
K20	近圆形	1.5×1.15	0.35	不规则	0.45×0.3	0.35

表2.2.110　杨家湾F4疑似础石登记表　（单位：米）

编号	形状	尺寸	
		平面大小（长径×短径）	厚度
S1	近圆形	0.45×0.45	0.05
S2	不规则	0.2×0.35	0.05
S3	不规则	0.25×0.47	不详
S4	不规则	0.15×0.35	不详
S5	不规则	0.2×0.25	不详
S6	不规则	0.25×0.4	不详
S7	菱形	0.2×0.45	不详
S8	近方形	0.45×0.45	不详
S9	近方形	0.35×0.4	不详

（二）F5

位于Q1712T1012、T1013。叠压于T1012第4层和T1013第5层下，打破T1012第6层和T1013第7层。由于发掘面积所限和遗址遭到破坏的缘故，F5结构、面积和方向均不清楚。F5垫土为纯净的黄色土，在发掘过程中曾被编为T1012第5层和T1013第6层。目前所见，垫土北部保存较好，南部被破坏严重。垫土层残余厚度最厚约0.35、南北残长最长约7.1米。由于东西未发掘到边，故东西总长不明。F5北部发现有Z3、Z4两个柱坑，柱坑略呈圆形，直径约0.5米，柱坑内填纯净黄色土。Z3、Z4均发现有柱础石。柱础石为不规则形，长0.2～0.25米，表面平整，可能经过初步修整以立柱。南部发现有Z1、Z2两个柱础石，由于遭到严重破坏，并未发现明显的柱坑。Z1平面呈椭圆形，表面平整，长约0.25米。Z2呈不规则形，表面不甚平整。Z1～Z4四个柱础石之间的间距为1.4～1.6米。在Z1～Z4西部并未发现有类似的柱坑或柱础石，据此推测F5主体或向东延伸，其方向或与北部大型建筑基址F4方向类似，呈西北—东南走向。F5垫土层比较纯净，未发现陶片等包含物（图2.2.146）。

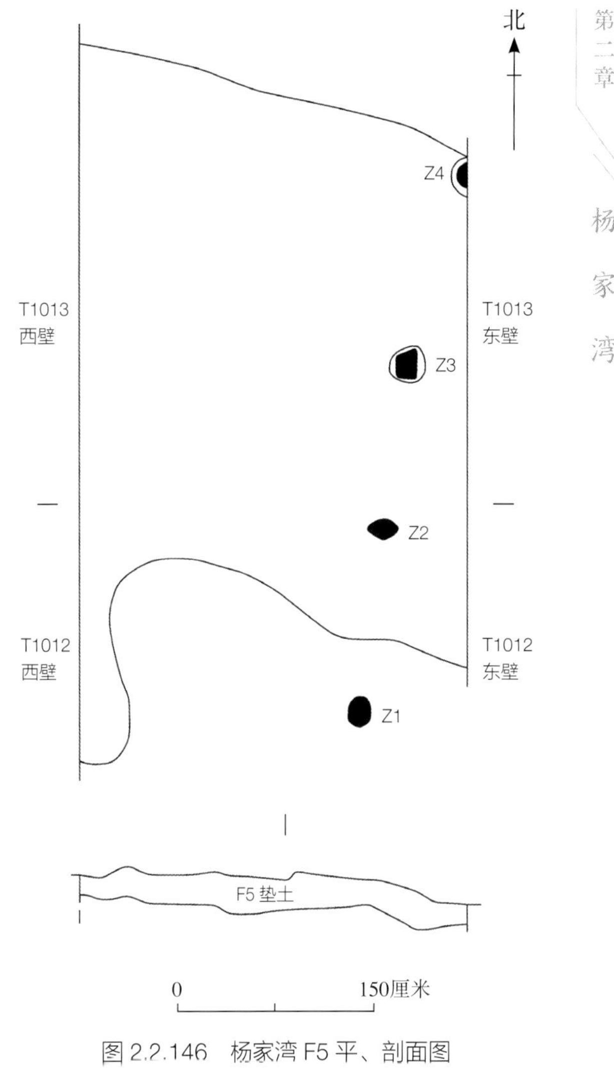

图 2.2.146　杨家湾 F5 平、剖面图

六、墓葬

1995～2018年杨家湾南坡共计发现商时期墓葬8处。其中2001年和2006年先后两次发掘M13。2013年度发掘M16～M22，共计7处（图2.2.147）。以下选择代表性单位按照编号顺序依次介绍。

（一）M13

位于盘龙城遗址西北部一处东西向岗地的南坡上，地势西北高东南低，属于盘龙城遗址考古探方系统的Q1712T0920、T1020和Q1713T0901、T1001内，东南距大型建筑基址F4约5米，西北距杨家湾M17等墓群约6米。

杨家湾M13从被发现到两次考古发掘历经30余年。1973年杨家湾村民杨柳青兄弟在自建房屋时挖出文物，上交到湖北省博物馆保存，当时推断现代房基处“为中型墓葬所在”①。2001年考古人员根据杨柳青屋后排水沟槽中出土文物线索，在排水沟槽北侧清理了一座残墓，编号2001HPYWM13，墓东西宽2.9、南北残长1.2～1.4、深约1.1米，发现有熟土二层台、角坑、殉人、椁板痕迹以及青铜器、玉器残片等。由于墓葬残缺严重，其南部又被现代房基所占压，当时暂定墓葬方向为东西向，墓葬的等级较高，属于“盘龙城遗址发掘清理的大型墓葬之一”②。2005年杨家湾村民整体搬迁。2006年，考古人员考虑到杨柳青房屋废墟下仍有墓葬的可能性，在此布方发掘。在房基下发现一座残墓，墓东西宽2.9、

① 《盘龙城（1963～1994）》，第397页。报告中村民建房时间为1973年，但采访村民杨柳青回忆建房时间为1967年。

② 武汉市黄陂区文管所等：《商代盘龙城遗址杨家湾十三号墓清理简报》，《江汉考古》2005年第1期。以下简称《清理简报》。

图 2.2.147　杨家湾 M16 ～ M22 清理完毕后发掘工地现场照（上为南）

南北残长2.3～2.5、残深0.3米，清理了角坑、狗骨架、腰坑以及若干随葬品。为探寻其与2001HPYWM13的关系，在向北扩方进一步清理后，发现2001年和2006年两次清理的残墓圹南北相向，中间被宽约0.4米的排水沟槽打破，二者墓壁的走向一致，墓底在同一水平面上，确认属于同一墓葬，编号为杨家湾M13。对于该墓发现情况的简要介绍，曾发表在2009年第1期的《武汉文博》①。现综合历次发现成果，完整公布杨家湾M13资料。

发掘墓葬的现场环境差，层位关系不清晰。墓口遭到破坏，墓圹打破生土。墓葬北部上压现代生活垃圾。墓口距地表0.3米，中北部被现代排水沟槽完全破坏，沟槽底部见生土，南半部被现代建筑基址破坏。

杨家湾M13为长方形竖穴土坑墓，四壁略内收，口大于底。方向约为18°。现存墓口长4.1、宽2.9米，墓底长3.9、宽2.65米，墓残深0.15～1.18米。面积近12平方米。墓内北部有二层台，墓底有椁板痕迹、角坑、腰坑，并有殉人、殉狗（图2.2.148）。

墓葬上部填土为黄褐夹杂红褐色斑土，经过夯打，土质较为坚硬，接近墓底为灰褐色土，土质较为疏松。

二层台位于墓圹北壁下，经过夯打而成，土质坚硬且较细腻，长2.65、宽0.3～0.5、高0.7米。二层台的西侧台面上置有青铜鼎、青铜觚、陶盆等器物碎片。

墓圹北部靠东侧有两块木板痕迹，分别编号A、B（图2.2.149、图2.2.150），其中A叠压B。根据形制和位置判断，应为椁板。A椁板痕，平置，呈西北—东南走向。残存形状近

① 武汉市盘龙城遗址博物馆筹建处：《黄陂盘龙城遗址杨家湾十三号墓葬发掘记》，《武汉文博》2009年第1期。

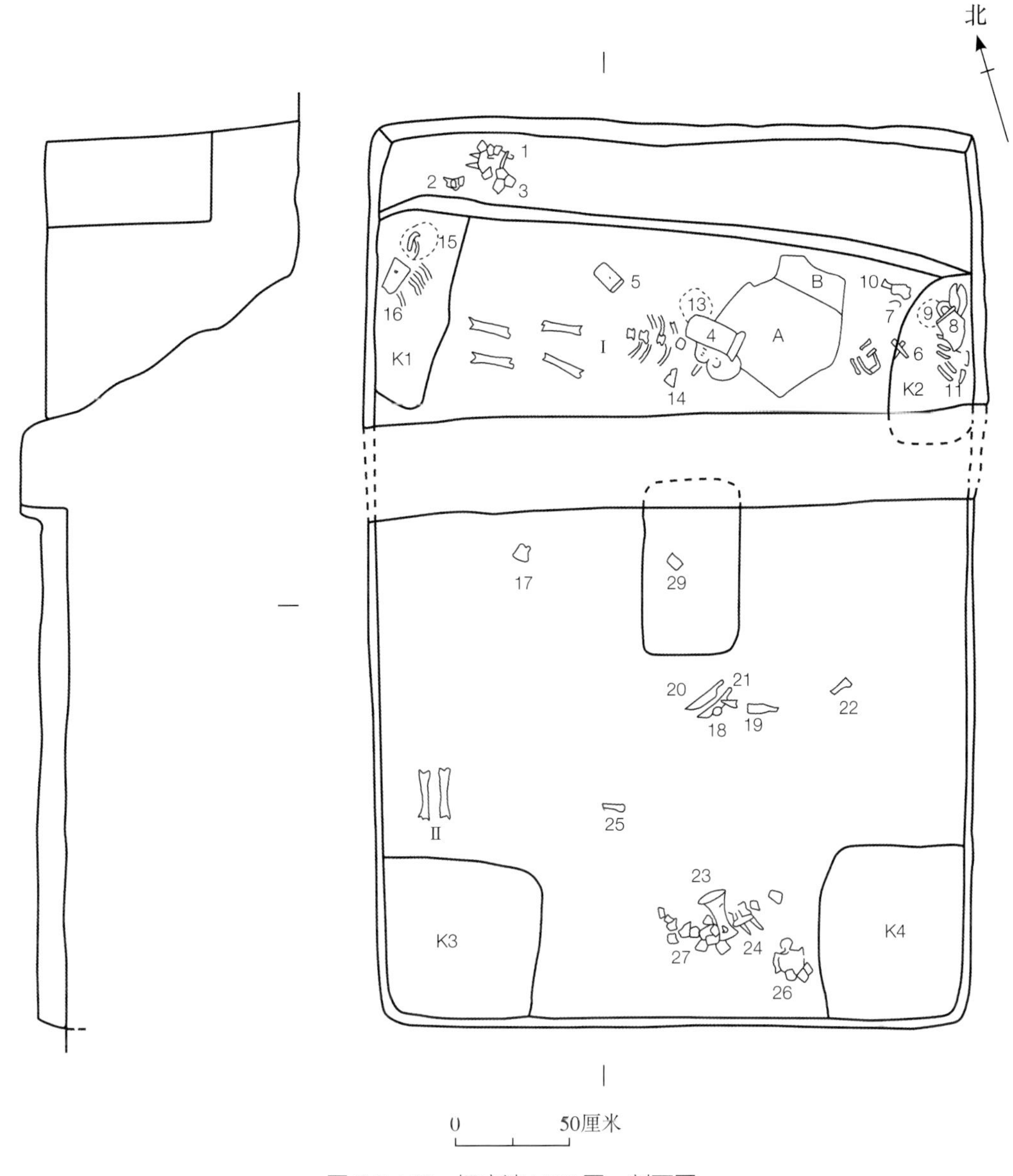

图 2.2.148 杨家湾 M13 平、剖面图

A、B. 椁板痕迹

1、8. 青铜鼎 2、23. 青铜觚 3. 陶盆 4. 青铜锸 5. 青铜锸 6、24. 青铜爵 7. 青铜泡 9. 蚌片绿松石饰件 10. 青铜尊 11～13、15. 绿松石饰件 14、25. 青铜斝 16. 石铲 17. 玉钺 18. 陶饼 19～21. 青铜刀 22. 青铜片 26. 硬陶尊 27. 碎陶片 28. 青铜镞 29. 玉戈（12被压在Ⅰ号人头骨下，28被压在23青铜觚下）

方形，边长0.5米。板灰为灰白色，板面髹以朱地黑色纹饰。纹饰带残长0.5、宽0.43米，黑漆纹饰较立体，高出朱色漆底1～2毫米。上、下两端各有3条平行的线形纹样，其中最里端的线形纹样中阴刻有5个"山"字形云纹。线形纹样带中间髹饰兽面：右侧保存不佳，残断有不同样式的线条，推测为兽面纹饰。左侧保存较完整，主体为长方形粗线兽面纹，左右对称；正中间有一凸起台面，剖面为半圆形，表面上有一近方形带边框的粗阳线简化兽面纹，上下对称，与主体纹饰的方向垂直；主体纹饰四周装饰窄条状细阳线简化夔纹。根据所处位置和独立的长方形纹饰图案，推测A椁板痕为椁盖板。B椁板痕，平置，呈东北—西南走

图 2.2.149　杨家湾 M13A 椁板痕迹局部照片

图 2.2.150　杨家湾 M13A、B 椁板痕迹

向。近梯形，残长0.1～0.15、残宽0.32米。同样为灰白色板灰，表面髹以朱地黑色纹饰。左端有2条平行的线形纹样，其余部位为残缺的粗阳线兽面纹。

墓底四个转角处各有一坑，坑口形状都接近长方形，坑壁均呈斜坡状，编号为K1、K2、K3、K4。K1位于墓底西北角，长0.9、宽0.2～0.3、深0.2米，坑内发现头朝北的狗骨架，并出土石铲和绿松石饰件各1件。K2位于墓底东北角，残长0.72、宽0.3～0.4、深0.3米，坑内发现头朝北的狗骨架，并出土青铜鼎残片及2件绿松石饰件。K3位于墓底西南角，长0.7、宽0.6～0.7、深0.28米，坑内出土陶器残片。K4位于墓底东南角，长0.76、宽0.6～0.7、深0.3米，坑内未见遗物。

墓圹中部未见墓主人尸骨，在墓圹边缘部位发现殉人骨架2具，分别编为Ⅰ、Ⅱ号殉人。

Ⅰ号殉人，位于墓圹北端。骨骼保存较完整，为一成年人个体，头东足西，与二层台基本平行，面部朝上，葬式为仰身直肢，头部下压着A椁板和绿松石饰件，头上被青铜锸所压。

Ⅱ号殉人，位于墓室西南侧，北距K3角坑0.18、距墓底0.08米。骨骼保存差，仅存两根并排的下肢骨，与西侧墓壁平行。

另外，在墓室东北K2角坑外的西侧有零星骨骼残痕，应为殉牲痕迹。

腰坑位于墓底中部，形状呈长方形，北部被现代墙基破坏，残长0.74、宽0.46、深0.35米，坑壁呈斜坡状，坑内出土玉戈残片。

残存的随葬器物中玉器主要放置于墓底中部和腰坑内，打碎的青铜器如青铜鼎、青铜尊、青铜觚等残片主要放置在墓室北部的二层台上和北端的角坑内，青铜工具、兵器及部分较完整的酒器放置在墓室中部，陶器放置在墓室的南北两端。

杨家湾M13遭到较为严重的破坏，残余随葬品包括村民上交及两次考古发掘出土的文物，共计30余件（套）。据房主杨柳青回忆，当初建造房基时，挖出来的文物只有部分比较完整地上交到了湖北省博物馆，还有一些文物被卖到了当地废品收购站或者由于过于破碎未采集而遗失了。2006年发掘时，青铜觚（M13：23）等在房主人厨房灶底，其口部距室内地平面不足1厘米。可知杨家湾M13原有随葬品数量较为丰富，不止现在的数目。随葬品器类包括青铜器、玉器、石器、陶器。其中青铜器有鼎、尊、觚、斝、爵、斨、锸、泡、刀、镞、面具等（图2.2.151～图2.2.162），玉器有柄形器、钺、戈及绿松石饰件，石器有铲，陶器有盆、饼及硬陶尊（图2.2.163～图2.2.170）。现将出土器物分述如下[①]。

1）青铜器

觚　标本2件。

标本M13：2，仅有一腹与圈足相连的残片。腰部较粗，足部呈弧线外张。腰部上端饰两条平行凸弦纹，下饰宽带状粗阳线兽面纹，足部饰四道平行凸弦纹，残片边缘可见镂孔痕迹，深绿色锈。残高14.2厘米（图2.2.151）。

标本M13：23，器表附着泥土，圈足有烟熏痕。喇叭状敞口，细腰，足部呈弧线外张。腰部上端饰两条平行凸弦纹，下饰一周两组带状细阳线无目兽面纹，上下饰连珠纹镶边，足部饰四道平行凸弦纹，间饰三个等距的“十”字形镂孔。器身有铸痕两道，正是腹部两组兽面纹的分界线，绿色锈。口径12、底径8.4、通高18.7厘米，重460克（图2.2.153）。

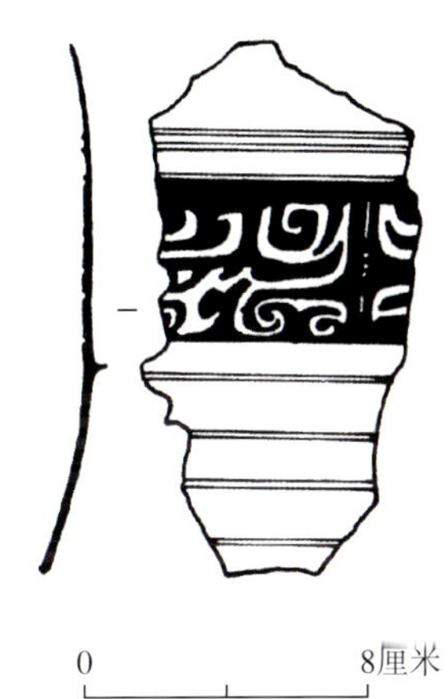

图2.2.151　青铜觚（杨家湾M13：2）

爵　标本2件。

标本M13：6，仅有两足。为三尖锥状实足。足外侧有明显铸痕。绿色锈。残高4.5厘米（图2.2.152）。

标本M13：24，较完整。器身横截面呈椭圆状，长流弧线上扬，残尾，流折处立有两个三角形矮柱，柱纽不明显，折腹，平底，三尖锥状实足略外撇，身附一扁平鋬。鋬两侧各有一组带状细阳线夔纹，鋬对侧饰一组粗阳线兽面纹。鋬一侧的实足为补铸，在爵底内外两侧有补铸痕迹（图2.2.154，2），深绿色锈。流尾长17、通高17.3厘米，重180克（图2.2.154，1；图2.2.155）。

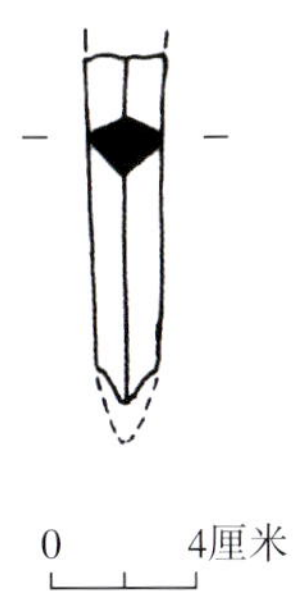

图2.2.152　青铜爵足（杨家湾M13：6）

① 两次考古出土的文物进行统一编号，顺序为1～29，与《清理简报》中的器物编号不尽相同，详情见墓葬出土文物登记表。村民上交文物当作采集品，统一编号前缀0，即01、02、03。

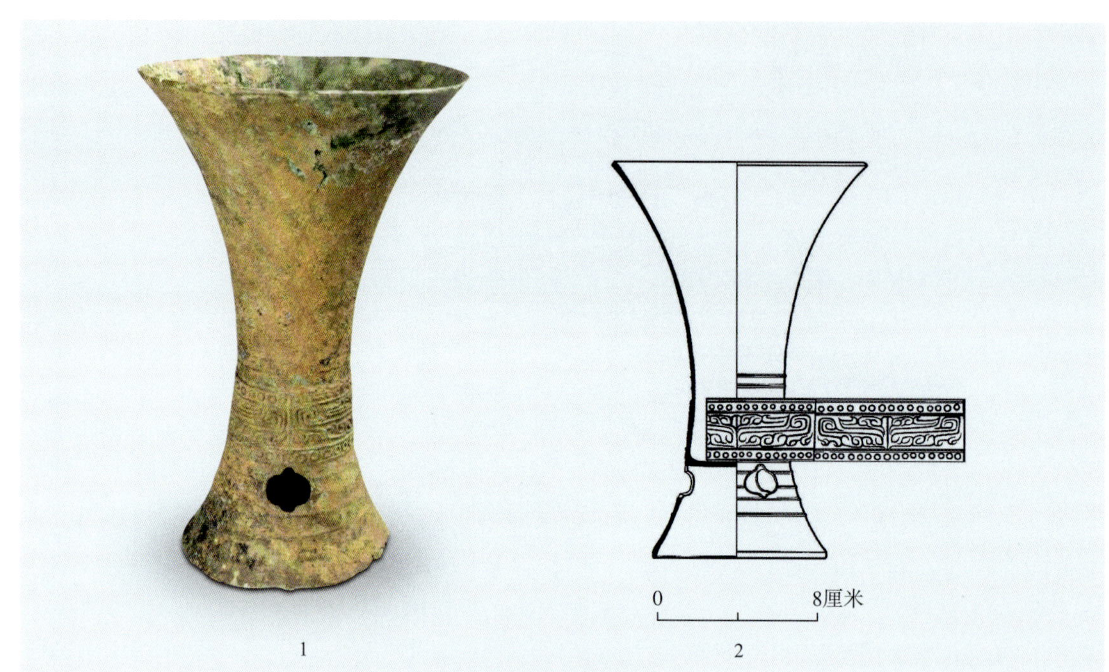

图 2.2.153　青铜觚（杨家湾 M13：23）

1. 照片　2. 线图

图 2.2.154　青铜爵和爵足的补铸痕迹（杨家湾 M13：24）

1. 器身正视　2. 爵足补铸痕迹

斝　标本2件。

标本M13：14，仅有口沿和鋬残片。侈口，加厚唇边。颈下饰有连珠纹。鋬部较厚，有明显的铸造错位痕迹，绿色锈。残高6.9厘米（图2.2.156，1）。

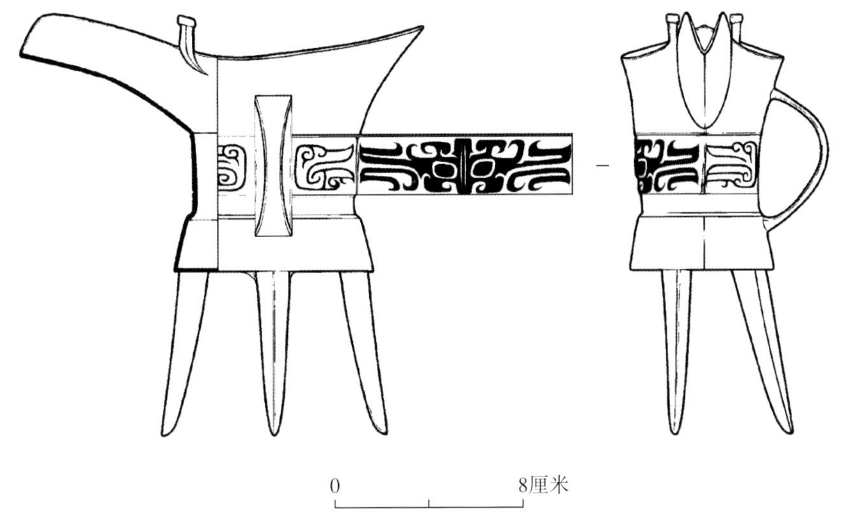

图 2.2.155　青铜爵（杨家湾 M13：24）

标本M13：25，仅有口沿部分残片。敞口，加厚唇边，高柱，柱茎横截面呈梯形，内侧略窄于外侧，伞状柱纽。顶端凸起乳钉，柱纽边缘及乳钉外各有一周旋纹，深绿色锈。残高4.5、残宽4.1厘米（图2.2.156，2）。

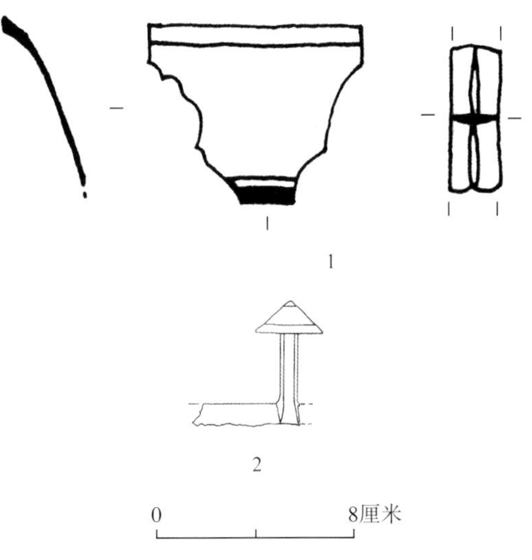

图 2.2.156　杨家湾 M13 出土青铜斝

1. M13：14　2. M13：25

尊　标本1件。

标本M13：10，仅有口沿残片。侈口，方唇，加厚唇边。绿色锈。残高3.9厘米（图2.2.157）。

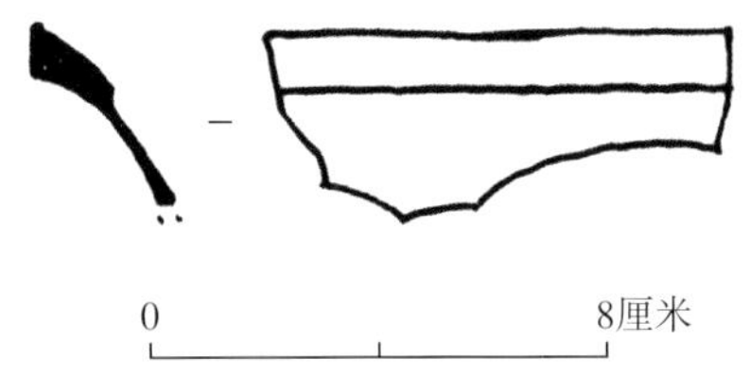

图 2.2.157　青铜尊（杨家湾 M13：10）

鼎　标本4件。其中2件为村民上交，由于历史原因不可查找，具体形制不详。经发掘出土的2件为锥足圆鼎，均残。

标本M13：1，侈口，小方唇，唇边加厚，上立对称的半圆形双耳，颈微收，圆腹，圜底，中空尖锥状足。颈腹部饰有3周平行凸弦纹。口沿及足底部位有烟熏痕，灰色锈。口径16.4、通高19.8厘米（图2.2.158，1）。

标本M13：8，仅有一残足和一耳腹相连的残片。侈口，圆唇，唇边加厚，上立半圆形耳，耳身中空并略外张。腹饰宽带粗阳线兽面纹，上下饰连珠纹镶边。中空尖锥状残足，足根较厚，有两层铸痕，绿色锈。耳腹片残高17厘米（图2.2.158，2）。

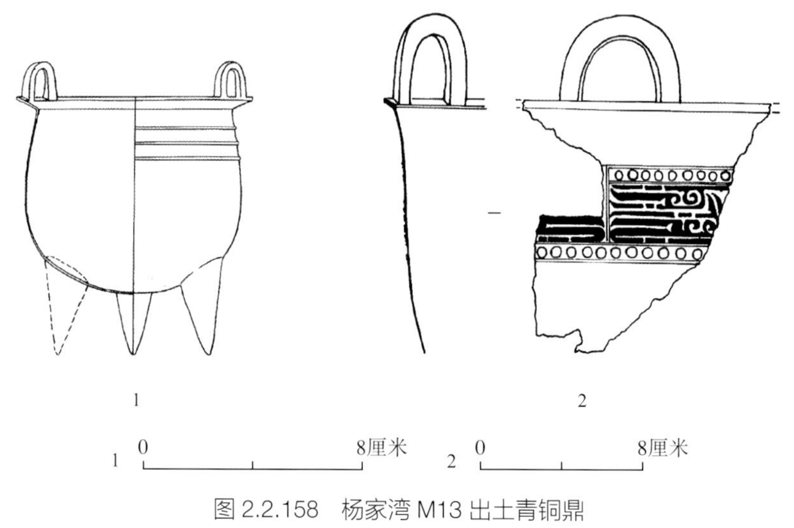

图2.2.158　杨家湾M13出土青铜鼎

1. M13：1　2. M13：8

刀　标本3件。三者形制基本一致，通体窄长，刀柄与刀身连为一线，背部起脊并呈弧线弯曲，大小有异。

标本M13：19，脊背装饰“V”字形纹饰。残长22.9、残宽2.2厘米，重60克（图2.2.160，3）。

标本M13：20，刃残，刀柄与刀身连为一线。残长34、残宽2.8厘米，重120克（图2.2.160，4）。

标本M13：21，刃残，刀柄与刀身连为一线。残长27、宽4.2厘米，重160克（图2.2.160，5）。

镞　标本若干件。村民上交的青铜镞由于历史原因不可查找，具体形制不详。

标本M13：28，仅见铤、脊，脊呈四棱扁平状，铤为圆锥状，绿色锈。残长5厘米（图2.2.160，1）。

锸　标本3件。

标本M13：02，器身作长方形，扁圆形带箍銎口，双面弧形刃，器身上端上、下两面各有一圆形镂孔，橄榄绿色锈。孔径1.8、通长16.4、刃宽9.2厘米（图2.2.160，7）。

标本M13：4，器身呈扁平长条状，中空，带箍銎口一面平，一面为弧形，单面弧形刃，銎宽大于刃宽。通体素面。口中间为浇口位置，器壁相对较厚，器身正面有几个不规则形孔洞，应为浇铸不足产生，深绿色锈。通体长26、刃宽10.2、銎口宽11.8、高3.4、壁厚0.6厘米，重1710克（图2.2.159，2；图2.2.160，8）。

标本M13：5，器体呈扁平长条状，中空，正面呈扁弧状，背面平直，扁圆形带箍銎口，单面弧形刃，刃宽小于銎宽。器表饰“十”字形凸弦纹。深绿色锈。通长13.2、刃宽6、銎口宽6.5、高3、壁厚0.4厘米，重350克（图2.2.159，1；图2.2.160，6）。

斨　标本1件。

标本M13：01，体量大，器身中空，扁平长方状，一面平，单面弧形刃，器身断面及

图 2.2.159 杨家湾 M13 出土青铜锸

1. M13：5 2. M13：4

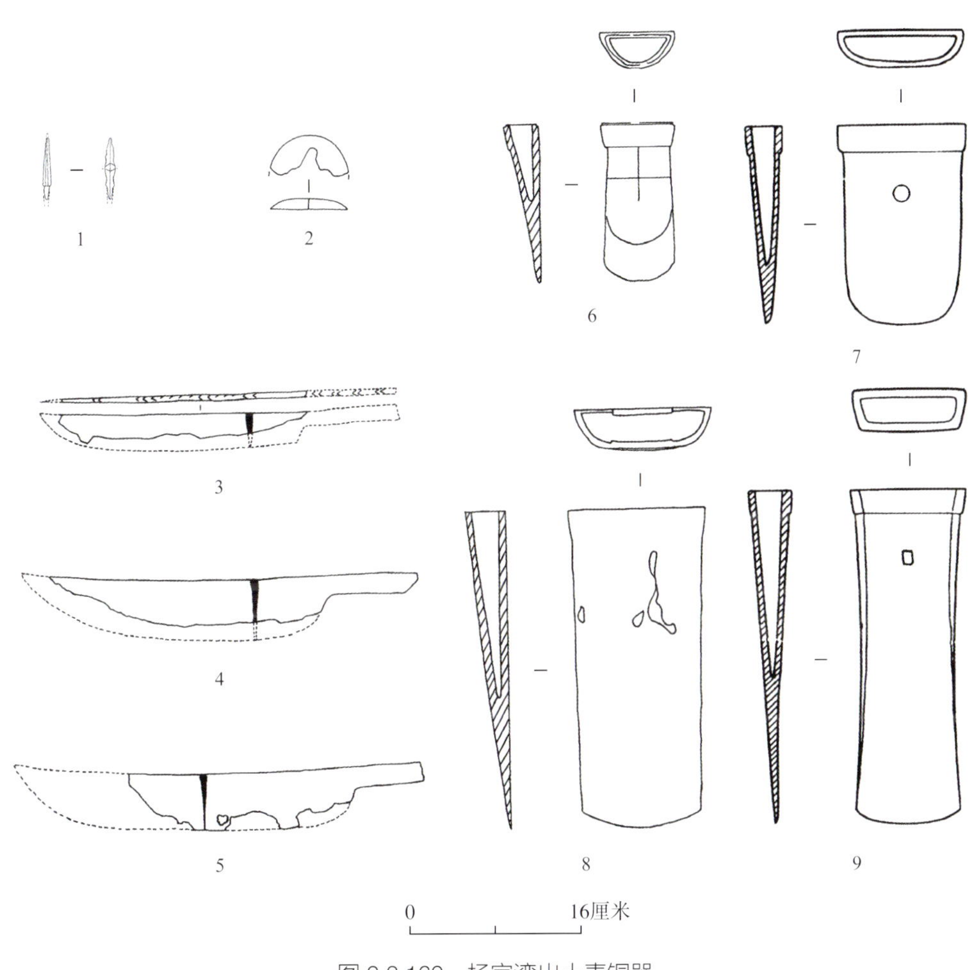

图 2.2.160 杨家湾出土青铜器

1. 镞（M13：28） 2. 泡（M13：7） 3～5. 刀（M13：19、M13：20、M13：21）
6～8. 锸（M13：5、M13：02、M13：4） 9. 斨（M13：01）

图 2.2.161　青铜片（杨家湾 M13：22）

1. 照片　2. 线图

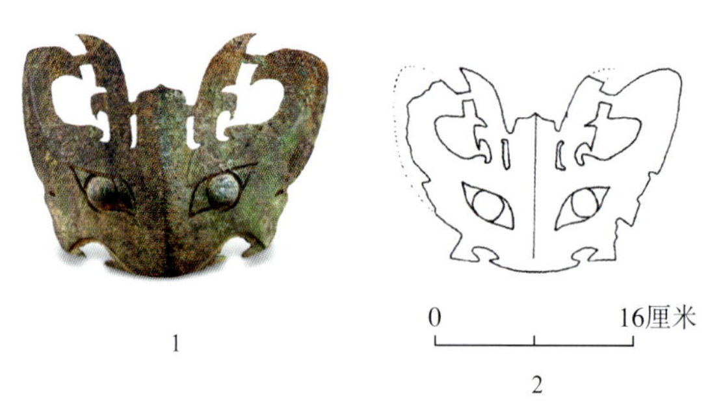

图 2.2.162　青铜面具（杨家湾 M13：03）

1. 照片　2. 线图

带箍銎口作梯形。器身上端上、下两面各有一长方形镂孔，橄榄绿色锈。孔长1.7、宽1、通长27.3、刃宽8.7厘米（图2.2.160，9）。

泡　标本1件。

标本M13：7，圆形残片，较薄，中间微鼓呈弧面，深绿色锈。直径7厘米（图2.2.160，2）。

面具　标本1件。

标本M13：03，体弧形凸起，“臣”字目，圆睛突出，竖眉，两角上卷，额鼻相连呈凸起状，咧口。残宽19.2、高14厘米（图2.2.162）。

铜片　标本1件。

标本M13：22，长条形片状，一端残，另一端垂直延伸出0.8厘米的窄片，呈梯形。器体边缘残留有合范痕迹，绿色锈。残长9.3、宽3.3、厚0.15厘米，重60克（图2.2.161）。

2）陶器

盆　标本1件。

标本M13：3，泥质灰陶。敞口，卷沿，方唇，平底。近底部饰有斜向绳纹。复原后口径28、底径8.4厘米（图2.2.163，3）。

饼　标本1件。

标本M13：18，泥质灰陶。圆形，周壁呈坡状，故一面径大于另一面，小面中间略低于周边，大面一侧有凹槽，中间微隆形成弧面并附有朱砂。直径4、厚0.8厘米（图2.2.163，2）。

印纹硬陶尊　标本1件。

标本M13：26，灰胎，施黄釉。侈口，折沿，束颈，溜肩，圆鼓腹，矮圈足。沿面饰一周弦纹，颈部有多道轮制痕迹，腹部饰“人”字纹，肩腹部残留两个鼻纽，颈部可见多道轮制痕迹。复原后口径9.5、底径4.4、通高13.3厘米（图2.2.163，1）。

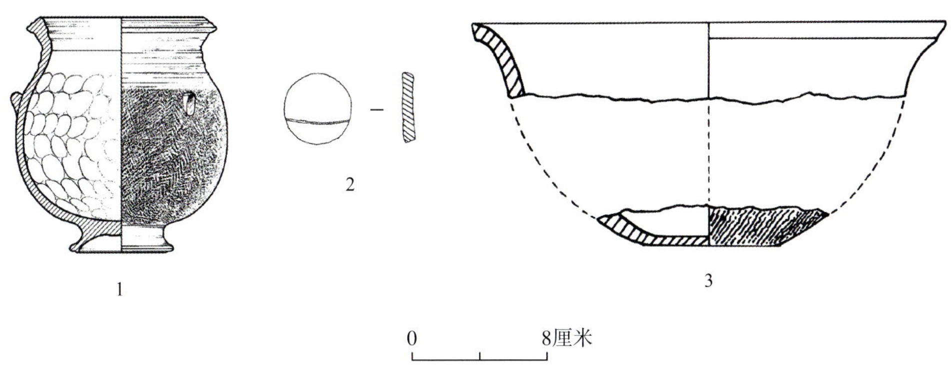

图 2.2.163　杨家湾 M13出土陶器

1. 印纹硬陶尊（M13：26）　2. 饼（M13：18）　3. 盆（M13：3）

3）玉、石器

钺　标本1件。

标本M13：17，乳白色玉磨制，通体圆润光滑，梯形片状，顶端残缺，其中一面中间略微起棱，使整个面有高低之分，双面弧刃，上部有一圆孔，系单面钻孔。残长6.8、刃宽6.3、厚0.3厘米（图2.2.164）。

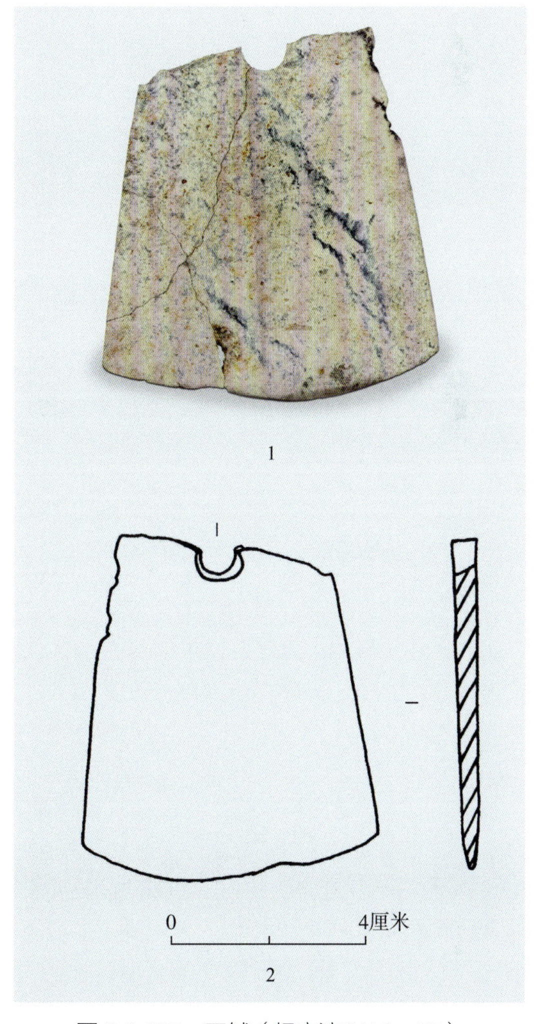

图 2.2.164　玉钺（杨家湾 M13：17）

1. 照片　2. 线图

戈　标本1件。

标本M13：29，仅残存一小块。褐黄色，梯形，体薄而扁，中间隆起呈脊状，形制为玉戈援部前端，接近前锋的部位。残长5.3、残宽5厘米（图2.2.165）。

铲　标本1件。

标本M13：16，黄褐色大理石。扁平长条状，双面弧形刃，器身中部有一圆孔，系单面钻孔。通长15.1、刃宽7、厚1.4、圆孔大径1.7、小径1.3厘米（图2.2.166）。

绿松石饰件　标本5件。

标本M13：11、M13：12、M13：13、M13：15均为绿松石片组合，薄片数量在几片到数十片之间，形状面貌不甚清楚。绿松石片体型较小，一般长度不超过1.4、宽度不超过1.2、厚度0.2厘米。均为切割而成，形状各异，有四边形、三角形、长方形、扇形、椭圆形等（图2.2.167～图2.2.169）。

标本M13：9，蚌片绿松石饰件，由数十块个体较小的绿松石片和蚌片组成，蚌片多为长方形，体量大于绿松石片，绿松石片形状各异，以四边形为主，少量为三角形（图2.2.167，1；图2.2.168，1；图2.2.170）。

另有村民上交的1件玉柄形器不可查找，具体形制不详；碎陶片（M13：27）过于破碎，不可拼对，不知器形。

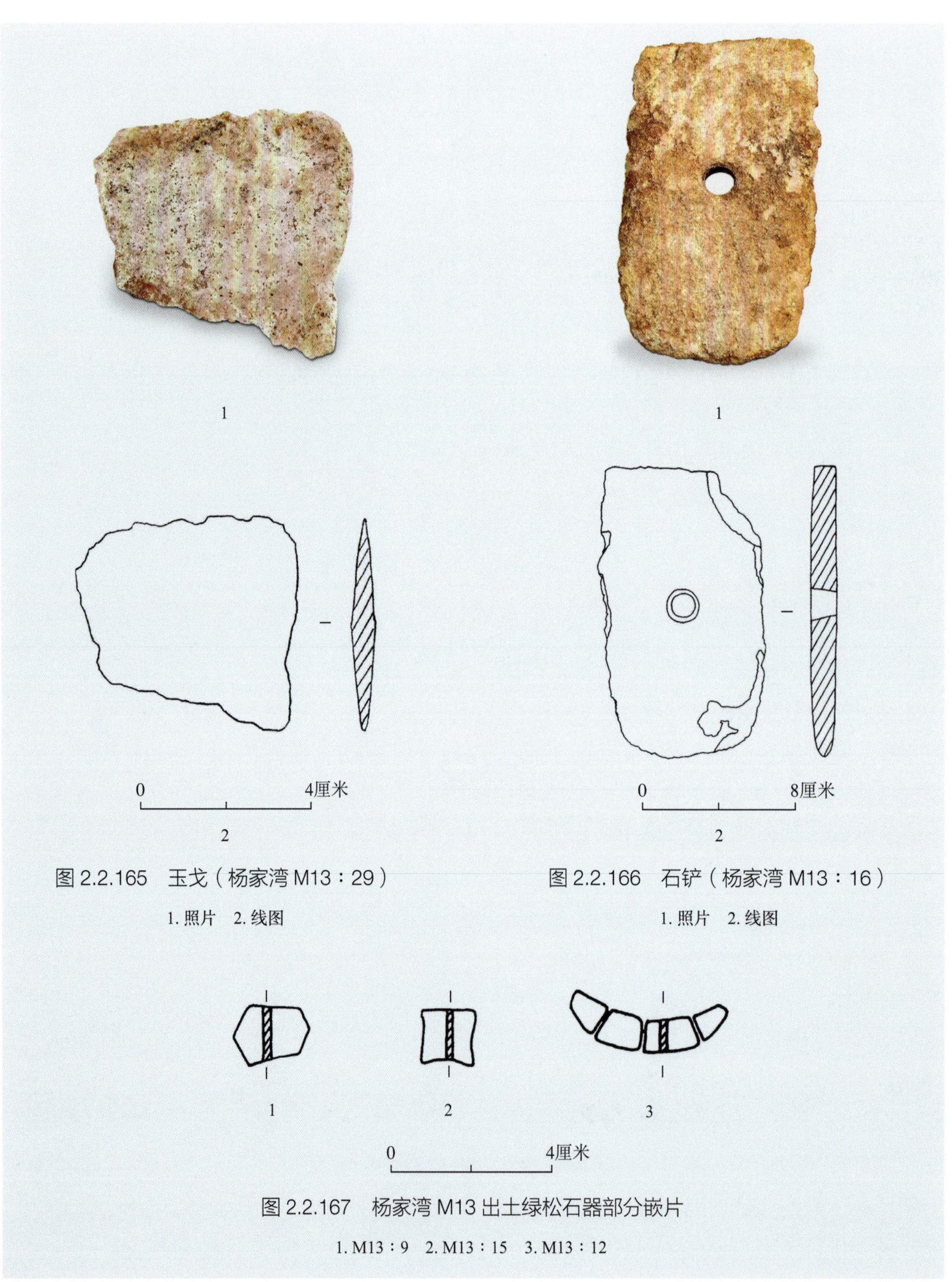

图2.2.165　玉戈（杨家湾M13：29）

1. 照片　2. 线图

图2.2.166　石铲（杨家湾M13：16）

1. 照片　2. 线图

图2.2.167　杨家湾M13出土绿松石器部分嵌片

1. M13：9　2. M13：15　3. M13：12

图 2.2.168　杨家湾 M13 出土绿松石器嵌片照片

1. M13：9部分绿松石器嵌片　2. M13：15部分绿松石器嵌片　3. M13：13部分绿松石器嵌片

图 2.2.169　绿松石器嵌片照片（杨家湾 M13：11）

图 2.2.170 蚌片绿松石饰件照片（杨家湾 M13：9）

（二）M16

位于杨家湾T0801东北角，M19以东2.3米。墓葬开口于第1层下，北壁被M22打破破坏严重，仅残留墓底。方向不明。残长1.52、宽0.5～0.8、深0.1～0.3米。M16随葬有青铜器和原始瓷，其中器物多为残片，未见完整器物（图2.2.171）。

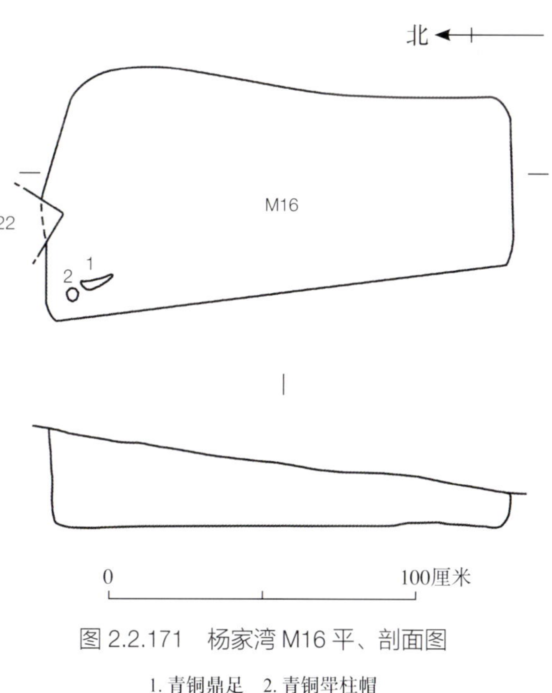

图 2.2.171 杨家湾 M16 平、剖面图

1. 青铜鼎足 2. 青铜斝柱帽

1）青铜器

鼎足 标本1件。

标本M16：1，扁足，足外侧上端起卷曲状扉棱。残长10.5、宽5厘米，重118克（图2.2.172，3）。

2）陶、瓷器

原始瓷器盖　标本1件。

标本M16：3，陶胎呈灰色。盖纽作对称的鸟喙状，盖底外侧一周内凹，并见一周凸棱用以承器。盖面饰三周双线S形纹。盖面见有施釉痕迹。盖底口径13、残高7.5厘米（图2.2.172，2；图2.2.173）。

印纹硬陶罍　标本1件。

标本M16：4，器表呈灰褐色。子母口盖，盖上有一菌状盖纽，盖底外侧作台阶状向下凸起，用以承器。器身直口，方唇，唇上缘见一周凸棱，短颈，折肩，下腹斜收。罍盖饰四周S形纹，罍器身肩部和上腹部各饰两周S形纹，下腹饰小网格纹。腹部可见有施釉痕迹。复原后口径10.7厘米（图2.2.172，1；图2.2.174）。

（三）M17

位于杨家湾T0802西北角，部分伸入探方北隔梁。墓葬开口于第1层下，保存较完整，东南角被M20打破。长方形土坑竖穴墓，四壁基本垂直，口底等大。墓向推测为20°或200°。现存墓口距地表仅0.03、墓长2.9、宽1.6、残深0.74米。墓底有长方形腰坑，腰坑长

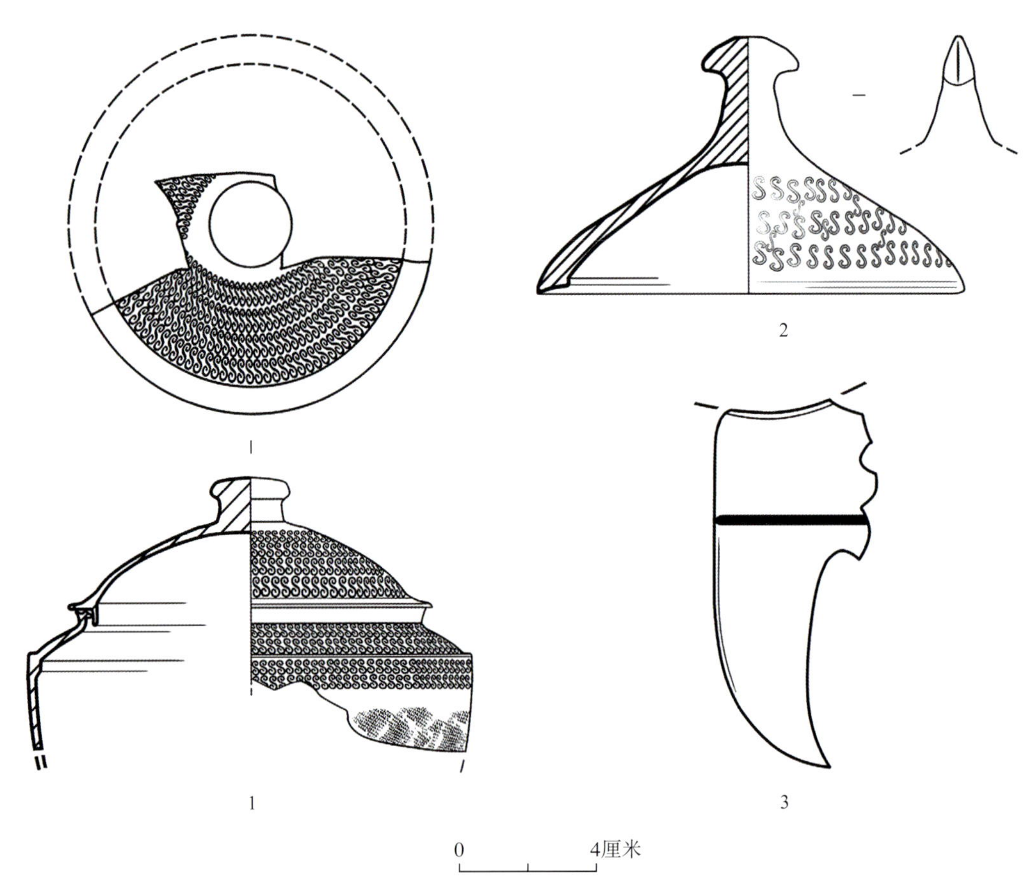

图2.2.172　杨家湾M16出土印纹硬陶、原始瓷器和青铜器

1. 印纹硬陶罍（M16：4）　2. 原始瓷器盖（M16：3）　3. 青铜鼎足（M16：1）

1　　2

图 2.2.173　原始瓷器盖照片（杨家湾 M16：3）

1. 器身正视　2. 纹饰局部

图 2.2.174　印纹硬陶罍器盖照片（杨家湾 M16：4）

0.88、宽0.4、深0.18米。填土为灰褐色土。葬具为一棺一椁，椁痕长2.4、宽1.16米，棺痕长2.24、宽1米，棺椁间距为0.06米，棺、椁痕迹残高0.31米。墓主骨骼不存。在墓室北壁与椁室之间发现有骨架，中、西部见两段人类下肢骨和上肢骨，东北角发现人类牙齿和颅骨，推测为殉人。另外在椁室与墓壁之间还发现有多处骨骼痕迹（图2.2.175、图2.2.176）。

M17随葬有青铜器、玉器、石器、陶器、漆器、金片绿松石镶嵌龙形器。陶器多随葬在墓室上层，陶质极差，出土时多呈碎片平铺（图2.2.176，Ⅰ）。青铜器和漆器则多放置在墓底椁室与墓壁之间的位置（图2.2.176，Ⅱ）。其中墓室北边发现有青铜爵、青铜斝和漆觚各1件，另有1件漆器，仅残存部分痕迹；东边见有金片绿松石镶嵌龙形器、青铜戈和青铜带鋬觚形器；南边见有玉柄形器、残青铜尊，西南角见一陶罐；西边发现有青铜兽面纹牌形器和印纹陶器盖。棺、椁之间则放置有玉戚、玉戈残片、砺石、青铜斝柱帽、青铜

1

2

3

4

图 2.2.175　杨家湾 M17 发掘现场及部分遗物出土照片

1. 墓坑　2. 腰坑　3. 腰坑玉戈出土情况　4. 漆觚出土情况

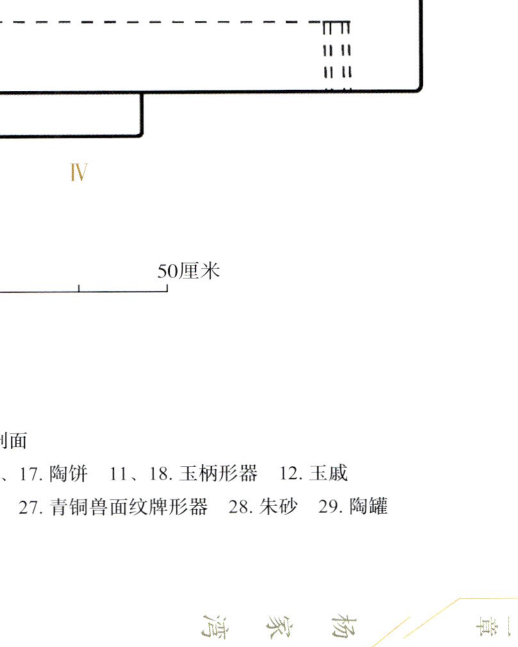

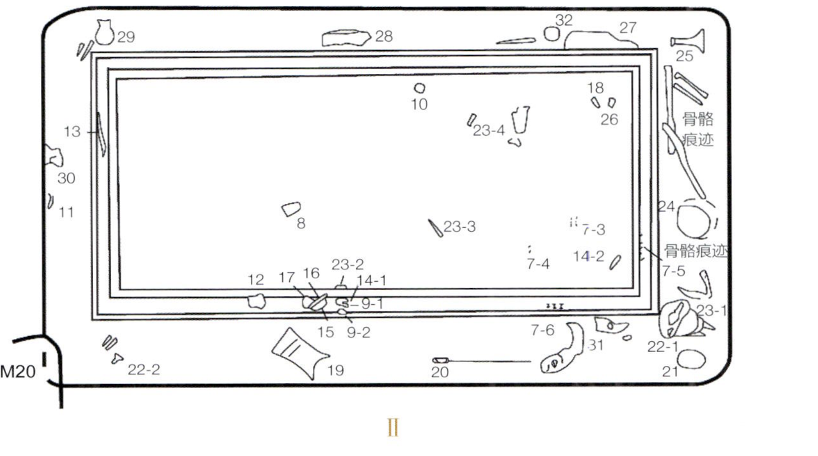

图 2.2.176　杨家湾 M17 平、剖面图

Ⅰ. 上层平面及器物分布　Ⅱ. 墓底平面及器物分布　Ⅲ. 腰坑及器物分布　Ⅳ. 剖面

1. 陶鬲　2. 残陶片　3、5. 陶大口尊　4. 陶缸　5、21、24. 漆器痕迹　7. 绿松石管、片　8. 玉管状器　9. 斝柱帽　10、17. 陶饼　11、18. 玉柄形器　12. 玉戚　13、16. 青铜刀　14. 玉戈　15. 砺石　19. 青铜带錾觚形器　20. 青铜戈　22. 青铜斝　23. 青铜爵　25. 漆觚　26. 残青铜片　27. 青铜兽面纹牌形器　28. 朱砂　29. 陶罐　30. 青铜尊　31. 金片绿松石镶嵌龙形器　32. 陶器盖

刀、陶饼。棺内见有玉管状器、玉柄形器、玉戈残片、青铜爵足、陶饼等。腰坑见有1件残玉戈。墓葬多件随葬品为碎片，分散放置在墓室。青铜斝（M17：22）的一个柱帽位于墓室的东南角，青铜爵（M17：23）器身置于青铜斝（M17：22）之内，而三足则位于棺内。玉戈（M17：14）除了散落在腰坑中的外，部分碎片还见于棺椁之间和棺之内。对于同一件器物，其散落的碎片，我们在器物号后标注小号以示区别。此外墓室填土及墓底还可见大量的绿松石片和绿松石管，应是从其他镶嵌品或挂饰上脱落而来，由于其在填土中分布零散，因此具体出土位置并未一一标出。

随葬品具体介绍如下。

1）青铜器

带鋬觚形器 标本1件。

标本M17：19，形制特殊，器身截面呈椭圆形，口部近角形器，口沿两端均作爵尾状上翘，腰部微束，器身长轴一侧有一弧形鋬，圈足，圈足底部呈台阶状加厚。腰部饰两周连珠纹，下有一周两组兽面纹，一组被鋬下缘打断，兽面纹作细阳线，兽目简化消失，鋬上有兽首装饰，圈足饰两周凸弦纹，另有四个等距的十字形镂孔，镂孔正下方有凹槽。鋬兽首下外侧和鋬内侧可见一条纵向的范缝痕迹，与之相对应的器壁外侧有一条范缝，另在觚身长轴两侧和正面中线可见范缝痕迹。口径长轴12、短轴5.8、通高15.6厘米，容积约440毫升，重约523克（图2.2.177、图2.2.178）。

1

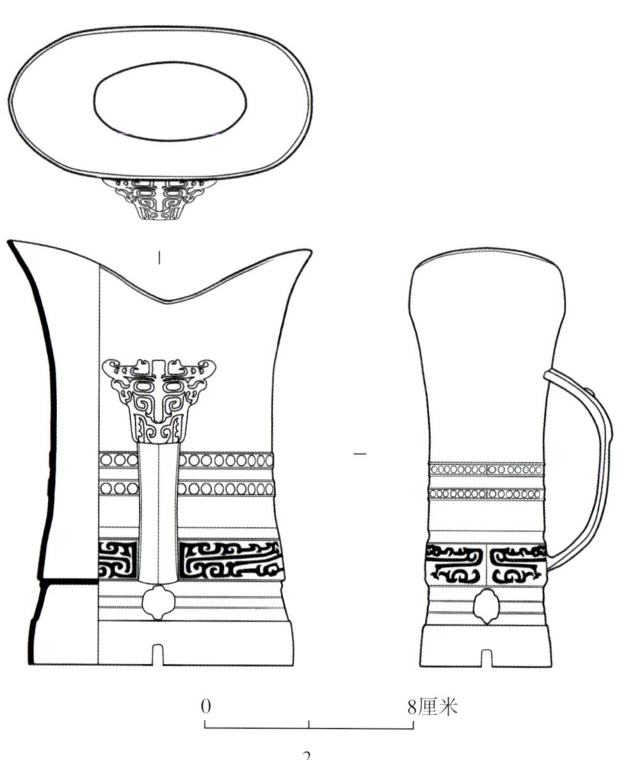

2

图2.2.177　青铜带鋬觚形器（杨家湾M17：19）

1. 照片　2. 线图

1　2　3　4

图 2.2.178　青铜带鋬觚形器（杨家湾 M17：19）不同方向及局部照片

1. 鋬侧正面　2. 鋬对侧正面　3. 侧面　4. 器底

5 6 7 8

图 2.2.178　青铜带鋬觚形器不同方向及局部照片（杨家湾 M17：19）（续）

5. 鋬范缝局部　6. 鋬内范缝及圈足镂孔　7. 鋬上兽首装饰　8. 腰部兽面纹

爵　标本1件。

标本M17：23，出土时，爵器身（M17：23-1）放置于青铜斝（M17：22）内，三足（M17：23-2～M17：23-4）则分散放置在棺内。尾略残，长流上翘，流折处立双菌状柱，折腹，平底，带状弧形鋬，三尖锥实足。颈部饰一周三组纹饰带，其中鋬对侧为一组兽面纹，鋬两侧为两组相对的夔纹，兽目省略。流尾约长19.5、通高17.7厘米，容积约218毫升，重约243.5克（图2.2.179）。

1

2

0 8厘米

3

图 2.2.179　青铜爵（杨家湾 M17：23）

1. 鋬侧正面照片　2. 鋬对侧正面照片　3. 线图

4

5

6

7

图 2.2.179　青铜爵（杨家湾 M17：23）（续）

4. 流侧面照片　5. 底局部照片　6. 鋬内壁范缝局部照片　7. 柱帽局部照片

斝　标本1件。

标本M17：22，出土时，青铜斝位于墓室东北角，其一个柱帽（M17：22-2）则位于椁室东南部。侈口，口部作加厚处理，伞状柱帽，上腹斜收，下腹微鼓，平底微凸，带状半圆形鋬，内见范土，三尖锥足外撇，内中空，足横截面近弧边三角形。柱帽饰涡纹，上腹部饰一周三组纹饰带，其中鋬对侧为一组兽面纹，鋬两侧饰两组相对的夔纹。兽面纹和夔纹交界处可见明显的范缝，鋬内有泥芯痕迹，柱帽底部靠口沿外侧见一条范缝。口径17.2、通高29.6厘米，容积约1480毫升，重约1254.5克（图2.2.180、图2.2.181）。

1

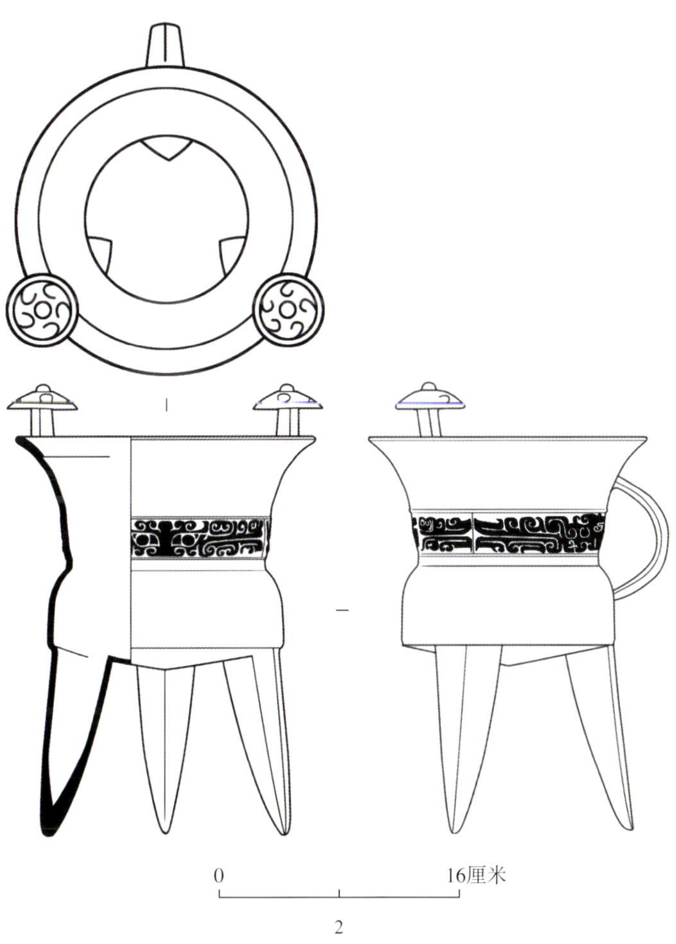

2

图 2.2.180 青铜斝（杨家湾 M17：22）

1. 照片 2. 线图

1　2　3　4　5　6

图 2.2.181　青铜斝（杨家湾 M17：22）局部照片

1. 内壁及腹底部三足空芯状　2. 底部范缝　3. 柱帽底部范缝　4. 腹部纹饰侧面局部
5. 纹饰分界处浇口　6. 纹饰分界处范缝

7

8

9

图 2.2.181 青铜斝局部照片（杨家湾 M17：22）（续）

7. 鋬内壁范缝 8、9. 足部范缝

尊 标本1件。

标本M17：30，残，仅见颈肩交界处。颈部见三周凸弦纹，肩部见一周细阳线纹饰，另有一凸起的兽首装饰，残见其一角。兽首鼻梁对应的器壁内侧向外凸出，形成一个略呈方形的凹孔。残高6、残宽5.1厘米，重约38.5克（图2.2.182，1）。

戈 标本1件。

标本M17：20，出土时，青铜戈内柄朝下垂直而立，在其北侧可见有一条灰白色痕迹，应为戈杆。直内，内上带孔，有阑，援微上翘。通长23.5厘米，重约268.5克（图2.2.182，2；图2.2.183）。

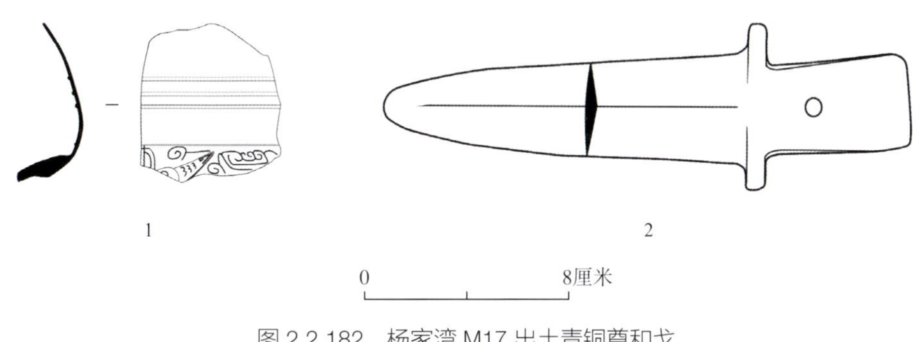

图 2.2.182 杨家湾 M17 出土青铜尊和戈

1. 尊（M17：30） 2. 戈（M17：20）

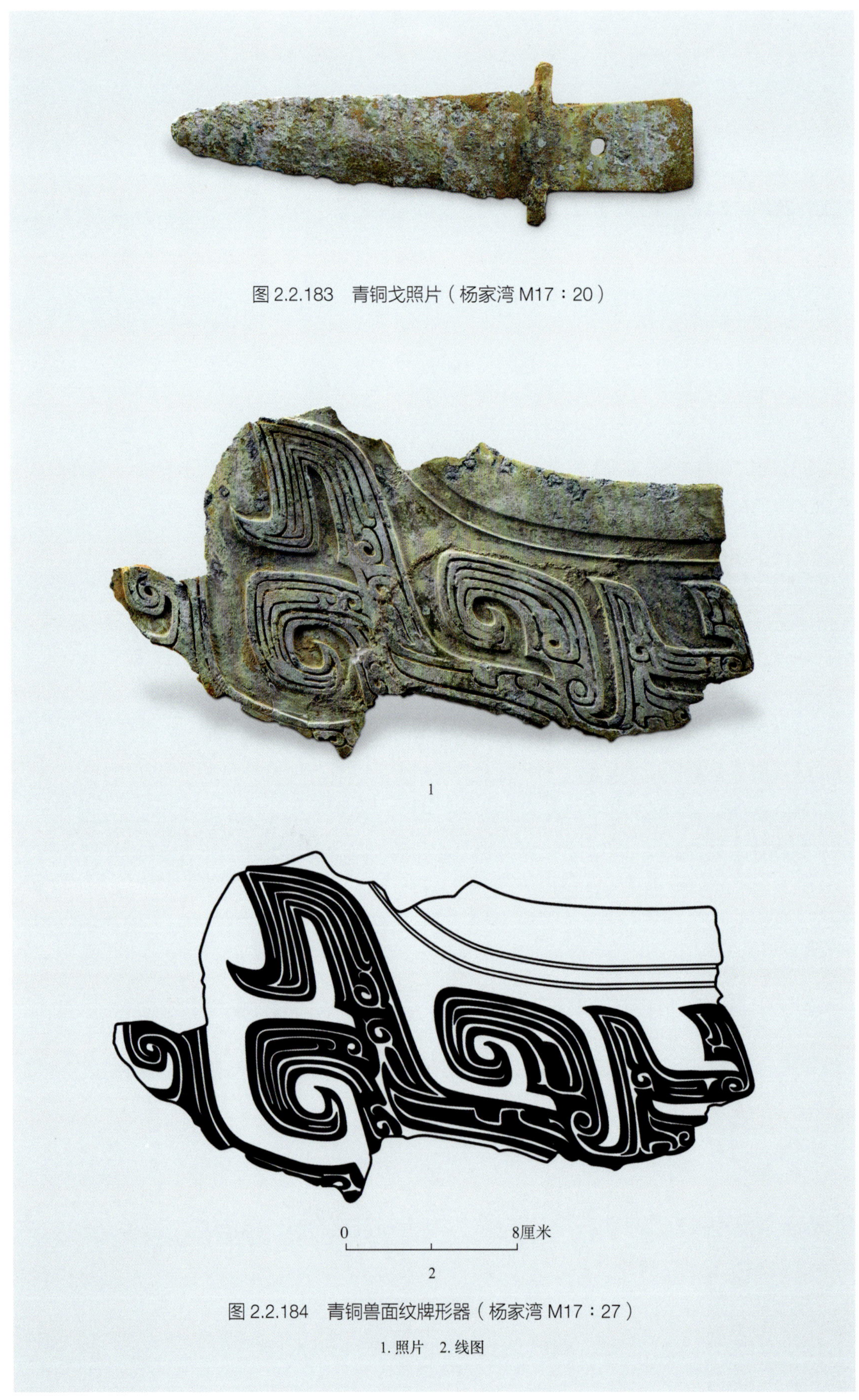

图 2.2.183　青铜戈照片（杨家湾 M17：20）

图 2.2.184　青铜兽面纹牌形器（杨家湾 M17：27）

1. 照片　2. 线图

牌形器 标本1件。

标本M17：27，仅见残片，所属器类不明，一侧作圆弧状，应为器物的一边。上见一宽带状纹饰，内刻阴线纹样，推测为兽面纹角和躯干的一部分，近边缘处有一凸弦纹。残长30、宽16.2厘米，重约677.5克（图2.2.184）。

图 2.2.185 陶器盖照片（杨家湾 M17：32）

2）陶器

器盖 标本1件。

标本M17：32，盖纽残。夹砂红陶，盖面青灰。盖底外侧一周内凹，用以承器。盖面饰两周纹饰带，主题纹饰以纵向的卷云纹为单元排列，纹饰带之间以弦纹和连珠纹相间隔，盖面外缘还见多周弦纹。盖底口径15、残高2.5厘米（图2.2.185；图2.2.186，5）。

3）玉、石器

玉戈 标本1件。

标本M17：14，仅见援尾部和内柄。出土时，器物为碎片散落在腰坑中（编号M17：14-3～M17：14-8），又在棺椁之间和棺内发现另两块碎片（M17：14-1、M17：14-2）。直内，内中部近援处有圆孔，单面钻，援中部起棱。拼合后残长34、宽10.5厘米（图2.2.187）。

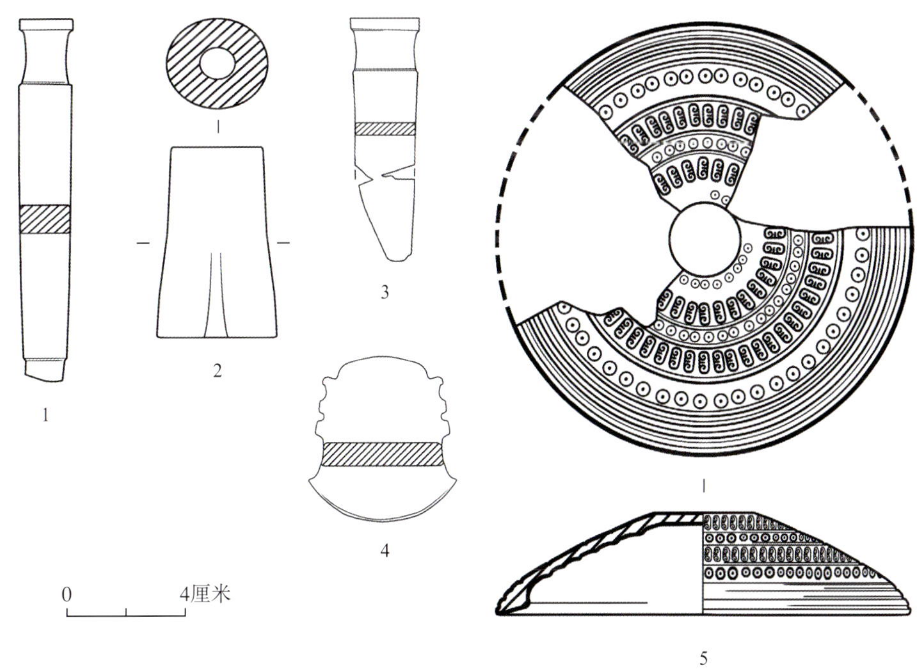

图 2.2.186 杨家湾 M17 出土玉、石器和陶器

1、3. 玉柄形器（M17：11、M17：18） 2. 石管状器（M17：8） 4. 玉戚（M17：12） 5. 陶器盖（M17：32）

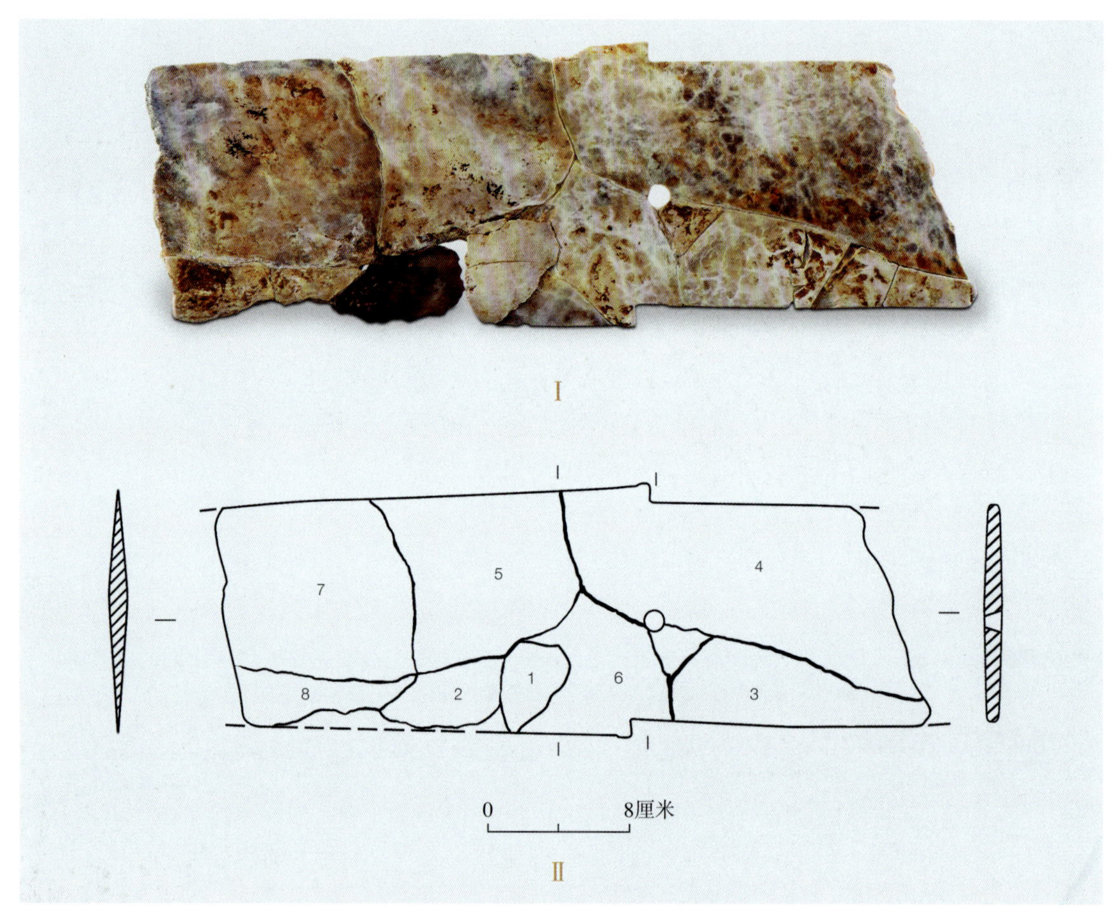

图2.2.187　玉戈（杨家湾M17：14）

Ⅰ.照片　Ⅱ.线图（1. M17：14-1　2. M17：14-2　3. M17：14-3　4. M17：14-4　5. M17：14-5　6. M17：14-6　7. M17：14-7　8. M17：14-8）

玉戚　标本1件。

标本M17：12，体呈梯状。两侧见齿状扉棱，刃部方钝，内尾部圆弧，未见穿孔。长5.5、宽5厘米（图2.2.186，4；图2.2.188，2）。

玉柄形器　标本2件。

标本M17：11，刃部近平，呈阶状凸出。器表通体深红色，夹白斑，见波纹状裂痕，内芯见白灰状物质。长14.5、宽2厘米（图2.2.186，1；图2.2.188，1）。

标本M17：18，尖状刃，刃部一侧方钝，一侧磨尖。玉质较软，遇水呈粉砂状。残长8.5、宽2厘米（图2.2.186，3）。

石管状器　标本1件。

标本M17：8，器身呈圆截锥状，中部有一穿孔，为两面钻。器表另见一钻凿痕迹。直径2.5～3.5、高6.5厘米（图2.2.186，2；图2.2.188，3～6）。

金片绿松石镶嵌兽面形器　标本1件。

标本M17：31，分为两组。南面一组保存较完整，夔龙头部由不规则的绿松石组成，龙身则横向西卷曲，由较小的方形或梯形绿松石组成。夔龙眉、目和牙由金片代替，视觉效果

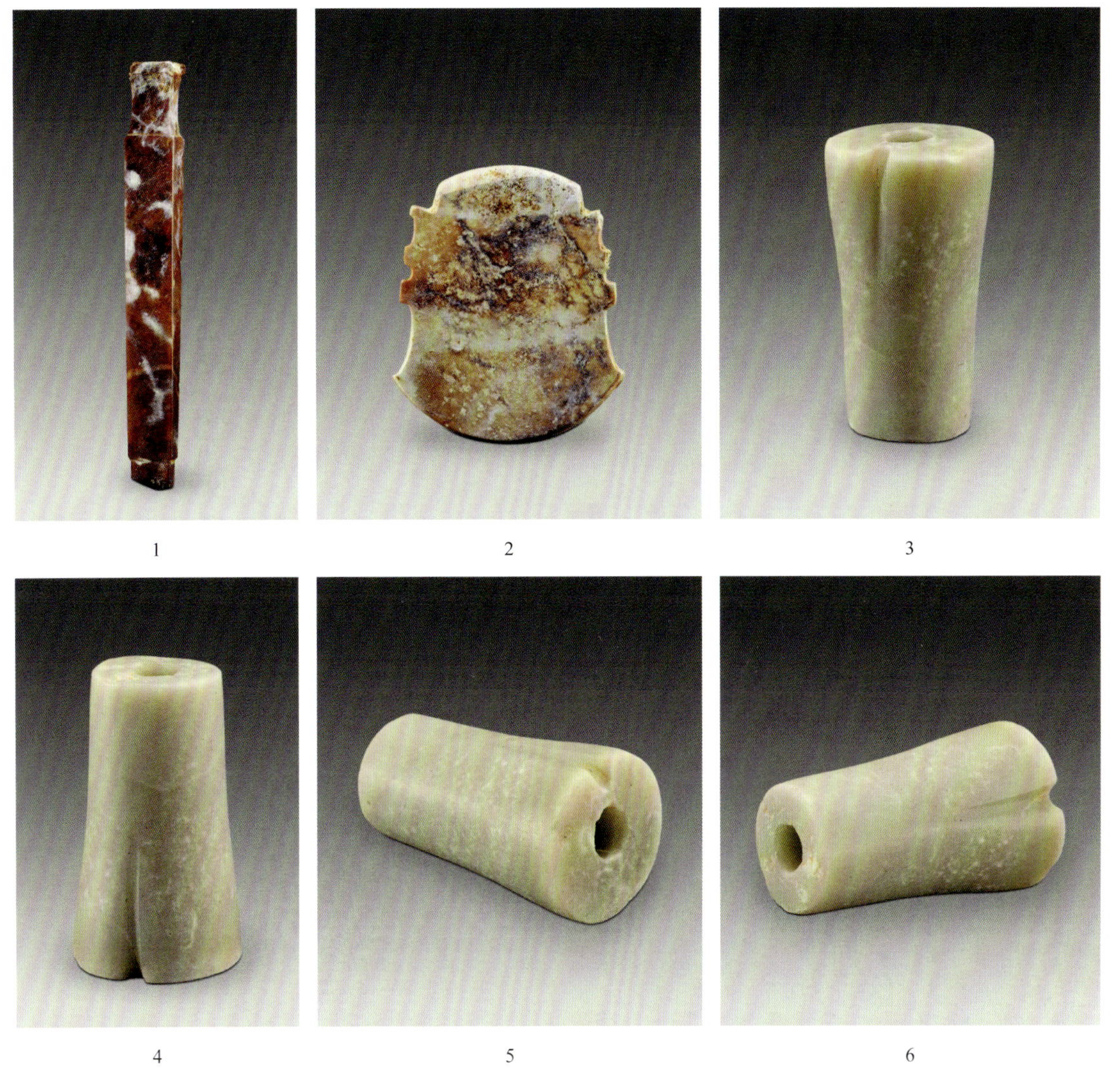

图 2.2.188　杨家湾 M17 出土玉、石器照片

1. 玉柄形器（M17∶11）　2. 玉戚（M17∶12）　3～6. 石管状器（M17∶8）

十分突出。北面一组保存较差，仅见夔龙头部，形制与南面夔首相近，可见金片装饰夔目，另在其东见有金片和绿松石，为夔龙形器散落部分。整个器物揭露时在绿松石上下曾发现有黑灰色物质，应是绿松石和金片所镶嵌器物的痕迹，原器或已腐朽。在发现金片后，我们对整个器物进行了整取，并于室内做了完整的揭露。在整取过程中，并未进一步在周边发现有绿松石和金片的迹象。南面一组夔龙头长约13、最宽处约5.3厘米，躯干长约10、宽约2.5厘米；北面一组夔龙头部长约10、宽约5厘米（图2.2.189、图2.2.190）。

绿松石管和片

绿松石片形状不一，多为扁平的长方形或梯形，不见穿孔，长径多在0.5厘米左右。绿松石管，基本形态为橄榄形，两端略窄，中间较宽，有圆形穿孔，长度多在1厘米左右。以上绿松石片和绿松石管多散落在墓室填土内（图2.2.191）。

1

图 2.2.189　金片绿松石镶嵌兽面形器（杨家湾 M17：31）

1. 照片　2. 线图

1

2

图 2.2.190　金片绿松石镶嵌兽面形器（杨家湾 M17：31）局部照片

1. 金片眼睛及周边绿松石　2. 金片眉毛及周边绿松石

图 2.2.191 杨家湾 M17 出土绿松石管和绿松石器嵌片

1. 绿松石管 2. 绿松石器嵌片

（四）M18

位于杨家湾T0801北部，M16以西0.5米，M19以东0.9米。开口于第1层下，墓葬破坏严重，仅残留一段平面近梯形的墓底。方向不明。墓葬残长0.82、宽0.56～0.78、深0.16米。见有头骨，位于墓底南端（图2.2.192）。

M18随葬有印纹硬陶和原始瓷，保存较完整。

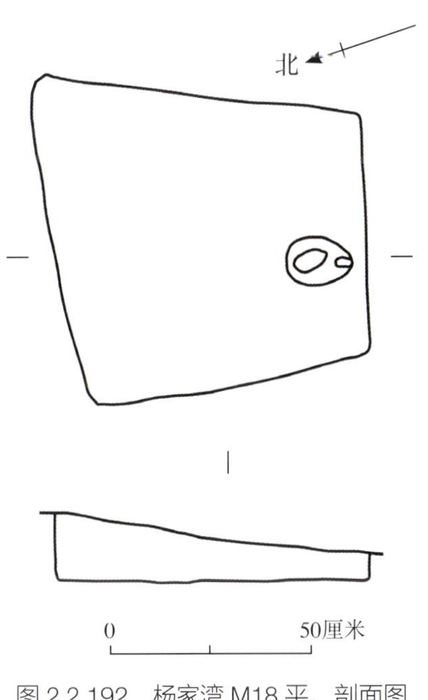

图 2.2.192 杨家湾 M18 平、剖面图

陶、瓷器

印纹硬陶罐 标本1件。

标本M18：2，器表呈褐灰色。侈口，方唇，唇面有一道凹槽，肩部残见两个小环纽，腹部圆鼓，

凹圜底。上腹部饰云雷纹，下腹部饰叶脉纹。颈部见多道轮制痕迹。复原后口径15、通高17.1、腹径17.5厘米（图2.2.193，1；图2.2.194，1、3）。

原始瓷尊 标本1件。

标本M18：1，胎芯为灰色。侈口，方唇，腹部斜收，外壁等距分布三个小环纽，圈足外张，底斜收作台阶状。腹部饰叶脉纹。口沿处见施釉痕迹，颈部见多道轮制痕迹，腹部内壁见手捏制痕迹。复原后口径16.4、腹径11.5、通高11.6厘米（图2.2.193，2；图2.2.194，2）。

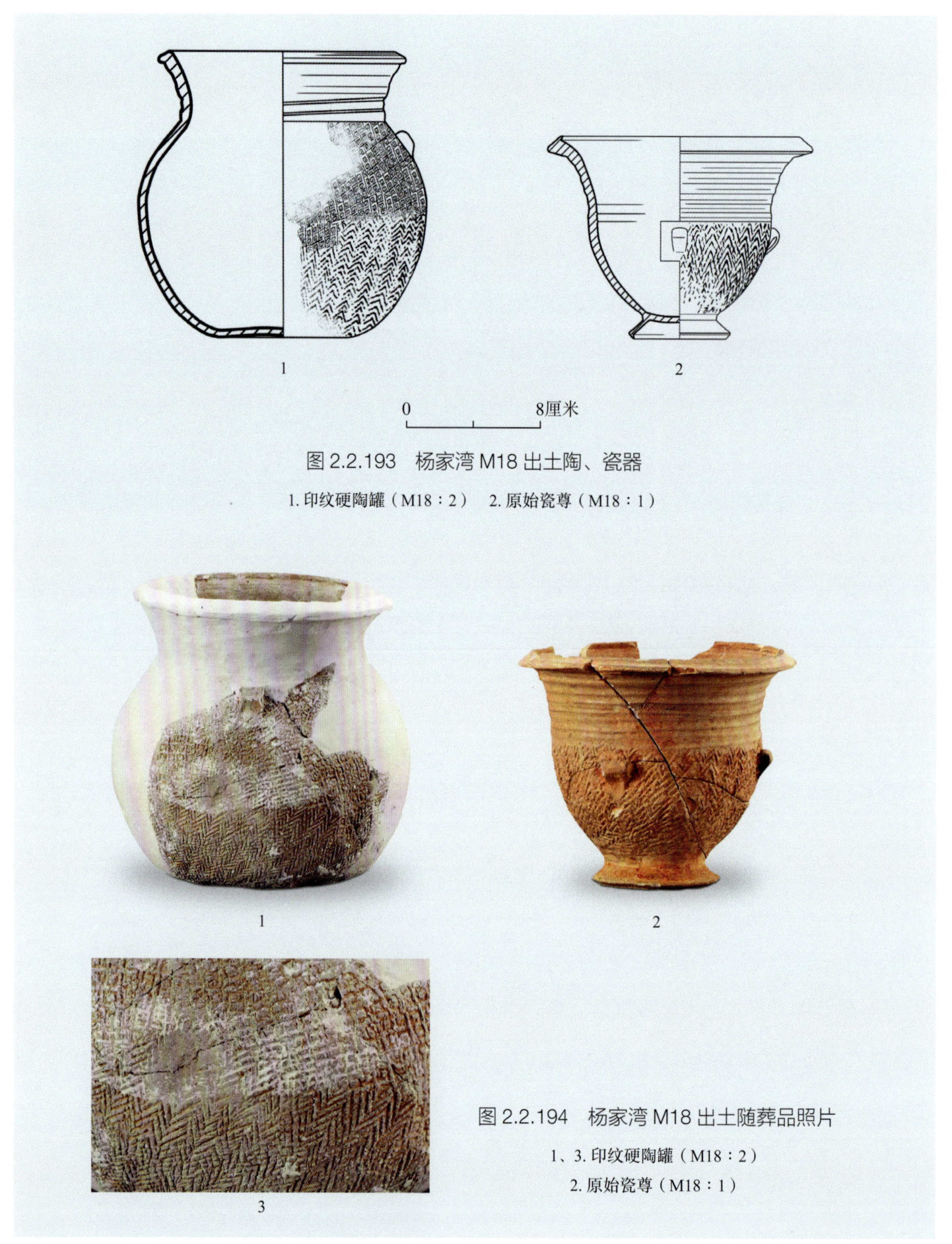

图2.2.193 杨家湾M18出土陶、瓷器

1. 印纹硬陶罐（M18：2） 2. 原始瓷尊（M18：1）

图2.2.194 杨家湾M18出土随葬品照片

1、3. 印纹硬陶罐（M18：2）
2. 原始瓷尊（M18：1）

（五）M19

位于M17以南约2.6米，T0801西北，部分伸入探方西壁和北隔梁。墓葬开口于第1层下，上部破坏严重。土坑竖穴墓，现存平面形状为圆角长方形，四壁基本垂直。墓向推测为200°。现存墓口距地表0.08米，墓开口长2.38、宽1.58、残深0.43米。未见腰坑。墓室中部见有上下两层棺椁痕迹，推测为一棺一椁，椁室长1.85、宽0.94米（图2.2.195；图2.2.196，Ⅰ）。墓主骨骼保存较差，仅在北部见两段下肢骨。西北角二层台和墓室东北角另见有两具骨架，应为殉人或殉牲（图2.2.196）。

M19随葬有青铜器、玉石器、陶器、原始瓷和漆器。青铜器有鬲、罍、尊、斝，其中鬲、罍保存完整，位于墓室东北。玉器有戈、刀和柄形器，多见于墓室底部（图2.2.195；图2.2.196，Ⅱ）。此外墓室西北角二层台上有漆器残痕，器形不明。M19多件随葬品也可见到明显碎器现象，部分器物甚至仅见残片。其中玉戈断为两截，置于墓室中部。玉刀碎为4块，1块位于墓室上层西北角，另3块位于墓底中部。青铜尊仅为器物肩部，呈碎片分散放置在墓室北部，靠近二层台。M19还有5个青铜斝足、2个青铜斝鋬和1个青铜斝柱帽，表明M19青铜斝至少包含两个个体。这些残片也是分散放置。此外，在清理M19上部表土过程中，曾出土一件原始瓷尊，应为M19随葬品，编号01。

随葬品具体介绍如下。

1）青铜器

罍　标本1件。

M19：3，直口微侈，折沿，方唇，折肩，肩腹交界处有一周凸棱，腹斜收，微鼓，圈足外撇。颈饰三周凸弦纹，肩部饰一周六组细阳线夔纹，腹部饰一周三组兽面纹，圈足有一周凸弦纹及三个等距的椭圆形镂孔。腹部每组兽面纹交界处可见明显的范缝痕迹，其中一侧较宽，应为浇口位置。口径15、通高27.9厘米，容积7220毫升，重2941.5克（图2.2.197、图2.2.198）。

图 2.2.195　杨家湾 M19 棺椁残痕

图2.2.196　杨家湾M19平、剖面图

Ⅰ. 上层平面及器物分布　Ⅱ. 墓底平面及器物分布　Ⅲ. 剖面

1. 陶尊　2. 青铜斝（2-1～2-4、2-7斝足，2-5、2-8斝鋬，2-6斝柱帽）　3. 青铜罍　4. 青铜鬲　5、9. 残青铜片　6. 残陶片　7、10. 朱砂痕迹　8、16. 漆器痕迹　11. 玉刀　12. 青铜尊　13. 玉戈　14、15. 玉器残片　17. 玉柄形器

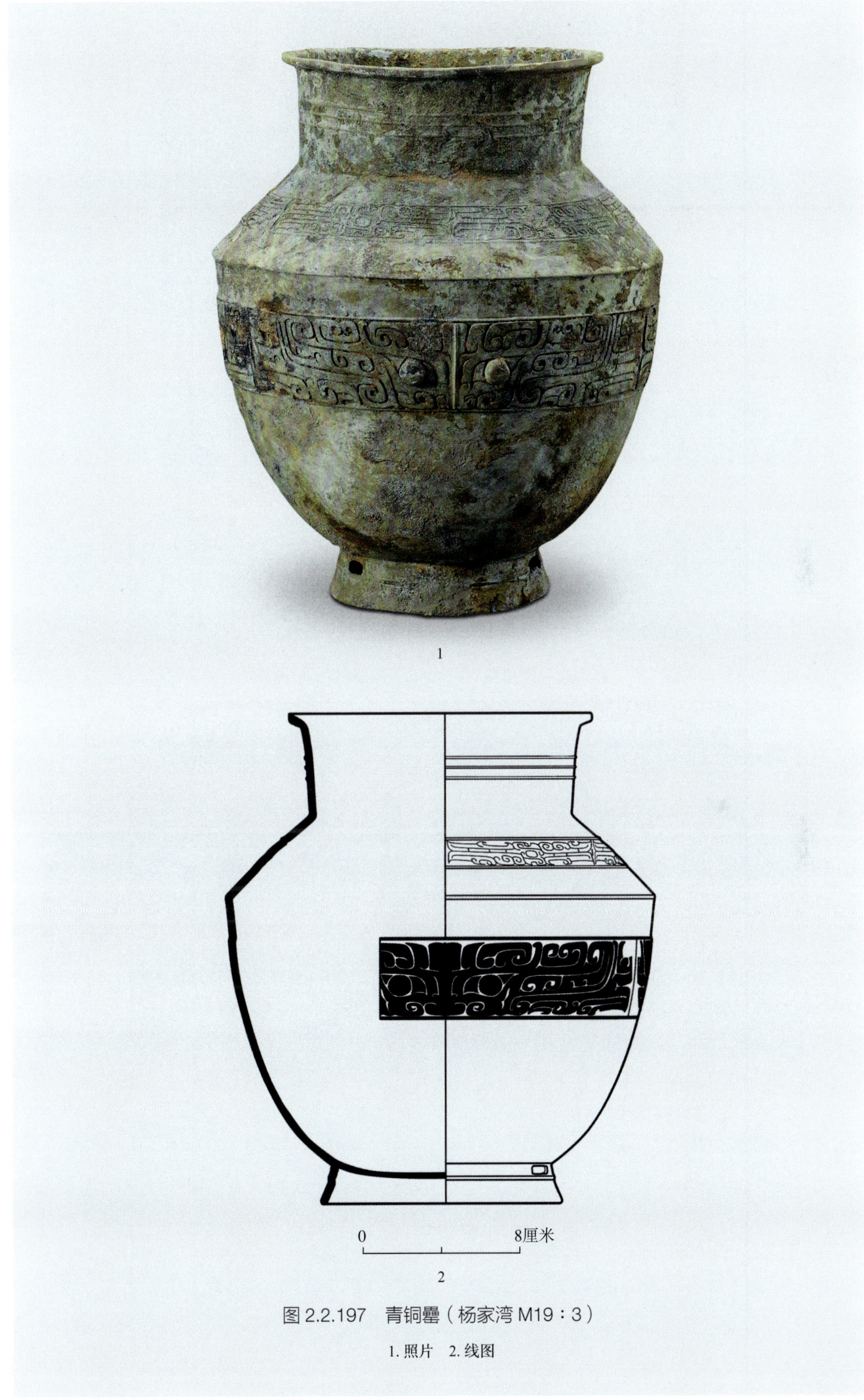

图 2.2.197　青铜罍（杨家湾 M19：3）

1. 照片　2. 线图

1

2

3

4

5

6

图 2.2.198　青铜罍（杨家湾 M19：3）侧面及局部照片

1. 侧面　2、3. 腹部兽面纹局部　4. 肩部夔纹局部
5、6. 兽面纹带每组纹样间所见范缝痕迹

鬲　标本1件。

标本M19：4，敛口，卷沿，小方唇，一耳对一足，分裆，三尖锥足外撇，足内中空，有范土。颈饰一周三组兽面纹，兽面纹上下以连珠纹为界，腹裆处见两周平行的“人”字形凸弦纹。兽面纹每组纹饰交界处可见明显的范缝痕迹，一侧范缝较宽，应为浇口位置。口径14.2、通高18.1厘米，容积1210毫升，重720克（图2.2.199、图2.2.200）。

1

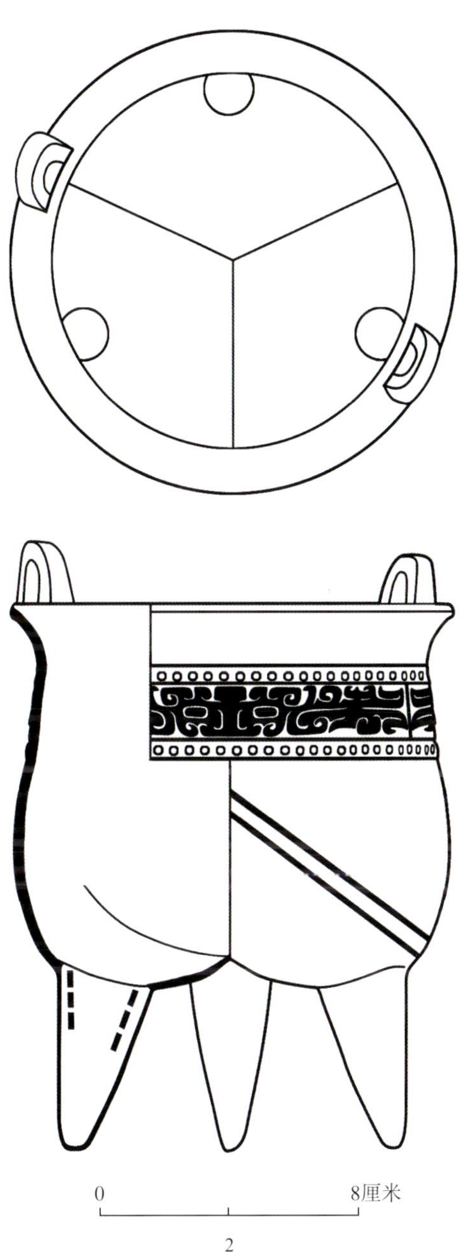

2

图2.2.199　青铜鬲（杨家湾M19：4）

1. 照片　2. 线图

图 2.2.200　青铜鬲（杨家湾 M19：4）耳一足一侧及局部照片

1. 耳一足一侧及所见范缝痕迹　2. 兽面纹局部　3. 耳部局部　4. 内部器底所见三锥足中空　5. 器底和裆部

2）陶、瓷器

尊 标本1件。

标本M19：1，夹砂灰陶。出土时，器物呈碎片状散落在M19墓室内。侈口，圆唇，折肩。肩部饰一周双线S形纹，上下各以两周连珠纹为界，上腹饰两周连珠纹。口径16、残高8.5厘米（图2.2.201，1）。

原始瓷尊 标本1件。

标本M19：01，器底残。该器物在清理表土时被发现。侈口，折沿，沿面见三周凹槽，折肩，腹部近直斜收，平底。肩部饰一周双线S形纹，纹饰上下以多周弦纹为界，腹部饰小网格纹。内壁可见手捏制痕迹，肩部和腹部可见有酱色釉痕迹。口径9.51、残高14.8厘米（图2.2.201，2）。

3）玉器

戈 标本1件。

标本M19：13，出土时，器物为两块，重叠放置。仅见援部和刃部，内部残，援中部微凸，上下刃近锋处各有一处凸起。长19.5、宽5厘米（图2.2.202，1）。

刀 标本1件。

标本M19：11，出土时，器物碎为4块，其中墓室上层发现1块（编号M19：11-1），墓底中部发现3块（标本M19：11-2～M19：11-4）。一端略宽，一端略窄，下侧和前锋见刃，刀身残存两圆孔，单面钻。拼合后长21、宽6厘米（图2.2.202，2；图2.2.203）。

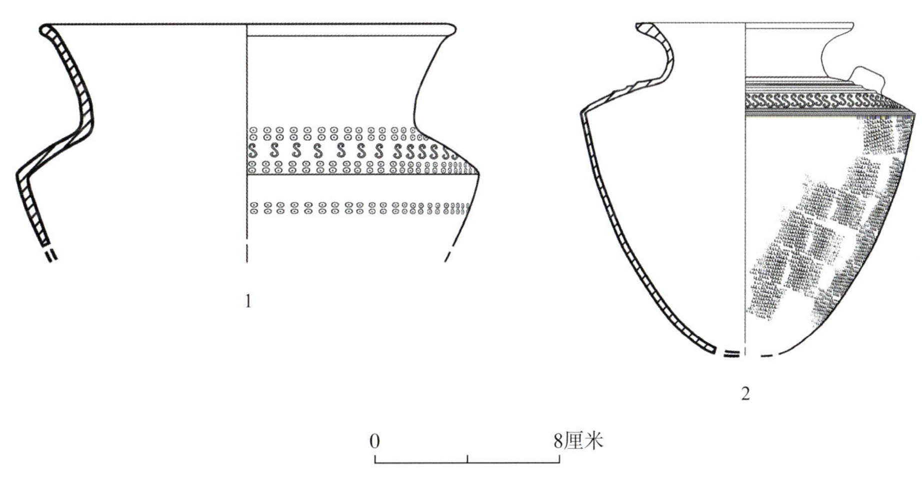

图 2.2.201 杨家湾 M19 出土陶、瓷器

1. 尊（M19：1） 2. 原始瓷尊（M19：01）

柄形器　标本1件。

标本M19：17，双面尖刃，刃部较厚。长11、宽2.1厘米（图2.2.202，3；图2.2.204）。

M20、M21和M22，这三座墓葬均为土坑竖穴墓。M20、M21出土随葬品均为2件，M22未出任何随葬品。三座墓葬的相关情况可进一步参见表2.2.111。

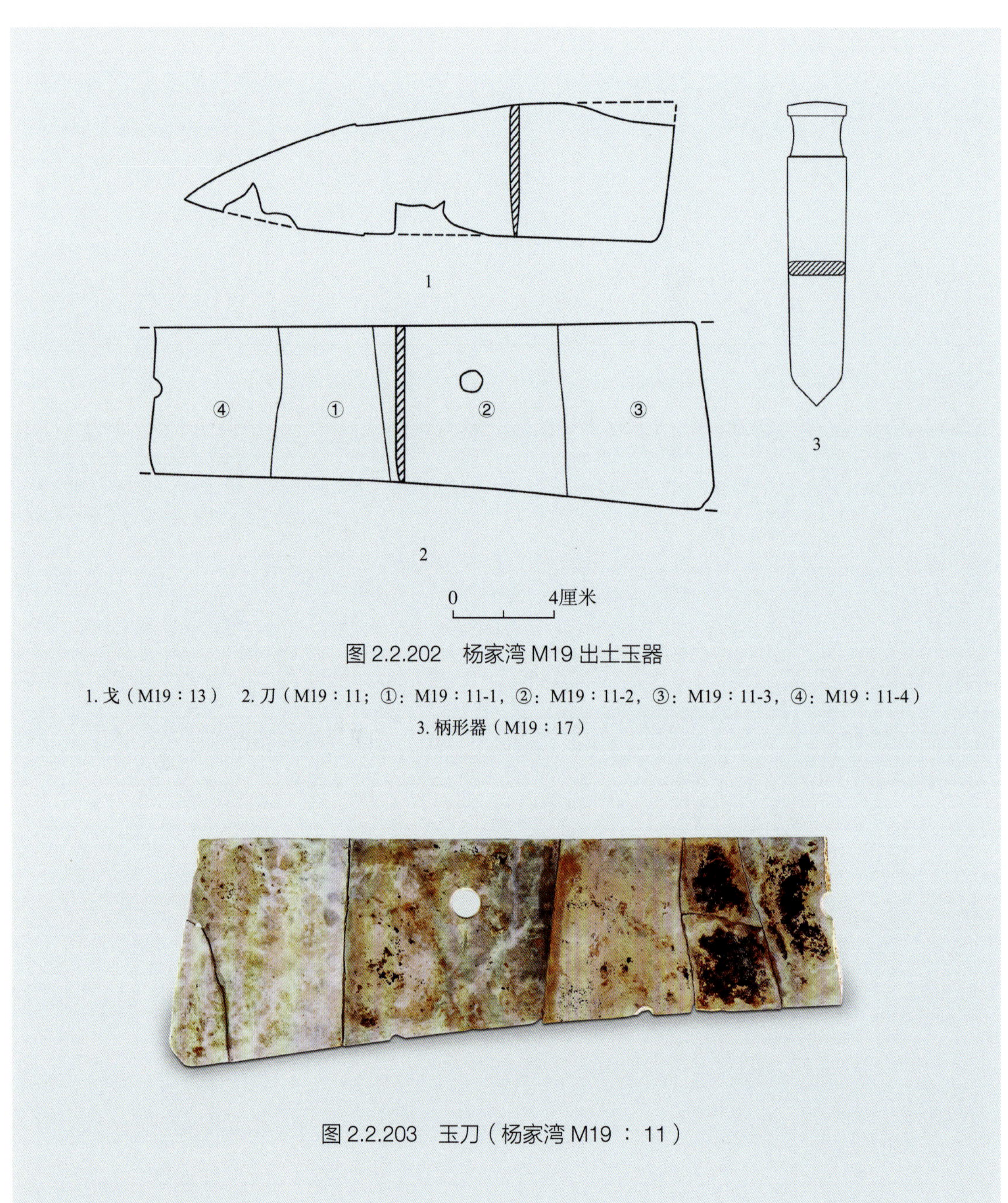

图2.2.202　杨家湾M19出土玉器

1. 戈（M19：13）　2. 刀（M19：11；①：M19：11-1，②：M19：11-2，③：M19：11-3，④：M19：11-4）
3. 柄形器（M19：17）

图2.2.203　玉刀（杨家湾M19：11）

1　　2

图 2.2.204　杨家湾 M19 玉柄形器出土情况及器物照片

1. 出土情况　2. 器物正视

表2.2.111　杨家湾2013年发掘墓葬M16～M22登记表　（单位：米）

墓号	方向	墓室大小（长 × 宽）	随葬品					
			青铜器	玉、石器	陶器	印纹硬陶和原始瓷	漆器	其他
M16	不明	1.52 ×（0.5 ～ 0.8）	鼎足 1、斝柱帽 1			器盖 1、罍 1		
M17	20°或 200°	2.9 × 1.6	带鋬觚形器 1、爵 1、斝 1、斝柱帽 2、牌形器 1、尊 1、戈 1、刀 2、残片 1	戈 1、戚 1、柄形器 2、砺石 1、管状器 1、绿松石管及绿松石片若干	鬲 1、大口尊 2、缸 1、饼 2、器盖 1、残陶片 1	印纹硬陶罐 1、原始瓷尊 1	4 件（包括 1 件漆觚）	金片绿松石镶嵌龙形器 1
M18	不明	0.82 ×（0.56 ～ 0.78）				原始瓷尊 1、印纹硬陶罐 1		
M19	200°	2.38 × 1.58	鬲 1、罍 1、尊 1、斝足 5、斝柱帽 1、斝鋬 2、残青铜片 2	柄形器 1、戈 1、刀 1、玉器残片 2	尊 1、残片	原始瓷尊 1	漆器痕迹 2 处	
M20	10°或 190°	2.16 × 1.3	爵柱帽 2					
M21	20°或 200°	2.16 × 1.3		柄形器 1	鬲 1			
M22	25°或 205°	1.8 × 0.8						

第三节　杨家湾坡顶

杨家湾坡顶特指杨家湾岗地最高处。2014、2017年对其1813区进行了小规模的试掘，该区西南距杨家湾南坡发掘区约54米，南邻1979～1982年杨家湾发掘区约5米，海拔32.2米。2014、2017年两个年度布设5米×5米探方3个，并向南扩方3米×6米，发掘面积89平方米，共揭露商时期灰坑17个（图2.3.1）。

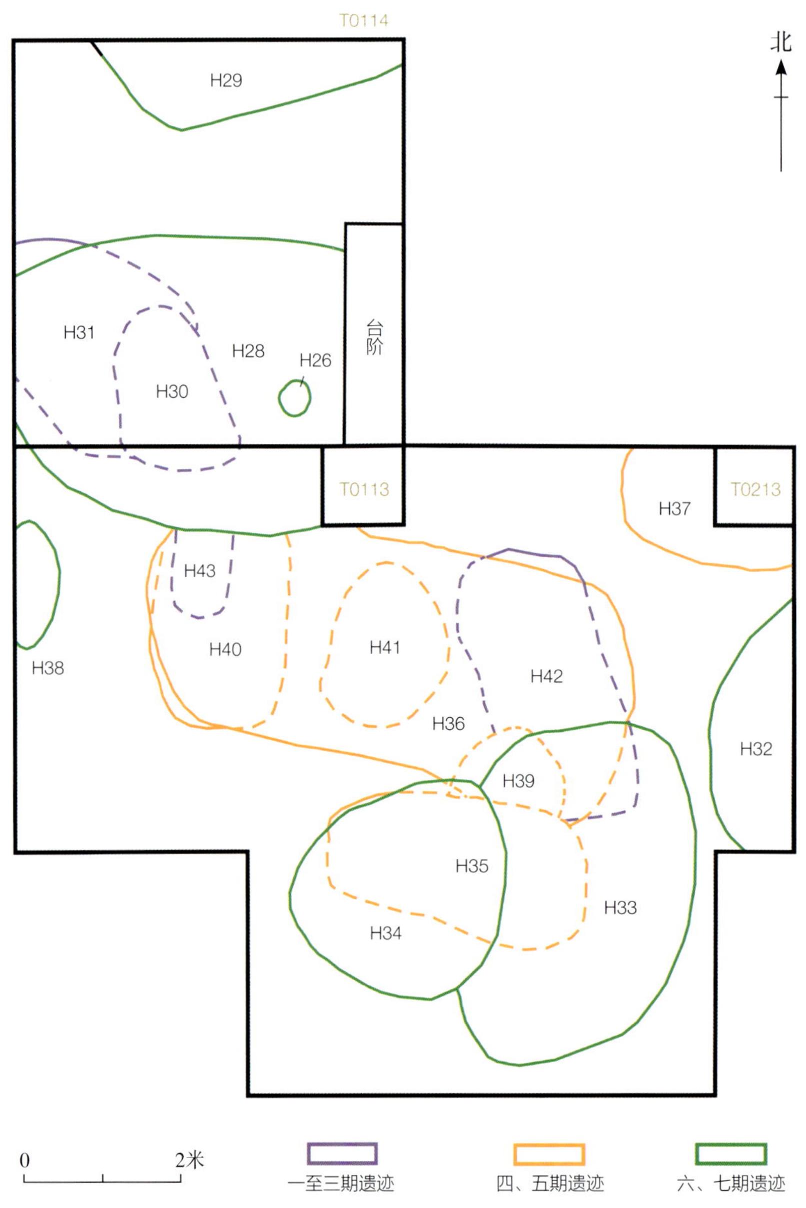

图2.3.1　杨家湾坡顶2014、2017年发掘区探方及遗迹分布

一、地层

以Q1813T0113、T0114西壁和Q1813T0114南壁为例介绍（图2.3.2、图2.3.3）。该地点发掘区地层关系较为简单。第1层为表土层，第2、3层为扰乱层，均为近现代人类活动形成，3层下叠压有商时期文化层。

1. 第1层

表土层。灰褐色黏土，土质疏松。厚0.06～0.17米。包含大量植物根茎与现代垃圾。

2. 第2层

扰乱层。灰黄色黏土，土质较疏松。厚0.11～0.17、深0.06～0.17米。包含少量近现代瓷片与商时期陶片。此层下叠压有H32、H33、H34。

3. 第3层

扰乱层。黄色沙土，土质疏松。最厚约0.34、深0.25～0.34米。此层仅分布于发掘区西部的Q1813T0113、T0114中。包含极少量瓷片与商时期陶片，其中以夹砂陶为主，占出土陶

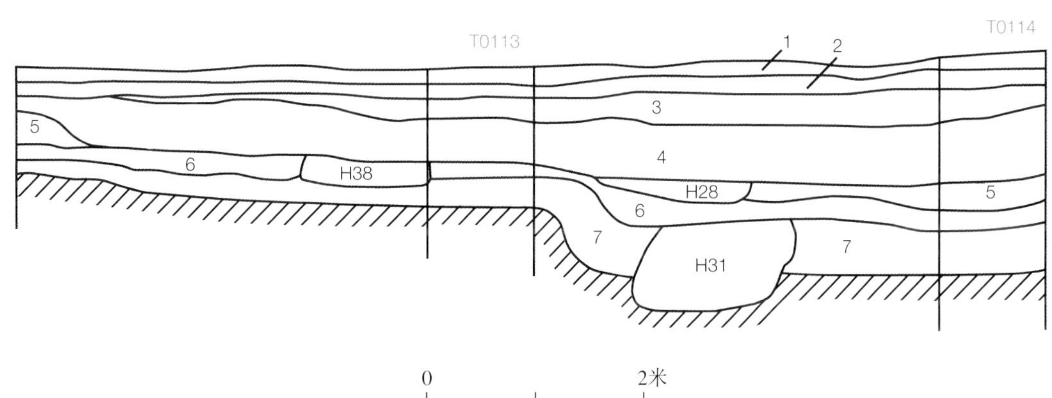

图 2.3.2　杨家湾 Q1813T0113、T0114 西壁剖面图

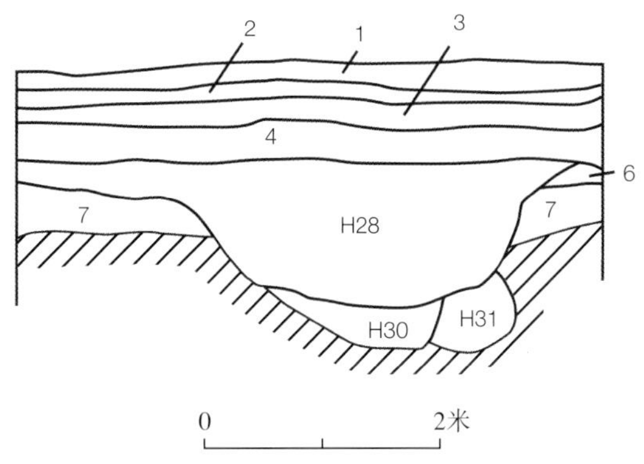

图 2.3.3　杨家湾 Q1813T0114 南壁剖面图

片的98%，另有极少量的泥质陶，陶色以红陶为主，黄陶、灰陶次之，另有少量黑皮陶、白陶（表2.3.1、表2.3.2）。此层下叠压有H26。

表2.3.1　杨家湾Q1813T0114第3层陶系、纹饰统计表　（重量单位：克）

陶质		夹砂					泥质	合计	百分比（%）
纹饰＼陶色		灰	黑皮	红	黄	白	黑皮		
绳纹	数量	5		5	2			12	11.65
	重量	89		145.5	77			311.5	6.08
绳纹和附加堆纹	数量					1		1	0.97
	重量					175.5		175.5	3.42
网格纹	数量		4	9		3		16	15.53
	重量		117.5	746.5		161.5		1025.5	20.00
网格纹和附加堆纹	数量			1				1	0.97
	重量			127.5				127.5	2.49
篮纹	数量			8		1		9	8.74
	重量			450.5		26		476.5	9.29
附加堆纹	数量		1	2				3	2.91
	重量		65.5	702				767.5	14.97
素面	数量	10	4	20	22	3	2	61	59.22
	重量	260	55	849.5	916.5	119.5	43	2243.5	43.75
合计	数量	15	9	45	24	8	2	103	100.00
	重量	349	238	3021.5	993.5	482.5	43	5127.5	100.00
百分比（%）	数量	14.56	8.74	43.69	23.30	7.77	1.94	100.00	
		98.06							
	重量	6.81	4.64	58.93	19.38	9.41	0.84	100.00	
		99.17							

表2.3.2　杨家湾Q1813T0114第3层可辨器形统计表

陶质	夹砂					合计	百分比（%）
器形＼陶色	灰	黑皮	红	黄	白		
缸	3	5	43	24	8	83	100.00
合计	3	5	43	24	8	83	100.00
百分比（%）	3.61	6.02	51.81	28.92	9.64	100.00	

4. 第4层

商时期文化层。黑色黏土，土质较致密。厚0.14～0.7、深0.24～0.53米。包含大量陶片，以夹砂陶为主，泥质陶次之，另有极少量印纹硬陶和原始瓷，陶色以红陶居多，其次为黄陶，另有少量灰陶和黑皮陶。可辨识器形以缸为大宗，此外另见有鬲、甗、罐、斝、爵、豆、簋、盆、大口尊、缸、器盖等（图2.3.4～图2.3.6；表2.3.3～表2.3.6）。此层下叠有压H28、H38。

1）青铜器

镞 标本2件。

标本Q1813T0114④：37，浅绿色。圆锥状。基本完整，但锈蚀较为严重。复原后长3.9、直径0.7厘米（图2.3.4，7）。

标本Q1813T0114④：39，翠绿色。扁平状，横截面呈十字形。镞翼、铤部几残损殆尽。残长3.6、残宽0.9厘米（图2.3.4，8）。

锛 标本1件。

标本Q1813T0114④：33，通体呈橄榄绿色。器身中空，作扁平长方楔形。刃部一端较窄而銎口一端较宽，背部较宽而平，腹部较窄而向刃部斜收，两侧平直。一面弧刃，器身断

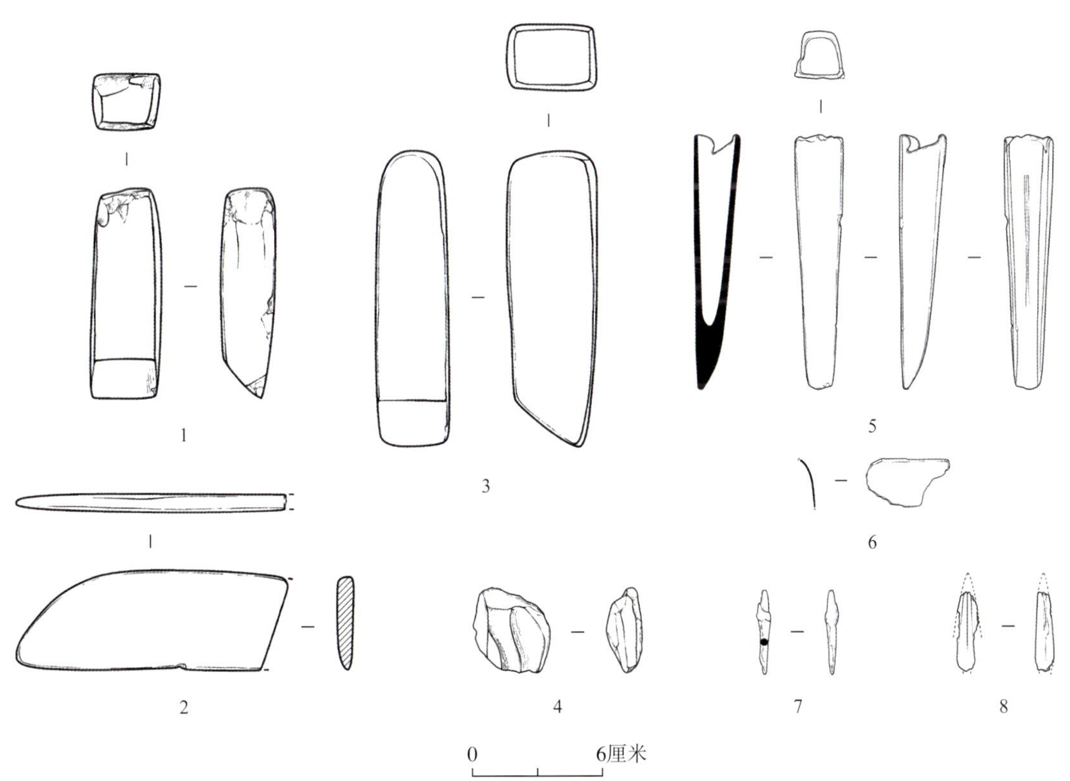

图 2.3.4　杨家湾 Q1813T0114 第 4 层出土青铜器和石器

1、3. 石锛（Q1813T0114④：35、Q1813T0114④：34）　2. 石刀（Q1813T0114④：38）　4. 石核（Q1813T0114④：40）
5. 青铜锛（Q1813T0114④：33）　6. 青铜器残片（Q1813T0114④：36）　7、8. 青铜镞（Q1813T0114④：37、Q1813T0114④：39）

面及銎作梯形。銎外沿正面及两侧有凸边。銎与刃部宽度相当。复原后长11.4、宽2.3、最厚处1.6厘米（图2.3.4，5）。

残片 标本1件。

标本Q1813T0114④：36，翠绿色。器胎较薄，带有一定弧度，疑似小型酒器颈部处残片。残长3.1、残宽1.7厘米（图2.3.4，6）。

2）陶器

鬲 标本4件。

标本Q1813T0113④：3，夹砂黑皮陶。侈口，折沿，圆唇。颈部素面，颈部以下饰绳纹。唇下见有翻贴泥条的迹象。复原后口径18.3、残高6厘米（图2.3.5，7）。

标本Q1813T0113④：16，夹砂灰陶。侈口，折沿，沿面内侧向上凸起形成一道凸榫，方唇。颈部以下饰绳纹。颈部经抹光。复原后口径17.1、残高6厘米（图2.3.5，1）。

标本Q1813T0113④：17，夹砂红陶。侈口，平折沿，沿面内侧带有一周凹槽，尖圆唇，颈肩分界不明显。颈部素面，颈部以下饰以绳纹。复原后口径14.9、残高4.3厘米（图2.3.5，5）。

标本Q1813T0114④：18，夹砂红陶。侈口，平折沿，沿面内侧有一周凹槽，圆唇。颈部素面。复原后口径23.8、残高4厘米（图2.3.5，2）。

甗 标本1件。

标本Q1813T0213④：1，夹砂红陶。侈口，折沿，沿上有一道凹槽，沿面略下压，方唇。颈部素面，颈部以下饰绳纹。复原后口径29.8、残高5厘米（图2.3.5，3）。

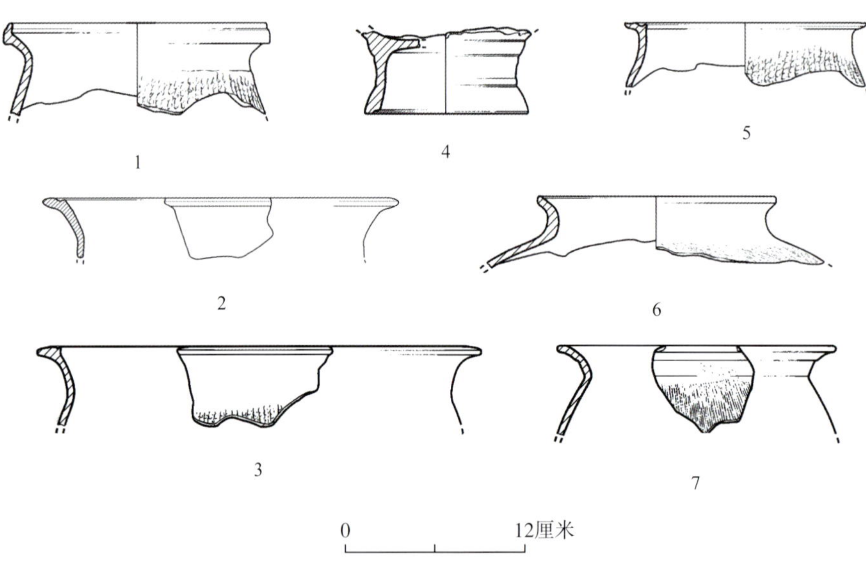

图2.3.5 杨家湾Q1813T0113、T0114、T0213第4层出土陶器

1、2、5、7. 鬲（Q1813T0113④：16、Q1813T0114④：18、Q1813T0113④：17、Q1813T0113④：3）
3. 甗（Q1813T0213④：1） 4. 簋（Q1813T0114④：14） 6. 罐（Q1813T0114④：21）

罐 标本1件。

标本Q1813T0114④：21，夹砂红胎，外施灰色陶衣。侈口，卷沿，圆唇，束颈，圆肩。颈部以下饰绳纹。内壁有指压痕迹。复原后口径16、残高4.5厘米（图2.3.5，6）。

簋 标本1件。

标本Q1813T0114④：14，泥质灰陶。喇叭状圈足内收。圈足上饰两周弦纹。复原后底径11、残高5.6厘米（图2.3.5，4）。

盆 标本4件。

标本Q1813T0114④：5，泥质灰胎黑皮陶。敛口，平折沿，沿内侧有一道凹槽，圆唇，微束颈。颈部饰一周弦纹。复原后口径24、残高4厘米（图2.3.6，1）。

标本Q1813T0114④：7，夹砂红胎黑皮陶。直口，平折沿，方唇。沿下饰多周弦纹，分为三组。复原后口径31、残高5厘米（图2.3.6，8）。

标本Q1813T0114④：9，泥质深灰陶。直口微敛，折沿下压，圆唇。颈部饰两周弦纹。复原后口径26.1、残高4.4厘米（图2.3.6，7）。

标本Q1813T0114④：10，泥质红陶。敞口，折沿，沿内侧带有一周凹槽，圆唇。颈部饰两周不甚平直的弦纹。器内壁可见数周轮制痕迹。复原后口径33.7、残高9.3厘米（图2.3.6，2）。

缸 标本4件。

标本Q1813T0114④：23，夹砂红陶。侈口。颈部纹饰经抹制，肩部饰一周附加堆纹，堆纹上下有横向抹痕，堆纹下饰网格纹。残高13.1厘米（图2.3.6，5）。

标本Q1813T0114④：25，夹砂红陶。口微侈。器表饰网格纹，颈部饰一周附加堆纹。复原后口径29.4、残高11.1厘米（图2.3.6，3）。

标本Q1813T0114④：31，夹砂黄陶。侈口，平沿，沿下凹。器表饰网格纹，肩部饰一周附加堆纹。复原后口径34.2、残高15.3厘米（图2.3.6，4）。

标本Q1813T0113④：32，夹砂红陶。侈口，平折沿，沿面内侧带有一周凹槽，尖唇。器表饰网格纹，颈部饰一周附加堆纹。复原后口径43、残高33厘米（图2.3.6，9）。

印纹硬陶罐 标本1件。

标本Q1813T0114④：8，陶胎为灰色。侈口，窄平沿，圆唇，束颈，圆肩，上腹部外鼓。肩部以下饰绳纹。复原后口径17、残高5厘米（图2.3.6，6）。

3）石器

锛 标本2件。

标本Q1813T0114④：34，长条状，截面呈长方形，刃部一端呈一面坡状，通体打磨较为光滑。复原后长13.3、宽4.2厘米（图2.3.4，3）。

标本Q1813T0114④：35，形制与Q1813T0114④：34接近，远端略有残损。复原后长9.4、宽3.3厘米（图2.3.4，1）。

刀　标本1件。

标本Q1813T0114④：38，呈扁长条状，直刃，弧背。复原后长12.5、宽4.6厘米（图2.3.4，2）。

石核　标本1件。

标本Q1813T0114④：40，石英岩。近圆形，一面较平，另一面见有多道片疤。直径约3.6厘米（图2.3.4，4）。

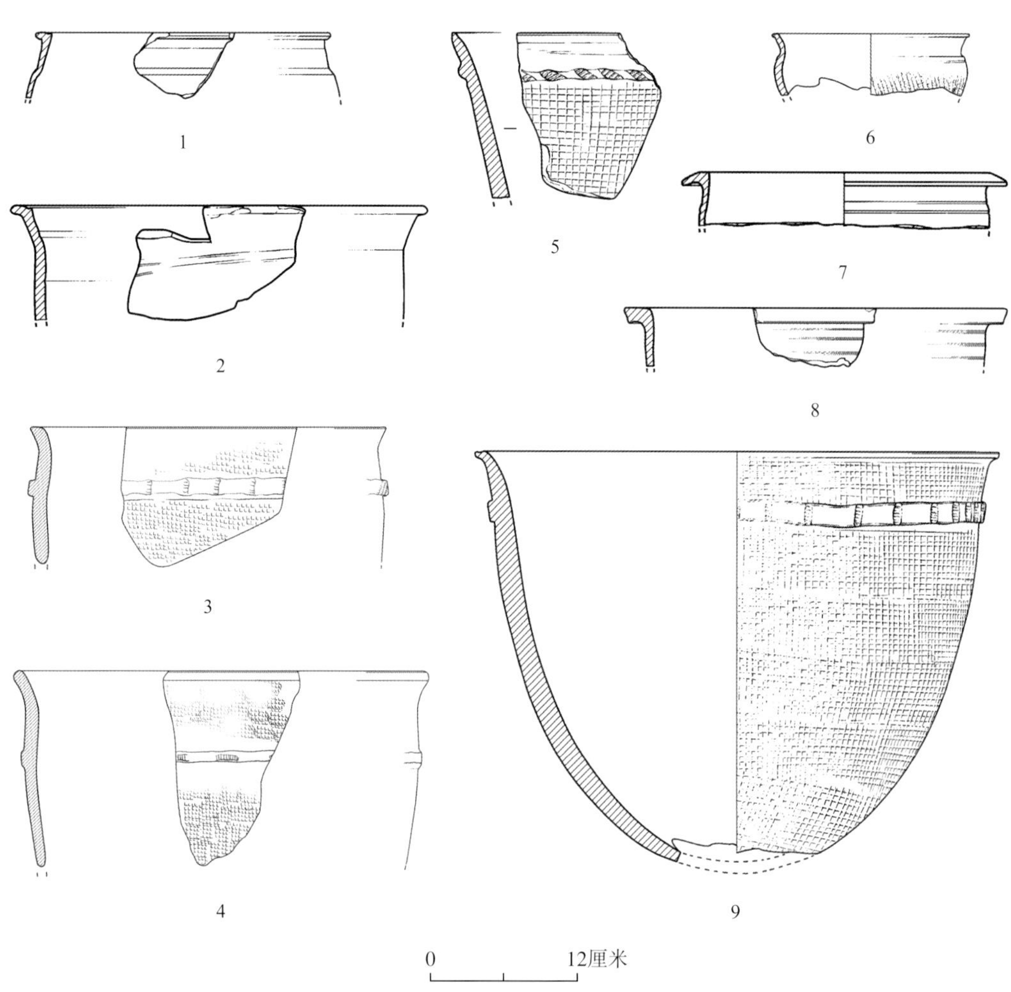

图2.3.6　杨家湾Q1813T0113、T0114第4层出土陶器

1、2、7、8. 盆（Q1813T0114④：5、Q1813T0114④：10、Q1813T0114④：9、Q1813T0114④：7）
3～5、9. 缸（Q1813T0114④：25、Q1813T0114④：31、Q1813T0114④：23、Q1813T0113④：32）
6. 印纹硬陶罐（Q1813T0114④：8）

表2.3.3 杨家湾Q1813T0113第4层陶系、纹饰统计表 （重量单位：克）

纹饰＼陶质		夹砂					泥质			印纹硬陶和原始瓷	合计	百分比（%）
纹饰＼陶色		灰	黑皮	红	黄	白	灰	黑皮	红			
绳纹	数量	286	400	1396	327	48	105	205	45		2812	39.98
	重量	13515	23546	107653	18403	3427	1365	3990	585		172484	42.07
绳纹和附加堆纹	数量	21	16	109	40	11		2	1		200	2.84
	重量	3021	1898	15078	5126	713		105	55		25996	6.34
绳纹和弦纹	数量	3		1				19	4		27	0.38
	重量	70		65				520	90		745	0.18
网格纹	数量	33	39	473	182	47	5	7	3	33	822	11.69
	重量	1909	3343	27640	13786	2954	105	305	65	1135	51242	12.50
网格纹和附加堆纹	数量				48	10					58	0.82
	重量				7710	2758					10468	2.55
网格纹和弦纹	数量		3	49			9	5	2		68	0.97
	重量		120	6292			115	75	85		6687	1.63
网格纹和席纹	数量			1						4	5	0.07
	重量			98						180	278	0.07
篮纹	数量	3	3	131	30	9	1				177	2.52
	重量	185	75	9408	1257	708	20				11653	2.84
篮纹和附加堆纹	数量		1	7	5						13	0.18
	重量		295	1148	533						1976	0.48
附加堆纹	数量	17	11	217	82	24	3	7			361	5.13
	重量	1231	613	15410	6753	1652	160	340			26159	6.38
附加堆纹和弦纹	数量							2			2	0.03
	重量							70			70	0.02
附加堆纹和云雷纹	数量				2						2	0.03
	重量				143						143	0.03
附加堆纹和兽面纹	数量			2	2						4	0.06
	重量			368	759						1127	0.27
附加堆和窗棂纹	数量							1			1	0.01
	重量							70			70	0.02
弦纹	数量	2	8	8	4	2	17	48	11		100	1.42
	重量	15	345	703	178	150	340	1535	245		3511	0.86

续表

陶质		夹砂					泥质			印纹硬陶和原始瓷	合计	百分比（%）
纹饰＼陶色		灰	黑皮	红	黄	白	灰	黑皮	红			
弦纹和兽面纹	数量						1				1	0.01
	重量						10				10	< 0.01[①]
云雷纹	数量			12	21			2		47	82	1.17
	重量			792	1640			35		1325	3792	0.92
云雷纹和叶脉纹	数量									3	3	0.04
	重量									55	55	0.01
云雷纹和席纹	数量									1	1	0.01
	重量									75	75	0.02
叶脉纹	数量									19	19	0.27
	重量									320	320	0.08
席纹	数量									4	4	0.06
	重量									70	70	0.02
窗棂纹	数量							2			2	0.03
	重量							130			130	0.03
压印纹	数量			1							1	0.01
	重量			47							47	0.01
兽面纹	数量		1				1				2	0.03
	重量		45				10				55	0.01
素面	数量	181	135	1152	394	121	80	126	64	14	2267	32.23
	重量	8170	4087	52599	15797	5849	1210	3220	1485	393	92810	22.64
合计	数量	546	617	3559	1137	272	222	426	130	125	7034	100.00
	重量	28116	34367	237301	72085	18211	3335	10395	2610	3553	409973	100.00
百分比（%）	数量	7.76	8.77	50.6	16.16	3.87	3.16	6.06	1.85	1.78	100.00	
		87.16					11.07					
	重量	6.86	8.38	57.88	17.58	4.44	0.81	2.54	0.64	0.87	100.00	
		95.14					3.99					

① 弦纹和兽面纹陶片重量占比约0.0024%，归属于< 0.01%。

表2.3.4 杨家湾Q1813T0113第4层可辨器形统计表

陶质	夹砂					泥质			合计	百分比（%）
器形＼陶色	灰	黑皮	红	黄	白	灰	黑皮	红		
鼎		1							1	0.02
鬲	22	29	25	9			3		88	1.60
甗	4	7							11	0.20
鬲足或甗足	15	8	158	2			1		184	3.34
罐	10	20	4			14	18	2	68	1.23
盉	1								1	0.02
斝		1	2						3	0.05
爵	1	1				2		1	5	0.09
豆							2		2	0.04
簋						1			1	0.02
盆						13	6	4	23	0.42
刻槽盆		2				1	3	1	7	0.13
盂			1						1	0.02
瓮							1		1	0.02
大口尊		1		1		1	10	5	18	0.33
缸	338	297	3157	1024	272				5088	92.29
器鋬		1	1	1					3	0.05
圈足	3						2	3	8	0.15
合计	394	368	3348	1037	272	32	46	16	5513	100.00
百分比（%）	7.15	6.68	60.73	18.81	4.93	0.58	0.83	0.29	100.00	

表2.3.5 杨家湾Q1813T0114第4层陶系、纹饰统计表　　（重量单位：克）

陶质		夹砂					泥质			印纹硬陶和原始瓷	合计	百分比（%）
纹饰＼陶色		灰	黑皮	红	黄	白	灰	黑皮	红			
绳纹	数量	268	472	618	148	89	24	69		1	1689	22.43
	重量	3316	26193.5	48117	10135.5	7105	588.5	1899		70	97424.5	22.18
绳纹和附加堆纹	数量		31	51	33	15	1	3			134	1.78
	重量		2621	5196	4771	2242.5	35.5	165.5			15031.5	3.42

续表

陶质		夹砂					泥质			印纹硬陶和原始瓷	合计	百分比（%）
纹饰	陶色	灰	黑皮	红	黄	白	灰	黑皮	红			
绳纹和弦纹	数量	21	10	6			9	14			60	0.80
	重量	378.5	247	90			152.5	489			1357	0.31
网格纹	数量	4	98	608	237	155	2		1		1105	14.67
	重量	101.5	8598	43234	19268.5	12900	34.5		45		84181.5	19.17
网格纹和附加堆纹	数量		11	103	59	39					212	2.81
	重量		796.5	13954	8193	5321.5					28265	6.43
网格纹和弦纹	数量	2	1	1			3				7	0.09
	重量	29.5	16.5	42			49				137	0.03
篮纹	数量		72	350	157	61					640	8.50
	重量		5965	33802	12026.5	4804.5					56598	12.88
篮纹和附加堆纹	数量		4	33	12	6					55	0.73
	重量		399.5	6899.5	1721	913					9933	2.26
附加堆纹	数量	11	12	169	90	52		11	1		346	4.59
	重量	189	564	10442	7025	3955		516.5	133		22824.5	5.20
附加堆纹和弦纹	数量			3			2	3			8	0.10
	重量			183			79.5	141.5			404	0.09
附加堆纹和云雷纹	数量			1		1					2	0.03
	重量			175		1094					1269	0.29
附加堆纹和圆圈纹	数量				2						2	0.03
	重量				146						146	0.03
弦纹	数量	21		7			9	21		1	59	0.78
	重量	463		480			206	729.5		90.5	1968.5	0.45
弦纹和圆圈纹	数量				1						1	0.01
	重量				82.5						82.5	0.02
云雷纹	数量			33		4		1	1		39	0.52
	重量			2395.5		315.5		12.5	56.5		2780	0.63
叶脉纹	数量			1			1		3		5	0.06
	重量			64			23		137.5		224.5	0.05
圆圈纹	数量	22						1			23	0.30
	重量	25.5						19			44.5	0.01

续表

陶质 / 纹饰（陶色）		夹砂					泥质			印纹硬陶和原始瓷	合计	百分比（%）
		灰	黑皮	红	黄	白	灰	黑皮	红			
波浪纹	数量						1				1	0.01
	重量						34				34	0.01
压印纹	数量						1	3			4	0.05
	重量						65	67.5			132.5	0.03
素面	数量	505	331	1280	606	261	32	115	9		3139	41.68
	重量	7126	10724	50287	30264	12853.5	1636.5	3128.5	432.5		116452	26.51
合计	数量	854	1042	3264	1345	683	85	241	16	1	7531	100.00
	重量	11629	56125	215361	93633	51504.5	2904	7168.5	895	70	439290	100.00
百分比（%）	数量	11.34	13.84	43.34	17.86	9.07	1.13	3.20	0.21	0.01	100.00	
		95.45					4.54					
	重量	2.65	12.78	49.02	21.31	11.72	0.66	1.63	0.20	0.02	100.00	
		97.49					2.49					

表2.3.6　杨家湾Q1813T0114第4层可辨器形统计表

陶质 / 器形（陶色）	夹砂				泥质			印纹硬陶和原始瓷	合计	百分比（%）
	灰	黑皮	红	黄	灰	黑皮	红			
鬲	56	63	176						295	5.16
甗		1							1	0.02
罐	6	4	4		13	12	1	1	41	0.72
斝		1							1	0.02
爵	2	2	1						5	0.09
豆						3			3	0.05
簋					1				1	0.02
盆	4	6	3		8	24	1		46	0.80
大口尊	3				8	10			21	0.37
缸		570	4044	683					5297	92.70
器盖					3				3	0.05
合计	71	647	4228	683	33	49	2	1	5714	100.00
百分比（%）	1.24	11.32	73.99	11.95	0.58	0.86	0.04	0.02	100.00	

5. 第5层

商时期文化层。浅褐色黏土，土质致密。厚0.09～0.3、深0.46～1.15米。出土陶片较多，以夹砂红陶、夹砂白陶为主，夹砂灰陶和夹砂黑皮陶较少。纹饰以绳纹为主，另有少量网格纹和附加堆纹等。可辨器形有缸、鬲、盆、簋等（图2.3.7、图2.3.8；表2.3.7～表2.3.10）。此层下叠压有H29、H36、H37、H39、H40、H41、H42、H43。

陶器

鬲　标本1件。

标本Q1813T0113⑤：4，夹砂灰陶。侈口，卷沿微折，圆唇。颈部素面，颈部以下饰绳纹。复原后口径14.9、残高4厘米（图2.3.7，1）。

罐　标本1件。

标本Q1813T0114⑤：1，夹砂灰陶。侈口，卷沿，圆唇，束颈，圆肩。素面。复原后口径23.6、残高5.3厘米（图2.3.7，2）。

斝　标本1件。

标本Q1813T0213⑤：11，泥质灰陶。敛口，方唇。口部饰两周弦纹，弦纹以下见一个乳钉。残高2厘米（图2.3.7，3）。

簋　标本1件。

标本Q1813T0213⑤：8，泥质灰陶。仅残留底和圈足的一部分。底近圈足处有一折棱。残高4厘米（图2.3.7，4）。

盆　标本1件。

标本Q1813T0114⑤：10，泥质红胎黑皮陶。侈口，卷沿，圆唇，腹部圆鼓。上腹部饰三周弦纹。复原后口径22.5、残高4.4厘米（图2.3.7，5）。

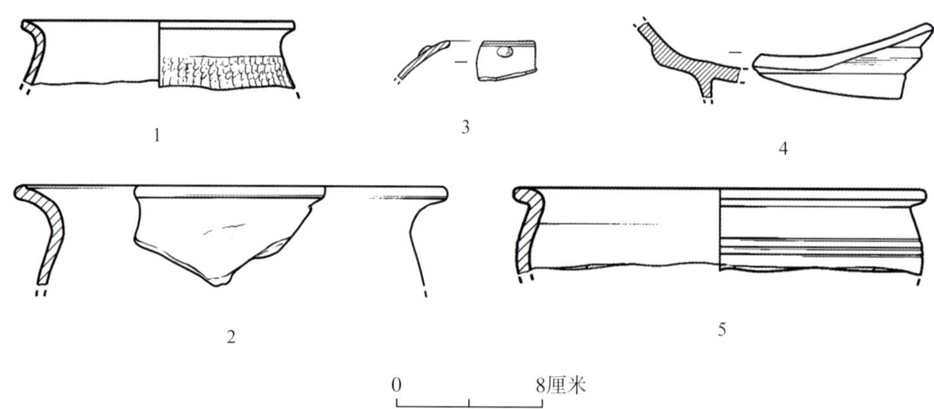

图2.3.7　杨家湾Q1813T0113、T0114、T0213第5层出土陶器

1. 鬲（Q1813T0113⑤：4）　2. 罐（Q1813T0114⑤：1）　3. 斝（Q1813T0213⑤：11）
4. 簋（Q1813T0213⑤：8）　5. 盆（Q1813T0114⑤：10）

缸　标本4件。

标本Q1813T0113⑤：12，夹砂黄陶。敞口，圆唇，腹部斜收明显。器壁厚薄不均。器表通饰网格纹，颈部饰一周附加堆纹。复原后口径35.6、残高15厘米（图2.3.8，3）。

标本Q1813T0114⑤：3，夹砂黄陶。直口，平沿，方唇。器表饰篮纹，颈部饰多周弦纹，肩部饰一周附加堆纹。内壁有泥条盘筑痕。复原后口径36、残高10.5厘米（图2.3.8，2）。

标本Q1813T0114⑤：4，夹砂红陶。侈口，圆唇。器表饰网格纹，肩部饰一周附加堆纹，堆纹上下两侧有抹痕。复原后口径28.3、残高12厘米（图2.3.8，1）。

标本Q1813T0114⑤：5，夹砂红陶。侈口，厚圆唇。唇下饰两周指压轮旋痕，肩部饰一周附加堆纹，附加堆纹下饰绳纹。复原后口径38、残高9.5厘米（图2.3.8，4）。

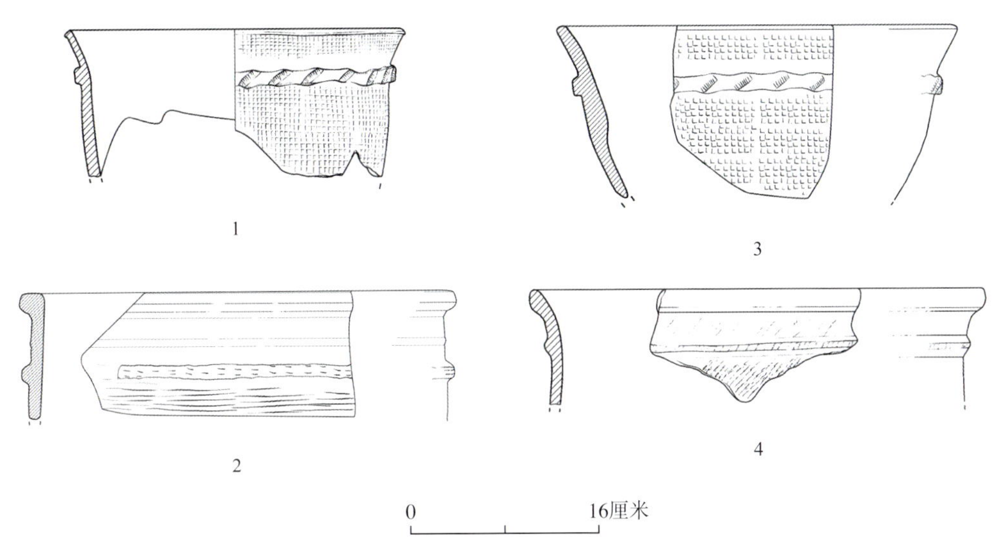

图2.3.8　杨家湾Q1813T0113、T0114第5层出土陶缸

1. Q1813T0114⑤：4　2. Q1813T0114⑤：3　3. Q1813T0113⑤：12　4. Q1813T0114⑤：5

表2.3.7　杨家湾Q1813T0114第5层陶系、纹饰统计表　（重量单位：克）

陶质		夹砂					泥质		合计	百分比（%）
纹饰＼陶色		灰	黑皮	红	黄	白	灰	黑皮		
绳纹	数量	9	13	41	15	17	2		97	53.30
	重量	50	1177	3471	1544	1160	63		7465	52.28
绳纹和附加堆纹	数量					1			1	0.55
	重量					53.5			53.5	0.37
网格纹	数量		1	8	1	3			13	7.14
	重量		88.5	1098	52.5	158.5			1397.5	9.79

续表

陶质		夹砂					泥质		合计	百分比（%）
纹饰 \ 陶色		灰	黑皮	红	黄	白	灰	黑皮		
网格纹和附加堆纹	数量			2					2	1.10
	重量			418					418	2.93
附加堆纹	数量			4	1	4			9	4.94
	重量			226.5	108	386			720.5	5.05
弦纹	数量					1	1	1	3	1.65
	重量					79.5	32.5	60	172	1.20
云雷纹	数量			1					1	0.55
	重量			204					204	1.43
素面	数量	2	4	25	6	16	3		56	30.77
	重量	77	105	2620.5	355	600.5	90		3848	26.95
合计	数量	11	18	81	23	42	6	1	182	100.00
	重量	127	1370.5	8038	2059.5	2438	185.5	60	14278.5	100.00
百分比（%）	数量	6.04	9.89	44.50	12.64	23.08	3.30	0.55	100.00	
		96.15					3.85			
	重量	0.89	9.60	56.30	14.42	17.07	1.30	0.42	100.00	
		98.28					1.72			

表2.3.8　杨家湾Q1813T0114第5层可辨器形统计表

陶质	夹砂					泥质	合计	百分比（%）
器形 \ 陶色	灰	黑皮	红	黄	白	黑皮		
鬲		4					4	2.48
罐	1						1	0.62
盆						1	1	0.62
缸		12	77	23	42		154	95.66
器盖	1						1	0.62
合计	2	16	77	23	42	1	161	100.00
百分比（%）	1.24	9.94	47.82	14.29	26.09	0.62	100.00	

表2.3.9 杨家湾Q1813T0213第5层陶系、纹饰统计表 （重量单位：克）

陶质 / 纹饰 \ 陶色		夹砂						泥质			印纹硬陶和原始瓷	合计	百分比（%）
		灰	黑皮	红	褐	黄	白	灰	黑皮	褐			
绳纹	数量	68	58	147	141	77	22	28	50	13		604	44.15
	重量	2113	2067	9359	8831	4425	1556	427	752	173		29703	42.88
绳纹和附加堆纹	数量	1	6	20	6	15	2					50	3.65
	重量	123	429	2226	496	874	478					4626	6.68
绳纹和弦纹	数量		1	1					2			4	0.29
	重量		8	78					162			248	0.36
网格纹	数量			50	24	45	5			1	11	136	9.94
	重量			3036	1688	3335	221			22	153	8455	12.21
网格纹和附加堆纹	数量			10	4	9	1					24	1.75
	重量			1280	746	1593	289					3908	5.64
网格纹和弦纹	数量								1			1	0.07
	重量								22			22	0.03
篮纹	数量		1	32		12						45	3.29
	重量		45	1514		611						2170	3.13
附加堆纹	数量	1	2	32	2	16	3					56	4.09
	重量	23	158	1323	29	1324	247					3104	4.48
弦纹	数量		2	4				11	12		1	30	2.19
	重量		46	217				201	268		51	783	1.13
弦纹和戳印纹	数量								7			7	0.51
	重量								225			225	0.32
云雷纹	数量			1				1			6	8	0.58
	重量			115				4			232	351	0.51
云雷纹和叶脉纹	数量										2	2	0.15
	重量										173	173	0.25
叶脉纹	数量										4	4	0.29
	重量										146	146	0.21
刻划纹	数量	1										1	0.07
	重量	33										33	0.05
素面	数量	27	37	141	42	77	20	16	20	12	4	396	28.95
	重量	368	726	6257	2555	3511	980	301	335	209	83	15325	22.12

续表

陶质		夹砂						泥质			印纹硬陶和原始瓷	合计	百分比（%）
纹饰＼陶色		灰	黑皮	红	褐	黄	白	灰	黑皮	褐			
合计	数量	98	107	438	219	251	53	56	92	26	28	1368	100.00
	重量	2660	3479	25405	14345	15673	3771	933	1764	404	838	69272	100.00
百分比（%）	数量	7.16	7.82	32.02	16.01	18.35	3.87	4.09	6.73	1.90	2.05	100.00	
		85.23						12.72					
	重量	3.84	5.02	36.67	20.71	22.63	5.44	1.35	2.55	0.58	1.21	100.00	
		94.31						4.48					

表2.3.10　杨家湾Q1813T0213第5层可辨器形统计表

陶质	夹砂						泥质			合计	百分比（%）
器形＼陶色	灰	黑皮	红	褐	黄	白	灰	黑皮	褐		
鬲	4	8	9							21	2.00
甗	1						1			2	0.19
鬲足或甗足	4	2		8				1		15	1.43
罐	1	6	2	1			1	5	1	17	1.62
斝		1					1			2	0.19
簋							3			3	0.29
盆								2		2	0.19
大口尊								2		2	0.19
缸	30	47	413	190	251	53				984	93.89
合计	40	64	424	199	251	53	6	10	1	1048	100.00
百分比（%）	3.82	6.11	40.46	18.99	23.95	5.06	0.57	0.95	0.10	100.00	

6. 第6层

商时期文化层。黄色黏土，土质致密。厚0.07～0.31、深0.7～1.41米。堆积形态近坡状。包含较少陶片，以夹砂陶为主，泥质陶次之，有极少量印纹硬陶和原始瓷，其中又以夹砂红陶为主，其次为夹砂白陶和夹砂黑皮陶。可辨器形有鬲、盆、瓮大口尊、甗、缸等（图2.3.9；表2.3.11～表2.3.14）。此层下叠压有H29、H30、H31。

陶器

盆 标本2件。

标本Q1813T0114⑥：1，泥质灰陶。侈口，折沿，圆唇，腹部见两周凸弦纹。复原后口径36.5、残高4.5厘米（图2.3.9，3）。

标本Q1813T0114⑥：2，泥质黑皮陶，胎分两层，内为灰色，外为红色。敛口，折沿上仰，圆唇。颈部饰两周弦纹。复原后口径23、残高4.5厘米（图2.3.9，2）。

瓮 标本2件。

标本Q1813T0114⑥：3，泥质灰陶。侈口，卷沿，尖唇。颈部饰两周弦纹。口径12.5、残高5厘米（图2.3.9，7）。

标本Q1813T0114⑥：20，泥质灰陶。敛口，圆唇，口部处较厚。肩部饰绳纹。残高5.2厘米（图2.3.9，5）。

缸 标本4件。

标本Q1813T0113⑥：4，夹砂红陶。敞口，圆唇。口沿以下饰纵向绳纹，颈部饰一周附加堆纹。口沿上有一处指压形成的按窝。残高10.4厘米（图2.3.9，8）。

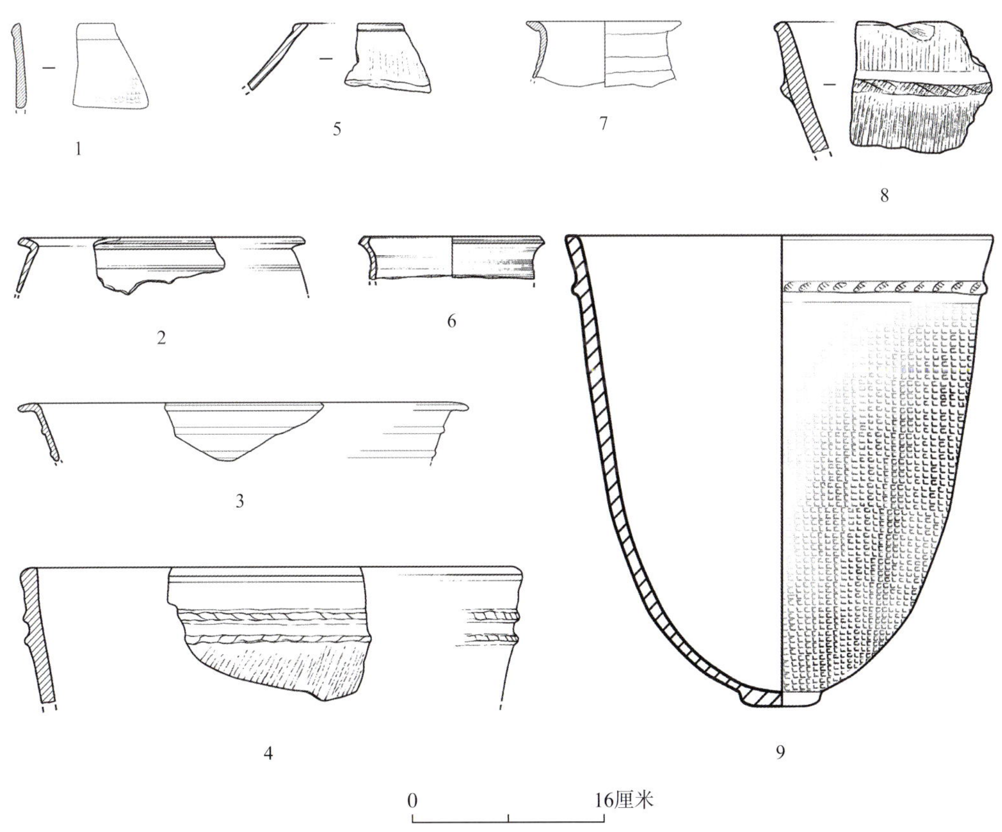

图2.3.9　杨家湾Q1813T0113、T0114第6层出土陶器

1、4、8、9. 缸（Q1813T0114⑥：21、Q1813T0114⑥：11、Q1813T0113⑥：4、Q1813T0114⑥：19）
2、3. 盆（Q1813T0114⑥：2、Q1813T0114⑥：1）　5、7. 瓮（Q1813T0114⑥：20、Q1813T0114⑥：3）
6. 印纹硬陶罐（Q1813T0113⑥：6）

标本Q1813T0114⑥：11，夹砂红陶。侈口。肩部饰两周附加堆纹，堆纹下饰绳纹，纹饰多已脱落。复原后口径42、残高10.8厘米（图2.3.9，4）。

标本Q1813T0114⑥：19，夹砂黄陶。敞口，斜腹下收，饼状底。器表饰网格纹，肩部饰一周附加堆纹。复原后口径35、通高38厘米（图2.3.9，9）。

标本Q1813T0114⑥：21，夹砂黄陶。直口，口部加厚。口下饰网格纹。残高6厘米。（图2.3.9，1）。

印纹硬陶罐　标本1件。

标本Q1813T0113⑥：6，褐色。侈口，折沿，方唇。器壁内外见有多道轮制痕迹。复原后口径14.6、残高3厘米（图2.3.9，6）。

表2.3.11　杨家湾Q1813T0114第6层陶系、纹饰统计表　（重量单位：克）

陶质		夹砂	夹砂	夹砂	夹砂	夹砂	泥质	泥质	泥质	合计	百分比（%）
纹饰＼陶色		灰	黑皮	红	黄	白	灰	黑皮	红	合计	百分比（%）
绳纹	数量	26	19	39	11	5	1	3		104	33.77
	重量	1143	368	2246	708	246	10.5	191.5		4913	25.38
绳纹和附加堆纹	数量	1		5	2	1	1			10	3.25
	重量	50		1373.5	206	82	49.5			1761	9.10
绳纹和弦纹	数量						5			5	1.62
	重量						72			72	0.37
网格纹	数量			20	6	9				35	11.36
	重量			2052	501	479				3032	15.66
网格纹和附加堆纹	数量				1					1	0.32
	重量				3100					3100	16.01
网格纹和弦纹	数量			1						1	0.32
	重量			31.5						31.5	0.16
附加堆纹	数量	1	1	5	5	3				15	4.87
	重量	139.5	30	269	184.5	123				746	3.85
弦纹	数量						2	1		3	0.97
	重量						40	18		58	0.30
素面	数量	8	36	28	9	50	1		2	134	43.52
	重量	194.5	153.5	1108	238	3860	66		29	5649	29.17
合计	数量	36	56	98	34	68	10	4	2	308	100.00
	重量	1527	551.5	7080	4937.5	4790	238	209.5	29	19362.5	100.00
百分比（%）	数量	11.69	18.18	31.82	11.04	22.08	3.24	1.30	0.65	100.00	
		94.81	94.81	94.81	94.81	94.81	5.19	5.19	5.19	100.00	

续表

纹饰＼陶色＼陶质		夹砂 灰	夹砂 黑皮	夹砂 红	夹砂 黄	夹砂 白	泥质 灰	泥质 黑皮	泥质 红	合计	百分比（%）
百分比（%）	重量	7.89	2.85	36.56	29.50	24.74	1.23	1.08	0.15	100.00	
		97.54					2.46				

表2.3.12　杨家湾Q1813T0114第6层可辨器形统计表

器形＼陶色＼陶质	夹砂 灰	夹砂 黑皮	夹砂 红	夹砂 黄	夹砂 白	泥质 灰	泥质 黑皮	合计	百分比（%）
鬲	1	1	5					7	3.23
甗		3						3	1.38
盆						1	1	2	0.92
瓮						2		2	0.92
大口尊						1		1	0.46
缸	5	3	93	33	68			202	93.09
合计	6	7	98	33	68	4	1	217	100.00
百分比（%）	2.76	3.23	45.16	15.21	31.34	1.84	0.46	100.00	

表2.3.13　杨家湾Q1813T0213第6层陶系、纹饰统计表　　（重量单位：克）

纹饰＼陶色＼陶质		夹砂 灰	夹砂 黑皮	夹砂 红	夹砂 黄	泥质 黑皮	印纹硬陶和原始瓷	合计	百分比（%）
绳纹	数量	11	22	14				47	58.75
	重量	537	219	1392				2148	46.19
绳纹和附加堆纹	数量			4	1			5	6.25
	重量			644	52			696	14.97
网格纹	数量			1				1	1.25
	重量			15				15	0.32
篮纹	数量	1						1	1.25
	重量	92						92	1.98
附加堆纹	数量			1		1		2	2.50
	重量			80		28		108	2.32
云雷纹	数量			1				1	1.25
	重量			75				75	1.61

续表

陶质		夹砂				泥质	印纹硬陶和原始瓷	合计	百分比（%）
纹饰＼陶色		灰	黑皮	红	黄	黑皮			
叶脉纹	数量						1	1	1.25
	重量						28	28	0.60
素面	数量			14	5	2	1	22	27.50
	重量			1088	243	92	65	1488	32.00
合计	数量	12	22	35	6	3	2	80	100.00
	重量	629	219	3294	295	120	93	4650	100.00
百分比（%）	数量	15.00	27.50	43.75	7.50	3.75	2.50	100.00	
		93.75							
	重量	13.53	4.71	70.84	6.34	2.58	2.00	100.00	
		95.42							

表2.3.14　杨家湾Q1813T0213第6层可辨器形统计表

陶质	夹砂				泥质	合计	百分比（%）
器形＼陶色	灰	黑皮	红	黄	黑皮		
鬲		1				1	2.38
鬲足或甗足		2	4			6	14.29
罐					1	1	2.38
缸	9		19	6		34	80.95
合计	9	3	23	6	1	42	100.00
百分比（%）	21.43	7.14	54.76	14.29	2.38	100.00	

7. 第7层

商时期文化层。红色黏土，土质致密、接近于生土。厚0.11～0.77、深0.81～1.45米。在Q1813T0113与T0114之间有一个高差约0.6米的陡坎。地层中包含少量陶片，以夹砂陶为主，泥质陶次之，陶色以红陶为主，白陶和黑皮陶次之，纹饰以绳纹、网格纹、附加堆纹为主，另有少量弦纹、云雷纹等陶片（表2.3.15、表2.3.16）。

8. 第8层

生土。

表2.3.15 杨家湾Q1813T0114第7层陶系、纹饰统计表 （重量单位：克）

纹饰 \ 陶质 / 陶色		夹砂					泥质		合计	百分比（%）
		灰	黑皮	红	黄	白	灰	黑皮		
绳纹	数量	9	14	61	15	22	2	5	128	43.54
	重量	462.5	489	7794.5	1937	2412.5	35	296.5	13427	42.66
绳纹和附加堆纹	数量		3	13	3	5		1	25	8.50
	重量		420	2078	267	438		36.5	3239.5	10.29
绳纹和弦纹	数量					1	3	1	5	1.70
	重量					88	207.5	45.5	341	1.08
网格纹	数量	11	2	13	2	5	1	1	35	11.90
	重量	864.5	311.5	1735	401	580	53.5	23	3968.5	12.61
网格纹和附加堆纹	数量			5	4	1			10	3.40
	重量			4942.5	695.5	98			5736	18.22
附加堆纹	数量			13	1	2			16	5.44
	重量			577	63	335			975	3.10
附加堆纹和圆圈纹	数量			1	1				2	0.68
	重量			39	55				94	0.30
弦纹	数量						5	2	7	2.38
	重量						131	127.5	258.5	0.82
云雷纹	数量			2					2	0.68
	重量			366.5					366.5	1.16
素面	数量	9	15	23	3	9	2	3	64	21.77
	重量	337	142.5	1925.5	301.5	218	78.5	65	3068	9.75
合计	数量	29	34	131	29	45	13	13	294	100.00
	重量	1664	1363	19458	3720	4169.5	505.5	594	31474	100.00
百分比（%）	数量	9.86	11.56	44.56	9.86	15.31	4.42	4.42	100.00	
		91.15					8.84			
	重量	5.29	4.33	61.82	11.82	13.25	1.61	1.89	100.00	
		96.51					3.50			

表2.3.16　杨家湾Q1813T1014第7层可辨器形统计表

陶质	夹砂					泥质	合计	百分比（%）
陶色 / 器形	灰	黑皮	红	黄	白	灰		
鬲	4	7	10				21	8.79
罐		1				5	6	2.51
斝	1						1	0.42
缸	12	4	121	29	45		211	88.28
合计	17	12	131	29	45	5	239	100.00
百分比（%）	7.11	5.02	54.81	12.13	18.83	2.09	100.00	

二、灰坑

（一）H26

位于Q1813T0114东南部。开口于第3层下。开口平面为圆形，弧壁，近圜底。基线方向为90°，发掘部分东西长约0.26、南北长约0.28、距坑口最深0.32米（图2.3.10）。填土不分层，为黑色夹绿斑黏土，土质较致密，包含陶片，可见部分木炭。陶片数量较少，基本为灰黑陶，绳纹较多，无可辨认器形（表2.3.17、表2.3.18）。

（二）H28

位于Q1813T0114的南部与T0113的北部。东、西两侧延伸进探方壁内，发掘未完全。开口于第4层下，打破第5层及H30、H36、H40、H43。平面为近椭圆形，弧壁，圜底。基线方向为90°，发掘部分东西长4.3、南北宽约3.7、距坑口最深1.34米（图2.3.11）。填土为黑色黏土，土质较致密，包含有较多陶片、动物骨骼、石块、炭粒等。出土陶片中无论是数量还是重量，缸所占比重均为最大，数量占全部陶片数量约90%。在除缸以外的普通陶器中，夹砂陶比重高于泥质陶，印纹硬陶和原始瓷比重最低。纹饰方面，H28出土陶片以绳纹和素面为主，数量上分别占比44.8%和35.5%，重量上占比35.5%和20.7%，其次有网格纹、篮纹、附加堆纹、附加堆纹加绳纹组合纹饰，弦纹所占比重较少，还有少量其他纹饰。可辨陶器器类有鬲、罐、爵、大口尊、盆、刻槽盆、缸、豆等（图2.3.12～图2.3.15；表2.3.19、表2.3.20）。

陶、瓷器

鼎　标本1件。

标本H28：8，夹砂红陶。侈口，卷沿，圆唇，长束颈，圆鼓腹，圜底。颈下饰多周弦纹，弦纹下饰纵向绳纹，下腹部饰横向绳纹，足上部饰按窝。复原后口径17.5、残高18.5厘米（图2.3.12）。

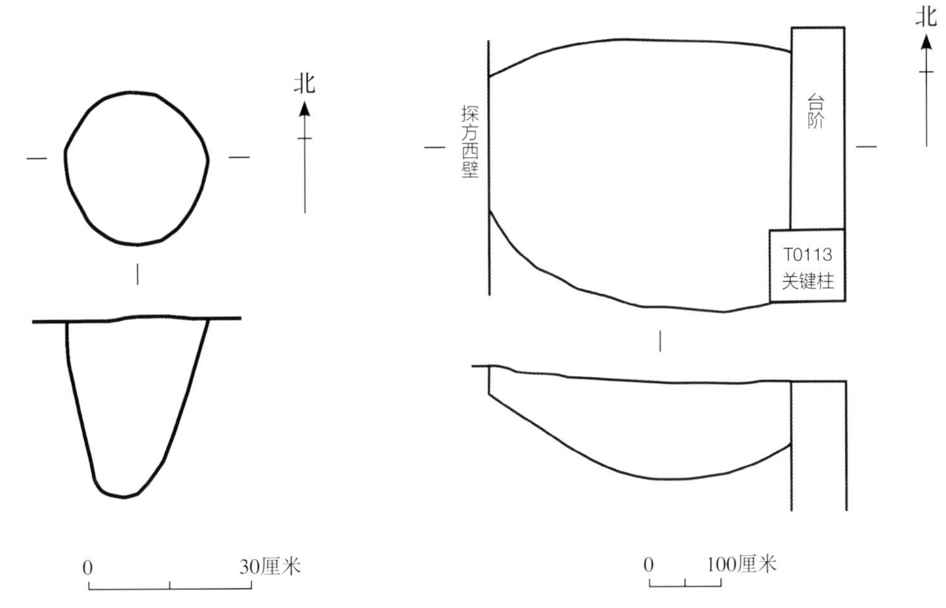

图 2.3.10　杨家湾 H26 平、剖面图

图 2.3.11　杨家湾 H28 平、剖面图

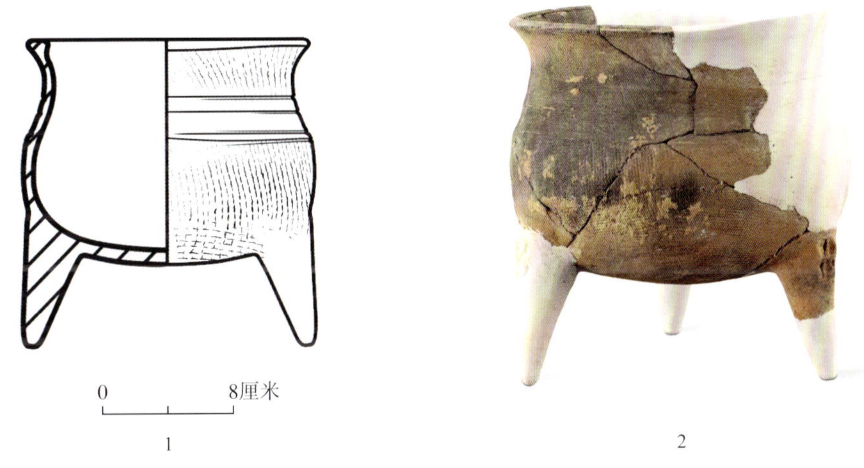

图 2.3.12　陶鼎（杨家湾 H28 ： 8）

1. 线图　2. 照片

鬲　标本4件。

标本H28：9，夹砂红胎黑皮陶。侈口，折沿，圆唇，束颈。颈部纹饰经抹制，颈部以下饰绳纹。复原后口径16、残高5厘米（图2.3.13，1）。

标本H28：10，夹砂红胎黑皮陶。侈口，平折沿，圆唇。腹内壁有指压按窝痕。复原后口径27、残高4.5厘米（图2.3.13，7）。

标本H28：12，夹砂灰陶。侈口，折沿，沿内侧向上凸，与沿部形成一道浅凹槽，圆唇。肩部饰一周附加堆纹，堆纹下饰绳纹。复原后口径22、残高6厘米（图2.3.13，5）。

标本H28：14，夹砂灰陶。侈口，卷沿，圆唇，口沿以下残。沿外侧有一周凸弦纹。口径17.7、残高4.2厘米（图2.3.13，2）。

罐　标本2件。

标本H28：6，泥质灰陶。侈口，卷沿，沿上有两周凹槽，圆唇，斜颈，丰肩。颈部和肩部饰弦纹。复原后口径16、残高7厘米（图2.3.13，6）。

标本H28：15，夹砂红胎黑皮陶。卷沿，方唇，束颈，圆肩，沿下饰多周弦纹。复原后口径15.3、残高2.2厘米（图2.3.13，3）。

盆　标本2件。

标本H28：2，泥质红胎黑皮陶。侈口，折沿下卷，圆唇，短束颈。腹部饰绳纹。复原后口径33.3、残高11.5厘米（图2.3.13，10）。

标本H28：7，夹砂黄陶，表面曾有黑色陶衣已脱落殆尽。侈口，折沿上仰，方唇，束颈，上腹圆鼓，其下残。颈下饰两周凸弦纹，颈部经过刮抹。复原后口径31、残高5.3厘米（图2.3.13，9）。

刻槽盆　标本1件。

标本H28：1，泥质黑皮陶，胎分为两层，里呈灰色，外呈红色。敞口，卷沿，圆唇，弧腹，圜底，口部有流。颈部不施纹，颈部以下饰横向绳纹。内壁刻槽以底为中心分为四个区，刻槽走向两两相对（图2.3.14，3）。复原后口径30、通高17.5厘米（图2.3.13，8；图2.3.14，2）。

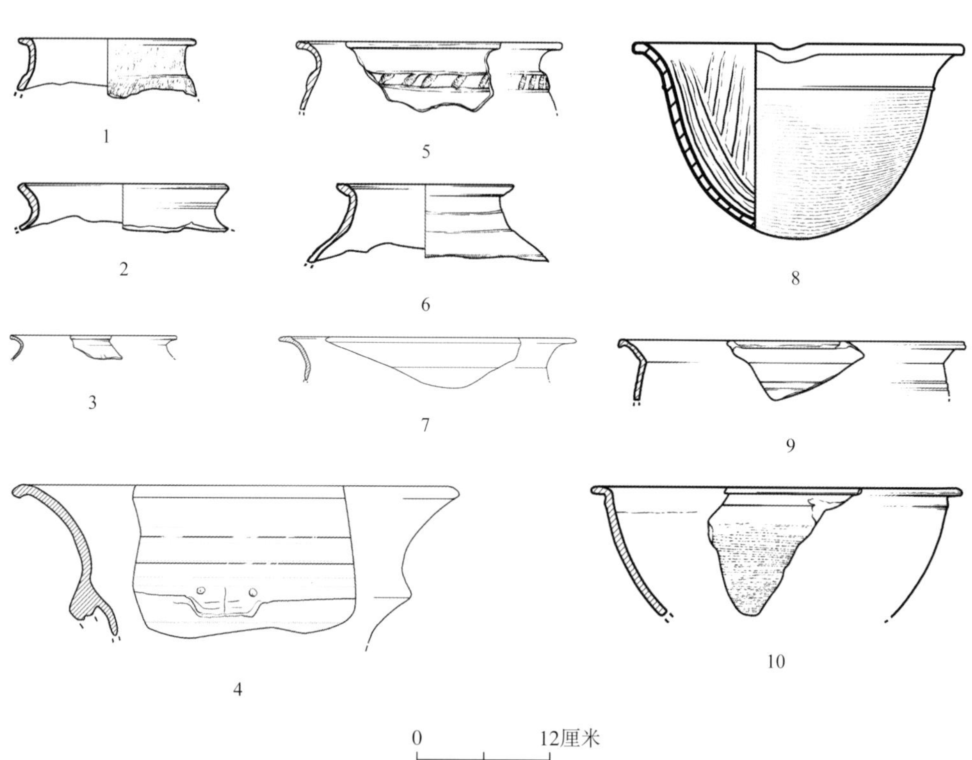

图 2.3.13　杨家湾 H28 出土陶器

1、2、5、7. 鬲（H28：9、H28：14、H28：12、H28：10）　3、6. 罐（H28：15、H28：6）
4. 大口尊（H28：3）　8. 刻槽盆（H28：1）　9、10. 盆（H28：7、H28：2）

1

2

3

图 2.3.14 杨家湾 H28 出土陶器照片

1. 缸（H28：16） 2. 刻槽盆外观（H28：1） 3. 刻槽盆细部（H28：1）

大口尊 标本1件。

标本H28：3，泥质红胎黑皮陶。敞口，卷沿，圆唇，折肩外凸，肩上附有三个兽首形器鋬，鋬为牛鼻形，鋬上有两个圆形泥饼状装饰，似仿兽面纹的眼睛。颈部饰两周弦纹。复原后口径40.7、残高13.3厘米（图2.3.13，4）。

缸 标本10件。

标本H28：16，夹砂红陶。敞口，方唇，斜壁微弧，近平底。颈部贴两周附加堆纹，腹部饰篮纹。底部贴附的圈足已脱落。复原后口径44.5、通高45厘米（图2.3.14，1；图2.3.15，12）。

标本H28：17，夹少量碎石，黄陶。敞口，平沿，尖圆唇微凸，斜壁略弧。肩部饰两周锯齿状附加堆纹，腹部饰雷纹。颈部外壁有多道轮旋痕，靠近口部有指压轮旋痕。壁可以分为明显的两层，内壁有泥条盘筑痕。火候较高，胎体烧结程度较好，纹饰清晰不易脱落。复原后口径43、残高21厘米（图2.3.15，10）。

标本H28：18，夹砂灰陶。敞口。器表饰绳纹，肩部饰一周附加堆纹。内壁有较多的指压按窝痕。复原后口径29.5、残高18厘米（图2.3.15，9）。

标本H28：20，夹砂红陶。敞口，斜折沿。肩部饰一周附加堆纹，腹部压印绳纹较深且纹路较清晰。复原后口径45、残高11厘米（图2.3.15，4）。

标本H28：21，夹砂红陶。敛口。器表绳纹较细，颈部贴一周附加堆纹。复原后口径32、残高12.5厘米（图2.5.15，7）。

标本H28：22，夹砂红陶，内外壁偏黄色。直口，宽圆唇。肩部饰一周附加堆纹，附加堆纹下饰绳纹，绳纹压印较深，纹路清晰。颈部内外壁均有横向的抹痕。复原后口径40、残高11厘米（图2.3.15，11）。

标本H28：24，夹砂灰陶。敞口。腹部饰绳纹，肩部贴筑一周附加堆纹。颈部有多道指压轮旋抹痕。复原后口径34、残高21厘米（图2.3.15，6）。

标本H28：25，夹较少的碎石粒及云母，灰胎，内外壁施红衣。敞口。肩部饰一周附加堆纹，堆纹上斜向按压纹饰，方向和形状一致，应为同一模型按压而成，每个按窝纹之间距离各异，堆纹下饰网格纹。内壁靠近口部有多周指压轮旋痕，外壁近口部有一周指压轮旋痕，颈部抹制光滑，腹部有指压按窝痕。复原后口径34、残高18厘米（图2.3.15，2）。

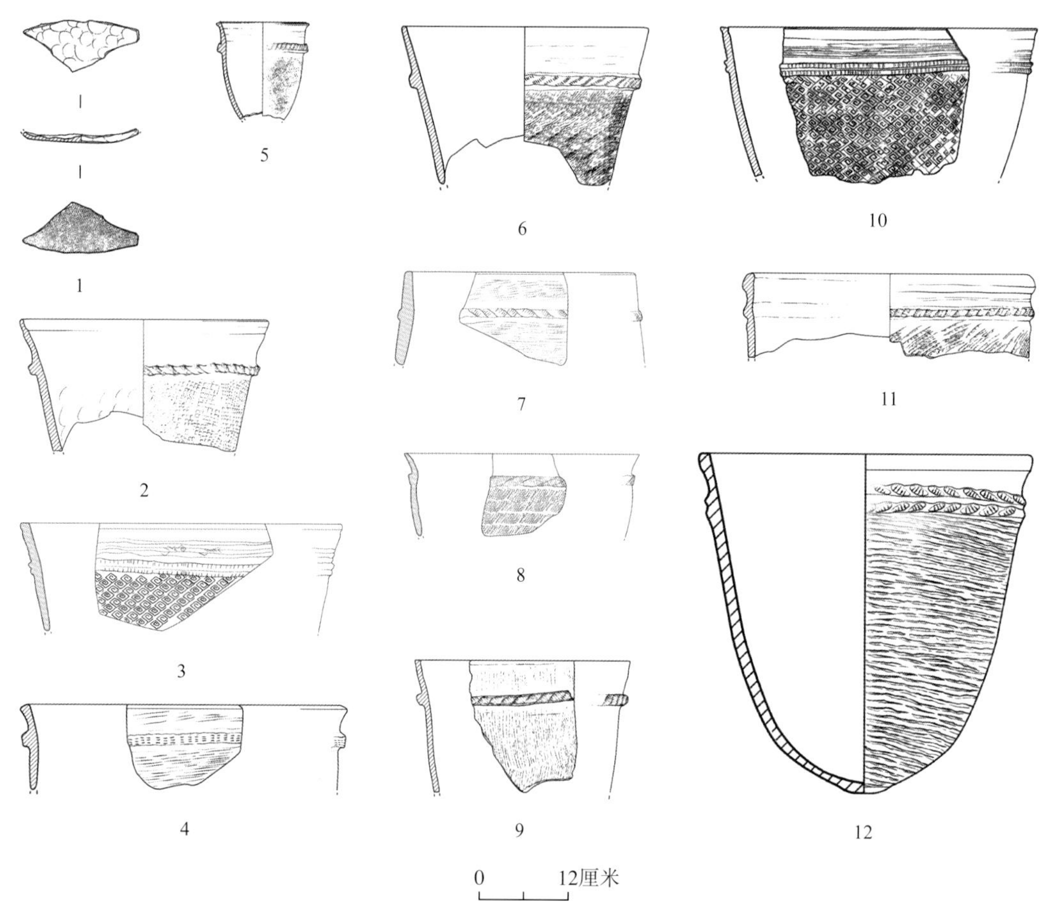

图 2.3.15 杨家湾 H28 出土陶、瓷器

1. 印纹硬陶罐（H28：28） 2～4、6～12. 缸（H28：25、H28：26、H28：20、H28：24、H28：21、H28：29、H28：18、H28：17、H28：22、H28：16） 5. 原始瓷缸形器（H28：27）

标本H28：26，夹砂红陶。敞口，平沿，方唇。肩部饰两周附加堆纹，附加堆纹刻成锯齿状，腹部饰云雷纹。颈部外壁有多道轮旋痕。复原后口径41.5、残高13厘米（图2.3.15，3）。

标本H28：29，夹砂灰陶。敞口。肩部饰一周附加堆纹，腹部饰间断绳纹。复原后口径31.2、残高10.4厘米（图2.3.15，8）。

印纹硬陶罐 标本1件。

标本H28：28，陶胎为浅灰色。腹部残片。主体饰以较为杂乱的叶脉纹，其中一端见有个别云雷纹单元。器壁厚薄不均，内壁可见大量陶垫顶压的遗留痕迹。残高16.1厘米（图2.3.15，1）。

原始瓷缸形器 标本1件。

标本H28：27，陶胎为浅灰色，表面有一层极薄的黄褐色釉。敞口，方唇。颈部下方饰一周附加堆纹，腹部饰整齐的横向雷纹。颈部外侧见有轮制痕迹，内侧可见有泥条盘筑痕迹。口径13.1、残高13.4厘米（图2.3.15，5）。

表2.3.17 杨家湾H26陶系、纹饰统计表 （重量单位：克）

<table>
<tr><th colspan="2">陶质</th><th colspan="3">夹砂</th><th>泥质</th><th rowspan="2">印纹硬陶和原始瓷</th><th rowspan="2">合计</th><th rowspan="2">百分比（%）</th></tr>
<tr><th colspan="2">陶色 / 纹饰</th><th>灰</th><th>黑皮</th><th>红</th><th>灰</th></tr>
<tr><td rowspan="2">绳纹</td><td>数量</td><td>4</td><td>3</td><td>1</td><td></td><td></td><td>8</td><td>32.00</td></tr>
<tr><td>重量</td><td>42</td><td>28</td><td>56.5</td><td></td><td></td><td>126.5</td><td>31.00</td></tr>
<tr><td rowspan="2">绳纹和弦纹</td><td>数量</td><td></td><td>1</td><td></td><td></td><td></td><td>1</td><td>4.00</td></tr>
<tr><td>重量</td><td></td><td>36.5</td><td></td><td></td><td></td><td>36.5</td><td>8.95</td></tr>
<tr><td rowspan="2">篮纹</td><td>数量</td><td></td><td></td><td>1</td><td></td><td></td><td>1</td><td>4.00</td></tr>
<tr><td>重量</td><td></td><td></td><td>43.5</td><td></td><td></td><td>43.5</td><td>10.66</td></tr>
<tr><td rowspan="2">云雷纹</td><td>数量</td><td></td><td></td><td></td><td></td><td>1</td><td>1</td><td>4.00</td></tr>
<tr><td>重量</td><td></td><td></td><td></td><td></td><td>12</td><td>12</td><td>2.94</td></tr>
<tr><td rowspan="2">素面</td><td>数量</td><td>3</td><td>5</td><td>4</td><td>2</td><td></td><td>14</td><td>56.00</td></tr>
<tr><td>重量</td><td>48</td><td>14</td><td>83.5</td><td>44</td><td></td><td>189.5</td><td>46.45</td></tr>
<tr><td rowspan="2">合计</td><td>数量</td><td>7</td><td>9</td><td>6</td><td>2</td><td>1</td><td>25</td><td>100.00</td></tr>
<tr><td>重量</td><td>90</td><td>78.5</td><td>183.5</td><td>44</td><td>12</td><td>408</td><td>100.00</td></tr>
<tr><td rowspan="4">百分比（%）</td><td rowspan="2">数量</td><td>28.00</td><td>36.00</td><td>24.00</td><td rowspan="2">8.00</td><td rowspan="2">4.00</td><td colspan="2" rowspan="2">100.00</td></tr>
<tr><td colspan="3">88.00</td></tr>
<tr><td rowspan="2">重量</td><td>22.06</td><td>19.24</td><td>44.98</td><td rowspan="2">10.78</td><td rowspan="2">2.94</td><td colspan="2" rowspan="2">100.00</td></tr>
<tr><td colspan="3">86.28</td></tr>
</table>

表2.3.18　杨家湾H26可辨器形统计表

陶质 \ 陶色 \ 器形	夹砂		印纹硬陶和原始瓷	合计	百分比（%）
	灰	红			
罐			1	1	33.33
缸		1		1	33.33
器把	1			1	33.33
合计	1	1	1	3	100.00
百分比（%）	33.33	33.33	33.33	100.00	

表2.3.19　杨家湾H28陶系、纹饰统计表　　　（重量单位：克）

陶质 \ 陶色 \ 纹饰		夹砂					泥质			印纹硬陶和原始瓷	合计	百分比（%）
		灰	黑皮	红	黄	白	灰	黑皮	红			
绳纹	数量	104	108	421	150	67	112	8	8		978	35.41
	重量	2980.5	3259	32324.5	10855	5237.5	2191	1089	378		58314.5	32.43
绳纹和附加堆纹	数量	5	16	72	22	3	2				120	4.34
	重量	329	2569.5	11241.5	2863.5	1171	97.5				18272	10.16
绳纹和弦纹	数量		1				20	4			25	0.91
	重量		620				927.5	123			1670.5	0.93
绳纹、弦纹和圆圈纹	数量		1								1	0.04
	重量		15.5								15.5	0.01
网格纹	数量	6	17	187	112	36	4				362	13.11
	重量	296	1345	13734	8452	2562.5	121.5				26511	14.75
网格纹和篮纹	数量					5					5	0.18
	重量					439					439	0.24
网格纹和附加堆纹	数量		2	48	15						65	2.35
	重量		126.5	5663.5	2412.5						8202.5	4.56
网格纹和弦纹	数量			1			2	2			5	0.18
	重量			355.5			39	44.5			439	0.24
篮纹	数量	2	6	117	43	15					183	6.63
	重量	141.5	387	9685	3449	1176					14838.5	8.25

续表

纹饰＼陶质/陶色		夹砂					泥质			印纹硬陶和原始瓷	合计	百分比（%）
		灰	黑皮	红	黄	白	灰	黑皮	红			
篮纹和附加堆纹	数量		1	9	1	4					15	0.54
	重量		189	1555.5	40.5	735.5					2520.5	1.40
附加堆纹	数量	2	4	81	19	13		1			120	4.34
	重量	118.5	284	6609	1396.5	1021.5		27.5			9457	5.26
附加堆纹和云雷纹	数量			1		1				1	3	0.11
	重量			108		683				30	821	0.46
附加堆纹和圆圈纹	数量			1							1	0.04
	重量			98							98	0.05
弦纹	数量	3	2	1			26	28	2		62	2.24
	重量	72	87.5	113			742	1156	23		2193.5	1.22
弦纹和云雷纹	数量							1			1	0.04
	重量							85			85	0.05
云雷纹	数量			6	8	1					15	0.54
	重量			362	593.5	65					1020.5	0.57
叶脉纹	数量			7							7	0.25
	重量			605							605	0.34
叶脉纹和云雷纹	数量									1	1	0.04
	重量									20.5	20.5	0.01
戳印纹	数量						1				1	0.04
	重量						32				32	0.02
素面	数量	142	90	352	100	41	28	33	6		792	28.67
	重量	3248	2017	20144.5	5410.5	1895	628.5	796	99.5		34239	19.05
合计	数量	264	248	1304	470	186	195	77	16	2	2762	100.00
	重量	7185.5	109000	102599	35473	14986	4779	3321	500.5	50.5	179794.5	100.00
百分比（%）	数量	9.56	8.98	47.21	17.02	6.73	7.06	2.79	0.58	0.07	100.00	
		89.50					10.50					
	重量	3.99	6.06	57.06	19.73	8.34	2.66	1.85	0.28	0.03	100.00	
		95.18					4.79					

表2.3.20　杨家湾H28可辨器形统计表

陶质	夹砂					泥质			印纹硬陶和原始瓷	合计	百分比（%）
器形＼陶色	灰	黑皮	红	黄	白	灰	黑皮	红			
鼎		1	1							2	0.09
鬲	32	32	56							120	5.55
罐	13	4	4			7	6	2	1	37	1.71
爵	1					1				2	0.09
豆	9					1				10	0.46
盆	3			1		4	4			12	0.56
刻槽盆	2						1			3	0.14
大口尊						8	5	1	4	18	0.83
缸	34	68	1196	469	186				1	1954	90.42
器盖	1									1	0.05
圈足		1								1	0.05
器把	1									1	0.05
合计	96	106	1257	470	186	21	16	3	6	2161	100.00
百分比（%）	4.44	4.86	58.17	21.75	8.61	0.97	0.79	0.14	0.27	100.00	

（三）H29

位于Q1813T0114北部，部分延伸进探方北壁和东壁。开口于T0114第5层下。开口平面为不规则形，弧壁，圜底。基线方向为90°，发掘部分东西长4.2、南北宽1.1、距坑口最深1.04米（图2.3.16）。填土为黑色夹绿斑黏土，土质较致密，包含陶片、动物骨骼。陶片数量较少，夹砂陶数量最多，约占全部出土陶片的73%。陶色基本以黑皮陶、红陶为主，可见部分灰陶和黄陶，另有少量白陶，纹饰以绳纹为主，有少量网格纹和附加堆纹等。可辨识的器形有鬲、罐、深腹盆、浅腹盆、缸等（图2.3.17、图2.3.18；表2.3.21、表2.3.22）。

陶器

鬲　标本2件。

标本H29：6，夹砂红胎黑皮陶。侈口，宽平沿，沿面内侧有一周凹槽，方唇。颈部以下饰绳纹。复原后口径20、残高6厘米（图2.3.17，2）。

标本H29：7，夹砂灰陶。侈口，平折沿，沿上有一周凹槽，圆唇，束颈，腹略鼓。颈部以下饰绳纹。复原后口径15.7、残高8厘米（图2.3.17，1）。

罐 标本1件。

标本H29：3，夹砂红陶。侈口，折沿，沿面微下折，微束颈，领部微起台阶。颈部饰三周弦纹。复原后口径14、残高7厘米（图2.3.17，3）。

盆 标本2件。

标本H29：2，泥质灰胎黑皮陶。侈口，平折沿，口沿下压，方唇，直颈。颈部绳纹经抹光，下饰三周弦纹，弦纹以下饰一周网格纹带。复原后口径26、残高5厘米（图2.3.17，4）。

标本H29：4，泥质红胎，外见灰衣。侈口，卷沿，方唇，唇内凹。颈部以下饰绳纹。复原后口径25、残高6厘米（图2.3.17，5）。

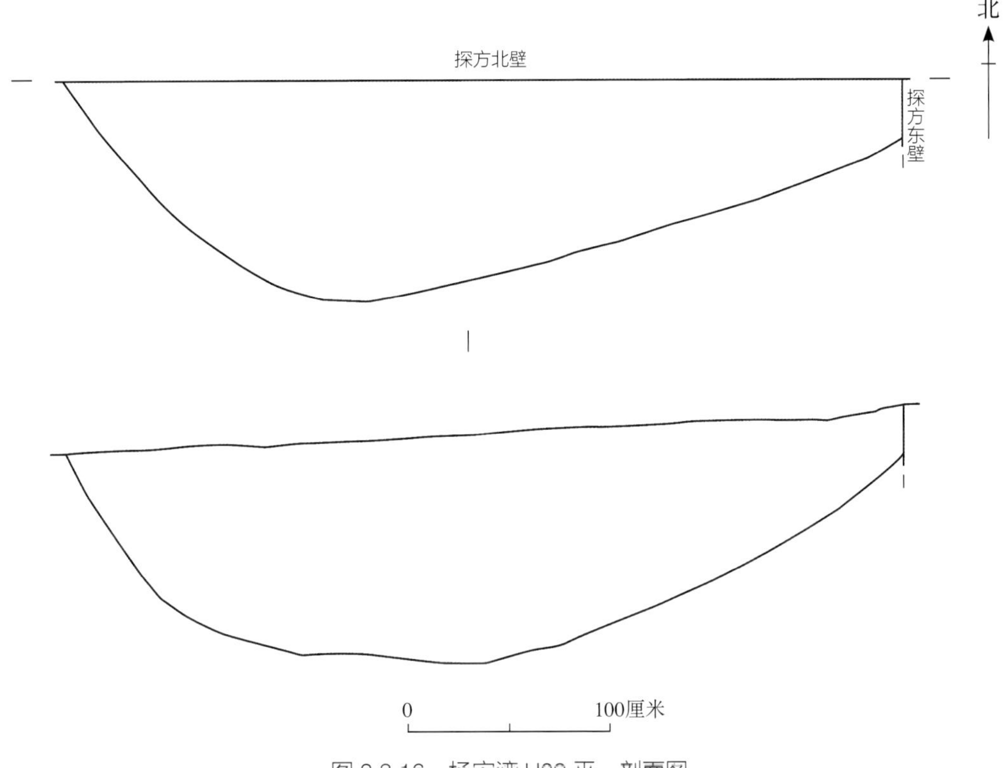

图 2.3.16 杨家湾 H29 平、剖面图

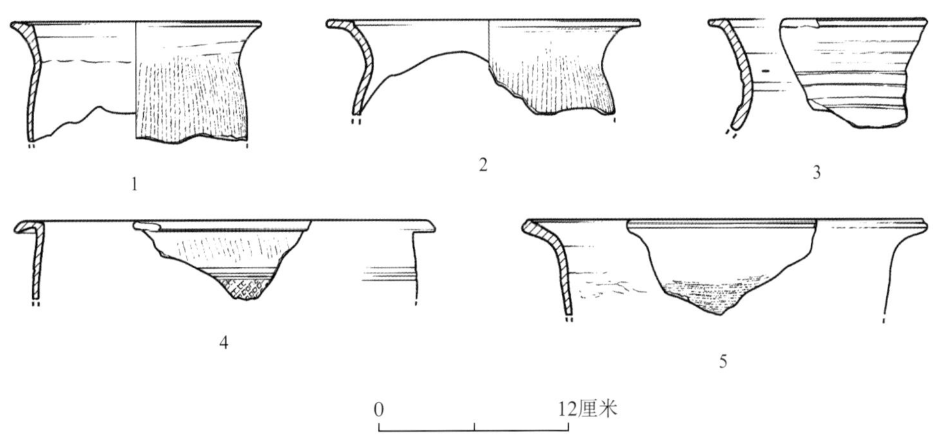

图 2.3.17 杨家湾 H29 出土陶器

1、2. 鬲（H29：7、H29：6） 3. 罐（H29：3） 4、5. 盆（H29：2、H29：4）

缸　标本5件。

标本H29：14，夹砂红胎黑皮陶。侈口，圆唇。肩部饰一周附加堆纹，堆纹下饰网格纹。颈部外壁经抹光，内壁有轮旋痕，腹部内壁有多周掌腹按压形成的按窝。复原后口径31、残高16厘米（图2.3.18，2）。

标本H29：15，夹砂白陶。敞口，卷沿，圆唇。颈部以下饰一周泥条附加堆纹，纵向按压呈齿状，堆纹下饰网格纹。颈部经轮修抹光，器内壁有泥条盘筑痕，泥条相接处有密集的指压形成的按窝。复原后口径38.7、残高18.7厘米（图2.3.18，5）。

标本H29：18，泥质灰胎，内外壁施红衣。肩部饰一周较宽的附加堆纹，堆纹上压印椭圆形树叶纹，每枚叶片上左右各有五条茎脉，每个叶形按窝纹应该为同一模型压制而成，堆纹下饰网格纹。颈部外壁抹光，器内壁有泥条盘筑痕，泥条相接处有较密集的指压痕。残高18厘米（图2.3.18，1）。

标本H29：20，夹砂红陶。侈口，圆唇。肩部饰一周附加堆纹，堆纹上下均饰网格纹。复原后口径38.3、残高15厘米（图2.3.18，4）。

标本H29：26，缸底。夹砂红陶。小平底。缸下腹部饰网格纹到底。内壁可见有泥条顺缕成型的痕迹。底径6、残高10.5厘米（图2.3.18，3）。

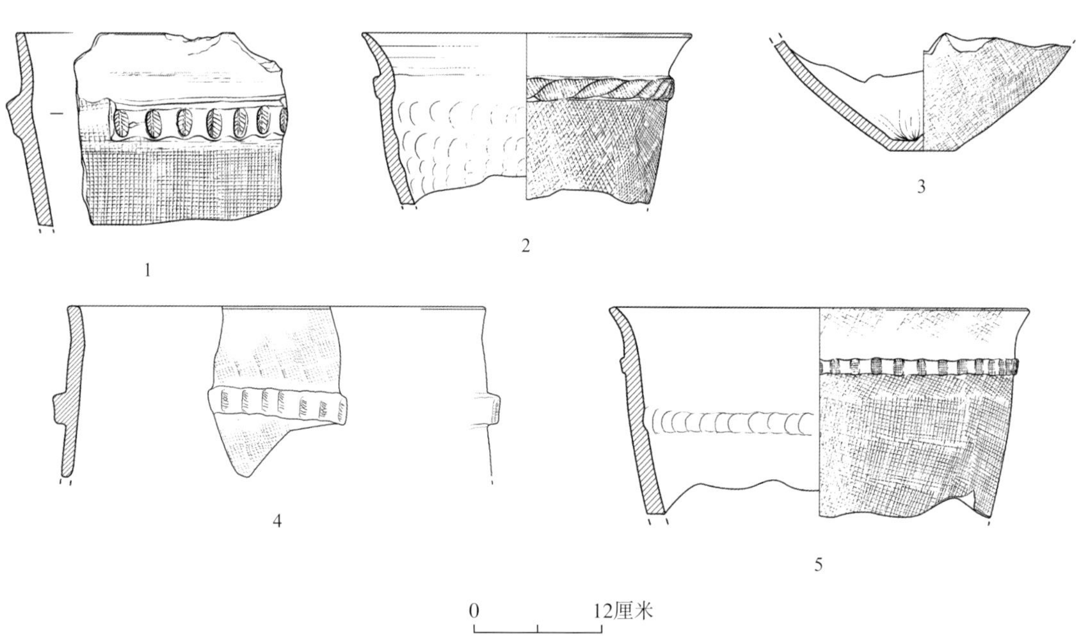

图 2.3.18　杨家湾 H29 出土陶缸

1. H29：18　2. H29：14　3. H29：26　4. H29：20　5. H29：15

表2.3.21 杨家湾H29陶系、纹饰统计表 （重量单位：克）

陶质 / 陶色 / 纹饰		夹砂					泥质			合计	百分比（%）
		灰	黑皮	红	黄	白	灰	黑皮	红		
绳纹	数量	34	17	55	12	13	3	5		139	50.18
	重量	1463	547.5	2366.5	1209.5	1442	281	183		7492.5	43.98
绳纹和附加堆纹	数量	1	4	5	4	11				25	9.03
	重量	31	472.5	276	1541	632				2952.5	17.33
网格纹	数量	5	1	12	2	1				21	7.58
	重量	171	131.5	935	208	53				1498.5	8.79
网格纹和附加堆纹	数量			6	2				1①	9	3.25
	重量			817	495.5				90	1402.5	8.23
网格纹和弦纹	数量							1		1	0.36
	重量							79		79	0.46
附加堆纹	数量			2	1					3	1.08
	重量			206	163					369	2.17
弦纹	数量			1						1	0.36
	重量			20						20	0.12
素面	数量	24	18	18	3	6	2	7		78	28.16
	重量	901	660.5	1250	127	126	42	117		3223.5	18.92
合计	数量	64	40	99	24	31	5	13	1	277	100.00
	重量	2566	1812	5870.5	3744	2253	323	379	90	17037.5	100.00
百分比（%）	数量	23.10	14.44	35.74	8.67	11.19	1.81	4.69	0.36	100.00	
		93.14					6.86				
	重量	15.06	10.64	34.46	21.98	13.22	1.89	2.22	0.53	100.00	
		81.29					18.70				

① 标本H29：18，附加堆纹上可见有叶脉纹，此类叶脉纹属于附加堆纹制作中压印成的纹饰，因此与附加堆纹作为一个整体，不另新加一个纹饰。以下类似案例均依此统计。

表2.3.22　杨家湾H29可辨器形统计表

陶质	夹砂					泥质			合计	百分比（%）
器形＼陶色	灰	黑皮	红	黄	白	灰	黑皮	红		
鬲	11	12	4						27	13.37
罐	2	1	1			4			8	3.96
盆						1	1		2	0.99
缸	8	9	92	24	31			1	165	81.68
合计	21	22	97	24	31	5	1	1	202	100.00
百分比（%）	10.40	10.89	48.02	11.88	15.35	2.48	0.49	0.49	100.00	

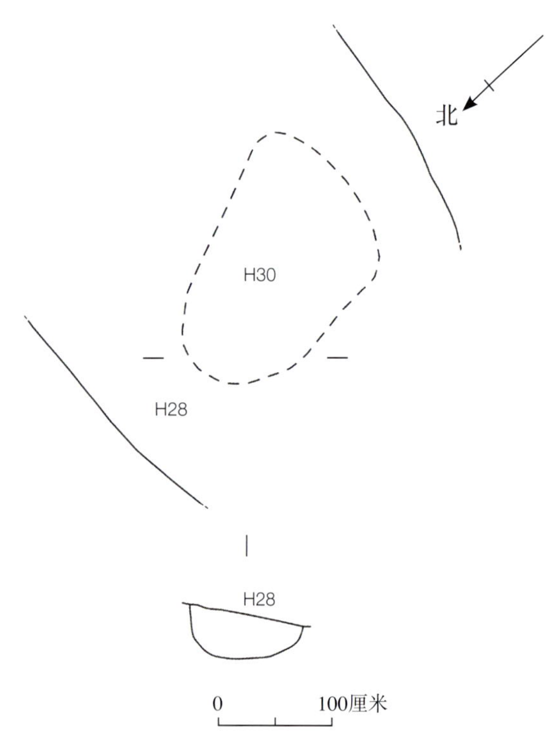

图 2.3.19　杨家湾 H30 平、剖面图

（四）H30

位于Q1813T0114西南部，南端延伸进探方南壁。开口于第4层下，被H28打破。H30开口平面为椭圆形，弧壁，近圜底。基线方向为30°，发掘部分南北长约2、东西宽约1.56、距坑口最深0.38米（图2.3.19）。填土为灰黑色黏土，土质较致密，包含陶片、动物骨骼，可见少量木炭。陶片数量较少，基本为夹砂红陶、灰陶，另出土少量黄陶、黑皮陶和白陶。器物多饰绳纹，绳纹与附加堆纹组合纹饰、网格纹与附加堆纹组合纹饰占一定比例，其中可辨识器形仅有缸、罐、鬲（表2.3.23、表2.3.24）。

表2.3.23　杨家湾H30陶系、纹饰统计表　（重量单位：克）

陶质		夹砂					泥质	合计	百分比（%）
纹饰＼陶色		灰	黑皮	红	黄	白	灰		
绳纹	数量	6		10	7	1	1	25	28.09
	重量	83.5		933	680.5	144.5	33	1874.5	26.36

续表

纹饰 \ 陶色	陶质	夹砂 灰	夹砂 黑皮	夹砂 红	夹砂 黄	夹砂 白	泥质 灰	合计	百分比（%）
绳纹和附加堆纹	数量		3	8			2	13	14.61
	重量		659.5	743			104.5	2107	29.62
绳纹和弦纹	数量						3	3	3.37
	重量						29	29	0.41
网格纹	数量			22		1		23	25.84
	重量			1405		123.5		1528.5	21.49
网格纹和附加堆纹	数量				2	4		6	6.74
	重量				146.5	935.5		1082	15.21
附加堆纹	数量			1				1	1.12
	重量			55.5				55.5	0.78
素面	数量	6		9		3		18	20.22
	重量	84		873		79		1036	14.57
合计	数量	12	3	52	11	5	6	89	100.00
	重量	167.5	659.5	4156	1616	347	166.5	7112.5	100.00
百分比（%）	数量	13.48	3.37	58.43	12.36	5.62	6.74	100.00	
		93.26							
	重量	2.36	9.27	58.43	22.72	4.88	2.34	100.00	
		97.66							

表2.3.24　杨家湾H30可辨器形统计表

器形 \ 陶色	夹砂 灰	夹砂 黑皮	夹砂 红	夹砂 黄	夹砂 白	泥质 灰	合计	百分比（%）
鬲	1		3				4	5.56
罐						1	1	1.39
缸		2	49	11	5		67	93.06
合计	1	2	52	11	5	1	72	100.00
百分比（%）	1.39	2.78	72.22	15.28	6.94	1.39	100.00	

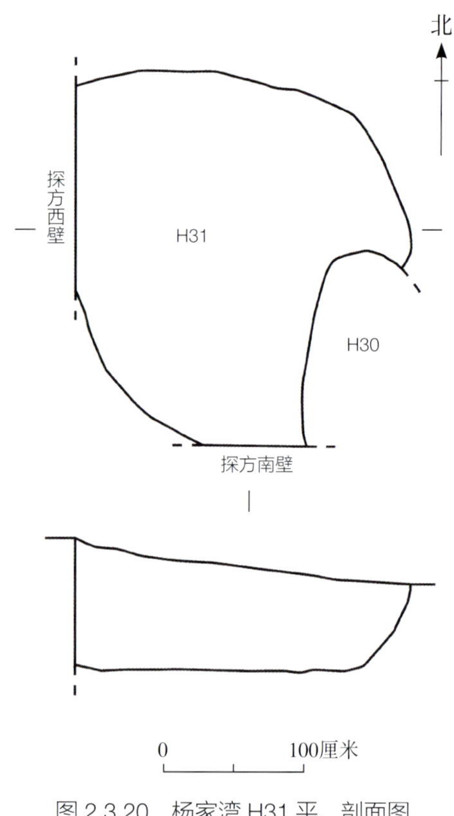

图 2.3.20　杨家湾 H31 平、剖面图

（五）H31

位于Q1813T0114的南部与T0113的北隔梁内，西部延伸进探方西壁。开口于第6层下，被H30打破。开口平面为不规则形，弧壁，平底。基线方向为90°，发掘部分南北长约2.6、东西长约2.4、距坑口最深0.88米（图2.3.20）。填土为黄灰色黏土，土质较致密，包含有较少陶片、动物骨骼，还可见部分炭屑。出土有较多陶片，以夹砂灰陶、夹砂红陶、泥质黑皮陶、夹砂黄陶和夹砂白陶为主，多饰以绳纹，另有部分饰网格纹、附加堆纹、叶脉纹、弦纹及云雷纹。可辨识的器形有缸、大口尊、壶等（图2.3.21、图2.3.22；表2.3.25、表2.3.26）。

1）陶器

壶　标本1件，为高柄状。

标本H31：2，泥质灰胎黑皮陶。口部残，直颈，颈部有凸棱，溜肩，圆鼓腹，高圈足。肩部在两组弦纹之间饰一周由云雷纹组成的倒三角形装饰，每个倒三角形由六个云雷纹组成，柄部饰多周弦纹。各个三角形装饰形状不同，推测不是模制，而是逐个压印单个雷纹组成三角形。复原后最大径16.5、残高15.5厘米（图2.3.21，2）。

大口尊　标本1件。

标本H31：1，泥质红胎黑皮陶，部分黑皮已脱落。敞口，卷沿，沿内侧有一道凹槽，方唇，束颈，圆折肩，弧腹近直，平底微凹，肩上附有三个饼形鋬。颈部两组弦纹之间饰锯齿状对向咬合，凹陷处呈S状的纹饰带，各个纵向S形纹饰形状和大小相同，应为同一工具按压而成。肩部及上腹部饰两周附加堆纹，附加堆纹按压成齿状，每个凹陷内左侧有一小凸起，为按压工具上特地留下的凹陷所致（图2.3.22，2）。腹部饰斜向绳纹，腹中部饰两周弦纹，两周凹弦纹后交汇为一周，为制作时在轮上旋转形成。复原后口径32.5、通高27厘米（图2.3.21，4；图2.3.22，1）。

缸　标本1件。

标本H31：3，夹砂红陶。敞口，圆唇。颈部外壁纹饰经抹制，肩部饰一周附加堆纹，腹部饰细绳纹。复原后口径33、残高18.5厘米（图2.3.21，3）。

2）石器

石杵 标本1件。

标本H31：4，完整。磨制光滑。器身近似圆柱体，两端较粗，中部较细。长19.29、中间径6厘米（图2.3.21，1）。

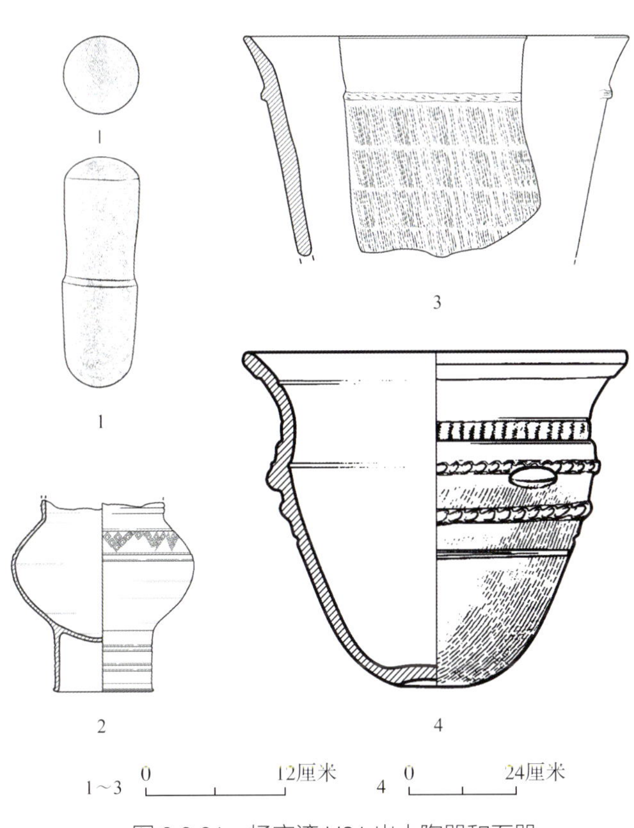

图2.3.21 杨家湾H31出土陶器和石器

1. 石杵（H31：4） 2. 陶壶（H31：2） 3. 陶缸（H31：3） 4. 陶大口尊（H31：1）

1

2

图2.3.22 陶大口尊照片（杨家湾H31：1）

1. 器身正视 2. 纹饰局部

表2.3.25 杨家湾H31陶系、纹饰统计表 （重量单位：克）

陶质		夹砂					泥质		合计	百分比（%）
纹饰＼陶色		灰	黑皮	红	黄	白	灰	黑皮		
绳纹	数量	20		8	13	4		3	48	49.49
	重量	695		823.5	1179	507.5		112	3317	28.58

续表

陶质 / 纹饰	陶色	夹砂					泥质		合计	百分比（%）
		灰	黑皮	红	黄	白	灰	黑皮		
绳纹和附加堆纹	数量			2		2		1	5	5.16
	重量			2677.5		210		1773	4660.5	40.15
绳纹、附加堆纹和弦纹	数量							1	1	1.03
	重量							1650	1650	14.22
网格纹	数量			2	3				5	5.16
	重量			120.5	208.5				329	2.83
网格纹和附加堆纹	数量			1	2	1			4	4.12
	重量			72	387.5	145			604.5	5.21
弦纹	数量		1				1		2	2.06
	重量		12				31		43	0.37
弦纹和云雷纹	数量							1	1	1.03
	重量							210	210	1.81
云雷纹	数量						1		1	1.03
	重量						229.5		229.5	1.98
叶脉纹	数量	2					3	3	8	8.24
	重量	29.5					34.5	74	138	1.19
素面	数量	5	2	9	1	2		3	22	22.68
	重量	40.5	43	183	53.5	43		62	425	3.66
合计	数量	27	3	22	19	9	5	12	97	100.00
	重量	765	55	3876.5	1828.5	905.5	295	3881	11606.5	100.00
百分比（%）	数量	27.83	3.09	22.68	19.59	9.28	5.16	12.37	100.00	
		82.47					17.53			
	重量	6.59	0.47	33.40	15.75	7.80	2.54	33.44	100.00	
		64.01					35.98			

表2.3.26 杨家湾H31可辨器形统计表

<table>
<tr><td>陶质</td><td colspan="5">夹砂</td><td colspan="2">泥质</td><td rowspan="2">合计</td><td rowspan="2">百分比（%）</td></tr>
<tr><td>陶色
器形</td><td>灰</td><td>黑皮</td><td>红</td><td>黄</td><td>白</td><td>灰</td><td>黑皮</td></tr>
<tr><td>鬲</td><td></td><td>2</td><td></td><td></td><td></td><td></td><td></td><td>2</td><td>3.64</td></tr>
<tr><td>罐</td><td></td><td></td><td></td><td></td><td></td><td>1</td><td></td><td>1</td><td>1.82</td></tr>
<tr><td>爵</td><td>1</td><td></td><td></td><td></td><td></td><td></td><td></td><td>1</td><td>1.82</td></tr>
<tr><td>壶</td><td></td><td></td><td></td><td></td><td></td><td>1</td><td>1</td><td>2</td><td>3.64</td></tr>
<tr><td>大口尊</td><td></td><td></td><td></td><td></td><td></td><td></td><td>1</td><td>1</td><td>1.82</td></tr>
<tr><td>缸</td><td></td><td></td><td>20</td><td>19</td><td>9</td><td></td><td></td><td>48</td><td>87.26</td></tr>
<tr><td>合计</td><td>1</td><td>2</td><td>20</td><td>19</td><td>9</td><td>2</td><td>2</td><td>55</td><td>100.00</td></tr>
<tr><td>百分比（%）</td><td>1.82</td><td>3.64</td><td>36.36</td><td>34.54</td><td>16.36</td><td>3.64</td><td>3.64</td><td colspan="2">100.00</td></tr>
</table>

（六）H32

位于Q1813T0213的东南部，东、南两侧延伸进探方壁内。开口于第2层下。开口平面为不规则形，弧壁，圜底。基线方向为0°，发掘部分南北长3.2、东西宽1.14、距坑口最深0.92米（图2.3.23）。坑内填土为黑色黏土，土质较致密。包含较多的动物骨骼、石头与少量木炭。出土有大量陶片，以夹砂红陶为主，印纹硬陶和原始瓷的数量较少，纹饰以绳纹为主，有少量网格纹、附加堆纹、弦纹、云雷纹、戳印纹和圆圈纹等。可辨识的器类有鬲、甗、罐、斝、大口尊、缸等（图2.3.24、图2.3.25；表2.3.27、表2.3.28）。

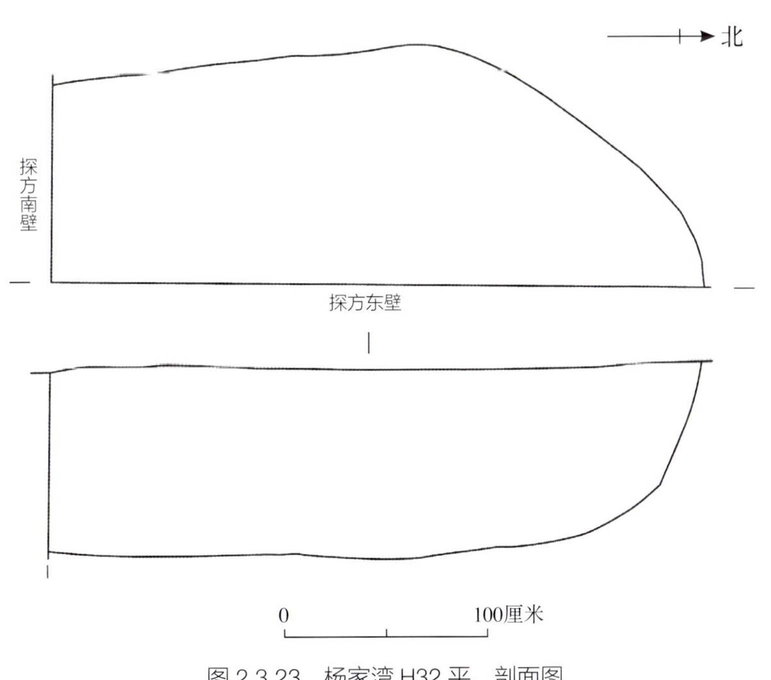

图2.3.23 杨家湾H32平、剖面图

1）陶器

鬲　标本4件。

标本H32：1，夹砂红陶。侈口，折沿，沿内侧向上凸起，圆唇。口沿以下至颈部饰抹光绳纹，颈部饰一周附加堆纹，颈部以下饰绳纹。复原后口径28、残高7厘米（图2.3.24，1）。

标本H32：2，夹砂红陶。侈口，平折沿，沿面内侧带有一道凹槽，圆唇。口沿以下至颈部饰抹光绳纹，颈部饰一周附加堆纹。复原后口径24.2、残高5厘米（图2.3.24，2）。

标本H32：4，夹砂灰陶。侈口，折沿，沿面上经刮抹形成一道宽凹槽，圆唇。颈部以下饰绳纹。口沿以下至颈部见有刮抹痕迹。复原后口径16.1、残高4厘米（图2.3.24，6）。

标本H32：16，夹砂红胎黑皮陶。侈口，平折沿，沿面带有一周凹槽，沿内侧向上凸起成榫，圆唇，微鼓腹。颈部以下饰以较粗绳纹。颈部见有轮制痕迹。复原后口径13.7、残高6厘米（图2.3.25，1）。

鬲足　标本1件。

标本H32：22，夹砂红陶。整体呈圆锥形。表面饰有三道圜络纹，延伸至足尖。复原后直径6、残高9.9厘米（图2.3.24，4）。

甗　标本2件。

标本H32：5，夹砂灰陶。侈口，折沿下压，沿面上带有两道凹槽，沿面内侧向上凸起，方唇。复原后口径27.2、残高3厘米（图2.3.25，4）。

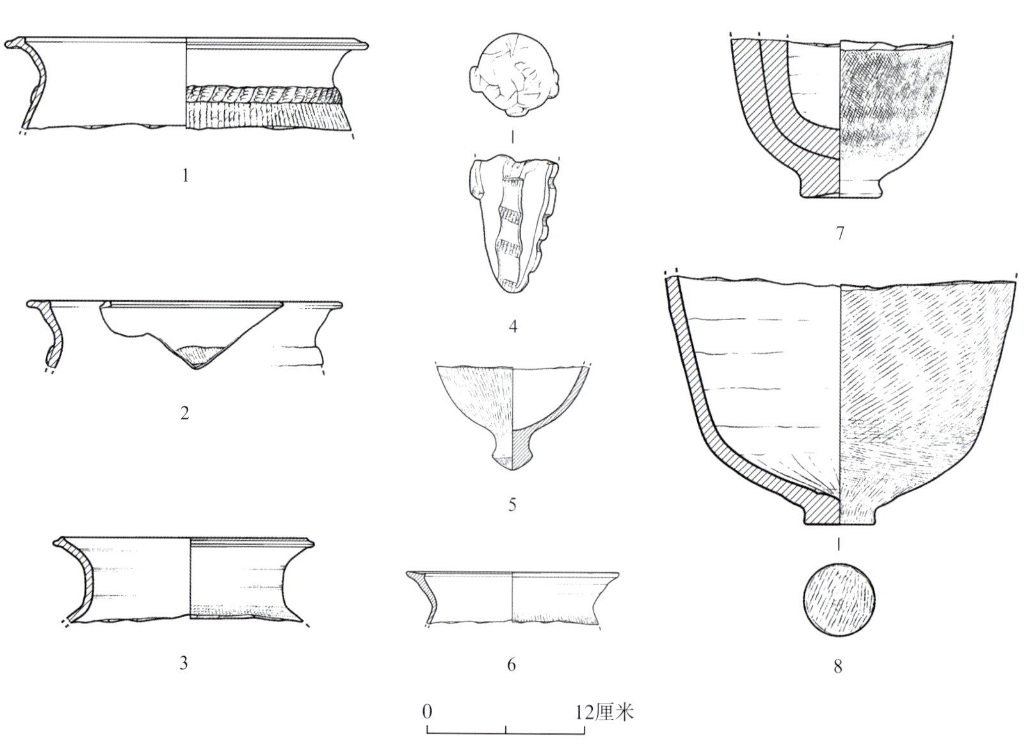

图 2.3.24　杨家湾 H32 出土陶器

1、2、6. 鬲（H32：1、H32：2、H32：4）　3. 印纹硬陶罐（H32：37）　4. 鬲足（H32：22）
5、7、8. 缸（H32：12、H32：30、H32：28）

标本H32：11，夹砂红陶。甑部稍圆鼓，腰部收束，内有一圈箅格，鬲部显瘦长。通体饰绳纹，最窄处经抹光。箅格由一圈泥条单独贴附于腰内。残高8厘米（图2.3.25，5）。

盆 标本1件。

标本H32：15，泥质灰陶。敛口，折沿下压，圆唇。颈部饰一周网格纹纹饰带，腹部饰绳纹。复原后口径27.8、残高7.5厘米（图2.3.25，7）。

瓮 标本1件。

标本H32：13，泥质红胎黑皮陶，内壁下半部黑皮脱落。敛口，方唇，斜直颈，折肩，直腹，折肩上附有兽首形錾。口沿下饰一周弦纹，颈部饰两周弦纹，折肩与上腹部各饰三周弦纹。腹部外壁可见多道轮制痕迹。复原后口径21、残高16厘米（图2.3.25，9）。

缸 标本3件。

标本H32：12，夹砂红胎黑皮陶，表面陶衣已脱落。器形整体显瘦长，顶部设一蘑菇状捉手。自捉手以下全部饰绳纹。残高7.8厘米（图2.3.24，5）。

标本H32：28，夹砂红陶。斜直腹，平底。通体饰绳纹，其中腹部中上部的绳纹为斜向，至近底部时变为横向，而至底部时又变为纵向。从器壁内侧可见腹部有泥条盘筑的痕迹，底部可见将器胎收束攥紧的放射线状痕迹。复原后底径5.8、残高18.3厘米（图2.3.24，8）。

标本H32：30，夹砂红陶。腹壁近直，底接低圈足。腹部饰交错细绳纹，底部为素面。器胎很明显地分为两层，内壁可见泥条盘筑的迹象。复原后底径6.1、残高11.8厘米（图2.3.24，7）。

豆 标本1件。

标本H32：9，夹砂灰陶。侈口近直，折沿微翘，沿面上有两周凹槽，尖圆唇，腹较浅。颈部饰两周弦纹。复原后口径16.2、残高3厘米（图2.3.25，2）。

斝 标本2件。

标本H32：8，夹砂红陶。侈口，折沿上翘，沿面内侧带有一道凹槽，尖圆唇，器壁斜直。口沿下饰两道弦纹。复原后口径14.6、残高4厘米（图2.3.25，6）。

标本H32：10，夹砂灰陶。敛口，圆唇，圆折肩。口沿与折肩处各饰两周弦纹。复原后口径16.1、残高4厘米（图2.3.25，8）。

印纹硬陶罐 标本2件。

标本H32：36，红色。侈口，折沿，沿面内侧经刮抹降低形成盘口，方唇。颈部以下饰杂乱的云雷纹。器物内壁可见有大量因使用陶垫形成的近圆形按窝，颈部见有多道轮制痕迹。复原后口径24.8、残高5厘米（图2.3.25，3）。

标本H32：37，浅灰色。侈口，折沿，沿面内侧向上凸起成榫，圆唇。颈部以下饰以网格纹。颈部内外均可见多道轮制与轮修痕迹。复原后口径19.2、残高6厘米（图2.3.24，3）。

2）石器

砺石 标本2件。

标本H32：29，平面近方形。上下两面一面平整而光滑，另一面较为粗糙起伏。

标本H32：38，平面呈平行四边形。上下两面一面较平，另一面中间向下略凹。两侧表面均较为光滑。

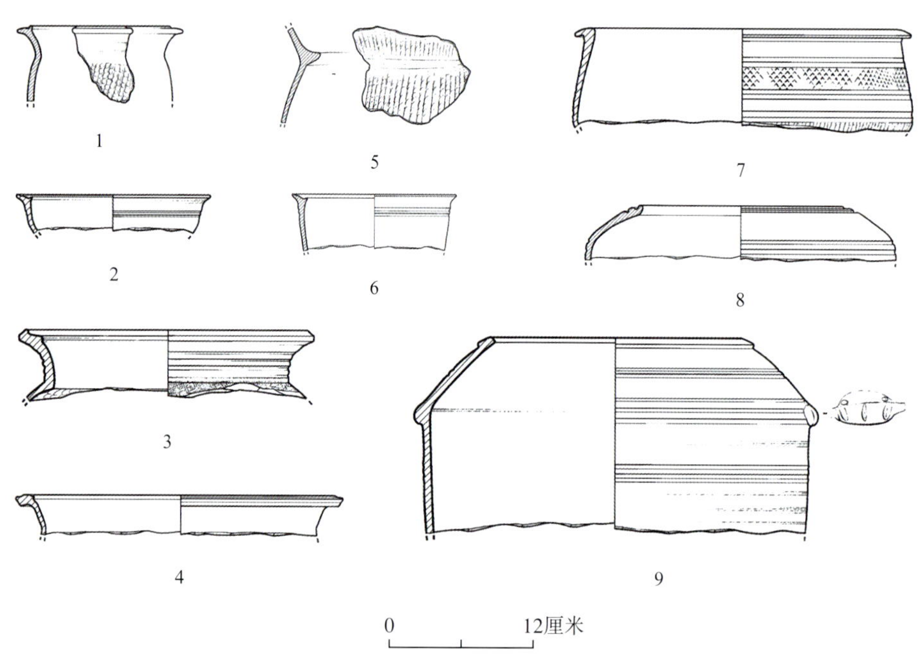

图 2.3.25 杨家湾 H32 出土陶器

1. 鬲（H32：16） 2. 豆（H32：9） 3. 印纹硬陶罐（H32：36） 4、5. 甗（H32：5、H32：11）
6、8. 斝（H32：8、H32：10） 7. 盆（H32：15） 9. 瓮（H32：13）

表2.3.27 杨家湾H32陶系、纹饰统计表 （重量单位：克）

陶质		夹砂					泥质			印纹硬陶和原始瓷	合计	百分比（%）
纹饰＼陶色		灰	黑皮	红	黄	白	灰	黑皮	红			
绳纹	数量	107	95	307	37	9	49	64	36		704	41.11
	重量	7060	5290	20665	3225	665	900	1275	525		39605	35.86
绳纹和附加堆纹	数量	11	10	31	5	1					58	3.39
	重量	1240	1650	3470	330	180					6870	6.22
绳纹和弦纹	数量		1				7	8			16	0.93
	重量		15				285	320			620	0.56
绳纹、网格纹和弦纹	数量						1				1	0.06
	重量						70				70	0.06
绳纹、附加堆纹和圆圈纹	数量			1							1	0.06
	重量			105							105	0.10
网格纹	数量	13	17	178	56	26				6	296	17.29
	重量	1935	1500	14010	4165	2655				320	24585	22.26
网格纹和附加堆纹	数量	1	2	37	9	7					56	3.27
	重量	220	465	4345	970	3480					9480	8.59

续表

纹饰	陶质/陶色	夹砂 灰	夹砂 黑皮	夹砂 红	夹砂 黄	夹砂 白	泥质 灰	泥质 黑皮	泥质 红	印纹硬陶和原始瓷	合计	百分比（%）
网格纹和弦纹	数量						7	2			9	0.53
	重量						310	20			330	0.30
篮纹	数量		1	22	11						34	1.99
	重量		80	1595	1625						3300	2.99
篮纹和附加堆纹	数量			1	1	1					3	0.18
	重量			165	70	425					660	0.60
附加堆纹	数量	2	4	24	18	4		6	1		59	3.45
	重量	85	195	1585	1840	200		470	70		4445	4.02
附加堆纹和弦纹	数量	11	5	6				1			23	1.34
	重量	485	115	95				110			805	0.73
圜络纹	数量			1							1	0.06
	重量			115							115	0.10
弦纹	数量	6	2	1			8	22	4	2	45	2.63
	重量	80	30	33			190	1185	45	240	1803	1.63
弦纹和云雷纹	数量									2	2	0.12
	重量									245	245	0.22
云雷纹	数量									8	8	0.47
	重量									340	340	0.31
云雷纹和叶脉纹	数量									3	3	0.17
	重量									90	90	0.08
叶脉纹	数量									5	5	0.29
	重量									125	125	0.11
戳印纹	数量				1						1	0.06
	重量				35						35	0.03
素面	数量	39	17	201	50	3	13	45	15	4	387	22.60
	重量	1135	415	10890	2520	100	310	925	430	100	16825	15.23
合计	数量	190	154	810	188	51	85	148	56	30	1712	100.00
	重量	12240	9755	57073	14780	7705	2065	4305	1070	1460	110453	100.00
百分比（%）	数量	11.10	9.00	47.31	10.99	2.98	4.96	8.64	3.27	1.75	100.00	
		81.38					16.87					
	重量	11.08	8.83	51.67	13.38	6.98	1.87	3.90	0.97	1.32	100.00	
		91.94					6.74					

表2.3.28　杨家湾H32可辨器形统计表

陶质	夹砂					泥质			印纹硬陶和原始瓷	合计	百分比（%）
器形＼陶色	灰	黑皮	红	黄	白	灰	黑皮	红			
鬲	11	8	2							21	1.73
甗	2	1	14							17	1.40
鬲足或甗足	15		41							56	4.61
罐			4			5	6	4	2	21	1.73
斝	5		1							6	0.49
豆	1									1	0.08
簋						1				1	0.08
盆						1		1		2	0.16
瓮						2	1			3	0.25
大口尊						1	7	3		11	0.90
缸	85	100	648	188	51					1072	88.16
器盖		1				1	1			3	0.25
器鋬	1	1								2	0.16
合计	120	111	710	188	51	11	15	8	2	1216	100.00
百分比（%）	9.87	9.13	58.39	15.46	4.20	0.90	1.23	0.66	0.16	100.00	

（七）H33

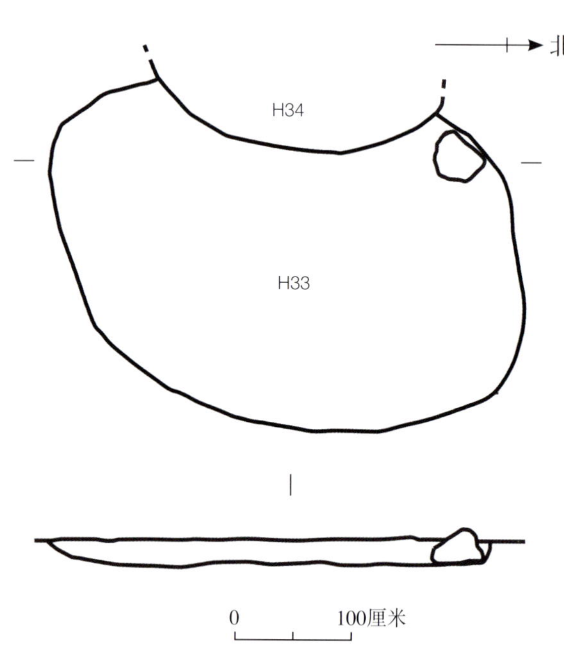

图2.3.26　杨家湾H33平、剖面图

位于Q1813T0213的南部。开口于第2层下，被H34打破。该灰坑几乎被晚期活动破坏到底。平面呈长椭圆形，斜直壁，近平底。基线方向为0°，发掘部分南北长3.96、东西宽2.24、距坑口最深0.24米（图2.3.26）。坑内填土为黑灰色黏土，土质较致密，包含少量的红烧土碎块与少量木炭。出土有大量陶片，以夹砂红陶、夹砂黄陶与夹砂黑皮陶为主，另有极少量泥质陶，纹饰多见绳纹、网格纹，印纹硬陶和原始瓷的数量较少，可辨识的器类有鬲、甗、罐、盆、缸等（图2.3.27、图2.3.28；表2.3.29、表2.3.30）。除这些生活垃圾外，坑北壁处还出有一块大型柱础石，可能是来自附近高等级聚落的建筑垃圾。

1）陶器

鬲 标本1件。

标本H33：7，夹砂红胎黑皮陶。侈口，折沿，沿内侧向上凸起形成一道凸榫，圆唇。颈部素面。可见数道刮抹痕迹。复原后口径20.4、残高3厘米（图2.3.27，2）。

甗 标本1件。

标本H33：4，夹砂红胎黑皮陶。侈口，平折沿，沿面内侧带一道凹槽，圆唇。颈部见有刮抹痕迹。复原后口径21.9、残高38厘米（图2.3.27，3）。

罐 标本1件。

标本H33：5，夹砂红胎黑皮陶。侈口，平折沿，小方唇。颈部素面，颈部以下饰绳纹。复原后口径15.1、残高3厘米（图2.3.27，1）。

盆 标本1件。

标本H33：11，泥质黄陶。敞口，卷沿上仰，方唇，唇面上有一周凹槽，略束颈，弧腹斜收，腹部较深。腹部饰横向绳纹。颈下见有几道刮抹痕迹。复原后口径25.4、残高8.5厘米（图2.3.27，4）。

缸 标本1件。

标本H33：26，夹砂黑皮陶。敞口，方唇，唇面上带有一道凹槽，斜壁近直，至近底处开始内收。口部以下通饰网格纹，颈部见有一周附加堆纹。器壁内部可见有清晰的泥条盘筑痕迹。复原后口径37.2、残高38厘米（图2.3.27，5）。

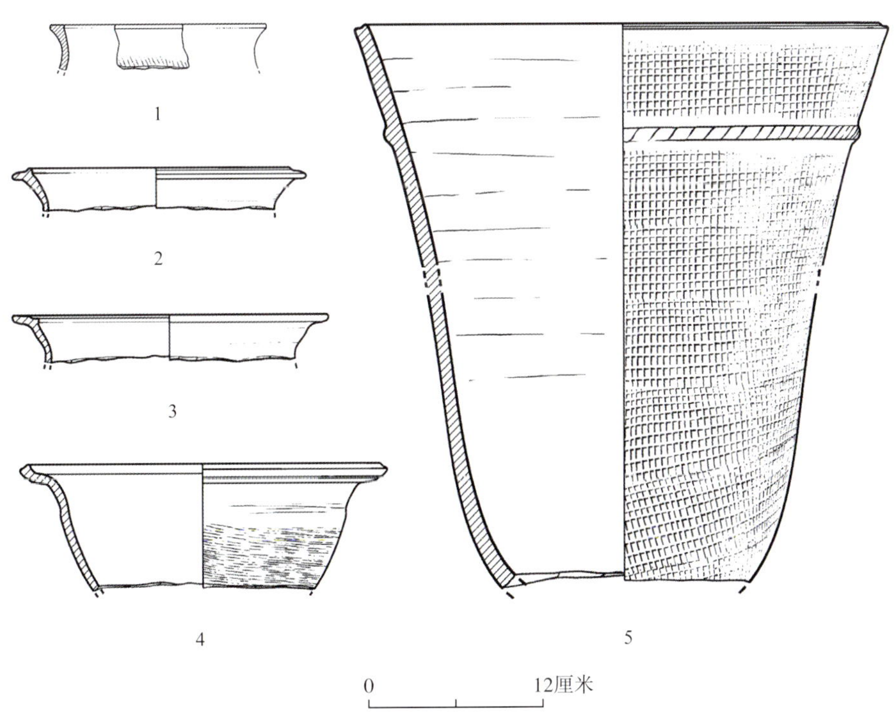

图 2.3.27 杨家湾 H33 出土陶器

1. 罐（H33：5） 2. 鬲（H33：7） 3. 甗（H33：4） 4. 盆（H33：11） 5. 缸（H33：26）

2）石器

柱础石　1件。

标本H33：42，石英砂岩，整体近似于一个斜截的五棱柱。每个面均见有人工整治痕迹，其中一面较平整，应为顶面；另一面较为倾斜，应为底面；几个侧面与顶面接近于垂直，其中一个侧面上还见有一处小孔，孔径约3、深约7厘米，孔周依稀见有人工刻凿的痕迹。长39.2、宽37.3、厚22.2厘米（图2.3.28）。该柱础石的规格与杨家湾南坡四号宫殿基址中所出柱础石的规格相近，且杨家湾坡顶与杨家湾四号宫殿基址的直线距离不足100米，此柱础石很可能是来自于四号宫殿或周边的其他大型建筑。

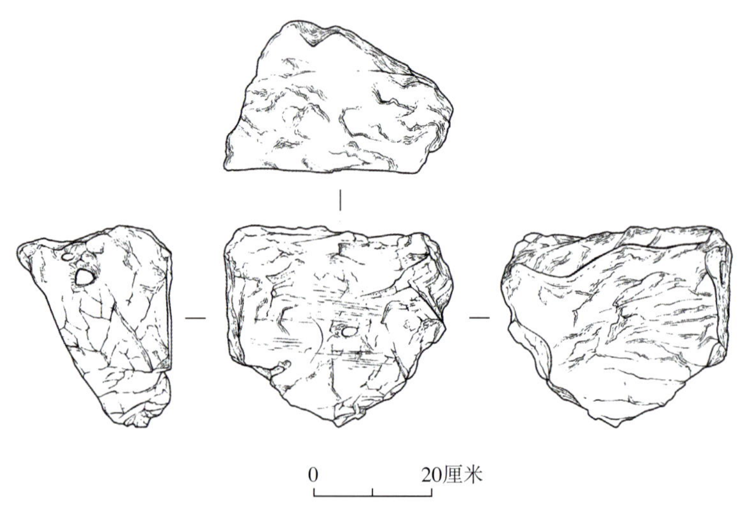

图2.3.28　杨家湾H33出土柱础石（H33：42）

表2.3.29　杨家湾H33陶系、纹饰统计表　　（重量单位：克）

陶质		夹砂					泥质				印纹硬陶和原始瓷	合计	百分比（%）
纹饰＼陶色		灰	黑皮	红	黄	白	灰	黑皮	红	黄			
绳纹	数量	71	160	376	78	10	104	38	21	4		862	38.78
	重量	2640	4775	20640	6225	565	1280	675	215	45		37060	38.15
绳纹和附加堆纹	数量	7	17	18	13	2				1		58	2.61
	重量	1315	1120	1875	660	125				20		5115	5.27
绳纹和弦纹	数量		1				6	4		1		12	0.54
	重量		20				75	55		20		170	0.18
网格纹	数量	2	13	126	55	2	2	7		1	8	216	9.72
	重量	360	575	8131	3795	90	25	2035		5	135	15151	15.60
网格纹和附加堆纹	数量		1	16	6							23	1.03
	重量		2156	1490	650							4296	4.42

续表

陶质 / 纹饰		夹砂					泥质				印纹硬陶和原始瓷	合计	百分比（%）
陶色		灰	黑皮	红	黄	白	灰	黑皮	红	黄			
网格纹和弦纹	数量			2			7					9	0.40
	重量			405			115					520	0.54
篮纹	数量	11	11	48	4	2						76	3.42
	重量	290	315	2665	220	150						3640	3.75
篮纹和附加堆纹	数量	1		9								10	0.45
	重量	30		1395								1425	1.47
附加堆纹	数量	1	3	62	9	5						80	3.60
	重量	60	130	3435	415	340						4380	4.51
弦纹	数量	2		4			13	13	1	3	3	39	1.76
	重量	25		105			435	290	35	40	60	990	1.02
弦纹和云雷纹	数量							1				1	0.04
	重量							5				5	＜0.01[①]
弦纹和兽面纹	数量						1					1	0.04
	重量						35					35	0.04
云雷纹	数量			1							11	12	0.54
	重量			160							180	340	0.35
云雷纹和叶脉纹	数量										2	2	0.09
	重量										140	140	0.14
叶脉纹	数量										14	14	0.63
	重量										330	330	0.34
圆圈纹	数量			2								2	0.09
	重量			35								35	0.04
素面	数量	126	46	429	71	20	31	54	10	18	1	806	36.26
	重量	1770	680	15585	3360	690	305	820	85	155	40	23490	24.18
合计	数量	221	252	1093	236	41	164	117	32	28	39	2223	100.00
	重量	6490	9771	55921	15325	1960	2270	3880	335	285	885	97122	100.00
百分比（%）	数量	9.94	11.34	49.17	10.62	1.84	7.38	5.26	1.44	1.26	1.75	100.00	
		82.91					15.34						
	重量	6.68	10.06	57.58	15.78	2.02	2.34	3.99	0.34	0.29	0.92	100.00	
		91.94					7.13						

① 此项计算结果约为0.0001%，归属于＜0.01%。

表2.3.30　杨家湾H33可辨器形统计表

陶质	夹砂					泥质				合计	百分比（%）
器形＼陶色	灰	黑皮	红	黄	白	灰	黑皮	红	黄		
鬲	17	15	23				1		1	57	3.59
甗		1	1							2	0.13
鬲足或甗足	7		42	6						55	3.46
罐	1	3				2	3		1	10	0.63
爵	1									1	0.06
盆			1			4	4	1	1	11	0.69
刻槽盆						1				1	0.06
大口尊						6	6			12	0.76
缸	153	72	944	230	36		1			1436	90.37
器鋬			3							3	0.19
圈足							1			1	0.06
合计	179	91	1014	236	36	13	16	1	3	1589	100.00
百分比（%）	11.26	5.73	63.81	14.85	2.27	0.82	1.01	0.06	0.19	100.00	

（八）H34

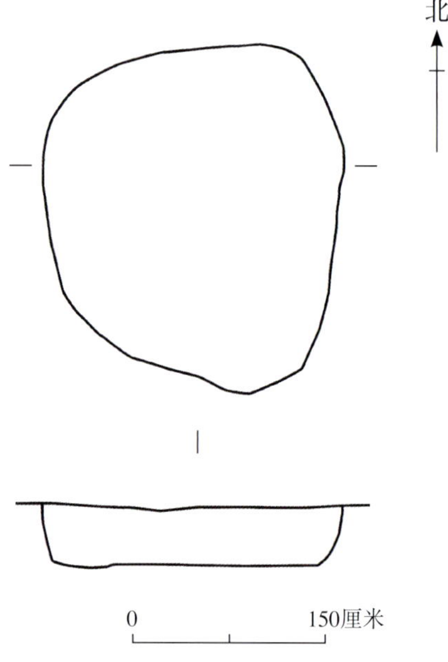

图2.3.29　杨家湾H34平、剖面图

位于Q1813T0113与T0213的南部。开口于第2层下，打破H33。开口平面呈不规则形，弧壁，近平底。基线方向为90°，发掘部分南北长2.64、东西宽2.4、距坑口最深0.5米（图2.3.29）。坑内填土为深灰色黏土，土质较致密，包含较多的红烧土碎块与少量木炭。出土有大量陶片，以夹砂红陶与夹砂灰陶为主，印纹硬陶和原始瓷的数量较少，纹饰多见绳纹，可辨识的器类有鬲、缸、盆、大口尊、豆、瓮等（图2.3.30、图2.3.31；表2.3.31、表2.3.32）。

陶、瓷器

鬲　标本2件。

标本H34：4，夹砂红陶。侈口，折沿，唇部残缺。颈部以下饰绳纹。复原后口径19.6、残高6.8厘米（图2.3.30，2）。

标本H34：5，夹砂黑皮陶。侈口，平折沿，沿内侧有一周凹槽，尖圆唇。唇下依稀见有轮制痕迹。复原后口径14.5、残高3.8厘米（图2.3.30，4）。

甗 标本1件。

标本H34：11，夹砂黄陶，表面似曾有过陶衣。腰部收束，内有一圈箆格，由一圈泥条单独贴附于腰内。器表饰绳纹，束腰处经抹光。内径13.8、残高4厘米（图2.3.30，6）。

豆 标本1件。

标本H34：12，泥质红胎黑皮陶。敞口，平折沿，沿内侧微凸出，圆唇，浅腹。整体素面，下腹部似有一道弦纹。口沿下可见轮制痕迹。复原后口径16.4、残高3厘米（图2.3.30，1）。

盆 标本1件。

标本H34：14，泥质灰陶。腹部残片，折腹内收。中腹部饰多周弦纹，下腹部饰交错细绳纹。残高9厘米（图2.3.30，5）。

缸 标本2件。

标本H34：21，夹砂红陶。直口微侈，方唇，壁斜直。颈部饰有一道附加堆纹，颈部以下拍印云雷纹，依稀可见方形的陶拍或陶模痕迹。口沿以下至颈部经抹制。复原后口径42.3、残高21.3厘米（图2.3.30，9）。

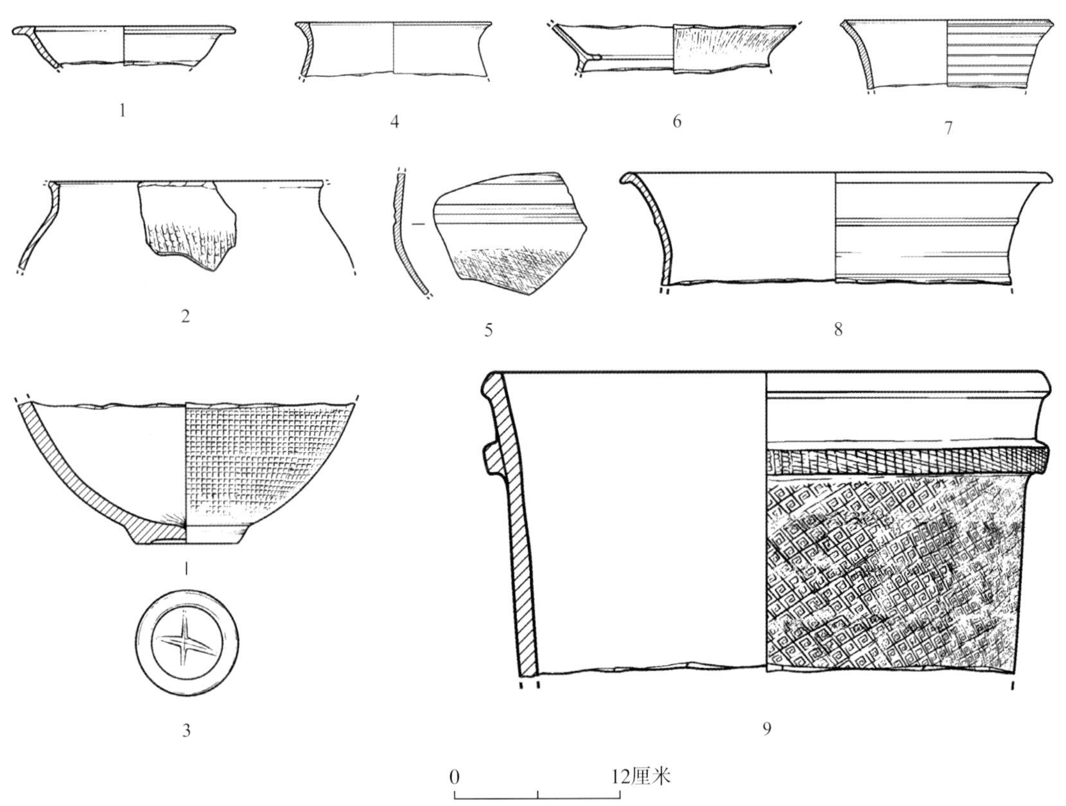

图2.3.30 杨家湾H34出土陶、瓷器

1. 豆（H34：12） 2、4. 鬲（H34：4、H34：5） 3、9. 缸（H34：30、H34：21） 5. 盆（H34：14） 6. 甗（H34：11） 7. 原始瓷罐（H34：35） 8. 大口尊（H34：6）

标本H34：30，夹砂红陶。弧腹内收，内底近圜，外底接矮圈足。腹部饰网格纹，底部为素面，有一“十”字形刻画符号。复原后底径7.4、残高10厘米（图2.3.30，3）。

大口尊 标本1件。

标本H34：6，夹砂红陶。侈口，折沿下压，圆唇。颈中部饰有一道凸弦纹，下部有两道凹弦纹。复原后口径31.5、残高8厘米（图2.3.30，8）。

原始瓷罐 标本1件。

标本H34：35，红胎，釉色呈青褐色。侈口，卷沿，方唇。颈部饰多周弦纹。唇面上有一道轮制痕迹。复原后口径15.6、残高5厘米（图2.3.30，7）。

烧结墙体残块 标本1件。

标本H34：36，材质为烧结的红烧土，硬度很大。整体近扁平长方体，外侧表面凹凸不平，内侧一面相对平整，并残存部分黑色烧结面。残长13.7、残宽7.4、厚5.1厘米（图2.3.31）。

图2.3.31 烧结墙体残块（杨家湾H34：36）

1. 线图 2. 照片

表2.3.31 杨家湾H34陶系、纹饰统计表 （重量单位：克）

陶质 纹饰＼陶色		夹砂					泥质				印纹硬陶和原始瓷	合计	百分比（%）
		灰	黑皮	红	黄	白	灰	黑皮	红	黄			
绳纹	数量	422	180	368	31	11	62	80	47			1201	45.96
	重量	2820	7245	23965	1670	585	500	925	360			38070	33.25
绳纹和附加堆纹	数量	1	12	41	5	2						61	2.33
	重量	30	1455	6280	525	160						8450	7.38
绳纹和弦纹	数量						3	1	2			6	0.23
	重量						80	20	145			245	0.21
网格纹	数量	5	23	170	46	4					6	254	9.72
	重量	205	1545	12470	3370	235					110	17935	15.66
网格纹和附加堆纹	数量	1	4	21	6							32	1.22
	重量	25	705	3060	445							4235	3.70
网格纹和弦纹	数量						4		1			5	0.19
	重量						65		30			95	0.08
篮纹	数量			27								27	1.03
	重量			1940								1940	1.69
附加堆纹	数量	1	1	58	26	5		1				92	3.52
	重量	65	15	4000	1830	165		30				6105	5.33
附加堆纹和弦纹	数量								1			1	0.04
	重量								100			100	0.09
附加堆纹和云雷纹	数量			1								1	0.04
	重量			3995								3995	3.49
弦纹	数量			2			7	8	4		1	22	0.84
	重量			35			125	205	50		20	435	0.38
弦纹和云雷纹	数量										1	1	0.04
	重量										35	35	0.03
弦纹和叶脉纹	数量										1	1	0.04
	重量										30	30	0.03
弦纹和戳印纹	数量							1				1	0.04
	重量							20				20	0.02
云雷纹	数量				2						4	6	0.23
	重量				6640						95	6735	5.88
云雷纹和叶脉纹	数量										1	1	0.04
	重量										20	20	0.02

续表

纹饰 \ 陶质 / 陶色		夹砂					泥质				印纹硬陶和原始瓷	合计	百分比（%）
		灰	黑皮	红	黄	白	灰	黑皮	红	黄			
叶脉纹	数量										8	8	0.31
	重量										80	80	0.07
窗棂纹	数量							1				1	0.04
	重量							90				90	0.08
刻划纹	数量			1				1				2	0.08
	重量			50				30				80	0.07
素面	数量	86	60	501	117	27	31	44	18	1	5	890	34.06
	重量	1565	605	16445	4900	940	260	605	285	25	170	25800	22.53
合计	数量	516	280	1190	233	49	107	137	73	1	27	2613	100.00
	重量	4710	11570	72240	19380	2085	1030	1925	970	25	560	114495	100.00
百分比（%）	数量	19.75	10.72	45.54	8.92	1.88	4.09	5.24	2.80	0.04	1.03	100.00	
		86.81					12.17						
	重量	4.11	10.11	63.10	16.93	1.82	0.90	1.68	0.85	0.02	0.49	100.00	
		96.07					3.45						

表2.3.32　杨家湾H34可辨器形统计表

器形 \ 陶质 / 陶色	夹砂					泥质			印纹硬陶和原始瓷	合计	百分比（%）
	灰	黑皮	红	白	黄	灰	黑皮	红			
鬲	19	12	12							43	2.97
甗	5	2	1		1					9	0.62
鬲足或甗足	13		43							56	3.86
罐	1	1	1			1	5	2	1	12	0.83
豆							1			1	0.07
盆						2	2	1		5	0.35
瓮						1				1	0.07
大口尊			1			3	4			8	0.55
缸	83	107	1071	49						1310	90.41
器鋬		1	2							3	0.21
圈足						1				1	0.07
合计	121	123	1131	49	1	8	12	3	1	1449	100.00
百分比（%）	8.35	8.49	78.05	3.38	0.07	0.55	0.83	0.21	0.07	100.00	

（九）H35

位于Q1813T0213的西南部，少部分向西延伸进T0113东隔梁。开口于第5层下，打破H36、H39、H42。开口平面呈椭圆形，斜直壁，近圜底。基线方向为90°，东西长3.56、南北宽1.7、距坑口最深0.7米（图2.3.32）。坑内填土为黑色黏土，土质较致密，包含少量动物骨骼、石头与少量木炭。出土有大量陶片，以夹砂红陶为主，其次为夹砂黑皮陶，泥质陶较少，印纹硬陶和原始瓷数量较少。纹饰以绳纹为主，可辨识的器类有鬲、甑、罐、斝、爵、豆、盆、大口尊、缸等（图2.3.33、图2.3.34；表2.3.33、表2.3.34）。该灰坑共采集木炭样品2件，进行了碳-14年代测定，检测结果见表2.3.35。

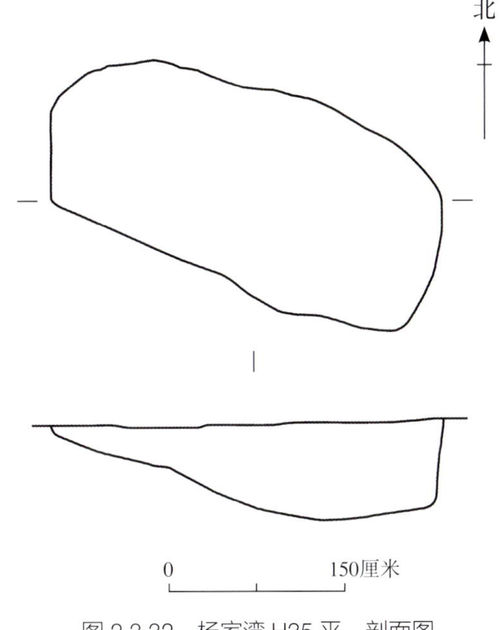

图 2.3.32　杨家湾 H35 平、剖面图

陶器

鬲　标本3件。

标本H35：2，夹砂红陶。侈口，平折沿，尖圆唇。颈部饰一道附加堆纹，颈部以下饰绳纹。口沿以下至颈部见有多道刮抹痕迹。复原后口径22.7、残高6厘米（图2.3.33，5）。

标本H35：6，夹砂灰陶。侈口，折沿略上仰，圆唇。复原后口径15.2、残高3厘米（图2.3.33，7）。

标本H35：7，夹砂红陶。侈口，卷沿，沿内侧向上凸起形成一道明显凸榫，圆唇。颈部绳纹经过抹光。复原后口径16.1、残高3.5厘米（图2.3.33，8）。

斝　标本1件。

标本H35：10，夹砂红陶。敞口，折沿上仰，沿内侧有一周凹槽，方唇。颈部饰两周弦纹。复原后口径17.3、残高5厘米（图2.3.33，1）。

盆　标本2件。

标本H35：12，泥质灰陶。直口微敛，卷沿，圆唇。口沿以下饰绳纹后经抹光处理，颈部饰两周弦纹，弦纹之下饰网格纹图案。复原后口径25.4、残高6厘米（图2.3.33，2）。

标本H35：13，泥质灰陶。敞口，折沿，圆唇，弧腹，弧壁内收。通体饰绳纹后经抹光处理，颈部、腹部各饰两周弦纹。复原后口径32.2、残高9.5厘米（图2.3.33，3）。

缸　标本2件。

标本H35：21，夹砂红陶。敞口，方唇，器壁斜直，从口至底逐渐加厚，近底部时分为两层，其内层与外层的结合不甚紧密，底部收束，下接一厚实圈足。颈部饰一周附加堆纹，颈部以下饰纵向细绳纹。口沿以下至颈部经抹光（图2.3.34）。复原后口径26.8、底径6.1、通高33厘米（图2.3.33，9）。

标本H35：29，夹砂红陶。弧腹，内底近平，矮圈足。腹部饰杂乱的细绳纹，底部为素面，刻有一“十”字形刻划符号，圈足作花边状。复原后底径8.1、残高6.7厘米（图2.3.33，6）。

印纹硬陶尊 标本1件。

标本H35：32，灰黄色。仅保留有颈部底端与双折肩上半部。通体饰网格纹。残高4.8厘米（图2.3.33，4）。

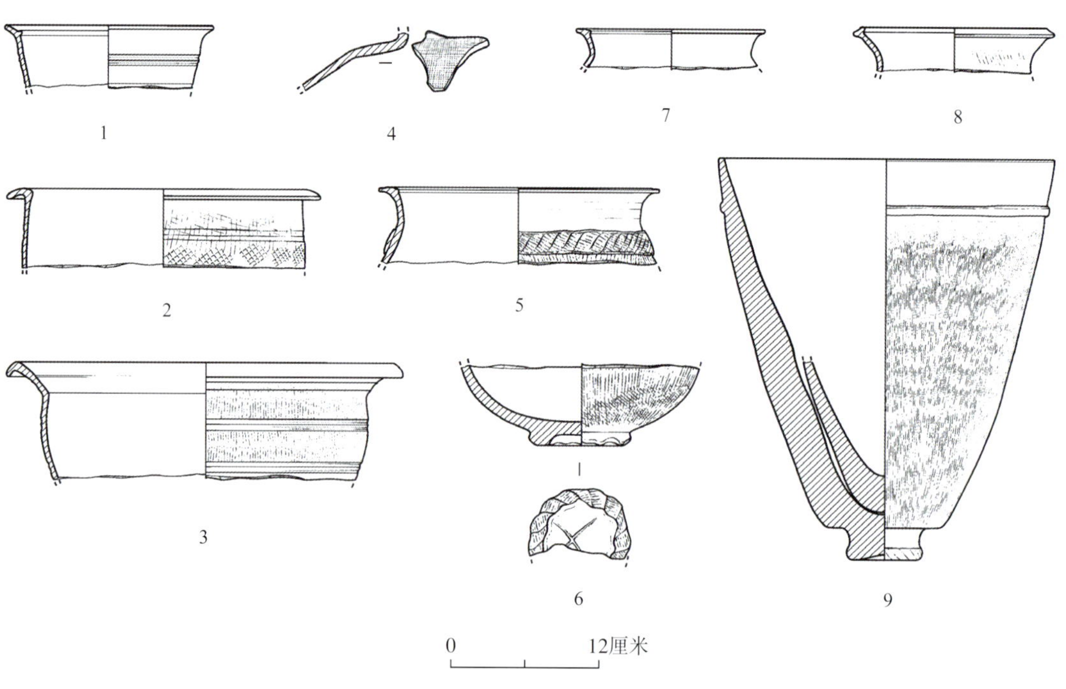

图 2.3.33 杨家湾 H35 出土陶器

1. 斝（H35：10） 2、3. 盆（H35：12、H35：13） 4. 印纹硬陶尊（H35：32）
5、7、8. 鬲（H35：2、H35：6、H35：7） 6、9. 缸（H35：29、H35：21）

1

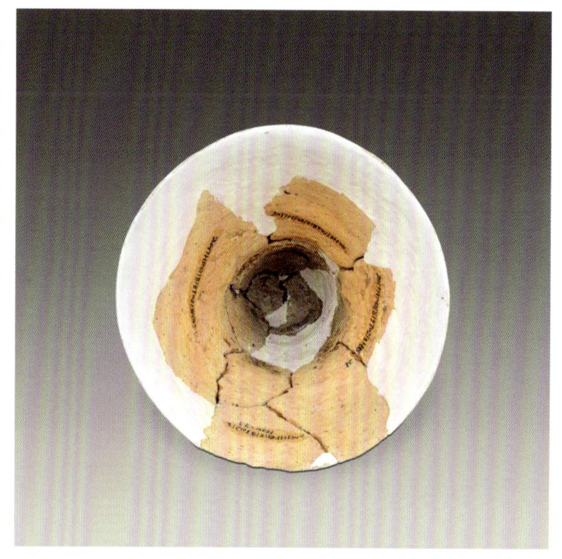

2

图 2.3.34 陶缸照片（杨家湾 H35：21）

1. 器身正视 2. 器内壁及底部

表2.3.33　杨家湾H35陶系、纹饰统计表　　　　（重量单位：克）

陶质		夹砂					泥质			印纹硬陶和原始瓷	合计	百分比（%）
纹饰＼陶色		灰	黑皮	红	黄	白	灰	黑皮	红			
绳纹	数量	66	356	360	1	3	75	164	32		1347	54.77
	重量	1954	12291	48059	6473	74	852	2213	377		72293	42.98
绳纹和附加堆纹	数量	1	14	81	16						112	4.55
	重量	279	7530	28777	2013						38599	22.95
绳纹和弦纹	数量						5	2			7	0.28
	重量						79	81			160	0.10
绳纹、弦纹和网格纹	数量						1				1	0.04
	重量						40				40	0.02
网格纹	数量	3	23	106	12					5	149	6.06
	重量	145	1283	8373	983					107	10891	6.48
网格纹和附加堆纹	数量		3	20	1						23	0.93
	重量		648	7495	5199						13342	7.93
网格纹和弦纹	数量						1				1	0.04
	重量						546				546	0.32
篮纹	数量	2		28	7						37	1.50
	重量	98		1842	661						2601	1.55
篮纹和附加堆纹	数量			9							9	0.37
	重量			2019							2019	1.20
附加堆纹	数量	4		65	8			3			80	3.25
	重量	255		4193	535			63			5046	3.00
弦纹	数量	2		3			8	13	3		29	1.18
	重量	22		40			176	203	74		515	0.31
云雷纹	数量			4		1				11	16	0.65
	重量			837		174				323	1334	0.79
叶脉纹	数量									7	7	0.28
	重量									91	91	0.05
戳印纹	数量							1			1	0.04
	重量							8			8	＜0.01[①]

① 此项计算结果约为0.005%，归属于＜0.01%。

续表

陶质		夹砂					泥质			印纹硬陶和原始瓷	合计	百分比（%）
纹饰	陶色	灰	黑皮	红	黄	白	灰	黑皮	红			
素面	数量	32	30	391	72	6	32	63	14	1	641	26.07
	重量	323	377	17030	580	150	528	1332	357	20	20697	12.31
合计	数量	110	426	1356	117	10	122	246	49	24	2460	100.00
	重量	3076	22129	118665	16444	398	2221	3900	808	541	168182	100.00
百分比（%）	数量	4.47	17.32	55.11	4.76	0.41	4.96	10.00	1.99	0.98	100.00	
		82.07					16.95					
	重量	1.83	13.16	70.55	9.78	0.24	1.32	2.32	0.48	0.32	100.00	
		95.56					4.12					

表2.3.34　杨家湾H35可辨器形统计表

陶质	夹砂					泥质			印纹硬陶和原始瓷	合计	百分比（%）
器形　　陶色	灰	黑皮	红	黄	白	灰	黑皮	红			
鬲	10	7	2							19	1.12
甗	4	1	1							6	0.35
鬲足或甗足	4									4	0.24
甑		1								1	0.06
罐		3	1			1	7			12	0.71
斝			2				2			4	0.24
爵						1		1		2	0.12
豆							1	1		2	0.12
簋						1				1	0.06
盆						4	9	1		14	0.82
瓮						1				1	0.06
大口尊						1	5		1	7	0.41
缸	41	293	1163	117	10					1624	95.64
器盖						1				1	0.06
合计	59	305	1169	117	10	10	24	3	1	1698	100.00
百分比（%）	3.47	17.96	68.85	6.89	0.59	0.59	1.41	0.18	0.06	100.00	

表2.3.35 杨家湾H35木炭样品加速质谱仪（AMS）碳–14测年数据

Lab 编号	样品原编号	样品	碳–14 年代（BP）	树轮校正后年代	
				1σ（68.2%）	2σ（95.4%）
BA192346	H35：5	木炭	3165±35	1496BC（19.4%）1475BC 1458BC（48.9%）1412BC	1506BC（91.3%）1386BC 1338BC（4.2%）1318BC
BA192347	H35：1	木炭	3210±30	1502BC（68.3%）1446BC	1518BC（95.4%）1422BC

注：所用碳–14半衰期为5568年，BP为距1950年的年代。

树轮校正所用曲线为IntCal20 atmospheric curve (Reimer et al 2020)，所用程序为OxCal v4.4.2 Bronk Ramsey (2020)；r: 5。

1. Reimer P J, Bard E, Bayliss A, Beck J W. IntCal13 and Marine13 radiocarbon age calibration curves 0–50,000 years cal BP, Radiocarbon, 2013, 55, 1869-1887.

2. Christopher Bronk Ramsey 2015, https://c14.arch.ox.ac.uk/oxcal/OxCal.html.

（十）H36

位于Q1813T0113、T0213的中部。叠压于T0113、T0213第5层下，被H28、H35打破。开口平面为椭圆形，斜壁，近平底。基线方向为90°，发掘部分东西长约5.5、南北宽约4、距坑口最深0.42米（图2.3.35）。填土为灰黑色黏土，土质较致密，包含陶片、动物骨骼、石头，可见部分木炭。陶片数量较多，基本为红陶，多饰绳纹，可辨认器形有缸、罐、鬲、大口尊、鼎等（图2.3.36、图2.3.37；表2.3.36、表2.3.37）。该灰坑共采集木炭样品1件，进行了碳–14年代测定，检测结果见表2.3.38。

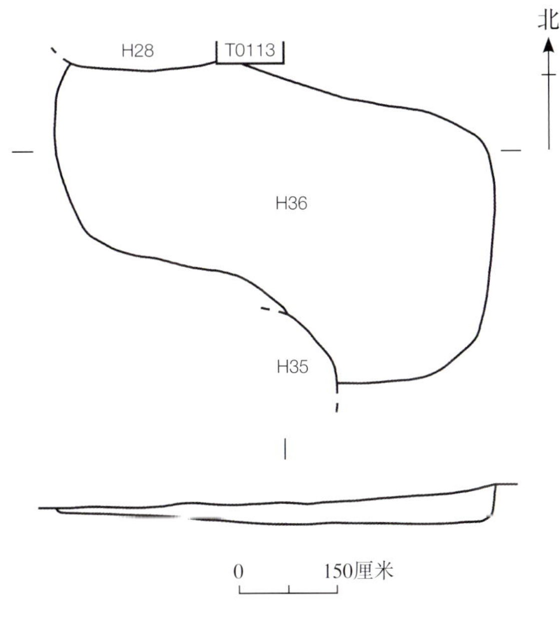

图 2.3.35 杨家湾 H36 平、剖面图

1）陶器

鬲 标本3件。

标本H36：1，夹砂灰陶。侈口，卷沿，近方唇，束颈。口沿以下饰绳纹后经抹光，颈部饰一周附加堆纹。复原后口径约22.3、残高5厘米（图2.3.36，1）。

标本H36：2，夹砂灰陶。侈口，卷沿，方唇，唇面上有一周凹槽。颈部以下饰绳纹，后将颈部抹光。复原后口径15、残高5厘米（图2.3.36，2）。

标本H36：5，夹砂黑皮陶。为带把鬲，上腹部及颈部下端可见有安装鬲把的痕迹，鬲把脱落。颈部为素面，颈部以下饰绳纹，绳纹的顶部饰两周弦纹。残高9厘米（图2.3.36，3）。

盆 标本1件。

标本H36：6，泥质灰陶。底部残缺。侈口，卷沿，尖圆唇，束颈，圆鼓腹。上腹部饰多周弦纹，下腹部饰绳纹。复原后口径25.1、残高8厘米（图2.3.36，6）。

壶　标本1件。

标本H36：7，泥质红胎黑皮陶。敞口，方唇，束颈。颈部中间饰三周弦纹。复原后口径15.1、残高7.2厘米（图2.3.36，4）。

缸　标本1件。

标本H36：10，夹砂红陶。敞口，圆唇，器壁斜直。通体饰纵向细绳纹，颈部饰一周附加堆纹。口沿处有抹光痕迹。复原后口径33.9、残高18.7厘米（图2.3.36，7）。

印纹硬陶尊　标本1件。

标本H36：14，浅灰色。仅存肩部及上腹部。折肩。通体拍印网格纹，但肩部以上的网格纹更加密集，边长远小于肩部以下的部分。器表可见有少许不甚明显的鼓泡现象。残高14.8厘米（图2.3.36，5）。

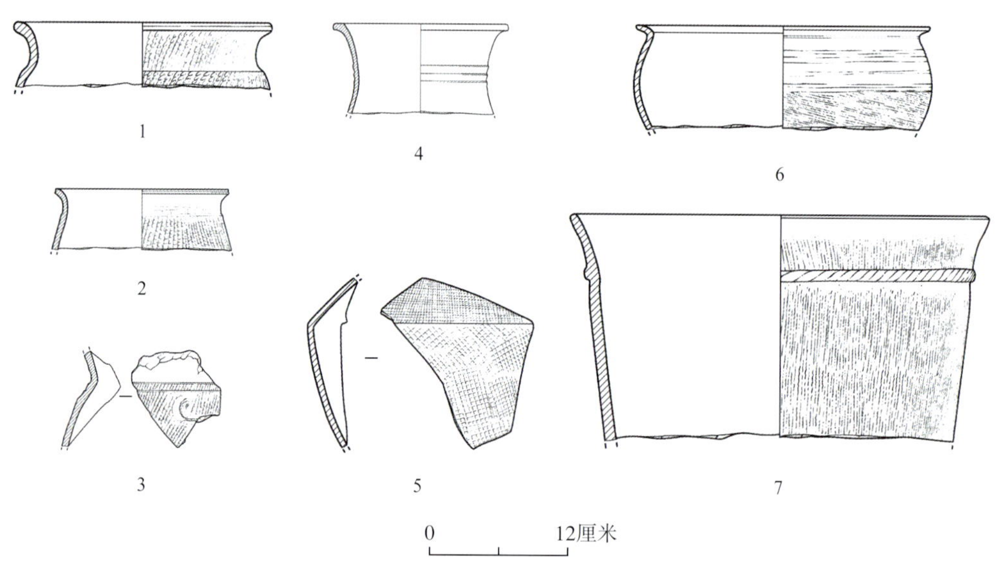

图2.3.36　杨家湾H36出土陶器

1～3. 鬲（H36：1、H36：2、H36：5）　4. 壶（H36：7）　5. 印纹硬陶尊（H36：14）　6. 盆（H36：6）　7. 缸（H36：10）

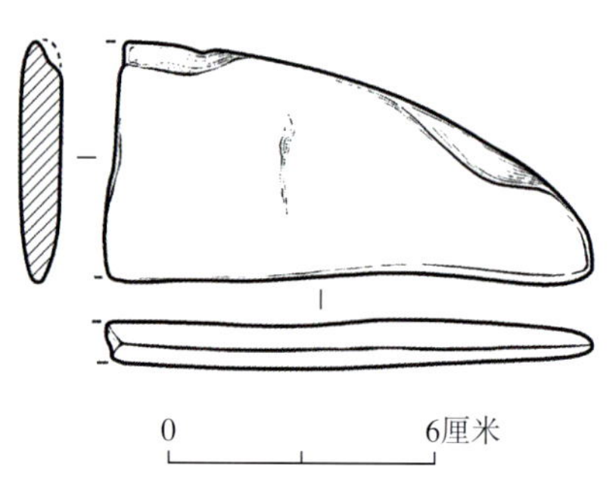

图2.3.37　石刀（杨家湾H36：15）

2）石器

刀　标本1件。

标本H36：15，仅存刃端，呈弧边三角形，弧背直刃。残长11.1、残宽5.3、厚0.5厘米（图2.3.37）。

表2.3.36 杨家湾H36陶系、纹饰统计表 （重量单位：克）

纹饰 \ 陶质 / 陶色		夹砂					泥质				印纹硬陶和原始瓷	合计	百分比（%）
		灰	黑皮	红	黄	白	灰	黑皮	红	黄			
绳纹	数量	46	122	519	193	2	3	36	9		4	934	47.51
	重量	1989	3158	21939	14242	244	55	582	262		37	42508	43.93
绳纹和网格纹	数量				1							1	0.05
	重量				69							69	0.07
绳纹和附加堆纹	数量	2	2	38	15			2				59	3.00
	重量	88	144	5199	2499			43				7973	8.24
绳纹和弦纹	数量		1	1			1	2				4	0.20
	重量			17			170	134				321	0.33
绳纹、附加堆纹和弦纹	数量		1									1	0.05
	重量		40									40	0.04
网格纹	数量	1	1	132	46		5	1	3	2	11	202	10.27
	重量	70	10	7557	3368		38	11	32	20	381	11487	11.87
网格纹和附加堆纹	数量			23	6							29	1.48
	重量			2470	754							3224	3.33
网格纹和弦纹	数量			1			1	1				3	0.15
	重量			3261			10	8				3279	3.39
篮纹	数量			36	1							37	1.88
	重量			2173	186							2359	2.44
附加堆纹	数量	15	9	45	15							84	4.27
	重量	1427	480	2516	1996							6419	6.63
附加堆纹和云雷纹	数量			2								2	0.10
	重量			524								524	0.54
弦纹	数量				1		17	10	2			30	1.53
	重量				240		271	298	28			837	0.86
云雷纹	数量			15							24	39	1.98
	重量			903							626	1529	1.58
叶脉纹	数量										8	8	0.41
	重量										639	639	0.66
席纹	数量										6	6	0.31
	重量										93	93	0.10
戳印纹	数量			2	1		1	1				5	0.25
	重量			112	428		9	12				561	0.58

续表

纹饰＼陶质 陶色		夹砂 灰	夹砂 黑皮	夹砂 红	夹砂 黄	夹砂 白	泥质 灰	泥质 黑皮	泥质 红	泥质 黄	印纹硬陶和原始瓷	合计	百分比（%）
兽面纹	数量			2				2				4	0.20
	重量			357				19				376	0.39
素面	数量	58	49	297	44	1	18	21	13	10	7	518	26.35
	重量	1464	780	9601	1023	12	337	784	236	199	94	14530	15.02
合计	数量	122	184	1113	323	3	46	76	27	12	60	1966	100.00
	重量	5038	4612	56629	24805	256	890	1891	558	219	1870	96768	100.00
百分比（%）	数量	6.21	9.36	56.61	16.43	0.15	2.34	3.87	1.38	0.61	3.05	100.00	
		88.76					8.20						
	重量	5.21	4.77	58.52	25.63	0.26	0.92	1.95	0.58	0.23	1.93	100.00	
		94.39					3.68						

表2.3.37　杨家湾H36可辨器形统计表

器形＼陶质 陶色	夹砂 灰	夹砂 黑皮	夹砂 红	夹砂 黄	夹砂 白	泥质 灰	泥质 黑皮	泥质 红	印纹硬陶和原始瓷	合计	百分比（%）
鼎			1							1	0.07
鬲	2	1	2							5	0.33
甗	1	2	3							6	0.40
鬲足或甗足		1	20							21	1.42
罐	1	6	7			1	4	1		20	1.35
豆			1							1	0.07
簋							2			2	0.13
盆						1				1	0.07
刻槽盆							1			1	0.07
壶							1			1	0.07
大口尊		1				2	1	1	1	6	0.40
缸	59	24	1014	313	3					1413	95.41
器盖		1								1	0.07
器鋬							1			1	0.07
器流							1			1	0.07
合计	63	36	1048	313	3	4	11	2	1	1481	100.00
百分比（%）	4.25	2.43	70.76	21.13	0.20	0.27	0.74	0.14	0.07	100.00	

表2.3.38 杨家湾H36木炭样品加速质谱仪（AMS）碳-14测年数据

Lab 编号	样品原编号	样品	碳-14年代（BP）	树轮校正后年代	
				1σ（68.2%）	2σ（95.4%）
BA192345	H36：2	木炭	3320±35	1620BC（68.3%）1536BC	1687BC（95.4%）1506BC

注：所用碳-14半衰期为5568年，BP为距1950年的年代。

树轮校正所用曲线为IntCal20 atmospheric curve (Reimer et al 2020)，所用程序为OxCal v4.4.2 Bronk Ramsey (2020)；r: 5。

1. Reimer P J, Bard E, Bayliss A, Beck J W. IntCal13 and Marine13 radiocarbon age calibration curves 0–50,000 years cal BP, Radiocarbon, 2013, 55, 1869-1887.

2. Christopher Bronk Ramsey 2015, https://c14.arch.ox.ac.uk/oxcal/OxCal.html.

（十一）H37

位于Q1813T0213的东北部，东、北两侧延伸进探方壁内。开口于第5层下。开口平面呈椭圆形，弧壁，近平底。基线方向为90°，发掘部分东西长2.34、南北宽1.5、距坑口最深0.34米（图2.3.38）。坑内填土为灰色黏土，土质较致密，包含较多的动物骨骼与少量木炭。出土有大量陶片，以夹砂红陶为主，其次为夹砂灰陶，另有少量泥质陶。纹饰多见绳纹，少见网格纹和附加堆纹等，可辨识的器类有鬲、缸、罐、盆等（图2.3.39、图2.3.40；表2.3.39、表2.3.40）。

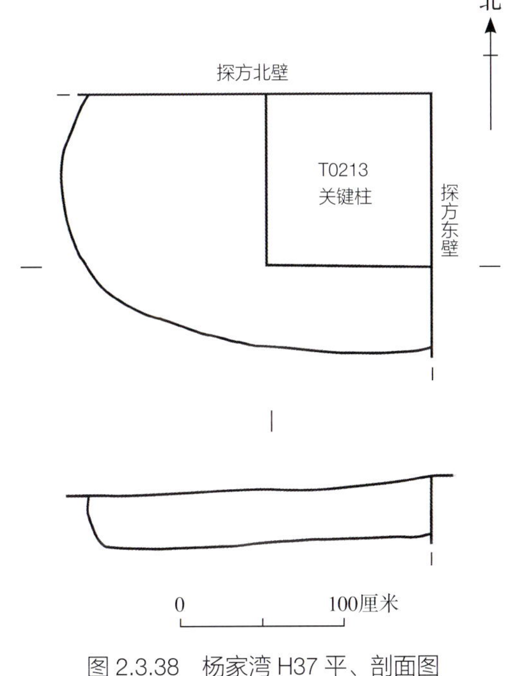

图2.3.38 杨家湾H37平、剖面图

陶器

鼎 标本1件。

标本H37：1，夹砂黑皮陶。侈口，平折沿，圆唇，束颈，鼓腹，肩部附有两个扁平器鋬。口沿以下至颈部饰绳纹后经抹光，颈部饰一周附加堆纹，颈部以下饰绳纹。复原后口径13.6、残高5.9厘米（图2.3.39，4）。

鬲 标本1件。

标本H37：2，夹砂黑皮陶。侈口，平折沿，口沿内侧经刮抹形成一周凹槽，圆唇。颈部饰绳纹经抹光。复原后口径15.1、残高6.9厘米（图2.3.39，3）。

罐 标本2件。

标本H37：3，夹砂红陶。侈口，卷沿，方唇，颈部经过刮抹，在颈肩交汇处形成一个台面。颈部以下饰绳纹。复原后口径15.3、残高6.2厘米（图2.3.39，1）。

标本H37：4，夹砂黑皮陶。侈口，平折沿，方唇，唇面下部经过刮抹，使得唇上部形

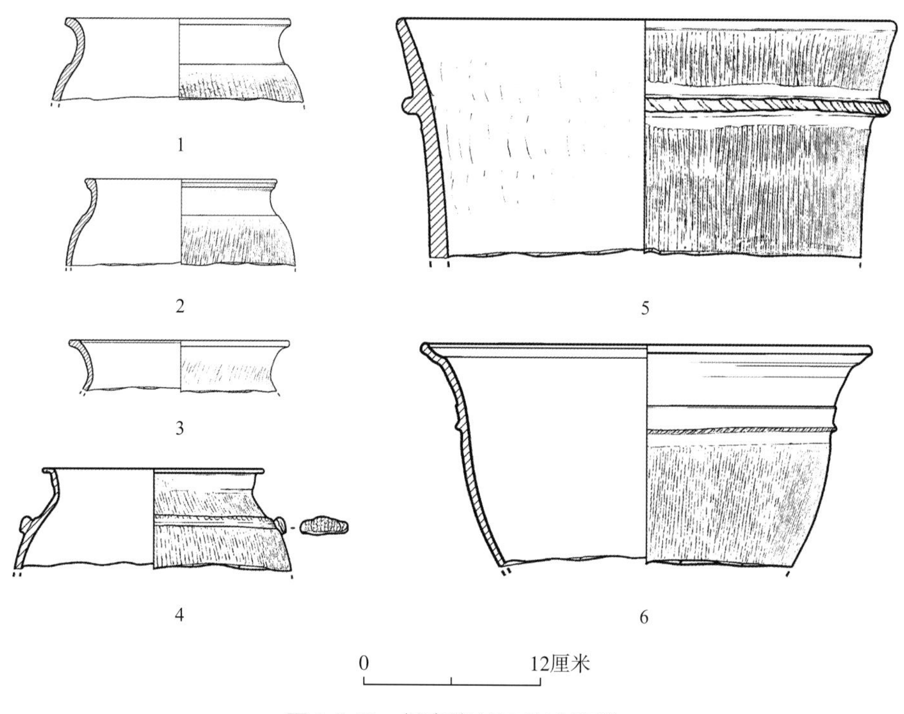

图 2.3.39　杨家湾 H37 出土陶器

1、2. 罐（H37：3、H37：4）　3. 鬲（H37：2）　4. 鼎（H37：1）　5. 缸（H37：6）　6. 盆（H37：5）

成一个小的台面。颈部以下饰绳纹。颈部有抹光痕迹。复原后口径13.1、残高4厘米（图2.3.39，2）。

盆　标本1件。

标本H37：5，夹砂黄陶。敞口，折沿上仰，沿内侧带有一周宽凹槽，方唇，颈部斜直，腹壁由上至下向内弧收，腹部较深，底部残缺。颈部下部饰一周细附加堆纹，其下饰纵向细绳纹。颈部有抹光痕迹。复原后口径30.5、残高13.2厘米（图2.3.39，6）。

缸　标本1件。

标本H37：6，夹砂红陶。敞口，圆唇，微束颈，腹部较直。通体饰纵向绳纹，颈部饰一周附加堆纹。器物内壁可见有很多使用陶垫所遗留的按窝。复原后口径34、残高15.8厘米（图2.3.39，5）。

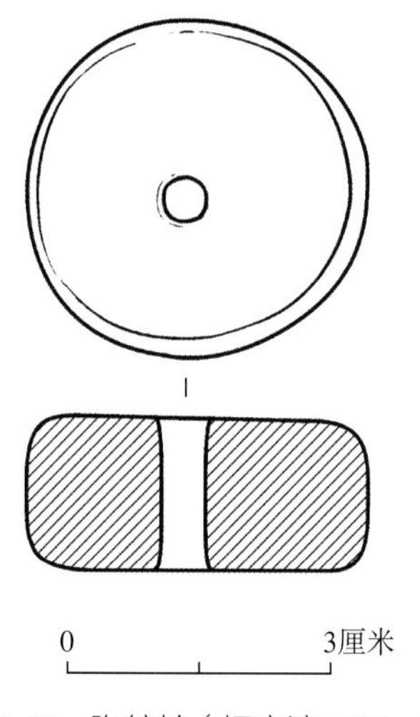

图 2.3.40　陶纺轮（杨家湾 H37：7）

纺轮　标本1件。

标本H37：7，夹砂灰陶。厚圆饼状，中间带有穿孔，表面光滑。复原后直径3.9、厚1.7厘米（图2.3.40）。

表2.3.39 杨家湾H37陶系、纹饰统计表 （重量单位：克）

纹饰 \ 陶质 / 陶色		夹砂					泥质			印纹硬陶和原始瓷	合计	百分比（%）
		灰	黑皮	红	黄	白	灰	黑皮	黄			
绳纹	数量	26	19	55		5	1		1		107	60.46
	重量	278	373	2674		172	48		589		4134	44.09
绳纹和网格纹	数量			6							6	3.40
	重量			1318							1318	14.06
绳纹和附加堆纹	数量		1		1						2	1.14
	重量		60		80						140	1.49
网格纹	数量			15							15	8.48
	重量			1456							1456	15.53
网格纹和附加堆纹	数量			1							1	0.57
	重量			95							95	1.01
篮纹	数量						1				1	0.57
	重量						12				12	0.13
附加堆纹	数量			10							10	5.60
	重量			632							632	6.74
云雷纹	数量									1	1	0.57
	重量									18	18	0.19
叶脉纹	数量									1	1	0.57
	重量									46	46	0.49
素面	数量	1		14		10	2	6			33	18.64
	重量	10		752		290	44	430			1526	16.27
合计	数量	27	20	101	1	15	4	6	1	2	177	100.00
	重量	288	433	6927	80	462	104	430	589	64	9377	100.00
百分比（%）	数量	15.24	11.30	57.06	0.57	8.48	2.26	3.39	0.57	1.13	100.00	
		92.53					6.32					
	重量	3.07	4.61	73.87	0.85	4.92	1.11	4.59	6.29	0.69	100.00	
		87.32					11.99					

表2.3.40　杨家湾H37可辨器形统计表

陶质	夹砂					泥质			合计	百分比（%）
器形 \ 陶色	灰	黑皮	红	黄	白	灰	黑皮	红		
鼎		1							1	0.78
鬲		2	3						5	3.87
甗			1						1	0.78
鬲足或甗足			7						7	5.43
罐	2	2	1				1		6	4.65
爵			1						1	0.78
豆								1	1	0.78
盆			1	1		1			3	2.32
大口尊								1	1	0.78
缸			88		15				103	79.83
合计	2	5	102	1	15	1	1	2	129	100.00
百分比（%）	1.55	3.87	79.06	0.78	11.63	0.78	0.78	1.55	100.00	

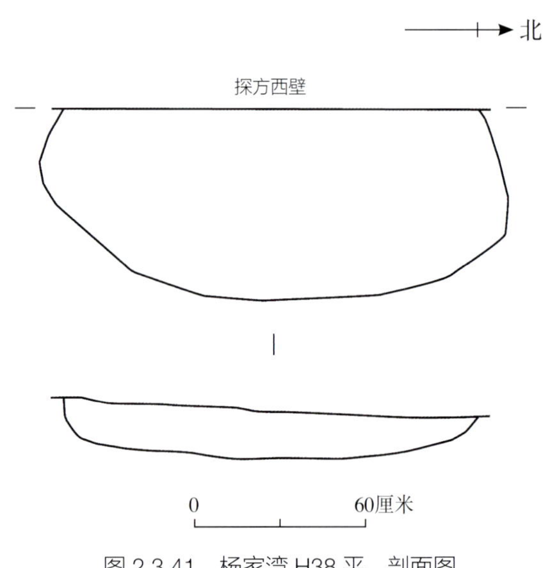

图 2.3.41　杨家湾 H38 平、剖面图

（十二）H38

位于Q1813T0113西部，西侧延伸进探方西壁。开口于第5层下。开口平面为椭圆形，弧壁，近圜底。基线方向为0°，发掘部分南北长约1.61、东西宽0.67、距坑口最深0.18米（图2.3.41）。填土为浅灰色黏土，土质较致密，包含极少碎陶片，可见部分木炭。陶片数量很少，仅出土夹砂陶，以红陶为主，黑皮陶、黄陶、白陶次之，另有少量灰陶。纹饰以绳纹为大宗，另可见一定数量的绳纹与附加堆纹组合纹饰。可辨器形有缸、刻槽盆（图2.3.42；表2.3.41、表2.3.42）。

陶器

缸 标本1件。

标本H38：2，夹砂红陶。直口，圆唇，器壁较直。颈部饰两周窄附加堆纹，颈部以下拍印云雷纹。口沿下方见有多周轮修痕迹。复原后口径36.3、残高14.2厘米（图2.3.42）。

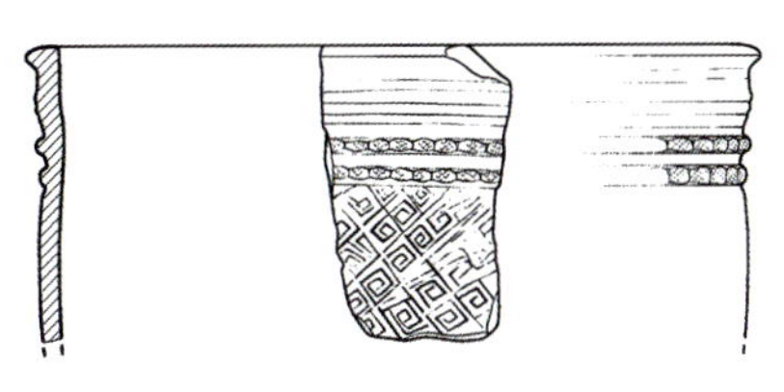

图2.3.42 陶缸（杨家湾H38：2）

表2.3.41 杨家湾H38陶系、纹饰统计表 （重量单位：克）

陶质 / 陶色 / 纹饰		夹砂 灰	夹砂 黑皮	夹砂 红	夹砂 黄	夹砂 白	合计	百分比（%）
绳纹	数量		6	17	5		28	50.00
	重量		186	861	137		1184	49.46
绳纹和附加堆纹	数量			3			3	5.36
	重量			194			194	8.10
网格纹	数量			2			2	3.57
	重量			195			195	8.15
网格纹和附加堆纹	数量			1			1	1.79
	重量			112			112	4.68
附加堆纹和云雷纹	数量			1			1	1.79
	重量			247			247	10.32
素面	数量	4	1	11		5	21	37.50
	重量	42	24	265		131	462	19.30
合计	数量	4	7	35	5	5	56	100.00
	重量	42	210	1874	137	131	2394	100.00
百分比（%）	数量	7.14	12.5	62.5	8.93	8.93	100.00	
	重量	1.75	8.77	78.28	5.72	5.47	100.00	

表2.3.42 杨家湾H38可辨器形统计表

陶质 / 陶色 / 器形	夹砂 黑皮	夹砂 红	夹砂 黄	夹砂 白	合计	百分比（%）
刻槽盆	1				1	2.44
缸		30	5	5	40	97.56
合计	1	30	5	5	41	100.00
百分比（%）	2.44	73.16	12.20	12.20	100.00	

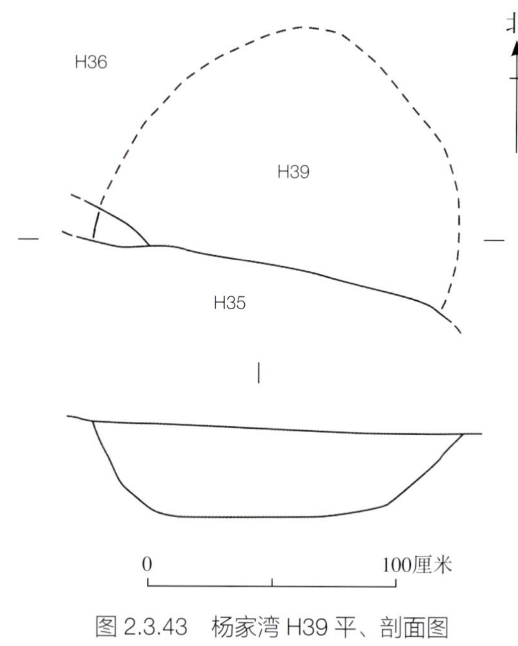

图 2.3.43　杨家湾 H39 平、剖面图

（十三）H39

位于Q1813T0213西南部。开口于第5层下，被H35、H36打破。开口平面为近圆形，弧壁，近圜底。基线方向90°，发掘部分东西长约1.5、南北宽约1.02、距坑口深0.34米（图2.3.43）。填土为灰黑色黏土，土质较致密，包含陶片、动物骨骼、石头，可见部分木炭。陶片数量较多，以夹砂陶为主，另有极少量泥质陶、印纹硬陶和原始瓷。陶色以红陶为主，黄陶次之，另有少量灰陶与黑皮陶。多饰绳纹，另有少量网格纹、云雷纹、附加堆纹等。可辨认器形有鬲、罐、缸等（图2.3.44；表2.3.43、表2.3.44）。

陶器

罐　标本1件。

标本H39：2，泥质红胎黑皮陶。侈口，平折沿，圆唇。颈部近口沿处和近肩处各饰一周凸弦纹。复原后口径15.8、残高4.1厘米（图2.3.44，1）。

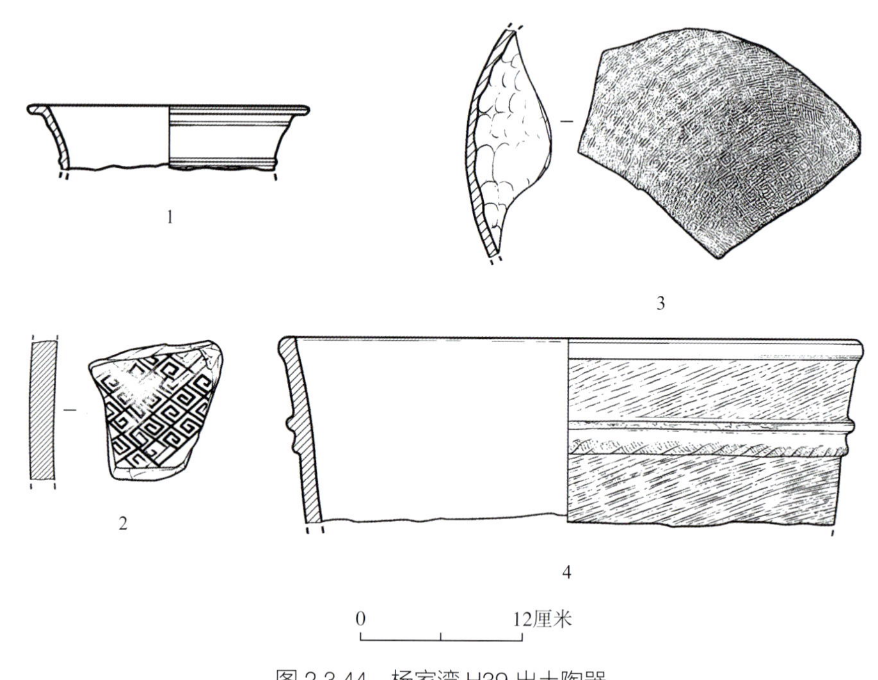

图 2.3.44　杨家湾 H39 出土陶器

1. 罐（H39：2）　2、4. 缸（H39：4、H39：3）　3. 印纹硬陶罐（H39：5）

缸　标本2件。

标本H39：3，夹砂红陶。直口，圆唇，器壁斜直。口沿以下饰斜向绳纹，颈部饰两周附加堆纹。复原后口径43.3、残高13.3厘米（图2.3.44，4）。

标本H39：4，夹砂红陶。仅存上腹部残片。器表通体饰云雷纹。残高约10厘米（图2.3.44，2）。

印纹硬陶罐　标本1件。

标本H39：5，灰色。仅存上腹部残片。器表通体饰云雷纹。残高约16.4厘米（图2.3.44，3）。

表2.3.43　杨家湾H39陶系、纹饰统计表　（重量单位：克）

陶质		夹砂				泥质			印纹硬陶和原始瓷	合计	百分比（%）
纹饰＼陶色		灰	黑皮	红	黄	灰	黑皮	红			
绳纹	数量		11	52	15	1	13			92	56.78
	重量		114	2510	1088	33	167			3912	43.28
绳纹和附加堆纹	数量			4	1					5	3.09
	重量			1638	81					1719	19.02
网格纹	数量			3	5				1	9	5.56
	重量			300	277				12	589	6.52
网格纹和附加堆纹	数量				1					1	0.62
	重量				58					58	0.64
附加堆纹	数量			6	3					9	5.56
	重量			500	151					651	7.20
附加堆纹和云雷纹	数量			1						1	0.62
	重量			39						39	0.43
弦纹	数量						1	2		3	1.85
	重量						30	49		79	0.87
云雷纹	数量			3					3	6	3.70
	重量			134					282	416	4.60
素面	数量	3	3	20	8			2		36	22.22
	重量	44	22	1177	315			19		1577	17.44
合计	数量	3	14	89	33	1	14	4	4	162	100.00
	重量	44	136	6298	1970	33	197	68	294	9040	100.00
百分比（%）	数量	1.85	8.64	54.94	20.37	0.62	8.64	2.47	2.47	100.00	
		86.34				11.17					
	重量	0.49	1.50	69.67	21.79	0.37	2.18	0.75	3.25	100.00	
		93.45				3.30					

表2.3.44　杨家湾H39可辨器形统计表

陶质	夹砂				泥质	印纹硬陶和原始瓷	合计	百分比（%）
器形＼陶色	灰	黑皮	红	黄	黑皮			
鬲		1	2				3	2.46
鬲足或甗足	1		1				2	1.64
罐			2		3	1	6	4.92
缸			77	33			111	90.98
合计	1	1	83	33	3	1	122	100.00
百分比（%）	0.82	0.82	68.03	27.05	2.46	0.82	100.00	

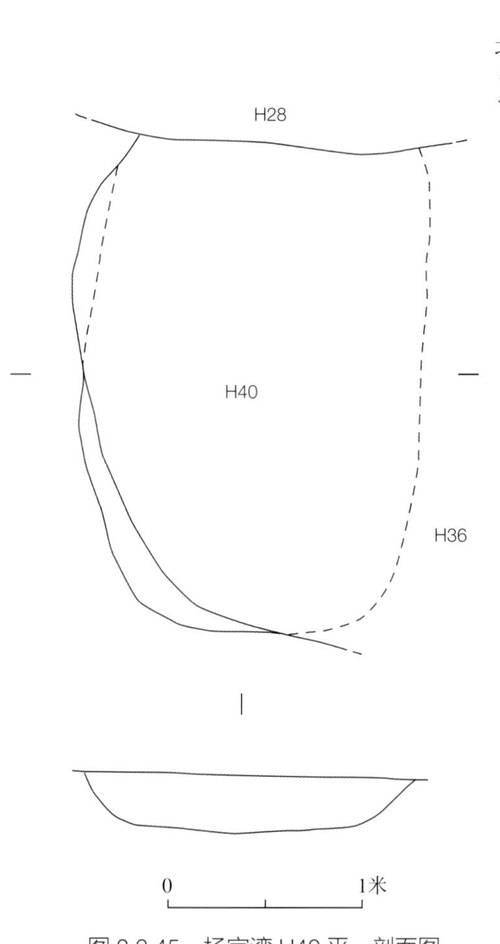

图 2.3.45　杨家湾 H40 平、剖面图

（十四）H40

位于Q1813T0113中部。开口于第5层下，被H28、H36打破。开口平面为椭圆形，弧壁，圜底。基线方向为90°，发掘部分南北长约2.42、东西宽约1.8、距坑口最深0.28米（图2.3.45）。填土为灰黑色黏土，土质较致密，包含陶片、动物骨骼、石头，可见部分木炭。陶片数量较多，以夹砂陶为大宗，占出土陶片总数的73.06%，另出土少量泥质陶以及极少量的印纹硬陶和原始瓷。陶色基本为红陶，其次为黑皮陶、灰陶，有少量黄陶、白陶。多饰绳纹，其次为网格纹、附加堆纹，有极少量叶脉纹、乳钉纹等。可辨认器形有鬲、甗、罐、大口尊、缸、罍等（图2.3.46、图2.3.47；表2.3.45、表2.3.46）。

陶器

罐　标本1件。

标本H40：1，泥质黄陶。沿面残损，其余基本完整。侈口，束颈，鼓腹，凹圜底。通体饰绳纹。复原后口径15.3、通高20.4厘米（图2.3.46，1；图2.3.47）。

刻槽盆　标本1件。

标本H40：4，泥质灰陶。仅存底部。圜底，内部刻槽似可分为四区，各区刻槽方向不同。器表外部饰颗粒状绳纹直至器底（图2.3.46，2）。

大口尊　标本1件。

标本H40：5，泥质红胎黑皮陶。仅存肩部。折肩。肩部上下饰多周弦纹。残高8厘米（图2.3.46，3）。

缸　标本1件。

标本H40：18，夹砂白陶。底部残缺。侈口，器壁斜直，至下腹部向内弧收。自口沿以下饰拍印的网格纹，颈部饰一周附加堆纹。复原后口径32.2、残高36.3厘米（图2.3.46，4）。

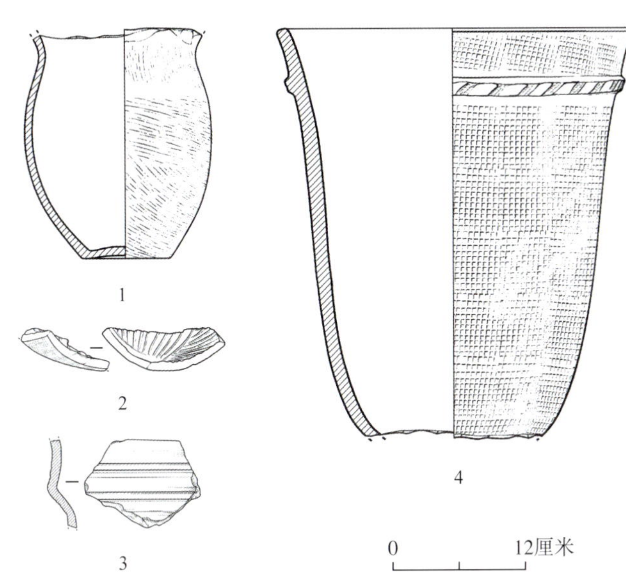

图 2.3.46　杨家湾 H40 出土陶器

1. 罐（H40：1）　2. 刻槽盆（H40：4）　3. 大口尊（H40：5）　4. 缸（H40：18）

图 2.3.47　陶罐照片（杨家湾 H40：1）

表2.3.45　杨家湾H40陶系、纹饰统计表　（重量单位：克）

陶质		夹砂					泥质				印纹硬陶和原始瓷	合计	百分比（%）
纹饰＼陶色		灰	黑皮	红	黄	白	灰	黑皮	红	黄			
绳纹	数量	1	3	113	7	1	32	54	1	1		213	31.60
	重量	321	138	10324	681	39	3363	1136	9	220		16231	40.62
绳纹和附加堆纹	数量		2	14	6	1						23	3.41
	重量		554	2464	504	176						3698	9.26

续表

陶质		夹砂					泥质				印纹硬陶和原始瓷	合计	百分比（%）
纹饰	陶色	灰	黑皮	红	黄	白	灰	黑皮	红	黄			
网格纹	数量			33	16		17				1	67	9.94
	重量			2464	955		368				14	3801	9.52
网格纹和附加堆纹	数量	23	6	51	2	1						83	12.31
	重量	514	66	2266	294	310						3450	8.63
篮纹	数量			5								5	0.74
	重量			447								447	1.12
附加堆纹	数量			33								33	4.90
	重量			2747								2747	6.88
弦纹	数量							14	2			16	2.37
	重量							649	26			675	1.69
云雷纹	数量			3							4	7	1.04
	重量			260							106	366	0.92
叶脉纹	数量										2	2	0.30
	重量										60	60	0.15
席纹	数量										1	1	0.15
	重量										27	27	0.07
乳钉纹	数量							1				1	0.15
	重量							22				22	0.06
素面	数量	10	30	109	16	6	12	32	8			223	33.09
	重量	219	330	5438	1228	368	144	536	157			8420	21.08
合计	数量	34	41	361	47	9	61	101	11	1	8	674	100.00
	重量	1054	1088	26410	3662	893	3875	2343	192	220	207	39944	100.00
百分比（%）	数量	5.04	6.08	53.56	6.97	1.34	9.05	14.99	1.63	0.15	1.19	100.00	
		73.06					25.75						
	重量	2.64	2.72	66.11	9.17	2.24	9.70	5.87	0.48	0.55	0.52	100.00	
		83.2					16.26						

表2.3.46　杨家湾H40可辨器形统计表

陶质	夹砂					泥质			合计	百分比（%）
器形＼陶色	灰	黑皮	红	黄	白	灰	黑皮	黄		
鬲	2	3							5	1.27
甗		2							2	0.51
鬲足或甗足	1	1	5						7	1.77
罐	3	3				1	4	1	12	3.04
刻槽盆						1			1	0.25
瓮						1			1	0.25
大口尊						1	4		5	1.27
缸	1	5	301	47	8				362	91.64
合计	7	14	306	47	8	4	8	1	395	100.00
百分比（%）	1.77	3.54	77.47	11.90	2.03	1.01	2.03	0.25	100.00	

（十五）H41

位于Q1813T0113东部、T0213西部。开口于第5层下。开口平面为椭圆形，弧壁，近圜底。基线方向为90°，发掘部分南北长约2.1、东西宽约1.75、距坑口最深0.2米（图2.3.48）。填土为浅灰色黏土，土质较致密，包含遗物较少。其中出土陶片数量较少，以夹砂陶为主，占出土陶片总数的90%，陶色以白陶为主，其次是红陶，另有少量灰陶和黑皮陶。纹饰以网格纹为主，另有一定数量的绳纹，极少量的云雷纹、篮纹、弦纹等。可辨识器形有鬲、缸、簋、大口尊和盆（图2.3.49；表2.3.47、表2.3.48）。

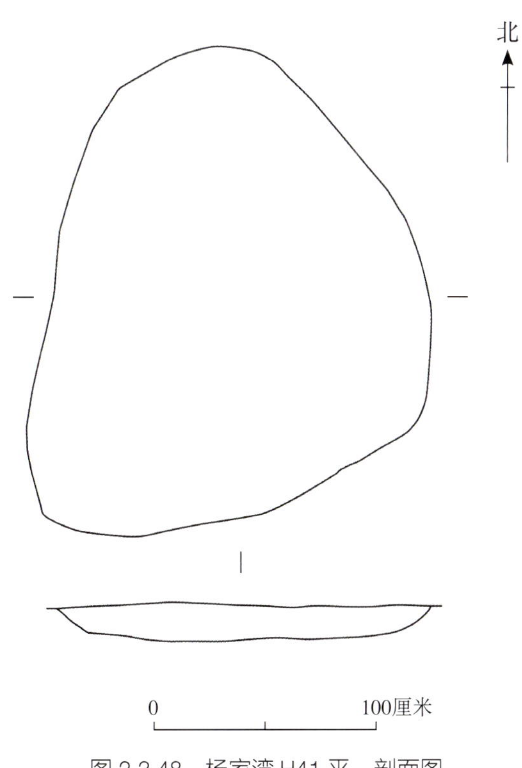

图2.3.48　杨家湾H41平、剖面图

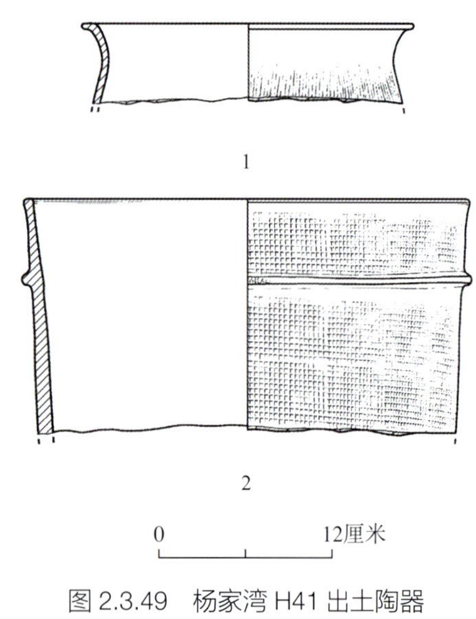

图2.3.49　杨家湾H41出土陶器

1. 鬲（H41：4）　2. 缸（H41：1）

陶器

鬲　标本1件。

标本H41：4，夹砂灰陶。侈口，平折沿，圆唇，束颈。口沿至颈部为素面，颈部以下饰绳纹。复原后口径23、残高3厘米（图2.3.49，1）。

缸　标本1件。

标本H41：1，夹砂红陶。直口，圆唇，器壁较直。口沿以下拍印网格纹，颈部饰一周附加堆纹。复原后口径31、残高15.6厘米（图2.3.49，2）。

表2.3.47　杨家湾H41陶系、纹饰统计表　（重量单位：克）

陶质		夹砂			泥质		合计	百分比（%）
纹饰＼陶色		灰	红	白	灰	黑皮		
绳纹	数量	1	26		5	4	36	21.18
	重量	40	4669		63	75	4847	24.85
绳纹和附加堆纹	数量			2			2	1.18
	重量			907			907	4.65
网格纹	数量		32	56	1		89	52.35
	重量		4053	4654	27		8734	44.78
网格纹和附加堆纹	数量		2	2			4	2.35
	重量		1338	1159			2497	12.80
篮纹	数量		1				1	0.59
	重量		83				83	0.43
附加堆纹	数量		3	3			6	3.53
	重量		479	295			774	3.97
弦纹	数量					3	3	1.76
	重量					32	32	0.16
云雷纹	数量		2				2	1.18
	重量		288				288	1.48

续表

陶质		夹砂			泥质		合计	百分比（%）
纹饰 \ 陶色		灰	红	白	灰	黑皮		
素面	数量		8	15		4	27	15.88
	重量		189	1069		85	1343	6.89
合计	数量	1	74	78	6	11	170	100.00
	重量	40	11099	8084	90	192	19505	100.00
百分比（%）	数量	0.59	43.53	45.88	3.53	6.47	100.00	
		90.00			10.00			
	重量	0.21	56.90	41.45	0.46	0.98	100.00	
		98.56			1.44			

表2.3.48　杨家湾H41可辨器形统计表

陶质	夹砂			泥质	合计	百分比（%）
器形 \ 陶色	灰	红	白	黑皮		
鬲	1				1	0.68
簋				1	1	0.68
盆				1	1	0.68
大口尊		1			1	0.68
缸		65	78		143	97.28
合计	1	66	78	2	147	100.00
百分比（%）	0.68	44.90	53.06	1.36	100.00	

（十六）H42

位于Q1813T0213的中部。开口于第6层下，被H35、H39打破。开口平面呈不规则的近长方形，弧壁，近圜底。基线方向为160°，长3.6、宽1.98、距坑口深0.78米（图2.3.50）。坑内填土为黑色黏土，土质较致密，包含较多的动物骨骼、少量的石头与木炭。出土有大量陶片，以夹砂陶为主，其次为泥质陶，印纹硬陶和原始瓷的数量较少。纹饰多见绳纹，其次为网格纹、附加堆纹、篮纹。可辨识的器类有鬲、鼎、大口尊、缸、罐、盆、豆、瓮、簋等（图2.3.51、图2.3.52；表2.3.49、表2.3.50）。该灰坑共采集木炭样品1件，进行了碳–14年代测定，检测结果见表2.3.51。

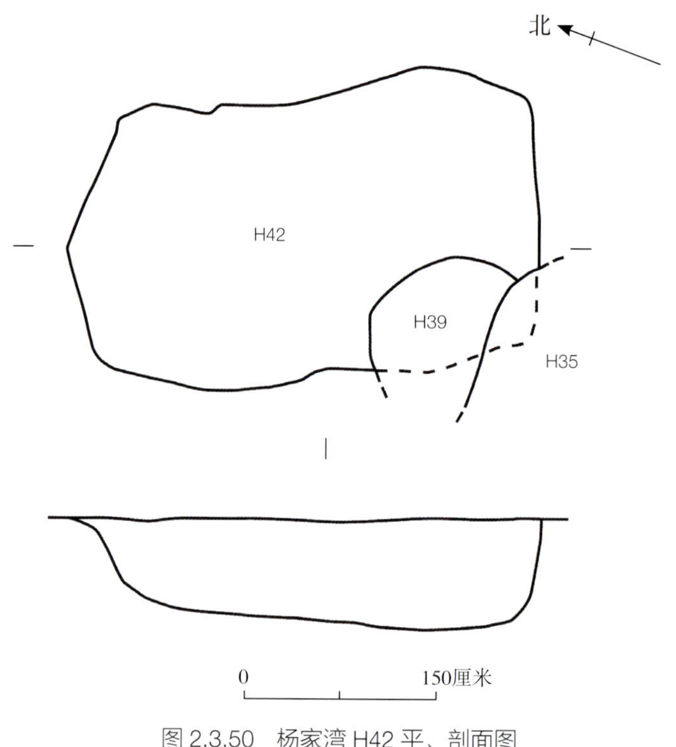

图 2.3.50　杨家湾 H42 平、剖面图

陶器

鼎　标本1件。

标本H42：1，夹砂黑皮陶，胎中夹有砂粒与云母碎片，器物内壁与外壁上部呈黑色，外壁底部与器足呈红色。侈口，卷沿，圆唇，束颈，圆鼓腹，圜底，三足略微外撇。颈部饰有多周弦纹，其下饰一周细附加堆纹，上腹部饰五周间断绳纹，中腹部饰纵向绳纹，下腹部及器底饰横向绳纹，器足上饰纵向绳纹，至足尖处则为素面。复原后口径14.4、通高16厘米（图2.3.51，4；图2.3.52）。

鬲　标本1件。

标本H42：3，夹砂黑皮陶。侈口，折沿上仰，圆唇，束颈，颈部经刮抹，使其底端形成一个台面，并可见其上有多道刮抹痕迹。颈部以下饰以纵向绳纹。复原后口径16.4、残高5.7厘米（图2.3.51，1）。

罐　标本1件。

标本H42：2，夹砂黑皮陶。侈口，卷沿，沿内侧有一周凹槽，圆唇，直颈，颈肩之交形成两级小台面，溜肩略折，腹壁较直。颈部饰绳纹经抹光，肩部及以下饰绳纹。复原后口径16.1、残高6.7厘米（图2.3.51，2）。

缸　标本2件。

标本H42：4，夹砂红胎黑皮陶，仅残留些许黑色陶衣痕迹。直口，圆唇，斜直腹，底部残缺，器壁口颈部较薄、腹部较厚。通体拍印杂乱卷云纹，颈部饰一周附加堆纹。颈部以下的内壁可见有大量因使用陶垫所遗留的按窝痕迹。这种卷云纹较为特殊，之前未见饰于盘

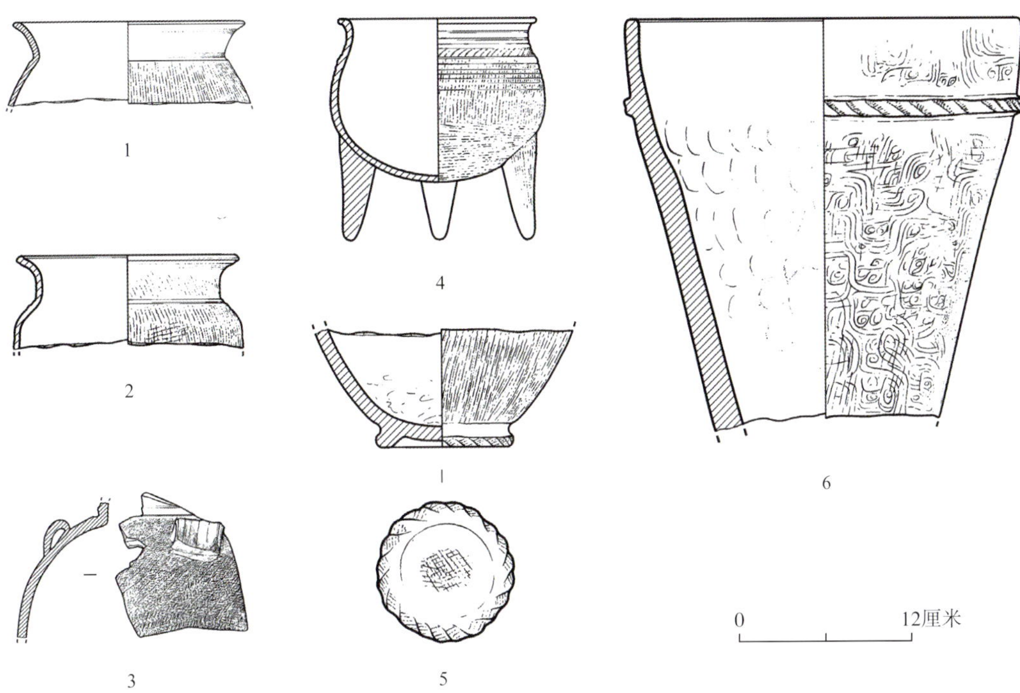

图2.3.51　杨家湾H42出土陶器

1. 鬲（H42：3）　2. 罐（H42：2）　3. 印纹硬陶罐（H42：7）　4. 鼎（H42：1）　5、6. 缸（H42：5、H42：4）

龙城器物之上，但在钱山漾遗址所出的马桥文化遗物中曾见有同种纹饰。复原后口径28.9、残高28.3厘米（图2.3.51，6）。

标本H42：5，夹砂红陶。残存下腹部与底部。弧腹，内底近圜，外接一低矮的花边状圈足。腹部饰纵向绳纹，底部中央见有交错绳纹。复原后底径10、残高8.4厘米（图2.3.51，5）。

印纹硬陶罐　标本1件。

标本H42：7，灰色。仅存颈部底端与上腹部。腹部圆鼓，肩上见有一系。颈部以下饰云雷纹。颈部可见有轮制痕。残高10.9厘米（图2.3.51，3）。

图2.3.52　陶鼎照片（杨家湾H42：1）

表2.3.49　杨家湾H42陶系、纹饰统计表　（重量单位：克）

纹饰 \ 陶质 / 陶色		夹砂					泥质			印纹硬陶和原始瓷	合计	百分比（%）
		灰	黑皮	红	黄	白	灰	黑皮	红			
绳纹	数量	7	2	309	79	3	32	32	1		465	41.94
	重量	548	345	22339	6217	127	656	828	27		31087	39.39
绳纹和网格纹	数量				1						1	0.09
	重量				214						214	0.27
绳纹和附加堆纹	数量			25	14	2					41	3.70
	重量			8074	2079	299					10452	13.24
绳纹和弦纹	数量	3									3	0.27
	重量	140									140	0.18
绳纹、附加堆纹和弦纹	数量		1								1	0.09
	重量		410								410	0.52
网格纹	数量	2	4	65	24	4		5	7	4	115	10.37
	重量	50	85	4514	4993	129		143	81	93	10088	12.78
网格纹和附加堆纹	数量			5	6	2					13	1.17
	重量			628	611	154					1393	1.77
篮纹	数量	1		39	1						41	3.70
	重量	64		3302	67						3433	4.35
篮纹和附加堆纹	数量			4							4	0.36
	重量			1563							1563	1.98
附加堆纹	数量			24	13	1					38	3.43
	重量			1574	774	107					2455	3.11
附加堆纹和弦纹	数量				2						2	0.18
	重量				234						234	0.30
附加堆纹和云雷纹	数量			2							2	0.18
	重量			223							223	0.28
附加堆纹和戳印纹	数量	24	88	29							141	12.71
	重量	268	1576	537							2381	3.02
附加堆纹和兽面纹	数量			1							1	0.09
	重量			4832							4832	6.12
附加堆纹和卷云纹	数量		1								1	0.09
	重量		820								820	1.04
弦纹	数量				1		6	13			20	1.80
	重量				24		99	261			384	0.49

续表

纹饰 \ 陶色 \ 陶质		夹砂					泥质			印纹硬陶和原始瓷	合计	百分比（%）
		灰	黑皮	红	黄	白	灰	黑皮	红			
云雷纹	数量			12	2					9	23	2.07
	重量			944	84					270	1298	1.64
叶脉纹	数量									8	8	0.72
	重量									346	346	0.44
戳印纹	数量							1			1	0.09
	重量							25			25	0.03
素面	数量	34	10	86	21	6	10	19	1	1	188	16.95
	重量	549	103	4949	805	260	167	234	59	16	7142	9.05
合计	数量	71	106	601	164	18	48	70	9	22	1109	100.00
	重量	1619	3339	53479	16102	1076	922	1491	167	725	78920	100.00
百分比（%）	数量	6.40	9.56	54.20	14.79	1.62	4.33	6.31	0.81	1.98	100.00	
		86.57					11.45					
	重量	2.05	4.23	67.77	20.40	1.36	1.17	1.89	0.21	0.92	100.00	
		96.22					3.30					

表2.3.50　杨家湾H42可辨器形统计表

器形 \ 陶色 \ 陶质	夹砂					泥质		合计	百分比（%）
	灰	黑皮	红	黄	白	灰	黑皮		
鼎			1					1	0.12
鬲		6	2					8	1.00
甗	1							1	0.12
鬲足或甗足		2	6					8	1.00
罐	3	2	1			1	1	8	1.00
豆							1	1	0.12
簋							1	1	0.12
盆						1		1	0.12
瓮						1		1	0.12
大口尊						1		1	0.12
缸	14	1	571	165	18			769	96.04
圈足		1						1	0.12
合计	18	12	581	165	18	4	3	801	100.00
百分比（%）	2.25	1.50	72.53	20.60	2.25	0.50	0.37	100.00	

表2.3.51　杨家湾考古发掘H42木炭样品加速质谱仪（AMS）碳-14测年数据

Lab 编号	样品原编号	样品	碳-14年代（BP）	树轮校正后年代	
				1σ（68.2%）	2σ（95.4%）
BA192344	H42：2	木炭	3125±35	1440BC（47.8%）1382BC 1341BC（20.5%）1311BC	1496BC（4.3%）1476BC 1458BC（91.1%）1288BC

注：所用碳-14半衰期为5568年，BP为距1950年的年代。

树轮校正所用曲线为IntCal20 atmospheric curve (Reimer et al 2020)，所用程序为OxCal v4.4.2 Bronk Ramsey (2020)；r: 5。

1. Reimer P J, Bard E, Bayliss A, Beck J W. IntCal13 and Marine13 radiocarbon age calibration curves 0–50,000 years cal BP, Radiocarbon, 2013, 55, 1869-1887.

2. Christopher Bronk Ramsey 2015, https://c14.arch.ox.ac.uk/oxcal/OxCal.html.

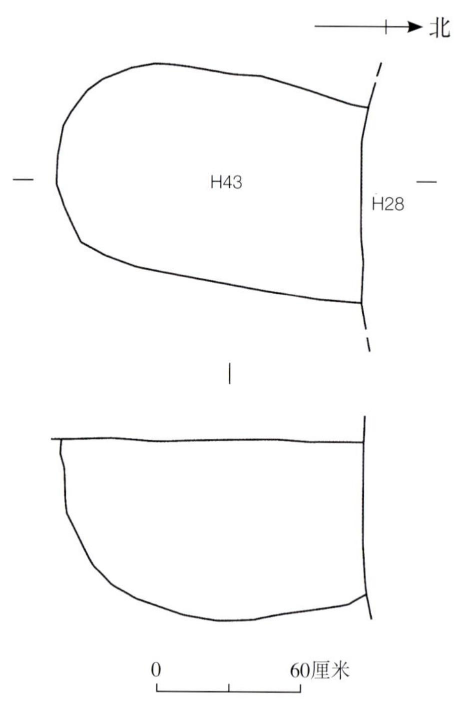

图2.3.53　杨家湾H43平、剖面图

（十七）H43

位于Q1813T0113的中部。开口于第6层下，被H28打破。开口平面呈近椭圆形，弧壁，圜底。基线方向为0°，发掘部分南北长1.24、东西宽0.84、距坑口深0.72米（图2.3.53）。坑内填土为黑色黏土，土质较致密，含有少量陶片，以夹砂红陶、夹砂灰陶、夹砂黄陶和夹砂黑皮陶为主，泥质陶较少。多饰以绳纹，另有一定数量的网格纹、附加堆纹，还可见少量戳印纹、兽面纹、弦纹、圆圈纹等。可辨识的器类有鬲、缸、大口尊、甗、罐、鬶等（图2.3.54；表2.3.52、表2.3.53）。

陶器

鬲　标本1件。

标本H43：1，夹砂黑皮陶。侈口，平折沿，圆唇，腹部圆鼓，分裆，裆部较浅，三足残缺。腹部饰纵向细绳纹，近底部绳纹方向变为横向，颈部绳纹经抹光。复原后口径13.1、残高15.3厘米（图2.3.54，1）。

甗　标本1件。

标本H43：4，夹砂黑皮陶。侈口，平折沿，沿内侧有一周浅凹槽，圆唇。颈部素面。复原后口径28.9、残高2.5厘米（图2.3.54，3）。

大口尊 标本1件。

标本H43：2，泥质灰陶。仅存肩部。颈部外翻，折肩微鼓，腹壁斜直。折肩上下饰多周弦纹，皆两两成组。残高10.7厘米（图2.3.54，2）。

缸 标本1件。

标本H43：3，夹砂黄陶。直口微侈，方唇，斜直壁。颈部饰一周附加堆纹，堆纹下饰以纵向绳纹。口部至颈部见有多道刮抹痕迹。复原后口径33.2、残高15.2厘米（图2.3.54，4）。

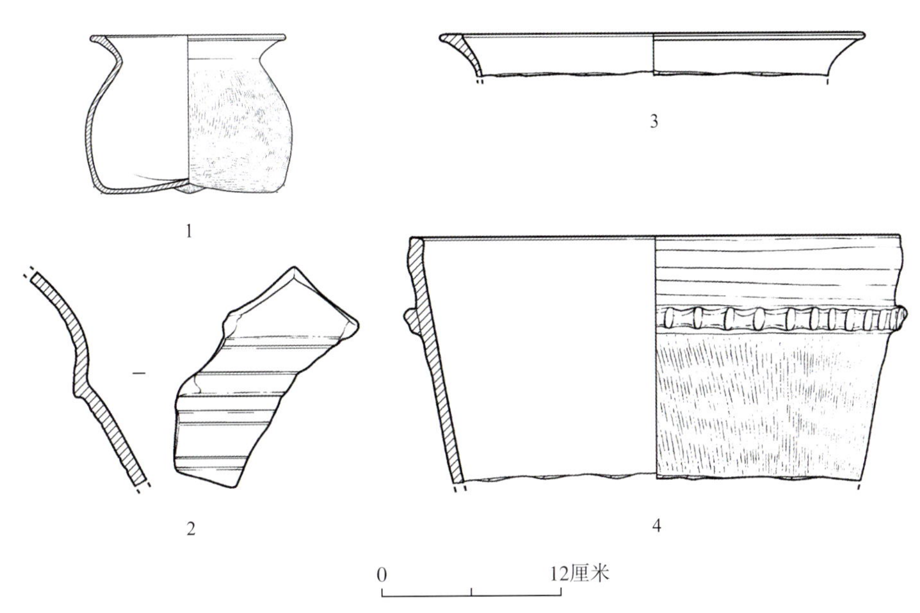

图2.3.54 杨家湾H43出土陶器

1. 鬲（H43：1） 2. 大口尊（H43：2） 3. 甗（H43：4） 4. 缸（H43：3）

表2.3.52 杨家湾H43陶系、纹饰统计表（重量单位：克）

陶质		夹砂					泥质			合计	百分比（%）
纹饰＼陶色		灰	黑皮	红	黄	白	灰	黑皮	红		
绳纹	数量	47	24	64	21	1	5	8	3	173	58.45
	重量	1869	509	5053	1710	91	43	232	36	9543	58.37
绳纹和附加堆纹	数量	1		9	3			1		14	4.73
	重量	58		1235	576			18		1887	11.54
绳纹和弦纹	数量						1	1		2	0.68
	重量						14	32		46	0.28
绳纹和圆圈纹	数量			1						1	0.34
	重量			287						287	1.76

续表

纹饰＼陶质/陶色		夹砂					泥质			合计	百分比（%）
		灰	黑皮	红	黄	白	灰	黑皮	红		
网格纹	数量		1	14	4		1			20	6.76
	重量		137	1465	297		5			1904	11.65
网格纹和弦纹	数量							2		2	0.68
	重量							48		48	0.29
篮纹	数量				1					1	0.34
	重量				25					25	0.15
附加堆纹	数量		1	1		1				3	1.01
	重量		105	38		90				233	1.43
弦纹	数量						2	2		4	1.35
	重量						136	70		206	1.26
弦纹和云雷纹	数量							1		1	0.34
	重量							25		25	0.15
戳印纹	数量							1		1	0.34
	重量							21		21	0.13
兽面纹	数量		1							1	0.34
	重量		177							177	1.08
素面	数量	11	14	22	12	1	1	8	4	73	24.66
	重量	415	247	485	578	28	24	123	48	1948	11.91
合计	数量	59	41	111	41	3	10	24	7	296	100.00
	重量	2342	1175	8563	3186	209	222	569	84	16350	100.00
百分比（%）	数量	19.93	13.85	37.50	13.85	1.01	3.38	8.11	2.36	100.00	
		86.14					13.85				
	重量	14.32	7.19	52.37	19.49	1.28	1.36	3.48	0.51	100.00	
		94.65					5.35				

表2.3.53 杨家湾H43可辨器形统计表

陶质	夹砂					泥质		合计	百分比（%）
器形＼陶色	灰	黑皮	红	黄	白	灰	黑皮		
鬲		1						1	0.51
甗	1	1						2	1.02
鬲足或甗足		3	4					7	3.55
罐		1	2					3	1.52
鬶							2	2	1.02
大口尊						1		1	0.51
缸	21	12	104	40	3			180	91.37
器鋬							1	1	0.51
合计	22	18	110	40	3	1	3	197	100.00
百分比（%）	11.17	9.14	55.84	20.30	1.52	0.51	1.52	100.00	

第四节　杨家湾北坡

杨家湾北坡为杨家湾岗地北部区域。2014年在其1914区布设5米×5米探方2个，并向北扩方2米×2米，向南扩方2米×2.3米，共发掘58.6平方米，揭露商时期石块垒砌的建筑基址1座（图2.4.1）。以下主要介绍发掘探方的地层堆积及出土遗物情况。

一、地层

Q1914T1811、T1911所在地早年经过农田整治工作，部分文化层遭到破坏，有较明显的扰动现象，晚期地层中也混杂有较多早期遗物。整体上发掘区地层关系较为简单。第1层为表土层，第2层为扰乱层，均为近现代人类活动形成。第2层下叠压有商时期文化层。为了直观反映该地区地势变化及堆积状况，下文将以Q1914T1811西壁为例，介绍发掘区地层堆积情况（图2.4.2）。

1. 第1层

表土层。褐色土，土质疏松，厚0.15～0.3米。全方分布。水平状堆积。含有大量植物根茎及现当代生活垃圾。

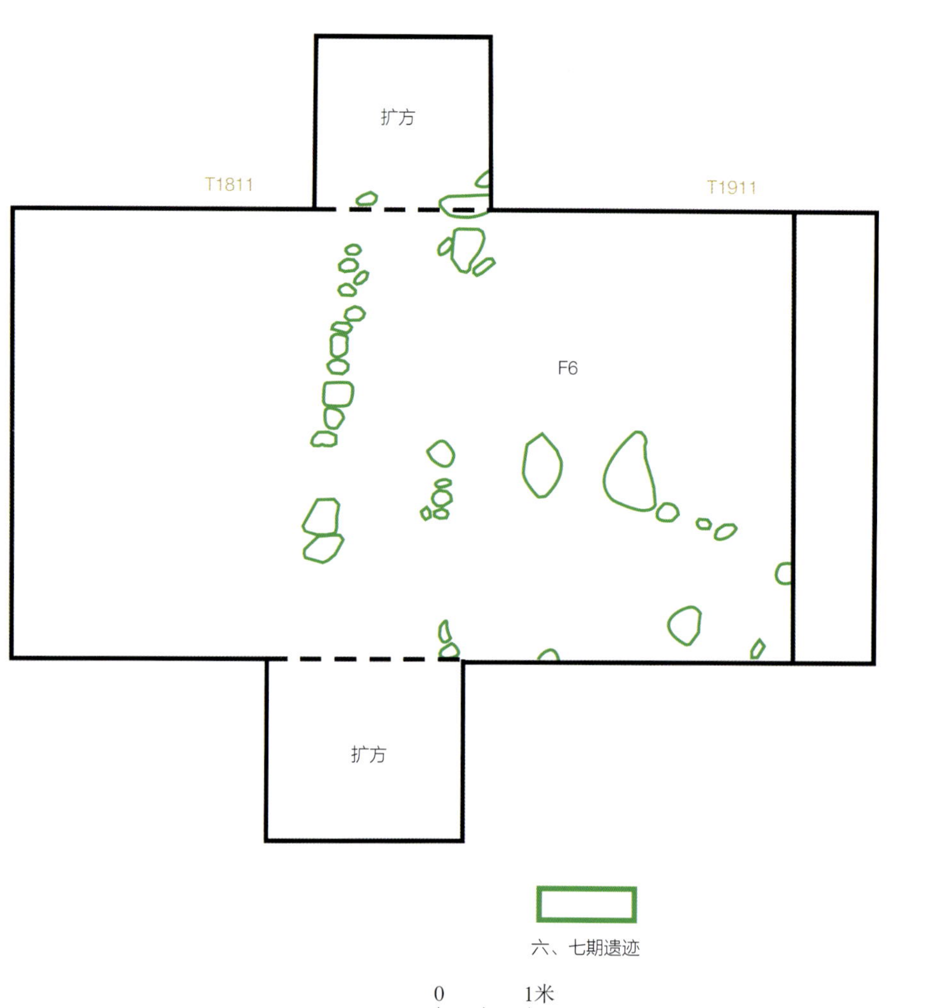

图 2.4.1　杨家湾北坡 2014 年发掘区探方及遗迹分布

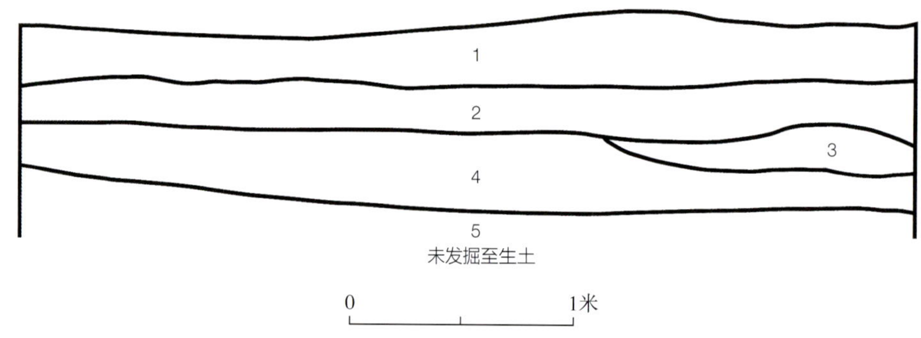

图 2.4.2　杨家湾 Q1914T1811 西壁剖面图

2. 第2层

扰乱层。灰色土，土质疏松。厚0.2～0.3、深0.15～0.35米。全方分布。水平状堆积。包含有丰富的瓷片、炭屑，为近代水稻种植所形成。

3. 第3层

商时期文化层。黄褐色土，土质较疏松。最厚约0.2、深0.35～0.55米。分布于探方东部和北部。包含有少量商时期陶片及石块等，以夹砂陶为主，泥质陶次之，另出土极少量印纹硬陶和原始瓷。纹饰以绳纹、网格纹为主，另有少量附加堆纹、云雷纹、弦纹、S形纹饰。可辨陶器器类仅有鬲、罐、缸、甗、大口尊、鼎等（图2.4.3；表2.4.1～表2.4.4）。

陶器

鬲　标本2件。

标本Q1914T1811③：1，夹砂灰陶。侈口，平折沿，沿内侧有一周凹槽，尖圆唇。复原后口径27、残高3.4厘米（图2.4.3，4）。

标本Q1914T1811③：5，夹砂灰陶。侈口，平折沿，沿内侧有一周凹槽，圆唇。复原后口径19、残高3.5厘米（图2.4.3，3）。

罐　标本1件。

标本Q1914T1811③：3，泥质灰胎黑皮陶。侈口，卷沿，方唇，束颈。复原后口径17、残高4.8厘米（图2.4.3，2）。

缸　标本1件。

标本Q1914T1811③：2，夹碎石红陶。器表饰网格纹，肩部饰一周附加堆纹。残高7厘米（图2.4.3，1）。

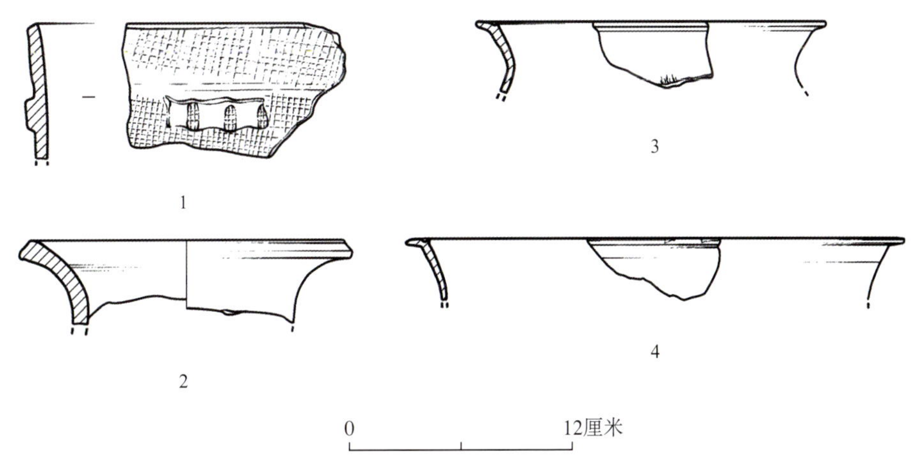

图2.4.3　杨家湾Q1914T1811第3层出土陶器

1. 缸（Q1914T1811③：2）　2. 罐（Q1914T1811③：3）　3、4. 鬲（Q1914T1811③：5、Q1914T1811③：1）

表2.4.1　杨家湾Q1914T1811第3层陶系、纹饰统计表　　（重量单位：克）

纹饰＼陶质/陶色		夹砂					泥质			印纹硬陶和原始瓷	合计	百分比（%）
		灰	黑皮	红	黄	白	灰	黑皮	红			
绳纹	数量	11	11	25	8	2	1	3		1	62	31.63
	重量	586	507	2865	1755	177	18	65		20	5993	41.12
绳纹和附加堆纹	数量		1		1						2	1.02
	重量		16		114						130	0.89
绳纹和弦纹	数量								1		1	0.51
	重量								20		20	0.14
网格纹	数量			17	6	1					24	12.24
	重量			1232	644	44					1920	13.17
网格纹和附加堆纹	数量			1	2	1					4	2.04
	重量			80	368	78					526	3.61
篮纹	数量			6	3						9	4.59
	重量			1113	263						1376	9.44
篮纹和附加堆纹	数量				2						2	1.02
	重量				230						230	1.58
附加堆纹	数量			6	1	1		1			9	4.59
	重量			325	44	197		18			584	4.01
弦纹	数量						3	1			4	2.04
	重量						91	19			110	0.75
云雷纹	数量									1	1	0.51
	重量									16	16	0.11
素面	数量	12		43	12	2	3	5	1		78	39.80
	重量	1030		1461	732	195	40	177	35		3670	25.18
合计	数量	23	12	98	35	7	7	10	2	2	196	100.00
	重量	1616	523	7076	4150	691	149	279	55	36	14575	100.00
百分比（%）	数量	11.73	6.12	50.00	17.86	3.57	3.57	5.10	1.02	1.02	100.00	
		89.29					9.69					
	重量	11.09	3.60	48.55	28.47	4.74	1.02	1.91	0.38	0.24	100.00	
		96.45					3.31					

表2.4.2 杨家湾Q1914T1811第3层可辨器形统计表

器形＼陶色＼陶质	夹砂				泥质	合计	百分比（%）
	灰	黑皮	红	黄	黑皮		
鬲	2					2	1.21
甗	1					1	0.61
罐	1	2			1	4	2.42
缸	15	9	127	7		158	95.76
合计	19	11	127	7	1	165	100.00
百分比（%）	11.52	6.67	76.97	4.24	0.61	100.00	

表2.4.3 杨家湾Q1914T1911第3层陶系、纹饰统计表 （重量单位：克）

纹饰＼陶色＼陶质		夹砂					泥质			印纹硬陶和原始瓷	合计	百分比（%）
		灰	黑皮	红	黄	白	灰	黑皮	红			
绳纹	数量	12	5	30	13	3	9				72	25.62
	重量	781	188	4166	1366	441	151				7093	39.86
绳纹和附加堆纹	数量	1		2	2						5	1.78
	重量	340		301	131						772	4.34
绳纹和弦纹	数量						2				2	0.71
	重量						27				27	0.15
网格纹	数量	4	1	10	11	2	1			1	30	10.68
	重量	290	29	409	770	145	52			116	1811	10.18
网格纹和附加堆纹	数量	2									2	0.71
	重量	191									191	1.07
篮纹	数量	1		1	7	2					11	3.91
	重量	59		70	470	121					720	4.05
附加堆纹	数量	1		5	2	4	2				14	4.98
	重量	70		369	62	361	54				916	5.15
附加堆纹和弦纹	数量							1			1	0.36
	重量							50			50	0.28
弦纹	数量						2	2			4	1.42
	重量						21	72			93	0.52

续表

纹饰＼陶质/陶色		夹砂					泥质			印纹硬陶和原始瓷	合计	百分比（%）
		灰	黑皮	红	黄	白	灰	黑皮	红			
弦纹和S形纹	数量							1			1	0.36
	重量							42			42	0.24
云雷纹	数量									1	1	0.36
	重量									14	14	0.08
叶脉纹	数量									1	1	0.36
	重量									20	20	0.11
席纹	数量									5	5	1.78
	重量									167	167	0.94
素面	数量	26	4	39	31	10	17	3	1	1	132	46.98
	重量	1129	113	1909	1714	558	274	107	13	62	5879	33.04
合计	数量	47	10	87	66	21	33	7	1	9	281	100.00
	重量	2860	330	7224	4513	1626	579	271	13	379	17795	100.00
百分比（%）	数量	16.73	3.56	30.96	23.49	7.47	11.74	2.49	0.36	3.20	100.00	
		82.21					14.59					
	重量	16.07	1.85	40.60	25.36	9.14	3.25	1.52	0.07	2.13	100.00	
		93.02					4.84					

表2.4.4　杨家湾Q1914T1911第3层可辨器形统计表

器形＼陶质/陶色	夹砂					印纹硬陶和原始瓷	合计	百分比（%）
	灰	黑皮	红	黄	白			
鼎	4						4	1.84
鬲	4	1	1				6	2.76
罐	2					1	3	1.38
大口尊	1						1	0.46
缸	29	7	80	66	21		203	93.55
合计	40	8	81	66	21	1	217	100.00
百分比（%）	18.43	3.69	37.33	30.41	9.68	0.46	100.00	

4. 第4层

商时期文化层。黄灰色土，土质较疏松。厚0.15～0.35、深0.4～0.7米。分布于探方西部。包含较多陶片以及少量炭屑，出土陶片以夹砂陶为主，其次为泥质陶，有极少量印纹硬陶和原始瓷。陶色以红陶、灰陶为主，另有少量黑皮陶、黄陶、白陶。可辨陶器器类有鬲、甗、罐、簋、盆、大口尊、缸、斝、器盖等（图2.4.4、图2.4.5；表2.4.5～表2.4.8）。F6开口于该层下。

陶、瓷器

鬲　标本4件。

标本Q1914T1811④：8，夹砂灰陶。侈口，窄平沿，圆唇。颈部以下饰绳纹。残高4.8厘米（图2.4.4，5）。

标本Q1914T1811④：11，夹砂灰陶。侈口，平折沿，沿内侧有一道凹槽，沿外侧向下凹，圆唇。肩部饰一周附加堆纹。复原后口径30、残高5.5厘米（图2.4.4，3）。

标本Q1914T1911④：5，夹砂红胎黑皮陶，黑皮多已脱落。侈口，折沿，方唇。颈部以下饰绳纹。复原后口径15、残高4厘米（图2.4.4，1）。

标本Q1914T1911④：6，夹砂灰陶。侈口，平折沿，沿内侧有一道凹槽，圆唇。颈部以下饰绳纹。复原后口径20、残高5厘米（图2.4.4，10）。

罐　标本1件。

标本Q1914T1811④：7，泥质灰陶。侈口，圆唇，短束颈，圆肩。颈部饰两周弦纹，肩部饰一周弦纹。复原后口径14、残高5厘米（图2.4.4，8）。

缸　标本3件。

标本Q1914T1811④：4，夹砂红陶。侈口，卷沿，方唇。器表饰绳纹，肩部饰一周附加堆纹。复原后口径27、残高13.5厘米（图2.4.4，6）。

标本Q1914T1811④：5，夹碎石红陶。肩部饰一周附加堆纹。器表纹饰多已脱落。残高19厘米（图2.4.4，7）。

标本Q1914T1911④：2，夹砂黄陶。侈口，直腹，平底。肩部饰一周附加堆纹。腹部饰纵向的绳纹。腹内壁有泥条盘筑痕及多周掌腹压痕。内壁底部贴泥片掩盖泥条盘筑到底部时形成的空隙，从而使得内壁底部较光滑。缸壁破裂处均沿着泥条相接处。复原后口径30、通高38厘米（图2.4.4，9）。

簋　标本1件。

标本Q1914T1811④：10，泥质红陶。直口微侈，平折沿，圆唇。肩部饰一周弦纹，弦纹下饰一周卷云纹。复原后口径25、残高4厘米（图2.4.4，2）。

原始瓷尊　标本1件。

标本Q1914T1811④：1，灰色。直颈，折肩。颈部饰一周弦纹，肩部有多组绹索状装饰，在绹索状装饰之间及颈部饰多周由两个卷云纹组成的S形纹饰。此外还在肩部有贴塑的动物及动物眼睛状纹样。纹饰形状各异，为手工绘制而成。残高7厘米（图2.4.4，4；图2.4.5）。

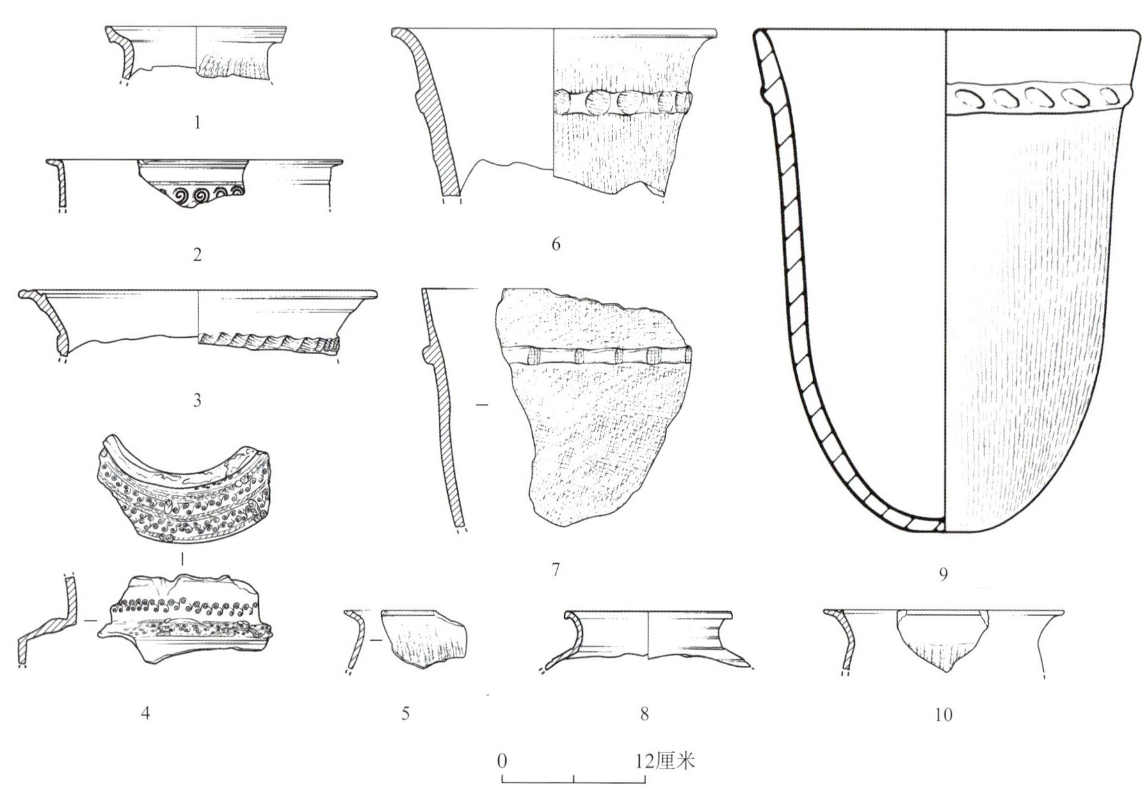

图 2.4.4　杨家湾 Q1914T1811、T1911 第 4 层出土陶、瓷器

1、3、5、10. 鬲（Q1914T1911④：5、Q1914T1811④：11、Q1914T1811④：8、Q1914T1911④：6）　2. 簋（Q1914T1811④：10）　4. 原始瓷尊（Q1914T1811④：1）　6、7、9. 缸（Q1914T1811④：4、Q1914T1811④：5、Q1914T1911④：2）　8. 罐（Q1914T1811④：7）

图 2.4.5　杨家湾 Q1914T1911 第 4 层出土印纹硬陶和原始瓷器

表2.4.5 杨家湾Q1914T1811第4层陶系、纹饰统计表 （重量单位：克）

纹饰 \ 陶质/陶色		夹砂					泥质			印纹硬陶和原始瓷	合计	百分比（%）
		灰	黑皮	红	黄	白	灰	黑皮	红			
绳纹	数量	127	35	196	28	4	7	9	5	1	412	30.32
	重量	7852	1656	16594	2603	180	336	158	168	10	29557	33.20
绳纹和附加堆纹	数量	11		30	9	3					53	3.90
	重量	1494		5197	1624	325					8640	9.70
绳纹和弦纹	数量	5	2				3	1		1	12	0.88
	重量	127	98				64	32		26	347	0.39
网格纹	数量	30	6	78	44	3		1		11	173	12.73
	重量	2360	327	6990	4471	263		14		302	14727	16.54
网格纹和附加堆纹	数量	1	1	19	9	2					32	2.35
	重量	119	245	1813	1239	148					3564	4.00
篮纹	数量	4	4	49	14	3					74	5.45
	重量	139	182	3148	1044	287					4800	5.39
篮纹和附加堆纹	数量			3	1						4	0.29
	重量			462	100						562	0.63
附加堆纹	数量	4		24	14	2	2	2			48	3.53
	重量	278		1950	1596	110	107	72			4113	4.62
弦纹	数量	8		2			5	7			22	1.62
	重量	169		73			176	163			581	0.65
云雷纹	数量									6	6	0.44
	重量									202	202	0.23
叶脉纹	数量									13	13	0.96
	重量									680	680	0.76
席纹	数量									2	2	0.15
	重量									126	126	0.14
卷云纹	数量							1	1	1	3	0.22
	重量							32	39	108	179	0.20
窗棂纹	数量							1	2		3	0.22
	重量							28	69		97	0.11
压印纹	数量			1							1	0.07
	重量			49							49	0.06

续表

陶质		夹砂					泥质			印纹硬陶和原始瓷	合计	百分比（%）
纹饰＼陶色		灰	黑皮	红	黄	白	灰	黑皮	红			
弦纹和S形纹	数量									1	1	0.07
	重量									121	121	0.14
素面	数量	87	21	247	64	3	19	37	13	9	500	36.79
	重量	1086	496	13101	3726	219	494	870	409	289	20690	23.24
合计	数量	277	69	649	183	20	36	59	21	45	1359	100.00
	重量	13624	3004	49377	16403	1532	1177	1369	685	1864	89035	100.00
百分比（%）	数量	20.38	5.08	47.76	13.47	1.47	2.65	4.34	1.55	3.31	100.00	
		88.16					8.54					
	重量	15.30	3.37	55.46	18.42	1.72	1.32	1.54	0.77	2.09	100.00	
		94.27					3.63					

表2.4.6　杨家湾Q1914T1811第4层可辨器形统计表

陶质	夹砂					泥质			印纹硬陶和原始瓷	合计	百分比（%）
器形＼陶色	灰	黑皮	红	黄	白	灰	黑皮	红			
鬲	10	7	1			1	1	1		21	3.84
鬲或甗足	5	2	19			1	6	3		36	6.58
甗	1	1								2	0.37
罐	4		1			4			2	11	2.01
斝	2					2				4	0.73
簋							1	1		2	0.36
大口尊	1		1					1		3	0.55
缸	188	0	111	109	60					468	85.56
合计	211	10	133	109	60	8	8	6	2	547	100.00
百分比（%）	38.57	1.83	24.31	19.93	10.97	1.46	1.46	1.10	0.37	100.00	

表2.4.7 杨家湾Q1914T1911第4层陶系、纹饰统计表 （重量单位：克）

纹饰＼陶质/陶色		夹砂					泥质			印纹硬陶和原始瓷	合计	百分比（%）
		灰	黑皮	红	黄	白	灰	黑皮	红			
绳纹	数量	68	56	119	46	12	12	6	2		321	32.72
	重量	8777	5448	12458	4482	1121	327	144	43		32800	37.19
绳纹和附加堆纹	数量	4	7	13	12						36	3.67
	重量	282	1344	2563	8026						12215	13.85
网格纹	数量	9	11	27	45	13				7	112	11.42
	重量	1382	579	2493	4375	1033				181	10043	11.39
网格纹和附加堆纹	数量	1		12	8	3					24	2.45
	重量	285		1274	807	379					2745	3.11
篮纹	数量	4		22	9	7					42	4.28
	重量	263		1317	935	576					3091	3.50
附加堆纹	数量	2		15	10	3					30	3.06
	重量	230		1380	592	218					2420	2.74
附加堆纹和弦纹	数量	1	1					1			3	0.31
	重量	19	48					15			82	0.09
附加堆纹、弦纹和窗棂纹	数量							1			1	0.10
	重量							262			262	0.30
弦纹	数量	4					4	4		1	13	1.33
	重量	38					143	144		33	358	0.41
弦纹和窗棂纹	数量							1			1	0.10
	重量							61			61	0.07
云雷纹	数量									10	10	1.02
	重量									264	264	0.30
叶脉纹	数量									5	5	0.51
	重量									147	147	0.17
席纹	数量									3	3	0.31
	重量									300	300	0.34
刻划纹	数量								1		1	0.10
	重量								25		25	0.03
压印纹	数量					1					1	0.10
	重量					38					38	0.04

续表

纹饰＼陶质/陶色		夹砂					泥质			印纹硬陶和原始瓷	合计	百分比（%）
		灰	黑皮	红	黄	白	灰	黑皮	红			
兽面纹	数量		1								1	0.10
	重量		11								11	0.01
素面	数量	49	13	161	74	29	16	21	10	4	377	38.43
	重量	2427	327	13560	4524	1074	553	494	328	56	23343	26.46
合计	数量	142	89	369	204	68	32	34	13	30	981	100.00
	重量	13703	7757	35045	23741	4439	1023	1120	396	981	88205	100.00
百分比（%）	数量	14.48	9.07	37.61	20.80	6.93	3.26	3.47	1.33	3.06	100.00	
		88.89					8.06					
	重量	15.54	8.79	39.73	26.92	5.03	1.16	1.27	0.45	1.11	100.00	
		96.01					2.88					

表2.4.8　杨家湾Q1914T1911第4层可辨器形统计表

器形＼陶质/陶色	夹砂				泥质			印纹硬陶和原始瓷	合计	百分比（%）
	灰	黑皮	红	黄	灰	黑皮	红			
鬲	13	2	2						17	2.13
甗	1								1	0.13
鬲足或甗足	6		15						21	2.63
罐					5	1		1	7	0.88
盆					2				2	0.25
大口尊					3	3	1		7	0.88
缸	69	69	535	68					741	92.97
器盖					1				1	0.13
合计	89	71	552	68	11	4	1	1	797	100.00
百分比（%）	11.17	8.91	69.26	8.53	1.38	0.50	0.13	0.13	100.00	

5. 第5层

商时期文化层。灰色土，土质较疏松。由于发现开口于第4层下的F6，该层未清理完成，厚度不明，深0.6～0.9米。全方分布。包含有较多陶片，可辨陶器器类包括有鬲、罐、缸、盆、豆、印纹硬陶瓮、印纹硬陶罐等（图2.4.6；表2.4.9～表2.4.12）。

陶器

鬲　标本3件。

标本Q1914T1911⑤：6，夹砂灰陶。侈口，平折沿，沿内侧有一道凹槽，尖唇，束颈，圆肩。颈部以下饰绳纹。复原后口径16、残高4厘米（图2.4.6，2）。

标本Q1914T1811⑤：1，夹砂红陶。侈口，平折沿，沿面内凹，沿面近口部处有一周凹槽。复原后口径15、残高4厘米（图2.4.6，7）。

标本Q1914T1811⑤：2，夹砂灰陶。侈口，折沿，方唇，唇上缘凸起，使其沿面内凹。颈部饰多周凹弦纹。复原后口径14、残高2厘米（图2.4.6，1）。

盆　标本1件。

标本Q1914T1911⑤：8，泥质红胎黑皮陶。直口微侈，平折沿，方唇，唇内凹。肩部饰一道弦纹。复原后口径23、残高4厘米（图2.4.6，8）。

缸　标本1件。

标本Q1914T1811⑤：4，夹碎石红陶。敞口，斜直腹。器表饰网格纹，肩部一周附加堆纹。残高12厘米（图2.4.6，9）。

印纹硬陶瓮　标本1件。

标本Q1914T1911⑤：1，胎为红色，外壁为灰色。直口微侈。颈部以下饰云雷纹。颈部内外有轮旋痕。残高5.5厘米（图2.4.6，3）。

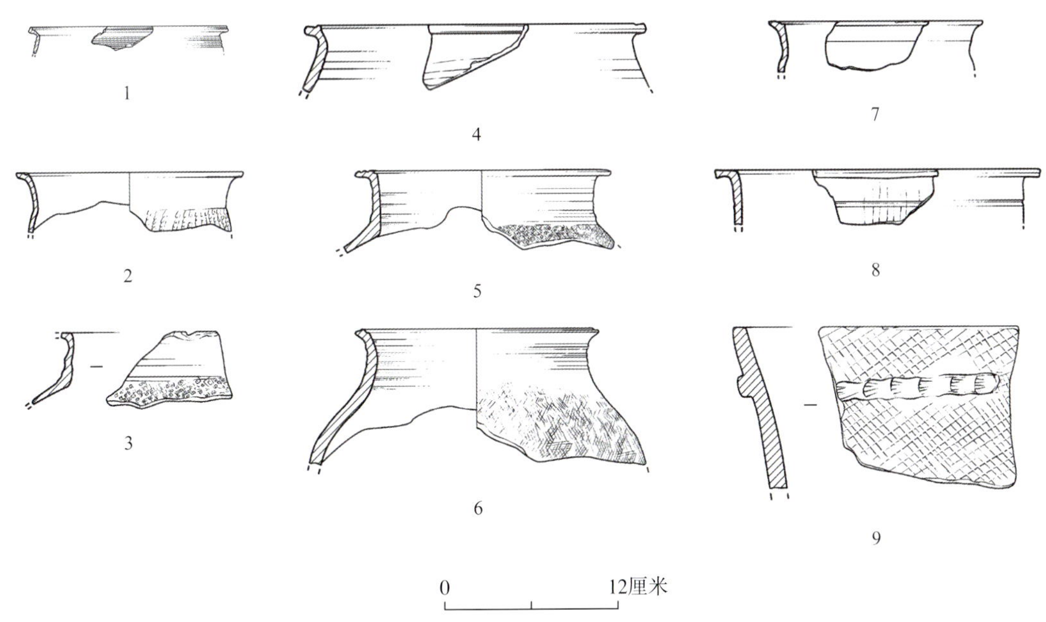

图2.4.6　杨家湾Q1914T1811、T1911第5层出土陶器

1、2、7. 鬲（Q1914T1811⑤：2、Q1914T1911⑤：6、Q1914T1811⑤：1）　3. 印纹硬陶瓮Q1914T1911⑤：1
4～6. 印纹硬陶罐（Q1914T1811⑤：3、Q1914T1911⑤：3、Q1914T1911⑤：2）
8. 盆（Q1914T1911⑤：8）　9. 缸（Q1914T1811⑤：4）

印纹硬陶罐　标本3件。

标本Q1914T1911⑤：2，灰色胎，内外壁为红色。侈口，束颈，圆肩。颈部以下饰叶脉纹。颈部内外壁有轮旋痕。火候不如其他印纹硬陶器高。复原后口径17、残高9.5厘米（图2.4.6，6）。

标本Q1914T1911⑤：3，胎芯为红色，外壁为灰色。直口微侈，平折沿，圆唇。沿上有多周弦纹。颈部以下饰云雷纹。颈部内外有多道轮旋痕。复原后口径18、残高5.6厘米（图2.4.6，5）。

标本Q1914T1811⑤：3，胎芯为红色，外壁为灰色。侈口，折沿，方唇。沿面近口部处有一周凸起。颈部有刮削的痕迹。复原后口径24、残高4厘米（图2.4.6，4）。

表2.4.9　杨家湾Q1914T1811第5层陶系、纹饰统计表　（重量单位：克）

纹饰＼陶质/陶色		夹砂				泥质			印纹硬陶和原始瓷	合计	百分比（%）
		灰	黑皮	红	黄	灰	黑皮	红			
绳纹	数量	12	6	36	7	2		15		78	31.33
	重量	1391	162	4578	520	20		348		7019	33.85
绳纹和附加堆纹	数量	2		12				1		15	6.02
	重量	507		1670				14		2191	10.57
绳纹和弦纹	数量			1		6		1		8	3.21
	重量			383		230		32		645	3.11
网格纹	数量	7		17	16				4	44	17.67
	重量	713		1189	1302				84	3288	15.86
网格纹和附加堆纹	数量			10	7					17	6.83
	重量			1462	788					2250	10.85
篮纹	数量	7		4						11	4.42
	重量	470		224						694	3.35
篮纹和附加堆纹	数量			2						2	0.80
	重量			405						405	1.95
附加堆纹	数量								1	1	0.40
	重量								188	188	0.91
弦纹	数量					4			4	8	3.21
	重量					96			104	200	0.96
叶脉纹	数量								4	4	1.61
	重量								50	50	0.24

续表

纹饰＼陶色＼陶质		夹砂				泥质			印纹硬陶和原始瓷	合计	百分比（%）
		灰	黑皮	红	黄	灰	黑皮	红			
素面	数量	5	1	32	12	3	2	4	2	61	24.50
	重量	45	116	3019	377	36	79	86	46	3804	18.35
合计	数量	33	7	114	42	15	2	21	15	249	100.00
	重量	3126	278	12930	2987	382	79	480	472	20734	100.00
百分比（%）	数量	13.25	2.81	45.78	16.87	6.02	0.80	8.43	6.02	100.00	
		78.71				15.23					
	重量	15.08	1.34	62.36	14.41	1.84	0.38	2.32	2.28	100.00	
		93.19				4.54					

表2.4.10　杨家湾Q1914T1811第5层可辨器形统计表

器形＼陶色＼陶质	夹砂				泥质	印纹硬陶和原始瓷	合计	百分比（%）
	灰	黑皮	红	黄	灰			
鬲	2		1				3	1.56
鬲足或甗足	1		2				3	1.56
罐					1	2	3	1.56
豆					1		1	0.52
缸	27	2	109	42			180	93.75
器口						2	2	1.04
合计	30	2	112	42	2	4	192	100.00
百分比（%）	15.63	1.04	58.33	21.88	1.04	2.08	100.00	

表2.4.11　杨家湾Q1914T1911第5层陶系、纹饰统计表　　（重量单位：克）

纹饰＼陶色＼陶质		夹砂				泥质			印纹硬陶和原始瓷	合计	百分比（%）
		灰	黑皮	红	黄	灰	黑皮	红			
绳纹	数量	16	6	36	7	2		15		82	32.16
	重量	1360	162	4578	520	20		348		6988	33.67
绳纹和附加堆纹	数量	2		12				1		15	5.88
	重量	507		1670				14		2191	10.56

续表

纹饰＼陶质/陶色		夹砂				泥质			印纹硬陶和原始瓷	合计	百分比（%）
		灰	黑皮	红	黄	灰	黑皮	红			
绳纹和弦纹	数量			1		6		1		8	3.14
	重量			383		230		32		645	3.11
网格纹	数量	7		17	16				4	44	17.25
	重量	713		1189	1302				84	3288	15.84
网格纹和附加堆纹	数量			10	7					17	6.67
	重量			1462	788					2250	10.84
篮纹	数量	7		4						11	4.31
	重量	470		224						694	3.34
篮纹和附加堆纹	数量			2						2	0.78
	重量			405						405	1.95
附加堆纹	数量								1	1	0.39
	重量								188	188	0.91
弦纹	数量					4			4	8	3.14
	重量					96			104	200	0.96
云雷纹	数量								2	2	0.78
	重量								50	50	0.24
叶脉纹	数量								4	4	1.57
	重量								50	50	0.24
素面	数量	5	1	32	12	3	2	4	2	61	23.92
	重量	45	116	3019	377	36	79	86	46	3804	18.33
合计	数量	37	7	114	42	15	2	21	17	255	100.00
	重量	3095	278	12930	2987	382	79	480	522	20753	100.00
百分比（%）	数量	14.51	2.75	44.70	16.47	5.88	0.78	8.24	6.67	100.00	
		78.43				14.90					
	重量	14.91	1.34	62.30	14.39	1.84	0.38	2.32	2.52	100.00	
		92.94				4.54					

表2.4.12 杨家湾Q1914T1911第5层可辨器形统计表

陶质	夹砂				泥质	印纹硬陶和原始瓷	合计	百分比（%）
器形＼陶色	灰	黑皮	红	黄	黑皮			
鬲	1	3	1		1		6	3.02
鬲足或甗足	1		4				5	2.51
罐						4	4	2.01
盆					2		2	1.01
瓮						1	1	0.50
缸	27	2	109	42			180	90.45
圈足		1					1	0.50
合计	29	6	114	42	3	5	199	100.00
百分比（%）	14.57	3.02	57.28	21.11	1.51	2.51	100.00	

二、房址

F6

位于发掘区中部及东部，开口于第4层下，打破第5层。由于破坏较严重，F6的形状和结构难以判断。在西侧发现有两条排列较规律的石头带，大致呈东北—西南走向，其中西侧石头分布较连续，长4.25米，东边一条分布不连续，目前发掘长5.5米，两条石头带平行分布，可能为F6墙基部分（见图2.4.1）。两条石头遗迹以东还发现有较多散落的石头，其中中部两块石头较大，分别长1.2米和1.35米，两石块相聚1米，或为F6中部屋顶的支撑柱的础石（图2.4.7）。F6由于遭破坏严重，无出土遗物，仅残存部分石基，开间数量、是否分室以及门道位置不明。

图 2.4.7 杨家湾 F6 中部屋顶的支撑柱的础石

第五节　年代与性质

一、年代

以上杨家湾南坡、坡顶和北坡发掘区之间互不相连，因此难以对三个区域之间的层位关系进行串联并认识其之间相对的年代关系。在此先分发掘地点对三个区域商时期遗存的年代分别进行讨论，并以出土遗物的年代特征为依据，探讨杨家湾地点商时期遗存的年代序列。

（一）杨家湾南坡

根据层位关系与出土陶器的年代特征，杨家湾南坡商时期遗存可大致分为两个阶段。

第一阶段为H8、H10、H15和Q1712T0915～T0918第2层及其下遗存、Q1712T0817～T0816第2层及其下遗存、Q1712T1020～T1816第3层、Q1712T1010第3～5层、Q1712T1011第3～4层、Q1712T1012第6层、Q1712T1013第7～8层、Q1712T1014第6～8层、Q1712T1015第7层为代表，所出陶鬲和陶甗多为卷沿、薄唇或侈口、平折沿、尖圆唇、沿面常见一周凹槽，多具有原盘龙城发掘报告所分第四、五期陶鬲口沿的特征[①]。其中，杨家湾H8：1腹身与杨家嘴T8⑤：2[②]相似；Q1712T1010③：2鬲口沿及腹部形态更可比照盘龙城杨家嘴T3⑤：3[③]；杨家湾H9：1、Q1712T1010③：6、Q1712T1013⑦：4陶鬲或鬲口沿与早年发掘的盘龙城楼子湾G2⑤：14[④]、楼子湾G2⑤：17[⑤]、杨家嘴H1：2[⑥]、杨家嘴T28⑤：8[⑦]形态接近。上述所对比的材料均属于盘龙城遗址第五期[⑧]。此外，Q1712T1220第3层和T1013第7层见有多件颈部饰圆圈纹的方唇鬲，为二里冈文化上层一期比较流行的做法，同样也可比较原盘龙城发掘报告第五期杨家嘴T3⑤：5陶鬲[⑨]。考虑到杨家湾H8所出陶鬲、甗的足跟较矮，鬲整体形态方正，年代特征可能略偏晚，然而整体上这一阶段遗存的年代应不晚于原盘龙城报告的第五期，即相当于二里冈文化上层一期前后。

第二阶段以G1、J1、Q1712T1012第3～4层、Q1712T1013第3～5层、Q1712T1014第3～5层、Q1712T1015第3～6层为代表，所出陶鬲、甗以折沿或卷沿厚方唇者居多，口部较

① 《盘龙城（1963～1994）》，第472、475页。
② 《盘龙城（1963～1994）》，第322页。
③ 《盘龙城（1963～1994）》，第322页。
④ 《盘龙城（1963～1994）》，第376页。
⑤ 《盘龙城（1963～1994）》，第376页。
⑥ 《盘龙城（1963～1994）》，第322页。
⑦ 《盘龙城（1963～1994）》，第322页。
⑧ 《盘龙城（1963～1994）》，第372页。
⑨ 《盘龙城（1963～1994）》，第322页。

直；少数为平折沿，唇外缘较方钝，部分沿面施有两周凹槽，多可见与原盘龙城报告所列第六、七期的陶鬲特征相近[①]。G1：6、Q1712T1015③：2、T1014③：7陶鬲为折沿厚方唇，口部形态更与洹北花园庄H1：9陶鬲[②]相近，只是前者腹部稍显瘦长，不如洹北花园庄陶鬲外鼓，似乎年代稍早。因此杨家湾南坡第二阶段年代可对应于原盘龙城报告的第六、七期，属于盘龙城城市聚落的最晚阶段，相当于中商时期。

此外，杨家湾南坡发现M13、M16～M21等多座商时期的墓葬。其中M13和M17出土青铜器多显现出盘龙城遗址偏晚阶段的特征。M13出土一件青铜鼎残片（M13：8），腹部可见较为细密的宽带阳线纹饰，体现为青铜器兽面纹从二里冈阶段到殷墟阶段过渡的特征。M13与M17出土青铜爵，腹身截面已较宽，反映了此类器物腹部截面由早商时期橄榄形向殷墟阶段圆形的演变。M17随葬的青铜斝（M17：22）柱帽饰涡云纹，上腹部的兽面纹和夔纹装饰线条较为复杂，与过去在盘龙城杨家湾M7青铜斝纹饰特征一致[③]；青铜带鋬觚形器（M17：19）腰饰两周连珠纹，装饰风格也与盘龙城最晚阶段的PYWM11、PYWH6所出的青铜尊（PYWM11：34、PYWH6：15）相近[④]。M17还出土1件青铜兽面纹牌形器（M17：27），主体纹饰突出，宽带阳线内另刻画有多道细阴线，也属于青铜器装饰风格从早商向晚商过渡时期的特征。综上，M17和M13应与盘龙城最晚阶段PYWM11和PYWH6的年代相当，属于原盘龙城报告所划分的第六、七期。此外，邻近的M19随葬的青铜罍整体器形接近于李家嘴M1：7、M1：8[⑤]，纹饰则与郑州白家庄M3青铜尊（C8M3：9）[⑥]风格一致；青铜鬲同样近于盘龙城李家嘴M1出土同类器。不过，综合考虑其他随葬品，以及M19墓葬位置及与M17、M13之间的关联，我们推测M19的年代或应与M17大体同时。而M16、M18、M20和M21等墓葬随葬品的年代特征并不明显，但根据墓葬间的打破关系，M20打破M17东南角，M22打破M16北壁，同时参考墓葬整体的排列情况，我们认为这批墓葬的年代应同属于原盘龙城报告的第六、七期，即与上述杨家湾南坡的第二阶段同时。

杨家湾南坡共采集木炭样品17份，做了碳-14年代测定，相关检测结果已附于所属各单位之后。在此将检测结果汇总如下（表2.5.1）。

（二）杨家湾坡顶

根据层位关系与出土陶器的年代特征，杨家湾坡顶商时期遗存主体可分为三个阶段。

第一阶段主要以H30、H31、H42和H43及发掘探方第7层为代表。这批遗存均被探方第6层所叠压，出土陶器组合为鼎、鬲、甗、罐和大口尊等。所出陶鬲、甗皆为卷沿、圆唇，所饰绳纹较细，年代应当接近于盘龙城遗址第二、三期之交。陶鬲H43：1侈口特征较甚，裆部近平，细绳纹，可比较原盘龙城报告第一期王家嘴T20⑨：1[⑦]；大口尊H31：1较矮胖，

① 《盘龙城（1963～1994）》，第475页。

② 中国社会科学院考古研究所安阳工作队：《河南安阳市洹北花园庄遗址1997年发掘简报》，《考古》1998年第10期。

③ 《盘龙城（1963～1994）》，第254页。

④ 《盘龙城（1963～1994）》，第286、287页。

⑤ 《盘龙城（1963～1994）》，第196、197页。

⑥ 河南省文物考古研究所：《郑州商城——1953～1985年考古发掘报告》，第820页，文物出版社，2001年。

⑦ 《盘龙城（1963～1994）》，第83页。

表2.5.1　杨家湾南坡地层和灰坑木炭样品加速质谱仪（AMS）碳-14测年数据

Lab 编号	样品种类	样品原编号	出土地点	碳-14年代（BP）	树轮校正后年代	
					1σ（68.2%）	2σ（95.4%）
BA151621	炭样	Q1813T1015⑥：9	杨家湾	3180±30	1495BC（23.4%）1470BC 1465BC（44.8%）1425BC	1510BC（95.4%）1400BC
BA151620	炭样	Q1813T1015⑦：6	杨家湾	3070±25	1395BC（68.2%）1310BC	1410BC（95.4%）1260BC
BA151622	炭样	Q1813T1015⑤：1	杨家湾	3100±25	1415BC（49.8%）1375BC 1340BC（18.4%）1315BC	1430BC（95.4%）1300BC
BA151623	炭样	Q1813T1015⑤：2	杨家湾	3070±25	1395BC（68.2%）1310BC	1410BC（95.4%）1260BC
BA151624	炭样	Q1813T1015⑤：3	杨家湾	3075±25	1400BC（27.6%）1365BC 1360BC（40.6%）1310BC	1420BC（93.3%）1290BC 1280BC（2.1%）1260BC
BA151625	炭样	Q1813T1015④：11	杨家湾	3095±25	1415BC（46.2%）1370BC 1340BC（22.0%）1315BC	1430BC（95.4%）1300BC
BA151626	炭样	Q1813T1015④：1	杨家湾	3075±30	1400BC（68.2%）1310BC	1420BC（95.4%）1260BC
BA151631	炭样	Q1813T1014④：3	杨家湾	3080±25	1410BC（36.5%）1365BC 1350BC（31.7%）1315BC	1420BC（94.2%）1290BC 1280BC（1.2%）1270BC
BA151632	炭样	Q1813T1014④：15	杨家湾	3040±25	1380BC（28.6%）1330BC 1320BC（39.6%）1260BC	1400BC（91.2%）1250BC 1240BC（4.2%）1210BC
BA151633	炭样	Q1813T1012⑥：5	杨家湾	3025±30	1380BC（19.0%）1340BC 1320BC（43.9%）1250BC 1230BC（5.3%）1210BC	1400BC（94.3%）1190BC 1150BC（1.1%）1130BC
BA151627	炭样	Q1813T1015③：1	杨家湾	3025±25	1380BC（17.7%）1340BC 1320BC（50.5%）1250BC	1390BC（95.4%）1200BC
BA151628	炭样	Q1813T1015③：2	杨家湾	3010±30	1370BC（7.1%）1350BC 1320BC（61.1%）1210BC	1390BC（95.4%）1120BC
BA151629	炭样	Q1813T1014③：1	杨家湾	3030±30	1380BC（24.1%）1330BC 1320BC（44.1%）1250BC	1400BC（95.4%）1190BC
BA151630	炭样	Q1813T1014③：7	杨家湾	2990±25	1300BC（64.0%）1190BC 1150BC（4.2%）1130BC	1370BC（1.0%）1350BC 1320BC（94.4%）1120BC
BA151634	炭样	Q1813T1013③：1	杨家湾	2945±25	1260BC（5.4%）1240BC 1220BC（62.8%）1120BC	1260BC（95.4%）1050BC
BA151635	炭样	Q1813T1013③：3	杨家湾	2970±20	1260BC（47.1%）1190BC 1180BC（21.1%）1130BC	1290BC（95.4%）1120BC
BA151617	炭样	H14：1	杨家湾	3140±30	1450BC（68.2%）1390BC	1500BC（90.2%）1370BC 1340BC（5.2%）1310BC

注：所用碳-14半衰期为5568年，BP为距1950年的年代。

树轮校正所用曲线为IntCal20 atmospheric curve (Reimer et al 2020)，所用程序为OxCal v4.4.2 Bronk Ramsey (2020)；r: 5。

1. Reimer P J, Bard E, Bayliss A, Beck J W. IntCal13 and Marine13 radiocarbon age calibration curves 0–50,000 years cal BP, Radiocarbon, 2013, 55, 1869-1887.

2. Christopher Bronk Ramsey 2015, https://c14.arch.ox.ac.uk/oxcal/OxCal.html.

腹部外鼓，具有较早的文化特征，与湖北郧县（今十堰市郧阳区）二里头晚期遗存李营H69：44[①]形态接近，只是前者稍显瘦长；壶H31：2，高圈足、鼓腹，腹部饰三角形纹，同类型器物可见于郑州洛达庙三期壶C8T55⑤：5[②]；鼎H42：1，锥足，颈与腹部交界处有明显的转折痕迹，颈部饰多周弦纹，与郑州南关外期的C5H9：8[③]十分接近。杨家湾坡顶第一阶段遗存比较南坡第一阶段显现出了更早的文化特征，可对应于原盘龙城报告第二、三期前后，属于夏商之际至二里冈下层偏早。

第二阶段包含开口于第5层下的一批灰坑及探方第6层。所出鬲、甗，以侈口、尖圆唇、平折沿多见，沿面常见有一周凹槽，由上述已知这是原盘龙城报告第四、五期陶鬲、甗的口部特征，如鬲H35：2与"盘龙城第四期"杨家湾T9⑥：22[④]形态特征接近。杨家湾坡顶第二阶段遗存的年代与杨家湾南坡第一阶段遗存年代或相当，可对应于原盘龙城报告第四、五期，属于二里冈上层一期前后。

第三阶段以发掘探方开口第3层下的灰坑及探方第4、5层为代表。所出鬲、甗多为侈口、平折沿、沿面较宽、带有一到两周凹槽。H32：2鬲口部为平折沿，唇已呈方钝的造型，为此类型鬲口偏晚的特征之一；H32另出土1件带附加堆纹的鬲足，同类型器多在中原地区二里冈上层二期至洹北花园庄阶段有见，同样属于盘龙城遗址偏晚阶段；T1113④：16为侈口，厚方唇，沿面内凹，可比照上述杨家湾南坡第二阶段的G1：7。杨家湾坡顶第三阶段遗存的年代与杨家湾南坡第二阶段或相当，可对应于原盘龙城报告第六、七期，属于中商时期。

此外，需要注意的是，杨家湾坡顶的H28，虽打破探方第4、5层，根据层位证据应归于本阶段。H28出土的大口尊H28：4口部外敞；鬲H28：12唇部近方钝，确显现出偏晚的时代作风。不过，H28还出土有锥足罐形鼎，足部上端带有按窝；刻槽盆侈口，腹部微外鼓；大口缸H28：16整体腹身呈现较为矮胖的形态、近圜底。这些陶器形态却又反映为更早期的文化特征。考虑到H28底部打破杨家湾坡顶第一阶段的H31、H43等灰坑，怀疑其中部分偏早特征的陶器为晚期单位将早期单位遗物扰乱所致。

杨家湾南坡共采集木炭样品4份，做了碳-14年代测定，相关检测结果已附于所属各单位之后。在此将检测结果汇总如下（表2.5.2）。

（三）杨家湾北坡

杨家湾北坡发掘区出土陶片较为破碎，从目前出土的陶片观察，所揭露的遗存可整体分为两个阶段。其中Q1914T1811、T1911第5层出土陶鬲多为侈口、平折沿、尖圆唇，沿面见一周凹槽，这是原盘龙城报告第四、五期陶鬲口部的特征，应与上述杨家湾南坡第一阶段、杨家湾坡顶第二阶段遗存年代相当。Q1914T1811、T1911第4层则出土有侈口、厚方唇的鬲口，与上述杨家湾南坡第二阶段、杨家湾坡顶第三阶段所见部分陶鬲口相近，则应属于盘龙

① 武汉大学考古系、郧阳博物馆：《湖北郧县李营遗址二里头文化遗存发掘简报》，《江汉考古》2014年第6期。

② 河南省文物考古研究所：《郑州商城——1953～1985年考古发掘报告》，文物出版社，2001年，第114页。

③ 河南省文物考古研究所：《郑州商城——1953～1985年考古发掘报告》，文物出版社，2001年，第128页。

④ 《盘龙城（1963～1994）》，第226页。

表2.5.2 杨家湾坡顶灰坑木炭样品加速质谱仪（AMS）碳-14测年数据

Lab 编号	样品原编号	样品	碳-14 年代（BP）	树轮校正后年代	
				1σ（68.2%）	2σ（95.4%）
BA192344	H42：2	木炭	3125±35	1440BC（47.8%）1382BC 1341BC（20.5%）1311BC	1496BC（4.3%）1476BC 1458BC（91.1%）1288BC
BA192345	H36：2	木炭	3320±35	1620BC（68.3%）1536BC	1687BC（95.4%）1506BC
BA192346	H35：5	木炭	3165±35	1496BC（19.4%）1475BC 1458BC（48.9%）1412BC	1506BC（91.3%）1386BC 1338BC（4.2%）1318BC
BA192347	H35：1	木炭	3210±30	1502BC（68.3%）1446BC	1518BC（95.4%）1422BC

注：所用碳-14半衰期为5568年，BP为距1950年的年代。

树轮校正所用曲线为IntCal20 atmospheric curve (Reimer et al 2020)，所用程序为OxCal v4.4.2 Bronk Ramsey (2020)；r: 5。

1. Reimer P J, Bard E, Bayliss A, Beck J W. IntCal13 and Marine13 radiocarbon age calibration curves 0–50,000 years cal BP, Radiocarbon, 2013, 55, 1869-1887.

2. Christopher Bronk Ramsey 2015, https://c14.arch.ox.ac.uk/oxcal/OxCal.html.

城较晚时期，相当于原盘龙城报告第六、七期，大致属于中商时期。

杨家湾北坡发掘区发现一处建筑遗迹，编号F6。该处房址保存较差，未发现明确属于建筑建造、使用和废弃时期的遗物，因此只能通过相关地层来判断其年代。F6打破第5层，被第4层叠压，可见其建造年代不早于原盘龙城报告第四、五期，废弃年代不晚于盘龙城遗址第六、七期，推断F6使用时期也应在原盘龙城报告第五、六期之间。

二、性质

由上述年代分析可见，目前杨家湾地点商时期遗存主要见于三个时期。其中偏早阶段相当于原盘龙城报告第二、三期，遗存仅见于坡顶堆积较厚的区域，以灰坑、地层堆积等遗存为代表。以往盘龙城遗址偏早阶段的遗存多见于王家嘴地点。杨家湾地点原盘龙城报告第二、三期遗存的发现，进一步补充了盘龙城遗址城市聚落早期聚落范围与布局的认识。根据已有线索，我们认为杨家湾岗地在盘龙城遗址早期即已存在人类活动，并可能在坡顶位置形成阶梯状的台地，而将对应的生活垃圾集中倾倒于台边陡坎下的灰坑内（图2.5.1）。这一阶段杨家湾地点的遗存以灰坑和陶器为代表，并未发现大规模的建筑或丰富的地层堆积。此外，早年曾在杨家湾发掘一座墓葬M6，年代被归入盘龙城第三期，出土青铜斝，圜底、素面；青铜爵流、尾较长，腹部饰细阳线抽象化的兽面纹，年代特征偏早，应同样属于这一阶段。由此可见，目前杨家湾地点在盘龙城聚落早期应属于一处较为边缘的普通居民点。

至原盘龙城报告第四、五期，即二里冈上层一期前后，相关遗存广泛分布于杨家湾南坡、坡顶和北坡，以地层堆积和灰坑为主，同样不见大规模建筑遗迹或高规格的墓葬，反映出城址建设、使用之后，聚落进一步向杨家湾扩张。

盘龙城报告第六、七期，即中商阶段，为杨家湾地点遗存堆积最为丰富的阶段，遗存分

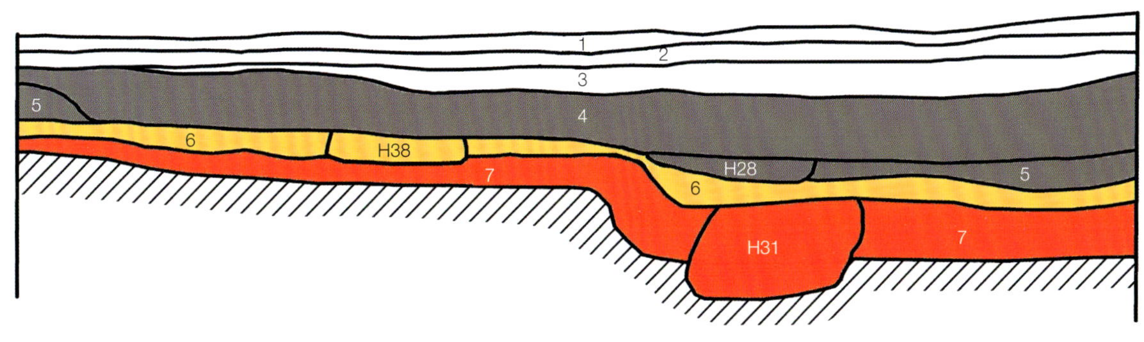

图 2.5.1　杨家湾坡顶发掘区不同阶段地形变化示意图

布广泛，发现有多座建筑基址和贵族墓葬，地层堆积较厚，显示了杨家湾地点在这一阶段人口较多、活动程度密集的较为繁盛的局面。

杨家湾南坡的F4、F5均保存较差，并未发现明确属于F4建造、使用和废弃时期的堆积，而F4柱坑内的陶片又多属陶缸，年代辨识度不强，因此只能通过相关的地层和遗迹来判断基址的年代。杨家湾F4直接打破其所在探方的第3层。由上文已知，相关探方第3层属于杨家湾南坡第一阶段遗存，相当于原盘龙城报告第四、五期。因此F4的始建年代应不早于该阶段。F4的北面发现有一条灰沟G1，其走向与F4一致，并出土较多原始瓷和印纹硬陶器，暗示G1的使用人群等级较高，其性质或与F4相关，年代可能相当于F4的使用时期。G1属于杨家湾南坡第二阶段遗存，为盘龙城遗址第六、七期，因此推测F4的使用年代也应大致与此同时。而F4南部的F5，同样方向与F4一致，可能属于F4同一阶段的建筑。

从目前残存遗迹的情况推测，F4范围东西长最大可至34米，南北宽12米。比较盘龙城城址内所发现的宫殿基址F1，其台基东西长39.8、南北宽12.3米①，两者建筑面积大体相当。此外，F4残存柱坑和柱础石的规模也接近于F1的大檐柱础穴。由此推测，F4的性质绝非普通房屋遗迹，而应属于宫殿或宗庙类的建筑。值得注意的是，F4在方向和布局上也与盘龙城宫殿基址F1和F2相近，均是南偏西20°左右，进一步反映出F4与盘龙城几处大型建筑之间的关联。

而在F4的南部海拔较低的位置，除上述F5，还发现一处大型的柱础石，怀疑为另一处大型建筑。目前线索都表明F4在杨家湾南坡并非孤立存在，其周边应存在其他与此相关的附属建筑。而F4南部的地层堆积出土遗物丰富，属于同一阶段的Q1712T1012第3～4层、Q1712T1013第3～5层、Q1712T1014第3～5层、Q1712T1015第3～6层等出土大量陶器、印纹硬陶和原始瓷，以及零星的青铜器碎片和绿松石，这些又都与杨家湾F4所展现出的大型建筑基址的地位相匹配。

自1974年以来，盘龙城杨家湾地点还陆续发现有墓葬共计22座，是目前盘龙城遗址墓葬分布最多的区域之一，可视为早、中商时期一处重要的墓地。而除上述杨家湾M6外，大

① 《盘龙城（1963～1994）》，第46～56页。

部分墓葬，特别是青铜器贵族墓葬，以杨家湾M11、H6等为代表，正属于盘龙城遗址最晚阶段。近年来新发现的M13、M17、M19墓葬年代我们判断同样属于原盘龙城报告第六、七期。其规模较大、出土随葬品丰富，墓主身份应为盘龙城最高等级人群。联系上述杨家湾F4大型建筑基址，在盘龙城聚落晚期，我们可见在杨家湾南坡集中出现有大型建筑基址和高等级贵族墓葬，无疑体现出其为城址以外盘龙城城市聚落的另一个核心区域。考虑到在原报告《盘龙城（1963～1994）》第六、七期，城址内F1、F2等大型建筑基址已废弃，城址在功能上已处于废弃的状态，有理由推测盘龙城城址聚落的中心在城址区废弃之后转移到了杨家湾南坡。

同样在原报告《盘龙城（1963～1994）》第六、七期，杨家湾坡顶发现有丰富的文化遗存，以灰坑和地层堆积为代表。并且根据地层剖面所示，至这一阶段，大量的废弃堆积已将原先地势较低处彻底填平，陡坎消失，人类的活动由此向更北处拓展。由此可见，伴随着盘龙城聚落中心转移到杨家湾南坡，杨家湾坡顶逐步成为中心聚落的边缘地区，形成大量的生活废弃堆积，而在此基础上聚落进一步向北部外围区域扩张。

在所属杨家湾北坡的Q1914T1811、T1911，目前还发现有石砌建筑遗迹F6。根据上述年代判断，F6的年代同样属于原报告《盘龙城（1963～1994）》第六、七期，即盘龙城遗址偏晚阶段。由于破坏严重，F6的结构和性质难以探知，但是其中石块分布规律，西边保存较好的一段排列整齐，应为人工垒砌的建筑类遗存。杨家湾北坡F6的功能是一般居民居住还是别有他用目前还不得而知。杨家湾北坡发现的文化堆积，以及石砌的建筑类遗迹填补了我们以往对于杨家湾北坡商时期遗存认识的空白；并且用石头作为墙基的筑造方式也与F4、F5仅仅用石头作柱础的建筑方式不同，说明盘龙城杨家湾地点可能存在多种形式的建筑。不同的建筑方式、结构所代表的功能是否有差异，无疑需要今后继续关注。

田野考古工作报告 下

盘龙城

（1995～2019）

武汉大学历史学院
湖北省文物考古研究院
武汉市文物考古研究所 / 编著
盘龙城遗址博物院

科学出版社
北京

内 容 简 介

本书为湖北黄陂盘龙城遗址 1995 ～ 2019 年田野考古工作报告。在上述年度范围内，盘龙城遗址考古工作主要集中于杨家湾、小嘴和小王家嘴三处地点：杨家湾地点的考古发掘发现有大型建筑基址、灰坑、灰沟、墓葬等遗迹，揭示出盘龙城城市聚落晚期的中心；小嘴地点的考古发掘主要见有灰坑、灰沟和房址，发现有铸铜手工业遗存；小王家嘴地点则以灰坑和墓葬为代表，属于城市外围的墓地。1995 ～ 2019 年间，城址、杨家嘴、王家嘴、大邓湾等其他地点也有少量零散考古工作，一并收入本书。本书还随文报道了铸铜遗物、木炭、碳 -14 测年等科技检测分析结果。

本书可供考古学、历史学等相关学者，以及院校师生阅读和参考。

图书在版编目（CIP）数据

盘龙城：1995～2019. 一，田野考古工作报告：全2册 / 武汉大学历史学院等编著. -- 北京：科学出版社，2024. 10. -- ISBN 978-7-03-079549-6

Ⅰ. K878.34

中国国家版本馆CIP数据核字第20245EL442号

责任编辑：雷　英 / 责任校对：邹慧卿

责任印制：肖　兴 / 书籍设计：北京美光设计制版有限公司

科 学 出 版 社 出版

北京东黄城根北街16号

邮政编码：100717

http://www.sciencep.com

北京中科印刷有限公司印刷

科学出版社发行　各地新华书店经销

*

2024年10月第　一　版　开本：889×1194　1/16

2024年10月第一次印刷　印张：64　1/4

字数：1 850 000

定价：1580.00元（全二册）

（如有印装质量问题，我社负责调换）

目 录

第五章 其他地点

第六章 结语

插图目录

插表目录

彩版目录

第三章

小嘴

第一节　遗 址 概 况

小嘴是位于盘龙城遗址西南部的一处狭长形岗地。小嘴岗地东、西、南三面被破口湖环绕，北与杨家湾相连，东、西两侧分别与盘龙城西城垣和艾家嘴隔湖相望，南临府河大堤。小嘴岗地东西宽100～126、南北长约495米，海拔20.1～27.5米，地势北高南低，高程落差7.4米。小嘴岗地主体常年被茂密的野生灌丛及林木覆盖，而临湖滩地常年受湖水涨落侵蚀。每年枯水期滩地上可见大量陶片及部分灰坑暴露于地表，汛期滩地则淹没于湖水以下，因此残存的古代文化堆积逐年削减（图3.1.1、图3.1.2）。

小嘴地点的考古工作主要有如下三次：

（1）2002年，盘龙城遗址博物馆在小嘴东侧河滩清理了2座墓葬，编号M1、M2，出土了3件商文化时期青铜器。

（2）2013年秋，盘龙城遗址博物馆工作人员在小嘴东部河滩地表调查，并采集到6件石范残块（图3.1.3）。

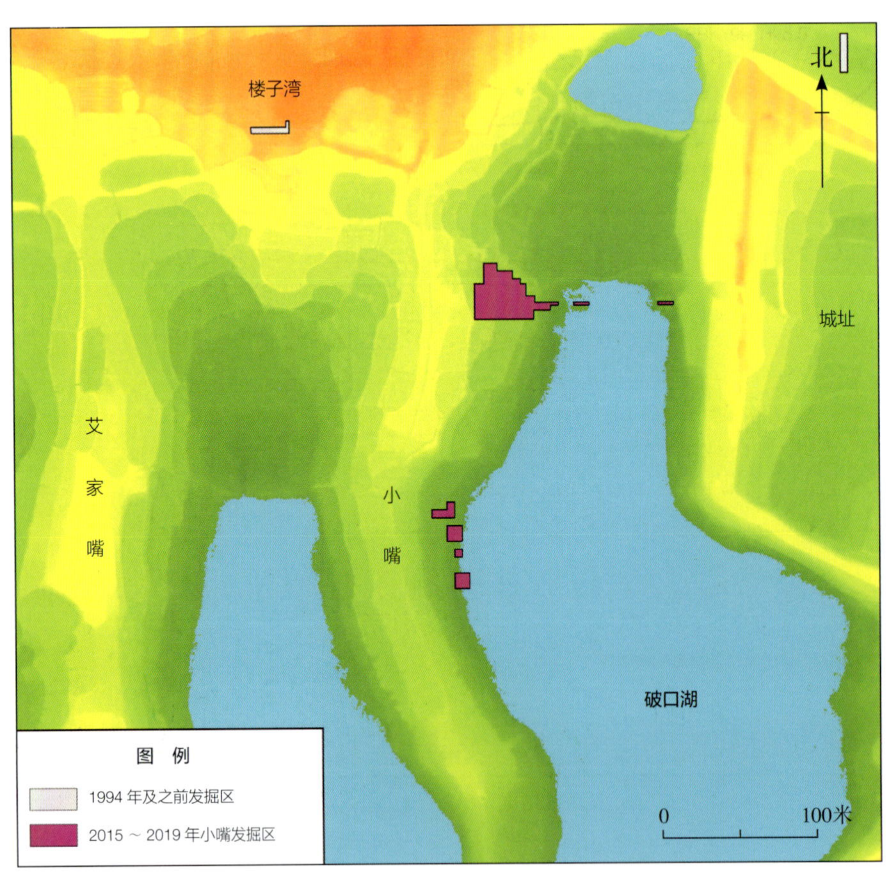

图 3.1.1　小嘴 DEM 地形图及该地点历年发掘区位置

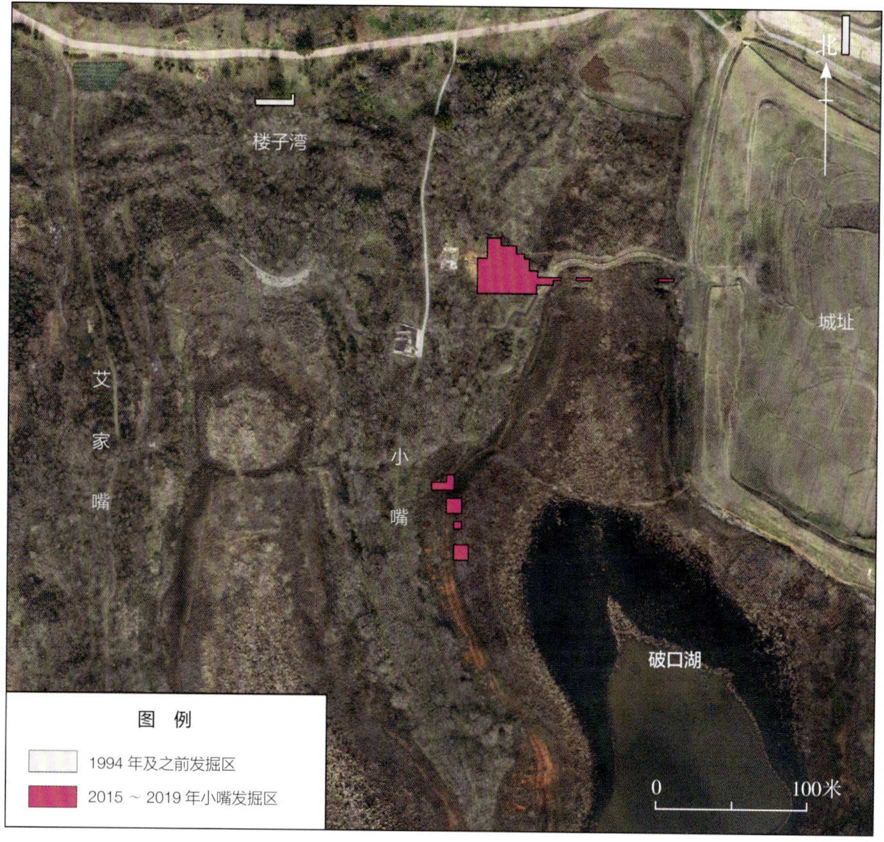

图 3.1.2　小嘴正射影像及该地点历年发掘区位置

图 3.1.3　石范（小嘴采：01）

（3）2015年11月～2019年1月，武汉大学历史学院与湖北省文物考古研究所、盘龙城遗址博物馆组成联合考古队，依据前期考古勘探资料，对小嘴遗址东北部进行多次考古发掘工作（图3.1.4～图3.1.8）。整体发掘工作可分为五个阶段：①2015年11月～2016年1月，布设5米×5米探方19个，揭露出长度达20米以上的大型灰沟2条（G1、G2）、小型灰沟3条、灰坑28个，并在G1填土中发现有密集分布的细碎青铜颗粒。经发掘区土壤XRF原址检测分析，G1局部填土中铜元素含量异常，高于周边区域（图3.1.4、图3.1.5）；②2016年3～5月，因前期发掘所见的大型灰沟继续向北、东、南三面延伸，考虑到原发掘区东北部为临湖洼地，故选择在原有发掘区的东南部继续扩方，以尽可能全面地揭露灰沟遗迹的整体结构。这次发掘布设5米×5米探方18个，揭露出大小灰沟共计16条，灰坑35个，柱洞10个（图3.1.6）。对G1进行了局部解剖并清理了部分灰坑，在G1、H42等单位中发现陶范碎块；③2016年12月～2017年3月，继续在原有发掘区的北部和东部扩方，以寻找小嘴沟状遗迹的边界，共布设5米×5米探方4个。鉴于大部分沟状遗迹和灰坑堆积状况相

图 3.1.4　2015 年 11 月至 2016 年 1 月小嘴发掘区航拍（上为东）

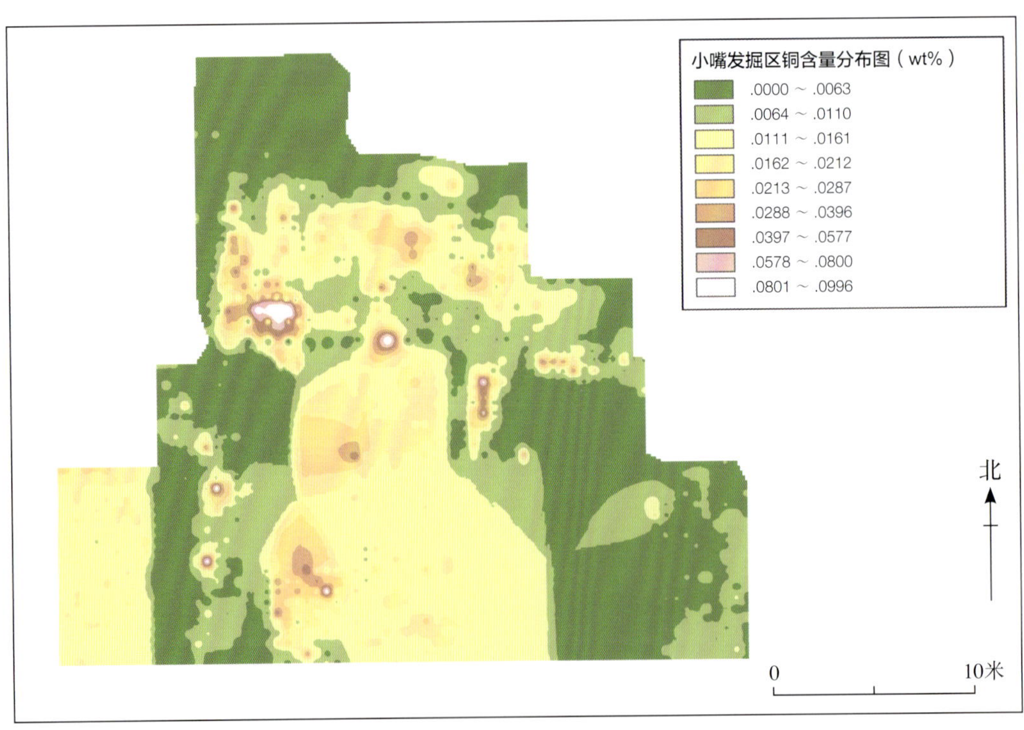

图 3.1.5　2015 ～ 2016 年小嘴发掘区土壤 XRF 化学元素检测热力图

图3.1.6 2016年3～6月小嘴发掘区航拍（上为北）

同，因此只对已发现的各类沟状遗迹进行分段解剖，以明确遗迹的剖面结构，并选择部分灰坑进行了清理。2017年4月，在发掘工作结束后，对小嘴发掘区进行了保护性回填；④为探索沟状遗迹的性质，继续向西布设探方。2017年11月～2018年2月，布设5米×5米的探方14个，揭露建筑基址1座，小型灰沟5条，灰坑20个，出土物主要以生活遗物为主，铸铜遗物很少（图3.1.7）；⑤2018年11月～2019年1月，为继续寻找铸铜生产场所，继续向西发掘，共布设5米×5米探方7个，揭露建筑基址1座，小型灰沟3条，灰坑5个，同时清理2015～2017年度发掘区内灰坑2个（图3.1.8）。

上述2015～2019年小嘴发掘区位于小嘴东北部，东部隔破口湖与西城门相望（图3.1.1、图3.1.2）。整体地势西高东低，坡度较为平缓，有利于人类活动，文化堆积亦自西向东倾斜分布。从堆积走势、遗迹深度及底部高程来看，现代地势与商时期地势相差不大。通过RTK高程测量，发掘区生土最高点位于最西部探方，高程为25.39米，生土最低点紧邻破口湖，高程为20.9米，高差为4.49米。2017年考古队利用春季枯水期对小嘴发掘区至西城门之间的湖区进行了考古试掘，发现湖底以下分布商时期的文化堆积，堆积年代与小嘴发掘区主体年代及盘龙城城垣使用时间基本相当。湖底商时期堆积底部高程为18.05米，因此商时期小嘴自发掘区西部的最高点至破口湖探沟之间的地势高差达到了7.34米（图3.1.9、图3.1.10）。

图 3.1.7　2017 年 11 月至 2018 年 2 月小嘴发掘区航拍（上为东）

图 3.1.8　2018 年 11 月至 2019 年 1 月小嘴发掘区航拍（上为东）

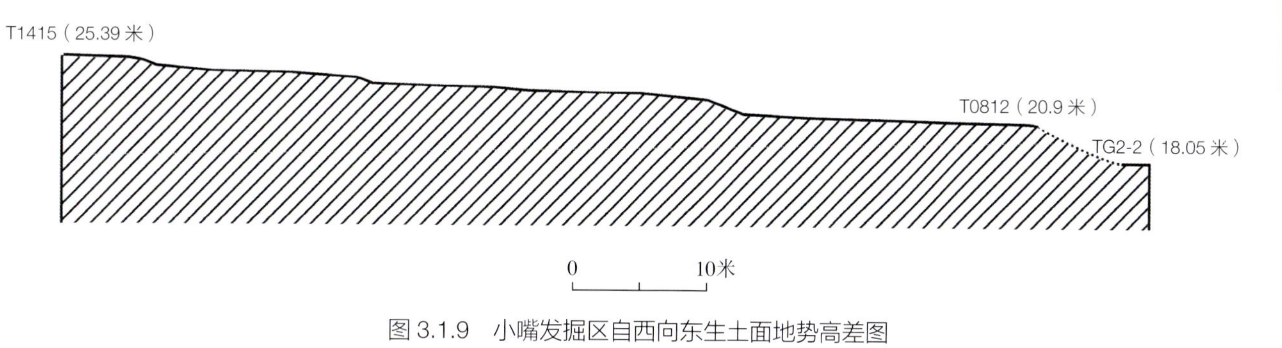

图 3.1.9　小嘴发掘区自西向东生土面地势高差图

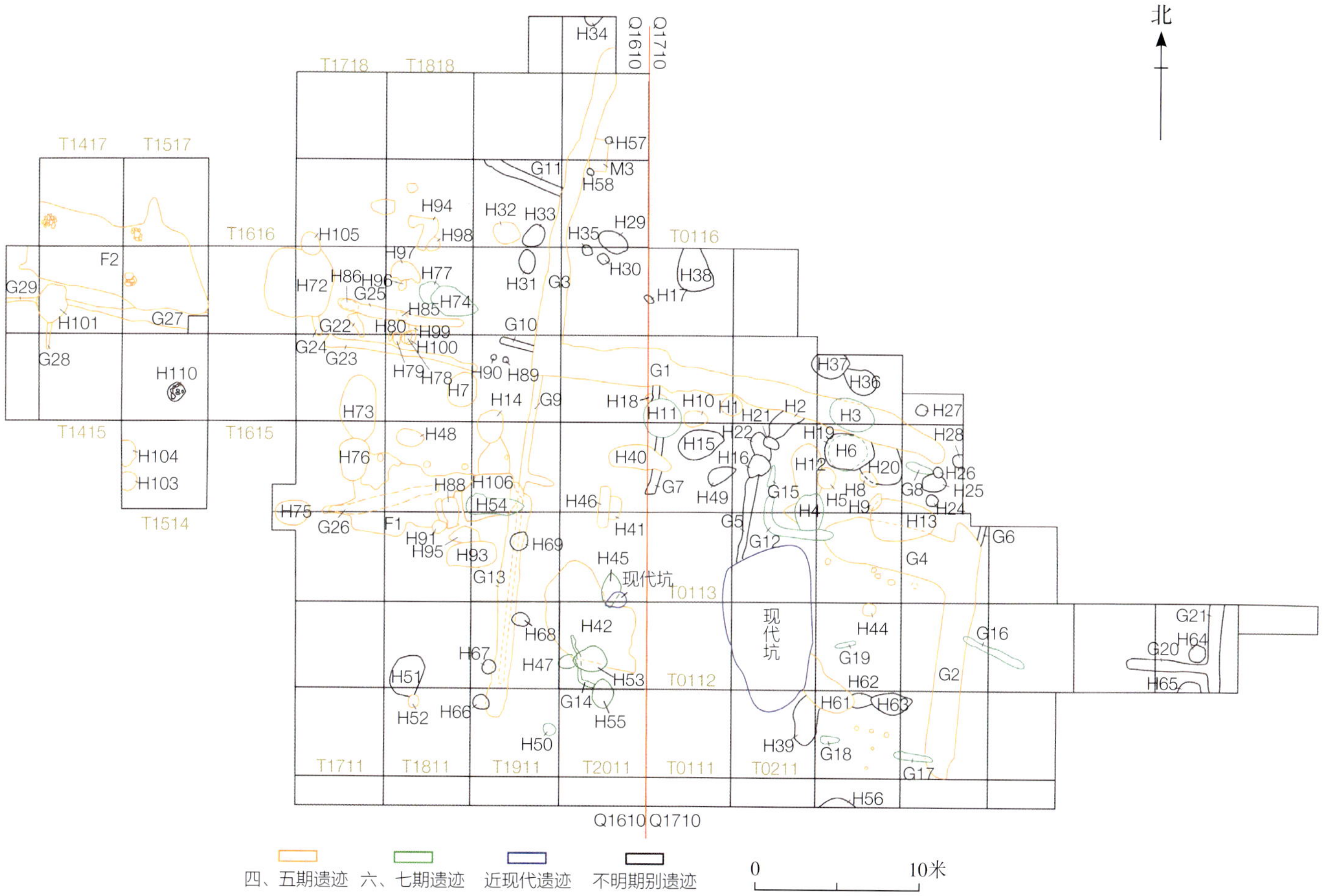

四、五期遗迹　六、七期遗迹　近现代遗迹　不明期别遗迹

图 3.1.10　小嘴 2015 ～ 2019 年发掘区探方及遗迹分布

第二节 地 层

发掘区地层关系相对简单，地表耕土层以下叠压有明清、宋元时期文化层和商时期文化层。发掘区北部的文化堆积较厚，遗迹较为密集。而东南部因湖泊的侵蚀，文化堆积较薄，在文化层之上分布有一层因汛期涨水形成的淤积层。以下分别以发掘区Q1610T1916～Q1710T0216、Q1710T0412～T0612南壁剖面，Q1610T1814西壁剖面，T1815、T1816东壁剖面，T1416西壁剖面为例介绍发掘区地层堆积情况。

一、Q1610T1916、T2016 ～ Q1710T0116、T0216 南壁堆积状况

发掘区东北部探方Q1610T1916～T1918、T2016～T2018和Q1710T0116、T0216、T0315、T0114～T0414地层堆积可相互串联。其中第1层均为表土层，第2～3层为明清文化层，第4、5层为商时期文化层。在此以Q1610T1916、T2016～Q1710T0116、T0216南壁介绍。以下介绍的遗物涉及上述相对应探方的地层。

1. 第1层

表土层。灰黄色土，土质疏松，厚0.11～0.5米。该层包含大量植物根茎和现代垃圾（图3.2.1）。

2. 第2层

明清时期文化层（图3.2.1）。灰褐色土，土质较疏松，厚0.08～0.1、深0.11～0.5米。该层中出土有青花瓷片、陶片及“顺治通宝”铜钱（图3.2.2、图3.2.3）。

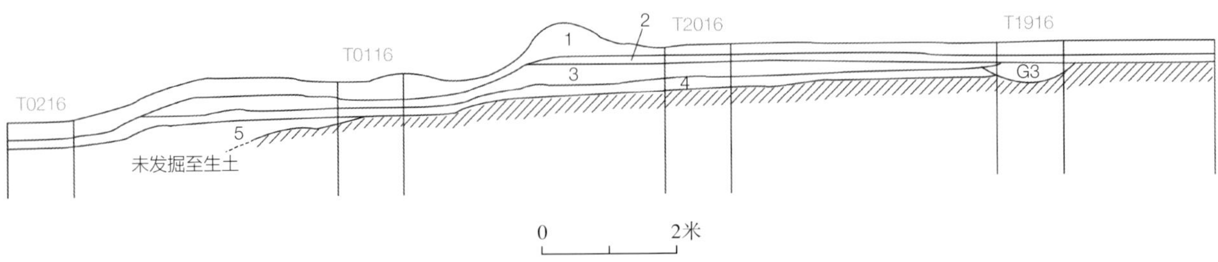

图 3.2.1 小嘴 Q1610T1916、T2016 ～ Q1710T0116、T0216 南壁地层剖面图

1）青铜器

铜钱　标本2件。

标本Q1710T0116②：1，圆形方孔。正面字迹已漫漶不清，背面可见满文两个，其中一个释读为“宝”，另一字残缺，难以辨识。铜钱直径2.3、方孔边长0.6、厚0.1厘米（图3.2.2，1）。

标本Q1710T0215②：1，圆形方孔。正面可见“顺治通宝”四字，背面文字难以辨识。铜钱直径2.5、方孔边长0.4、厚0.12厘米（图3.2.2，2）。

2）玉、石器

孔雀石　标本1件。

标本Q1710T0114②：1，通体呈铜绿色，表面布满矿石自然纹理。最大径2.6、最小径2.1厘米（图3.2.3）。

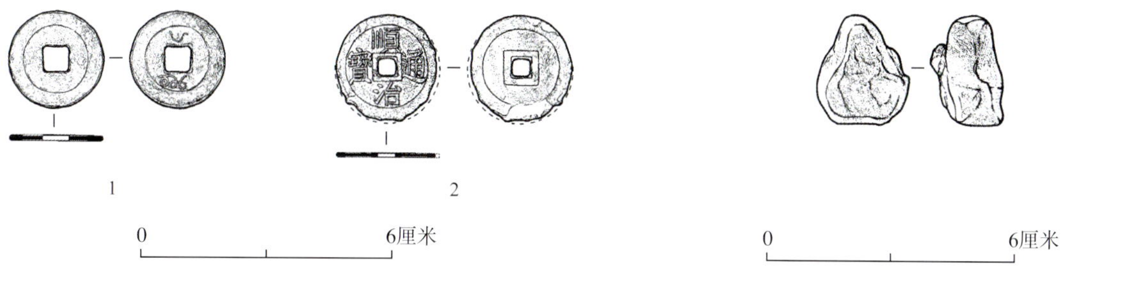

图3.2.2　小嘴Q1710T0116、T0215第2层出土铜钱

1. Q1710T0116②：1　2. Q1710T0215②：1

图3.2.3　孔雀石（小嘴Q1710T0114②：1）

3. 第3层

宋元时期文化层（图3.2.1）。深褐色土，土质较致密，厚0.1～0.3、深0.11～0.6米。该层自Q1610T2016向东部倾斜。此层出土有瓷碗、青灰色砖块等宋元时期遗物，同时夹杂有商文化时期陶片（图3.2.4～图3.2.8）。

1）青铜器

爵足　标本1件。

标本Q1710T0315③：4，爵足残块。横截面呈三角形，爵足两端断裂茬口较为平直，不似自然断裂所致。残长3厘米（图3.2.4）。经金相检测分析，其制作方式为锻造，金相组织可见α树枝晶，少量岛屿状（α+δ）共析体，大量铅颗粒弥散分布，部分大尺寸铅颗粒脱落；扫描电镜能谱分析显示其成分为铅锡青铜，铜含量为81.6%，锡含量为6.4%，铅含量为10.4%，氧含量为1.5%。

2）陶、瓷器

瓷碗　标本2件。

标本Q1610T2016③：1，灰白胎，下腹部以上施褐色釉。斗笠碗。敞口，斜壁，假圈足，碗底平。下腹部至圈足未施釉。高5.4、圈足径3.2厘米（图3.2.5，2）。

标本Q1710T0314③：1，白胎青釉。残存下腹部及圈足。圆弧腹，圈足。圈足径5.2、残高2.8厘米（图3.2.5，1）。

盆　标本1件。

标本Q1710T0216③：1，泥质黑皮陶。敛口，卷沿，圆唇较薄。颈部饰两周弦纹及方格纹。复原后口径25.6、残高6.8厘米（图3.2.5，3）。

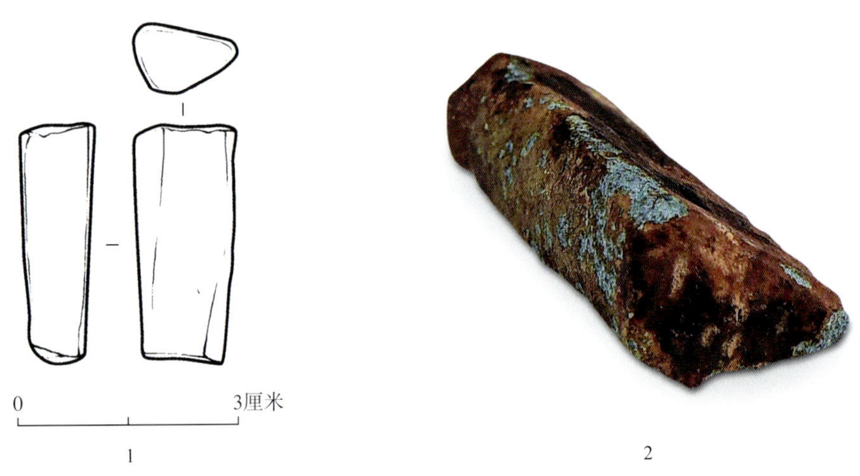

图3.2.4　青铜爵足（小嘴Q1710T0315③：4）

1. 线图　2. 照片

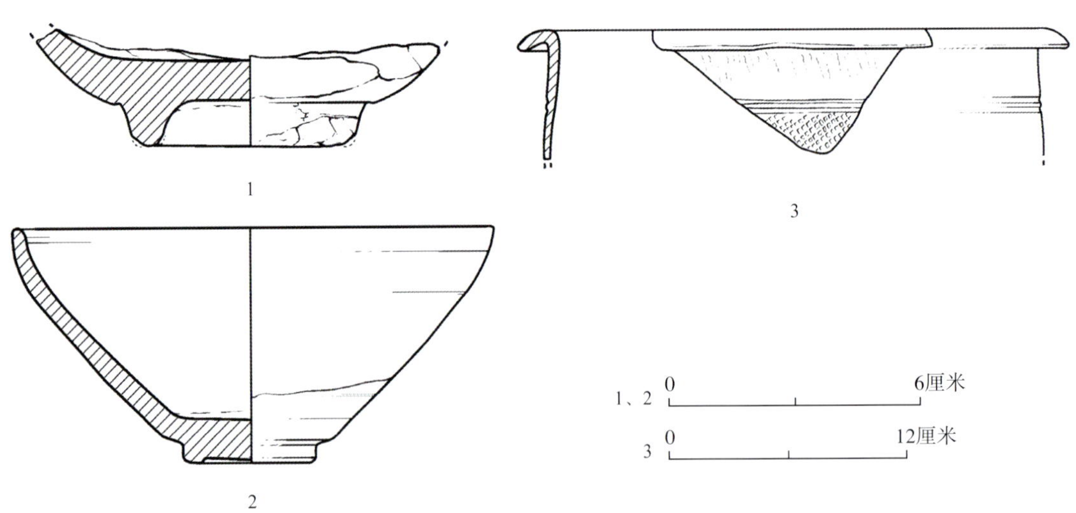

图3.2.5　小嘴Q1610T2016和Q1710T0216、T0314第3层出土陶、瓷器

1、2. 瓷碗（Q1710T0314③：1、Q1610T2016③：1）　3. 盆（Q1710T2016③：1）

坩埚残片 标本1件。

标本Q1710T0114③：1，长方形，内表面粘有一颗呈红色和绿色的铜渣，内侧陶质呈黑色，外侧呈青灰色，断口处可见大量较大的石英颗粒。经扫描电镜能谱面扫描分析，器物陶胎质部分均夹有大量磨圆度中等的石英颗粒（图3.2.6），粒径大部分在300 μm以上，较大者粒径可达0.5厘米左右，应为制陶过程中加入的羼和料。黏土基质本身较为纯净，可观察到氧化铁颗粒，化学分析显示黏土的FeO和Al_2O_3含量较高，成分与本地红土的化学成分接近，属易熔黏土（表3.2.1、表3.2.2）。该件器物可能为坩埚或熔炉内侧与铜液接触部分脱落的残块（图3.2.6）。

图3.2.6 坩埚残片（小嘴Q1710T0114③：1）

3）玉、石器

孔雀石 标本1件。

标本Q1610T1917③：5，器身大致呈椭圆形，表面布满矿物自然纹理。长2.2、宽1.4厘米（图3.2.7）。

镞 标本1件。

标本Q1710T0314③：2，镞身呈长三角形，镞铤分明，铤身残部为圆柱状。平面呈长条形，两侧磨刃。残长6.1、宽2.1、中厚0.7厘米（图3.2.8）。

图3.2.7 孔雀石（小嘴Q1610T1917③：5）

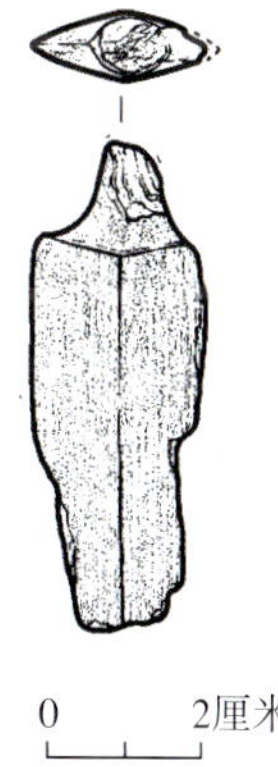

图3.2.8 石镞（小嘴Q1710T0314③：2）

表3.2.1　小嘴坩埚与炉壁残块渣层化学成分表

序号	编号	Na_2O	MgO	Al_2O_3	SiO_2	P_2O_5	K_2O	CaO	TiO_2	FeO	SnO_2	CuO	PbO
1	Q1710T0114③：1-1	bdl	0.7	14.4	37.1	bdl	1.4	2.9	bdl	1.6	1.1	27.6	13.2
2	Q1710T0114③：1-2	bdl	bdl	6.8	2.5	23.1	bdl	bdl	bdl	bdl	bdl	59.3	8.3
3	Q1710T0114③：1-3	bdl	0.7	15.4	42.6	0.7	2.1	4.0	bdl	2.6	bdl	17.9	13.9
4	Q1710T0114③：1-4	bdl	0.9	17.2	4.6	15.1	bdl	3.0	bdl	3.2	31.1	2.9	22.1

表3.2.2　小嘴坩埚和炉壁残块陶质基体的平均化学成分与黏土基质化学成分表

序号	编号	种类	MgO	Al_2O_3	SiO_2	P_2O_5	K_2O	CaO	TiO_2	FeO
1	Q1710T0114③：1-1	平均成分	0.6	27.5	65.6	bdl	0.8	0.5	bdl	4.9
2	Q1710T0114③：1-1	黏土基质	0.5	30.7	62.2	bdl	0.8	0.3	bdl	5.6

4. 第4层

商时期文化层。黑褐色土，土质致密，厚0.1～0.15、深0.27～0.85米。该层中出土有鬲、罐、斝、缸等普通陶片及罐等印纹硬陶和原始瓷，砺石、石斧等石质工具。同时在Q1710T0116～T0216南部还发现集中分布的青铜颗粒和青铜镞等遗物（图3.2.9～图3.2.17；表3.2.3～表3.2.16）。

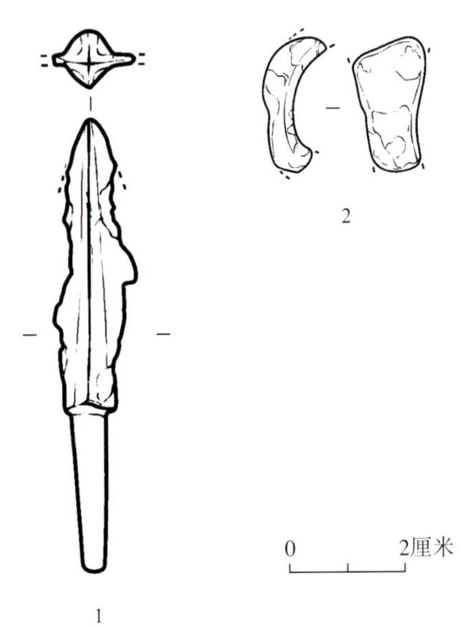

图3.2.9　小嘴Q1710T0116和Q1610T2016第4层出土青铜器和其他器物

1. 镞（Q1710T0116④：9）　2. 铜颗粒（Q1610T2016④：101）

1）青铜器

镞　标本1件。

标本Q1710T0116④：9，头、翼已残。双翼，长脊，脊断面呈菱形，脊作四棱状，铤为圆柱状，铤作扁圆锥形。全长7.6厘米（图3.2.9，1）。经金相检测分析为铸造，金相组织可见α树枝晶，网状（α+δ）共析体，少量夹杂物弥散分布，样品内部共析体部分锈蚀；扫描电镜能谱分析显示其成分为铜含量为83.7%，锡含量为14.6%，铅含量为1.1%，氧含量为0.5%。

铜颗粒　标本2件。

标本Q1610T2016④：101，两端残断。器身呈弧形，从形制推测其可能为器鋬，器表锈蚀严重。长2.2、宽1.3、厚0.3厘米（图3.2.9，2）。

标本Q1710T0116④：11，发现铜块1件，经金相检测分析为铸造，金相组织可见α树枝晶，大量岛屿状（α+δ）共析体，少量铅颗粒弥散分布；扫描电镜能谱分析显示其成分为铜含量89.6%，锡含量5.3%，铅含量4.1%，氧含量1.2%。

2）陶器

斝　标本1件。

标本Q1710T0414④：2，泥质灰陶。残存腹部及一弧形鋬，残高8.1厘米（图3.2.10，8）。

纺轮　标本2件。

标本Q1710T0116④：4，泥质灰陶。扁平圆形，上下面较为平整，周壁平直。直径3.54、厚1.18、孔径0.56厘米（图3.2.10，2）。

标本Q1710T0216④：8，泥质灰陶。扁平圆形，上下面较为平整，一面饰多道压印纹饰，周壁略外鼓。直径4.73、厚1.14、孔径0.58厘米（图3.2.10，1）。

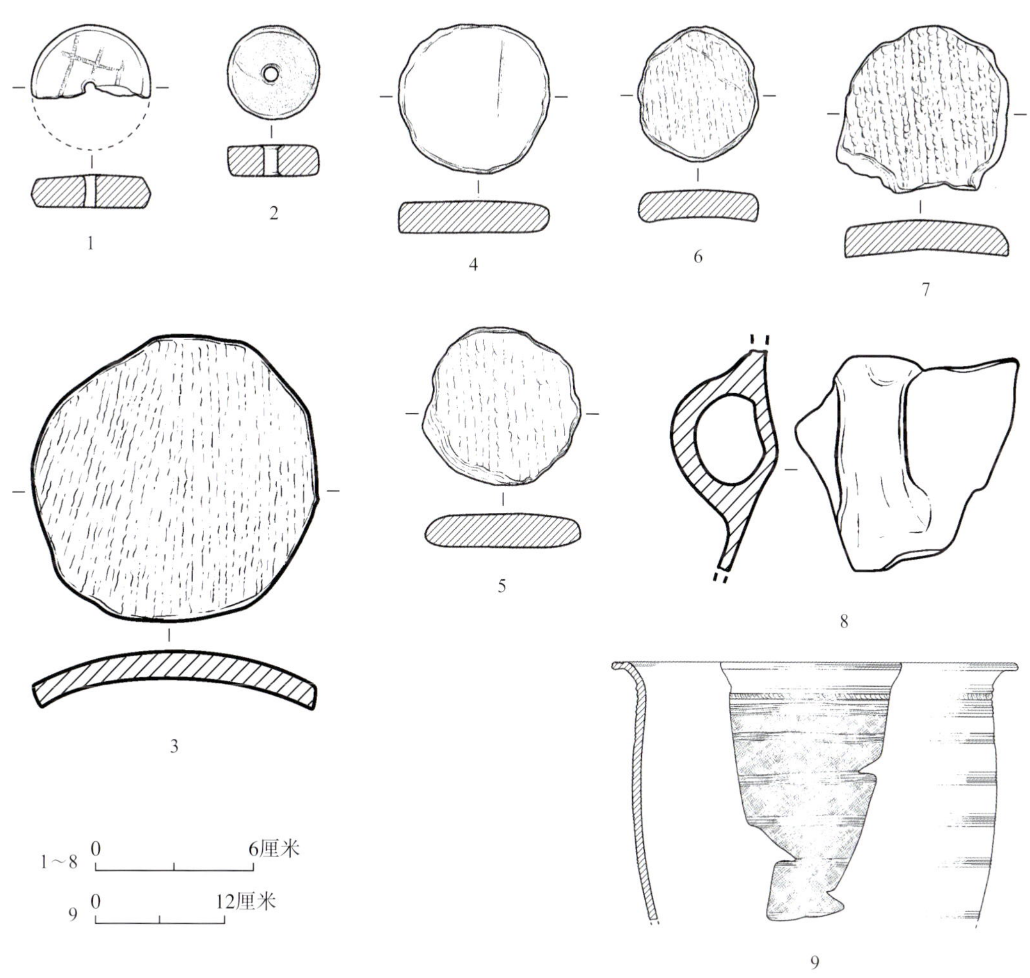

图3.2.10　小嘴Q1710T0116、T0216、T0315、T0414第4层出土陶、瓷器

1、2. 纺轮（Q1710T0216④：8、Q1710T0116④：4）　3～7. 圆陶片（Q1710T0216④：11、Q1710T0216④：4、Q1710T0216④：3、Q1710T0116④：2、Q1710T0216④：2）　8. 斝（Q1710T0414④：2）　9. 原始瓷瓮（Q1710T0315④：5）

圆陶片 标本5件。

标本Q1710T0116④：2，夹砂灰陶。以绳纹陶片磨制而成，周壁不甚平整。直径5.21、厚1.13厘米（图3.2.10，6）。

标本Q1710T0216④：2，泥质灰陶。扁平圆形，以绳纹陶片磨制而成，周壁平整。直径7.53、厚1.36厘米（图3.2.10，7）。

标本Q1710T0216④：3，夹砂红陶。以绳纹陶片磨制而成，周壁不甚平整。直径6.08、厚1.37厘米（图3.2.10，5）。

标本Q1710T0216④：4，夹砂黄陶。素面。周壁磨制相对平直。直径5.92、厚1.24厘米（图3.2.10，4）。

标本Q1710T0216④：11，夹砂红陶，以绳纹陶片磨制而成，周壁磨制较平直，绳纹面弧凸。直径10.8、厚1厘米（图3.2.10，3）。

坩埚残块 标本2件。

标本Q1610T2016④：13，夹砂红陶。器表饰绳纹。陶器内壁附着一层厚1～5毫米的渣层，不见分层现象；渣层表面可见灰绿色锈蚀，显示其可能为青铜冶铸活动中用于熔化或盛放铜液的坩埚。器身残长7.8、宽6、高1.9厘米。该陶器残片局部残存口沿部分，依据器身弧度可以大致复原该器物原为浅腹敞口形容器（图3.2.11，1、3）。

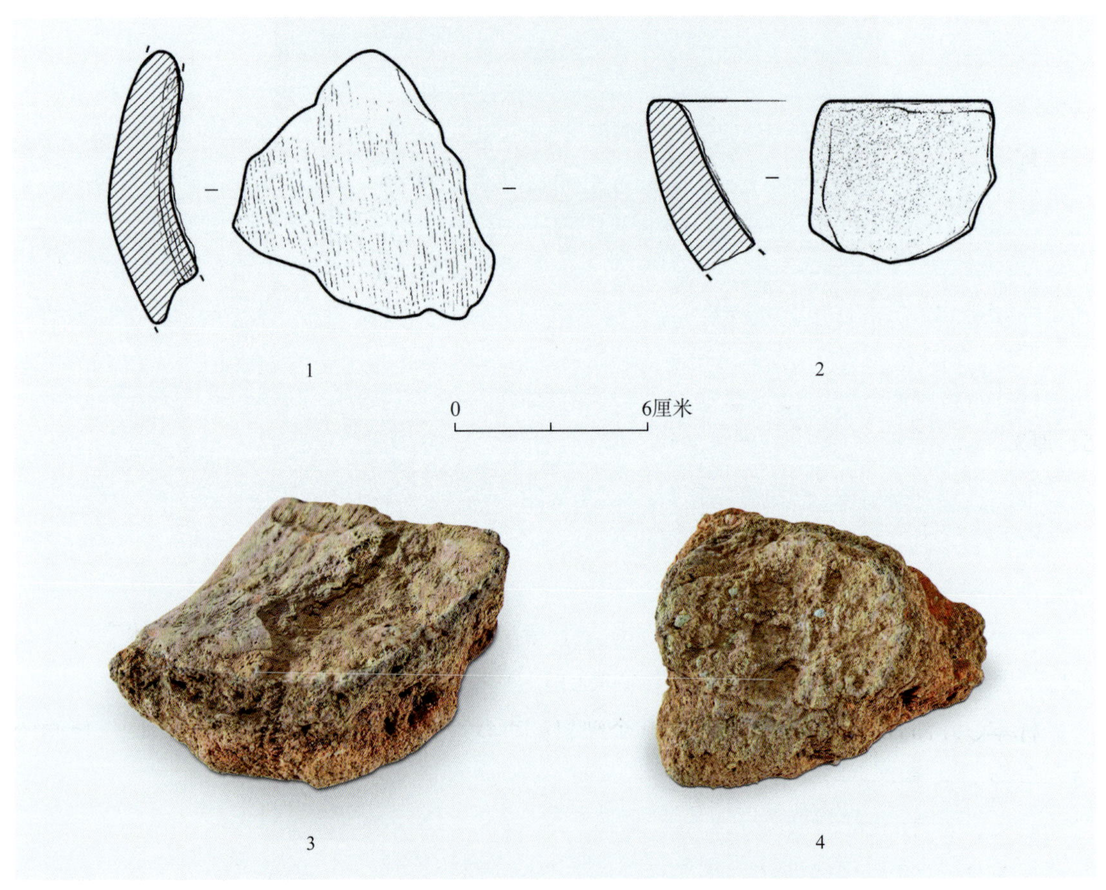

图3.2.11 小嘴Q1710T0215、T0216第4层出土坩埚残块

1. Q1710T0216④：13线图 2. Q1710T0215④：16线图 3. Q1710T0216④：13照片 4. Q1710T0215④：16照片

标本Q1710T0215④：16，夹砂红陶。素面。陶器内壁附着一层厚1～7毫米的渣层，不见分层现象；渣层表面可见灰绿色锈蚀，与Q1710T2016④：13内壁所见相似，显示其可能为青铜冶铸活动中用于熔化或盛放铜液的坩埚。器身残长5.8、宽5、厚1.6厘米。该陶器残片残存口沿部分，依据器身弧度可以大致复原该器物原为浅腹敞口形容器（图3.2.11，2、4）。

原始瓷瓮　标本1件。

标本Q1710T0315④：5，底残。侈口，平折沿，圆唇，微束颈，弧腹且腹较深。颈部饰一周附加堆纹、六组弦纹，每组四根，每组弦纹内饰网格纹。颈部可见多道轮制痕迹。颈部、腹部均可见施釉痕迹。口径37.2、残高23.2厘米（图3.2.10，9）。

3）石器

锛　标本3件。

标本Q1710T0114④：5，片岩。平面近正方形，单面刃，刃口磨光，一端残断。残长5.2、宽3.8、厚1.2厘米（图3.2.12，11）。

标本Q1610T2016④：20，正面呈圆角梯形，平顶。双面刃，刃口残。残长15.2、宽6.4、厚5.2厘米（图3.2.12，4；图3.2.13，1）。

标本Q1610T2016④：24，平面近长方形，单面刃，刃口磨光。残长7.6、宽3.8、厚1.8厘米（图3.2.12，7；图3.2.13，2）。

斧　标本3件。

标本Q1610T2016④：5，平面近长条形，顶端与刃部较弧，双面刃。残长27.9、宽9.8、厚5.6厘米（图3.2.12，5）。

标本Q1610T2016④：27，平面近圆角长方形，弧顶，双面刃，刃口残。残长10.8、宽6.5、厚3厘米（图3.2.12，3；图3.2.14，1）。

标本Q1610T2016④：29，平面近圆角梯形，双面刃，刃口残。残长7.6、宽5.2、厚2.6厘米（图3.2.12，1；图3.2.14，2）。

凿　标本1件。

标本Q1610T2016④：28，正面近梯形，双面刃，刃口残断，通体磨光。残长9.6、宽5、厚3.2厘米（图3.2.12，2；图3.2.16）。

镰　标本3件。

标本Q1610T2016④：22，残存中部。弧背弧刃，通体磨光。残长4.9、宽3.6、厚1.1厘米（图3.2.12，9；图3.2.15，2）。

标本Q1710T0216④：9，残存前端，平面呈不规则四边形，双面刃，通体磨光。长6.2、宽4.3、厚0.8厘米（图3.2.12，8；图3.2.15，1）。

标本Q1710T0114④：6，刃部有几个缺口。直背直刃，背、刃略弧，前端较圆，尾端较宽，双面刃，通体磨光。长16.5、宽5.3、厚0.9厘米（图3.2.12，6）。

磨石　标本1件。

标本Q1610T2016④：19，平面近似长方形，周壁相对平直，似人工处理所致，表面中部微凹，有使用痕迹。长8.9、宽6.4、厚2.9厘米（图3.2.12，10；图3.2.17）。

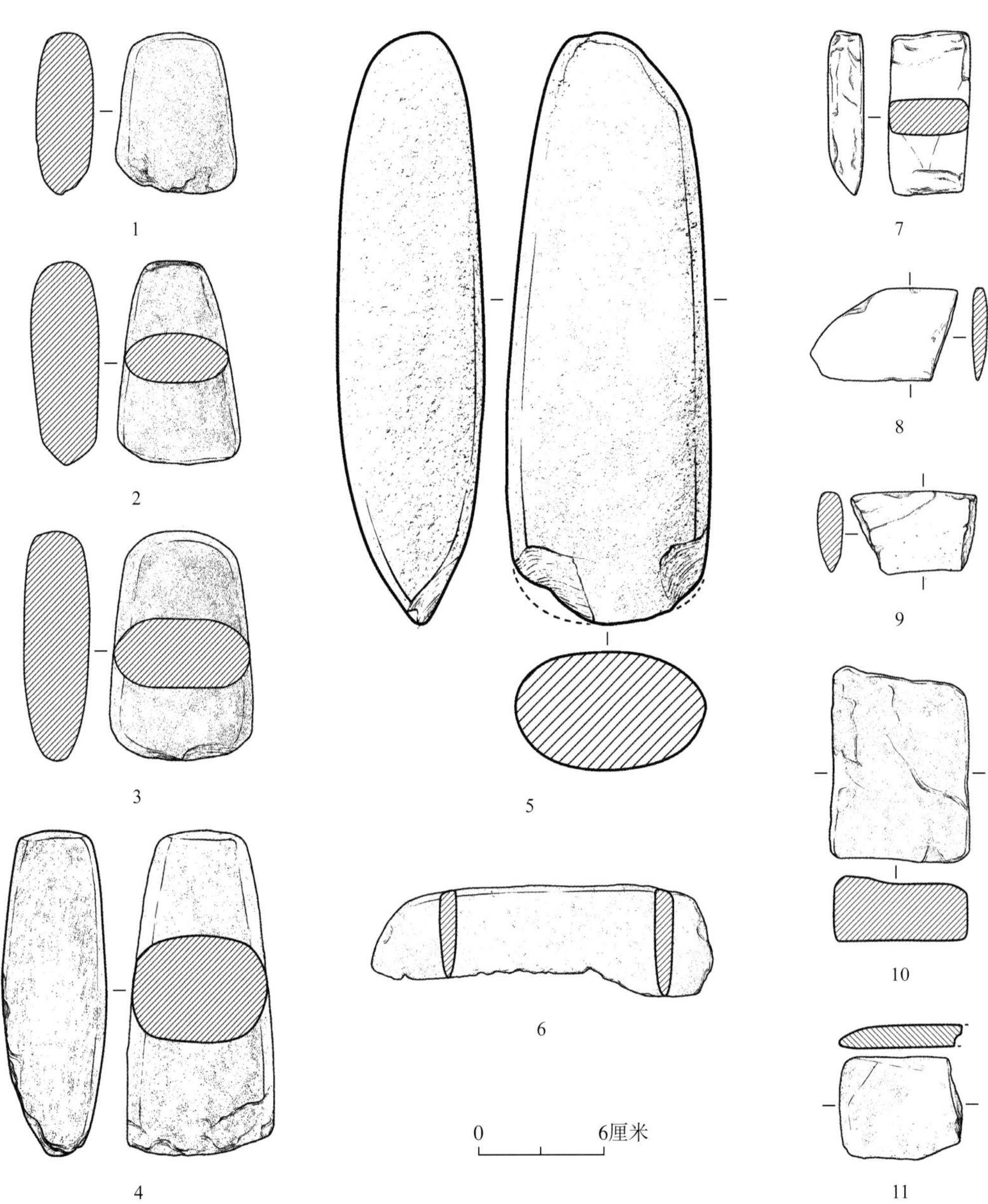

图 3.2.12　小嘴 Q1610T2016、Q1710T0114、T0216 第 4 层出土石器

1、3、5. 斧（Q1610T2016④：29、Q1610T2016④：27、Q1610T2016④：5）　2. 凿（Q1610T2016④：28）
4、7、11. 锛（Q1610T2016④：20、Q1610T2016④：24、Q1710T0114④：5）
6、8、9. 镰（Q1710T0114④：6、Q1710T0216④：9、Q1610T2016④：22）　10. 磨石（Q1610T2016④：19）

1　　2

图 3.2.13　小嘴 Q1610T2016 第 4 层出土石锛照片

1. Q1610T2016④：20　2. Q1610T2016④：24

1　　2

图 3.2.14　小嘴 Q1610T2016 第 4 层出土石斧照片

1. Q1610T2016④：27　2. Q1610T2016④：29

1　　2

图 3.2.15　小嘴 Q1710T0216、Q1610T2016 第 4 层出土石镰照片

1. Q1710T0216④：9　2. Q1610T2016④：22

图 3.2.16　石凿照片（小嘴 Q1610T2016 ④：28）

图 3.2.17　磨石照片（小嘴 Q1610T2016 ④：19）

表3.2.3　小嘴Q1710T0116第4层陶系、纹饰统计表　　（重量单位：克）

纹饰＼陶质/陶色		夹砂						泥质				印纹硬陶和原始瓷	合计	百分比（%）
		灰	黑皮	红	褐	黄	白	灰	黑皮	红	褐			
绳纹	数量	27	65	63	26	24		20	16		8		249	23.83
	重量	500	1618	3666	1116	1372		218	318		97		8905	20.34
绳纹和附加堆纹	数量		2	5		6	4						17	1.60
	重量		321	420		692	310						1743	3.98
网格纹	数量	3	4	54	1	33	8		4			4	111	10.62
	重量	234	484	4246	69	2281	548		34			183	8079	18.45
网格纹和附加堆纹	数量			7		9	6						22	2.11
	重量			674		1490	2119						4283	9.78
网格纹和弦纹	数量							2	2				4	0.38
	重量							34	78				112	0.25
篮纹	数量		1	13	2	6	11						33	3.16
	重量		93	454	131	284	413						1375	3.14
附加堆纹	数量	3		35	1	17							56	5.36
	重量	187		1777	8	1574							3546	8.10
附加堆纹和弦纹	数量			1									1	0.09
	重量			61									61	0.14
弦纹	数量	2	1					6	1	1		2	13	1.24
	重量	7	5					154	51	27		45	289	0.66
云雷纹	数量											2	2	0.19
	重量											24	24	0.05
叶脉纹	数量											3	3	0.29
	重量											79	79	0.18
席纹	数量											1	1	0.09
	重量											12	12	0.03
素面	数量	66	40	169	36	112	15	13	20	2	4	5	482	46.12
	重量	1241	829	6365	1031	4367	578	230	361	67	74	133	15276	34.90
合计	数量	101	113	347	66	207	44	41	94	3	12	17	1045	100.00
	重量	2169	3350	17663	2355	12060	3968	636	842	94	171	476	43784	100.00
百分比（%）	数量	9.66	10.81	33.21	6.31	19.81	3.92	3.92	8.99	0.29	1.15	1.63	100.00	
		83.72						14.35						
	重量	4.95	7.65	40.34	5.38	27.54	9.06	1.45	1.92	0.21	0.39	1.09	100.00	
		94.92						3.97						

表3.2.4　小嘴Q1710T0116第4层可辨器形统计表

陶质	夹砂						泥质		印纹硬陶和原始瓷	合计	百分比（%）
器形＼陶色	灰	黑皮	红	褐	黄	白	灰	黑皮			
鬲	6	14	1	7			1			29	3.92
甗	1			1						2	0.27
鬲足或甗足	11		26	5						42	5.68
罐	2			2			1	1	3	9	1.21
豆							1			1	0.14
盆							1	1		2	0.27
缸	17	38	304	43	209	44				655	88.51
合计	37	52	331	58	209	44	4	2	3	740	100.00
百分比（%）	5.00	7.03	44.73	7.84	28.24	5.94	0.54	0.27	0.40	100.00	

表3.2.5　小嘴Q1610T2016第4层陶系、纹饰统计表　　（重量单位：克）

陶质		夹砂						泥质				印纹硬陶和原始瓷	合计	百分比（%）
纹饰＼陶色		灰	黑皮	红	褐	黄	白	灰	黑皮	红	褐			
绳纹	数量	42	25	51	30	22	11	17	20		8		226	24.07
	重量	1425	1165	3500	649	946	783	217	320		47		9052	20.61
绳纹和附加堆纹	数量	2	2	6	3	5	10						28	2.98
	重量	171	161	365	103	263	566						1629	3.71
绳纹和弦纹	数量							2	3				5	0.53
	重量							47	91				138	0.31
网格纹	数量	13	6	49	1	35	33						137	14.59
	重量	619	73	7569	39	2522	1905						12727	28.97
网格纹和附加堆纹	数量			6		5	7						18	1.92
	重量			493		352	856						1701	3.87
篮纹	数量	2		14	1	5	17						39	4.15
	重量	177		708	57	212	1103						2257	5.14
附加堆纹	数量	7	5	23	1	16	8		1	2			63	6.71
	重量	444	219	1541	48	745	282		38	41			3358	7.64
弦纹	数量		1					4	5		3		13	1.38
	重量		9					90	173		55		327	0.74

续表

陶质		夹砂						泥质				印纹硬陶和原始瓷	合计	百分比（%）
纹饰 \ 陶色		灰	黑皮	红	褐	黄	白	灰	黑皮	红	褐			
弦纹和云雷纹	数量							1				2	3	0.32
	重量							12				53	65	0.15
云雷纹	数量			1					1			1	3	0.32
	重量			43					11			5	59	0.13
叶脉纹	数量											3	3	0.32
	重量											171	171	0.39
窗棂纹	数量									1			1	0.11
	重量									37			37	0.08
素面	数量	38	44	146	28	69	23	26	16		10		400	42.60
	重量	865	936	5905	705	2211	929	220	556		78		12405	28.24
合计	数量	104	83	296	64	157	109	50	46	3	21	6	939	100.00
	重量	3701	2563	20124	1601	7251	6424	586	1189	78	180	229	43926	100.00
百分比（%）	数量	11.08	8.84	31.52	6.82	16.72	11.61	5.32	4.90	0.32	2.24	0.64	100.00	
		86.58						12.78						
	重量	8.43	5.83	45.81	3.64	16.51	14.62	1.33	2.71	0.18	0.41	0.52	100.00	
		94.85						4.63						

表3.2.6　小嘴Q1610T2016第4层可辨器形统计表

陶质	夹砂						合计	百分比（%）
器形 \ 陶色	灰	黑皮	红	褐	黄	白		
缸	68	33	259	14	157	109	640	100.00
合计	68	33	259	14	157	109	640	100.00
百分比（%）	10.63	5.16	40.47	2.19	24.53	17.03	100.00	

表3.2.7 小嘴Q1610T1917第4层陶系、纹饰统计表 （重量单位：克）

陶质		夹砂						合计	百分比（%）
纹饰＼陶色		灰	黑皮	红	褐	黄	白		
绳纹	数量	6	5	10	2	3		26	37.14
	重量	422	40	579	76	131		1248	24.24
绳纹和附加堆纹	数量			4				4	5.71
	重量			960				960	18.64
网格纹	数量	3		6		5	2	16	22.86
	重量	155		685		434	502	1776	34.49
附加堆纹	数量						1	1	1.43
	重量						76	76	1.48
附加堆纹和篮纹	数量				1			1	1.43
	重量				115			115	2.23
弦纹	数量		1					1	1.43
	重量		13					13	0.25
素面	数量	3	2	9	1	3	3	21	30.00
	重量	48	62	416	114	168	153	961	18.66
合计	数量	12	8	29	4	11	6	70	100.00
	重量	625	115	2640	305	733	731	5149	100.00
百分比（%）	数量	17.14	11.43	41.43	5.71	15.71	8.57	100.00	
		100.00							
	重量	12.14	2.23	51.27	5.92	14.24	14.20	100.00	
		100.00							

表3.2.8 小嘴Q1610T1917第4层可辨器形统计表

陶质	夹砂						合计	百分比（%）
器形＼陶色	灰	褐	黄	黑皮	白	红		
鬲				1			1	1.61
鬲足或甗足	2			1		3	6	9.68
缸	7	4	11		6	27	55	88.71
合计	9	4	11	2	6	30	62	100.00
百分比（%）	14.51	6.46	17.74	3.23	9.68	48.38	100.00	

表3.2.9　小嘴Q1710T0315第4层陶系、纹饰统计表　（重量单位：克）

纹饰 \ 陶质 陶色		夹砂						泥质			印纹硬陶和原始瓷	合计	百分比（%）
		灰	黑皮	红	褐	黄	白	灰	黑皮	红			
绳纹	数量	25	46	14	26			30	13	5		159	29.07
	重量	245	745	261	593			334	216	42		2436	19.29
绳纹和附加堆纹	数量	2	8	1	1	3						15	2.74
	重量	86	607	13	17	244						967	7.66
绳纹和弦纹	数量			1	1			4	2			8	1.46
	重量			210	20			34	52			316	2.50
网格纹	数量	1	4	20	10	14	7				1	57	10.42
	重量	155	87	757	284	664	189				13	2149	17.01
网格纹和附加堆纹	数量			6		3						9	1.65
	重量			374		195						569	4.50
篮纹	数量			5		4	3					12	2.19
	重量			325		83	104					512	4.05
附加堆纹	数量	2	1	10	4	6	3	1				27	4.94
	重量	40	4	429	118	278	219	16				1104	8.74
弦纹	数量	2		2				7				11	2.01
	重量	22		39				53				114	0.90
叶脉纹	数量										1	1	0.18
	重量										25	25	0.20
圆圈纹	数量				1							1	0.18
	重量				45							45	0.36
素面	数量	42	23	62	36	21	28	16	12	3	4	247	45.16
	重量	281	163	1652	698	539	613	187	118	70	73	4394	34.79
合计	数量	74	82	121	79	51	41	58	27	8	6	547	100.00
	重量	829	1606	4060	1775	2003	1125	624	386	112	111	12631	100.00
百分比（%）	数量	13.53	14.99	22.12	14.44	9.32	7.50	10.60	4.94	1.46	1.10	100.00	
		81.90						17.00					
	重量	6.56	12.71	32.14	14.05	15.86	8.91	4.94	3.06	0.89	0.88	100.00	
		90.24						8.88					

表3.2.10 小嘴Q1710T0315第4层可辨器形统计表

器形＼陶质陶色	夹砂					泥质		印纹硬陶和原始瓷	合计	百分比（%）
	灰	黑皮	红	褐	黄	灰	红			
鬲	4	6	3	6		1			20	8.29
甗		1							1	0.42
鬲足或甗足	3		1	10					14	5.81
罐						1			1	0.42
爵			1						1	0.42
盆						1			1	0.42
尊								1	1	0.42
缸	9	19	101	19	53				201	83.40
器盖							1		1	0.42
合计	16	26	106	35	53	3	1	1	241	100.00
百分比（%）	6.64	10.78	43.98	14.52	21.99	1.25	0.42	0.42	100.00	

表3.2.11 小嘴Q1710T0314第4层陶系、纹饰统计表 （重量单位：克）

纹饰＼陶质陶色		夹砂				泥质	合计	百分比（%）
		灰	红	褐	黄	灰		
绳纹	数量			2	1	6	9	50.00
	重量			40	280	31	351	20.30
绳纹和附加堆纹	数量					1	1	5.56
	重量					10	10	0.58
绳纹和弦纹	数量					1	1	5.56
	重量					42	42	2.43
网格纹	数量		2		1		3	16.67
	重量		74		88		162	9.37
网格纹和附加堆纹	数量				1		1	5.56
	重量				415		415	24.00
素面	数量	1			2		3	16.67
	重量	91			658		749	43.32
合计	数量	1	2	2	5	8	18	100.00
	重量	91	74	40	1441	83	1729	100.00
百分比（%）	数量	5.56	11.11	11.11	27.78	44.44	100.00	
		55.56				44.44		
	重量	5.26	4.28	2.31	83.34	4.80	100.00	
		95.20				4.80		

表3.2.12　小嘴Q1710T0314第4层可辨器形统计表

陶质	夹砂				合计	百分比（%）
器形＼陶色	灰	红	褐	黄		
鬲足或甗足	1				1	8.33
大口尊			2		2	16.67
缸		3		6	9	75.00
合计	1	3	2	6	12	100.00
百分比（%）	8.33	25.00	16.67	50.00	100.00	

表3.2.13　小嘴Q1710T0215第4层陶系、纹饰统计表　（重量单位：克）

陶质		夹砂						泥质			印纹硬陶和原始瓷	合计	百分比（%）
纹饰＼陶色		灰	黑皮	红	褐	黄	白	灰	黑皮	红			
绳纹	数量	10	14	14	4	16	3	3				64	30.77
	重量	145	318	529	235	1160	66	43				2496	34.19
绳纹和附加堆纹	数量	1	2	2	1				3			9	4.33
	重量	10	148	79	26				51			314	4.30
网格纹	数量	1	1	13		3	6					24	11.54
	重量	4	26	833		288	387					1538	21.07
网格纹和附加堆纹	数量			1					1			2	0.96
	重量			200					33			233	3.19
篮纹	数量			2		2	2					6	2.88
	重量			76		74	57					207	2.83
篮纹和附加堆纹	数量					1						1	0.48
	重量					106						106	1.45
附加堆纹	数量			7		1	4					12	5.77
	重量			205		50	115					370	5.07
弦纹	数量	2		1				1				4	1.92
	重量	14		8				8				30	0.41
叶脉纹	数量										2	2	0.96
	重量										74	74	1.01
素面	数量	21	8	25	5	10		7		8		84	40.38
	重量	366	195	564	220	259		120		208		1932	26.47
合计	数量	35	25	65	10	33	15	11	4	8	2	208	100.00
	重量	539	687	2494	481	1937	625	171	84	208	74	7300	100.00

续表

陶质 / 陶色 / 纹饰		夹砂						泥质			印纹硬陶和原始瓷	合计	百分比（%）
		灰	黑皮	红	褐	黄	白	灰	黑皮	红			
百分比（%）	数量	16.83	12.02	31.25	4.81	15.86	7.21	5.29	1.92	3.85	0.96	100.00	
		87.98						11.06					
	重量	7.38	9.41	34.16	6.59	26.53	8.56	2.34	1.15	2.85	1.01	100.00	
		92.63						6.34					

表3.2.14　小嘴Q1710T0215第4层可辨器形统计表

陶质 / 陶色 / 器形	夹砂						泥质		合计	百分比（%）
	灰	黑皮	红	褐	黄	白	灰	红		
鬲	5	2		1					8	5.59
甗	1								1	0.70
鬲足或甗足	3	2		4					9	6.29
罐	1								1	0.70
爵	1								1	0.70
簋							1		1	0.70
大口尊								1	1	0.70
缸		9	60	4	33	15			121	84.62
合计	11	13	60	9	33	15	1	1	143	100.00
百分比（%）	7.69	9.10	41.96	6.29	23.08	10.49	0.70	0.70	100.00	

表3.2.15　小嘴Q1710T0115第4层陶系、纹饰统计表　（重量单位：克）

陶质 / 陶色 / 纹饰		夹砂						泥质			印纹硬陶和原始瓷	合计	百分比（%）
		灰	黑皮	红	褐	黄	白	灰	黑皮	红			
绳纹	数量	16		11	5	1		4	1	3		41	21.13
	重量	345		583	447	86		48	26	26		1561	16.08
绳纹和附加堆纹	数量	2		1		3						6	3.09
	重量	95		112		381						588	6.06
网格纹	数量			8	3	16						27	13.92
	重量			495	152	1093						1740	17.93
网格纹和附加堆纹	数量	1		1		1						3	1.55
	重量	63		140		104						307	3.16

续表

纹饰 \ 陶质/陶色		夹砂						泥质			印纹硬陶和原始瓷	合计	百分比（%）
		灰	黑皮	红	褐	黄	白	灰	黑皮	红			
篮纹	数量					1						1	0.52
	重量					194						194	2.00
附加堆纹	数量	2	1	8	1		1					13	6.70
	重量	95	16	414	40		72.5					637.5	6.57
弦纹和压印纹	数量	1						1				2	1.03
	重量	55						12				67	0.69
叶脉纹	数量										1	1	0.52
	重量										19	19	0.20
兽面纹	数量							1				1	0.52
	重量							16.5				16.5	0.17
素面	数量	22	2	34	1	10	9	11	5	5		99	51.03
	重量	520	96	2619	47	383	344	187	131	248		4575	47.14
合计	数量	44	3	63	10	32	10	17	6	8	1	194	100.00
	重量	1173	112	4363	686	2241	416.5	263.5	157	274	19	9705	100.00
百分比（%）	数量	22.68	1.55	32.47	5.15	16.49	5.15	8.76	3.09	4.12	0.52	100.00	
		83.51						15.98					
	重量	12.09	1.15	44.96	7.07	23.09	4.29	2.72	1.62	2.82	0.20	100.00	
		92.65						7.16					

表3.2.16　小嘴Q1710T0115第4层可辨器形统计表

器形 \ 陶质/陶色	夹砂						泥质	合计	百分比（%）
	灰	黑皮	红	褐	黄	白	黑皮		
鬲	3	1						4	2.76
鬲足或甗足	2		8					10	6.90
罐							1	1	0.69
盆							2	2	1.38
瓮	1		1					2	1.38
缸	13		60	10	33	10		126	86.89
合计	19	1	69	10	33	10	3	145	100.00
百分比（%）	13.10	0.69	47.59	6.90	22.75	6.90	2.07	100.00	

5. 第5层

商时期文化层。黑灰色土，土质致密，该层自Q1710T0116向东部倾斜，其西部已发掘部分厚度可达0.4米，东部未发掘完毕，厚度不详。此发掘部分深0.38～0.65米。此层出土有鬲、罐、爵、缸等陶器残片，还出土有砺石、石锛、石凿等石质工具。另在T0216第5层采集6块木炭样品，经鉴定种属为未鉴定阔叶树（图3.2.18～图3.2.22；表3.2.17～表3.2.20）。

1）青铜颗粒

Q1710T0216第5层出土青铜颗粒，取样经检测显示其金属基体以及周围锈蚀层中含有大量菱形的二氧化锡晶体，显示出与冶金渣样品相似，可能为熔铜浇铸时铜液表层或飞溅的铜液滴与空气接触后形成的浮渣（dross）或流铜、溅铜（spillage）。对其中未遭氧化的金属基体进行扫描电镜微区分析发现，铜含量为84.8%，锡含量为10.3%，铅含量为0.5%。

2）铜块或青铜器残片

Q1710T0116⑤：2，经金相检测分析为铸造，金相组织可见α等轴晶，晶间腐蚀，晶粒内部可见四方形氧化亚铜晶体；扫描电镜能谱分析显示其成分为红铜，铜含量为97.8%，铅含量为0.5%，氧含量为1.8%。

Q1710T0116⑤：6，怀疑为青铜器残片，经金相检测分析为铸造，金相组织可见α树枝晶，网状（α+δ）共析体，较大尺寸铅颗粒与夹杂物弥散分布；扫描电镜能谱分析显示其成分为铅锡青铜，铜含量为78.5%，锡含量为14.4%，铅含量为6.1%，氧含量为1.0%。

Q1710T0214⑤：5，青铜爵足残块，经金相检测分析为铸造，金相组织可见α树枝晶，少量岛屿状（α+δ）共析体，铅颗粒与少量夹杂物弥散分布，共析体锈蚀严重；扫描电镜能谱分析显示其成分为铅锡青铜，铜含量为78.3%，锡含量为5.1%，铅含量为15.7%，氧含量为0.9%。

Q1710T0214⑤：6，铜块，经金相检测分析为铸造，金相组织可见α树枝晶，少量岛屿状（α+δ）共析体，少量铅颗粒与夹杂物弥散分布；扫描电镜能谱分析显示其成分为铅锡青铜，铜含量为91.7%，锡含量为3.7%，铅含量为3.2%，氧含量为1.4%。

Q1710T0215⑤：2，铜块，经金相检测分析为铸造，金相组织可见α等轴晶，大量铅颗粒沿晶界分布；扫描电镜能谱分析显示其成分为铅青铜，铜含量为94.9%，铅含量为4.0%，氧含量为1.2%。

Q1710T0216⑤：2，铜块，经金相检测分析为铸造，金相组织可见α树枝晶，晶间腐蚀严重；扫描电镜能谱分析显示其成分为铅锡青铜，铜含量为79.7.9%，锡含量为11.3%，铅含量为0.4%，氧含量为8.6%。

Q1710T0216⑤：11，铜块，经金相检测分析为铸造，金相组织可见α树枝晶，少量岛屿状（α+δ）共析体，少量夹杂物弥散分布；扫描电镜能谱分析显示其成分为锡青铜，铜含量为94.7%，锡含量为3.0%，铅含量为0.8%，氧含量为1.1%。

3）陶器

鬲　标本4件。

标本Q1610T1918⑤：3，夹砂灰陶。平折沿，尖圆唇，束颈。肩部以下饰绳纹。口径15.1、残高6.2厘米（图3.2.18，2）。

标本Q1710T0216⑤：1，夹砂红胎黑皮陶。侈口，平折沿，沿面有一周凹槽，尖圆唇。颈部以下饰绳纹。口径14.3、残高5.6厘米（图3.2.18，6）。

标本Q1710T0216⑤：15，夹砂黑皮陶。敞口，折沿，尖圆唇，沿面有一周凹槽。腹部饰绳纹。口径13.6、残高3.5厘米（图3.2.18，5）。

标本Q1710T0216⑤：16，夹砂红陶。侈口，平折沿，圆唇。口径19.4、残高4.4厘米（图3.2.18，4）。

大口尊　标本1件。

标本Q1710T0216⑤：9，泥质灰陶。敞口，厚圆唇，折肩外凸，长颈斜向内收。颈部与上腹部各饰三周凹弦纹。口径23.2、残高13.2厘米（图3.2.18，3）。

印纹硬陶罐　标本1件。

标本Q1710T0216⑤：13，灰白色。侈口，尖圆唇，圆肩，直颈。肩部饰叶脉纹，沿面及颈部可见多周弦纹，器内壁可见手指压印痕迹。口径18.9、残高9.2厘米（图3.2.18，1）。

圆陶片　标本1件。

标本Q1710T0216⑤：8，泥质红胎黑皮陶。周壁磨制不甚平整。直径7、厚1厘米（图3.2.19，3）。

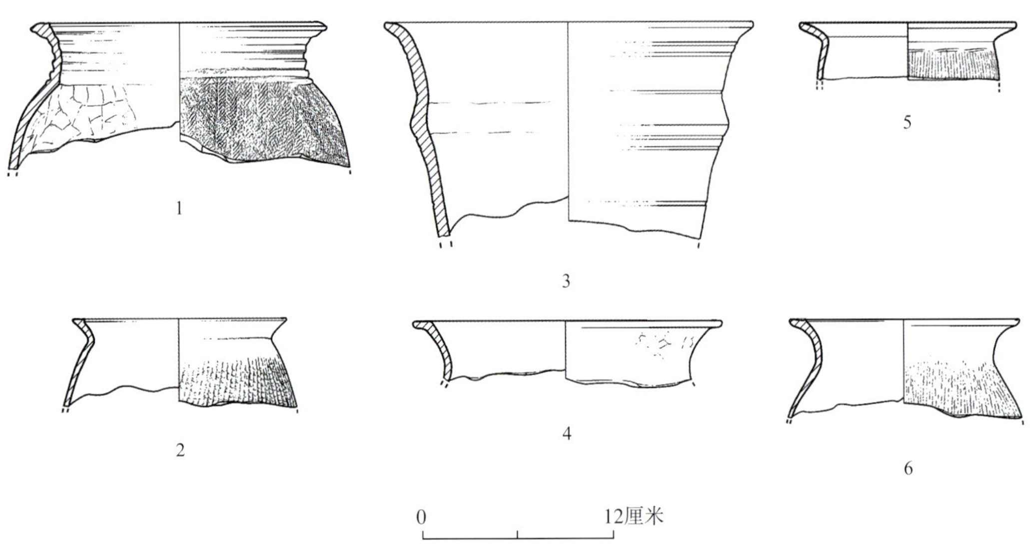

图3.2.18　小嘴Q1610T1816和Q1710T0216第5层出土陶器

1. 印纹硬陶罐（Q1710T0216⑤：13）　2、4～6. 鬲（Q1610T1918⑤：3、Q1710T0216⑤：16、Q1710T0216⑤：15、Q1710T0216⑤：1）　3. 大口尊（Q1710T0216⑤：9）

4）石器

镞　标本1件。

标本Q1710T0215⑤：1，灰色石英砂岩。平面呈上尖下宽的扁四棱体，横截面呈菱形，单侧边斜直。磨有锋刃，另一侧未经打磨，尚未加工完成。残长4.9、宽2.1、厚1厘米（图3.2.19，1；图3.2.20）。

砺石　标本2件。

标本Q1710T0216⑤：2，黄褐色砂岩。一端残。平面呈方形。表面及周壁有明显使用痕迹。残长8.2、宽8、厚1.9厘米（图3.2.19，4；图3.2.21，2）。

标本Q1710T0216⑤：12，灰褐色砂岩。平面呈扁平梯形，顶部近平。长8.5、宽4.1、厚2.6厘米（图3.2.19，2；图3.2.21，1）。

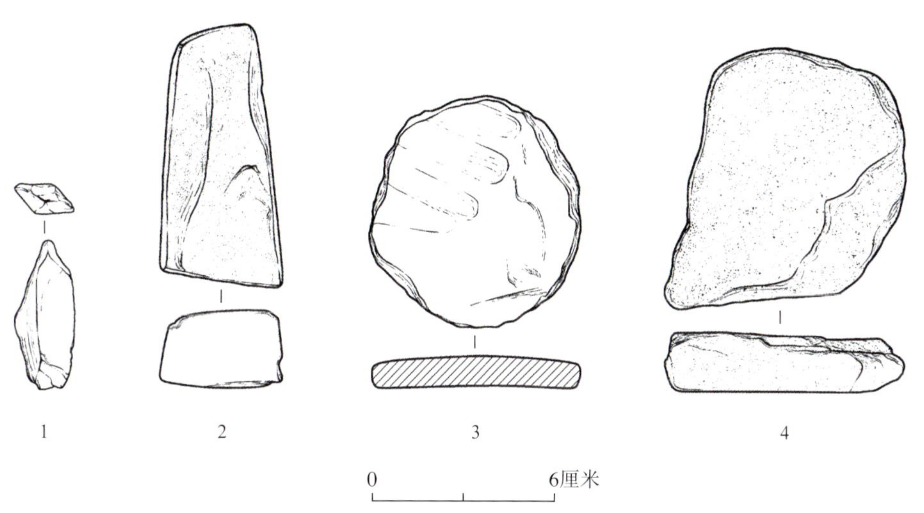

图 3.2.19　小嘴 Q1710T0215、T0216 第 5 层出土陶器和石器

1. 石镞（Q1710T0215⑤：1）　2、4. 砺石（Q1710T0216⑤：12、Q1710T0216⑤：2）　3. 圆陶片（Q1710T0216⑤：8）

图 3.2.20　石镞照片（小嘴 Q1710T0215 ⑤：1）

1. 正视图　2. 侧视图

1

2

图 3.2.21　小嘴 Q1710T0216 第 5 层出土砺石照片

1. Q1710T0216⑤：12　2. Q1710T0216⑤：2

5）木炭样品

Q1710T0216第5层采集，经鉴定为未鉴定的阔叶树。从横切面上看，木炭生长轮略明显，为散孔材。管孔略少，中等大小；导管在横切面上为圆形，多数单管孔，极少复管孔（2～3个）。轴向薄壁组织呈傍管状。木射线略密（图3.2.22，1）。从径切面上看：螺纹加厚缺如；单穿孔。射线组织主为异形Ⅱ型，稀Ⅲ型（图3.2.22，2）。从弦切面上看：木射线叠生；单列射线极少。多列射线通常宽2～3细胞，高50细胞或以上（图3.2.22，3）。

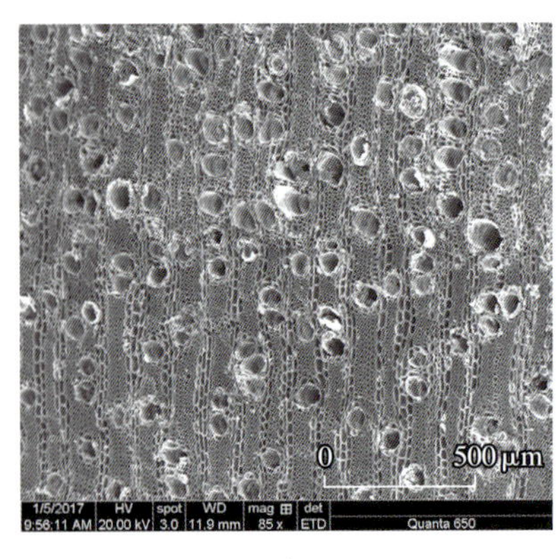

1

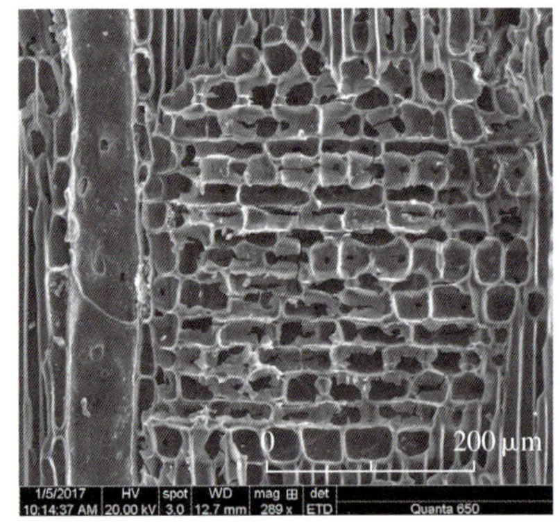

2

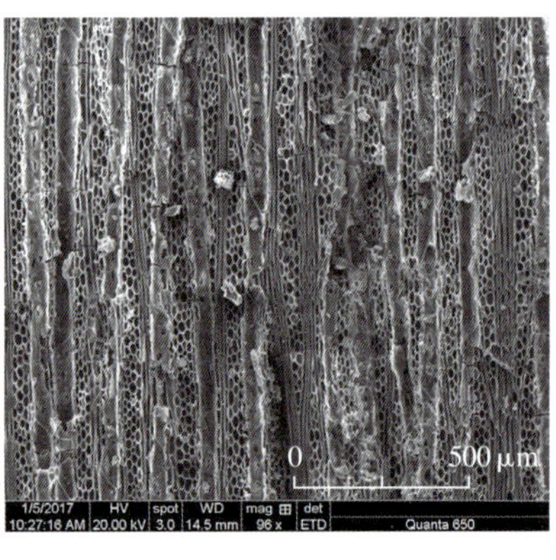

3

图 3.2.22　小嘴 Q1710T0216 第 5 层木炭样品切面显微影像

1. 横切面　2. 径切面　3. 弦切面

表3.2.17 小嘴Q1710T0215第5层陶系、纹饰统计表 （重量单位：克）

<table>
<tr><th colspan="2">陶质</th><th colspan="5">夹砂</th><th colspan="3">泥质</th><th rowspan="2">合计</th><th rowspan="2">百分比（%）</th></tr>
<tr><th colspan="2">纹饰＼陶色</th><th>灰</th><th>黑皮</th><th>红</th><th>褐</th><th>黄</th><th>灰</th><th>黑皮</th><th>褐</th></tr>
<tr><td rowspan="2">绳纹</td><td>数量</td><td>30</td><td>25</td><td>9</td><td>5</td><td></td><td></td><td>5</td><td>1</td><td>75</td><td>40.98</td></tr>
<tr><td>重量</td><td>277</td><td>502</td><td>105</td><td>212</td><td></td><td></td><td>32</td><td>22</td><td>1150</td><td>18.11</td></tr>
<tr><td rowspan="2">绳纹和附加堆纹</td><td>数量</td><td></td><td>4</td><td></td><td></td><td></td><td></td><td></td><td></td><td>4</td><td>2.19</td></tr>
<tr><td>重量</td><td></td><td>514</td><td></td><td></td><td></td><td></td><td></td><td></td><td>514</td><td>8.09</td></tr>
<tr><td rowspan="2">绳纹和弦纹</td><td>数量</td><td></td><td></td><td></td><td></td><td></td><td>2</td><td></td><td>1</td><td>3</td><td>1.64</td></tr>
<tr><td>重量</td><td></td><td></td><td></td><td></td><td></td><td>56</td><td></td><td>19</td><td>75</td><td>1.18</td></tr>
<tr><td rowspan="2">网格纹</td><td>数量</td><td>2</td><td></td><td>5</td><td>5</td><td>12</td><td></td><td></td><td></td><td>24</td><td>13.11</td></tr>
<tr><td>重量</td><td>378</td><td></td><td>275</td><td>537</td><td>538</td><td></td><td></td><td></td><td>1728</td><td>27.21</td></tr>
<tr><td rowspan="2">网格纹和附加堆纹</td><td>数量</td><td>2</td><td></td><td></td><td>1</td><td>5</td><td></td><td></td><td></td><td>8</td><td>4.37</td></tr>
<tr><td>重量</td><td>467</td><td></td><td></td><td>24</td><td>485</td><td></td><td></td><td></td><td>976</td><td>15.37</td></tr>
<tr><td rowspan="2">网格纹和弦纹</td><td>数量</td><td></td><td></td><td></td><td></td><td></td><td>2</td><td></td><td></td><td>2</td><td>1.09</td></tr>
<tr><td>重量</td><td></td><td></td><td></td><td></td><td></td><td>23</td><td></td><td></td><td>23</td><td>0.36</td></tr>
<tr><td rowspan="2">篮纹</td><td>数量</td><td></td><td></td><td>2</td><td></td><td></td><td></td><td></td><td></td><td>2</td><td>1.09</td></tr>
<tr><td>重量</td><td></td><td></td><td>336</td><td></td><td></td><td></td><td></td><td></td><td>336</td><td>5.29</td></tr>
<tr><td rowspan="2">篮纹和附加堆纹</td><td>数量</td><td></td><td></td><td></td><td></td><td>1</td><td></td><td></td><td></td><td>1</td><td>0.55</td></tr>
<tr><td>重量</td><td></td><td></td><td></td><td></td><td>178</td><td></td><td></td><td></td><td>178</td><td>2.80</td></tr>
<tr><td rowspan="2">附加堆纹</td><td>数量</td><td></td><td></td><td>3</td><td></td><td></td><td></td><td></td><td></td><td>3</td><td>1.64</td></tr>
<tr><td>重量</td><td></td><td></td><td>44</td><td></td><td></td><td></td><td></td><td></td><td>44</td><td>0.69</td></tr>
<tr><td rowspan="2">弦纹</td><td>数量</td><td></td><td></td><td></td><td></td><td></td><td>1</td><td></td><td></td><td>1</td><td>0.55</td></tr>
<tr><td>重量</td><td></td><td></td><td></td><td></td><td></td><td>7</td><td></td><td></td><td>7</td><td>0.11</td></tr>
<tr><td rowspan="2">云雷纹</td><td>数量</td><td></td><td></td><td></td><td></td><td></td><td>1</td><td></td><td></td><td>1</td><td>0.55</td></tr>
<tr><td>重量</td><td></td><td></td><td></td><td></td><td></td><td>14</td><td></td><td></td><td>14</td><td>0.22</td></tr>
<tr><td rowspan="2">圆圈纹</td><td>数量</td><td>4</td><td></td><td></td><td></td><td></td><td></td><td></td><td></td><td>4</td><td>2.19</td></tr>
<tr><td>重量</td><td>13</td><td></td><td></td><td></td><td></td><td></td><td></td><td></td><td>13</td><td>0.20</td></tr>
<tr><td rowspan="2">素面</td><td>数量</td><td></td><td>11</td><td>12</td><td>5</td><td>6</td><td>12</td><td>5</td><td>4</td><td>55</td><td>30.05</td></tr>
<tr><td>重量</td><td></td><td>291</td><td>285</td><td>178</td><td>339</td><td>83</td><td>80</td><td>36</td><td>1292</td><td>20.35</td></tr>
<tr><td rowspan="2">合计</td><td>数量</td><td>38</td><td>40</td><td>31</td><td>16</td><td>24</td><td>18</td><td>10</td><td>6</td><td>183</td><td>100.00</td></tr>
<tr><td>重量</td><td>1135</td><td>1307</td><td>1045</td><td>951</td><td>1540</td><td>183</td><td>112</td><td>77</td><td>6350</td><td>100.00</td></tr>
<tr><td rowspan="4">百分比（%）</td><td rowspan="2">数量</td><td>20.77</td><td>21.86</td><td>16.94</td><td>8.74</td><td>13.11</td><td>9.84</td><td>5.46</td><td>3.28</td><td colspan="2" rowspan="4">100.00</td></tr>
<tr><td colspan="5">81.42</td><td colspan="3">18.58</td></tr>
<tr><td rowspan="2">重量</td><td>17.87</td><td>20.58</td><td>16.46</td><td>14.98</td><td>24.25</td><td>2.88</td><td>1.76</td><td>1.21</td></tr>
<tr><td colspan="5">94.14</td><td colspan="3">5.86</td></tr>
</table>

表3.2.18 小嘴Q1710T0215第5层可辨器形统计表

陶质	夹砂						泥质	合计	百分比（%）
器形＼陶色	灰	黑皮	红	褐	黄	白	灰		
鬲		7						7	4.77
甗	1							1	0.68
鬲足或甗足	1		6	4				11	7.48
罐							1	1	0.68
缸	6	14	57	16	27	6		126	85.71
器盖				1				1	0.68
合计	8	21	63	21	27	6	1	147	100.00
百分比（%）	5.44	14.29	42.86	14.28	18.37	4.08	0.68	100.00	

表3.2.19 小嘴Q1710T0214第5层陶系、纹饰统计表 （重量单位：克）

陶质		夹砂						泥质			印纹硬陶和原始瓷	合计	百分比（%）
纹饰＼陶色		灰	黑皮	红	褐	黄	白	灰	黑皮	褐			
绳纹	数量	4	30	12	30	9	5	20	5	3		118	33.24
	重量	472	262	593	998	276	134	151	58	40		2984	31.77
绳纹和附加堆纹	数量			2								2	0.56
	重量			74								74	0.79
网格纹	数量			4	6	9	1					20	5.63
	重量			128	525	511	53					1217	12.96
网格纹和附加堆纹	数量			1		1	1					3	0.84
	重量			36		51	178					265	2.82
附加堆纹	数量		2	3	2	4	3					14	3.94
	重量		32	132	21	75	190					450	4.79
弦纹	数量								2	1		3	1.00
	重量								22	18		40	0.43
云雷纹	数量										1	1	0.28
	重量										5	5	0.05
叶脉纹	数量										2	2	0.56
	重量										50	50	0.53

续表

纹饰 \ 陶质 陶色		夹砂						泥质			印纹硬陶和原始瓷	合计	百分比（%）
		灰	黑皮	红	褐	黄	白	灰	黑皮	褐			
绹索纹	数量							1				1	<0.01
	重量							12				12	0.13
素面	数量	8	9	40	33	59	16	15	4	5	2	191	53.80
	重量	175	136	1215	406	1530	561	111	40	77	43	4294	45.72
合计	数量	12	41	62	71	82	26	36	11	9	5	355	100.00
	重量	647	430	2178	1950	2443	1116	274	120	135	98	9391	100.00
百分比（%）	数量	3.38	11.55	17.46	20.00	23.10	7.32	10.14	3.10	2.54	1.41	100.00	
		82.81						15.78					
	重量	6.89	4.58	23.19	20.76	26.01	11.88	2.92	1.28	1.44	1.04	100.00	
		93.31						5.64					

表3.2.20　小嘴Q1710T0214第5层可辨器形统计表

器形 \ 陶质 陶色	夹砂						泥质			印纹硬陶和原始瓷	合计	百分比（%）
	灰	黑皮	红	褐	黄	白	灰	黑皮	褐			
鬲	2	2		3							7	2.98
甗								1			1	0.43
鬲足或甗足				2							2	0.85
罐	1	3					1			1	6	2.55
爵							1				1	0.43
盆							1		1		2	0.85
大口尊							1				1	0.43
缸	12		65	29	82	27					215	91.49
合计	15	5	65	34	82	27	4	1	1	1	235	100.00
百分比（%）	6.38	2.13	27.66	14.47	34.90	11.49	1.70	0.43	0.43	0.43	100.00	

二、Q1610T1814西壁和Q1610T1815、T1816东壁堆积状况

发掘区中西部Q1610T1616～T1615、T1718～T1711、T1818～T1811、T1915～T1911、T2015～2011地层堆积可相互串联。其中第1层均为表土层，第2层为明清时期文化层，第3～5层为商时期文化层。在此以Q1610T1814西壁、Q1610T1815、T1816东壁为例介绍。以下介绍的遗物涉及上述相对应探方的地层。

1. 第1层

表土层。灰黄色土，土质疏松，厚0.06～0.3米。该层内含大量植物根系和现代垃圾（图3.2.23、图3.2.24）。

2. 第2层

明清时期文化层。灰褐色土，土质较疏松，厚0.05～0.3、深0.06～0.2米。该层出土有青花瓷片（图3.2.23、图3.2.24）。

1）青铜器

镞　标本1件。

标本Q1610T1816②：2，双翼及刃部残。脊作双棱状。全长4.8厘米（图3.2.25，6）。

2）陶器

纺轮　标本1件。

标本Q1610T1814②：1，泥质灰陶。扁平圆形，上下面较为平整，周壁平直。直径4.2、厚1.5、孔径0.5厘米（图3.2.25，1）。

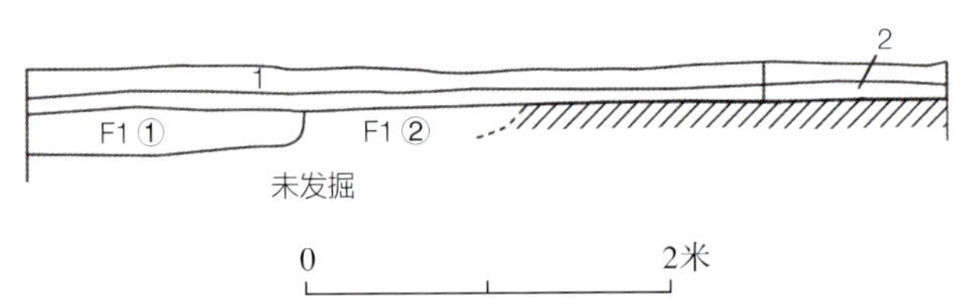

图3.2.23　小嘴Q1610T1814西壁地层剖面图

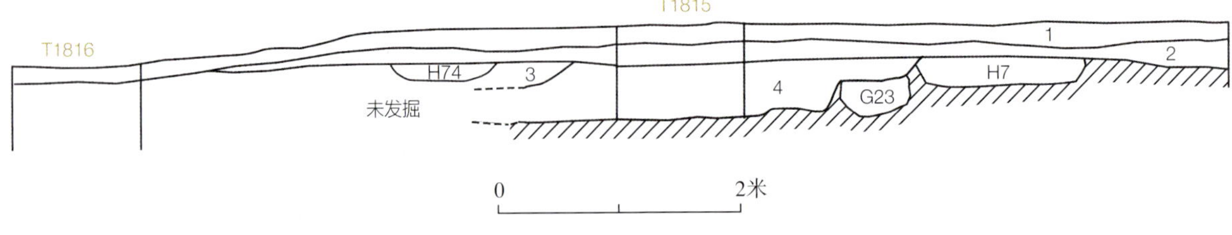

图3.2.24　小嘴Q1610T1815、T1816东壁地层剖面图

陶垫 标本2件。

标本Q1610T1816②：3，夹砂黑皮陶。平面呈前圆鼓后平直的半椭圆形。上面起棱可用于握手，底面平整，略呈弧形。中空。长8、宽8.5厘米（图3.2.25，2）。

标本Q1610T1816②：4，夹砂褐陶。平面呈前圆鼓后平直的半椭圆形。上面圆鼓并有凸起，可能为残损的握手，下面有残损。中空。长9.9、宽8厘米（图3.2.25，4）。

3）玉、石器

孔雀石 标本1件。

标本Q1610T1818②：1，器身呈铜绿色，表面布满矿物自然纹理。最大径2.4、最小径1.2厘米（图3.2.25，7）。

镰 标本2件。

标本Q1610T1712②：1，前端及尾端均残，仅保留中部。刃部及背部均较平。腹部平面有刻划痕迹。长4.8、宽5.7厘米（图3.2.25，8）。

标本Q1610T1815②：1，黑色细砂岩。后端残缺，仅余镰头。直背直刃。形状近弧边三角，通体磨光，刃部有残缺。残长7、宽5、厚1厘米（图3.2.25，3）。

刀 标本1件。

标本Q1610T1714②：1，后端已残。前端尖圆，直刃弧背。残长6.3、宽5、厚0.8厘米（图3.2.25，5）。

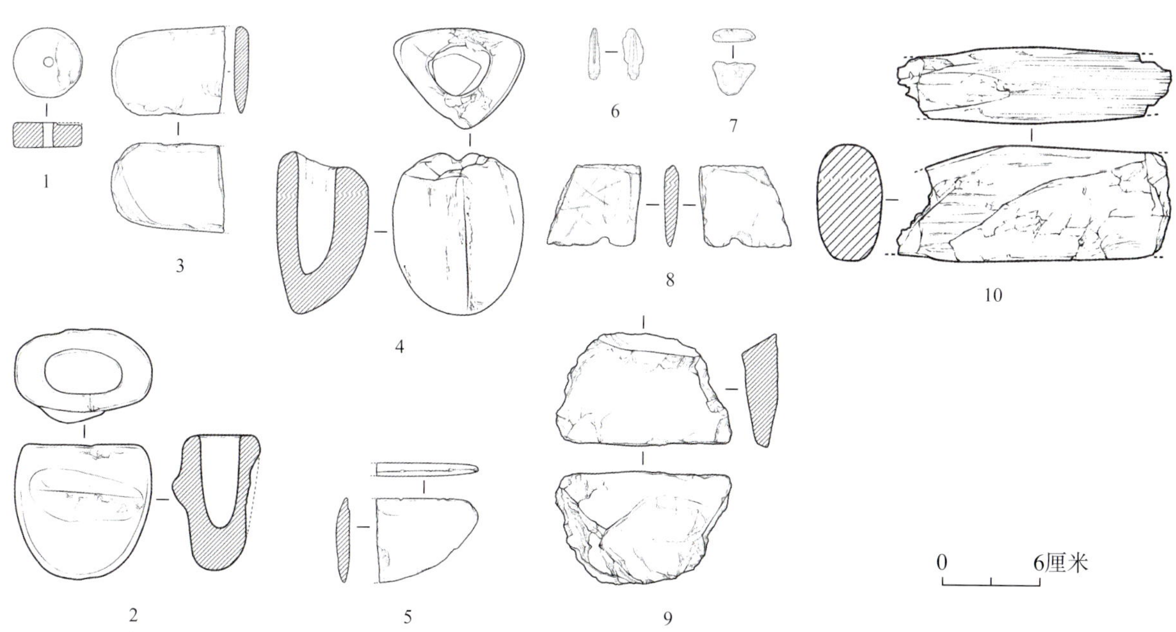

图3.2.25 小嘴Q1610T1712、T1714、T1814、T1815、T1816、T1818第2层出土器物

1. 陶纺轮（Q1610T1814②：1） 2、4. 陶垫（Q1610T1816②：3、Q1610T1816②：4）
3、8. 石镰（Q1610T1815②：1、Q1610T1712②：1） 5. 石刀（Q1610T1714②：1） 6. 青铜镞（Q1610T1816②：2）
7. 孔雀石（Q1610T1818②：1） 9. 砺石（Q1610T1816②：1） 10. 残件（Q1610T1616②：1）

砺石　标本1件。

标本Q1610T1816②：1，已残断。平面呈不规则形。表面有使用痕迹。长10.7、宽6.7、厚2.4厘米（图3.2.25，9）。

残件　标本1件。

标本Q1610T1616②：1，两端残断。长条形。通体磨光，局部打磨近平，可能为使用痕迹。长16.8、宽6.9、厚4厘米（图3.2.25，10）。

3. 第3层

商时期文化层。灰色土，土质较致密，厚0.15～0.2、深0.25～0.3米。该层出土陶鬲、甗、罐、斝、盆、缸、器盖（图3.2.26、图3.2.27；表3.2.21～表3.2.24），仅发掘一部分，大部分未发掘。

1）青铜器

锛　标本1件。

标本Q1610T1816③：7，双面弧形刃，器身作扁平长条状，中空。銎外沿正面及两侧有长方形箍边，銎宽大于刃宽。全长19.8厘米（图3.2.26）。

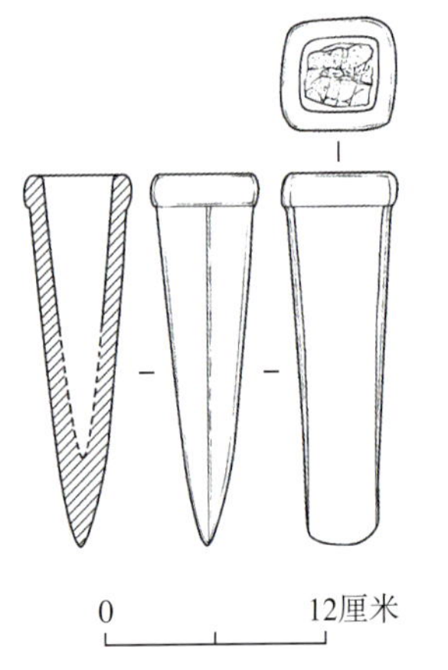

图3.2.26　青铜锛（小嘴Q1610T1816③：7）

2）陶器

罐　标本1件。

标本Q1610T1816③：6，泥质黑皮陶。下腹残。小口微敞，方唇，长颈微内凹，溜肩，圆腹。肩部饰弦纹，弦纹间饰方格纹，上腹与肩部交界饰一周弦纹，弦纹以下饰绳纹。复原后口径13.7、残高8.6厘米（图3.2.27，2）。

缸　标本1件。

标本Q1610T1715③：1，夹砂黄陶。下腹残。侈口，方唇，斜直腹。上腹饰一周附加堆纹，堆纹上下饰绳纹。口径39、残高9.5厘米（图3.2.27，1）。

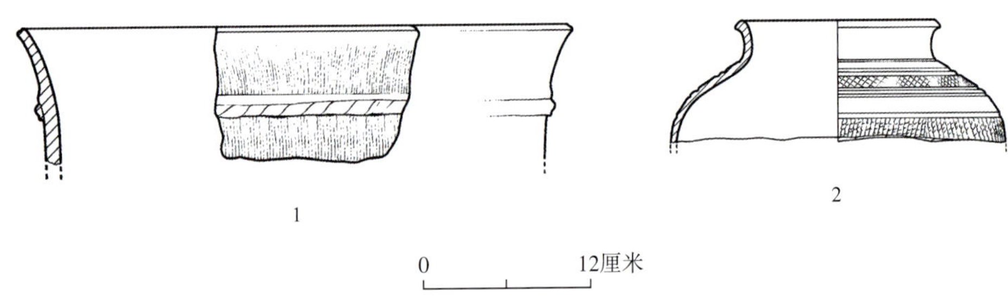

图3.2.27　小嘴Q1610T1715、T1816第3层出土陶器

1. 缸（Q1610T1715③：1）　2. 罐（Q1610T1816③：6）

表3.2.21　小嘴Q1610T1715第3层陶系、纹饰统计表　（重量单位：克）

陶质		夹砂						泥质			印纹硬陶和原始瓷	合计	百分比（%）
纹饰＼陶色		灰	黑皮	红	褐	黄	白	灰	黑皮	褐			
绳纹	数量	76	47	47	25	23	12	16	9			255	48.29
	重量	890	590	1460	550	825	680	120	60			5175	41.95
绳纹和附加堆纹	数量			6		4	3					13	2.45
	重量			905		495	285					1685	13.66
网格纹	数量			1	1	6	2		1			11	2.08
	重量			30	20	315	60		5			430	3.49
网格纹和附加堆纹	数量					1	1					2	0.37
	重量					170	70					240	1.94
附加堆纹	数量			5		2						7	1.32
	重量			185		50						235	1.91
篮纹	数量	3		19	1	22						4	8.52
	重量	140		675	50	1030						1895	15.36
弦纹	数量			1				1	4	2		8	1.52
	重量			30				50	30	15		125	1.01
弦纹和附加堆纹	数量						1					1	0.18
	重量						155					155	1.26
云雷纹	数量										1	1	0.18
	重量										20	20	0.16
素面	数量	35	27	40	22	28	15	9	9			185	35.04
	重量	470	255	865	240	305	150	50	40			2375	19.25
合计	数量	114	74	119	49	86	34	26	23	2	1	528	100.00
	重量	1500	845	4150	860	3190	1400	220	135	15	20	12335	100.00
百分比（%）	数量	21.59	14.02	22.54	9.28	16.29	6.44	4.92	4.36	0.37	0.18	100.00	
		90.16						9.65					
	重量	12.16	6.85	33.64	6.97	25.86	11.35	1.78	1.09	0.12	0.16	100.00	
		96.83						2.99					

表3.2.22　小嘴Q1610T1715第3层可辨器形统计表

陶质	夹砂						泥质		合计	百分比（%）
器形＼陶色	灰	黑皮	红	褐	黄	白	灰	黑		
鬲	9	3			1				13	4.25
甗	2	1		2					5	1.63
鬲足或甗足	2			2	3			1	8	2.61
罐		1							1	0.33
盆		1		1			2		4	1.31
缸	19	11	119	25	67	34			275	89.87
合计	32	17	119	30	71	34	2	1	306	100.00
百分比（%）	10.46	5.56	38.89	9.80	23.20	11.11	0.65	0.33	100.00	

表3.2.23　小嘴Q1610T1816第3层陶系、纹饰统计表　（重量单位：克）

陶质		夹砂					泥质		印纹硬陶和原始瓷	合计	百分比（%）
纹饰＼陶色		灰	黑皮	红	褐	白	灰	黑皮			
绳纹	数量	5	6	8	4		6	14		43	36.44
	重量	25	25	255	150		20	75		550	20.45
绳纹和附加堆纹	数量			1						1	0.85
	重量			50						50	1.86
绳纹和弦纹	数量							1		1	0.85
	重量							5		5	0.19
网格纹	数量			7	3					10	8.47
	重量			205	265					470	17.47
网格纹和附加堆纹	数量					1		1		2	1.69
	重量					80		430		510	18.96
附加堆纹	数量		1	4	2					7	5.93
	重量		20	175	50					245	9.11
附加堆纹和弦纹	数量							1		1	0.85
	重量							5		5	0.19
弦纹	数量							2		2	1.69
	重量							1		15	0.56

续表

陶质		夹砂					泥质		印纹硬陶和原始瓷	合计	百分比（%）
纹饰＼陶色		灰	黑皮	红	褐	白	灰	黑皮			
云雷纹	数量								1	1	0.85
	重量								5	5	0.19
云雷纹和叶脉纹	数量								2	2	1.69
	重量								50	50	1.86
叶脉纹	数量								3	3	2.54
	重量								45	45	1.67
素面	数量	10	8	9	1	1	5	11		45	38.14
	重量	20	200	345	10	15	45	105		740	27.51
合计	数量	15	15	29	10	2	11	30	6	118	100.00
	重量	45	245	1030	475	95	65	635	100	2690	100.00
百分比（%）	数量	12.71	12.71	24.58	8.47	1.69	9.32	25.42	5.08	100.00	
		58.47					36.44				
	重量	1.67	9.11	38.29	17.66	3.53	2.42	23.61	3.72	100.00	
		66.73					29.55				

表3.2.24　小嘴Q1610T1816第3层可辨器形统计表

陶质	夹砂				泥质		合计	百分比（%）
器形＼陶色	黑皮	红	褐	白	灰	黑皮		
鬲	2						2	4.00
罐					1	1	2	4.00
斝						1	1	2.00
盆					1		1	2.00
缸	2	29	10	2			43	86.00
器盖						1	1	2.00
合计	4	29	10	2	2	3	50	100.00
百分比（%）	8.00	58.00	20.00	4.00	4.00	6.00	100.00	

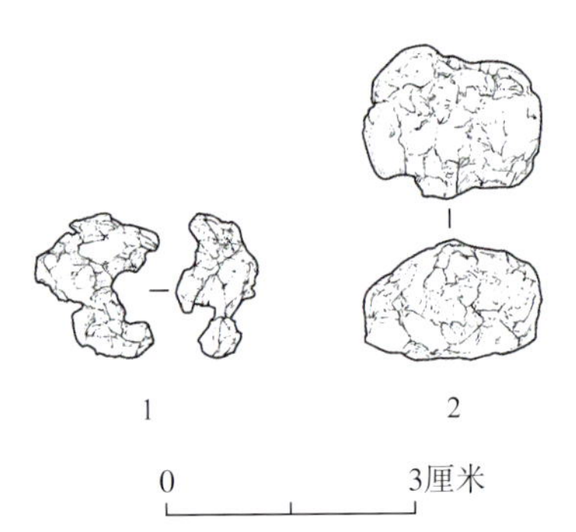

图 3.2.28　小嘴 Q1610T1816 第 4 层出土青铜颗粒
1. Q1610T1816④：49　2. Q1610T1816④：51

4. 第4层

商时期文化层。黑灰色土，土质致密，厚0.2～0.5、深0.25～0.3米。该层主要分布于T1815及以北探方，未发掘完毕。出土陶鬲、罐、盆、缸等残片，同时出土少量青铜颗粒（图3.2.28～图3.2.32；表3.2.25、表3.2.26）。该层共采集木炭样品2件，并进行了碳–14年代测定，检测结果见表3.2.27。

1）青铜器

铜颗粒　标本2件。

标本Q1610T1816④：49，形状不规则。表面有气孔，似乎为铸铜过程中铜液流出冷却形成（图3.2.28，1）。

标本Q1610T1816④：51，形状呈椭圆形。表面有气孔（图3.2.28，2）。

2）陶器

鼎　标本1件。

标本Q1610T1915④：4，夹砂灰陶。下腹及底部残。直口微侈，平折沿，圆唇，溜肩，鼓腹。肩部饰多周弦纹，弦纹间饰绳纹或戳印纹。复原后口径17.7、残高5.1厘米（图3.2.29，11）。

鬲　标本13件。

标本Q1610T1716④：5，夹砂灰陶。口部及足部残。腹部微鼓，平裆。腹部饰竖绳纹。残高6厘米（图3.2.29，13）。

标本Q1610T1815④：5，夹砂灰陶。下腹残。侈口，平折沿，沿内侧起棱，圆唇，束颈，鼓腹。肩部饰一周附加堆纹，堆纹以下饰竖向绳纹。复原后口径22.8、残高6.4厘米（图3.2.29，1）。

标本Q1610T1815④：7，夹砂黑皮陶。下腹残。侈口，平折沿，沿内起棱，圆唇，束颈，鼓腹。腹部饰绳纹。复原后口径18、残高4.5厘米（图3.2.29，6）。

标本Q1610T1815④：20，夹砂灰陶。口部残。直腹微鼓，平裆，下接高尖锥足。上腹饰一周弦纹，弦纹以下饰绳纹。残高10.1厘米（图3.2.29，12）。

标本Q1610T1816④：2，夹砂褐陶。仅余足，高尖锥状。素面。残高12.7厘米（图3.2.29，14）。

标本Q1610T1816④：5，夹砂红陶，外施黑色陶衣。下腹残。侈口，平折沿，尖圆唇，束颈，微鼓腹。颈部以下饰绳纹。复原后口径17.2、残高6.1厘米（图3.2.29，5）。

标本Q1610T1816④：22，夹砂灰陶。腹部残。侈口，折沿，沿内侧起棱，圆唇，束颈。颈部以下饰绳纹。复原后口径16.4、残高3.8厘米（图3.2.29，4）。

标本Q1610T1816④：23，夹砂灰陶。下腹残。侈口，沿面斜直，圆唇，近内侧略微上凸，束颈，圆肩。肩部及以下饰绳纹。复原后口径20.3、残高6厘米（图3.2.29，8）。

标本Q1610T1816④：25，夹砂黑皮陶。下腹残。侈口，平折沿，圆唇，束颈，溜肩，弧鼓腹。腹部饰绳纹。复原后口径18.9、残高6.1厘米（图3.2.29，7）。

标本Q1610T1816④：28，夹砂灰陶。腹下部残。侈口，卷沿，沿面有一道凹槽，束颈，鼓腹。腹部饰绳纹。复原后口径20.7、残高5.1厘米（图3.2.29，10）。

标本Q1610T1816④：41，夹砂褐陶。下腹残。侈口，平折沿，圆唇，束颈，鼓腹。腹部饰绳纹。复原后口径17、残高4.9厘米（图3.2.29，9）。

标本Q1610T1915④：1，夹砂灰陶。下腹及足残。侈口，卷沿，方唇，束颈，微鼓腹。颈部以下饰绳纹。复原后口径18.5、残高9.5厘米（图3.2.29，3）。

标本Q1610T1915④：2，夹砂灰陶，外施黑色陶衣。下腹残。侈口，方唇，直颈，溜

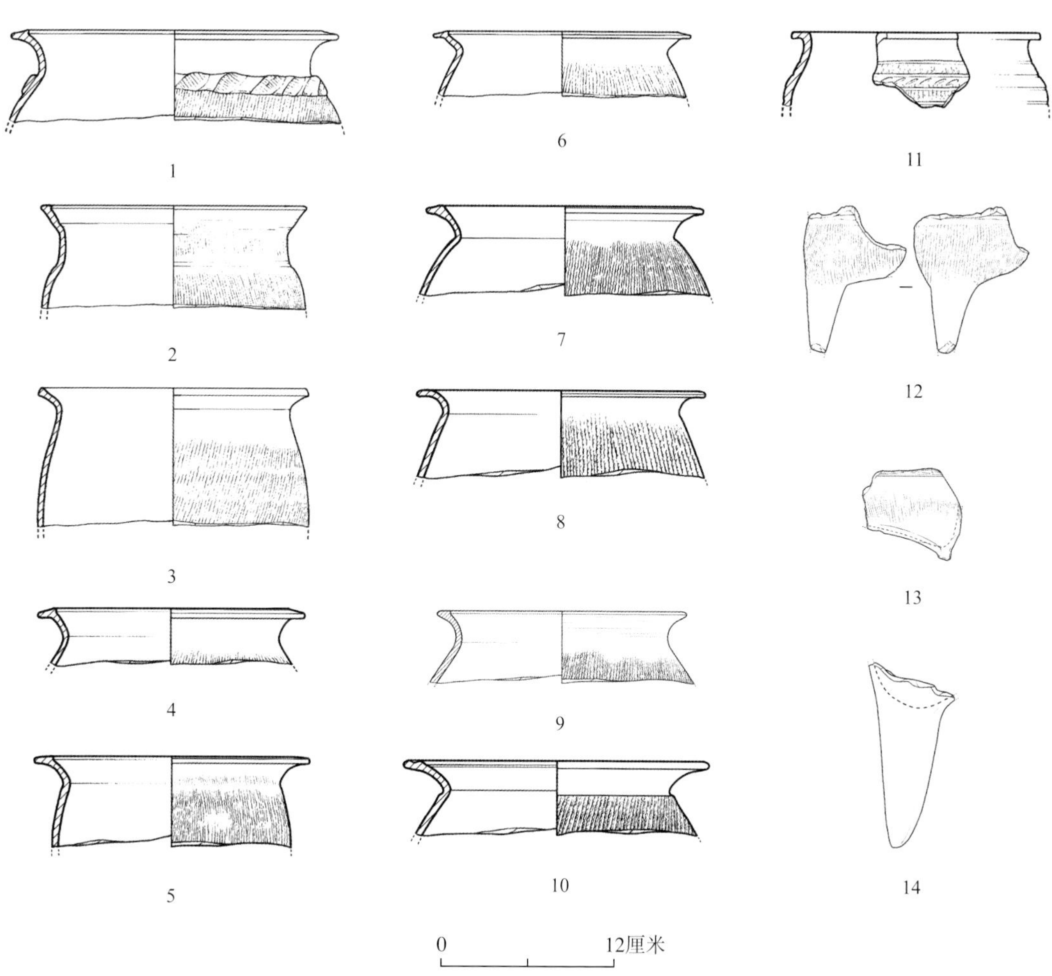

图3.2.29 小嘴Q1610T1716、T1815、T1816、T1915第4层出土陶器

1～10、12～14. 鬲（Q1610T1815④：5、Q1610T1915④：2、Q1610T1915④：1、Q1610T1816④：22、Q1610T1816④：5、Q1610T1815④：7、Q1610T1816④：25、Q1610T1816④：23、Q1610T1816④：41、Q1610T1816④：28、Q1610T1815④：20、Q1610T1716④：5、Q1610T1816④：2） 11. 鼎（Q1610T1915④：4）

肩。颈部以下饰绳纹。复原后口径18.5、残高7厘米（图3.2.29，2）。

罐　标本1件。

标本Q1610T1815④：17，夹砂灰陶。下腹残。侈口，卷沿，圆唇，束颈，溜肩，鼓腹。腹部饰纵向绳纹。口径13、残高7.4厘米（图3.2.30，1）。

瓮　标本2件。

标本Q1610T1816④：21，夹砂灰陶。仅余口部及腹部。敛口，圆唇，折肩。口部及肩部饰两周凹弦纹，口径9.4、残高3.1厘米（图3.2.30，3）。

标本Q1610T1816④：46，泥质灰陶。仅存口部及腹部。敛口，圆唇，圆折肩。口部以下饰两周凹弦纹，肩上部饰一周弦纹。口径11.3、残高4.2厘米（图3.2.30，2）。

爵　标本1件。

标本Q1610T1816④：19，泥质灰陶。口、流、鋬部残，仅存腹及足部。直腹，圆柱足，足尖残，腹饰一周弦纹。残高4.7厘米（图3.2.30，5）。

豆　标本2件。

标本Q1610T1816④：1，夹砂灰陶。圈足下部残。直口微敛，折沿，圆唇，浅盘，圜底，下附圈足，圈足略向内凹。豆盘饰两周划纹，圈足上部饰两周弦纹。口径16.8、残高7厘米（图3.2.31，1）。

标本Q1610T1815④：19，泥质灰陶。圈足下部残。侈口，折沿，圆唇，浅盘，圜底近平，下附高圈足，圈足较细。通体素面。豆盘近口沿处经过减地刮削。口径14.8、残高9.1厘米（图3.2.31，2）。

盆　标本4件。

标本Q1610T1816④：10，泥质黑皮陶。底残。敞口，沿斜向上折后外翻，圆唇，鼓腹，下腹弧收。上腹饰多周弦纹，弦纹间饰绳纹抹光，下腹饰绳纹。口径30.2、高11.9厘米（图3.2.31，5）。

标本Q1610T1816④：24，泥质灰陶。下腹残。敛口，折沿，圆唇，鼓腹。上腹饰两周弦纹，下腹饰绳纹。口径26.2、高9.2厘米（图3.2.31，4）。

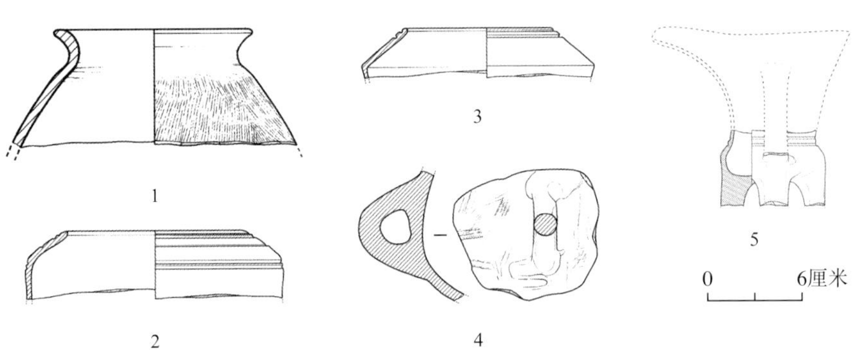

图3.2.30　小嘴Q1610T1815、T1816第4层出土陶器

1. 罐（Q1610T1815④：17）　2、3. 瓮（Q1610T1816④：46、Q1610T1816④：21）
4. 器耳（Q1610T1816④：4）　5. 爵（Q1610T1816④：19）

标本Q1610T1816④：38，夹砂灰陶。底残。侈口，折沿，尖圆唇，鼓腹。上腹饰六周弦纹，弦纹下部装饰绳纹。口径31.5、高14.9厘米（图3.2.31，6）。

标本Q1610T1816④：43，泥质灰陶。下腹残。敞口，沿斜向上折后外翻，圆唇，鼓腹。腹部饰一周弦纹。口径28.7、高8.7厘米（图3.2.31，3）。

大口尊　标本1件。

标本Q1610T1815④：15，泥质灰胎黑皮陶。仅余肩部。折肩突出，折肩处饰两个兽形鋬。肩部及肩部上下饰有弦纹。肩径28、残高7厘米（图3.2.31，7）。

器盖　标本1件。

标本Q1610T1815④：1，泥质灰陶。纽部残，子母口，盖口沿内侧垂直伸出以内扣器身。盖表面饰有弦纹。口径4.6、残高7.3厘米（图3.2.31，9）。

器耳　标本1件。

标本Q1610T1816④：4，泥质灰陶，桥形耳。残高8.25厘米（图3.2.30，4）。

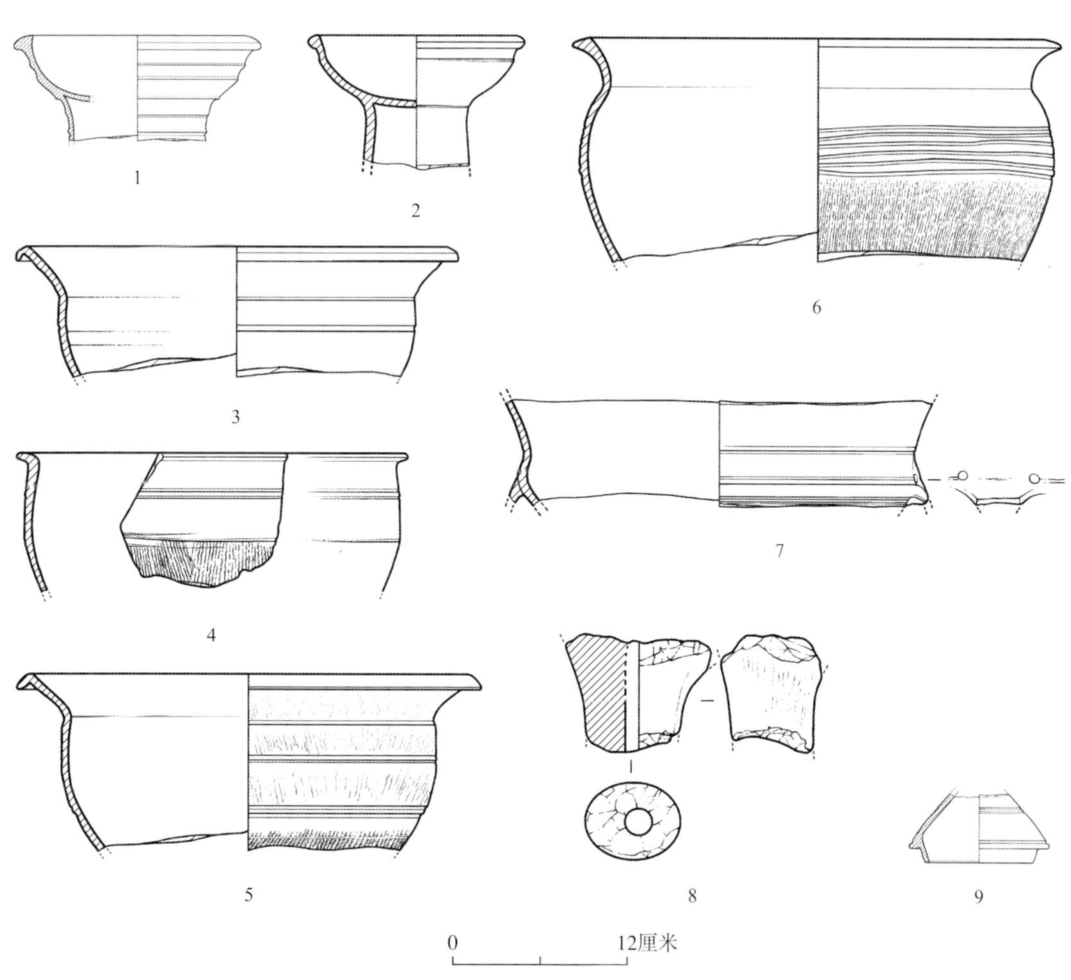

图3.2.31　小嘴Q1610T1716、T1815、T1816第4层出土陶器

1、2. 豆（Q1610T1816④：1、Q1610T1815④：19）　3～6. 盆（Q1610T1816④：43、Q1610T1816④：24、Q1610T1816④：10、Q1610T1816④：38）　7. 大口尊（Q1610T1815④：15）　8. 器足（Q1610T1716④：6）　9. 器盖（Q1610T1815④：1）

器足　标本1件。

标本Q1610T1716④：6，夹砂红陶。下部残。足部较粗，足内侧有穿孔，可能内侧有木棍支撑。素面。足径最宽处为10、残高7.3厘米（图3.2.31，8）。

缸　标本7件。

标本Q1610T1816④：3，夹砂红陶。仅余下腹及底。下腹弧收，接矮圈足。腹部饰绳纹，足边缘饰一周戳印纹。底径10、残高7.2厘米（图3.2.32，5）。

标本Q1610T1816④：6，夹砂黄陶。仅余腹片。腹饰云雷纹，纹饰表面有明显的拍印痕迹。残高7.6厘米（图3.2.32，7）。

标本Q1610T1816④：7，夹砂红陶。下腹残。侈口，方唇，斜直腹。上腹饰一周附加堆纹，堆纹以下满饰方格纹。口径29.6、残高14厘米（图3.2.32，3）。

标本Q1610T1816④：12，泥质灰陶。仅余底部。下接饼状足，足底饰绳纹。底径7.6、高2.7厘米（图3.2.32，6）。

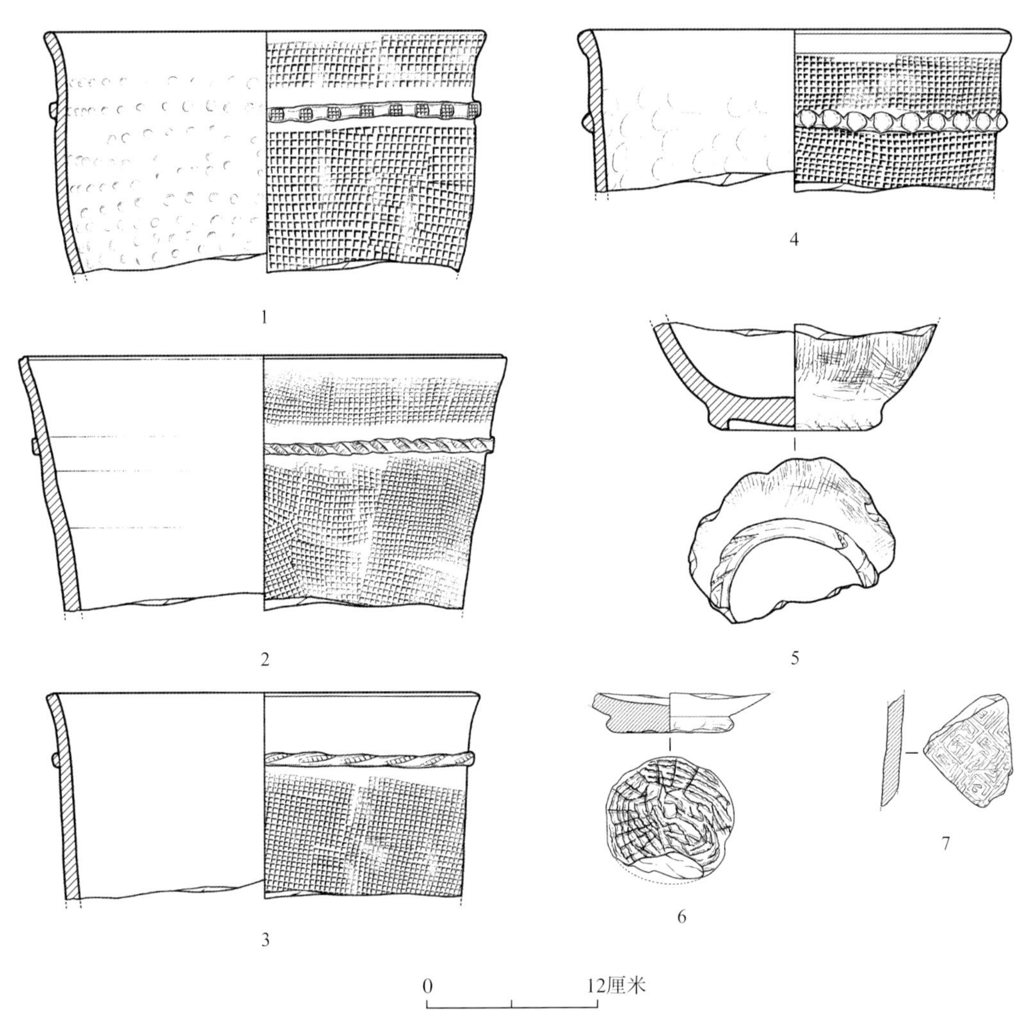

图3.2.32　小嘴Q1610T1816第4层出土陶缸

1. Q1610T1816④：31　2. Q1610T1816④：13　3. Q1610T1816④：7　4. Q1610T1816④：14
5. Q1610T1816④：3　6. Q1610T1816④：12　7. Q1610T1816④：6

标本Q1610T1816④：13，泥质灰陶。下腹残。敞口，方唇，斜直腹。上腹饰一周附加堆纹，堆纹上下饰方格。口径33.4、高17.2厘米（图3.2.32，2）。

标本Q1610T1816④：14，夹砂黄陶。下腹残。侈口，圆唇，唇部加厚，斜直腹。上腹饰一周附加堆纹，堆纹上下饰方格纹。内壁有指压痕迹。口径28.7、高11厘米（图3.2.32，4）。

标本Q1610T1816④：31，夹砂黄陶。下腹残。侈口，圆唇，微鼓腹。上腹饰一周附加堆纹，堆纹上下饰方格纹。口径30.5、高16.4厘米（图3.2.32，1）。

表3.2.25　小嘴Q1610T1816第4层陶系、纹饰统计表　（重量单位：克）

陶质		夹砂						泥质				印纹硬陶和原始瓷	合计	百分比（%）
纹饰＼陶色		灰	黑皮	红	黄	褐	白	灰	黑	褐	黄			
绳纹	数量	349	255	301	165	190	7	208	273	17	1		1766	43.31
	重量	6385	8185	18380	9615	7755	350	866	2870	100	30		54536	39.51
绳纹和弦纹	数量	2	2		1			1	11				17	0.42
	重量	385	125		30			300	350				1190	0.86
绳纹和戳印纹	数量			1									1	0.02
	重量			100									100	0.07
绳纹、弦纹和戳印纹	数量	1											1	0.02
	重量	35											35	0.03
绳纹和附加堆纹	数量	11	16	66	33	3	2		1				132	3.24
	重量	945	1160	7495	3720	225	171		5				13721	9.94
网格纹	数量	19	18	188	93	32	12	7	7			1	377	9.24
	重量	1418	60	12305	3825	1415	247	135	30			50	19485	14.12
网格纹和弦纹	数量								2				2	0.05
	重量								40				40	0.03
网格纹和附加堆纹	数量	1	1	22	15	4	45	1					89	2.18
	重量	95	40	2095	2630	490	1200	400					6950	5.04
篮纹	数量		5	42	17	34	3						101	2.48
	重量		375	2370	960	1900	65						5670	4.11
篮纹和附加堆纹	数量			1									1	0.02
	重量			205									205	0.15
附加堆纹	数量	2	14	51	15	13	4						99	2.43
	重量	160	820	2805	880	800	195						5660	4.10

续表

纹饰		夹砂 灰	夹砂 黑皮	夹砂 红	夹砂 黄	夹砂 褐	夹砂 白	泥质 灰	泥质 黑	泥质 褐	泥质 黄	印纹硬陶和原始瓷	合计	百分比（%）
弦纹	数量	7	3	3		1		6	60	6			86	2.11
	重量	145	45	150		35		40	540	70			1025	0.74
弦纹和刻划纹	数量	1											1	0.02
	重量	150											150	0.11
云雷纹	数量				3		1	1					5	0.12
	重量				165		30	5					200	0.14
云雷纹和叶脉纹	数量											1	1	0.02
	重量											10	10	0.01
叶脉纹	数量								2			1	3	0.07
	重量								85			10	95	0.07
同心菱形纹	数量								1				1	0.02
	重量								20				20	0.01
素面	数量	360	224	171	163	153	16	94	197	17			1395	34.21
	重量	5085	2590	6730	7440	4512	390	800	1140	250			28937	20.96
合计	数量	753	538	846	505	430	90	318	554	40	1	3	4078	100.00
	重量	14803	13400	52635	29265	17132	2648	2546	5080	420	30	70	138029	100.00
百分比（%）	数量	18.46	13.19	20.75	12.38	10.54	2.21	7.80	13.59	0.98	0.02	0.07	100.00	
		77.54						22.39						
	重量	10.72	9.71	38.13	21.20	12.41	1.92	1.84	3.68	0.30	0.02	0.05		
		94.10						5.85						

表3.2.26　小嘴Q1610T1816第4层可辨器形统计表

器形	夹砂 灰	夹砂 黑	夹砂 红	夹砂 黄	夹砂 褐	夹砂 白	泥质 灰	泥质 黑	泥质 红	泥质 褐	合计	百分比（%）
鼎	1										1	0.22
鬲	27	56	1		9	3					96	20.82
鬲足	58	12	7	1	43						121	26.25
甗	6	16			3						25	5.42
罐	5	4			1		4	8			22	4.77

续表

陶质	夹砂						泥质				合计	百分比（%）
陶色 / 器形	灰	黑	红	黄	褐	白	灰	黑	红	褐		
斝	2	2					1	1			6	1.30
爵	4							2			6	1.30
豆	1						1	1		1	4	0.87
盆	1						2	6		4	13	2.82
壶										1	1	0.22
瓮	1						1				2	0.43
大口尊								1			1	0.22
缸	7	14	32	30	24	4	2		37		150	32.54
器盖		1	1		1		1				4	0.87
器耳							1				1	0.22
器鋬	4										4	0.87
器底	1			1			2				4	0.87
合计	118	105	41	32	81	7	15	19	37	6	461	100.00
百分比（%）	25.60	22.78	8.89	6.94	15.57	1.52	3.25	4.12	8.03	1.30	100.00	

表3.2.27　小嘴Q1610T1815、T1816第4层木炭样品加速质谱仪（AMS）碳–14测年数据

Lab 编号	样品原编号	样品	碳–14 年代（BP）	树轮校正后年代	
				1σ（68.2%）	2σ（95.4%）
BA192331	Q1610T1815④：2	木炭	3170±30	1496BC（20.6%）1476BC 1458BC（47.7%）1417BC	1504BC（95.4%）1396BC
BA192334	Q1610T1816④：1	木炭	3160±30	1494BC（15.5%）1478BC 1456BC（52.8%）1410BC	1502BC（92.3%）1390BC 1336BC（3.1%）1322BC

注：所用碳–14半衰期为5568年，BP为距1950年的年代。

树轮校正所用曲线为IntCal20 atmospheric curve (Reimer et al 2020)，所用程序为OxCal v4.4.2 Bronk Ramsey (2020)；r: 5。

1. Reimer P J, Bard E, Bayliss A, Beck J W. IntCal13 and Marine13 radiocarbon age calibration curves 0–50,000 years cal BP, Radiocarbon, 2013, 55, 1869-1887.

2. Christopher Bronk Ramsey 2015, https://c14.arch.ox.ac.uk/oxcal/OxCal.html.

5. 第5层

商时期文化层。灰褐色土，土质致密，深约0.5米。该层主要分布在T1816西部，未发掘完毕。出土陶鬲、爵、缸等残片（图3.2.33）。

陶器

鬲　标本2件。

标本Q1610T1816⑤：2，夹砂黑皮陶。下腹残。侈口，折沿，尖圆唇，束颈，微鼓腹。上腹饰一周弦纹，弦纹以下饰绳纹。口径13.6、残高3.6厘米（图3.2.33，2）。

标本Q1610T1816⑤：4，夹砂灰陶。腹部残。侈口，平折沿，沿面有一周凹槽，方唇，束颈。口径18.4、残高3.2厘米（图3.2.33，1）。

爵　标本1件。

标本Q1610T1816⑤：5，夹砂灰陶。口、流、足残。腹部内收，束腰，联裆，三浅袋足，下加高足尖，腹侧有一扁平鋬连接上下腹，鋬为扁平弓状，与一足相对。近口处饰两周弦纹，下腹部饰绳纹。残高13.1厘米（图3.2.33，3）。

缸　标本1件。

标本Q1610T1816⑤：1，夹砂红陶。仅余口部。侈口，圆唇，器壁较厚。唇上饰一周按压纹，凹槽内为绳纹，器身饰戳印圆圈纹。残高7.8厘米（图3.2.33，4）。

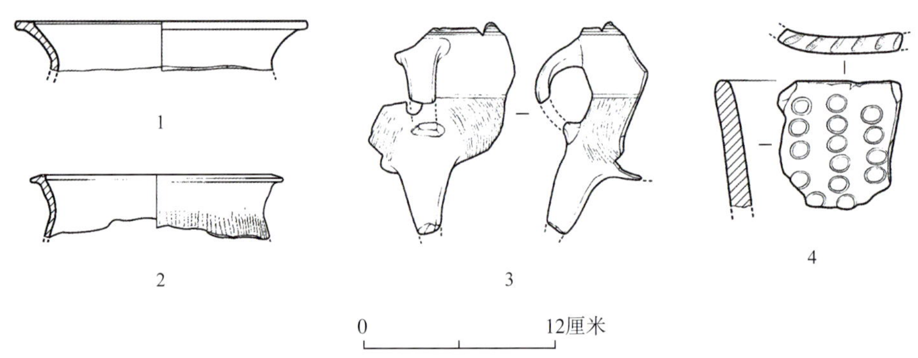

图3.2.33　小嘴Q1610T1816第5层出土陶器

1、2. 鬲（Q1610T1816⑤：4、Q1610T1816⑤：2）　3. 爵（Q1610T1816⑤：5）　4. 缸（Q1610T1816⑤：1）

三、Q1710T0412～T0612南壁堆积状况

发掘区东南部T0113～T0513、T0112～T0712、T0111～T0511地层堆积可相互串联。其中第1层均为表土层，第2层为明清时期文化层，第3、4层为商时期文化层。在此以Q1710T0412～T0612南壁为例介绍。以下介绍的遗物涉及上述相对应探方的地层。

1. 第1层

表土层。灰黄色土，土质疏松，厚0.1～0.2米。该层包含大量植物根茎和现代垃圾（图3.2.34）。

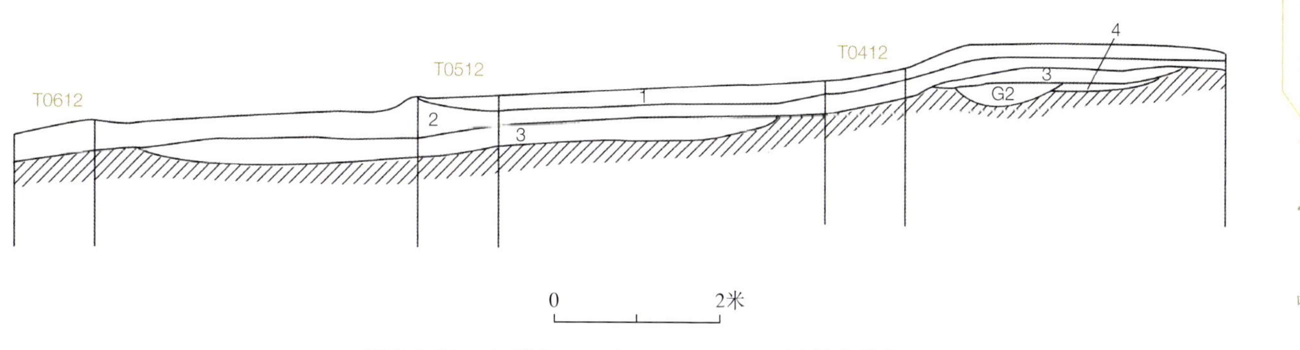

图 3.2.34　小嘴 Q1710T0412 ～ T0612 南壁剖面图

2. 第2层

明清时期文化层。灰色土，土质较疏松，土中夹杂黄色斑点，厚0.1～0.4、深0～0.2米。该层中除植物根茎外未见其他包含物，为湖水上涨所形成的淤积层（图3.2.34）。

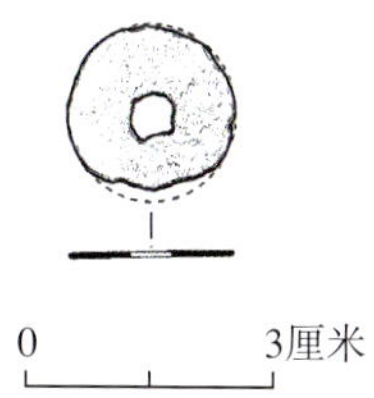

图 3.2.35　铜钱（小嘴 Q1710T0311 ②：1）

青铜器

铜钱　标本1件。

标本Q1710T0311②：1，铜钱锈蚀严重，大致可见圆形方孔形制。币面文字难以辨识。铜钱直径约2.1、孔径0.5、厚0.9厘米（图3.2.35）。

3. 第3层

商时期文化层。黑褐色土，土质致密，厚0.1～0.3、深0.18～0.5米。该层自Q1710T0512向东部倾斜。本层下开口的遗迹有G2。此层中出土有鬲口沿、缸、斝口沿、盆口沿等陶器残片（图3.2.36～图3.2.40；表3.2.28、表3.2.29）。

1）陶器

鬲　标本3件。

标本Q1710T0412③：10，夹砂灰陶。侈口，折沿，方唇，内沿面微凹作浅盘状，下腹微鼓，三袋足的足尖较矮。颈部饰一道弦纹，腹部饰粗绳纹。口径19.1、高22.1厘米（图3.2.36，4）。

标本Q1710T0413③：3，夹砂灰陶。侈口，平折沿，窄方唇，沿面有一周凹槽。口径21.6、残高4.6厘米（图3.2.36，5）。

标本Q1710T0413③：8，夹砂灰陶。侈口，折沿，尖唇，沿面有两周凹槽。颈部以下饰绳纹。口径27、残高6.6厘米（图3.2.36，1）。

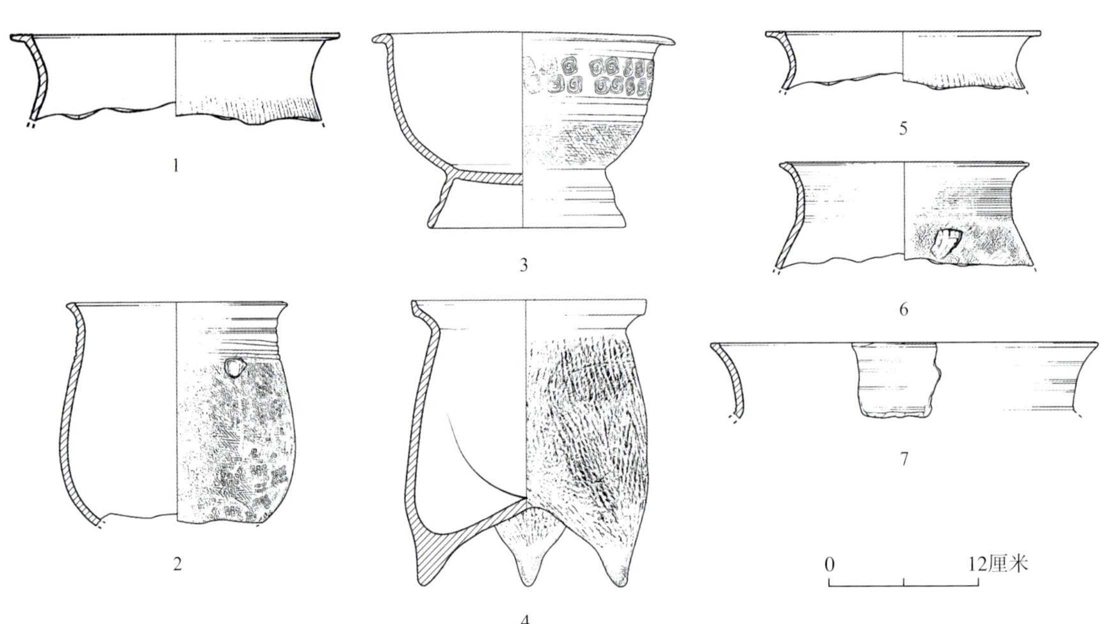

图 3.2.36　小嘴 Q1710T0213、T0311、T0412、T0413 第 3 层出土陶器

1、4、5. 鬲（Q1710T0413③：8、Q1710T0412③：10、Q1710T0413③：3）

2、6、7. 印纹硬陶罐（Q1710T0213③：1、Q1710T0413③：2、Q1710T0311③：3）　3. 簋（Q1710T0413③：1）

簋　标本1件。

标本Q1710T0413③：1，泥质灰陶。直口，折沿，厚圆唇，上腹较直，下腹弧收，底近平，下接高圈足。上腹部饰云雷纹及两周弦纹，下腹部饰交错绳纹，圈足饰两道弦纹。口径24.4、高15.2厘米（图3.2.36，3）。

纺轮　标本1件。

标本Q1710T0213③：3，夹砂红陶。扁圆形，上下面略外鼓，周壁略内凹。直径4.1、厚2.1、孔径0.3厘米。

印纹硬陶罐　标本3件。

标本Q1710T0213③：1，仅底部残。侈口，圆唇，沿面有两周凹槽，上腹微弧，下腹略圆鼓。颈部饰多道不规则凹弦纹，腹部装饰拍印云雷纹及三角弦纹。口径18、残高17.9厘米（图3.2.36，2）。

标本Q1710T0311③：3，敞口，折沿，尖圆唇。颈部有多道轮制痕迹。口径33.2、残高6.1厘米（图3.2.36，7）。

标本Q1710T0413③：2，肩部以下残。敞口，尖圆唇，束颈，溜肩。上腹部饰云雷纹，并附一小环纽。颈部可见多道轮制痕迹。口径20、残高8.2厘米（图3.2.36，6）。

2）玉、石器

绿松石　标本3件。

标本Q1710T0213③：2，器身残损。大致呈圆柱状。长0.85、宽0.72、厚0.56厘米（图

3.2.37，2）。

标本Q1710T0311③：1，器身呈椭圆形片状。通体磨光。长1、宽0.6、厚0.2厘米（图3.2.37，1）。

标本Q1710T0312③：2，器身呈扁长方体，中部有一穿孔，为双面对钻。通体磨光。长3.8、宽1.5、厚7.6厘米（图3.2.37，3）。

孔雀石 标本1件。

标本Q1710T0412③：22，器身呈铜绿色，表面布满矿物自然纹理。长约3.1、宽约2.1厘米（图3.2.38）。

凿 标本3件。

标本Q1710T0312③：1，正面呈圆角梯形，弧顶，刃口比顶部略宽，单面刃。通体磨光。长11.1、宽3.2、厚3.2厘米（图3.2.40，4）。

标本Q1710T0313③：2，平面形状呈长方形，顶部略弧，单面刃，表面有明显的磨痕。残长8.5、宽5.8、厚2.1厘米（图3.2.39，1；图3.2.40，3）。

标本Q1710T0412③：4，正面呈长方形，平顶，单面刃。通体磨光。长5.4、宽3.2、厚1.4厘米（图3.2.39，2；图3.2.40，2）。

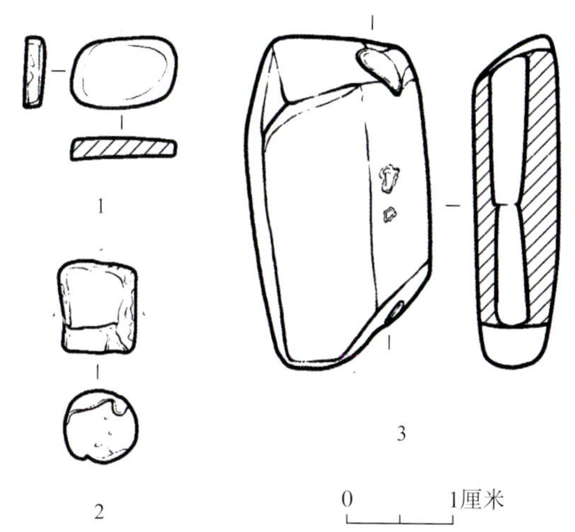

图3.2.37　小嘴Q1710T0213、T0311、T0312第3层出土绿松石

1. Q1710T0311③：1　2. Q1710T0213③：2　3. Q1710T0312③：2

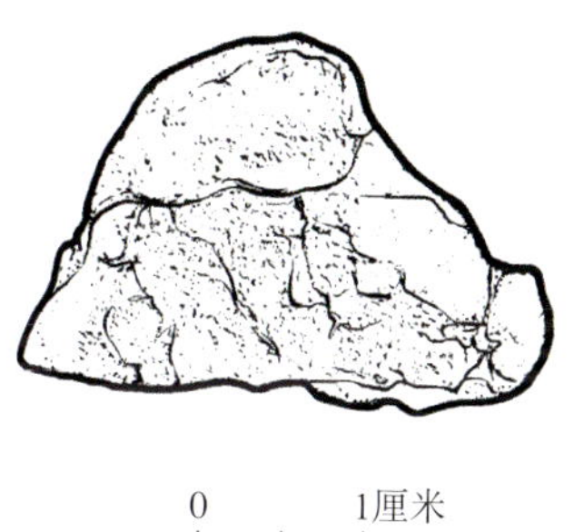

图3.2.38　孔雀石（小嘴Q1710T0412③：22）

1

2

图3.2.39　小嘴Q1710T0313、T0412第3层出土石凿

1. Q1710T0313③：2　2. Q1710T0412③：4

铲 标本1件。

标本Q1710T0412③：1，残存顶部。通体磨光，残端有一双面对钻孔。残长6.9、宽6.1、厚1.8厘米（图3.2.40，1）。

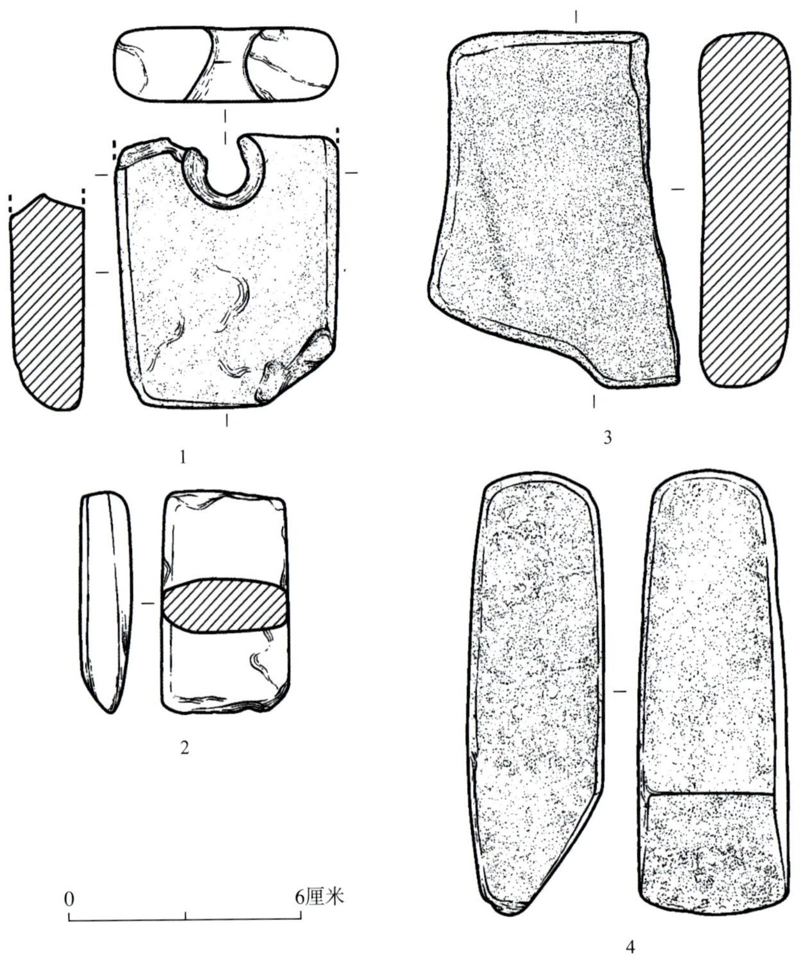

图3.2.40 小嘴Q1710T0312、T0313、T0314、T0412第3层出土石器

1. 铲（Q1710T0412③：1） 2～4. 凿（Q1710T0412③：4、Q1710T0313③：2、Q1710T0312③：1）

表3.2.28 小嘴Q1710T0413第3层陶系、纹饰统计表 （重量单位：克）

陶质		夹砂						泥质			印纹硬陶和原始瓷	合计	百分比（%）
纹饰＼陶色		灰	黑皮	红	褐	黄	白	灰	黑皮	褐			
绳纹	数量	55	20	31	23	28		10	4			171	34.13
	重量	2682	397.5	1222.5	352	1434		101.5	92			6281.5	26.84
绳纹和附加堆纹	数量	6	3	12		3						24	4.79
	重量	2761.5	151.5	1115		178						4206	17.97

续表

陶质		夹砂						泥质			印纹硬陶和原始瓷	合计	百分比（%）
纹饰	陶色	灰	黑皮	红	褐	黄	白	灰	黑皮	褐			
绳纹和绹索纹	数量								1			1	0.20
	重量								10.5			10.5	0.04
绳纹和乳钉纹	数量							1				1	0.20
	重量							14.5				14.5	0.06
绳纹、弦纹和云雷纹	数量							1				1	0.20
	重量							301.5				301.5	1.29
网格纹	数量		5	10	1	28	4			1	1	50	9.98
	重量		192.5	627	64	1882	397			28	38	3228.5	13.80
网格纹、弦纹和附加堆纹	数量	1										1	0.20
	重量	41										41	0.18
篮纹	数量	1		4								5	1.00
	重量	80.5		259								339.5	1.45
附加堆纹	数量			1	2	17	1					21	4.19
	重量			37	53	1203	89					1382	5.91
弦纹	数量							1	1			2	0.40
	重量							29	12			41	0.18
弦纹和云雷纹	数量										2	2	0.40
	重量										119	119	0.51
弦纹和叶脉纹	数量										2	2	0.40
	重量										177	177	0.76
云雷纹	数量							1			1	2	0.40
	重量							29			23	52	0.22
叶脉纹	数量										2	2	0.40
	重量										37	37	0.16
窗棂纹	数量	1										1	0.20
	重量	89										89	0.38
绹索纹	数量								3			3	0.60
	重量								79			79	0.34
素面	数量	37	15	74	35	22	5	18	3		3	212	42.32
	重量	928.5	428.5	2859	951	1171	183.5	347.5	77		56	7002	29.92

续表

陶质		夹砂						泥质			印纹硬陶和原始瓷	合计	百分比（%）
纹饰 \ 陶色		灰	黑皮	红	褐	黄	白	灰	黑皮	褐			
合计	数量	101	43	132	61	98	10	32	12	1	11	501	100.00
	重量	6582.5	1170	6119.5	1420	5868	669.5	823	270.5	28	450	23401	100.00
百分比（%）	数量	20.16	8.58	26.35	12.18	19.56	2.00	6.39	2.40	0.20	2.20	100.00	
		88.82						8.98					
	重量	28.13	5.00	26.15	6.07	25.08	2.86	3.52	1.16	0.12	1.92	100.00	
		93.28						4.79					

表3.2.29　小嘴Q1710T0413第3层可辨器形统计表

陶质	夹砂						泥质		印纹硬陶和原始瓷	合计	百分比（%）
器形 \ 陶色	灰	黑皮	红	褐	黄	白	灰	褐			
鬲	2	4		3						9	2.53
甗	1									1	0.28
鬲足或甗足	8	1	6	19						34	9.58
罐	1	3	1							5	1.41
斝		1								1	0.28
簋							3			3	0.85
盆	1						1			2	0.56
大口尊	1							1		2	0.56
尊									4	4	1.13
缸	57	20	107		98	10				292	82.25
器盖							2			2	0.56
合计	71	29	114	22	98	10	6	1	4	355	100.00
百分比（%）	20.00	8.17	32.11	6.19	27.60	2.82	1.69	0.28	1.13	100.00	

4. 第4层

商时期文化层。红褐色黏土，土质致密，厚0.06～0.1、深0.4～0.55米。该层分布于T0113、T0413、T0412、T0411的3层下。该层包含少量陶片、石块、炭屑等，可辨器形有鬲、斝、缸、印纹硬陶罐、原始瓷瓮等（图3.2.41～图3.2.43；表3.2.30～表3.2.35）。

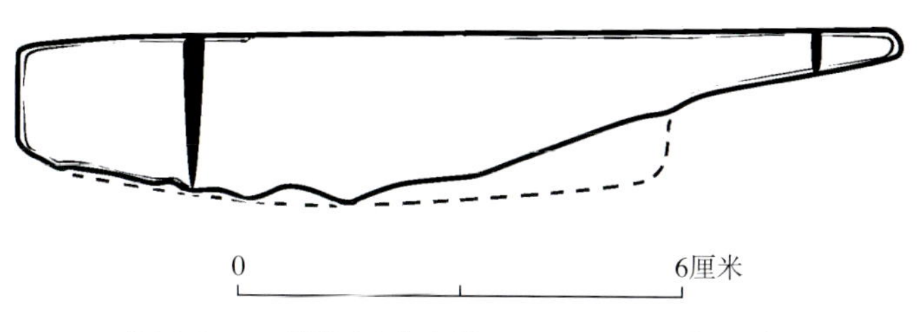

图 3.2.41　青铜刀（小嘴 Q1710T0313 ④：2）

1）青铜器

刀　标本1件。

标本Q1710T0313④：2，刀身呈长方形，刀柄呈三角形。背脊较直，刃口残缺。长12、宽2.4、厚0.3厘米（图3.2.41）。

2）陶、瓷器

纺轮　标本1件。

标本Q1710T0412④：1，泥质灰陶。扁平圆形，上下面较为平整，周壁平直。直径5.66、厚0.81、孔径0.55厘米（图3.2.42）。

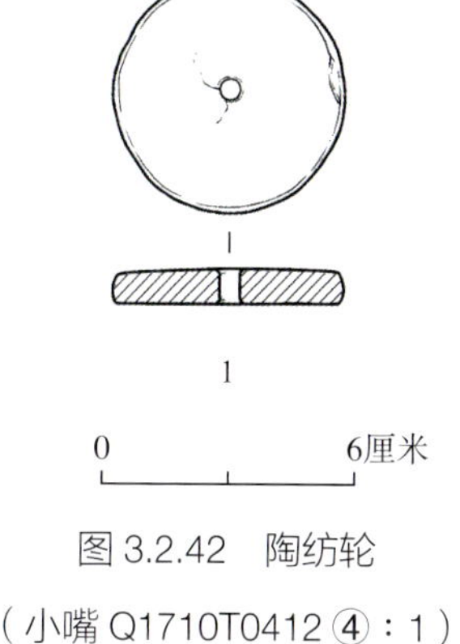

图 3.2.42　陶纺轮
（小嘴 Q1710T0412 ④：1）

印纹硬陶罐　标本1件。

标本Q1710T0412④：3，下腹及底部残。侈口，平折沿，圆唇，鼓腹。上腹部饰云雷纹。颈部可见多道轮制痕迹。口径13.9、残高8.4厘米（图3.2.43，2）。

印纹硬陶瓮　标本1件。

标本Q1710T0412④：2，仅余口部及颈部。敞口，尖圆唇，折沿，沿面有一道凹槽，束颈。肩部饰弦纹与网格纹。口部及颈部可见多道轮制痕迹。口径25、残高5.5厘米（图3.2.43，1）。

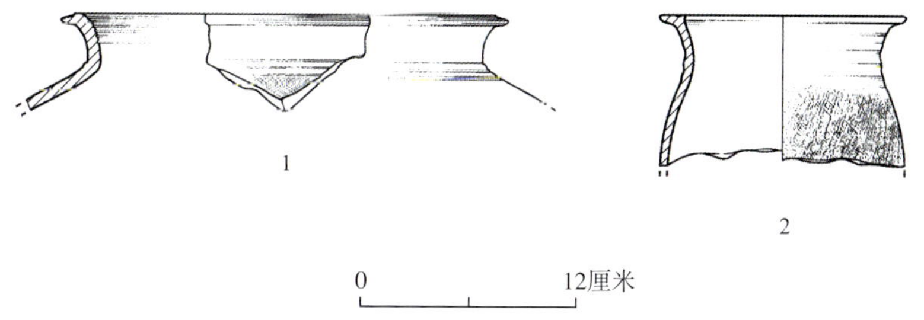

图 3.2.43　小嘴 Q1710T0412 第 4 层出土印纹硬陶器

1. 瓮（Q1710T0412④：2）　2. 罐（Q1710T0412④：3）

表3.2.30　小嘴Q1710T0412第4层陶系、纹饰统计表　（重量单位：克）

纹饰＼陶质		夹砂						泥质				印纹硬陶和原始瓷	合计	百分比（%）
纹饰＼陶色		灰	黑皮	红	褐	黄	白	灰	黑皮	红	褐			
绳纹	数量	40	79	45	30	9	4	9	9	3			228	28.54
	重量	652	3361	2245	1456	324	218	93	196	69			8614	24.88
绳纹和附加堆纹	数量	5	1	8				1					15	1.88
	重量	110	71	522				16					719	2.08
绳纹和圜络纹	数量		1										1	0.13
	重量		127										127	0.37
绳纹和弦纹	数量		1					3		1			5	0.63
	重量		27					63		35			125	0.36
网格纹	数量	2		37	7	21	8				1	6	82	10.26
	重量	128		3601	249	2840	355				14	203	7390	21.34
网格纹和附加堆纹	数量		1	11		7	4						23	2.88
	重量		218	906		1203	445						2772	8.01
弦纹和网格纹	数量											1	1	0.13
	重量											57	57	0.16
篮纹	数量		4	12	21	5	4						46	5.76
	重量		322	394	536	468	275						1995	5.76
附加堆纹	数量	3	4	2		8	2			3			22	2.75
	重量	286	104	97		677	134			180			1478	4.27
弦纹	数量	5	1		1			6	4		1		18	2.25
	重量	191	17		15			130	117		19		489	1.41
云雷纹	数量											5	5	0.63
	重量											144	144	0.42
叶脉纹	数量											13	13	1.63
	重量											454	454	1.31
席纹	数量											2	2	0.25
	重量											72	72	0.21
圆圈纹	数量								1				1	0.13
	重量								9				9	0.03

续表

陶质		夹砂						泥质				印纹硬陶和原始瓷	合计	百分比（%）
纹饰＼陶色		灰	黑皮	红	褐	黄	白	灰	黑皮	红	褐			
素面	数量	58	25	94	31	65	16	16	12	6	3	11	337	42.18
	重量	1319	373	3765	1173	1856	441	328	219	327	64	317	10182	29.40
合计	数量	113	117	209	90	115	38	35	26	13	5	38	799	100.00
	重量	2686	4620	11530	3429	7368	1868	630	541	611	97	1247	34627	100.00
百分比（%）	数量	14.14	14.64	26.16	11.26	14.39	4.76	4.38	3.25	1.63	0.63	4.76	100.00	
		85.36						9.89						
	重量	7.76	13.34	33.30	9.90	21.28	5.39	1.82	1.56	1.76	0.28	3.60	100.00	
		90.97						5.43						

表3.2.31　小嘴Q1710T0412第4层可辨器形统计表

陶质	夹砂						泥质				印纹硬陶和原始瓷	合计	百分比（%）
器形＼陶色	灰	黑皮	红	褐	黄	白	灰	黑皮	褐	红			
鬲	13	7	3					1		2		26	24.30
鬲足或甗足	9	1	17	10								37	34.58
罐		1					1	1		1	11	15	14.02
斝				1								1	0.93
豆							1					1	0.93
簋									1			1	0.93
盆								1				1	0.93
大口尊	2						3		1	2		8	7.48
缸	1	1	7	2	1	2						14	13.08
器盖		1					1			1		3	2.80
合计	25	11	27	13	1	2	6	3	2	6	11	107	100.00
百分比（%）	23.36	10.28	25.23	12.15	0.93	1.87	5.61	2.80	1.87	5.61	10.28	100.00	

表3.2.32　小嘴Q1710T0411第4层陶系、纹饰统计表　（重量单位：克）

陶质		夹砂						泥质		合计	百分比（%）
纹饰 \ 陶色		灰	黑皮	红	褐	黄	白	灰	黑皮		
绳纹	数量	5	4	10	24	4	8		1	56	28.57
	重量	305	86	395	1487	410	393		20	3096	32.86
绳纹和附加堆纹	数量				1	1				2	1.02
	重量				62	221				283	3.00
网格纹	数量	2		8	7	3	6			26	13.27
	重量	165		463	502	71	411			1612	17.11
网格纹和附加堆纹	数量			1						1	0.51
	重量			143						143	1.52
篮纹	数量			1						1	0.51
	重量			82						82	0.87
附加堆纹	数量		2			3	8			13	6.63
	重量		136			183	349			668	7.09
素面	数量	9	1	29		35	8	11	4	97	49.49
	重量	223	109	1202		1530	254	192	27	3537	37.54
合计	数量	16	7	49	32	46	30	11	5	196	100.00
	重量	693	331	2285	2051	2415	1407	192	47	9421	100.00
百分比（%）	数量	8.16	3.57	25.00	16.33	23.47	15.31	5.61	2.55	100.00	
		91.84						8.16			
	重量	7.36	3.51	24.25	21.77	25.63	14.93	2.04	0.50	100.00	
		97.46						2.54			

表3.2.33　小嘴Q1710T0411第4层可辨器形统计表

陶质	夹砂			泥质	合计	百分比（%）
器形 \ 陶色	灰	红	黄	灰		
鬲	1		2		3	13.04
鬲足或甗足	1	10			11	47.83
罐	4		3	1	8	34.78
缸		1			1	4.35
合计	6	11	5	1	23	100.00
百分比（%）	26.09	47.83	21.74	4.35	100.00	

表3.2.34 小嘴Q1710T0113第4层陶系、纹饰统计表 （重量单位：克）

纹饰 \ 陶质		夹砂						泥质				印纹硬陶和原始瓷	合计	百分比（%）
纹饰 \ 陶色		灰	黑皮	红	褐	黄	白	灰	黑皮	红	褐			
绳纹	数量	286	400	882	514	327	48	105	205	8	37		2812	40.75
	重量	13515	23546	62061	45592	18403	3427	1365	3990	150	435		172484	42.56
绳纹和附加堆纹	数量	23	16	89	24	40	11		2		1		206	2.99
	重量	3106	1898	11996	3247	5126	713		105		55		26246	6.48
绳纹和弦纹	数量	3		1					19		4		27	0.39
	重量	70		65					520		90		745	0.18
网格纹	数量	33	39	239	162	182	47	5	7	1	2	33	750	10.86
	重量	1909	3343	17407	10233	13786	2954	105	305	25	40	1135	51242	12.64
网格纹和附加堆纹	数量		3	37	12	48	10						110	1.59
	重量		120	5346	946	7710	2758						16880	4.17
网格纹和弦纹	数量							9	5		2		16	0.23
	重量							115	75		85		275	0.07
网格纹和云雷纹	数量					1							1	0.01
	重量					98							98	0.02
网格纹和席纹	数量											4	4	0.06
	重量											180	180	0.04
篮纹	数量	3	3	114	17	30	9	1					177	2.56
	重量	185	75	7949	1459	1257	708	20					11653	2.88
篮纹和附加堆纹	数量		1	7		5							13	0.20
	重量		295	1148		533							1976	0.49
附加堆纹	数量	17	11	193	24	82	24	3	7				361	5.23
	重量	1231	613	12894	2516	6753	1652	160	340				26159	6.45
附加堆纹和弦纹	数量								2				2	0.03
	重量								70				70	0.02
附加堆纹和窗棂纹	数量								1				1	0.01
	重量								70				70	0.02
附加堆纹和云雷纹	数量			2		4							6	0.09
	重量			368		902							1270	0.31

续表

纹饰 \ 陶质	陶色	夹砂						泥质				印纹硬陶和原始瓷	合计	百分比（%）
		灰	黑皮	红	褐	黄	白	灰	黑皮	红	褐			
附加堆纹和兽面纹	数量		1										1	0.01
	重量		180										180	0.04
弦纹	数量	2	7		7	4	2	8	41	3	8		82	1.19
	重量	15	185		152	178	150	150	1000	115	130		2075	0.51
弦纹和兽面纹	数量							1					1	0.01
	重量							10					10	< 0.01
凸弦纹	数量		1	1				9	7				18	0.26
	重量		160	551				190	535				1436	0.35
窗棂纹	数量								2				2	0.03
	重量								130				130	0.03
席纹	数量											4	4	0.06
	重量											70	70	0.02
席纹和云雷纹	数量											1	1	0.01
	重量											75	75	0.02
压印纹	数量					1							1	0.01
	重量					47							47	0.01
兽面纹	数量		1					1					2	0.03
	重量		45					10					55	0.01
叶脉纹	数量											19	19	0.28
	重量											320	320	0.08
云雷纹	数量			9	3	21			2			47	82	1.19
	重量			597	195	1640			35			1325	3792	0.94
叶脉纹和云雷纹	数量											3	3	0.04
	重量											55	55	0.01
素面	数量	181	135	813	250	415	121	80	126	11	53	14	2199	31.86
	重量	8170	3137	37789	10620	15797	5849	1210	3220	310	1175	393	87670	21.63

续表

陶质		夹砂						泥质				印纹硬陶和原始瓷	合计	百分比（%）
纹饰 \ 陶色		灰	黑皮	红	褐	黄	白	灰	黑皮	红	褐			
合计	数量	548	118	2387	1013	1160	272	222	126	23	107	125	6901	100.00
	重量	28201	33597	158171	74960	72230	18211	3335	10395	600	2010	3553	405263	100.00
百分比（%）	数量	7.94	8.95	34.55	14.65	16.80	3.94	3.21	6.27	0.33	1.55	1.81	100.00	
		86.83						11.36						
	重量	6.96	8.29	39.03	18.49	11.82	4.49	0.82	2.57	0.15	0.50	0.88	100.00	
		95.08						4.04						

表3.2.35　小嘴Q1710T0113第4层可辨器形统计表

陶质	夹砂						泥质				合计	百分比（%）
器形 \ 陶色	灰	黑皮	红	褐	黄	白	灰	黑皮	红	褐		
鼎		1									1	0.02
鬲	22	29		25	9			3			88	1.59
甗	4	7									11	0.20
鬲足或甗足	15	8	49	109	2			1			184	3.33
罐	10	20		6	1		15	18	1	1	72	1.30
斝		1		2							3	0.06
爵	1	1					2			1	5	0.09
豆							2	2			4	0.07
簋							1				1	0.02
盆				1			13	6	1	3	24	0.43
刻槽盆		2					1	3		1	7	0.13
盉	1										1	0.02
瓮								1			1	0.02
大口尊		1					1	10		5	17	0.31
鋬		1		1	1						3	0.05

续表

陶质	夹砂						泥质				合计	百分比（%）
器形 \ 陶色	灰	黑皮	红	褐	黄	白	灰	黑皮	红	褐		
圈足							3	2		3	8	0.14
缸	338	297	2307	850	1024	272					5088	92.21
合计	391	368	2356	994	1037	272	38	46	2	14	5518	100.00
百分比（%）	7.09	6.67	42.70	18.01	18.79	4.93	0.69	0.83	0.04	0.25	100.00	

四、Q1610T1416 西壁堆积状况

发掘区西部近于小嘴岗地顶端，其中Q1610T1517～T1514、T1417～1415地层关系简单，第1层为表土层，第2层为明清时期文化层，未见商时期文化层。探方间地层可相互串联。在此以Q1610T1416西壁为例介绍。

1. 第1层

表土层。灰黄色土，土质疏松，厚0.1～0.3米。该层内含大量植物根系和现代垃圾（图3.2.44）。

2. 第2层

明清时期文化层。灰褐色土，土质较疏松，厚0.05～0.3、深0.1～0.3米。该层出土有青花瓷片、铜钱等（图3.2.44）。

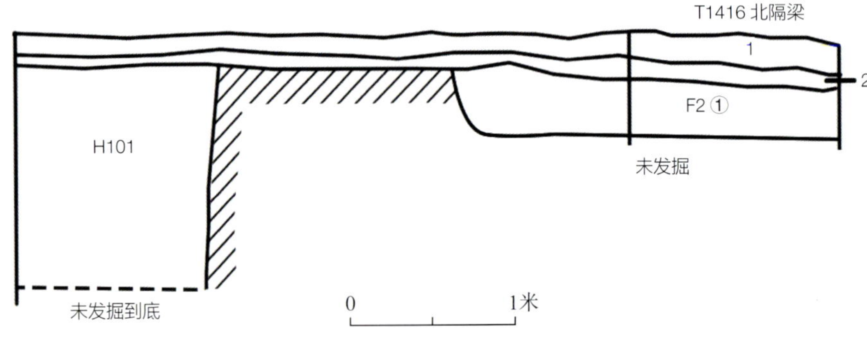

图 3.2.44　小嘴 Q1610T1416 西壁地层剖面图

五、发掘区层位关系

根据上述发掘探方层位关系，可将本发掘区层位关系总结为以下四组（图3.2.45）。

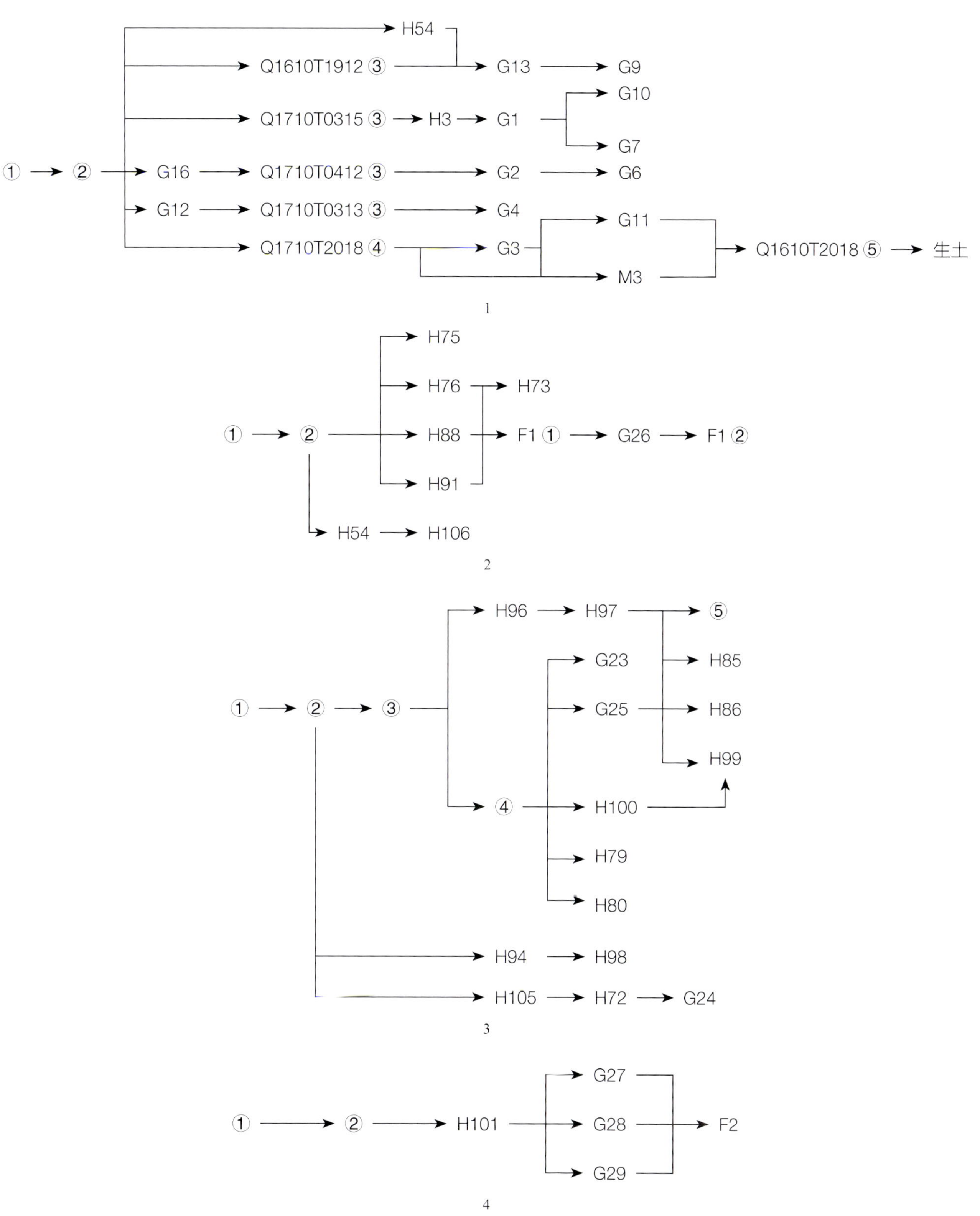

图 3.2.45　小嘴发掘区层位关系图

第三节 灰 坑

小嘴发掘区共发现灰坑88个。

（一）H1

位于Q1710T0115与Q1710T0215交界处。开口于第4层下，打破生土。坑口呈圆形，弧壁，平底。基线方向为90°或270°。南北长约1.3、东西宽约1.4、深0.14、底部直径约为0.7、口部距地表约0.23米（图3.3.1）。填土为黑灰色，土质疏松。出土陶片及少量烧土块，陶片中可辨器形有折沿鬲、斝等（表3.3.1、表3.3.2）。

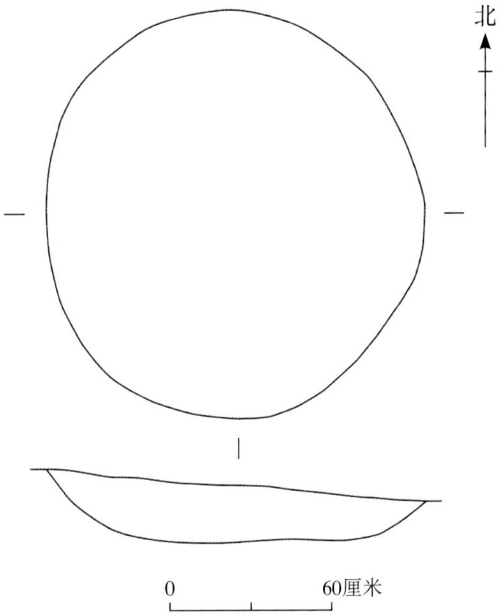

图3.3.1 小嘴H1平、剖面图

陶器

鬲 标本2件。

标本H1∶1，夹砂褐陶。侈口，折沿，方唇。颈部以下饰绳纹。口径18.3、残高5.1厘米（图3.3.2，1）。

标本H1∶2，夹砂黄陶。侈口，折沿，方唇。颈部饰绳纹。口径25.3、残高4.4厘米（图3.3.2，2）。

斝 标本1件。

标本H1∶3，泥质灰陶。残存上腹部及一弧形鋬。腹部饰一周弦纹。残高11.2厘米（图3.3.2，3）。

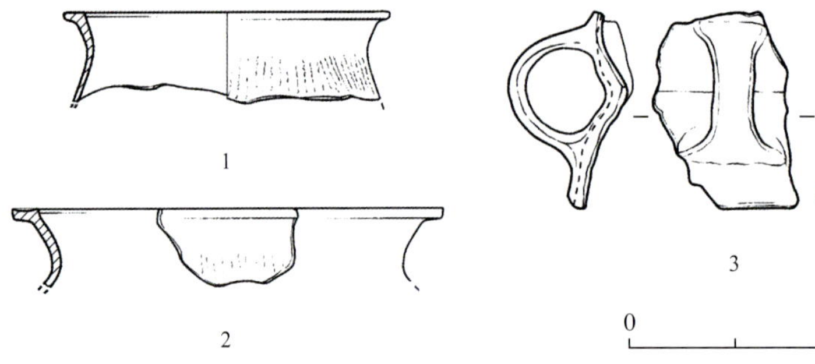

图3.3.2 小嘴H1出土陶器

1、2.鬲（H1∶1、H1∶2） 3.斝（H1∶3）

表3.3.1　小嘴H1陶系、纹饰统计表　　　　（重量单位：克）

陶质		夹砂						泥质			印纹硬陶和原始瓷	合计	百分比（%）
纹饰＼陶色		灰	黑皮	红	褐	黄	白	灰	黑皮	红			
绳纹	数量	11	22	58	4		3	5	5			108	27.55
	重量	310	1486	4774	93		296	58	34			7051	36.63
绳纹和附加堆纹	数量		1	3								4	1.02
	重量		27	429								456	2.37
网格纹	数量	1	1	10	2	10	1					25	6.38
	重量	22	197	448	77	868	17					1629	8.46
网格纹和附加堆纹	数量					2						2	0.51
	重量					279						279	4.45
篮纹	数量			15		2						17	4.34
	重量			957		920						1877	9.75
附加堆纹	数量		1	6		4	1					12	3.06
	重量		66	682		223	16					987	5.13
弦纹	数量	1						1	2			4	1.02
	重量	4						18	19			41	0.21
云雷纹	数量										1	1	0.26
	重量										6	6	0.03
素面	数量	16	22	141	3	17		9	9	2		219	55.87
	重量	961	166	4898	70	560		137	127	6		6925	35.97
合计	数量	29	47	233	9	35	5	15	16	2	1	392	100.00
	重量	1297	1942	12188	240	2850	329	213	180	6	6	19251	100.00
百分比（%）	数量	7.40	11.99	59.44	2.29	8.93	1.28	3.83	4.08	0.51	0.26	100.00	
		91.33						8.42					
	重量	6.74	10.09	63.31	1.25	14.80	1.71	1.11	0.93	0.03	0.03	100.00	
		97.90						1.70					

表3.3.2　小嘴H1可辨器形统计表

陶质	夹砂						泥质	合计	百分比（%）
陶色 器形	灰	黑皮	红	褐	黄	白	黑		
鬲		3	2	2			1	8	2.67
甗				1				1	0.33
鬲足或甗足	2	1	4					7	2.33
盆							1	1	0.33
大口尊							1	1	0.33
缸	7	15	217	3	35	5		282	94.00
合计	9	19	223	6	35	5	3	300	100.00
百分比（%）	3.00	6.33	74.33	2.00	11.67	1.67	1.00	100.00	

（二）H3

位于Q1710T0314与Q1710T0315交界处。开口于第3层下，打破G1及第5层。坑口呈椭圆形，坑壁形制不明，坑底中部低，四周稍高。基线方向为90°或270°。东西长2.8、南北宽1.72、坑口距离地表0.28、深0.1～0.18米（图3.3.3）。坑内主要为大量红烧土碎块，各烧土块形状不规则，最大径0.05～0.16米，呈现出红色或青灰色烧结面，部分烧土块中可见草本植物根茎痕迹。同时灰坑中还出土有少量陶片，可辨器形包括缸、鬲、大口尊、缸等，另有少量石器（图3.3.4；表3.3.3、表3.3.4）。因灰坑中红烧土碎块分布较为散乱，且灰坑深度仅为0.1～0.18米，推测H3中的红烧土碎块并非原生堆积，而是经过二次倾倒而来。

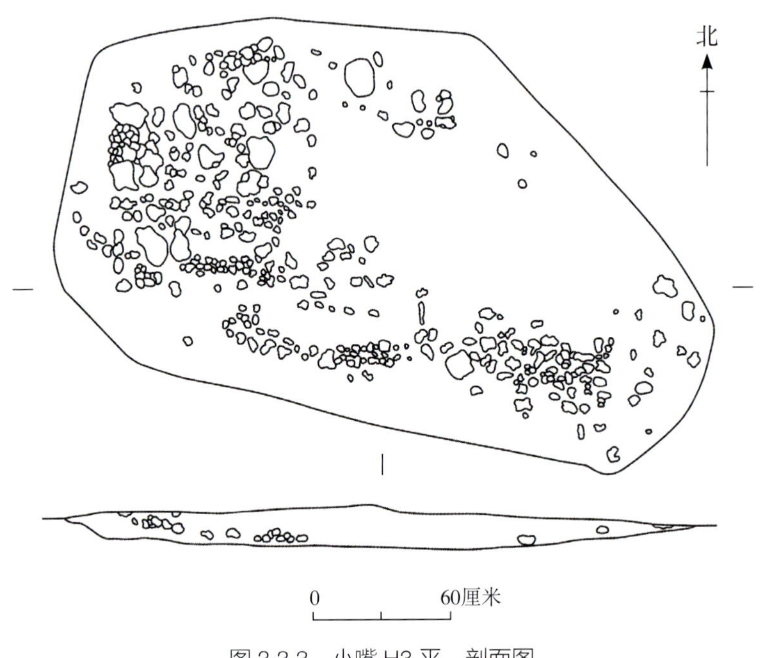

图3.3.3　小嘴H3平、剖面图

石器

凿　标本1件。

标本H3：1，正面近似长方形，顶部微弧。单面刃。通体磨光。长7.6、宽2.5、厚3厘米（图3.3.4）。

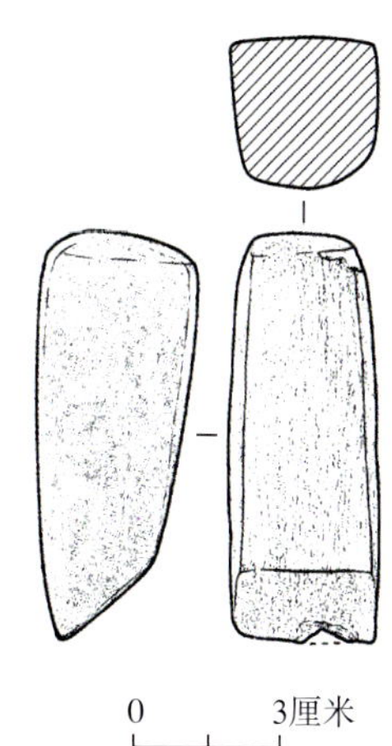

图3.3.4　石凿（小嘴H3：1）

表3.3.3　小嘴H3陶系、纹饰统计表　　（重量单位：克）

陶质		夹砂					泥质		印纹硬陶和原始瓷	合计	百分比（%）
纹饰＼陶色		灰	黑皮	红	褐	黄	灰	黑皮			
绳纹	数量	31	28	10	13	4	4	5		95	45.67
	重量	111	327	253	129	101	23	42		986	39.00
绳纹和附加堆纹	数量				1					1	0.48
	重量				155					155	6.13
网格纹	数量			5	5					10	4.81
	重量			98	106					204	8.07
篮纹	数量				2	1				3	1.44
	重量				76	10				86	3.40
附加堆纹	数量			2		1				3	1.44
	重量			56		32				88	3.48
弦纹	数量	2					2	4		8	3.85
	重量	7					14	43		64	2.53
云雷纹	数量				1				1	2	0.96
	重量				18				12	30	1.19
叶脉纹	数量								3	3	1.44
	重量								27	27	1.07
素面	数量	33	8	17	12	6	6	1		83	39.90
	重量	144	63	244	217	144	62	14		888	35.13

续表

陶质		夹砂					泥质		印纹硬陶和原始瓷	合计	百分比（%）
纹饰 \ 陶色		灰	黑皮	红	褐	黄	灰	黑皮			
合计	数量	66	36	34	34	12	12	10	4	208	100.00
	重量	262	390	651	701	287	99	99	39	2528	100.00
百分比（%）	数量	31.73	17.31	16.35	16.35	5.77	5.77	4.81	1.92	100.00	
		87.50					10.58				
	重量	10.36	15.43	25.75	27.73	11.35	3.92	3.92	1.54	100.00	
		90.62					7.83				

表3.3.4　小嘴H3可辨器形统计表

陶质	夹砂					泥质	合计	百分比（%）
器形 \ 陶色	灰	黑皮	红	黄	褐	灰		
鬲	6	2	1		1		10	13.33
鬲足或甗足	1		3		1		5	6.67
大口尊		1				1	2	2.67
缸	1	3	23	12	19		58	77.33
合计	8	6	4	12	21	1	75	100.00
百分比（%）	10.66	8.00	36.00	16.00	28.00	1.33	100.00	

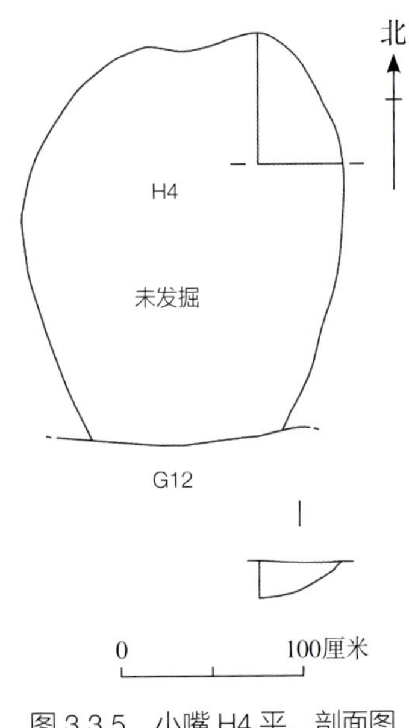

图3.3.5　小嘴H4平、剖面图

（三）H4

位于Q1710T0213～T0214、Q1710T0313～T0314四个探方的交界处。开口于第3层下，打破H12及生土，灰坑主体分布于Q1710T0213关键柱中，本次发掘仅对H4的四分之一进行了清理，即H4位于Q1710T0314中的部分。已发掘区域弧壁圜底。基线方向为90°或270°。已发掘区域南北长0.7、东西宽0.5、坑口距离地表0.3、深0.2米（图3.3.5）。坑内填土呈灰褐色。坑内填土包含较多陶片，可辨器形包括鬲、罐、缸等（图3.3.6、图3.3.7；表3.3.5；表3.3.6），同时坑内还出土铜粒一枚。

陶器

鬲　标本2件。

标本H4：4，夹砂灰陶。侈口，折沿，方唇，沿面有两周凹槽。颈部饰一周附加堆纹，颈部以下饰绳纹。口径26.6、残高8.7厘米（图3.3.7，1）。

标本H4：5，夹砂灰陶。侈口，折沿，方唇，沿面有两周凹槽。颈部饰一周附加堆纹，颈部以下饰绳纹。口径28.2、残高16厘米（图3.3.7，3）。

缸　标本1件。

标本H4：8，夹砂黄陶。敞口，尖唇，斜腹，圜底。通体素面。器身局部可见烟炱痕迹。口径10、高7.8厘米（图3.3.6；图3.3.7，2）。

图3.3.6　陶缸照片（小嘴H4：8）

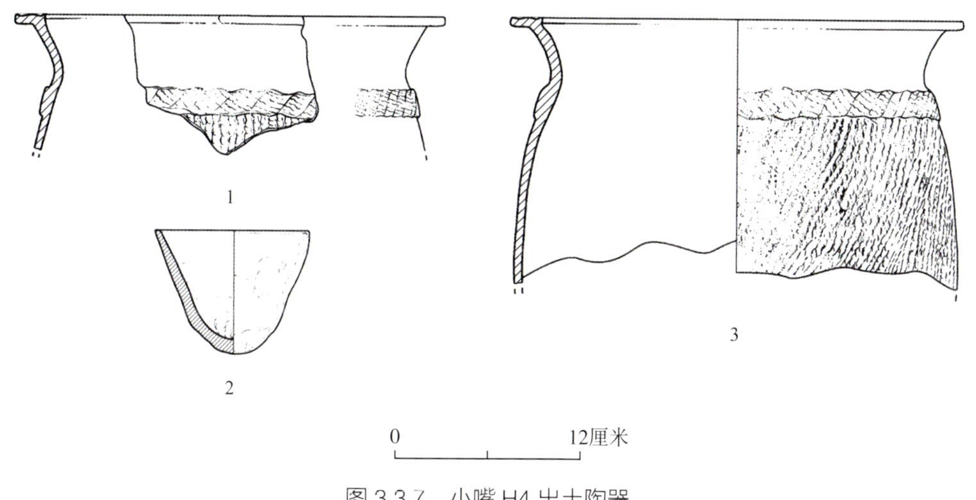

图3.3.7　小嘴H4出土陶器

1、3. 鬲（H4：4、H4：5）　2. 缸（H4：8）

表3.3.5　小嘴H4陶系、纹饰统计表　（重量单位：克）

陶质		夹砂						泥质			印纹硬陶和原始瓷	合计	百分比（%）
纹饰＼陶色		灰	黑皮	红	褐	黄	白	灰	黑皮	红			
绳纹	数量	44	5	11	34	9	1	1	2	4		111	46.84
	重量	649	256.5	1678.5	925.5	164	20	16	43.5	68.5		3821.5	35.81
绳纹和附加堆纹	数量	1			1				1			3	1.27
	重量	486.5			130				22.5			639	5.99

续表

纹饰 \ 陶质		夹砂						泥质			印纹硬陶和原始瓷	合计	百分比（%）
陶色		灰	黑皮	红	褐	黄	白	灰	黑皮	红			
绳纹和弦纹	数量								1			1	0.42
	重量								200.5			200.5	1.88
绳纹、弦纹和附加堆纹	数量								1			1	0.42
	重量								884			884	8.28
网格纹	数量			7	3	3	1					14	5.91
	重量			301	243	106	71					721	6.76
网格纹和附加堆纹	数量	1				2						3	1.27
	重量	43				138						181	1.70
网格纹和弦纹	数量								1			1	0.42
	重量								41			41	0.38
篮纹	数量			1	4							5	2.11
	重量			37	307.5							344.5	3.23
附加堆纹	数量					2	2					4	1.69
	重量					59.5	482					541.5	5.07
附加堆纹和弦纹	数量							2				2	0.84
	重量							39.5				39.5	0.37
弦纹	数量							7		1		8	3.38
	重量							240.5		23		263.5	2.47
云雷纹和圆圈纹	数量							1				1	0.42
	重量							26				26	0.24
叶脉纹	数量										2	2	0.84
	重量										129	129	1.21
素面	数量	28		11	8	15		8	8	3		81	34.18
	重量	635		1323.5	147	495		84	68	87		2839.5	26.61
合计	数量	74	5	30	50	31	4	19	14	8	2	237	100.00
	重量	1813.5	256.5	3340	1753	962.5	573	406	1259.5	178.5	129	10671.5	100.00
百分比（%）	数量	31.22	2.11	12.66	21.10	13.08	1.69	8.02	5.91	3.38	0.84	100.00	
		81.86						17.30					
	重量	16.99	2.40	31.30	16.43	9.02	5.37	3.80	11.80	1.67	1.21	100.00	
		81.51						17.28					

表3.3.6 小嘴H4可辨器形统计表

陶质	夹砂						泥质		印纹硬陶和原始瓷	合计	百分比（%）
器形＼陶色	灰	黑皮	红	褐	黄	白	灰	黑皮			
鬲	7	2								9	21.43
鬲足或甗足	1	1	7							9	21.43
罐								1		1	2.38
簋	1						1	1		3	7.14
瓮									1	1	2.38
大口尊								1		1	2.38
缸				13	1	4				18	42.85
合计	9	3	7	13	1	4	1	3	1	42	100.00
百分比（%）	21.43	7.14	16.67	30.95	2.38	9.52	2.38	7.14	2.38	100.00	

（四）H5

位于Q1710T0214～T0314交界处。开口于第3层下，打破H12及第5层。坑口形状不规则，斜壁圜底，坑底东北部略深。基线方向为90°或270°。南北长1.16、东西宽1.18、坑口距地表0.3、坑口至坑底最深0.2米（图3.3.8）。出土有陶片和玉器，可辨器形包括盆、罐、缸等（图3.3.9、图3.3.10；表3.3.7、表3.3.8），有一件相对完整的陶鬲和一片残留加工痕迹的玉残片。

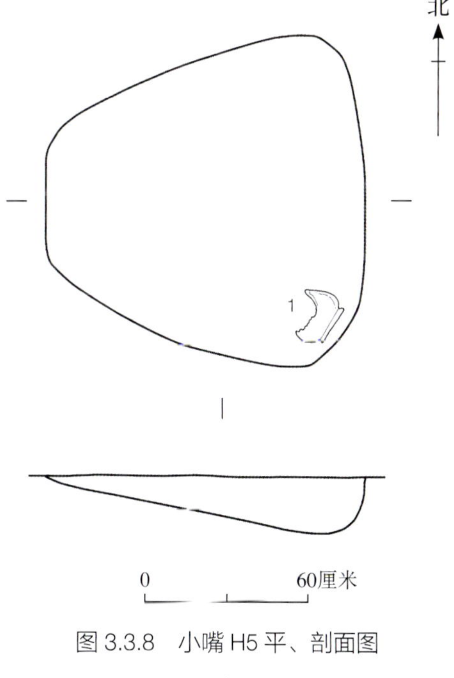

图3.3.8 小嘴H5平、剖面图

1. 陶鬲

1）陶器

鬲 标本1件。

标本H5：3，夹砂红陶。侈口，折沿，沿面有一周凹槽，圆唇，腹部微鼓，联裆，三尖锥足较高。腹部饰绳纹。口径19.6、腹径18.5、高19厘米（图3.3.9；图3.3.10，1）。

2）玉器

玉片 标本1件。

标本H5：8，平面大致呈半环状，器身扁平。双面均可见明显的切割痕迹和简单勾勒的线条，推测其为尚未加工完成的半成品。长6.4、中宽2.8、厚0.5厘米（图3.3.10，2）。

图 3.3.9　陶鬲照片（小嘴 H5：3）

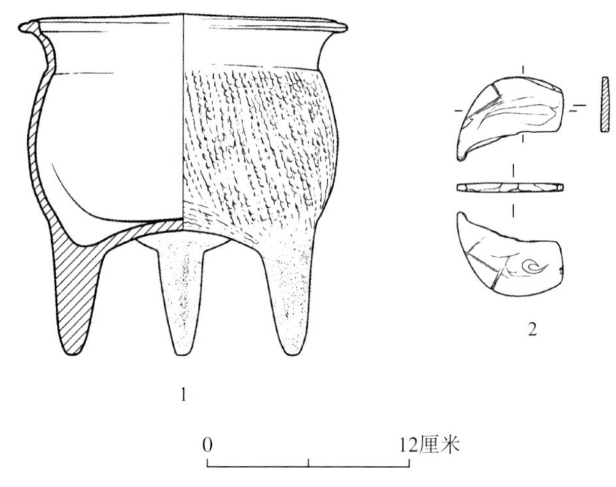

图 3.3.10　小嘴 H5 出土陶器和玉器

1. 陶鬲（H5：3）　2. 玉片（H5：8）

表3.3.7　小嘴H5陶系、纹饰统计表　　（重量单位：克）

陶质		夹砂						泥质		印纹硬陶和原始瓷	合计	百分比（%）
纹饰＼陶色		灰	黑皮	红	褐	黄	白	灰	黑皮			
绳纹	数量	99	13	12	18				2		144	45.28
	重量	721.5	300	727.5	938.5				62		2749.5	27.76
绳纹和附加堆纹	数量	1	2	7		1					11	3.46
	重量	19	181	217.5		125					542.5	5.48
绳纹和弦纹	数量								1		1	0.31
	重量								26.5		26.5	0.27
网格纹	数量	2		9	10	5					26	8.18
	重量	177		357	522	435					1491	15.05
网格纹和附加堆纹	数量					3					3	0.94
	重量					186					186	1.88
篮纹	数量				4		1				5	1.57
	重量				266.5		39				305.5	3.08
附加堆纹	数量			4	3	3		2			12	3.77
	重量			279	147	227.5		17			670.5	6.77
弦纹	数量	3						2	1		6	1.89
	重量	127						13.5	34		174.5	1.76
云雷纹	数量			1						3	4	1.26
	重量			54						128.5	182.5	1.84

续表

陶质		夹砂						泥质		印纹硬陶和原始瓷	合计	百分比（%）
纹饰＼陶色		灰	黑皮	红	褐	黄	白	灰	黑皮			
素面	数量	18	10	18	24	27		8	1		106	33.33
	重量	202.5	72	742	1760	704		82	13		3575.5	36.10
合计	数量	123	25	51	59	39	1	12	5	3	318	100.00
	重量	1247	553	2377	3634	1677.5	39	112.5	135.5	128.5	9904	100.00
百分比（%）	数量	38.68	7.86	16.04	18.55	12.26	0.31	3.77	1.57	0.94	100.00	
		93.71						5.35				
	重量	12.59	5.58	24.00	36.69	16.94	0.39	1.14	1.37	1.30	100.00	
		96.20						2.50				

表3.3.8　小嘴H5可辨器形统计表

陶质	夹砂						泥质	合计	百分比（%）
器形＼陶色	灰	黑皮	红	褐	黄	白	灰		
鬲	1	3	1					5	4.00
甗				1				1	0.80
鬲足或甗足	1			10				11	8.80
罐	1							1	0.80
爵	3							3	2.40
盆	1						2	3	2.40
瓮	1							1	0.80
缸	2	4	47	34	12	1		100	80.00
合计	10	7	48	45	12	1	2	125	100.00
百分比（%）	32.00	12.00	4.00	44.00	9.60	0.80	8.00	100.00	

（五）H6

位于Q1710T0314北部。开口于第3层下，打破第4层，H6与H3仅相距0.1米。坑口呈椭圆形。灰坑基线方向为90°或270°，东西长2.12、南北宽1.6、坑口距离地表0.3、坑深0.14～0.16米（图3.3.11）。坑内堆积与H3相似，为大量红烧土碎块，烧土块形状不规则，最大径0.05～0.2米，呈现出红色或青灰色烧结面。同时灰坑中还出土有少量陶片，可辨器形

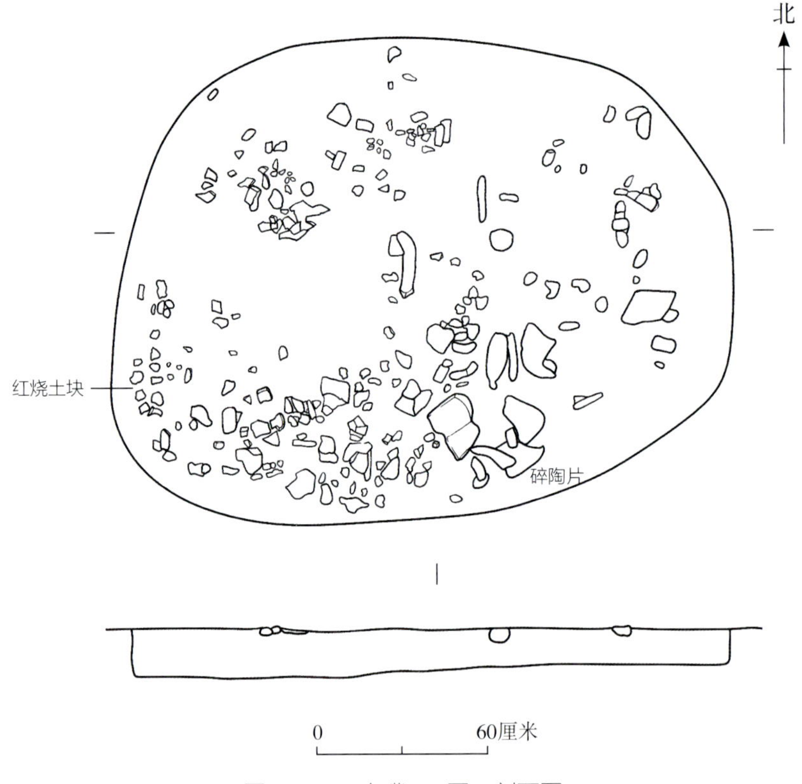

图 3.3.11　小嘴 H6 平、剖面图

包括缸、罐、印纹硬陶罐等（图3.3.12、图3.3.13；表3.3.9、表3.3.10）。因H6中所见的红烧土堆积与H3中所见类似，因此推测H6中的堆积亦非原生堆积，而是经过二次倾倒而来。

1）陶器

缸　标本1件。

标本H6：4，夹砂红陶。下腹及器底残缺。敞口，斜直壁。器表饰绳纹，颈部饰一周附加堆纹。口径35、残高17.1厘米（图3.3.12，2）。

印纹硬陶尊　标本1件。

标本H6：3，口部残。腹壁斜收，圈足外撇，上腹部饰三个等距离分布的小环组。腹部饰云雷纹。圈足底部可见轮制痕迹。残高5.2厘米（图3.3.12，1）。

2）石器

砺石　标本2件。

标本H6：5，青灰色砂岩。器体大致呈长条形，表面有明显的摩擦凹痕。长20.6、中宽8.6、中厚4.4厘米（图3.3.12，4；图3.3.13，1、2）。

标本H6：6，黄色砂岩。器体残端。表面有明显的磨痕。长5.3、中宽4.2、中厚1.8厘米（图3.3.12，3；图3.3.13，3）。

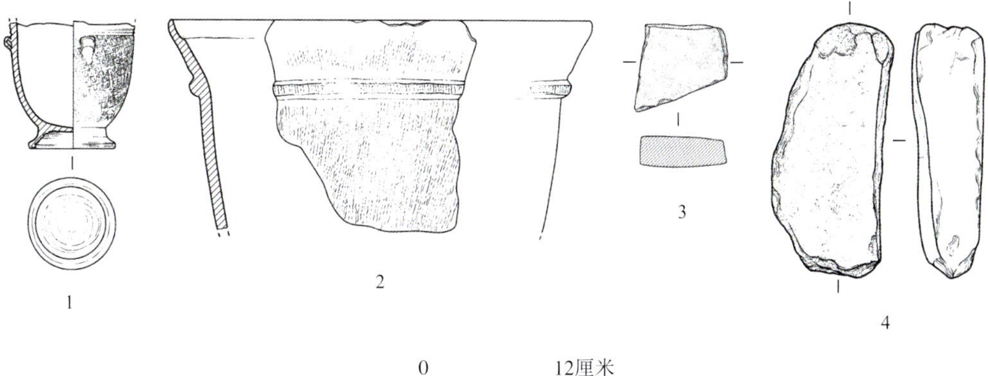

图 3.3.12 小嘴 H6 出土陶器和石器

1. 印纹硬陶尊（H6：3） 2. 陶缸（H6：4） 3、4. 砺石（H6：6、H6：5）

1

2

3

图 3.3.13 小嘴 H6 出土砺石照片

1、2. H6：5 3. H6：6

表3.3.9 小嘴H6陶系、纹饰统计表 （重量单位：克）

陶质		夹砂						泥质		印纹硬陶和原始瓷	合计	百分比（%）
纹饰＼陶色		灰	黑皮	红	褐	黄	白	灰	黑皮			
绳纹	数量	95		5	38		1	1	10		150	30.18
	重量	796.5		173	570		41	45	156		1781.5	16.77
绳纹和附加堆纹	数量	1		2	7						10	2.01
	重量	76		114	760.5						950.5	8.95
绳纹和弦纹	数量				1			2			3	0.60
	重量				19			61			80	0.75
网格纹	数量			45	17	18				3	83	16.70
	重量			2063.5	487.5	800				14.5	3365.5	31.69

续表

陶质		夹砂						泥质		印纹硬陶和原始瓷	合计	百分比（%）
纹饰 \ 陶色		灰	黑皮	红	褐	黄	白	灰	黑皮			
网格纹和附加堆纹	数量					4					4	0.80
	重量					227					227	2.14
篮纹	数量			1							1	0.20
	重量			177							177	1.67
附加堆纹	数量	2		2	1	3	2				10	2.01
	重量	42		55	58	173	172				500	4.71
弦纹	数量		2		6				1		9	1.81
	重量		27.5		82				18		127.5	1.20
云雷纹	数量									2	2	0.40
	重量									171	171	1.61
叶脉纹	数量									1	1	0.20
	重量									28	28	0.26
窗棂纹	数量							1			1	0.20
	重量							31			31	0.29
绹索纹	数量							1			1	0.20
	重量							13.5			13.5	0.13
素面	数量	13	66	38	73	9	2	13	8		222	44.67
	重量	220	466	977	846	249	103	157	151		3169	29.84
合计	数量	111	68	93	143	34	5	18	19	6	497	100.00
	重量	1134.5	493.5	3559.5	2823	1449	316	307.5	325	213.5	10621.5	100.00
百分比（%）	数量	22.33	13.68	18.71	28.77	6.84	1.01	3.62	3.82	1.21	100.00	
		91.35						7.44				
	重量	10.68	4.65	33.51	26.58	13.64	2.98	2.90	3.05	2.01	100.00	
		92.04						5.95				

表3.3.10　小嘴H6可辨器形统计表

陶质	夹砂					泥质		印纹硬陶和原始瓷	合计	百分比（%）
器形 \ 陶色	灰	黑皮	红	褐	白	灰	黑皮			
鬲	3		1	6					10	22.72
甗	2								2	4.55
鬲足或甗足	3	1	10						14	31.82
罐				1	2	1			4	9.10

续表

陶质	夹砂					泥质		印纹硬陶和原始瓷	合计	百分比（%）
器形＼陶色	灰	黑皮	红	褐	白	灰	黑皮			
盆		1							1	2.27
大口尊				2		2	1		5	11.36
尊								1	1	2.27
缸			1	2	3				6	13.63
器盖	1								1	2.27
合计	9	2	12	11	5	3	1	1	44	100.00
百分比（%）	20.45	4.55	27.27	25.00	11.36	6.82	2.27	2.27	100.00	

（六）H7

位于Q1610T1815北部，延伸至Q1610T1816南部。开口于第4层下，打破生土。平面形状为圆形，直壁平底。基线方向为90°或270°。长约1.8、坑口距地表0.3、深0.26米（图3.3.14）。填土为黑色黏土，土质较疏松。包含陶片及动物骨骼。

（七）H8

位于Q1710T0314中部。开口于第3层下，打破H20及生土。坑口形状不规则，斜壁，坑底东北侧略深。基线方向为90°或270°。坑口最大径为1.32、坑口距地表0.35、深0.26米（图3.3.15）。填土呈灰黑色。包含陶片及炭屑，陶片中可辨器形包括鬲、器盖、缸等（图3.3.16；表3.3.11、表3.3.12）。

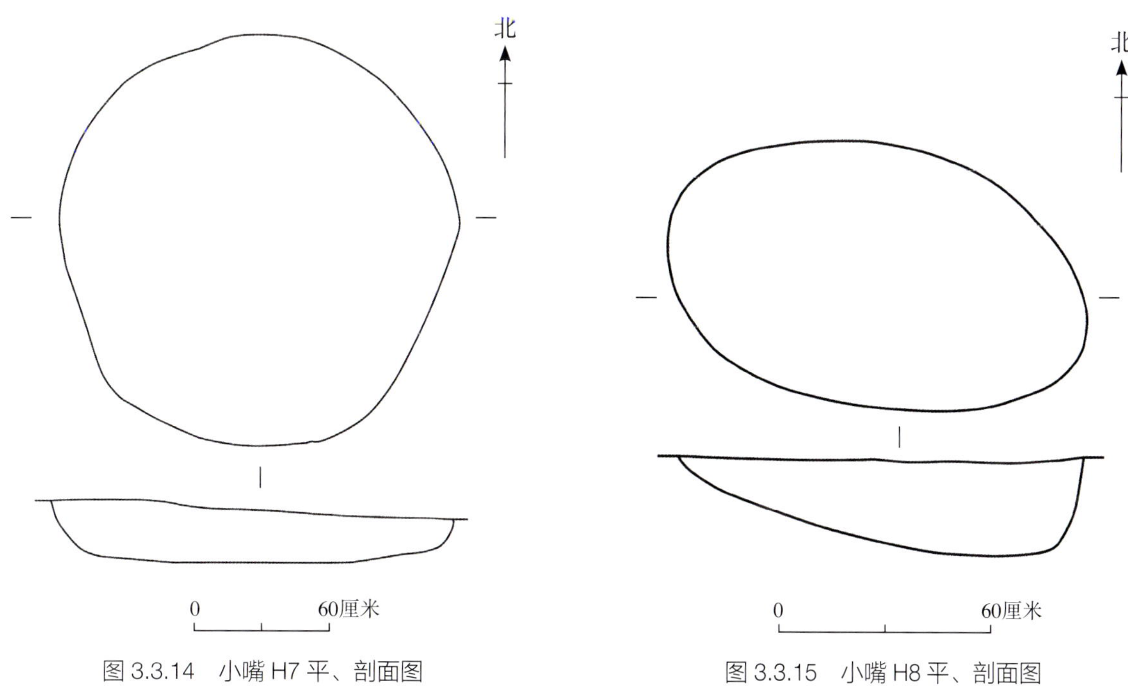

图 3.3.14　小嘴 H7 平、剖面图　　图 3.3.15　小嘴 H8 平、剖面图

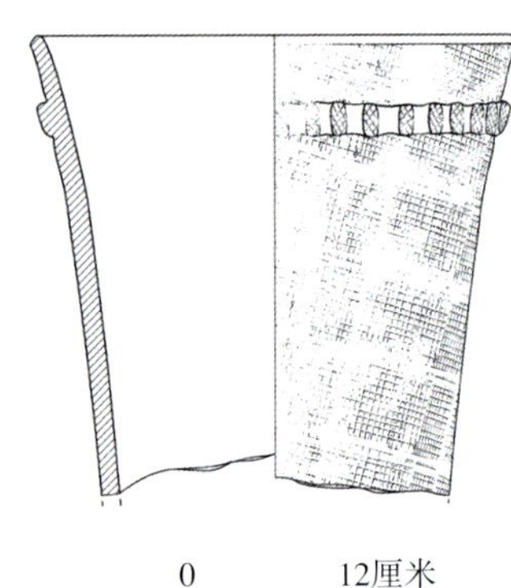

图 3.3.16　陶缸（小嘴 H8：1）

陶器

缸　标本1件。

标本H8：1，夹砂黄陶。敞口，斜直壁。器表饰网格纹，颈部饰一周附加堆纹。口径34.5、残高38.5厘米（图3.3.16）。

表3.3.11　小嘴H8陶系、纹饰统计表　（重量单位：克）

陶质		夹砂					泥质			合计	百分比（%）
纹饰＼陶色		灰	黑皮	红	褐	黄	灰	黑皮	红		
绳纹	数量		26		5		6			37	34.91
	重量		189.5		686		814			1689.5	31.95
绳纹和附加堆纹	数量				1					1	0.94
	重量				232					232	4.31
网格纹	数量		1	8	11	4				24	22.65
	重量		18	333	1251.5	167				1769.5	32.88
网格纹和附加堆纹	数量			1						1	0.94
	重量			577						577	10.72
篮纹	数量			1						1	0.94
	重量			37						37	0.69
附加堆纹	数量	1	1	1	2	1			1	7	6.61
	重量	26.5	7	70.5	175	29			21.5	329.5	6.12
弦纹	数量						1	1		2	1.88
	重量						13.5	11		24.5	0.46
素面	数量	4	5	12		4	5	3		33	31.13
	重量	48	70	287		74.5	81	133		693.5	12.88
合计	数量	5	33	23	19	9	12	4	1	106	100.00
	重量	74.5	284.5	1304.5	2344.5	270.5	908.5	144	21.5	5352.5	100.00
百分比（%）	数量	4.72	31.13	21.69	17.93	8.49	11.33	3.77	0.94	100.00	
		83.96					16.04				
	重量	1.39	5.31	24.37	43.80	5.05	16.99	2.69	0.40	100.00	
		79.92					20.08				

表3.3.12 小嘴H8可辨器形统计表

陶质	夹砂				合计	百分比（%）
器形＼陶色	红	黑皮	黄	褐		
鬲		3			3	8.11
器盖		1			1	2.71
缸	16		9	8	33	89.18
合计	16	4	9	8	37	100.00
百分比（%）	43.24	10.81	24.33	21.62	100.00	

（八）H9

位于Q1710T0314南部。开口于第3层下，打破H13及生土。坑口形状不规则，斜壁，坑底南部略深。基线方向为90°。坑口最大径为1.3、距地表0.35、深0.2米（图3.3.17）。坑底北侧出土一个陶缸底，同时坑内还出土有其他陶片以及石制工具，陶片中可辨器形包括鬲、缸等（图3.3.18、图3.3.19；表3.3.13；表3.3.14）。坑内采集9块木炭样品，经鉴定种属为竹属竹亚科（图3.3.20；表3.3.15）。

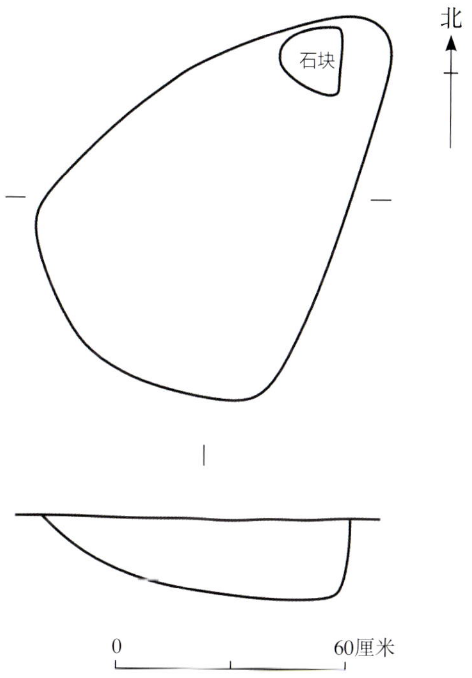

石块

北

0 60厘米

图3.3.17 小嘴H9平、剖面图

1）陶器

鬲 标本1件。

标本H9：1，夹砂黑皮陶。侈口，折沿，沿面有一周凹槽，圆唇，束颈，溜肩，联裆。颈部以下饰绳纹。口径15.3、残高13.2厘米（图3.3.18，1）。

缸 标本1件。

标本H9：2，夹砂红陶。陶缸上部已残损。器壁较厚，下接小圈足。器表饰绳纹。缸底可见泥条盘筑痕。残高17.2厘米（图3.3.18，3）。

2）石器

凿 标本1件。

标本H9：3，顶端残。平面呈扁长方体，斜直刃。器身有一道划痕。长6.2、宽1.8、厚0.7厘米（图3.3.18，2；图3.3.19）。

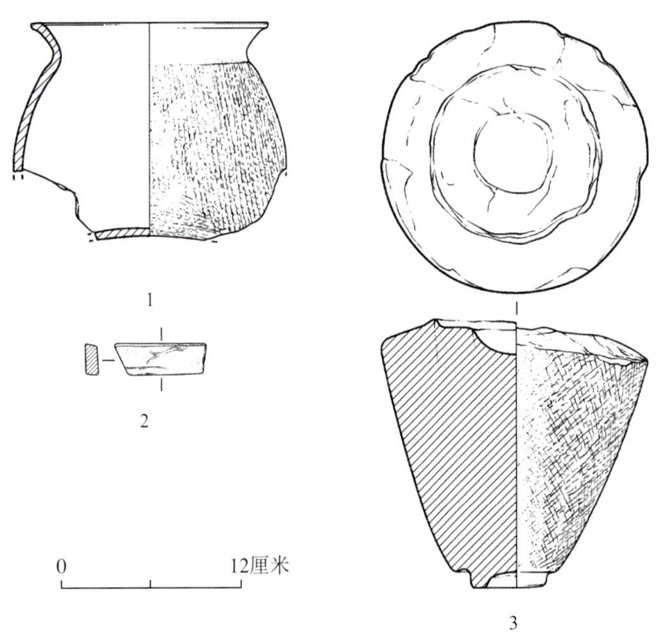

图 3.3.18　小嘴 H9 出土陶器和石器

1. 陶鬲（H9：1）　2. 石凿（H9：3）　3. 陶缸（H9：2）

图 3.3.19　石凿照片（小嘴 H9：3）

3）木炭样品

H9采集木炭样品9个，经鉴定为竹属竹亚科（Bambusoideae）。木炭横切面维管束多数为开放型，维管束仅由一部分组成，没有纤维股的中心维管束，支撑组织仅由硬质细胞鞘承担，细胞间隙中有侵填体（图3.3.20，1、5），外部维管束半开放型，中部维管束为开放型。径切面和弦切面的薄壁细胞相同（图3.3.20，2、3）。另一种维管束多数为半开放型，不存在纤维股，但侧方维管束鞘与内方维管束鞘相连（图3.3.20，4），径切面和弦切面的薄壁细胞相同（图3.3.20，6，7）。

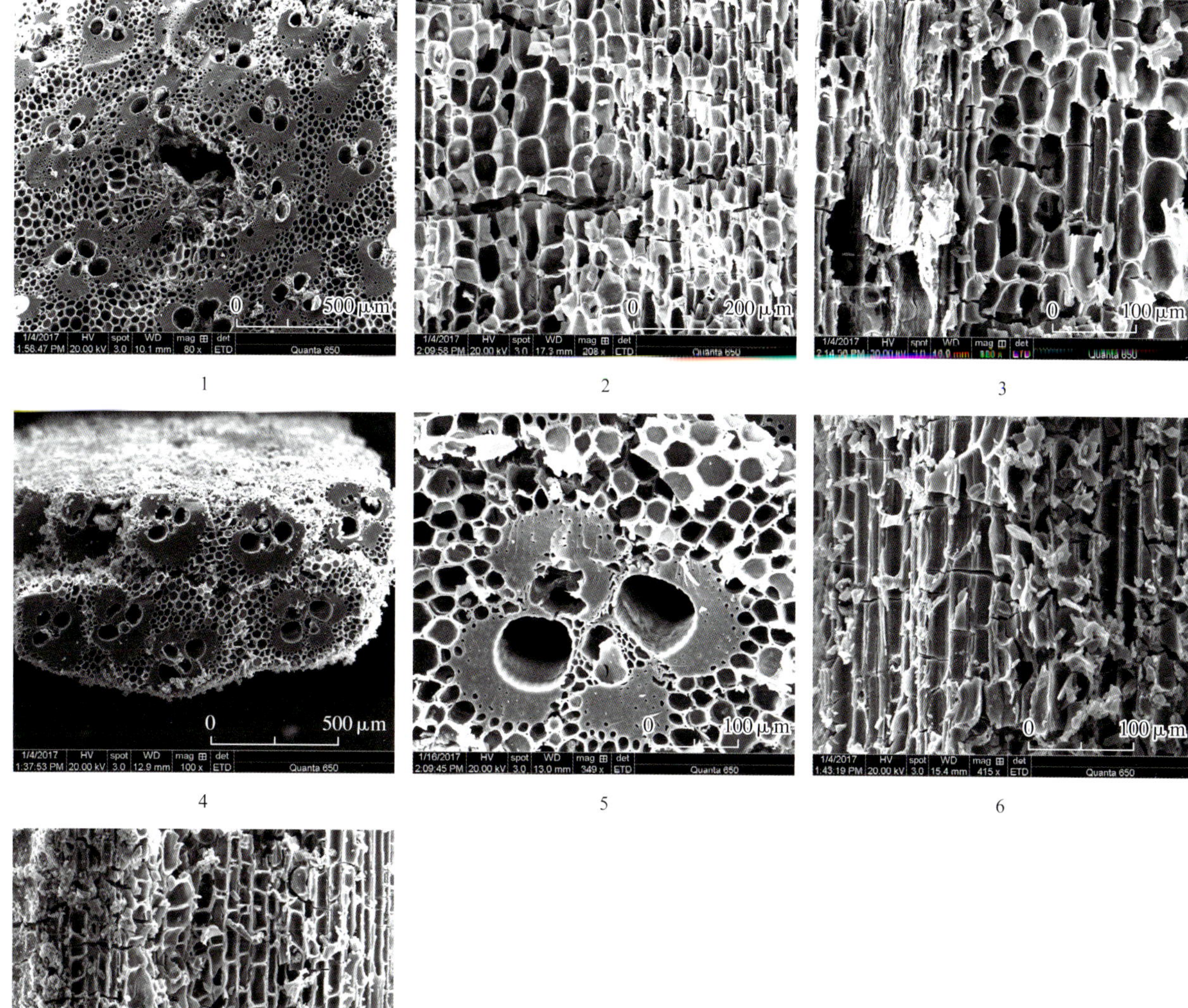

图 3.3.20　小嘴 H9 木炭样品切面显微影像

1. 开放型维管束竹子横切面　2. 开放型维管束竹子径切面
3. 开放型维管束竹子弦切面　4. 半开放型维管束竹子横切面
5. 开放型维管束竹子横切面局部　6. 半开放型维管束竹子径切面
7. 半开放型维束管竹子弦切面

表3.3.13　小嘴H9陶系、纹饰统计表　（重量单位：克）

陶质		夹砂						泥质		合计	百分比（%）
纹饰＼陶色		灰	黑皮	红	褐	黄	白	灰	黑皮		
绳纹	数量	49	38	11	8					106	43.27
	重量	273	762.5	279.5	88					1403	17.94
绳纹和附加堆纹	数量	1				2				3	1.22
	重量	78.5				228				306.5	3.92
网格纹	数量	1		7		25	5			38	15.51
	重量	10		423		1375	243.5			2051.5	26.23

续表

陶质		夹砂						泥质		合计	百分比（%）
纹饰＼陶色		灰	黑皮	红	褐	黄	白	灰	黑皮		
网格纹和附加堆纹	数量			1	3	1				5	2.04
	重量			144.5	160.5	1172.5				1477.5	18.89
篮纹	数量						2			2	0.82
	重量						131			131	1.67
篮纹和附加堆纹	数量			1	1					2	0.82
	重量			149	97					246	3.15
弦纹	数量	8							2	10	4.08
	重量	40							33	73	0.93
弦纹和兽面纹	数量								1	1	0.41
	重量								26	26	0.33
叶脉纹	数量						1			1	0.41
	重量						358			358	4.58
素面	数量	21	2	26	1	26		1		77	31.43
	重量	105.5	27	893	290.5	410		23		1749	22.36
合计	数量	80	40	46	13	54	8	1	3	245	100.00
	重量	507	789.5	1889	636	3185.5	732.5	23	59	7821.5	100.00
百分比（%）	数量	32.65	16.33	18.78	5.31	22.04	3.27	0.41	1.22	100.00	
		98.37						1.63			
	重量	6.48	10.09	24.15	8.13	40.73	9.37	0.29	0.75	100.00	
		98.95						1.05			

表3.3.14　小嘴H9可辨器形统计表

陶质	夹砂						泥质		合计	百分比（%）
器形＼陶色	灰	黑皮	红	褐	黄	白	灰	黑皮		
鬲		2							2	1.89
鬲足或甗足		1	8						9	8.49
罐							1		1	0.94
大口尊								1	1	0.94
缸	1		30	1	54	7			93	87.74
合计	1	3	38	1	54	7	1	1	106	100.00
百分比（%）	0.94	2.83	35.85	0.94	50.94	6.60	0.94	0.94	100.00	

表3.3.15　小嘴H9木炭样品加速质谱仪（AMS）碳–14测年数据

Lab 编号	样品原编号	样品	碳–14 年代（BP）	树轮校正后年代	
				1σ（68.2%）	2σ（95.4%）
BA161093	H9	木炭	3170±25	1494BC（19.2%）1478BC 1455BC（49.1%）1419BC	1501BC（95.4%）1406BC

注：所用碳–14半衰期为5568年，BP为距1950年的年代。

树轮校正所用曲线为IntCal20 atmospheric curve (Reimer et al 2020)，所用程序为OxCal v4.4.2 Bronk Ramsey (2020)；r: 5。

1. Reimer P J, Bard E, Bayliss A, Beck J W. IntCal13 and Marine13 radiocarbon age calibration curves 0–50,000 years cal BP, Radiocarbon, 2013, 55, 1869 1887.

2. Christopher Bronk Ramsey 2015, https://c14.arch.ox.ac.uk/oxcal/OxCal.html.

（九）H10

位于Q1710T0114与Q1710T0115交界处。开口于第4层下，打破生土。坑口呈圆形，斜弧壁，圜底。基线方向为90°或270°。东西长1.4、南北宽约0.95、坑口距地表约0.5、深0.2米（图3.3.21）。坑内填土呈灰褐色，土质疏松，出土少量陶片，夹杂炭屑。陶器可辨器形包括折沿鬲、缸等（图3.3.22；表3.3.16、表3.3.17），还出土有石锛1件。

石器

锛　标本1件。

标本H10：1，正面呈圆角长方形，单面直刃，弧顶，顶部稍残，刃部与顶部几乎同宽。通体磨光。长8.9、宽2.8、厚3.5厘米（图3.3.22）。

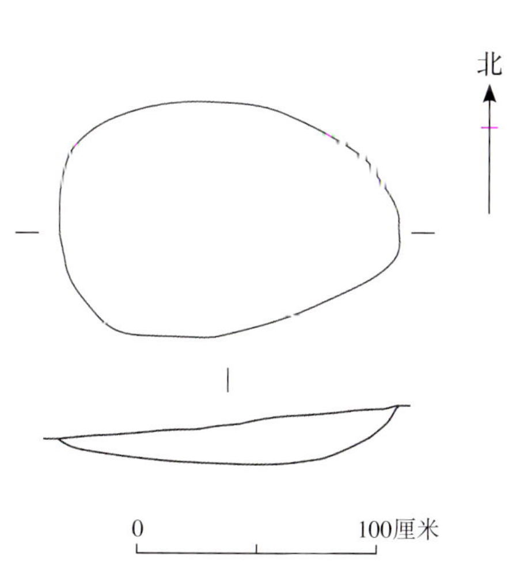

图 3.3.21　小嘴 H10 平、剖面图

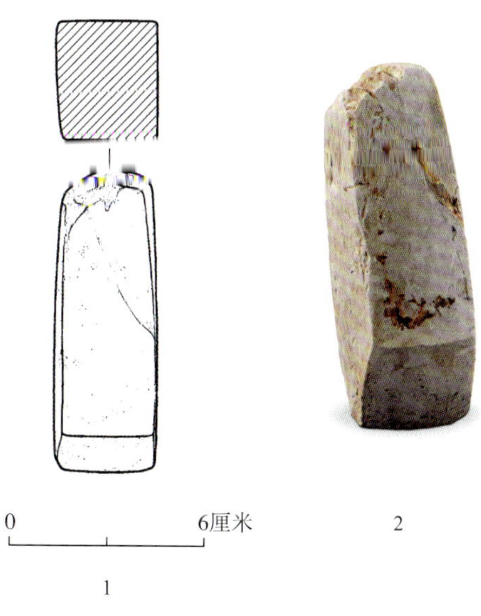

图 3.3.22　石锛（小嘴 H10：1）

1. 线图　2. 照片

表3.3.16　小嘴H10陶系、纹饰统计表　（重量单位：克）

陶质 / 陶色 / 纹饰		夹砂					合计	百分比（%）
		灰	黑皮	红	褐	黄		
绳纹	数量	2				1	3	27.27
	重量	23				54	77	25.20
网格纹	数量			1			1	9.09
	重量			89			89	29.13
素面	数量		2	3	2		7	63.64
	重量		80.5	40	19		139.5	45.66
合计	数量	2	2	4	2	1	11	100.00
	重量	23	80.5	129	19	54	305.5	100.00
百分比（%）	数量	18.18	18.18	36.36	18.18	9.09	100.00	
		100.00						
	重量	7.53	26.35	42.23	6.22	17.68	100.00	
		100.00						

表3.3.17　小嘴H10可辨器形统计表

陶质 / 陶色 / 器形	夹砂		合计	百分比（%）
	红	黄		
罐		2	2	50.00
缸	1	1	2	50.00
合计	1	3	4	100.00
百分比（%）	25.00	75.00	100.00	

（十）H11

位于Q1710T0114与Q1710T0115交界处。开口于第4层下，打破生土。坑口呈圆形，弧壁平底。基线方向为90°或270°。坑口南北长2.14、东西宽约2.4、底部直径约为1.6、坑口距地表约0.5、坑深0.34米（图3.3.23）。坑内填土呈黑色夹红斑，土质疏松，并夹杂炭屑。坑内出土陶片较多，陶片中可辨器形包括折沿鬲、缸、大口尊、假腹豆、罍、簋、甗等（图3.3.24～图3.3.28；表3.3.18、表3.3.19），出土有陶网坠1件、圆陶片1片、砺石1件、铜块1片及少量动物骨骼。可复原陶器4件。该灰坑共采集木炭样品1件，进行了碳–14年代测定，检测结果见表3.3.20。

1）陶器

鬲　标本4件。

标本H11：9，夹砂黄陶。侈口，平折沿，方唇，束颈。肩部饰一周附加堆纹，颈部以下饰绳纹。口径28.6、残高7.6厘米（图3.3.24，4）。

标本H11：10，夹砂灰陶。侈口，折沿，尖圆唇，沿面有一周凹槽，束颈。肩部饰一周附加堆纹。口径32.1、残高6.1厘米（图3.3.24，3）。

标本H11：11，夹砂灰陶。侈口，平折沿，方唇，沿面有一周凹槽。颈部以下饰绳纹。口径15.8、残高4.3厘米（图3.3.24，1）。

标本H11：12，夹砂红陶。侈口，折沿，尖圆唇，沿面有一周凹槽。颈部饰一周弦纹，颈部以下饰绳纹。口径18.1、残高6.1厘米（图3.3.24，2）。

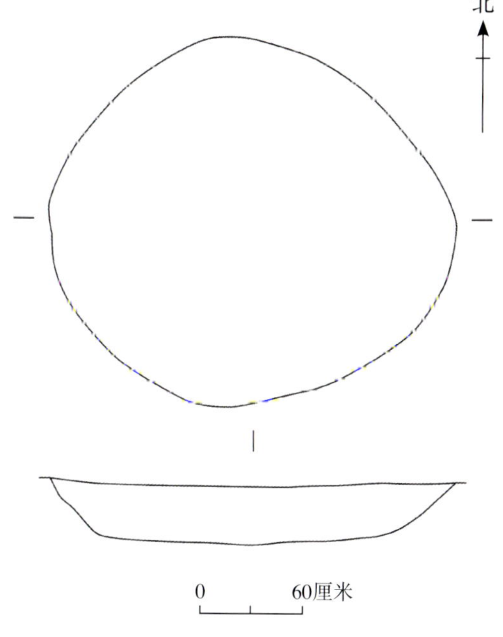

图3.3.23　小嘴H11平、剖面图

甗　标本1件。

标本H11：2，夹砂褐陶。侈口，折沿，方唇，深腹斜收，束腰，三袋足下架高足尖。沿面可见一周弦纹，颈部以下、实足根以上饰绳纹。口径26.4、高38.8厘米（图3.3.26，2、9）。

豆　标本1件。

标本H11：5，泥质灰陶。敞口，折沿，厚圆唇，圜底近平，圈足较直。圈足饰两周凸弦纹。口径15.8、高7.8厘米（图3.3.24，5；图3.3.25）。

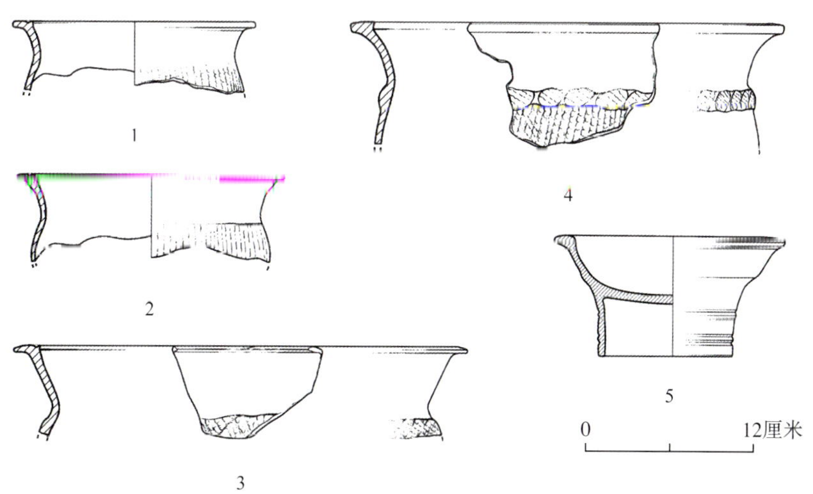

图3.3.24　小嘴H11出土陶器

1～4. 鬲（H11：11、H11：12、H11：10、H11：9）　5. 豆（H11：5）

图 3.3.25　陶豆照片（小嘴 H11：5）

簋　标本1件。

标本H11：6，泥质红胎黑皮陶。直口，折沿，厚圆唇，上腹部较直，下腹部略鼓，圜底内凹，下接圈足。上腹部可见网格纹饰带及两周弦纹，下腹部及圈足内底部饰交错绳纹，圈足饰一周弦纹。口径22.4、高16厘米（图3.3.26，1、8）。

大口尊　标本2件。

标本H11：3，泥质灰陶。敞口，长颈斜向内收，折肩外凸。颈部饰一周附加堆纹，肩部饰三周附加堆纹，上腹部饰一周弦纹和多周窗棂纹。残高21.7厘米（图3.3.26，6）。

标本H11：7，泥质黄陶。肩部以下残。敞口，厚圆唇，长颈斜向内收，颈部饰两周弦纹。口径39、残高10.1厘米（图3.3.26，7）。

罍　标本1件。

标本H11：4，泥质灰陶。侈口，折沿，薄方唇，短颈略内收，斜折肩深弧腹，下接矮圈足。口径18.4、肩径31.2、高33.6厘米（图3.3.26，3、10）。

缸　标本2件。

标本H11：1，夹砂红陶。下腹残。敞口，斜直壁。器表饰网格纹，口沿处饰一周附加堆纹。陶胎内掺有大颗粒的砂粒。口径35.2、残高14.4厘米（图3.3.26，5）。

标本H11：16，夹砂灰陶。下腹残。敞口，斜直壁。器表饰绳纹，口沿处饰一周附加堆纹。陶胎内掺有大颗粒的砂粒。口径35.5、残高17.9厘米（图3.3.26，4）。

网坠　标本1件。

标本H11：22，泥质灰陶。呈中间略粗两端略细的圆柱体，在近两端处各有一周横向凹槽，器体中部有一周纵向凹槽。长2.7、宽1.5、厚0.9厘米（图3.3.27，3）。

圆陶片　标本1件。

标本H11：21，夹砂红陶。以普通陶片磨制而成，周壁不甚平整。直径5.2、厚1.4厘米（图3.3.27，5）。

印纹硬陶尊　标本1件。

标本H11：13，敞口，尖唇束颈。肩部饰网格纹。口径20.3、残高5.2厘米（图3.3.27，1）。

印纹硬陶罐　标本1件。

标本H11：17，肩部以下残。敞口，方唇，折沿，束颈。肩部饰雷纹。颈部可见多道轮制痕迹。口径18、残高4.1厘米（图3.3.27，2）。

2）石器

砺石　标本2件。

标本H11：24，平面呈方形，表面因明显磨损而向一侧倾斜。长8.6、宽7.5、厚2.6厘米

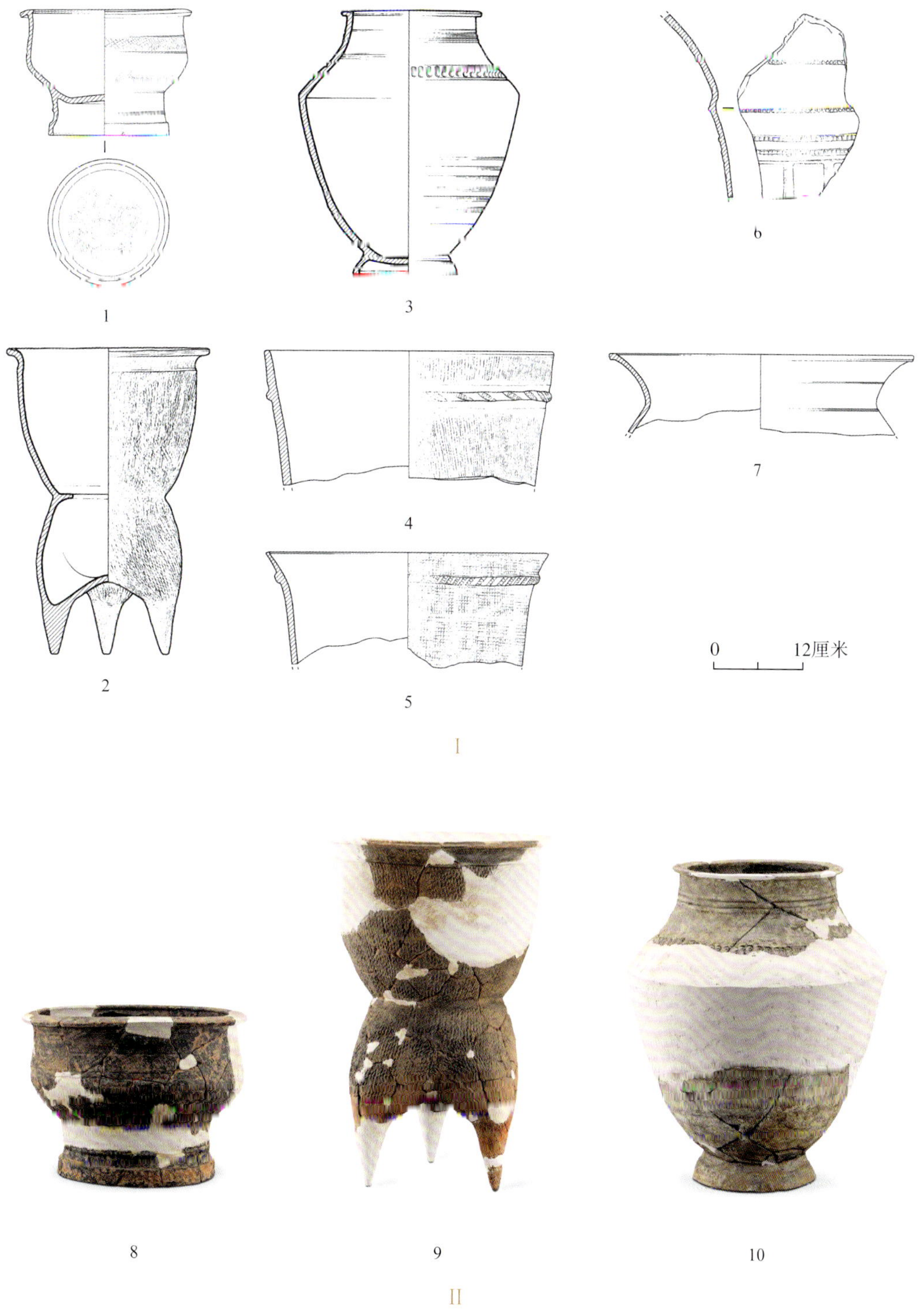

0 12厘米

I

II

图 3.3.26 小嘴 H11 出土陶器线图和照片

I. 线图：1. 簋（H11：6） 2. 甗（H11：2） 3. 罍（H11：4） 4、5. 缸（H11：16、H11：1）
6、7. 大口尊（H11：3、H11：7）
II. 照片：8. 簋（H11：6） 9. 甗（H11：2） 10. 罍（H11：4）

（图3.3.27，6；图3.3.28，1）。

标本H11：25，砂岩。平面近方形。表面有明显的磨损痕迹。长10.7、宽6.1、厚2厘米（图3.3.27，4；图3.3.28，2）。

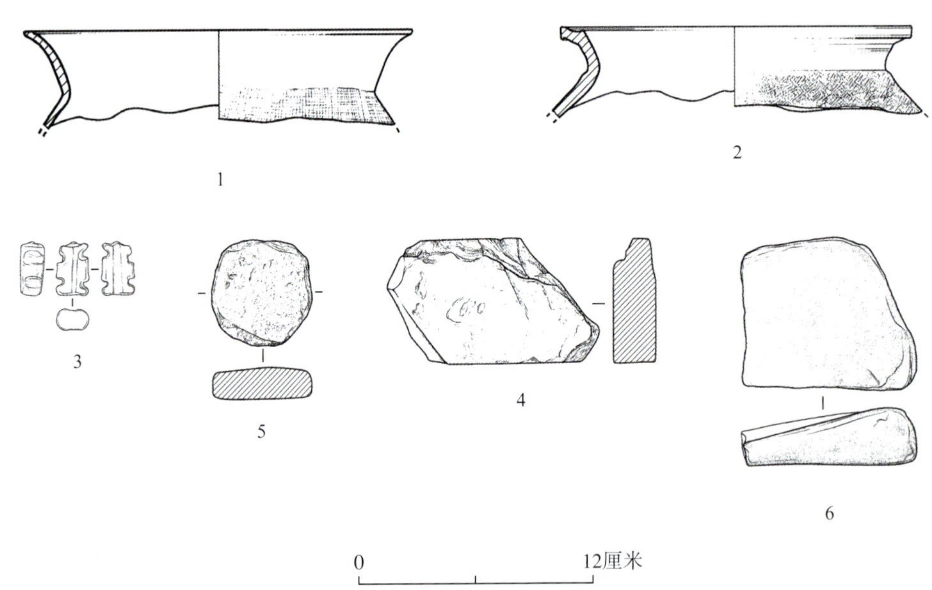

图 3.3.27 小嘴 H11 出土陶器和石器

1. 印纹硬陶尊（H11：13） 2. 印纹硬陶罐（H11：17） 3. 陶网坠（H11：22）
4、6. 砺石（H11：25、H11：24） 5. 圆陶片（H11：21）

图 3.3.28 小嘴 H11 出土砺石照片

1. H11：24 2. H11：25

表3.3.18　小嘴H11陶系、纹饰统计表　　　　（重量单位：克）

陶质		夹砂						泥质			印纹硬陶和原始瓷	合计	百分比（%）
纹饰 ＼ 陶色		灰	黑皮	红	褐	黄	白	灰	黑皮	褐			
绳纹	数量	12	89	60	133	17	12	28	36	6		393	29.71
	重量	680	963	2609	3320.5	965	1031	307	648.5	87		10611	23.52
绳纹和附加堆纹	数量	8	4	1	1	4	3					21	1.59
	重量	1159	343	48	313	608.5	1221					3692.5	8.18
绳纹和弦纹	数量	2	3		1			3	4			13	0.98
	重量	600	153.5		56			68	112			989.5	2.19
网格纹	数量			45	11	26	8				7	97	7.33
	重量			1857.5	707	1966	466				117	5113.5	11.33
网格纹和附加堆纹	数量			17		2	2					21	1.59
	重量			3161.5		96	76					3333.5	7.39
网格纹和弦纹	数量							1				1	0.08
	重量							23				23	0.05
篮纹	数量			4		1	1					6	0.45
	重量			202		82	40					324	0.72
附加堆纹	数量	6		9	1	17	7					40	3.02
	重量	276		459	10	1205	434					2384	5.28
附加堆纹和弦纹	数量				1				1			2	0.15
	重量				74				13			87	0.19
弦纹	数量	5	6		4			8	10		1	34	2.57
	重量	888.5	84		112			181.5	193.5		9	1468.5	3.25
弦纹和圆圈纹	数量										1	1	0.08
	重量										7.5	7.5	0.02
弦纹和压印纹	数量	1										1	0.08
	重量	9										9	0.02
云雷纹	数量										8	8	0.60
	重量										454	454	1.01
叶脉纹	数量										10	10	0.76
	重量										232	232	0.51
圆涡纹	数量								1			1	0.08
	重量								18			18	0.04

续表

陶质		夹砂						泥质			印纹硬陶和原始瓷	合计	百分比（%）
纹饰 \ 陶色		灰	黑皮	红	褐	黄	白	灰	黑皮	褐			
窗棂纹和绹索纹	数量	1										1	0.08
	重量	439.5										439.5	0.97
绹索纹	数量	1							2			3	0.23
	重量	14.5							62			76.5	0.17
绹索纹、刻划纹和乳钉纹	数量									1		1	0.08
	重量									22		22	0.05
压印纹	数量								1			1	0.08
	重量								5			5	0.01
S 形纹	数量								2			2	0.15
	重量								57			57	0.13
素面	数量	120	33	190	25	130	27	106	26	7	2	666	50.34
	重量	1490	455.5	6083.5	433	5143	673	916	495	61.5	19.5	15770	34.95
合计	数量	156	135	326	177	197	60	146	83	14	29	1323	100.00
	重量	5556.5	1999	14420.5	5025.5	10065.5	3941	1495.5	1604	170.5	839	45117	100.00
百分比（%）	数量	11.79	10.20	24.64	13.38	14.89	4.54	11.04	6.27	1.06	2.19	100.00	
		79.44						18.37					
	重量	12.32	4.43	31.96	11.14	22.31	8.74	3.31	3.56	0.38	1.86	100.00	
		90.90						7.25					

表3.3.19　小嘴H11可辨器形统计表

陶质	夹砂						泥质			印纹硬陶和原始瓷	合计	百分比（%）
器形 \ 陶色	灰	黑皮	红	褐	黄	白	灰	黑皮	褐			
鬲	11	12	4	9							36	4.76
甗				1							1	0.13
鬲足或甗足	5	1	25	8							39	5.16
罐	2		2	4			2	2	1	2	15	1.98
斝							1				1	0.13
豆		1					1				2	0.26
簋								1			1	0.13

续表

陶质	夹砂						泥质			印纹硬陶和原始瓷	合计	百分比（%）
器形＼陶色	灰	黑皮	红	褐	黄	白	灰	黑皮	褐			
盆	3	2		2			1	4	1		13	1.72
瓮	1										1	0.13
大口尊	7	1	2	2			5	4			21	2.78
折肩尊							1				1	0.13
缸	30	3	256	62	206	66					623	82.41
器鋬									1		1	0.13
圈足			1								1	0.13
合计	59	20	290	88	206	66	11	11	3	2	756	100.00
百分比（%）	7.81	2.65	38.35	11.65	27.25	8.73	1.46	1.46	0.39	0.26	100.00	

表3.3.20　小嘴H11木炭样品加速质谱仪（AMS）碳–14测年数据

Lab 编号	样品原编号	样品	碳–14 年代（BP）	树轮校正后年代	
				1σ（68.2%）	2σ（95.4%）
BA161097	H11	木炭	2970±25	1256BC（4.5%）1248BC 1226BC（29.5%）1187BC 1181BC（17.8%）1156BC 1148BC（16.3%）1127BC	1277BC（94.3%）1111BC 1092BC（0.6%）1084BC 1065BC（0.5%）1059BC

注：所用碳–14半衰期为5568年，BP为距1950年的年代。

树轮校正所用曲线为IntCal20 atmospheric curve (Reimer et al 2020)，所用程序为OxCal v4.4.2 Bronk Ramsey (2020)；r: 5。

1. Reimer P J, Bard E, Bayliss A, Beck J W. IntCal13 and Marine13 radiocarbon age calibration curves 0–50,000 years cal BP, Radiocarbon, 2013, 55, 1869-1887.

2. Christopher Bronk Ramsey 2015, https://c14.arch.ox.ac.uk/oxcal/OxCal.html.

（十一）H12

位于Q1710T0214东侧。开口于第3层下，打破生土，被H4和H5打破。坑口形状不规则，斜壁平底。基线方向为90°或270°。坑口南北长3.18、东西宽1.74、距地表0.3、深0.3米（图3.3.29）。坑内填土为黑色夹绿斑。出土有陶片、石器，陶片中可辨器形包括缸、折沿鬲及印纹硬陶罐（图3.3.30、图3.3.31；表3.3.21、表3.3.22），出土石器为砺石。该灰坑共采集木炭样品1件，进行了碳–14年代测定，检测结果见表3.3.23。

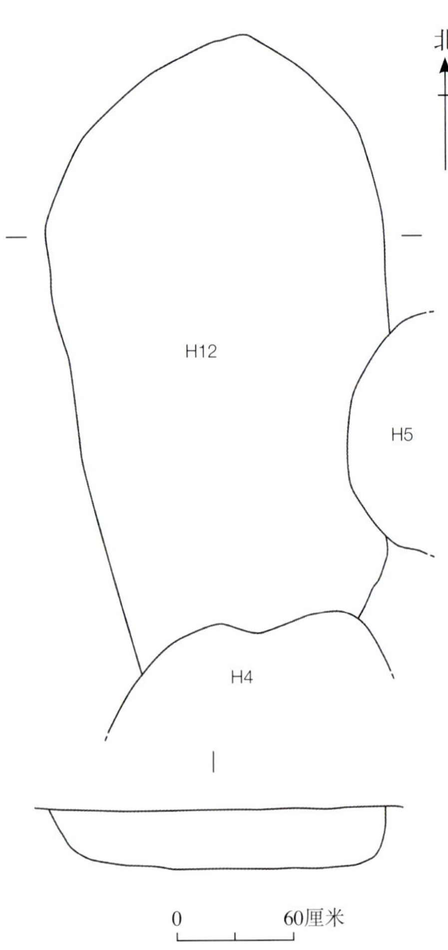

图 3.3.29　小嘴 H12 平、剖面图

1）陶器

鬲　标本2件。

标本H12：1，夹砂褐陶。侈口，折沿，尖圆唇。沿面有一周凹槽，颈部以下饰绳纹。口径13.1、残高4.9厘米（图3.3.30，1）。

标本H12：3，夹砂灰陶。侈口，折沿，沿面带一周凹槽，尖圆唇，颈部内侧微凸。颈部以下饰绳纹。复原后口径28.2、残高4.8厘米（图3.3.30，3）。

缸　标本1件。

标本H12：6，夹砂红陶。下腹斜收，圜底下接圈足。陶胎中夹杂大颗粒的砂粒，陶缸内壁可见泥条盘筑痕迹。陶质十分疏松，烧成温度较低。残高16.4厘米（图3.3.30，2）。

印纹硬陶罐　标本1件。

标本H12：8，敞口，圆唇，束颈，溜肩，器身严重变形。肩部及腹部饰云雷纹。颈部可见多道轮制痕迹。复原后口径约13.2、残高21.1厘米（图3.3.30，4）。

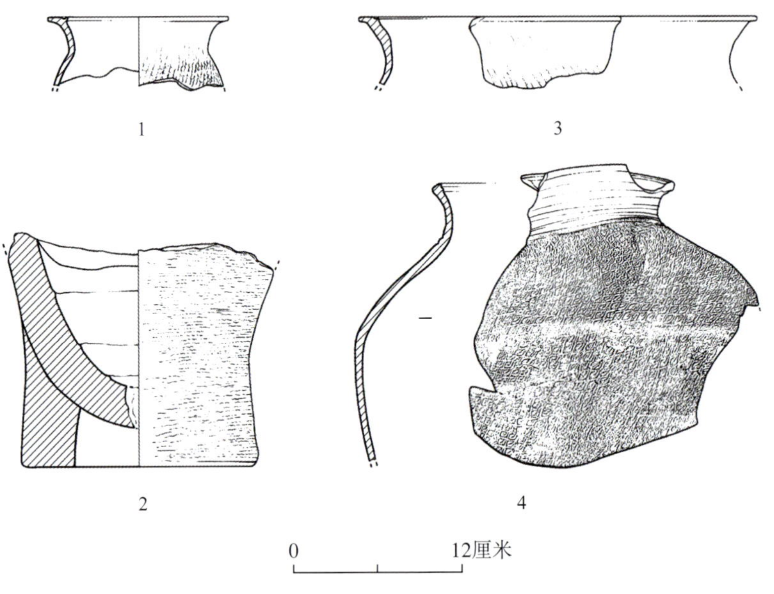

图 3.3.30　小嘴 H12 出土陶器

1、3. 鬲（H12：1、H12：3）　2. 缸（H12：6）　4. 印纹硬陶罐（H12：8）

2）石器

砺石 标本1件。

标本H12：10，灰色砂岩。器体残断。表面有明显的使用磨痕。长6.9、中宽6、中厚2.1厘米（图3.3.31）。

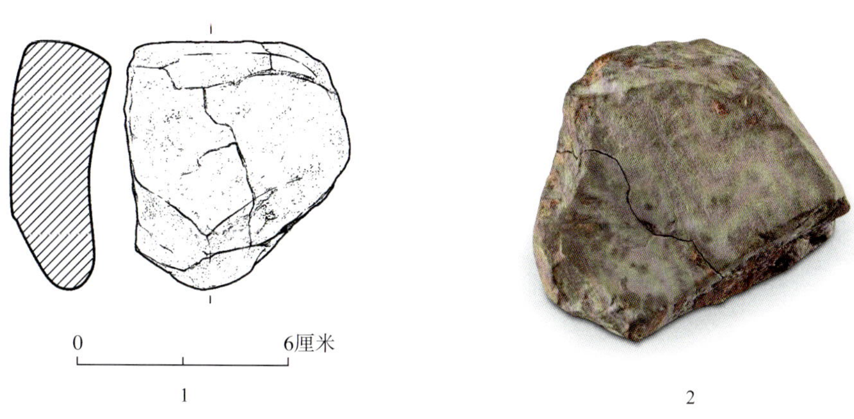

图3.3.31 砺石（小嘴H12：10）

1. 线图 2. 照片

表3.3.21 小嘴H12陶系、纹饰统计表 （重量单位：克）

陶质		夹砂					泥质		印纹硬陶和原始瓷	合计	百分比（%）
纹饰＼陶色		灰	红	褐	黄	白	灰	黑皮			
绳纹	数量	83	35	152	131	2		10		413	59.51
	重量	1390.5	1264	921.5	1292	175.5		32		5075.5	42.17
绳纹和附加堆纹	数量	3	2							5	0.72
	重量	228.5	124							352.5	2.93
缅纹和“回”字形纹	数量						28			28	4.03
	重量						210			210	1.74
网格纹	数量	4			5	6				15	2.16
	重量	260			367	388				1015	8.43
网格纹和附加堆纹	数量	1				1				2	0.29
	重量	99				151				250	2.08
附加堆纹	数量		6	1				1		8	1.15
	重量		471.5	30				34		535.5	4.45

续表

陶质		夹砂					泥质		印纹硬陶和原始瓷	合计	百分比（%）
纹饰＼陶色		灰	红	褐	黄	白	灰	黑皮			
弦纹	数量						8			8	1.15
	重量						183.5			183.5	1.52
云雷纹	数量								1	1	0.14
	重量								710	710	5.90
压印纹	数量						4			4	0.58
	重量						276			276	2.29
素面	数量	39	43	59	30	1	27	11		210	30.26
	重量	386	1359	667.5	603	138	89	186		3428.5	28.48
合计	数量	130	86	212	166	10	67	22	1	694	100.00
	重量	2364	3218.5	1619	2262	852.5	758.5	252	710	12036.5	100.00
百分比（%）	数量	18.73	12.39	30.55	23.92	1.44	9.65	3.17	0.14	100.00	
		87.03					12.82				
	重量	19.64	26.74	13.45	18.79	7.08	6.30	2.09	5.90	100.00	
		85.71					8.39				

表3.3.22　小嘴H12可辨器形统计表

陶质	夹砂					泥质		印纹硬陶	合计	百分比（%）
器形＼陶色	灰	红	褐	黄	白	灰	黑皮			
鬲	2	1	18	4					25	14.37
甗				3					3	1.72
鬲足或甗足		19	1						20	11.50
罐	2			2				1	5	2.87
爵	2								2	1.15
豆							1		1	0.57
盆						4			4	2.30
瓮	1								1	0.57
缸	19	46	6	32	10				113	64.95
合计	26	66	25	41	10	4	1	1	174	100.00
百分比（%）	14.94	37.94	14.37	23.57	5.75	2.29	0.57	0.57	100.00	

表3.3.23 小嘴H12木炭样品加速质谱仪（AMS）碳-14测年数据

Lab 编号	样品原编号	样品	碳-14年代（BP）	树轮校正后年代	
				1σ（68.2%）	2σ（95.4%）
BA161089	H12	木炭	3025±25	1372（12%）1355BC 1298BC（56.3%）1225BC	1391BC（24.6%）1336BC 1322BC（70.8%）1200BC

注：所用碳-14半衰期为5568年，BP为距1950年的年代。

树轮校正所用曲线为IntCal20 atmospheric curve (Reimer et al 2020)，所用程序为[illegible] Ramsey (2020)；r: 5。

1. Reimer P J, Bard E, Bayliss A, Beck J W. IntCal13 and Marine13 radiocarbon age calibration curves 0–50,000 years cal BP, Radiocarbon, 2013, 55, 1869-1887

2. Christopher Bronk Ramsey 2015, https://c14.arch.ox.ac.uk/oxcal/OxCal.html.

（十二）H13

位于Q1710T0313～T0413、Q1710T0314～T0414四个探方交界处。开口于第3层下，打破G2及生土，被H9打破。坑口形状不规则，斜壁平底。口部东西长2.64、南北长1.64、坑口距地表0.38、深约0.4米（图3.3.32）。坑内东南角可见三块石块集中放置，依次编号为S1～S3。石块形状不规则，棱角分明，其中S1叠压于S2之上。S1西侧被人为修整出一个约0.2米见方的平面，推测S2上的平面可能用于从事某种加工活动。在S1～S3东侧可见散布大量陶缸残片，从陶缸残片及纹饰判断，应分别为红陶缸和白陶缸两件陶缸的残片，但因其破碎严重且残缺不全，两件陶缸无法修复。H13坑内填土为黑灰色，夹杂大量炭屑，同时出土有较多陶片，可辨器形有折沿鬲、刻槽盆、折肩尊、罐、缸等（图3.3.33～图3.3.35；表3.3.24、表3.3.25），还出土有圆陶片及石凿、砺石。该灰坑共采集木炭样品1件，进行了碳-14年代测定，检测结果见表3.3.26。

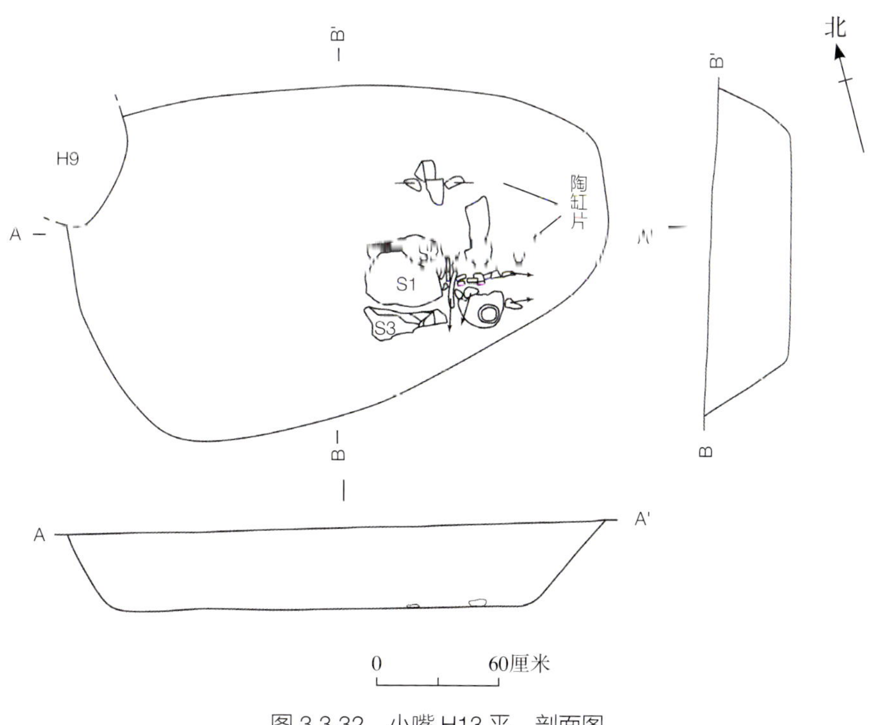

图3.3.32 小嘴H13平、剖面图

1）陶器

鬲　标本4件。

标本H13：1，夹砂红胎黑皮陶。侈口，平折沿，沿面有一道凹槽，方唇，束颈，溜肩，联裆，三尖锥足略外撇。颈部以下饰绳纹。口径15.6、腹径17.6、残高18.8厘米（图3.3.34，3）。

标本H13：2，夹砂灰陶。折沿，方唇。肩部饰一周附加堆纹。口径25.2、残高6.4厘米（图3.3.33，1）。

标本H13：19，夹砂灰陶。侈口，平折沿，沿面有一周凹槽，方唇。颈部以下饰绳纹。口径16.3、残高5.9厘米（图3.3.33，5）。

标本H13：20，夹砂黑皮陶。侈口，卷沿，尖圆唇。颈部及以下饰绳纹。口径14.2、残高5.3厘米（图3.3.33，8）。

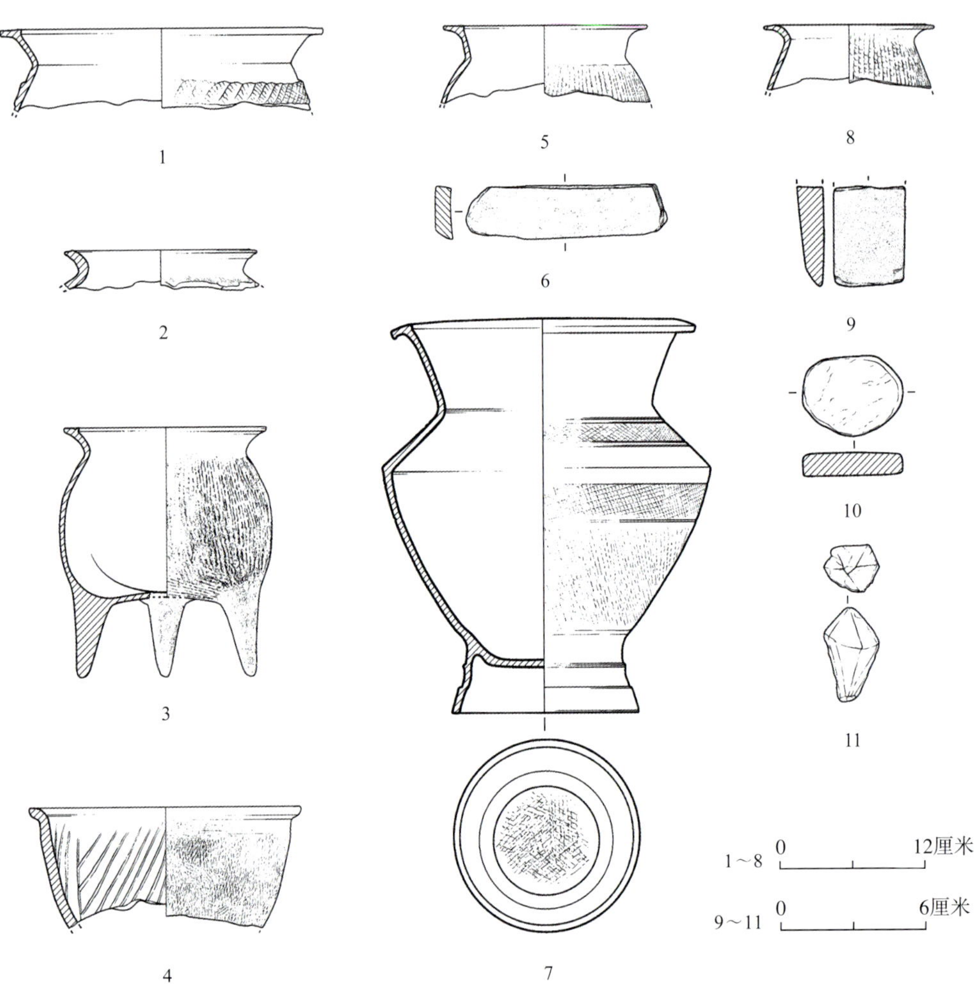

图3.3.33　小嘴H13出土陶器和石器

1、3、5、8. 陶鬲（H13：2、H13：1、H13：19、H13：20）　2. 陶罐（H13：7）　4. 陶刻槽盆（H13：14）　6. 砺石（H13：4）　7. 陶折肩尊（H13：3）　9. 石凿（H13：5）　10. 圆陶片（H13：17）　11. 石制饰品（H13：22）

刻槽盆 标本1件。

标本H13：14，泥质黑皮陶。底残。侈口，折沿，圆唇，浅腹。器内刻槽，器表上腹部抹光，中下腹部饰绳纹。口径23、残高10.3厘米（图3.3.33，4）。

罐 标本1件。

标本H13：7，泥质红胎黑皮陶。侈口，卷沿，尖圆唇，束颈。口径15.6、残高3.2厘米（图3.3.33，2）。

折肩尊 标本1件。

标本H13：3，泥质黄陶。侈口，折沿较宽，厚圆唇，长颈，折肩，斜腹，底近平，下接圈足。器身整体施一层黑色陶衣。肩部对称分布两组乳钉，每组两枚圆形乳钉，肩部饰四周弦纹及网格纹，上腹部饰两周弦纹及网格纹，下腹部饰绳纹，圈足上饰一周凸弦纹，圈足内底部饰交错绳纹。口径25.6、肩径26、高32厘米（图3.3.33，7；图3.3.34）。

圆陶片 标本1件。

标本H13：17，泥质黑皮陶。周壁磨制较平滑，近似圆形。直径4.1、厚度0.9厘米（图3.3.33，10）。

2）石器

凿 标本1件。

标本H13：5，青色砂岩。顶部残。通体磨光，单面刃。残长4、中宽3、中厚0.9厘米（图3.3.33，9）。

图3.3.34 陶折肩尊照片（小嘴H13：3）

1. 器身正视 2、3. 纹饰局部

砺石　H13出有多件砺石残块（图3.3.35），标本1件。

标本H13：4，青灰色砂岩。平面呈长方形，两面有明显的磨损凹痕。长16.6、中宽4、中厚1厘米（图3.3.33，6）。

石制饰品　标本1件。

标本H13：22，整件饰品由一块透亮的石英切割而成，上部可见五个切割面，形成锥状，切割面平整光滑，有较好的装饰效果；下部较为细长，亦经过切割加工，但表面较为粗糙，且与上部相比下部较为细长，推测下部原为嵌入某种载体之中，凸显上部，以作装饰之用。长3.7、中部最大径2.2厘米（图3.3.33，11）。

图3.3.35　小嘴H13出土部分砺石照片

表3.3.24　小嘴H13陶系、纹饰统计表　（重量单位：克）

陶质		夹砂						泥质		合计	百分比（%）
纹饰＼陶色		灰	黑皮	红	褐	黄	白	灰	黑皮		
绳纹	数量	36	5	16	76	13				146	49.16
	重量	1305.5	108	1381	701	923				4418.5	17.66
绳纹和附加堆纹	数量		1	1	1	9				12	4.04
	重量		157	467	152	470				1246	4.98
网格纹	数量	12		11		30	15			68	22.90
	重量	1121.5		503		1450	2753.5			5828	23.30
网格纹和附加堆纹	数量	1		3		6	4			14	4.71
	重量	8800		256		600	1650.5			11306.5	45.20

续表

纹饰 \ 陶质 / 陶色		夹砂						泥质		合计	百分比（%）
		灰	黑皮	红	褐	黄	白	灰	黑皮		
网格纹和弦纹	数量							1		1	0.34
	重量							14		14	0.06
附加堆纹	数量			1	3					4	1.35
	重量			566	97					663	2.65
弦纹	数量							1		1	0.34
	重量							24		24	0.10
素面	数量			12	8	11		10	10	51	17.17
	重量			700	65	452.5		62.5	235.5	1515.5	6.06
合计	数量	49	6	44	88	69	19	12	10	297	100.00
	重量	11227	265	3873	1015	3895.5	4404	100.5	235.5	25015.5	100.00
百分比（%）	数量	16.50	2.02	14.81	29.63	23.23	6.40	4.04	3.37	100.00	
		92.59						7.41			
	重量	44.88	1.06	15.48	4.06	15.57	17.61	0.40	0.94	100.00	
		98.66						1.34			

表3.3.25　小嘴H13可辨器形统计表

器形 \ 陶质 / 陶色	夹砂						泥质		合计	百分比（%）
	灰	黑皮	红	褐	黄	白	红	黄		
鬲			1	3					4	2.37
鬲足或甗足			7	1					8	4.73
罐							1		1	0.59
盆							1		1	0.59
人口尊							1		1	0.59
折肩尊								1	1	0.59
缸	30	1	32	1	69	19			152	89.94
器盖							1		1	0.59
合计	30	1	40	5	69	19	4	1	169	100.00
百分比（%）	17.75	0.59	23.67	2.96	40.83	11.24	2.37	0.59	100.00	

表3.3.26 小嘴H13木炭样品加速质谱仪（AMS）碳-14测年数据

Lab 编号	样品原编号	样品	碳-14年代（BP）	树轮校正后年代	
				1σ（68.2%）	2σ（95.4%）
BA161094	H13：4	木炭	3165±25	1493BC（15.4%）1480BC 1453BC（52.9%）1417BC	1501BC（95.4%）1400BC

注：所用碳-14半衰期为5568年，BP为距1950年的年代。

树轮校正所用曲线为IntCal20 atmospheric curve (Reimer et al 2020)，所用程序为OxCal v4.4.2 Bronk Ramsey (2020)；r: 5。

1. Reimer P J, Bard E, Bayliss A, Beck J W. IntCal13 and Marine13 radiocarbon age calibration curves 0–50,000 years cal BP, Radiocarbon, 2013, 55, 1869-1887.

2. Christopher Bronk Ramsey 2015, https://c14.arch.ox.ac.uk/oxcal/OxCal.html.

（十三）H14

位于Q1610T1914西北部、Q1610T1915西南部。开口于第2层下，打破生土。平面形状近圆形，中部及底部呈圆角方形，直壁平底。基线方向为90°或270°。坑口东西长1.16、南北宽1.12、坑底东西长0.46、南北宽0.42、深1.64米（图3.3.36）。填土为黑灰色土。包含物

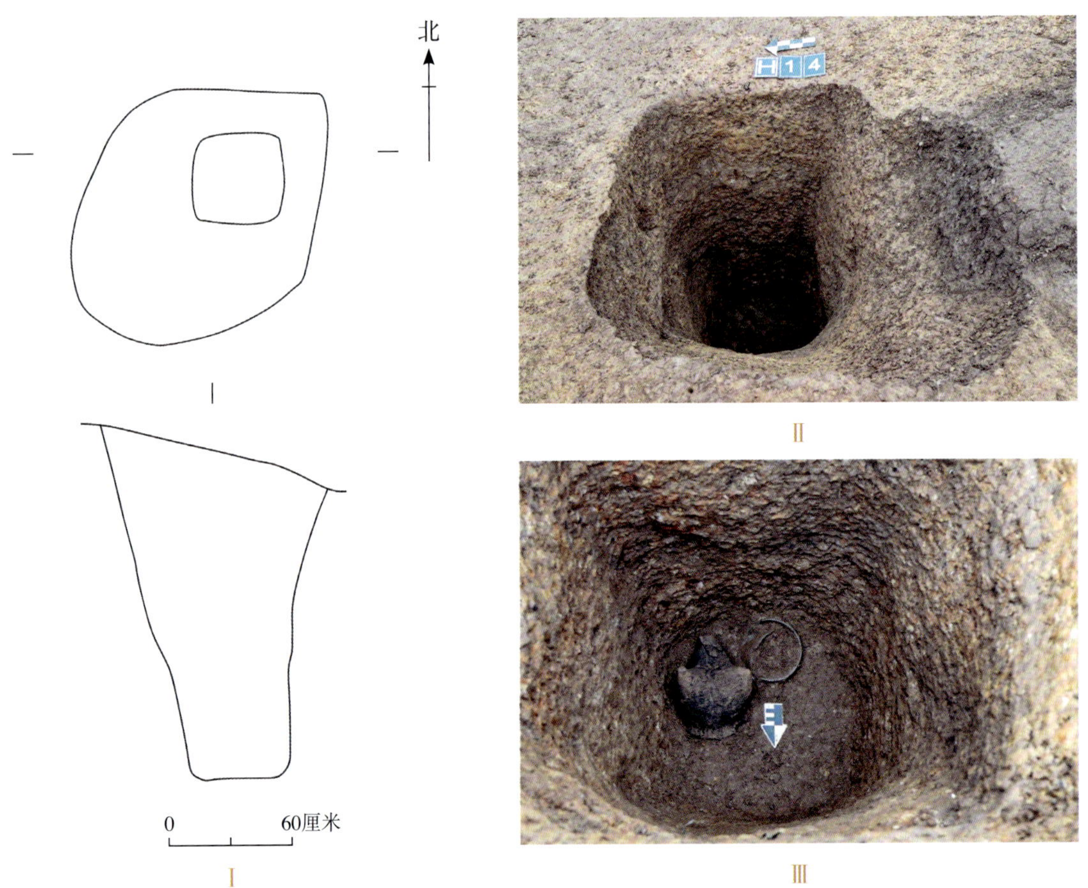

图3.3.36 小嘴H14平、剖面图和照片

Ⅰ. H14平、剖面图 Ⅱ. H14清理完毕 Ⅲ. H14底部器物出土情况

较少，主要为陶器。陶器中可辨器形有陶鬲、甗、盆、大口尊、罐等，底部有一陶甗及罐的下半部，断面较为平整。此外出土一粒铜颗粒。该灰坑共采集木炭样品1件，进行了碳–14年代测定，检测结果见表3.3.27。

陶器

鬲　标本1件。

标本H14：2，夹砂黑皮陶。下腹残。侈口，平折沿，沿面有一周凹槽，圆唇，束颈，微鼓腹。颈部饰一周附加堆纹，堆纹以下饰绳纹。复原后口径33.6、残高8.2厘米（图3.3.37，1）。

大口尊　标本1件。

标本H14：4，夹砂红胎黑皮陶。口部及下腹残。折肩突出，下腹斜收。折肩饰一周附加堆纹，堆纹上下满饰绳纹。残高10厘米（图3.3.37，2）。

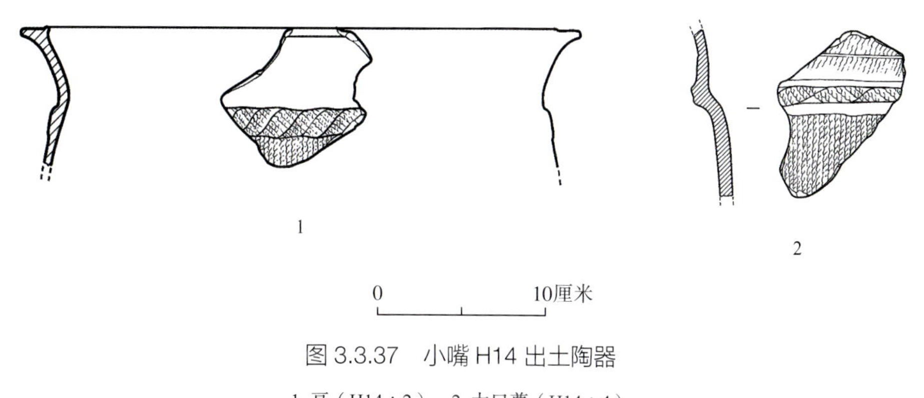

图 3.3.37　小嘴 H14 出土陶器

1. 鬲（H14：2）　2. 大口尊（H14：4）

表3.3.27　小嘴H14木炭样品加速质谱仪（AMS）碳–14测年数据

Lab 编号	样品原编号	样品	碳–14 年代（BP）	树轮校正后年代	
				1σ（68.2%）	2σ（95.4%）
BA192336	H14：8	木炭	3100±30	1417BC（33.8%）1379BC 1345BC（34.5%）1306BC	1434BC（95.4%）1278BC

注：所川碳–14半衰期为5568年，BP为距1950年的年代。

树轮校正所用曲线为IntCal20 atmospheric curve (Reimer et al 2020)，所用程序为OxCal v4.4.2 Bronk Ramsey (2020)；r: 5。

1. Reimer P J, Bard E, Bayliss A, Beck J W. IntCal13 and Marine13 radiocarbon age calibration curves 0–50,000 years cal BP, Radiocarbon, 2013, 55, 1869-1887.

2. Christopher Bronk Ramsey 2015, https://c14.arch.ox.ac.uk/oxcal/OxCal.html.

（十四）H18

位于Q1710T0115西南角。开口于第4层下，被H11和G7打破，打破生土。坑口形状不规则，斜壁圜底。基线方向为90°或270°。坑口东西长1.3、南北宽0.43、距地表0.38、深0.2米

（图3.3.38）。坑内填土呈灰褐色，夹杂少量炭屑和红烧土颗粒，出土有青铜锛一件和少量细碎陶片。

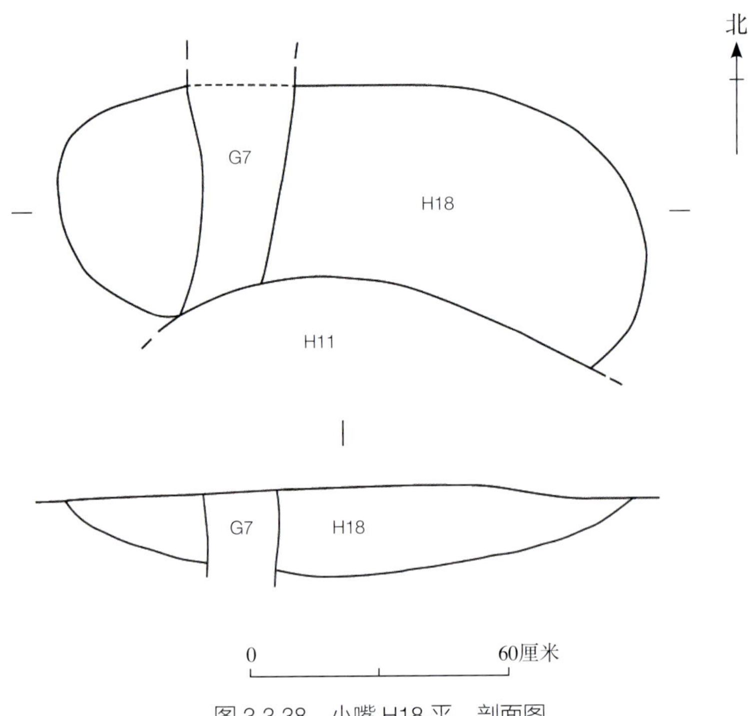

图 3.3.38　小嘴 H18 平、剖面图

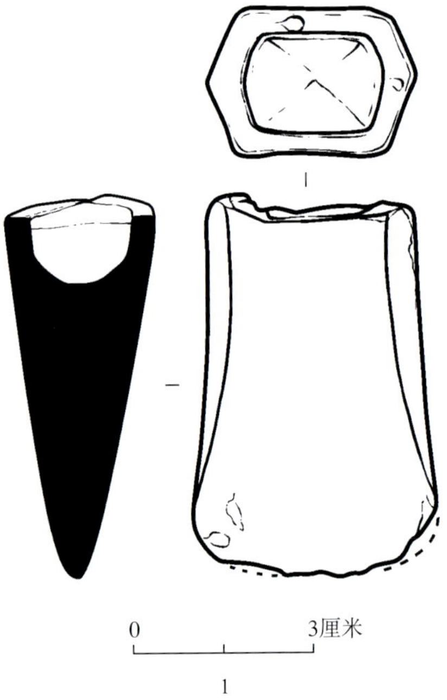

0
3厘米
1
2

图 3.3.39　青铜锛（小嘴 H18：1）

1. 线图　2. 照片

青铜器

锛 标本1件。

标本H18：1，残存刃部，刃口因锈蚀稍有残缺。横截面呈扁四棱体，双面刃。长6.1、宽4.1、中厚2.4厘米（图3.3.39）。

（十五）H32

位于Q1610T1917西侧。开口于第4层下，打破H31及生土，坑口距离地表0.25米。基线方向为0°或180°。坑口形状不规则，东西长1.6、南北宽1.24米，斜壁圜底，坑口至坑底深0.51米（图3.3.40）。坑内填土为灰褐色，包含有较多陶片，可辨器形包括鬲、盆、缸和印纹硬陶罐（图3.3.41；表3.3.28、表3.3.29），还出土有少量炭屑及动物骨骼。该灰坑共采集木炭样品检测1件，进行了碳-14年代测定，检测结果见表3.3.30。

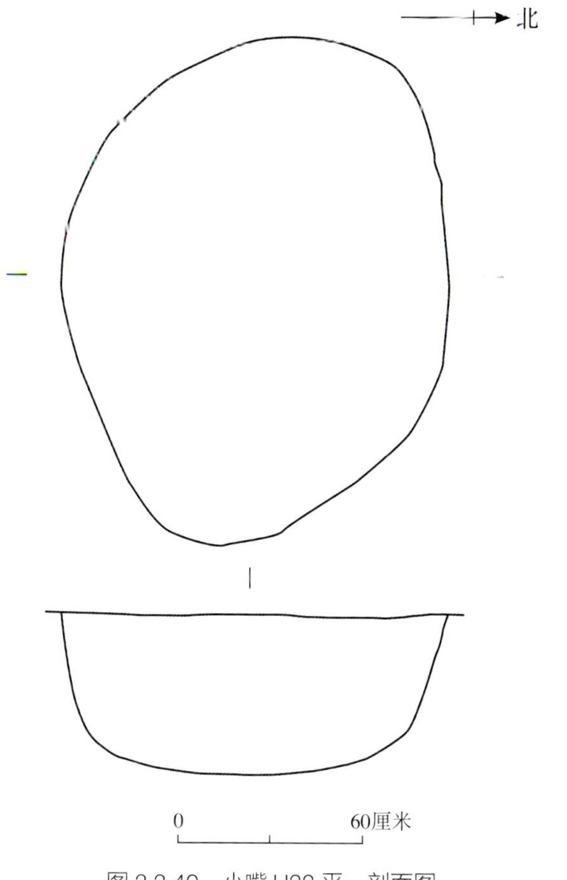

图3.3.40 小嘴H32平、剖面图

陶器

鬲 标本4件。

标本H32：1，夹砂红胎黑皮陶。侈口，折沿上仰，方唇，唇外缘内凹。沿面内有一周弦纹，肩部饰三周弦纹及双圆圈纹。口径20.6、残高7.1厘米（图3.3.41，6）。

标本H32：3，夹砂灰陶。侈口，平折沿，尖圆唇，沿面有一周凹槽。肩部饰一周附加堆纹，肩部以下饰绳纹。口径20.9、残高8.8厘米（图3.3.41，3）。

标本H32：6，夹砂灰陶。口部近直，平折沿，方唇，沿面有一周凹槽。颈部饰一周附加堆纹，颈部以下饰绳纹。口径26.8、残高6.9厘米（图3.3.41，2）。

标本H32：4，夹砂灰胎黑皮陶。侈口，平折沿，尖圆唇。颈部及以下饰绳纹。口径22.8、残高9.9厘米（图3.3.41，5）。

印纹硬陶罐 标本2件。

标本H32：2，敞口，尖圆唇，沿面有两道凹槽。肩部饰绳纹。颈部可见多道轮制痕迹。口径22.6、残高5.2厘米（图3.3.41，4）。

标本H32：5，侈口，尖圆唇，束颈。肩部饰网格纹。颈部可见多道轮制痕迹。口径29.6、残高6.4厘米（图3.3.41，1）。

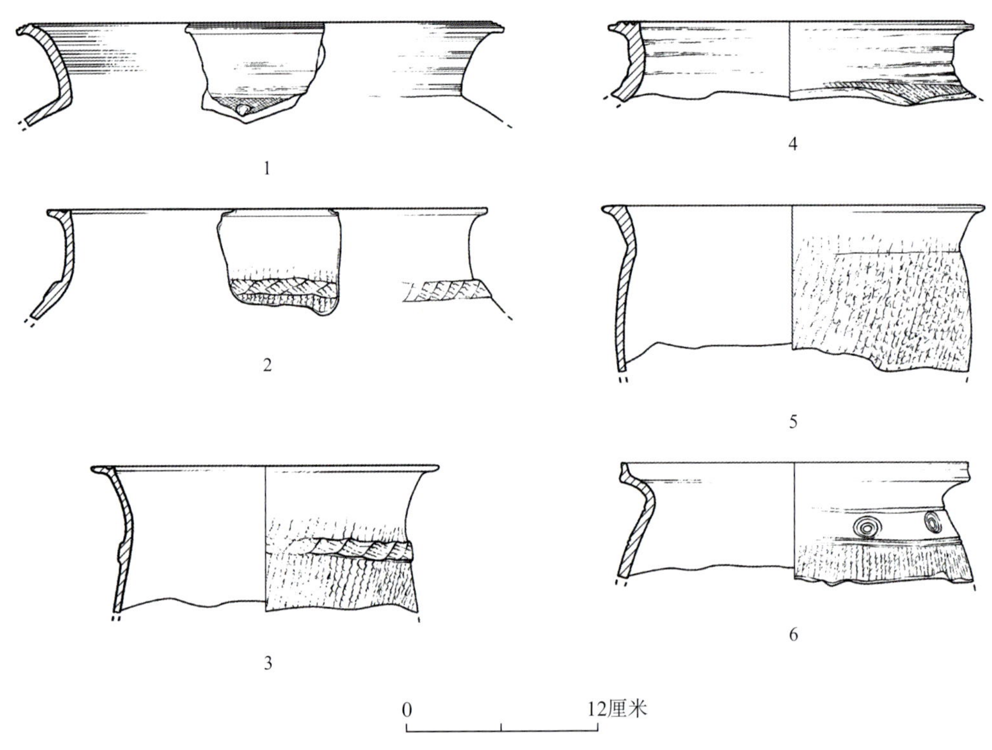

图 3.3.41　小嘴 H32 出土陶器

1、4. 印纹硬陶罐（H32：5、H32：2）　2、3、5、6. 鬲（H32：6、H32：3、H32：4、H32：1）

表3.3.28　小嘴H32陶系、纹饰统计表　（重量单位：克）

陶质		夹砂						泥质				印纹硬陶和原始瓷	合计	百分比（%）
纹饰＼陶色		灰	黑皮	红	褐	黄	白	灰	黑皮	红	褐			
绳纹	数量	54	82	29	15	13		44		13	1		251	35.20
	重量	1346	4292	1871	1143	784		408		370	14		10228	31.51
绳纹和附加堆纹	数量	6	4	2		4							16	2.24
	重量	290	333	188		1332							2143	6.60
绳纹和弦纹	数量		6					3	3	1	1		14	1.96
	重量		83					65	104	8	58		318	0.98
间断绳纹	数量	2											2	0.28
	重量	57											57	0.18
绳纹、弦纹和圆圈纹	数量		2										2	0.28
	重量		148										148	0.46
网格纹	数量	4	3	37	10	20	2					4	80	11.22
	重量	129	63	1486	524	1707	365					75	4349	13.40
网格纹和附加堆纹	数量			6	2	3							11	1.54
	重量			2046	286	449							2781	8.57

续表

纹饰＼陶质／陶色		夹砂						泥质				印纹硬陶和原始瓷	合计	百分比（%）
		灰	黑皮	红	褐	黄	白	灰	黑皮	红	褐			
篮纹	数量		9	21	9	20	1						60	8.42
	重量		157	940	407	803	335						2642	8.14
篮纹和附加堆纹	数量						1						1	0.14
	重量						491						491	1.51
附加堆纹	数量	1		15	1	9		1					27	3.79
	重量	10		2060	62	600		7					2739	8.44
弦纹	数量	6						5	4	1			16	2.24
	重量	26						218	119	36			399	1.23
弦纹和云雷纹	数量							1					1	0.14
	重量							18					18	0.06
叶脉纹	数量											9	9	1.26
	重量											305	305	0.94
压印纹	数量	4											4	0.56
	重量	34											34	0.10
素面	数量	31	30	62	11	19	4	12	29	14	2	5	219	30.72
	重量	405	274	1903	303	1440	298	160	490	376	22	140	5811	17.90
合计	数量	108	136	172	48	88	8	66	36	29	4	18	713	100.00
	重量	2297	5350	10494	2725	7115	1489	876	713	790	94	520	32463	100.00
百分比（%）	数量	15.15	19.07	24.12	6.73	12.34	1.12	9.26	5.05	4.07	0.56	2.52	100.00	
		78.53						18.94						
	重量	7.08	16.48	32.33	8.39	21.92	4.59	2.70	2.20	2.43	0.29	1.60	100.00	
		90.79						7.62						

表3.3.29 小嘴H32可辨器形统计表

器形＼陶质／陶色	夹砂					泥质			印纹陶和原始瓷	合计	百分比（%）
	灰	黑皮	红	褐	黄	灰	黑皮	红			
鬲	9	9	1				2			21	27.63
甗	2	2								4	5.26
鬲足或甗足	1	8	14			1				24	31.58
罐							1	1	4	6	7.89
爵								1		1	1.32
豆						1	1			2	2.63

续表

器形＼陶质/陶色	夹砂					泥质			印纹陶和原始瓷	合计	百分比（%）
	灰	黑皮	红	褐	黄	灰	黑皮	红			
盆		1								1	1.32
大口尊							2			2	2.63
缸	1	3	2	2	7					15	19.74
合计	13	23	17	2	7	2	6	2	4	76	100.00
百分比（%）	17.11	30.26	22.37	2.63	9.21	2.63	7.89	2.63	5.26	100.00	

表3.3.30　小嘴H32木炭样品加速质谱仪（AMS）碳–14测年数据

Lab 编号	样品原编号	样品	碳 –14 年代（BP）	树轮校正后年代	
				1σ（68.2%）	2σ（95.4%）
BA161088	H32	木炭	3065±25	1390BC（39.7%）1337BC 1322BC（28.6%）1285BC	1412BC（95.4%）1261BC

注：所用碳–14半衰期为5568年，BP为距1950年的年代。

树轮校正所用曲线为IntCal20 atmospheric curve (Reimer et al 2020)，所用程序为OxCal v4.4.2 Bronk Ramsey (2020)；r: 5。

1. Reimer P J, Bard E, Bayliss A, Beck J W. IntCal13 and Marine13 radiocarbon age calibration curves 0–50,000 years cal BP, Radiocarbon, 2013, 55, 1869-1887.

2. Christopher Bronk Ramsey 2015, https://c14.arch.ox.ac.uk/oxcal/OxCal.html.

（十六）H40

位于Q1610T2014～Q1710T0114交界处。开口于第2层下，打破生土。坑口形状不规则，坑壁形制不明。基线方向为90°或270°。坑口东西长3.4、南北宽1.54、距离地表0.25、深0.16米（图3.3.42）。坑内填土呈灰褐色。填土中分布有3个相对完整的缸，其中2件为红陶缸，可修复，另外1件为灰陶缸，仅残存缸底及腹部。此外，坑内填土中还夹杂少量其他陶片，可辨器形有鬲、罐、缸等（图3.3.43；表3.3.31～表3.3.34）。

陶器

缸　标本3件。

标本H40：1，夹砂红陶。敞口，斜直壁，圜底下接饼足。器表饰绳纹，口部饰一周附加堆纹。口径34、高47.2厘米（图3.3.43，2、5）。

标本H40：2，夹砂红陶。敞口，斜直壁，圜底下接饼足。器表饰篮纹，口部饰一周附加堆纹。口径36.4、高52.8厘米（图3.3.43，1、4）。

标本H40：3，夹砂灰陶。口部及饼状足残缺。斜直壁，圜底。器表饰绳纹。残高26.4厘米（图3.3.43，3）。

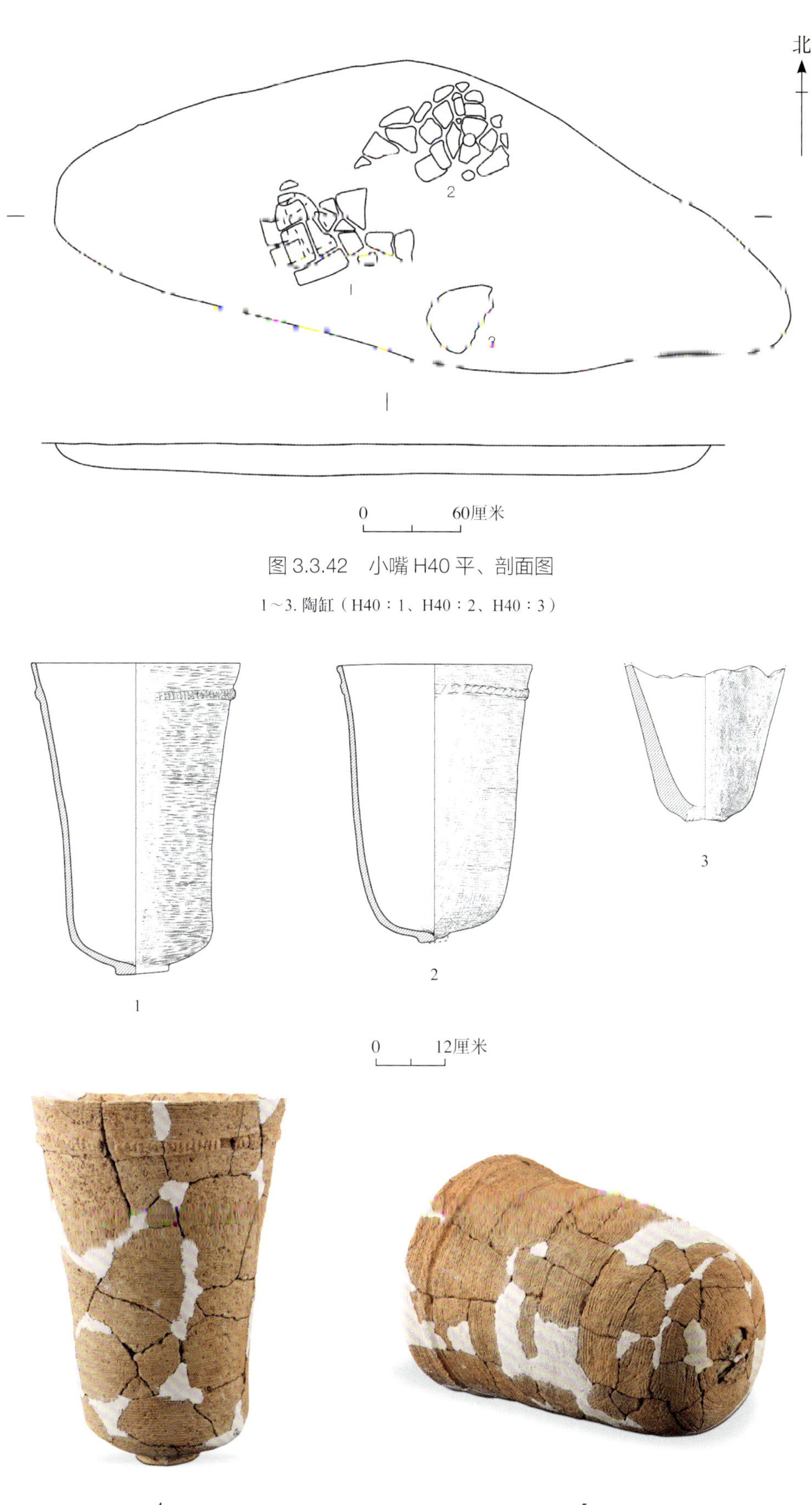

图 3.3.42　小嘴 H40 平、剖面图

1～3. 陶缸（H40∶1、H40∶2、H40∶3）

图 3.3.43　小嘴 H40 出土陶缸

1～3. 线图（H40∶2、H40∶1、H40∶3）　4、5. 照片（H40∶2、H40∶1）

表3.3.31　小嘴H40（T2014部分）[①]陶系、纹饰统计表　　　　（重量单位：克）

陶质		夹砂						泥质	合计	百分比（%）
纹饰＼陶色		灰	黑皮	红	褐	黄	白	褐		
绳纹	数量	1	18	9	7	6	4	2	47	22.49
	重量	12	398	327	335	280	119	10	1481	18.72
绳纹和附加堆纹	数量						1		1	0.48
	重量						122		122	1.54
网格纹	数量	1	4	2	2	25			34	16.27
	重量	59	59	139	53	1254			1564	19.77
网格纹和附加堆纹	数量			3					3	1.44
	重量			244					244	3.08
篮纹	数量	1	2		2				5	2.39
	重量	32	241		43				316	3.99
篮纹和附加堆纹	数量					1			1	0.48
	重量					76			76	0.96
附加堆纹	数量			1	1	8			10	4.78
	重量			24	27	1067			1118	14.13
弦纹	数量	1	2	1					4	1.91
	重量	12	17	20					49	0.62
素面	数量	20	20	34	4	17	8	1	104	49.76
	重量	384	143	1307	159	573	358	18	2942	37.18
合计	数量	24	46	50	16	57	13	3	209	100.00
	重量	499	858	2061	617	3250	599	28	7912	100.00
百分比（%）	数量	11.48	22.01	23.92	7.66	27.27	6.22	1.44	100.00	
		98.56								
	重量	6.31	10.84	26.05	7.80	41.08	7.57	0.35	100.00	
		99.65								

① H40出土陶片的统计是按所属探方分别进行的。

表3.3.32　小嘴H40（T2014部分）可辨器形统计表

陶质	夹砂						泥质	合计	百分比（%）
器形＼陶色	灰	黑皮	红	褐	黄	白	褐		
鬲	2	4		1				7	4.96
鬲足或甗足	2		5	1				8	5.67
罐	1	3						4	2.84
大口尊			2	3			1	6	4.26
缸	2	10	28	9	57	9		115	81.56
器盖			1					1	0.71
合计	7	17	36	14	57	9	1	141	100.00
百分比（%）	4.96	12.06	25.53	9.93	40.43	6.38	0.71	100.00	

表3.3.33　小嘴H40（T0114部分）陶系、纹饰统计表　　（重量单位：克）

陶质		夹砂						泥质			印纹硬陶和原始瓷	合计	百分比（%）
纹饰＼陶色		灰	黑皮	红	褐	黄	白	灰	黑皮	褐			
绳纹	数量	24	9	61	97	7	1	32	54	1		286	30.01
	重量	835	204	3879	7254	681	39	3363	1136	9		17400	38.97
绳纹和附加堆纹	数量		2	11	3	6	1					23	2.41
	重量		554	1494	970	504	176					3698	8.28
网格纹	数量			14	19	16		17			1	67	7.03
	重量			1238	1226	955		368			14	3801	8.51
网格纹和附加堆纹	数量			4	2	2						8	0.84
	重量			1142	315	294						1751	3.92
篮纹	数量			5								5	0.52
	重量			447								447	1.00
附加堆纹	数量			23	10							33	3.46
	重量			2160	587							2747	6.15
弦纹	数量								14	2		16	1.67
	重量								649	26		675	1.51
乳钉纹	数量								1			1	0.10
	重量								22			22	0.05

续表

纹饰（陶质/陶色）		夹砂 灰	夹砂 黑皮	夹砂 红	夹砂 褐	夹砂 黄	夹砂 白	泥质 灰	泥质 黑皮	泥质 褐	印纹硬陶和原始瓷	合计	百分比（%）
席纹	数量										1	1	0.10
	重量										27	27	0.06
叶脉纹	数量										2	2	0.21
	重量										60	60	0.13
云雷纹	数量			3							4	7	0.73
	重量			260							106	366	0.82
素面	数量	10	30	67	42	16		61	101	11		338	35.40
	重量	219	330	3913	2334	1228		3875	192	192		12283	27.51
合计	数量	94	147	188	173	47	2	110	170	14	8	953	100.00
	重量	1185	2335	14533	12686	3662	215	7606	1999	227	207	44655	100.00
百分比（%）	数量	9.86	15.42	19.73	18.15	4.93	0.21	11.54	17.84	1.47	0.84	100.00	
		68.31						30.85					
	重量	2.65	5.23	32.55	28.41	8.20	0.48	17.03	4.48	0.51	0.46	100.00	
		77.52						22.02					

表3.3.34　小嘴H40（T0114部分）可辨器形统计表

器形（陶质/陶色）	夹砂 灰	夹砂 黑皮	夹砂 红	夹砂 褐	夹砂 黄	夹砂 白	泥质 灰	泥质 黑皮	合计	百分比（%）
鬲	2	3							5	1.27
甗		2							2	0.51
鬲足或甗足	1	1		5					7	1.78
罐	3	3					1	4	11	2.80
瓮							1		1	0.25
大口尊							1	4	5	1.27
缸	1	5	188	113	47	8			362	92.11
合计	7	14	188	118	47	8	3	8	393	100.00
百分比（%）	1.78	3.56	47.84	30.03	11.96	2.04	0.76	2.04	100.00	

（十七）H41

位于Q1610T2013～T2014交界处。开口于第2层下，打破生土，并被H46打破。坑口形状不规则，斜壁圜底。基线方向为0°或180°。南北长1.5、东西宽0.7、坑口距地表0.25、深0.44米（图3.3.44）。坑内填土为灰褐色，夹杂少量炭屑，出土陶片较为细碎，可辨器形包括缸、盆等（表3.3.35～表3.3.38）。

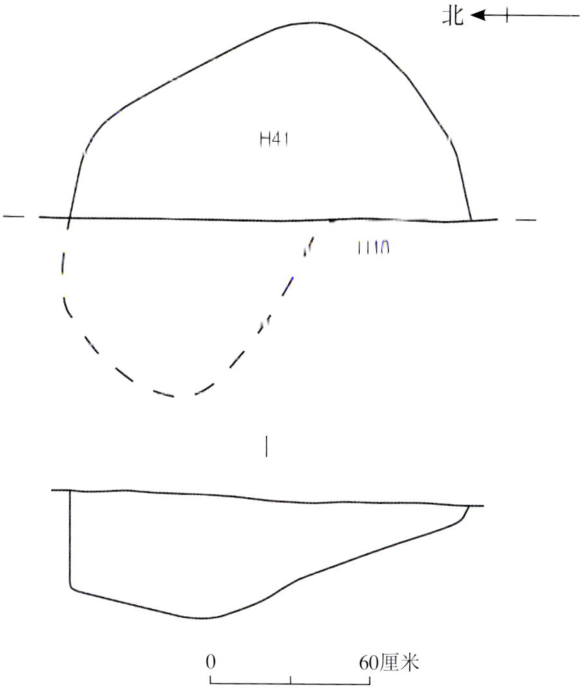

图 3.3.44　小嘴 H41 平、剖面图

表3.3.35　小嘴H41（T2013部分）①陶系、纹饰统计表　　（重量单位：克）

陶质 / 陶色 / 纹饰		夹砂				泥质		合计	百分比（%）
		灰	红	褐	白	灰	黑皮		
绳纹	数量	1	19	7		5	4	36	21.56
	重量	40	3774	895		63	75	4847	25.23
绳纹和附加堆纹	数量				2			2	1.20
	重量				907			907	4.72
网格纹	数量		6	26	56	1		89	53.29
	重量		269	3784	4654	27		8734	45.46
网格纹和附加堆纹	数量		1	1	2			4	1.40
	重量		596	742	1159			2497	13.00
篮纹	数量			1				1	0.60
	重量			83				83	0.43
附加堆纹	数量		3		3			6	3.59
	重量		479		295			774	4.03
弦纹和附加堆纹	数量						3	3	1.80
	重量						32	32	0.17

① H41出土陶片的统计是按所属探方分别进行的。

续表

陶质		夹砂				泥质		合计	百分比（%）
纹饰	陶色	灰	红	褐	白	灰	黑皮		
云雷纹	数量		2					2	1.20
	重量		288					288	1.50
素面	数量		8		15		4	27	16.17
	重量		189		1069		85	1343	6.99
合计	数量	1	39	35	75	6	11	167	100.00
	重量	40	5595	5504	7789	90	192	19210	100.00
百分比（%）	数量	0.60	23.35	20.96	44.91	3.59	6.59	100.00	
		89.82				10.18			
	重量	0.23	29.35	28.96	40.68	0.68	0.10	100.00	
		99.22				0.78			

表3.3.36　小嘴H41（T2013部分）可辨器形统计表

陶质	夹砂				泥质	合计	百分比（%）
器形 / 陶色	灰	红	褐	白	黑皮		
鬲	1					1	0.68
簋					1	1	0.68
盆					1	1	0.68
大口尊		1				1	0.68
缸		31	34	78		143	97.28
合计	1	32	34	78	2	147	100.00
百分比（%）	0.68	21.77	23.13	53.06	1.36	100.00	

表3.3.37　小嘴H41（T2014部分）陶系、纹饰统计表　　（重量单位：克）

陶质		夹砂						泥质		印纹硬陶和原始瓷	合计	百分比（%）
纹饰	陶色	灰	黑皮	红	褐	黄	白	灰	黑皮			
绳纹	数量	5	3	2	4			2	2		18	9.73
	重量	32	23	25	134			16	21		251	4.69
网格纹	数量			5		1	1				7	3.78
	重量			159		54	43				256	4.78

续表

纹饰 \ 陶质		夹砂						泥质		印纹硬陶和原始瓷	合计	百分比（%）
纹饰 \ 陶色		灰	黑皮	红	褐	黄	白	灰	黑皮			
篮纹	数量			43		1					44	23.78
	重量			1717		26					1743	32.54
附加堆纹	数量			7							7	3.78
	重量			713							713	13.31
弦纹	数量	1							1		2	1.08
	重量	4							12		16	0.30
叶脉纹	数量									1	1	0.54
	重量									8	8	0.15
素面	数量	14	6	83		1		1	1		106	57.30
	重量	59	25	2214		34		6	31		2369	44.23
合计	数量	20	9	140	4	3	1	3	4	1	185	100.00
	重量	95	48	4828	134	114	43	22	64	8	5356	100.00
百分比（%）	数量	10.81	4.86	75.68	2.16	1.62	0.54	1.62	2.16	0.54	100.00	
		95.68						3.78				
	重量	1.77	0.90	90.14	2.50	2.13	0.80	0.41	1.19	0.15	100.00	
		98.24						1.61				

表3.3.38 小嘴H41（T2014部分）可辨器形统计表

器形 \ 陶质	夹砂						泥质	合计	百分比（%）
器形 \ 陶色	灰	黑皮	红	褐	黄	白	黑皮		
鬲		1						1	0.67
鬲足或甗足	1							1	0.67
盆							1	1	0.67
缸			138	4	3	1		146	97.99
合计	1	1	138	4	3	1	1	149	100.00
百分比（%）	0.67	0.67	92.62	2.68	2.01	0.67	0.67	100.00	

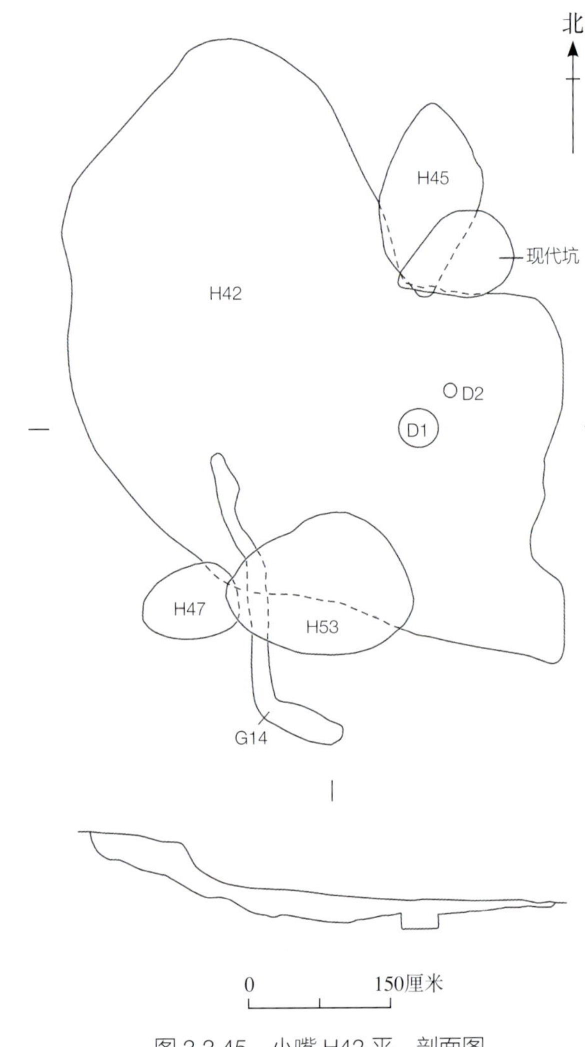

图3.3.45　小嘴H42平、剖面图

（十八）H42

主体位于Q1610T2012中部，向北延伸至Q1610T2013南部。开口于第2层下，打破生土，被H45、H47、H53、H55打破。坑口形状不规则，坑底呈圜形。基线方向为90°或270°。南北长6.5、东西宽5.25、坑口距离地表0.2、深0.34米（图3.3.45）。坑内填土为黑色，夹杂十分密集的炭块，其中可见大量长0.05～0.08、宽0.03～0.05米的木炭块，部分炭块边缘可见平直的切面，疑似人工切割所致。从炭块纹理判断，其中一部分炭块应为竹炭块。另在其中采集56块木炭样品，经鉴定种属分别为豆梨属蔷薇科、柿属柿科、栎属壳斗科。坑内北端和东北侧，分布可见一个陶缸底残片置于填土中，其中北侧陶缸保存状况较差，缸底附近可见石块，缸内填土中可见明显的炭屑，在此缸底周围出土有陶范碎块。在坑内东北部，可见另一陶缸底直立置于填土中，陶缸上部被破坏。陶缸底残存口径约为0.35、残深0.32米，推测其完整器高度应为0.45～0.55米。鉴于H42直接开口于表土层以下，且通过对残存陶缸原始高度的推测判断，H42上部应受到晚期严重破坏，导致目前仅残存坑底。灰坑中部还有一大一小两个柱洞，直径分别为0.4和0.2米。在灰坑西南部黑灰色填土下，还发现有一条沟槽。坑内除发现大量木炭及陶范碎块以外，还出土有少量细碎陶片，可辨器形包括豆、缸等（图3.3.46～图3.3.49；表3.3.39～表3.3.43），此外还出土有砺石等石制品。该灰坑共采集木炭样品1件（图3.3.48），进行了碳-14年代测定，检测结果见表3.3.44。

1）青铜颗粒

标本H42：17，矿化严重。平面近似椭圆形。表面可见密集的气孔。长2.7、宽1.5、厚1.2厘米（图3.3.46，3；图3.3.47，2）。取样经检测以硅酸盐基质为主，其中SnO_2、PbO和CuO含量较高，炉渣中常见棒状及菱形二氧化锡晶体，四方形马来亚石以及氧化亚铜晶体，玻璃态基质中PbO含量较高。SnO_2含量为47%～62.9%，PbO含量8.9%～11.5%。此外，渣中常见青铜颗粒，但大部分青铜颗粒已经锈蚀，无法确定其化学成分（表3.3.39）。从锈蚀颗粒中残留的假晶组织可初步判断其锡含量波动很大，部分颗粒的锡含量较高。

2）陶器

豆 标本1件。

标本H42：4，泥质灰陶。圈足较直，盘底与圈足上部有明显分界。圈足上饰二道弦纹。残高5.6厘米（图3.3.49，6）。

范 H42中出土陶范碎块共计5枚，均严重破损，个体最大径2.5～4厘米，因此难以辨识其原为铸造何种器物的陶范，陶范上也未见任何纹饰（图3.3.47，1）。标本3件。

标本H42：16，表面呈浅灰色。可见一分型面，长3.48、宽1.85厘米（图3.3.46，2）。

标本H42：19，表面呈浅灰色。可见两分型面，呈直角转折。长2.5、宽2厘米（图3.3.46，4）。

标本H42：20，表面呈浅灰色。可见一分型面，长2.6、宽2.1厘米（图3.3.46，1）。

3）木炭样品

H42采集木炭样品56个，经鉴定3个为豆梨属（*Pyrus calleryana*）蔷薇科、4个为柿属（*Diospyros* sp.）柿科、49个为栎属（*Quercus* sp.）壳斗科。

豆梨属（*Pyrus calleryana*）蔷薇科从横切面上看：生长轮明显；散孔材；宽度略均匀。导管横切面通常为卵圆形，单管孔，极少呈径列复管孔（2个），有时弦列成对。轴向薄

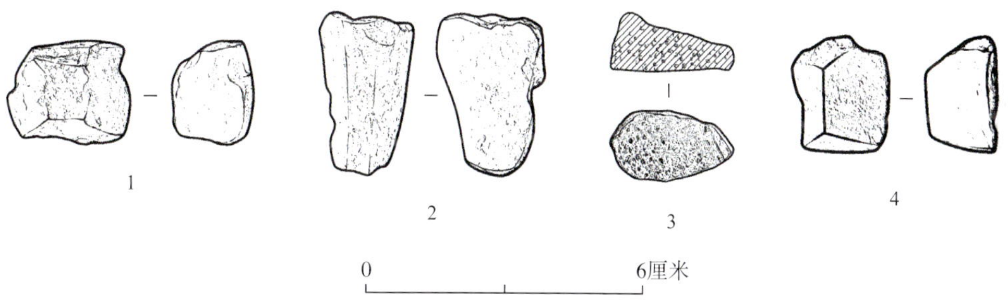

图 3.3.46 小嘴 H42 出土陶范和青铜颗粒

1、2、4. 陶范（H42：20、H42：16、H42：19） 3. 青铜颗粒（H42：17）

1 2

图 3.3.47 小嘴 H42 出土陶范和青铜颗粒照片

1. 陶范 2. 青铜颗粒

壁组织星散-聚合及星散状（图3.3.48，1）。从径切面上看：导管螺纹加厚缺如，单穿孔，射线-导管间纹孔式；薄壁细胞端壁节状加厚明显，含树胶；菱形晶体偶见；射线组织同形（图3.3.48，2）。从弦切面上看：单列射线数少，高1～10细胞或以上，多列射线宽2（间或3）细胞，高4～38细胞或以上，多数10～20细胞，同一射线内间或出现2次多列部分（图3.3.48，3）。

柿属（*Diospyros* sp.）柿科从横切面上看：生长轮略明显；通常为散孔材，或至半环孔材。管孔略少，中等大小，少数略大，自生长轮内部往外有逐渐减少减小趋势，分布欠均匀；导管在横切面上为圆形及卵圆形，径列复管孔（2～6，多数2～4个）及单管孔，稀呈管孔团。轴向薄壁组织离管弦向排列，细而密，兼呈傍管状。木射线稀至略密，极细至略细（图3.3.48，4）。从径切面上看：螺纹加厚缺如。单穿孔。射线组织主为异形Ⅱ型，稀Ⅲ型（图3.3.48，5）。从弦切面上看：木射线叠生；单列射线高1～11细胞或以上。多列射线通常宽2～3细胞，高3～29细胞或以上，同一射线内间或出现2次多列部分（图3.3.48，6）。

栎属（*Quercus* sp.）从横切面上看：生长轮甚明显；环孔材；导管横切面为圆形及卵圆形，部分具侵填体。早材至晚材急变；晚材管孔通常略小，单管孔，径列，轴向薄壁组织量多，①主要为星散-聚合及离管带状，宽1～3细胞，排列不规则，弦向断续相连；②间呈星散状；③环管状偶见。木射线中至密，分宽窄两类：①窄木射线极细。②宽木射线被许多窄

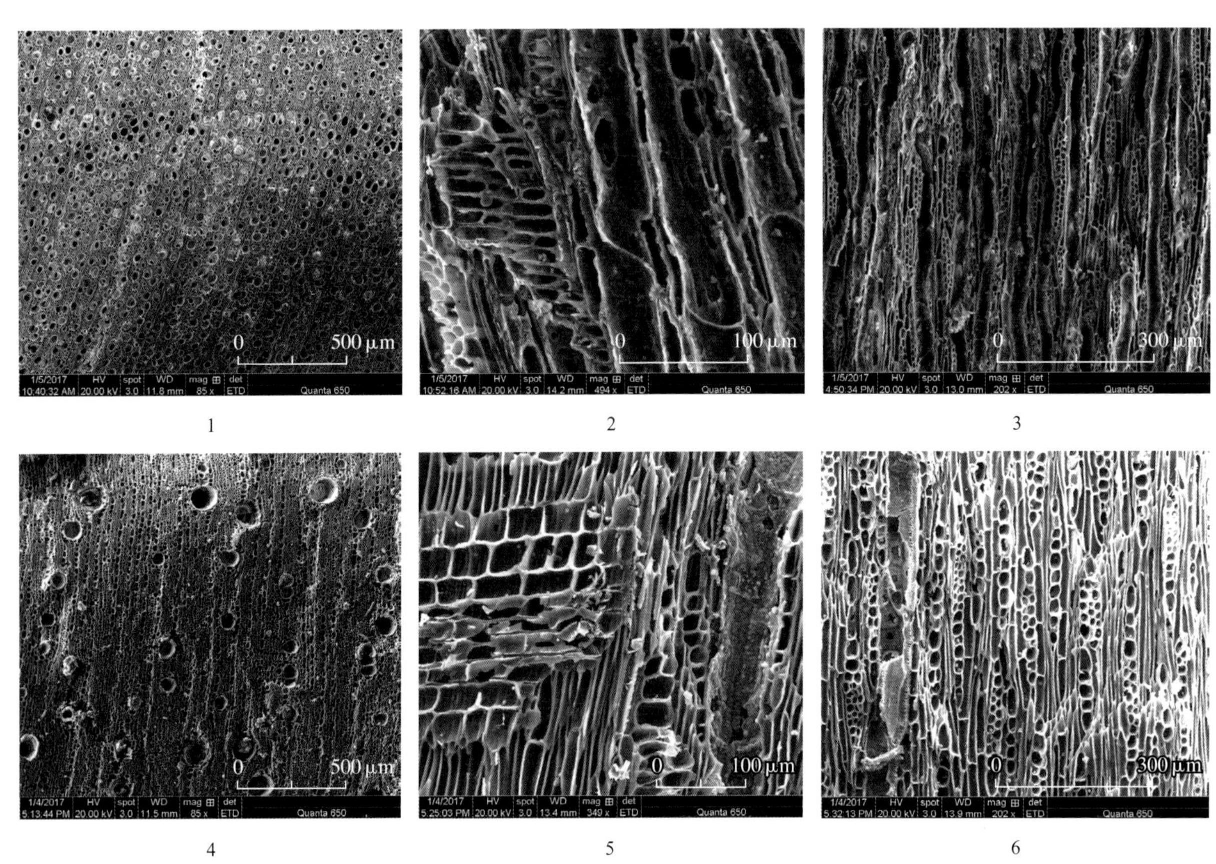

图3.3.48　小嘴H42木炭样品切面显微影像

1. 豆梨横切面　2. 豆梨径切面　3. 豆梨弦切面　4. 柿属横切面　5. 柿属径切面　6. 柿属弦切面

木射线分隔。从径切面上看：单穿孔；管间纹孔式互列，圆形及卵圆形。薄壁细胞端壁节状加厚多而不明显；部分含树胶；晶体未见。射线组织同形。射线–导管间纹孔式通常为刻痕状，少数肾形或类似管间纹孔式，通常直立或斜列。从弦切面上看：木射线分宽窄两类：⑴窄木射线通常单列（稀2列或成对），高1～25细胞或以上，多数5～15细胞。②宽木射线（一部分似半复合射线）最宽处宽至许多细胞，高至许多细胞。

4）石器

锛　标本1件。

标本H42：15，刃口稍残。正面近似梯形，双面刃。通体磨光。长5.6、宽4.4、厚1.4厘米（图3.3.49，4）。

凿　标本2件。

标本H42：11，正面呈圆角长方形，单面刃，顶部呈弧形。通体磨光。长8.2、宽3、厚2.7厘米（图3.3.49，2）。

标本H42：14，上部略残。正面呈圆角长方形，单面刃。刃口磨光。长13.6、宽2.9、厚4厘米（图3.3.49，5）。

砺石　标本2件。

标本H42：3，表面有明显的磨损痕迹，侧面断裂处有“十”字形划痕。平面近似圆形，中部微凹。长8.8、宽7.2、厚4.6厘米（图3.3.49，1）。

标本H42：5，砂岩。上、下及侧面均可见明显磨痕。平面呈椭圆形。长9.5、宽6.8、厚3.8厘米（图3.3.49，3）。

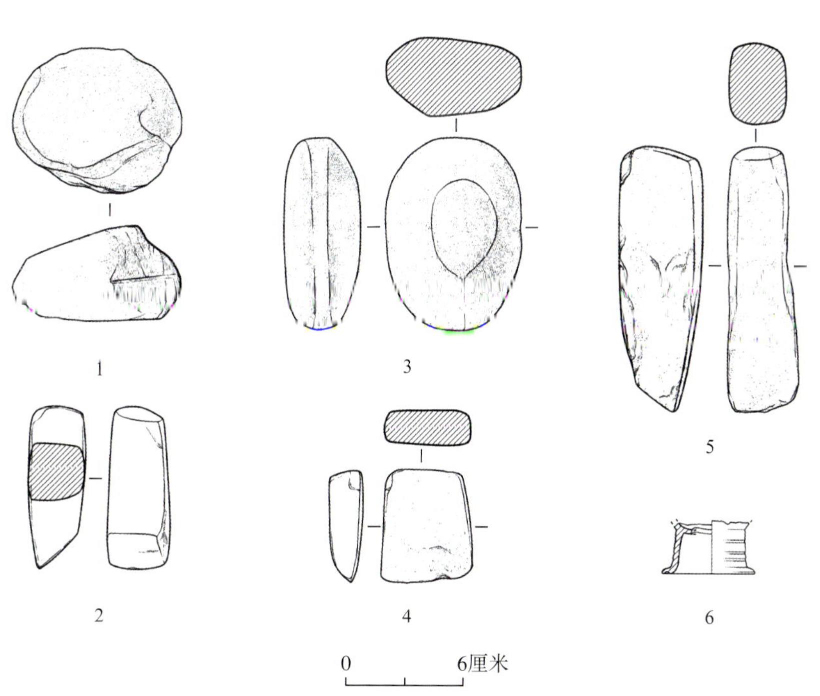

图3.3.49　小嘴H42出土陶器和石器

1、3. 砺石（H42：3、H42：5）　2、5. 石凿（H42：11、H42：14）　4. 石锛（H42：15）　6. 陶豆（H42：4）

表3.3.39　小嘴铜冶金渣化学成分表

序号	编号	MgO	Al_2O_3	SiO_2	P_2O_5	CaO	TiO_2	FeO	SnO_2	CuO	PbO
1	H42：1	0.4	12.0	11.7	7.5	3.6	bdl	3.2	47.0	5.7	8.9
2	H42：8	bdl	11.2	3.1	6.0	bdl	bdl	4.0	62.9	1.3	11.5

表3.3.40　小嘴H42（T2013部分）[①]陶系、纹饰统计表　　（重量单位：克）

陶质		夹砂						泥质				印纹硬陶和原始瓷	合计	百分比（%）
纹饰＼陶色		灰	黑皮	红	褐	黄	白	灰	黑皮	红	褐			
绳纹	数量	49	104	105	75	7	1	39	34	1	4		419	25.94
	重量	712	1820	2948	2578	187	13	350	546	6	39		9199	21.06
绳纹和附加堆纹	数量	1	1	7	1	2							12	0.74
	重量	16	90	571	82	123							882	2.02
绳纹和弦纹	数量							2	1				3	0.19
	重量							89	40				129	0.30
绳纹和圆圈纹	数量		1										1	0.06
	重量		12										12	0.03
绳纹、弦纹和网格纹	数量							2					2	0.12
	重量							111					111	0.25
网格纹	数量	1	4	20	20	14	5		5				69	4.27
	重量	20	107	2168	1238	884	204		84				4705	10.77
网格纹和附加堆纹	数量	1			2								3	0.19
	重量	786			222								1008	2.31
篮纹	数量	1	16	62	7	21	13						120	7.43
	重量	39	1780	2710	427	3633	515						9104	20.84
篮纹和附加堆纹	数量				2								2	0.12
	重量				150								150	0.34
附加堆纹	数量	3	4	50	4	8	6	1		1			77	4.77
	重量	181	90	2034	118	252	352	48		61			3136	7.18
附加堆纹和弦纹	数量								1				1	0.06
	重量								12				12	0.03
弦纹	数量	5	4					13	10		2		34	2.11
	重量	101	28					261	134		132		656	1.50

① H42出土陶片的统计是按所属探方分别进行的。

续表

陶质		夹砂						泥质				印纹硬陶和原始瓷	合计	百分比（%）
纹饰 \ 陶色		灰	黑皮	红	褐	黄	白	灰	黑皮	红	褐			
云雷纹	数量				1							5	6	0.37
	重量				34							41	75	0.17
叶脉纹	数量											22	22	1.36
	重量											290	290	0.66
席纹	数量											6	6	0.37
	重量											110	110	0.25
素面	数量	103	159	264	96	28	36	84	46	11	9	2	838	51.89
	重量	976	1539	5728	2430	796	903	737	616	107	234	40	14106	32.29
合计	数量	164	293	508	208	80	61	141	97	13	15	35	1615	100.00
	重量	2831	5466	16159	7279	5875	1987	1596	1432	174	405	481	43685	100.00
百分比（%）	数量	10.15	18.14	31.46	12.88	4.95	3.78	8.73	6.01	0.80	0.93	2.17	100.00	
		81.36						16.47						
	重量	6.48	12.51	36.99	16.66	13.45	4.55	3.65	3.28	0.40	0.93	1.10	100.00	
		90.64						8.26						

表3.3.41　小嘴H42（T2013部分）可辨器形统计表

陶质	夹砂						泥质		印纹硬陶和原始瓷	合计	百分比（%）
器形 \ 陶色	灰	黑皮	红	褐	黄	白	灰	黑皮			
鼎	1									1	0.11
鬲	2	9	1	3						15	1.68
鬲足或甗足	5	2	21	13						41	4.58
甗	1	3								4	0.45
罐	2							2	1	5	0.56
瓮	1									1	0.11
盆	1			1			5	2		9	1.01
中柱盂			2							2	0.22
瓮							1			1	0.11
大口尊							1	4		5	0.56
缸	19	62	439	145	80	61				806	90.06
器盖	1	3								4	0.45
杯圈足									1	1	0.11
合计	33	79	463	162	80	61	7	8	2	895	100.00
百分比（%）	3.69	8.83	51.73	18.10	8.94	6.82	0.78	0.89	0.22	100.00	

表3.3.42　小嘴H42（T2012部分）陶系、纹饰统计表　（重量单位：克）

陶质		夹砂						泥质			印纹硬陶和原始瓷	合计	百分比（%）
纹饰＼陶色		灰	黑皮	红	褐	黄	白	灰	黑皮	褐			
绳纹	数量	31	89	169	168	79	3	32	32	1		604	56.03
	重量	816	1921	12662	10170	6217	127	656	828	27		33424	44.49
绳纹和附加堆纹	数量			15	10	14	2					41	3.80
	重量			6700	1374	2079	299					10452	13.91
绳纹和弦纹	数量	3										3	0.28
	重量	140										140	0.19
绳纹和网格纹	数量					1						1	0.09
	重量					214						214	2.85
网格纹	数量	2	4	54	11	24	4		5	7	4	115	10.67
	重量	50	85	3786	728	4993	129		143	81	93	10088	13.43
网格纹和附加堆纹	数量			5		6	2					13	1.21
	重量			628		611	154					1393	1.85
篮纹	数量	1		31	8	1						41	3.80
	重量	64		2992	310	67						3433	4.57
篮纹和附加堆纹	数量			4								4	0.37
	重量			1563								1563	2.08
弦纹	数量					1						1	0.09
	重量					24						24	0.03
弦纹和附加堆纹	数量					2						2	0.18
	重量					234						234	0.31
戳印纹	数量								1			1	0.09
	重量								25			25	0.03
戳印纹和附加堆纹	数量					1						1	0.09
	重量					44						44	0.06
兽面纹和附加堆纹	数量			1								1	0.09
	重量			4832								4832	6.43
云雷纹	数量			12		2					9	23	2.13
	重量			944		84					270	1298	1.73
云雷纹和附加堆纹	数量			2								2	0.18
	重量			223								223	0.30

续表

纹饰＼陶色＼陶质		夹砂						泥质			印纹硬陶和原始瓷	合计	百分比（%）
		灰	黑皮	红	褐	黄	白	灰	黑皮	褐			
叶脉纹	数量										8	8	0.74
	重量										340	340	0.40
绳索纹、间断绳纹和弦纹	数量		1									1	0.09
	重量		410									410	0.55
素面	数量	63	10	75	10	21	6	10	19	1	1	216	20.04
	重量	549	103	4415	459	805	260	167	234	59	16	7067	9.41
合计	数量	100	104	368	207	152	17	42	57	9	22	1078	100.00
	重量	1619	2519	38745	13041	15372	969	823	1230	167	632	75117	100.00
百分比（%）	数量	9.27	9.65	34.14	19.20	14.1	1.58	3.90	5.29	0.83	2.04	100.00	
		87.94						10.02					
	重量	2.15	3.35	51.58	17.36	20.46	1.29	1.09	1.64	0.22	0.84	100.00	
		96.19						2.95					

表3.3.43　小嘴H42（T2012部分）可辨器形统计表

器形＼陶色＼陶质	夹砂						泥质			印纹硬陶和原始瓷	合计	百分比
	灰	黑皮	红	褐	黄	白	灰	黑皮	褐			
鬲	2	6		2							10	1.24
甗	1										1	0.12
鬲足或甗足	2			6							8	0.99
罐	3	2		1			1	1	1		9	1.11
簋									1		1	0.12
盆							1				1	0.12
豆								1			1	0.12
大口尊							1				1	0.12
敛口器							1				1	0.12
缸	14	1	389	165	182	18					769	95.17
器口							2	2		1	5	0.62
圈足		1									1	0.12
合计	22	10	389	174	182	18	6	4	2	1	808	100.00
百分比（%）	2.73	1.24	48.14	21.53	22.52	2.23	0.74	0.50	0.25	0.12	100.00	

表3.3.44　小嘴H42木炭样品加速质谱仪（AMS）碳–14测年数据

Lab 编号	样品原编号	样品	碳–14年代（BP）	树轮校正后年代	
				1σ（68.2%）	2σ（95.4%）
BA192344	H42：2	木炭	3125±35	1440BC（47.8%）1382BC 1341BC（20.5%）1311BC	1496BC（4.3%）1476BC 1458BC（91.1%）1288BC

注：所用碳–14半衰期为5568年，BP为距1950年的年代。

树轮校正所用曲线为IntCal20 atmospheric curve (Reimer et al 2020)，所用程序为OxCal v4.4.2 Bronk Ramsey (2020)；r: 5。

1. Reimer P J, Bard E, Bayliss A, Beck J W. IntCal13 and Marine13 radiocarbon age calibration curves 0–50,000 years cal BP, Radiocarbon, 2013, 55, 1869-1887.

2. Christopher Bronk Ramsey 2015, https://c14.arch.ox.ac.uk/oxcal/OxCal.html.

（十九）H44

位于Q1610T0312北部。开口于第2层下，打破生土。坑口形状不规则，斜壁圜底。基线方向为90°或270°。东西长0.8、南北宽0.6、坑口距地表0.2、深0.2米（图3.3.50）。坑内填土为黑灰色。坑内出土有较多陶片，可辨器形有鬲、假腹豆、爵、大口尊等（图3.3.51、图3.3.52；表3.3.45、表3.3.46）。

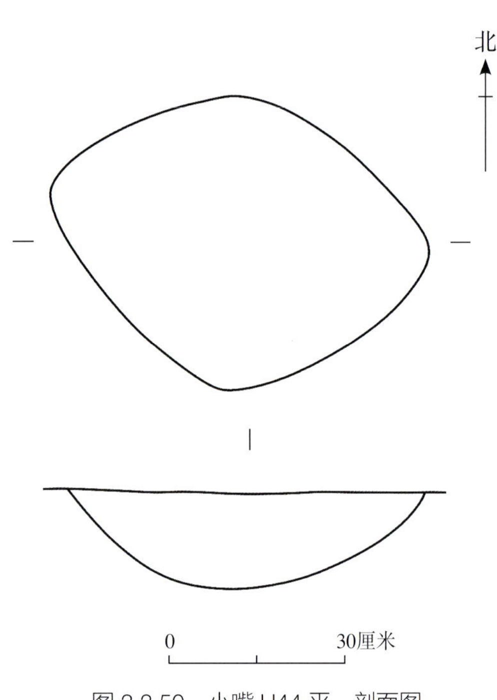

图3.3.50　小嘴H44平、剖面图

陶器

鬲　标本1件。

标本H44：4，夹砂灰陶。侈口，折沿上仰，厚方唇，上缘尖凸，唇外缘内凹。颈部以下饰绳纹。口径15.8、残高7.4厘米（图3.3.52，1）。

爵　标本1件。

标本H44：5，泥质灰陶。窄流，流根处两个对称的泥钉已残，扁带状鋬，束腰，下腹外展，圆锥三足微外撇。流尾距13.2、高13厘米（图3.3.51；图3.3.52，2）。

豆 标本1件。

标本H44：1，泥质灰陶。敞口，折沿，尖圆唇。豆盘表面饰两周弦纹。口径15.4、残高4.1厘米（图3.3.52，3）。

大口尊 标本1件。

标本H44：2，夹砂灰陶。口部及下腹部残。圆肩外凸。肩部饰两周弦纹，上腹部饰一周弦纹及绳纹。残高16.8厘米（图3.3.52，4）。

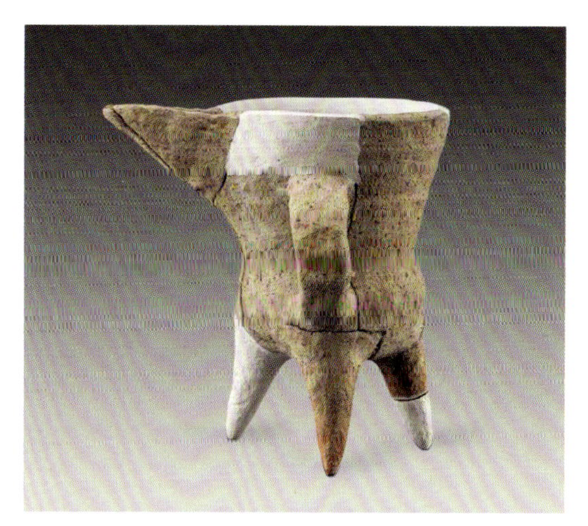

图 3.3.51 陶爵照片（小嘴 H44：5）

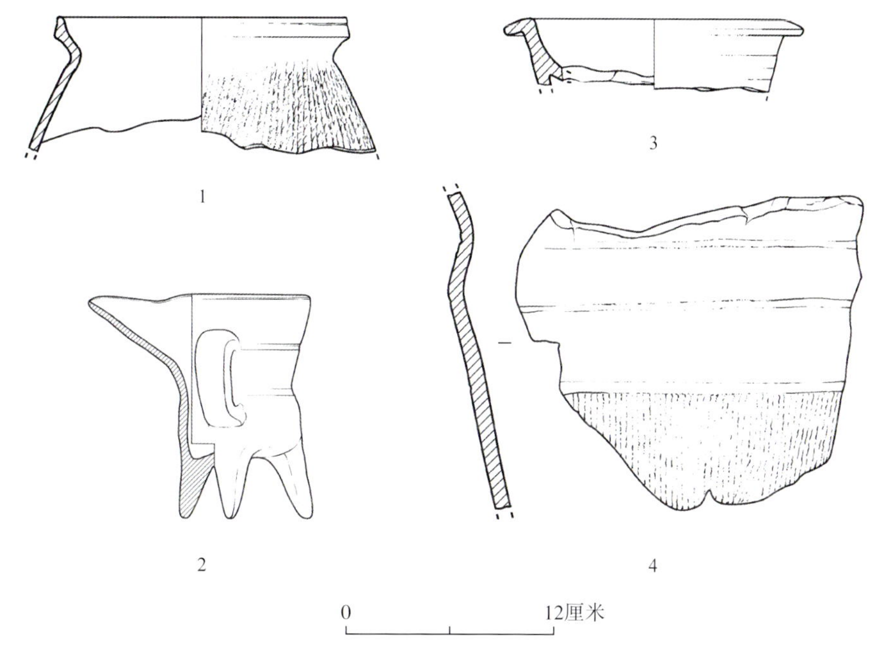

图 3.3.52 小嘴 H44 出土陶器

1. 鬲（H44：4） 2. 爵（H44：5） 3. 豆（H44：1） 4. 大口尊（H44：2）

表3.3.45 小嘴H44陶系、纹饰统计表 （重量单位：克）

陶质		夹砂						泥质				印纹硬陶和原始瓷	合计	百分比（%）
纹饰 \ 陶色		灰	黑皮	红	褐	黄	白	灰	黑皮	红	褐			
绳纹	数量	25	14	2	14	4		7	6				72	31.30
	重量	1030	227	29	241	244		73	99				1943	21.65
绳纹和附加堆纹	数量		1			1							2	0.87
	重量		136			45							181	2.02

续表

陶质 / 纹饰	陶色	夹砂 灰	夹砂 黑皮	夹砂 红	夹砂 褐	夹砂 黄	夹砂 白	泥质 灰	泥质 黑皮	泥质 红	泥质 褐	印纹硬陶和原始瓷	合计	百分比（%）
绳纹和弦纹	数量		2					2					4	1.74
	重量		478					43					521	5.81
绳纹、弦纹和网格纹	数量							1					1	0.43
	重量							10					10	0.11
网格纹	数量	8				15	2						25	10.87
	重量	498				779	129						1406	15.67
网格纹和附加堆纹	数量	1				3							4	1.74
	重量	67				8							75	0.84
篮纹	数量	1	1		8	11	3						24	10.43
	重量	70	33		743	478	73						1397	15.57
附加堆纹	数量	4		1		4							9	3.91
	重量	321		8		201							530	5.91
弦纹	数量							2	3				5	2.17
	重量							26	108				134	1.49
弦纹和云雷纹	数量		1										1	0.43
	重量		10										10	0.11
弦纹和压印纹	数量	1											1	0.43
	重量	16											16	0.18
云雷纹	数量											1	1	0.43
	重量											66	66	0.74
叶脉纹	数量							1					1	0.43
	重量							5					5	0.06
素面	数量	23	5	9	8	9	3	8	5	3	6	1	80	34.78
	重量	1456	55	239	159	303	151	101	30	58	118	11	2681	29.87
合计	数量	63	24	12	30	47	8	21	14	3	6	2	230	100.00
	重量	3458	939	276	1143	2058	353	258	237	58	118	77	8975	100.00
百分比（%）	数量	27.39	10.43	5.22	13.04	20.43	3.48	9.13	6.09	1.30	2.61	0.87	100.00	
		80.00						19.13						
	重量	38.53	10.46	3.08	12.74	22.93	3.93	2.87	2.64	0.65	1.31	0.86	100.00	
		91.67						7.47						

表3.3.46　小嘴H44可辨器形统计表

陶质	夹砂						泥质				印纹硬陶和原始瓷	合计	百分比（%）
器形＼陶色	灰	黑皮	红	褐	黄	白	灰	黑皮	褐	红			
鬲	1	2		1								4	2.89
甗	1	1										2	1.45
鬲足或甗足	1		5	3								9	6.52
罐							1		1	1	1	4	2.89
爵			1	1								2	1.44
豆									1			1	0.73
盆							1					1	0.73
刻槽盆								1				1	0.73
大口尊		1								1		2	1.45
缸	41	3	2	9	48	8						111	80.43
圆陶片				1								1	0.73
合计	44	7	8	15	48	8	2	1	2	2	1	138	100.00
百分比（%）	31.89	5.08	5.79	10.87	34.79	5.79	1.44	0.73	1.44	1.44	0.73	100.00	

（二十）H45

位于Q1610T2013南部。开口于第1层下，打破H42及生土。坑口形状不规则。基线方向为90°或270°。东西最大径1.2、南北最大径2、坑口距离地表0.1～0.2、深0.1米（图3.3.53）。坑内为黑灰色填土。坑内夹杂少量细碎陶片及红烧土，此外还出土有石砧一块（图3.3.54；表3.3.47、表3.3.48）。该灰坑共采集木炭样品1件，进行了碳-14年代测定，检测结果见表3.3.49。

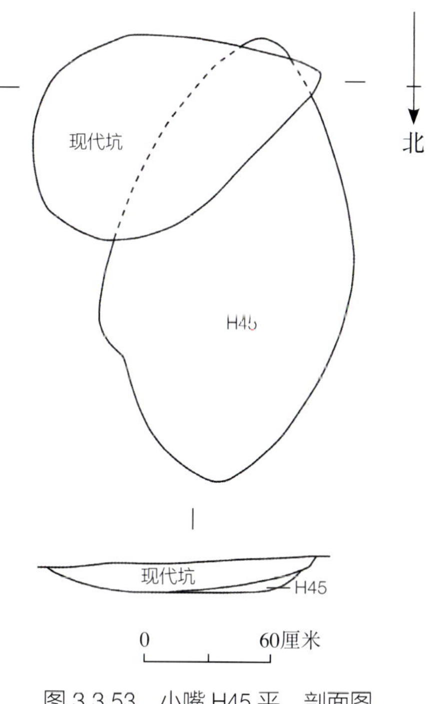

图3.3.53　小嘴H45平、剖面图

石器

砧　标本1件。

标本H45：2，平面近似方形，周壁及表面平整。表面及底面均磨光。长9.2、宽7、厚2.6厘米（图3.3.54）。

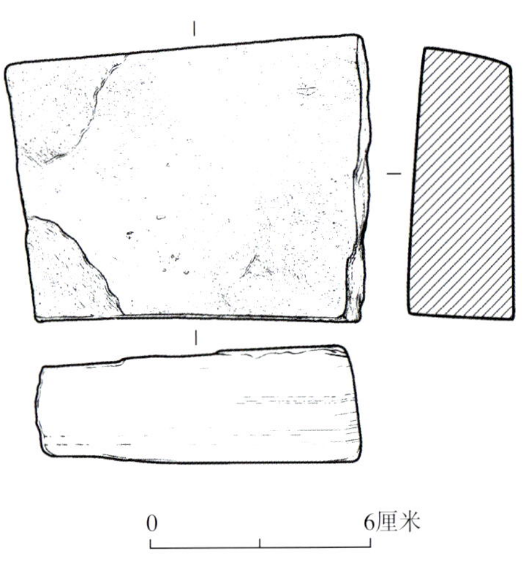

图 3.3.54　石砧（小嘴 H45：2）

表3.3.47　小嘴H45陶系、纹饰统计表　　（重量单位：克）

陶质 / 纹饰	陶色	夹砂					泥质		印纹硬陶和原始瓷	合计	百分比（%）
		黑皮	红	褐	黄	白	灰	红			
绳纹	数量	3	6	1		1	16			27	22.88
	重量	106	153	26		43	107			435	19.07
绳纹和弦纹	数量	1								1	0.85
	重量	4								4	0.18
网格纹	数量	1								1	0.85
	重量	49								49	2.15
篮纹	数量				20					20	16.95
	重量				782					782	34.28
附加堆纹	数量				2					2	1.69
	重量				99					99	4.34
叶脉纹	数量								2	2	1.69
	重量								19	19	0.83
素面	数量	2	10	3		6	43	1		65	55.08
	重量	7	477	72		122	208	7		893	39.15
合计	数量	7	16	4	22	7	59	1	2	118	100.00
	重量	166	630	98	881	165	315	7	19	2281	100.00
百分比（%）	数量	5.93	13.56	3.39	18.64	5.93	50.00	0.85	1.69	100.00	
		47.46					50.85				
	重量	7.28	27.62	4.30	38.62	7.23	13.81	0.31	0.83	100.00	
		85.05					14.12				

表3.3.48 小嘴H45可辨器形统计表

陶质	夹砂					泥质	合计	百分比（%）
器形 \ 陶色	黑皮	红	褐	黄	白	灰		
盆						1	1	2.13
缸	4	11	2	22	7		46	97.87
合计	4	11	2	22	7	1	47	100.00
百分比（%）	8.51	23.40	4.26	46.81	14.89	2.13	100.00	

表3.3.49 小嘴H45木炭样品加速质谱仪（AMS）碳–14测年数据

Lab 编号	样品原编号	样品	碳–14年代（BP）	树轮校正后年代	
				1σ（68.2%）	2σ（95.4%）
BA161098	H45	木炭	3090±25	1411BC（28.9%）1377BC 1348BC（39.4%）1304BC	1422BC（95.4%）1281BC

注：所用碳–14半衰期为5568年，BP为距1950年的年代。

树轮校正所用曲线为IntCal20 atmospheric curve (Reimer et al 2020)，所用程序为OxCal v4.4.2 Bronk Ramsey (2020)；r: 5。

1. Reimer P J, Bard E, Bayliss A, Beck J W. IntCal13 and Marine13 radiocarbon age calibration curves 0–50,000 years cal BP, Radiocarbon, 2013, 55, 1869-1887.

2. Christopher Bronk Ramsey 2015, https://c14.arch.ox.ac.uk/oxcal/OxCal.html.

（二十一）H46

位于Q1610T2013、T2014中。开口于第2层下，打破H41及生土。坑口呈圆角长方形，弧壁，坑底南高北低。基线方向为0°或180°。南北长约2.26、东西宽约0.8、口部距离地表0.3、深0.28～0.48米（图3.3.55）。坑内填土呈灰褐色，土质疏松，夹杂炭屑和红烧土，出土陶片较多，以红陶缸残片为主，其他可辨器形包括折沿鬲、缸、器盖等，还出土有石镰一枚（图3.3.56、图3.3.57；表3.3.50、表3.3.51）。该灰坑共采集木炭样品1件（图3.3.58），进行了碳–14年代测定，检测结果见表3.3.52。另在其中采集2块木炭样品，经鉴定种属为未鉴定阔叶树。

1）陶器

鬲　标本1件。

标本H46：2，夹砂红胎黑皮陶。侈口，平折沿，尖圆唇，沿面有一周凹槽。颈部饰一周弦纹，颈部以下饰绳纹。口径18.4、残高4.9厘米（图3.3.56，1）。

缸　标本1件。

标本H46：3，夹砂黄陶。残存口沿及上腹部。敞口，圆唇。口沿以下饰篮纹，颈部饰一周附加堆纹。残高14.8厘米（图3.3.56，3）。

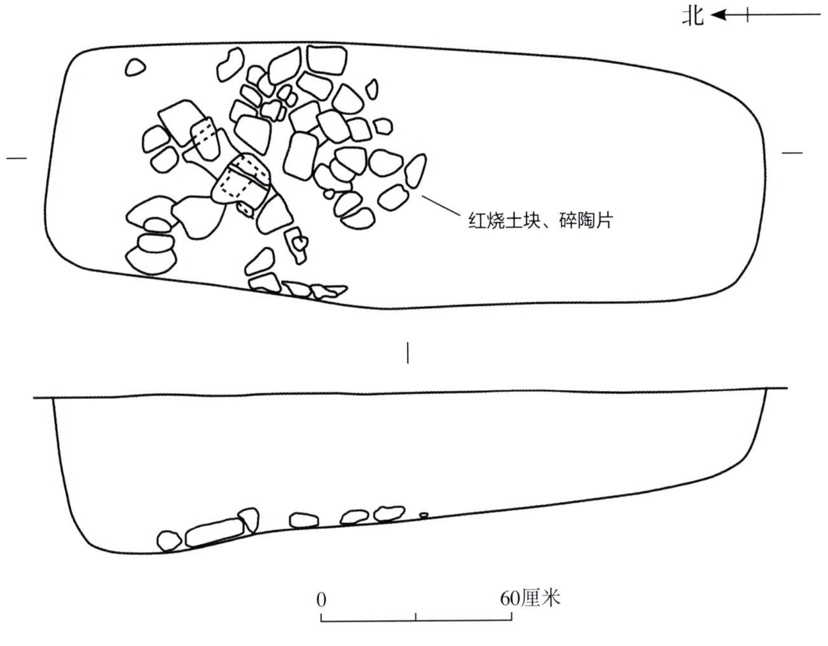

图 3.3.55　小嘴 H46 平、剖面图

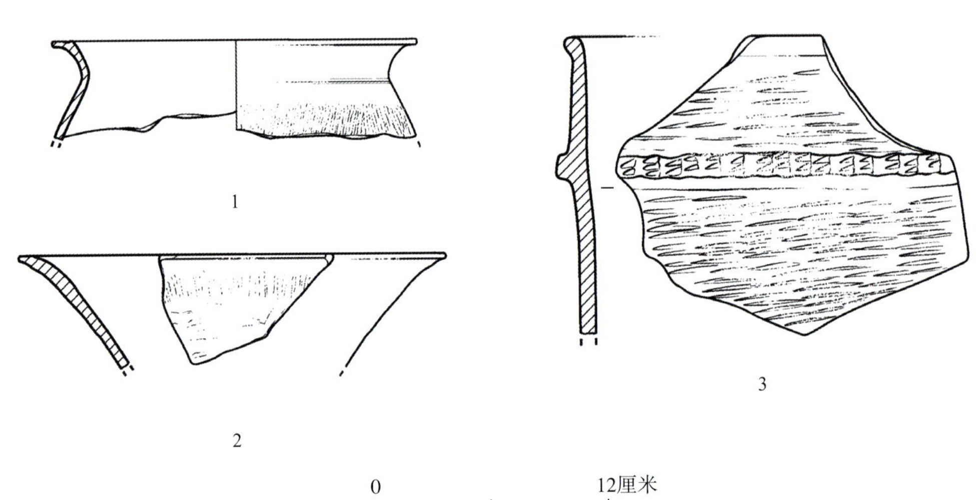

图 3.3.56　小嘴 H46 出土陶器

1. 鬲（H46：2）　2. 器盖（H46：4）　3. 缸（H46：3）

器盖　标本1件。

标本H46：4，夹砂黑皮陶。顶及捉手部分残。敞口呈喇叭状。口径22.1、残高5.6厘米（图3.3.56，2）。

2）石器

镰　标本1件。

标本H46：5，弧背直刃，前端较尖，尾端圆弧。通体磨光。长10.2、宽3.8、厚0.9厘米（图3.3.57）。

3）木炭样品

H46取到1份样品，有2块木炭，经鉴定同为一种阔叶树种，很遗憾由于没有现代样本进行比对，未能鉴定，其用途不明（图3.3.58）。

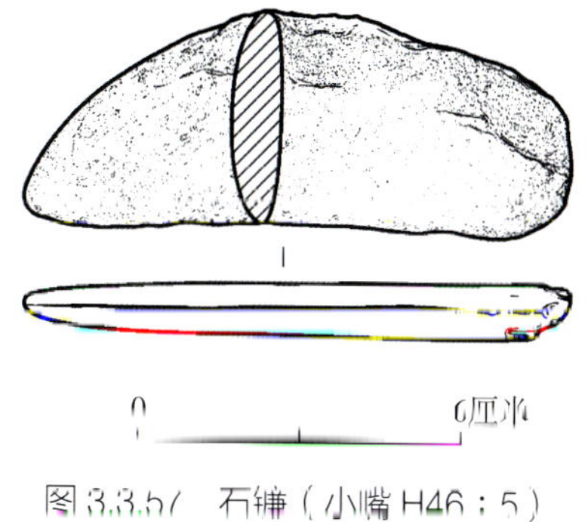

图3.3.57　石锛（小嘴H46：5）

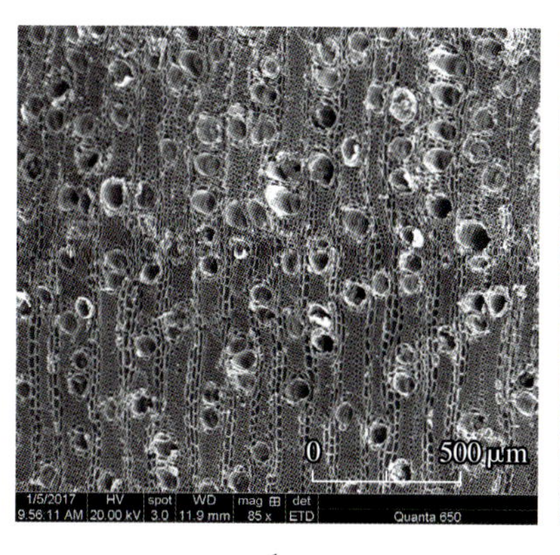

1

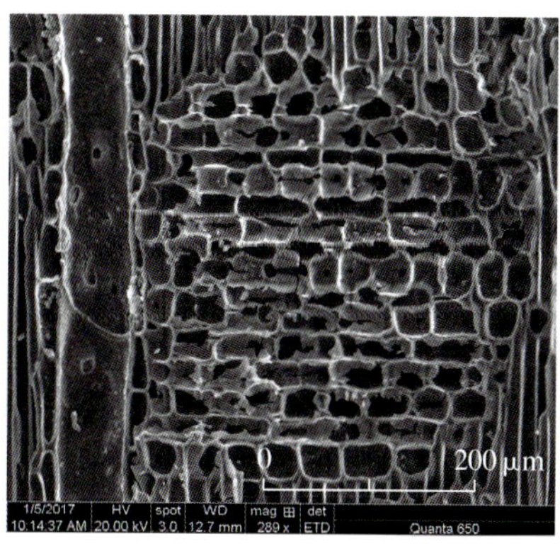

2

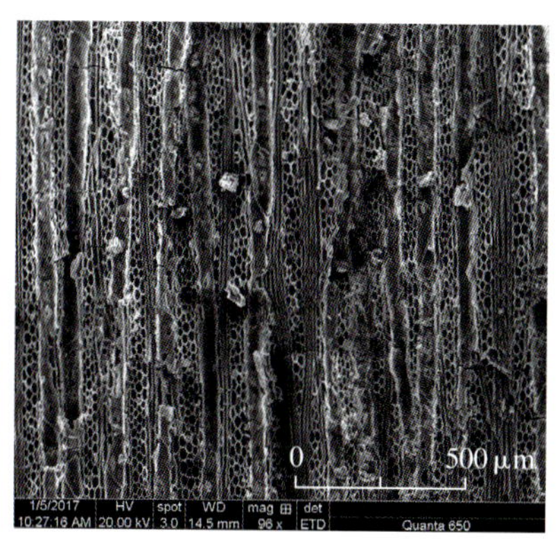

3

图3.3.58　小嘴H46木炭样品切面显微影像

1. 横切面　2. 径切面　3. 弦切面

表3.3.50　小嘴H46陶系、纹饰统计表　　（重量单位：克）

陶质		夹砂						泥质			印纹硬陶和原始瓷	合计	百分比（%）
纹饰	陶色	灰	黑皮	红	褐	黄	白	灰	黑皮	褐			
绳纹	数量	29	34	75	10		2	9	10		1	170	41.87
	重量	152	190	5135	255		95	78	120		10	6035	24.10
绳纹和附加堆纹	数量			[illegible]		2						5	1.23
	重量			1745		451						2196	8.77
网格纹	数量				2	4	1		1			8	1.97
	重量				219	288	10		8			525	2.10
网格纹和附加堆纹	数量			1			1					2	0.49
	重量			453			236					689	2.75
篮纹	数量					20						20	4.93
	重量					1511						1511	6.03

续表

纹饰＼陶质陶色		夹砂						泥质			印纹硬陶和原始瓷	合计	百分比（%）
		灰	黑皮	红	褐	黄	白	灰	黑皮	褐			
篮纹和附加堆纹	数量					5						5	1.23
	重量					11001						11001	43.93
附加堆纹	数量		1			1						2	0.49
	重量		80			58						138	0.55
弦纹	数量	2	1					4	4	1		12	2.96
	重量	6	3					17	66	27		119	0.48
叶脉纹	数量								1			1	0.25
	重量								13			13	0.05
素面	数量	33	49	26	8	25	1	27	9	3		181	44.58
	重量	283	350	725	248	777	38	184	178	34		2817	11.25
合计	数量	64	85	105	20	57	5	40	25	4	1	406	100.00
	重量	441	623	8058	722	14086	379	279	385	61	10	25044	100.00
百分比（%）	数量	15.76	20.94	25.86	4.93	14.04	1.23	9.85	6.16	0.99	0.24	100.00	
		82.76						17.00					
	重量	1.76	2.49	32.18	2.88	56.25	1.51	1.11	1.54	0.24	0.04	100.00	
		97.07						2.89					

表3.3.51　小嘴H46可辨器形统计表

器形＼陶质陶色	夹砂						泥质	合计	百分比（%）
	灰	黑皮	红	褐	黄	白	黑皮		
鬲	1	10						11	5.56
鬲足或甗足	2			3				5	2.53
罐	1							1	0.50
盆							1	1	0.50
大口尊		3					2	5	2.53
缸			100	12	57	5		174	87.88
器盖		1						1	0.50
合计	4	14	100	15	57	5	3	198	100.00
百分比（%）	2.02	7.07	50.50	7.58	28.79	2.53	1.51	100.00	

表3.3.52　小嘴H46木炭样品加速质谱仪（AMS）碳–14测年数据

Lab 编号	样品原编号	样品	碳 –14 年代（BP）	树轮校正后年代	
				1σ（68.2%）	2σ（95.4%）
BA161096	H46	木炭	3110±25	1422BC（41%）1384BC 1341BC（27.3%）1313BC	1439BC（53.8%）1366BC 1360BC（41.6%）1293BC

注：所用碳–14半衰期为5568年，BP为距1950年的年代。

树轮校正所用曲线为IntCal20 atmospheric curve (Reimer et al 2020)，所用程序为OxCal v4.4.2 Bronk Ramsey (2020)；r: 5。

1. Reimer P J, Bard E, Bayliss A, Beck J W. IntCal13 and Marine13 radiocarbon age calibration curves 0–50,000 years cal BP, Radiocarbon, 2013, 55, 1869-1887.

2. Christopher Bronk Ramsey 2015, https://c14.arch.ox.ac.uk/oxcal/OxCal.html.

（二十二）H47

位于Q1610T2012北部。开口于第2层下，打破H42及生土，灰坑东侧边缘被H53打破。坑口呈椭圆形，斜壁平底。基线方向为90°或270°。坑口东西长1、南北宽0.78、坑底东西长0.36、南北宽0.3、坑口距地表0.25、坑深0.76米（图3.3.59）。坑内出土少量陶片，以红陶缸为主，另可见鬲、罐等器形（图3.3.60；表3.3.53、表3.3.54）。

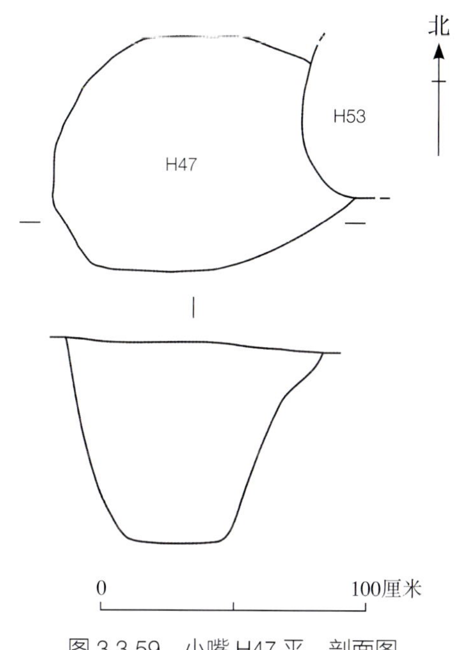

图 3.3.59　小嘴 H47 平、剖面图

陶器

鬲　标本3件。

标本H47：2，夹砂褐陶。侈口，折沿上仰，方唇，唇外缘内凹。颈部饰三周凸弦纹，颈部以下饰绳纹。口径14.9、残高6.1厘米（图3.3.60，3）。

标本H47：5，夹砂灰陶。侈口，平折沿作下垂状，尖圆唇。颈部以下饰绳纹。口径17.9、残高7.1厘米（图3.3.60，1）。

标本H47：8，侈口，平折沿，方唇，沿面有一周凹槽。颈部以下饰绳纹。口径14.5、残高5.1厘米（图3.3.60，2）。

缸　标本1件。

标本H47：1，夹砂灰陶。斜直壁，底近平。器表饰绳纹。残高15.2厘米（图3.3.60，4）。

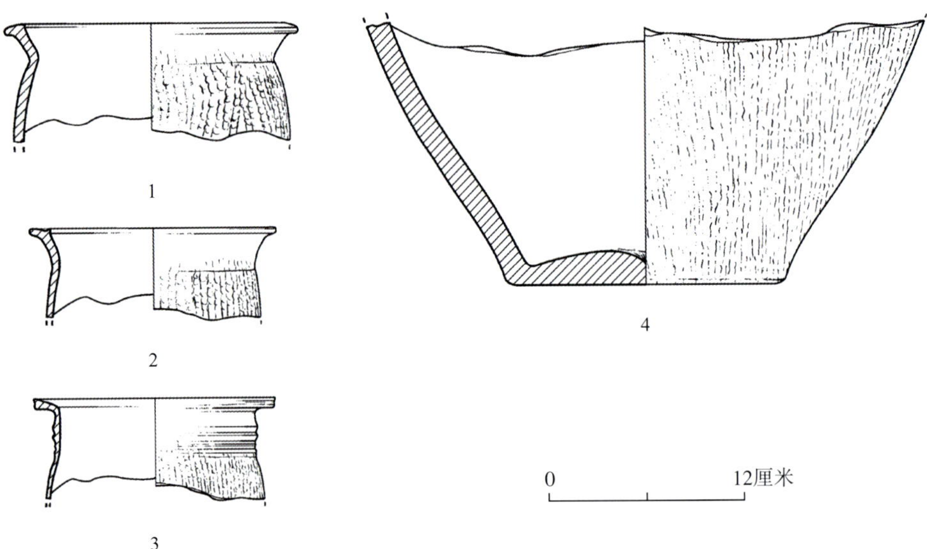

图 3.3.60　小嘴 H47 出土陶器

1～3. 鬲（H47：5、H47：8、H47：2）　4. 缸（H47：1）

表3.3.53　小嘴H47陶系、纹饰统计表　（重量单位：克）

纹饰 \ 陶质 / 陶色		夹砂						泥质			印纹硬陶和原始瓷	合计	百分比（%）
		灰	黑皮	红	褐	黄	白	灰	黑皮	黄			
绳纹	数量	40	33	6	55	14		3	4	4		159	45.95
	重量	228	367	367	648	1342		54	29	41		3076	38.04
绳纹和附加堆纹	数量	1										1	0.29
	重量	28										28	0.35
绳纹和弦纹	数量		1									1	0.29
	重量		36									36	0.45
网格纹	数量			4	6	25						35	10.12
	重量			131	166	1474						1771	21.90
网格纹和附加堆纹	数量					1						1	0.29
	重量					52						52	0.64
附加堆纹	数量	1		2	2							5	1.45
	重量	73		201	47							321	3.97
弦纹	数量							2				2	0.58
	重量							32				32	0.40
云雷纹	数量										1	1	0.29
	重量										15	15	0.19

续表

陶质		夹砂						泥质			印纹硬陶和原始瓷	合计	百分比（%）
纹饰	陶色	灰	黑皮	红	褐	黄	白	灰	黑皮	黄			
素面	数量	40	3	43	10	21	1	[illegible]	16		2	141	[illegible]
	重量	210	77	1200	193	577	75	179	169		75	2755	34.07
合计	数量	82	37	55	73	61	1	11	19	4	3	346	100.00
	重量	539	480	1899	1054	3445	75	265	198	41	90	8086	100.00
百分比（%）	数量	23.70	10.69	15.89	21.10	17.63	0.29	3.18	5.49	1.16	0.87	100.00	
		89.30						9.83					
	重量	6.67	5.94	23.49	13.03	42.60	0.93	3.28	2.45	0.51	1.10	100.00	
		92.66						6.24					

表3.3.54　小嘴H47可辨器形统计表

陶质	夹砂						泥质		合计	百分比（%）
器形 \ 陶色	灰	黑皮	红	褐	黄	白	灰	黑皮		
鬲	2	4		5					11	7.19
鬲足或甗足			8	2					10	6.54
甗				1					1	0.65
罐							3	1	4	2.61
斝							1		1	0.65
爵	1								1	0.65
盆							2		2	1.31
大口尊								2	2	1.31
缸			47	14	58	1			120	78.43
器盖		1							1	0.65
合计	3	5	55	22	58	1	6	3	153	100.00
百分比（%）	1.96	3.27	35.95	14.38	37.91	0.65	3.92	1.96	100.00	

（二十三）H48

位于Q1610T1814北部。开口于第2层下，打破生土。口部呈圆角长方形，弧壁圜底。基线方向为90°或270°。东西长约1.38、南北宽约0.56、坑口距地表0.25、深0.2米（图

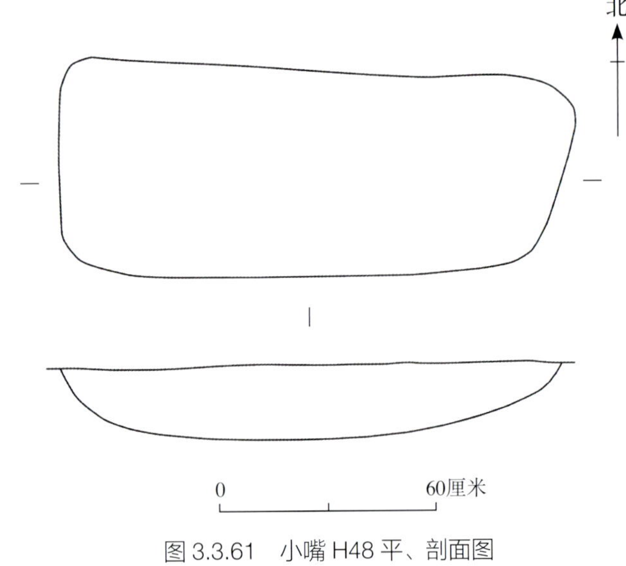

图 3.3.61　小嘴 H48 平、剖面图

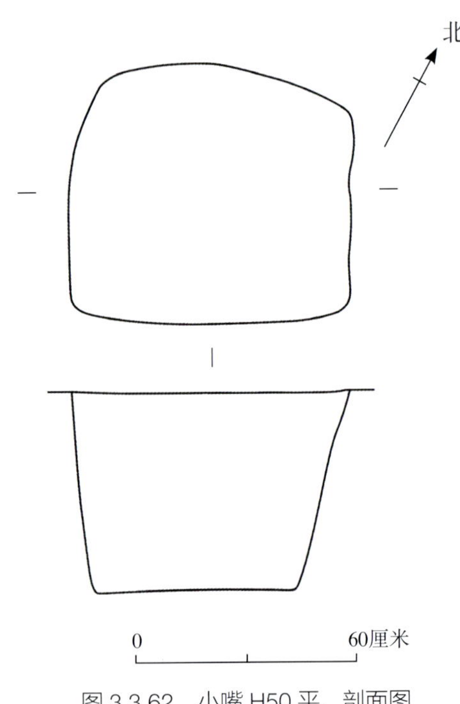

图 3.3.62　小嘴 H50 平、剖面图

3.3.61）。坑内填土呈深褐色，土质疏松。坑内出土少量陶片，可辨器形包括折沿鬲、缸等。

（二十四）H50

位于T1911东北部。开口于第2层下，打破生土。口部呈圆角长方形，直壁平底。基线方向为67°或247°。东北—西南长0.74、西北—东南宽0.68、坑口距地表0.25、坑深0.52米（图3.3.62）。坑底内出土有陶片及红烧土、炭屑，陶片可辨器形包括罐、盆、大口尊、缸等。

1）陶器

鬲　标本2件。

标本H50：6，夹砂灰陶。侈口，平折沿，方唇，沿面带两周凹槽，颈部饰一周附加堆纹，颈部以下饰绳纹，复原后口径18.9、残高4.9厘米（图3.3.63，1）。

标本H50：9，夹砂灰陶。侈口，平折沿，方唇，沿面带一周凹槽，颈部饰绳纹。复原后口径12.6、残高2.8厘米（图3.3.63，3）。

大口尊　标本1件。

标本H50：1，泥质灰陶。敞口，圆唇，束颈，折肩，下腹斜收，底残。复原后口径30.3、残高10.6厘米（图3.3.63，4）。

2）石器

砺石　标本1件。

标本H50：10，平面形状不规则，表面有明显的磨痕，中心因磨损而呈圆窝状。长8.4、宽6.8、厚2.8厘米（图3.3.63，2）。

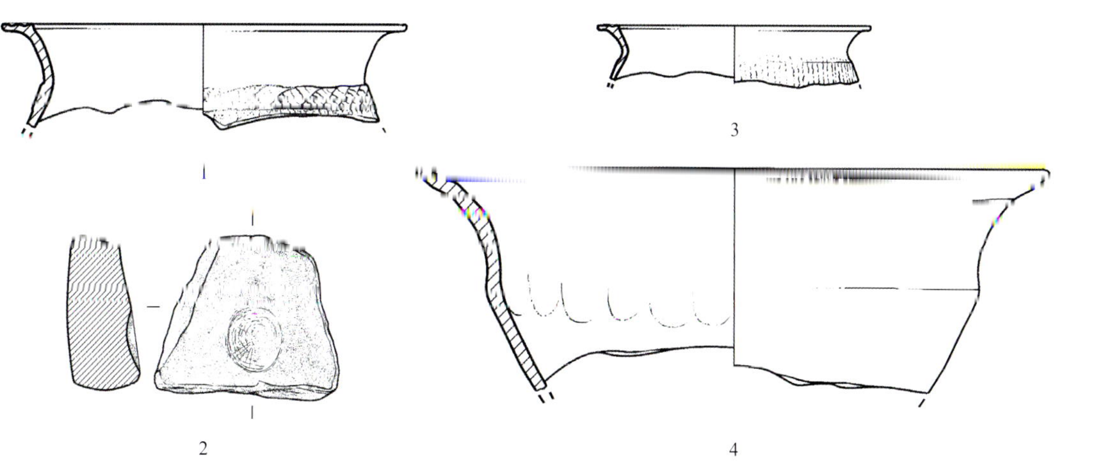

图 3.3.63　小嘴 H50 出土陶器和石器

1、3. 陶鬲（H50：6、H50：9）　2. 砺石（H50：10）　4. 陶大口尊（H50：1）

（二十五）H52

位于Q1610T1811西南部。开口于第1层下，打破H51及生土。坑口形状呈椭圆形，斜壁圜底。基线方向90°或270°。南北长0.65、东西长0.32、坑口距地表0.2、深0.6米（图3.3.64）。坑内填土为灰褐色，土质较为疏松。坑内夹杂陶片，陶片较为细碎，可辨器形包括鬲、罐等。

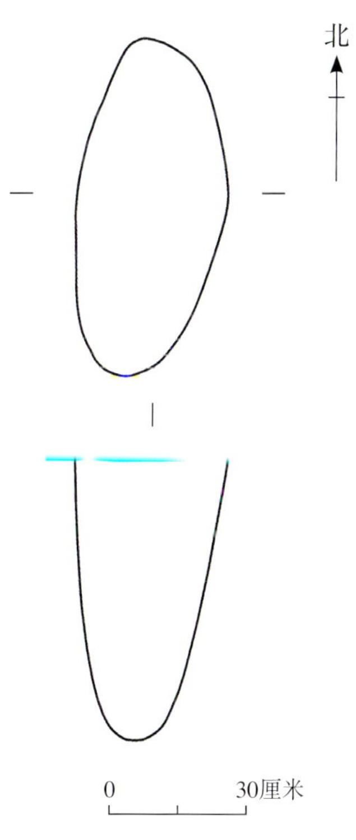

图 3.3.64　小嘴 H52 平、剖面图

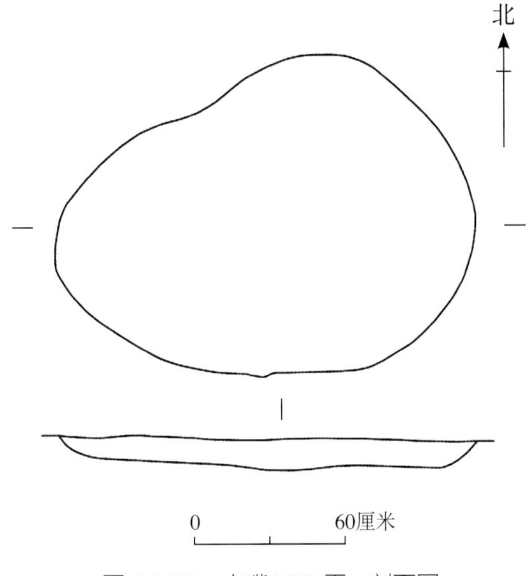

图 3.3.65 小嘴 H53 平、剖面图

（二十六）H53

位于Q1610T2012南部。开口于第1层下，打破H47、H42。开口平面为不规则的椭圆形，弧壁，平底。灰坑基线方向90°或270°，东西长1.7、南北长1.2、开口距离地表0.26、灰坑最深0.14米（图3.3.65）。填土为灰黄色黏土，土质较软，结构疏松。坑内不包含陶片、红烧土块，但可见部分石器和木炭块。石器有明显的磨制痕迹（图3.3.66），木炭呈块状。其中采集2块木炭样品，经鉴定种属为栎属壳斗科。

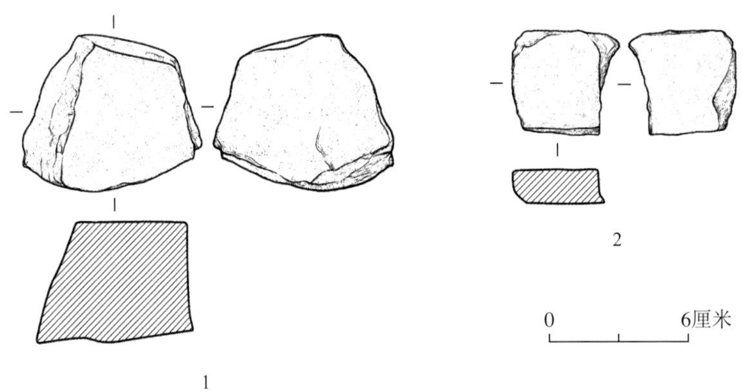

图 3.3.66 小嘴 H53 出土砺石

1. H53：1 2. H53：2

（二十七）H54

位于Q1610T1814～T1914中。开口于第2层下，打破生土。坑口呈椭圆形，斜壁，坑底西高东低呈坡状分布，平底。基线方向90°或270°。坑口东西长3.3、南北宽0.84、口部距地表0.3、坑口至坑底深0.35～0.4米。坑底及坑壁可见大量红烧土碎块，烧土块呈现出红色或青灰色烧结面，部分烧土块表面可见木炭块分布，同时坑壁西北角和东端均可见石块分布（图3.3.67）。坑内除红烧土外，还出土有少量细碎陶片及石镞一枚（图3.3.68）。该灰坑共采集木炭样品1件，进行了碳–14年代测定，检测结果见表3.3.55。坑内采集1块木炭样品，经鉴定种属为竹子竹亚科。

陶器

印纹硬陶罐 标本2件。

标本H54：3，下腹残。敞口，方唇，颈部微束，腹部弧收。上腹素面，近口处有一刻划符号，从表面形态来看，应为指甲形斜线相交形成，颈部以下饰云雷纹。上腹有明显轮制痕迹。复原后口径16、高6.3厘米（图3.3.68，1）。

标本H54：2，敞口，平折沿，方唇，束颈。素面。口径25.2、残高6.8厘米（图3.3.68，2）。

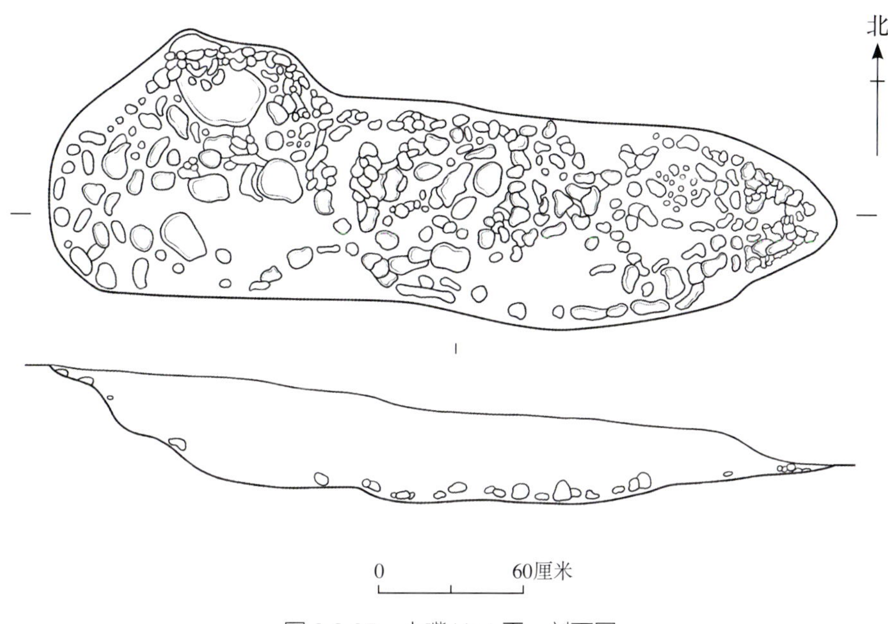

图 3.3.67 小嘴 H54 平、剖面图

图 3.3.68 小嘴 H54 出土印纹硬陶罐

1. H54：3 2. H54：2

表3.3.55　小嘴H54木炭样品加速质谱仪（AMS）碳-14测年数据

Lab 编号	样品原编号	样品	碳-14年代（BP）	树轮校正后年代	
				1σ（68.2%）	2σ（95.4%）
BA192339	H54：1	木炭	3080±35	1407BC（25.2%）1370BC 1356BC（43.1%）1295BC	1426BC（94.3%）1259BC 1242BC（1.1%）1234BC

注：所用碳-14半衰期为5568年，BP为距1950年的年代。

树轮校正所用曲线为IntCal20 atmospheric curve (Reimer et al 2020)，所用程序为OxCal v4.4.2 Bronk Ramsey (2020)；r: 5。

1. Reimer P J, Bard E, Bayliss A, Beck J W. IntCal13 and Marine13 radiocarbon age calibration curves 0–50,000 years cal BP, Radiocarbon, 2013, 55, 1869-1887.

2. Christopher Bronk Ramsey 2015, https://c14.arch.ox.ac.uk/oxcal/OxCal.html.

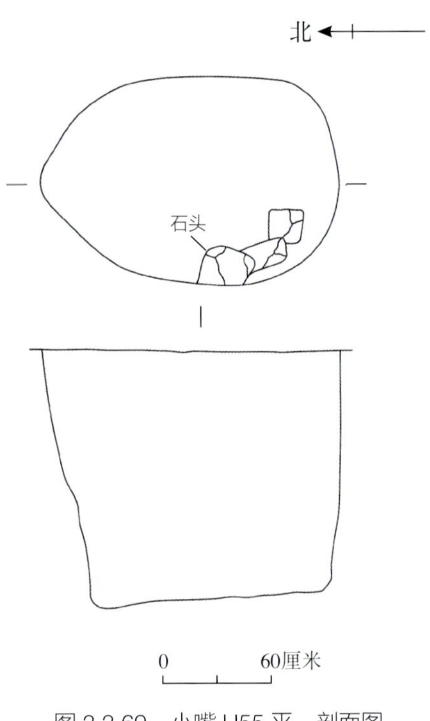

图3.3.69　小嘴H55平、剖面图

（二十八）H55

位于Q1610T2011北部。开口于第1层下，打破生土。开口平面为不规则的椭圆形，弧壁平底。灰坑基线方向0°或180°。东西长1.14、南北长1.7、坑口距地表0.2、灰坑最深1.4米（图3.3.69）。坑内填土为灰色黏土，土质较软，结构疏松。坑内包含陶片，不见木炭和红烧土块。陶片主要有红陶、灰陶，大多施绳纹，少数为素面，可辨认的器类多为缸，其他还有鬲、罐等（图3.3.70；表3.3.56、表3.3.57）。

陶器

鬲　标本1件。

标本H55：1，夹砂红陶。仅存口部。侈口，平折沿，尖圆唇，沿面有两周凹槽，沿外侧有一周凸棱。复原后口径28、残高3.25厘米（图3.3.70，1）。

缸　标本1件。

标本H55：2，夹砂红陶。仅存底部。残宽8.2、残高5.5厘米（图3.3.70，2）。

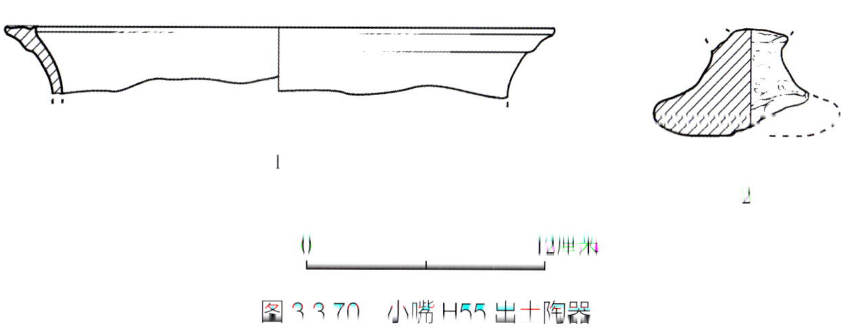

图3.3.70 小嘴H55出土陶器

1. 鬲（H55：1） 2. 缸（H55：2）

表3.3.56 小嘴H55陶系、纹饰统计表（重量单位：克）

陶质		夹砂						泥质			印纹硬陶和原始瓷	合计	百分比（%）
纹饰＼陶色		灰	黑皮	红	褐	黄	白	灰	黑皮	红			
绳纹	数量	10	14	7	4	7		1	2	3		48	35.29
	重量	3328	271	308	54	366		10	25	45		4407	14.68
绳纹和附加堆纹	数量		1	1		2						4	2.94
	重量		199	68		407						674	2.25
绳纹和弦纹	数量		1									1	0.74
	重量		22									22	0.07
网格纹	数量			2	6	3						11	8.09
	重量			47	394	268						709	2.36
篮纹	数量			1	7	5	4					17	12.50
	重量			20	667	277	1211					2175	7.25
篮纹和附加堆纹	数量					7						7	5.15
	重量					19255						19255	64.16
附加堆纹	数量			2	2	3	3					10	7.35
	重量			106	149	215	601					1071	3.57
弦纹	数量							2				2	1.47
	重量							33				33	0.11
S形纹	数量										1	1	0.74
	重量										29	29	0.10
素面	数量	5	1	6	7	9	3	2	1	1		35	25.74
	重量	590	12	279	253	364	64	15	33	26		1636	5.45
合计	数量	15	17	19	26	36	10	5	3	4	1	136	100.00
	重量	3918	504	828	1517	21152	1876	58	58	71	29	30011	100.00

续表

陶质		夹砂						泥质			印纹硬陶和原始瓷	合计	百分比（%）
纹饰＼陶色		灰	黑皮	红	褐	黄	白	灰	黑皮	红			
百分比（%）	数量	11.03	12.50	13.97	19.12	26.47	7.35	3.68	2.21	2.93	0.74	100.00	
		90.44						8.82					
	重量	13.06	1.68	2.76	5.05	70.48	6.25	0.19	0.19	0.24	0.10	100.00	
		99.28						0.62					

表3.3.57　小嘴H55可辨器形统计表

陶质	夹砂						合计	百分比（%）
器形＼陶色	灰	黑皮	红	褐	黄	白		
鬲	1	1					2	1.96
罐	1						1	0.98
缸	7	7	17	22	36	10	99	97.06
合计	9	8	17	22	36	10	102	100.00
百分比（%）	8.82	7.84	16.67	21.57	35.29	9.80	100.00	

（二十九）H61

位于Q1710T0211、T0212、T0311、T0312四个探方的交界处。开口于第3层下，打破H39和H62。坑口南北长1.6、东西宽1.8米。H61平面形状不规则，西侧被一大型现代坑打破。本次发掘未对H61进行清理，仅通过刮面确定了灰坑的边界。坑内填土呈黑褐色。在刮面确定灰坑范围过程中，仅出土有石牌饰1件。

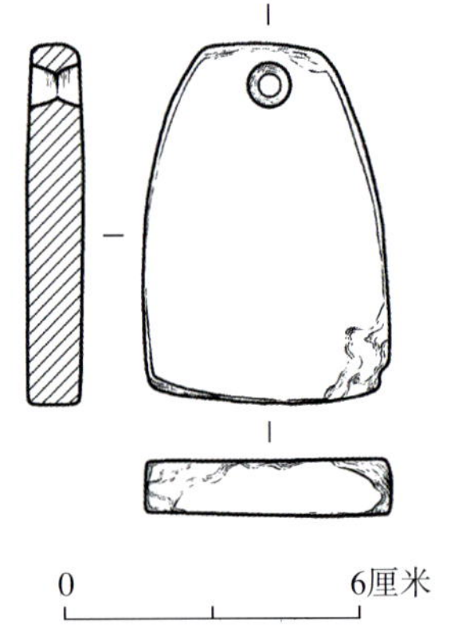

图3.3.71　石牌饰（小嘴H61：1）

石器

牌饰　标本1件。

标本H61：1，底部一角稍残。平面近似圆角梯形，顶部圆弧，中央有一圆形穿孔。通体磨光。石牌饰孔径0.4、长7、宽2.9、厚1.1厘米（图3.3.71）。

（三十）H72

分布于Q1610T1616东部，向东延伸至Q1610T1716。开口于第2层下，被H105打破，打破生土。平面形状呈椭圆形，斜壁圜底。基线方向0°或180°，南北长4.1、东西宽约3.8米。填土分为上下两层，上层为黑灰色土，下层为黄褐色土（图3.3.72）。只清理四分之一，出土较多陶片，可辨器形有陶鬲、盆、爵、缸等（图3.3.73、图3.3.74；表3.3.58、表3.3.59）。此外，在上下两层各出土铜镞1件。

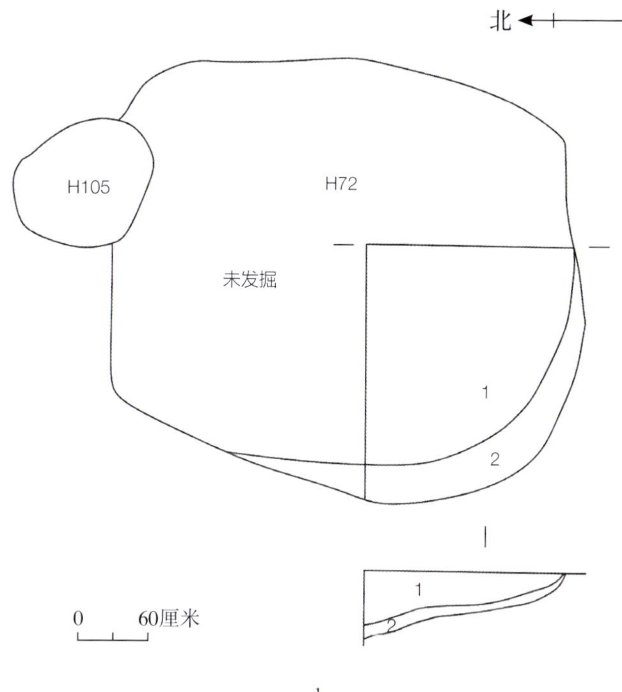

1

2

图 3.3.72　小嘴 H72 平、剖面图和照片

1. 平、剖面图　2. 剖面照片

1）青铜器

镞　标本2件。

标本H72①：7，翼后锋残损。有翼镞，为三角形扁平双斜翼，脊作四棱状，铤较长，呈扁圆锥形。通长5.4厘米（图3.3.73，1）。

标本H72②：6，铤部残损。与H72①：7形制基本相同。残长8.42厘米（图3.3.73，2）。

2）陶器

鬲　标本3件。

标本H72①：3，夹砂灰陶。下腹残。侈口，折沿，方唇，束颈，直腹微鼓。颈部以下饰绳纹。复原后口径20.2、残高2.6厘米（图3.3.74，1）。

标本H72①：5，夹砂灰陶。腹部残。侈口，平折沿，方唇。口径16.8、残高3.5厘米（图3.3.74，6）。

标本H72②：3，夹砂褐陶。颈部以下残。侈口，平折沿，圆唇，束颈。复原后口径22.3、残高3.9厘米（图3.3.74，2）。

爵　标本1件。

标本H72①：4，夹砂灰陶。上腹及足尖残。联裆。残高6.2厘米（图3.3.74，5）。

盆　标本1件。

标本H72①：2，泥质灰陶。下腹残。敛口，折沿，圆唇，鼓腹。上腹饰三周弦纹。复原后口径22.3、残高6厘米（图3.3.74，4）。

缸　标本2件。

标本H72①：1，夹砂红陶。侈口，圆唇，斜直腹。上腹饰一周附加堆纹，堆纹上下满饰绳纹。复原后口径33、残高20.5厘米（图3.3.74，7）。

标本H72①：6，夹砂红陶。仅余下腹及底，足缺损一半。下腹弧收，接饼状足。腹部饰绳纹，绳纹饰至底部，足素面。绳纹结束后接饼状足。此外器内可见泥坯分层。底径7.3、残高11.6厘米（图3.3.74，3）。

3）石器

刀　标本1件。

标本H72①：8，前端及尾端均残，仅保留中部。前段窄，后端宽，弧背直刃。通体磨光。残长6.2，宽8.9厘米（图3.3.73，3）。

砺石　标本1件。

标本H72②：5，已残断，两面有明显磨损痕迹。平面呈三角形。残长11.6，宽8.8，厚4厘米（图3.3.73，4）。

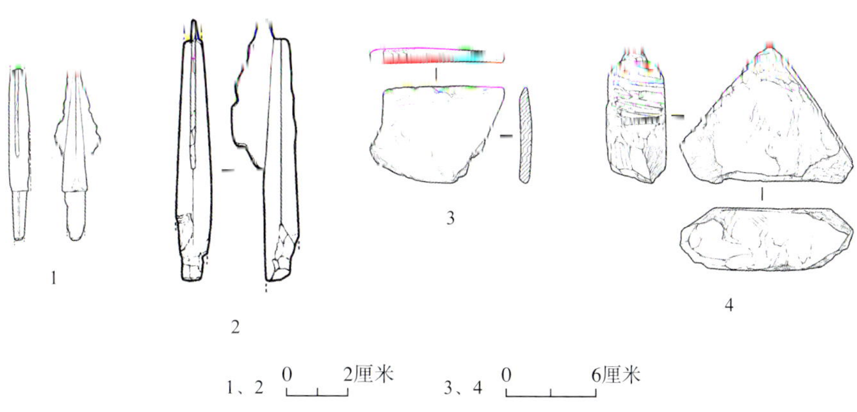

图 3.3.73 小嘴 H72 出土青铜器和石器

1、2. 青铜镞（H72①：7、H72②：6） 3. 石刀（H72①：8） 4. 砺石（H72②：5）

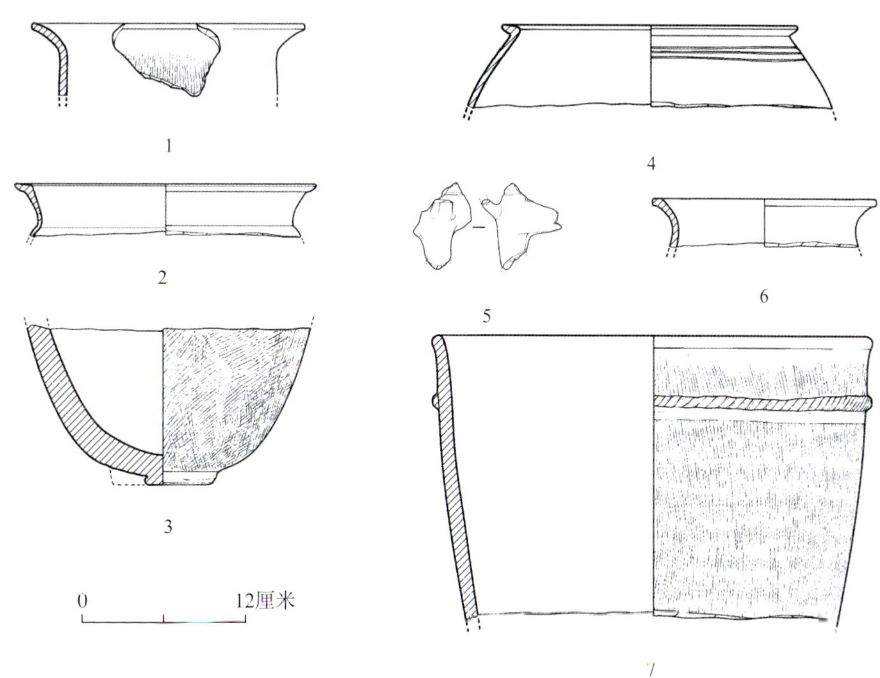

图 3.3.74 小嘴 H72 出土陶器

1、2、6. 鬲（H72①：3、H72②：3、H72①：5） 3、7. 缸（H72①：6、H72①：1） 4. 盆（H72①：2） 5. 爵（H72①：4）

表3.3.58　小嘴H72陶系、纹饰统计表　　（重量单位：克）

纹饰 \ 陶质 / 陶色		夹砂 灰	夹砂 黑皮	夹砂 红	夹砂 褐	夹砂 黄	夹砂 白	泥质 灰	泥质 黑皮	泥质 红	泥质 褐	印纹硬陶和原始瓷	合计	百分比（%）
绳纹	数量	36	104	134	37	30		17	13		1		372	47.57
	重量	730	1945	9120	1975	1470		330	175		10		15755	42.19
绳纹和附加堆纹	数量	3	2	19	1	5							30	3.84
	重量	120	155	3835	235	1485							5830	15.61
绳纹和弦纹	数量		4						2				6	0.77
	重量		35						45				80	0.21
网格纹	数量	4	1		4	4							13	1.67
	重量	45	20		450	150							665	1.78
网格纹和附加堆纹	数量		4	1	1								6	0.77
	重量		340	180	280								800	2.14
篮纹	数量	5		14	7	15							41	5.24
	重量	305		1380	665	2355							4705	12.60
篮纹和附加堆纹	数量						1						1	0.12
	重量						75						75	0.20
附加堆纹	数量		4	10	1	2							17	2.17
	重量		285	1715	40	60							2100	5.62
弦纹	数量			1				3	6		1		11	1.41
	重量			20				140	55		10		225	0.60
云雷纹	数量								2			3	5	0.64
	重量								25			55	80	0.21
叶脉纹	数量					2							2	0.25
	重量					50							50	0.13
素面	数量	44	49	76	10	18	3	19	48	2	8	1	278	35.55
	重量	580	595	3275	295	895	225	150	780	25	125	30	6975	18.68
合计	数量	92	168	255	61	76	4	39	71	2	10	4	782	100.00
	重量	1780	3375	19525	3940	6465	300	620	1080	25	145	85	37340	100.00
百分比（%）	数量	11.76	21.48	32.61	7.80	9.72	0.51	4.99	9.08	0.25	1.28	0.51	100.00	
		83.88						15.60						
	重量	4.77	9.04	52.29	10.55	17.31	0.80	1.66	2.89	0.07	0.39	0.22	100.00	
		94.76						5.01						

表3.3.59　小嘴H72可辨器形统计表

陶质	夹砂						泥质			合计	百分比（%）
器形＼陶色	灰	黑皮	红	褐	黄	白	灰	黑皮	褐		
鬲	4	16	3	8						31	6.46
甗	1	6	1	1						9	1.87
罐	2		1							3	0.63
爵				1					1	2	0.42
豆			1					2		3	0.63
盆							4			4	0.83
大口尊							1	5	1	7	1.46
缸	34	39	203	61	76	4				417	86.87
圈足			1				2	1		4	0.83
合计	41	61	210	71	76	4	7	8	2	480	100.00
百分比（%）	8.54	12.71	43.75	14.79	15.83	0.83	1.46	1.67	0.42	100.00	

（三十一）H73

位于Q1610T1714北部，向北延伸至T1715。开口于第2层下，打破生土，南部被H76打破。平面呈椭圆形，直壁弧底。基线方向0°或180°。南北长约3.4、东西宽约1.9、深0.84米（图3.3.75）。坑内填土为黑灰色土，土质疏松。坑内出土大量陶片，以夹砂红陶、夹砂灰陶、夹砂黑皮陶为主，未发现印纹硬陶。陶器多数饰绳纹，可辨器形有陶鬲、甗、大口尊、爵等（图3.3.76～图3.3.83；表3.3.60、表3.3.61），还发现有少量石器、铜颗粒及大量动物骨骼。该灰坑共采集木炭样品2件，进行了碳–14年代测定，检测结果见表3.3.62。

1）青铜器

镞　标本1件。

标本H73：76，双翼及刃部残。双翼有铤镞，铤作扁圆锥形。残长5.3厘米（图3.3.82，5）。

2）陶器

鬲　标本9件。

标本H73：1，夹砂灰陶。足残。直口微侈，平折沿，沿面有一道凹槽，圆唇，束颈，鼓腹，联裆。颈部以下饰绳纹。复原后口径10.4、残高7.5厘米（图3.3.76，7）。

标本H73：2，夹砂灰陶。实足跟残。侈口，平折沿，圆唇，束颈，鼓腹，联裆。颈部以下绳纹。复原后口径17.2、残高13.8厘米（图3.3.76，8）。

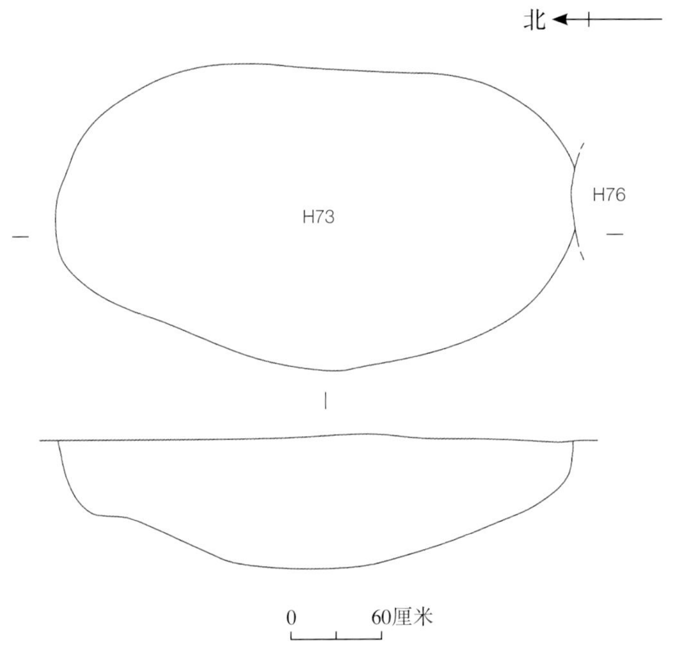

图 3.3.75 小嘴 H73 平、剖面图

标本H73：6，夹砂灰陶。敞口，平折沿，沿面有一周凹槽，圆唇，束颈，微鼓腹，联裆，三个高尖锥足。颈部饰一周附加堆纹，堆纹以下满饰绳纹。复原后口径25.7、高28.3厘米（图3.3.76，9；图3.3.77）。

标本H73：42，夹砂灰陶。下腹缺失。敞口，平折沿，沿面有一周凹槽，圆唇，束颈，鼓腹。上腹饰一周附加堆纹，堆纹以下饰绳纹。复原后口径21.9、残高8.2厘米（图3.3.76，5）。

标本H73：44，夹砂灰陶。下腹残。侈口，平折沿，沿面有一周凹槽，圆唇，束颈，鼓腹。腹部饰绳纹。复原后口径24.2、残高6厘米（图3.3.76，2）。

标本H73：45，夹砂红胎黑皮陶。下腹残。侈口，平折沿略上扬，沿内起棱形成凹槽，圆唇，束颈，鼓腹。腹部饰绳纹。复原后口径18.5、高7.4厘米（图3.3.76，4）。

标本H73：48，夹砂灰陶。腹部残。侈口，平折沿，沿内起棱形成凹槽，圆唇，束颈。上腹饰一周附加堆纹。复原后口径18.3，高6.1厘米（图3.3.76，6）。

标本H73：49，夹砂红胎黑皮陶。下腹残。侈口，平折沿，沿面较短，圆唇，束颈，鼓腹。上腹饰一周附加堆纹，堆纹以下满饰绳纹。复原后口径20.8、残高8厘米（图3.3.76，3）。

标本H73：50，夹砂灰陶。下腹残。侈口，平折沿，沿面有一周凹槽，圆唇，束颈，鼓腹。腹部饰绳纹。复原后口径24.2、残高8.3厘米（图3.3.76，1）。

甗　标本4件。

标本H73：39，夹砂灰陶。甑部上腹及鬲部底残。器身满饰绳纹。残高12.9厘米（图3.3.76，13）。

标本H73：40，夹砂灰陶。甗腰内盛箅的折棱缺失，鬲部残缺。侈口，平折沿，沿面有一周凹槽，束颈，鼓腹。颈部以下饰绳纹。复原后口径27.6、残高17.3厘米（图3.3.76，10）。

标本H73：43，夹砂灰陶。甑部下腹及以下残。侈口，平折沿，沿面有一周凹槽，束颈，

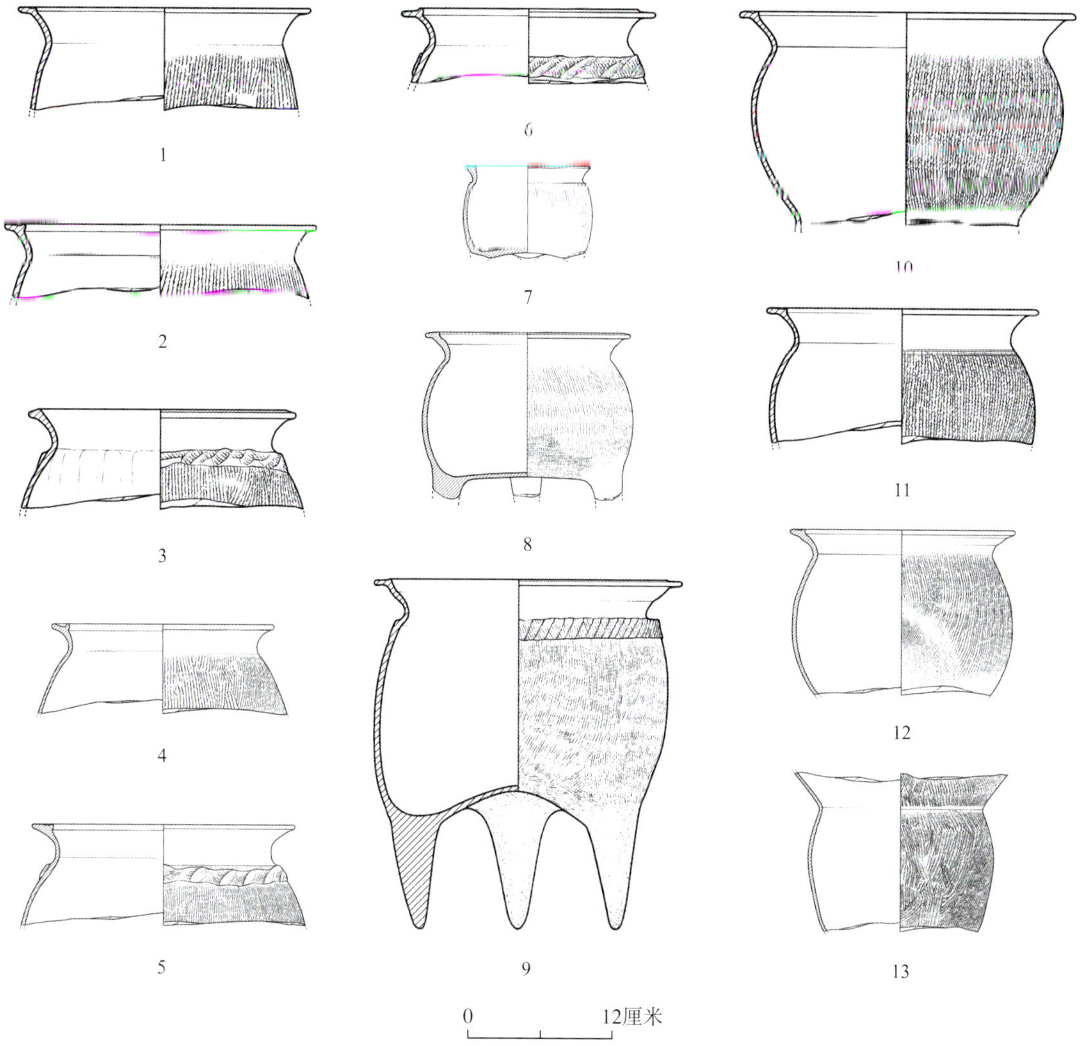

0 12厘米

图 3.3.76 小嘴 H73 出土陶器

1～9. 鬲（H73：50、H73：44、H73：49、H73：45、H73：42、H73：48、H73：1、H73：2、H73：6）
10～13. 甗（H73：40、H73：43、H73：46、H73：39）

图 3.3.77 陶鬲（小嘴 H73：6）出土情况

鼓腹。颈部饰两周弦纹，弦纹以下饰绳纹。复原后口径22.5、残高11.1厘米（图3.3.76，11）。

标本H73：46，夹砂灰陶。腰部及以下残。侈口，平折沿，沿面有一道凹槽，束颈，鼓腹。腹部饰绳纹。复原后口径18.8、残高13.4厘米（图3.3.76，12）。

爵 标本2件。

标本H73：12，夹砂灰陶。足残。侈口，尖唇，前有槽状流，尾部残损，腹部斜收，束腰，侧面有一扁平弧形鋬，连裆。腰部饰一周弦纹。残高10厘米（图3.3.78，3）。

标本H73：54，夹砂灰陶。尾部残，底残。流部上扬，束腰，圆腹，腹旁附扁平形鋬。腰部饰有一周弦纹。残高8.3厘米（图3.3.78，2）。

斝 标本3件。

标本H73：3，夹砂灰陶。上腹为泥质，下腹为夹砂。敛口，方唇，圆肩，腹部内收，束腰，联裆，三浅袋足，下加高足尖，腹侧有一扁平鋬连接上下腹。口部及肩部各饰两周弦纹，上腹及腰部饰一周弦纹，下腹部饰竖绳纹。复原后口径10.6、高16.7厘米（图3.3.78，6；图3.3.80）。

标本H73：4，夹砂灰胎黑皮陶。裆部与足残。敞口，平折沿，尖唇，束腰，侧面有一扁平弧形鋬。沿上有两个圆形乳钉，沿下及腰部饰两周弦纹，下腹饰绳纹。复原后口径17、残高11.8厘米（图3.3.78，5）。

标本H73：56，泥质灰陶。腹部残。敛口，方唇，圆肩。口部及肩部各饰两周弦纹，肩部有一乳钉。复原后口径11、残高5.3厘米（图3.3.78，1）。

豆 标本1件。

标本H73：14，泥质黑皮陶。残存豆盘。敞口，折沿，浅盘。豆盘饰有弦纹。复原后口径14.1、残高3.4厘米（图3.3.79，5）。

簋 标本2件。

标本H73：11，泥质灰陶。下腹残。敞口，尖唇，腹部斜收，圜底，下接高圈足，圈足外撇，足近底处加厚。上腹及圈足上部分别减地饰一周ᘓ形纹，上腹一周ᘓ形纹有三层，圈足上部有四层，ᘓ形纹饰带上下各饰一周弦纹，足底下部亦饰一周弦纹。复原后口径27.8、底径13.9、高24厘米（图3.3.79，3）。

标本H73：75，泥质灰陶。下腹残。直口微侈，平折沿，方唇。上腹纹饰与H73：11相同，亦为减地饰一周三层ᘓ形纹，纹饰带上下各饰一周弦纹。复原后口径20.5、残高8.3厘米（图3.3.79，6）。

盆 标本4件。

标本H73：16，泥质黑皮陶。下腹残。敛口，平折沿，圆唇，深腹圆鼓。上腹及中腹可见多周弦纹。复原后口径23.4、残高8.4厘米（图3.3.79，7）。

标本H73：18，泥质黑皮陶。下腹残。敛口，圆唇，卷折沿，鼓腹，颈部经过刮削。复原后口径25.4、残高5.7厘米（图3.3.79，2）。

标本H73：22，泥质灰陶。下腹残。侈口，沿斜向上折，圆唇，上腹部较直，下腹部斜向内收，颈部经过刮削。上腹饰两周弦纹，弦纹间饰绳纹，绳纹较为模糊。复原后口径14.8、残高5.1厘米（图3.3.79，1）。

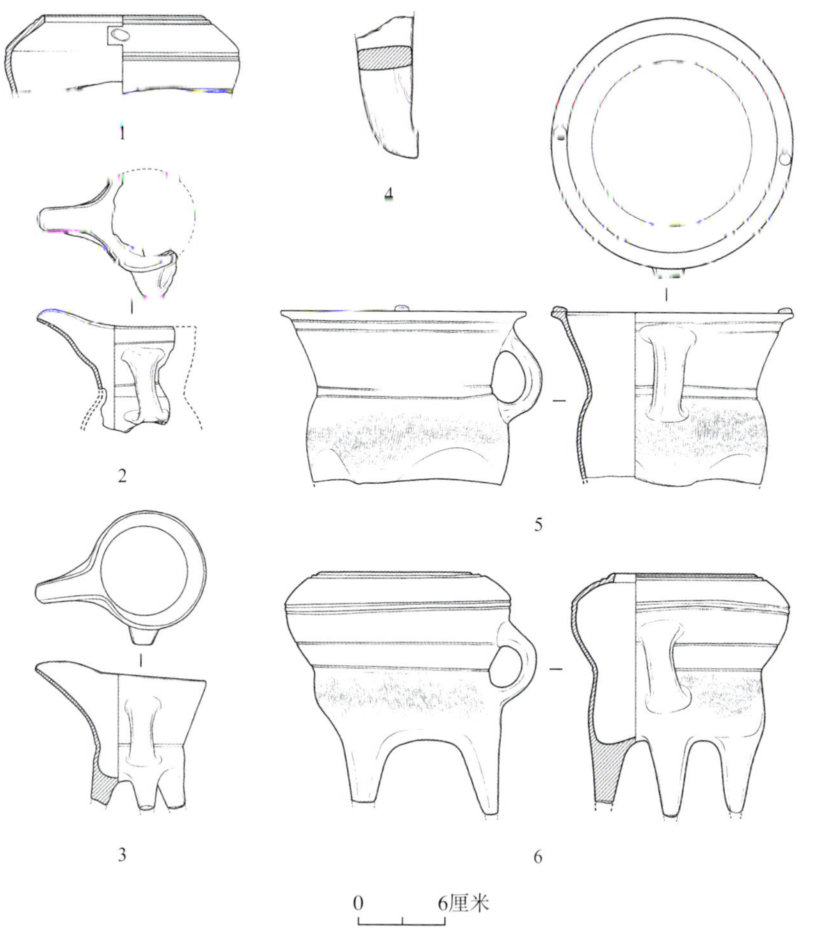

图 3.3.78　小嘴 H73 出土陶器

1、5、6. 斝（H73：56、H73：4、H73：3）　2、3. 爵（H73：54、H73：12）　4. 器足（H73：17）

标本H73：23，泥质灰陶。底残。敞口，沿宽折沿，圆唇，浅腹，颈部经过刮削。素面。复原后口径16、残高3.6厘米（图3.3.79，4）。

大口尊　标本1件。

标本H73：13，夹砂红胎黑皮陶。敞口，圆唇，长颈斜收，折肩外凸，口径大于肩径。上腹部有绳纹抹光，颈部及肩部饰一周弦纹，上腹部饰三周弦纹，弦纹下满饰绳纹。复原后口径35.9、残高20.8厘米（图3.3.79，8）。

缸　标本8件。

标本H73：5，夹砂红陶。侈口，方唇，斜直腹，腹下部接饼状足，足底内凹。沿下饰一周附加堆纹，堆纹下满饰绳纹，足边缘饰一周戳印纹。复原后口径31、底径8.4、高35.6厘米（图3.3.81，8）。

标本H73：7，夹砂红陶。侈口，方唇，斜直腹，腹下部接饼状足。沿下饰一周附加堆纹，器身满饰方格纹，饼足底饰戳印纹。复原后口径31.6、高33.6厘米（图3.3.81，4）。

标本H73：8，夹砂红陶。侈口，方唇，斜直腹，足残。上腹饰一周附加堆纹，堆纹上

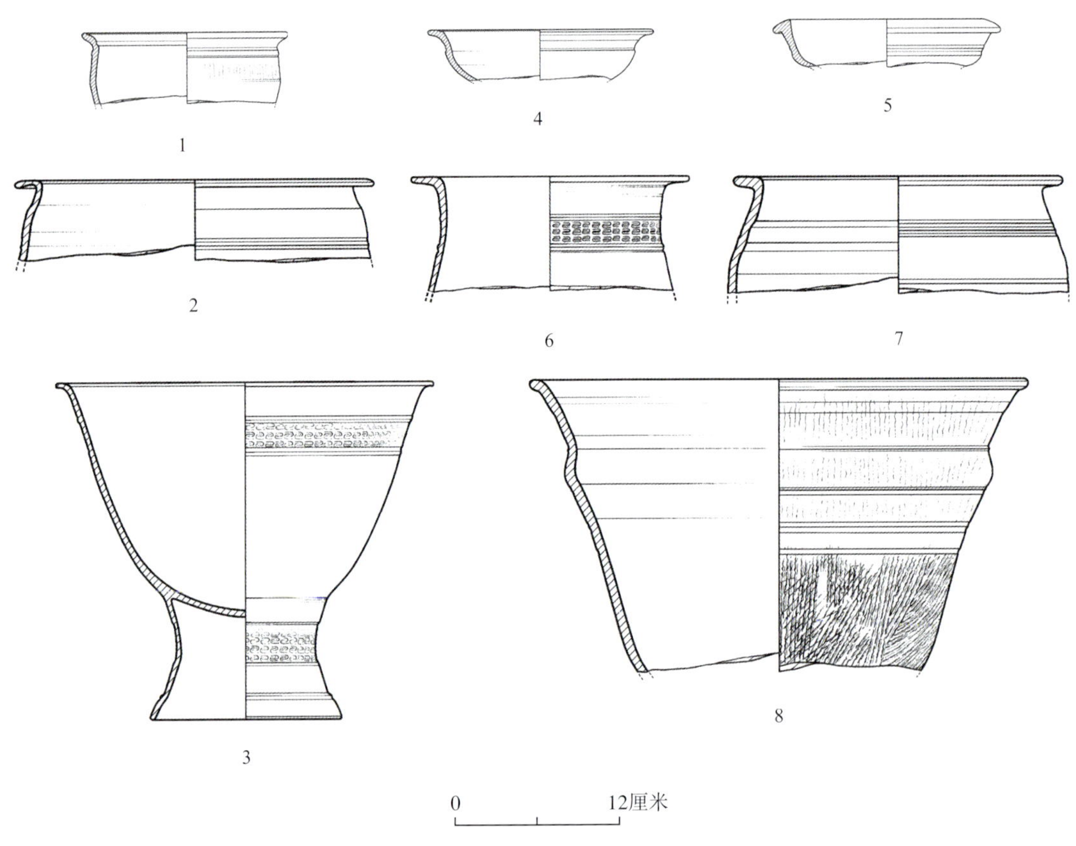

图3.3.79　小嘴H73出土陶器

1、2、4、7. 盆（H73：22、H73：18、H73：23、H73：16）　3、6. 簋（H73：11、H73：75）　5. 豆（H73：14）　8. 大口尊（H73：13）

图3.3.80　陶斝（小嘴H73：3）出土情况

下满饰方格纹。复原后口径34、底径7.2、高37.9厘米（图3.3.81，5）。

标本H73：9，夹砂黄陶。侈口，方唇，斜直腹，腹下部接饼状足，足底内凹。上腹饰一周附加堆纹，堆纹上下满饰方格纹，足边缘饰一周截印纹。复原后口径29.5、底径9.3、高34.7厘米（图3.3.81，6）。

标本H73：10，夹砂红陶。敞口，方唇，唇面有一道凹槽，斜直腹，足残。上腹饰两周附加堆纹，堆纹上下满饰方格纹。复原后口径36.8、底径4.4、高37.6厘米（图3.3.81，7）。

标本H73：33，夹砂红陶。侈口，方唇，唇部加厚，直腹，下腹残。上腹饰一周附加堆纹，堆纹上下满饰绳纹。复原后口径28.8、残高12厘米（图3.3.81，3）。

标本H73：34，亦为一叶脉纹缸片。长10、宽6.25厘米（图3.3.81，2）。

标本H73：35，夹砂褐陶。仅存腹片。应为缸片近口部，上饰附加堆纹，堆纹下饰叶脉纹。残高6.58厘米（图3.3.81，1）。

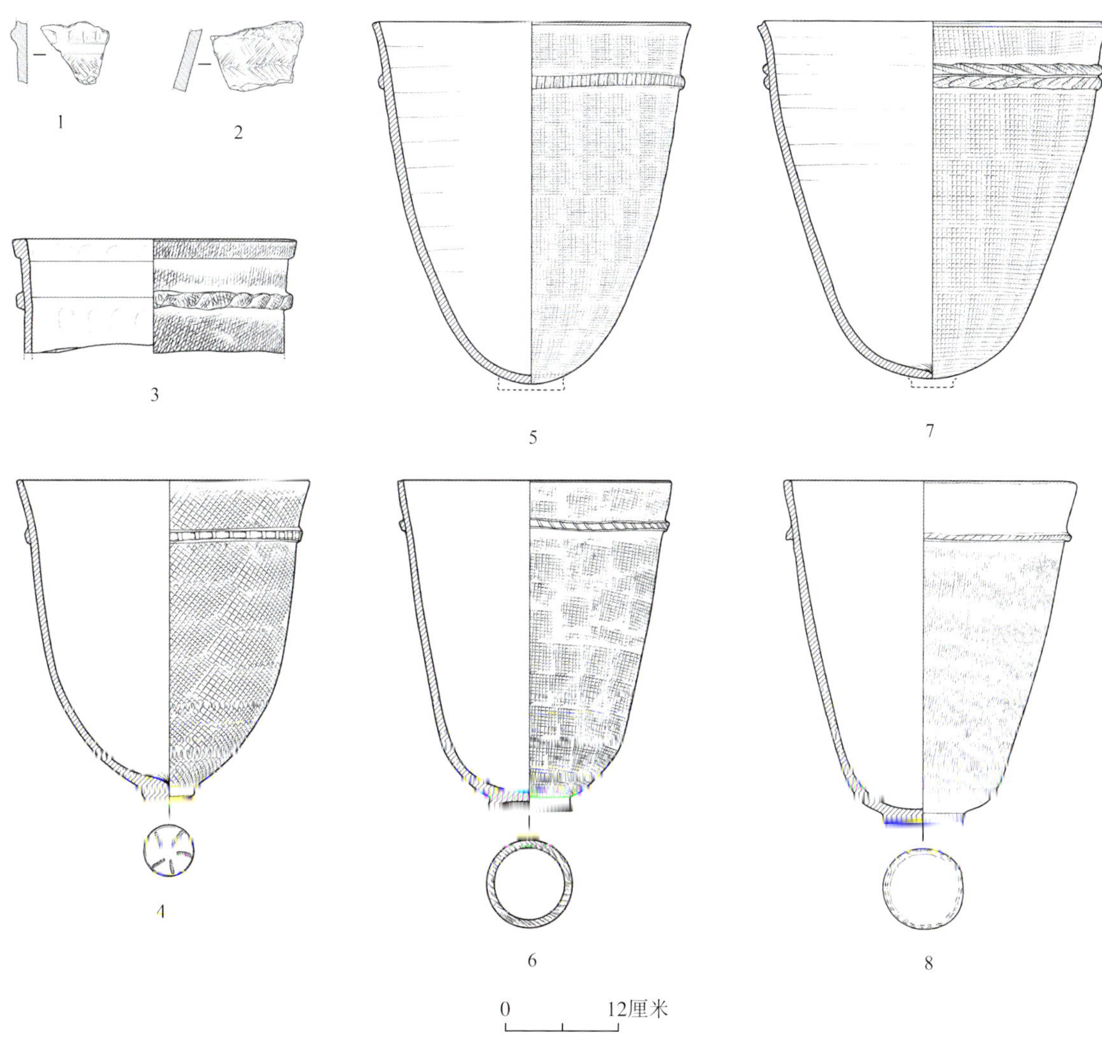

图3.3.81　小嘴H73出土陶缸

1. H73：35　2. H73：34　3. H73：33　4. H73：7　5. H73：8　6. H73：9　7. H73：10　8. H73：5

器足　标本1件。

标本H73：17，泥质灰陶。足下部外撇。残高9.8厘米（图3.3.78，4）。

纺轮　标本1件。

标本H73：66，夹砂红陶。上下面平整，周壁平直。直径5.6、厚1.9厘米（图3.3.82，3）。

圆陶片　标本2件。

标本H73：61-1，泥质灰陶。通体素面，周壁光滑。直径5.1、厚0.6厘米（图3.3.82，2）。

标本H73：61-2，泥质灰陶。通体素面，周壁光滑。直径4、厚0.5厘米（图3.3.82，1）。

3）石器

砺石　标本2件。

标本H73：65，红褐色砂岩。器体残断，器表有明显的磨痕。残长4.1厘米（图3.3.82，6）。

标本H73：74，已残断。平面呈不规则长方形。残长8.5、宽6厘米（图3.3.82，7）。

4）骨器

卜骨　标本1件。

标本H73：72，牛肩胛骨。由于保存状况较差，采取现场整体打包形式提取，目前仅可见肩胛扇较平整一面，肩胛窝部分已缺失，肩胛扇边缘及外侧角有残损。骨面经过修整，其上分布数十个圆形钻孔，大小不一，钻孔整体呈圆形集中排布。未见其他明显的人工痕迹。残长20.6、宽13.9厘米，钻孔最大直径0.6厘米，最小直径0.25厘米（图3.3.83）。

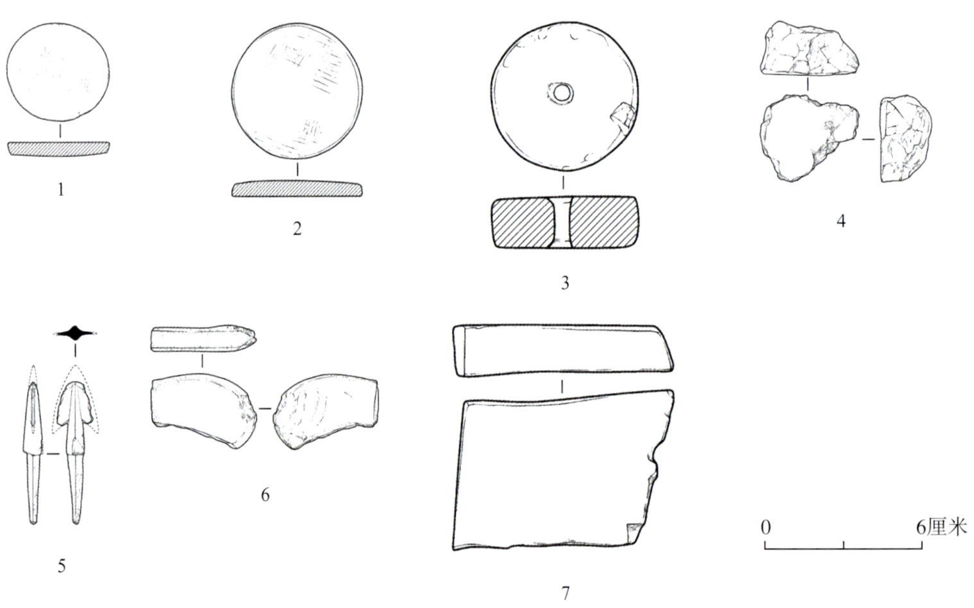

图3.3.82　小嘴H73出土青铜器、陶器和石器等

1、2. 圆陶片（H73：61-2、H73：61-1）　3. 陶纺轮（H73：66）　4. 红烧土块（H73：73）
5. 青铜镞（H73：76）　6、7. 砺石（H73：65、H73：74）

5）红烧土块

标本1件。

标本H73：73，烧土呈红褐色。其中一面较为平整。烧成火候较低。长3.8、宽3.25厘米（图3.3.82，4）。

H73出土大量动物骨骼，但由于保存状况较差，仅部分可提取，目前正在进行清理及鉴定工作，此外H73还出土铜颗粒共计7件，部分铜颗粒与陶片黏附在一起，应与铸铜生产有关。

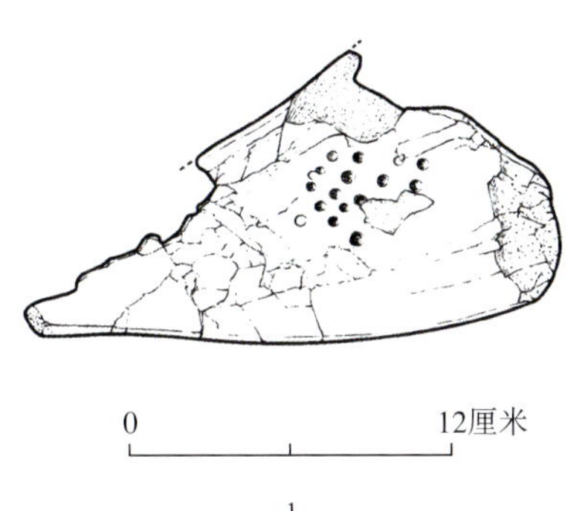

1

2

图3.3.83　卜骨（小嘴H73：72）

1. 线图　2. 照片

表3.3.60　小嘴H73陶系、纹饰统计表　（重量单位：克）

陶质		夹砂						泥质		合计	百分比（%）
纹饰＼陶色		灰	黑皮	红	褐	黄	白	灰	黑皮		
绳纹	数量	70	29	170	140	33		115	284	841	30.08
	重量	2360	980	12610	6840	2110		820	2225	27945	25.31
绳纹和附加堆纹	数量	13	13	19	21	8				74	2.65
	重量	5140	345	3470	1040	2780				12775	11.57
绳纹和弦纹	数量	4	4		5			5	1	19	0.68
	重量	45	340		65			65	10	525	0.47
网格纹	数量	15	20	104	105	54	1		5	304	10.87
	重量	1175	495	5985	4410	4175	35		135	16410	14.86
网格纹和附加堆纹	数量	2		29	12	15				58	2.07
	重量	3125		13030	795	1920				18870	17.09
篮纹	数量	2		8	11	26				47	1.68
	重量	85		855	500	1070				2510	2.27

续表

陶质		夹砂						泥质		合计	百分比（%）
纹饰＼陶色		灰	黑皮	红	褐	黄	白	灰	黑皮		
篮纹和附加堆纹	数量					4				4	0.14
	重量					445				445	0.40
附加堆纹	数量	23	4	25	13	21				86	3.07
	重量	595	105	880	410	1345				3335	3.02
附加堆纹和刻划纹	数量					1				1	0.04
	重量					250				250	0.23
附加堆纹和叶脉纹	数量				1					1	0.04
	重量				70					70	0.06
弦纹	数量	21	11		13			9	45	99	3.54
	重量	300	160		125			70	625	1280	1.16
弦纹和附加堆纹	数量				1					1	0.04
	重量				55					55	0.05
弦纹和云雷纹	数量								1	1	0.04
	重量								35	35	0.03
刻划纹	数量					1				1	0.04
	重量					85				85	0.09
圆圈纹	数量			1						1	0.04
	重量			85						85	0.07
云雷纹	数量			1					1	2	0.07
	重量			25					5	30	0.03
叶脉纹	数量				2					2	0.07
	重量				180					180	0.16
素面	数量	412	129	222	320	2	5	55	109	1254	44.85
	重量	3980	2370	1980	15115	25	55	810	1210	25545	23.13
合计	数量	562	210	579	644	165	6	184	446	2796	100.00
	重量	16805	4795	38920	29605	14205	90	1765	4245	110430	100.00
百分比（%）	数量	20.10	7.51	20.71	23.03	5.90	0.21	6.58	15.95	100.00	
		77.46						22.53			

续表

陶质		夹砂						泥质		合计	百分比（%）
纹饰＼陶色		灰	黑皮	红	褐	黄	白	灰	黑皮		
百分比（%）	重量	15.33	1.14	35.24	26.81	12.88	0.08	1.60	3.84	100.00	
		94.55						5.44			

表3.3.61　小嘴H73可辨器形统计表

陶质	夹砂						泥质			合计	百分比（%）
器形＼陶色	灰	黑皮	红	褐	黄	白	灰	黑	褐		
鬲	4	8	1							13	1.24
甗	2									2	0.19
鬲足或甗足	4	2	8	8				1		23	2.19
斝		1					1			2	0.19
簋							3			3	0.29
罐	1	6	2	1			1	5	1	17	1.62
爵	1									1	0.09
盆								2		2	0.19
大口尊								2		2	0.19
敛口器							1			1	0.09
錾							1			1	0.09
缸	30	47	413	190	251	53				984	93.63
合计	42	64	424	199	251	53	7	10	1	1051	100.00
百分比（%）	3.99	6.09	40.34	18.93	23.88	5.04	0.67	0.95	0.09	100.00	

表3.3.62　小嘴H73木炭样品加速质谱仪（AMS）碳–14测年数据

Lab编号	样品原编号	样品	碳–14年代（BP）	树轮校正后年代	
				1σ（68.2%）	2σ（95.4%）
BA192337	H73：13	木炭	3170±35	1496BC（21.9%）1474BC 1459BC（46.4%）1416BC	1506BC（93.0%）1390BC 1336BC（2.5%）1322BC
BA192338	H73：12	木炭	3195±30	1498BC（68.3%）1440BC	1509BC（95.4%）1416BC

注：所用碳–14半衰期为5568年，BP为距1950年的年代。

树轮校正所用曲线为IntCal20 atmospheric curve (Reimer et al 2020)，所用程序为OxCal v4.4.2 Bronk Ramsey (2020)；r: 5。

1. Reimer P J, Bard E, Bayliss A, Beck J W. IntCal13 and Marine13 radiocarbon age calibration curves 0–50,000 years cal BP, Radiocarbon, 2013, 55, 1869-1887.

2. Christopher Bronk Ramsey 2015, https://c14.arch.ox.ac.uk/oxcal/OxCal.html.

（三十二）H74

位于Q1610T1816东部。开口于第2层下，打破H77。形状不规则，弧壁平底，基线方向为90°或270°。长约2.2、宽1.6、深0.14米。填土为灰黄色黏土，土质较疏松（图3.3.84）。包含有陶片及动物骨骼（图3.3.85、图3.3.86；表3.3.63、表3.3.64）。

1）陶器

鬲　标本1件。

标本H74：1，夹砂灰陶。下腹缺失。侈口，平折沿，沿面微下垂，圆唇，束颈，鼓腹。上腹饰一周附加堆纹，堆纹以下饰绳纹。口径25.1、残高9.5厘米（图3.3.85，2）。

盆　标本1件。

标本H74：2，泥质灰陶。敞口，宽折沿斜向上伸，圆唇，深腹略鼓，平底内凹。上腹、中腹各饰两周弦纹，中腹弦纹以下饰绳纹。口径40.7、底径10.4、高23.3厘米（图3.3.85，1）。

缸　标本1件。

标本H74：4，夹砂灰陶。仅存腹片。器壁厚度自上至下逐渐加厚，从器壁剖面看，可明显分为两层，靠近外壁一层厚度均匀，靠近内壁一层厚度不一。腹片满饰绳纹。残高12.4厘米（图3.3.85，3）。

2）石器

刀　标本1件。

标本H74：9，后端已残。表面不规整，前端尖圆，弧背直刃。长10.9、宽3.5、厚1.5厘米（图3.3.86，2）。

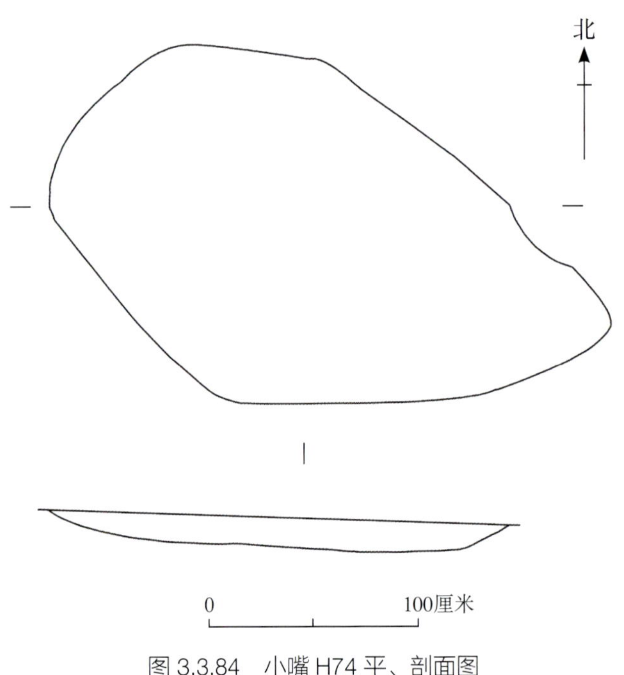

图3.3.84　小嘴H74平、剖面图

砺石　标本1件。

标本H74：8，已残断。平面呈不规则形状长10.8、宽8.3、厚1.7厘米（图3.3.86，1）。

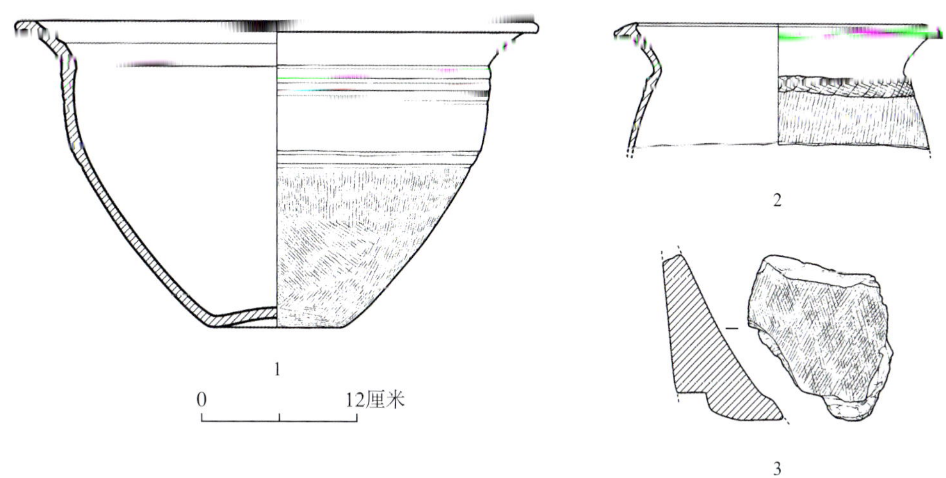

图 3.3.85　小嘴 H74 出土陶器

1. 盆（H74：2）　2. 鬲（H74：1）　3. 缸（H74：4）

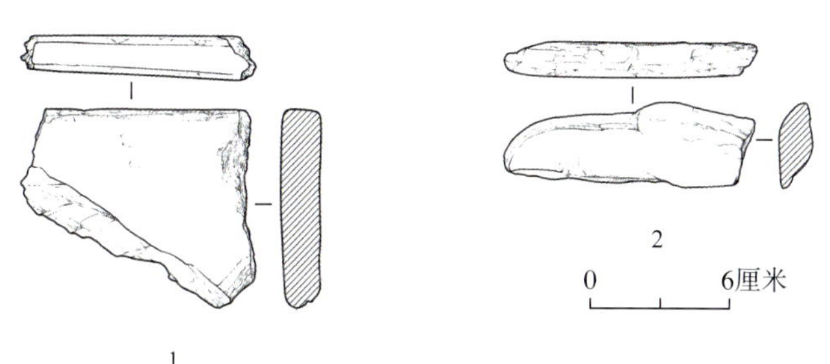

图 3.3.86　小嘴 H74 出土石器

1. 砺石（H74：8）　2. 刀（H74：9）

表3.3.63　小嘴H74陶系、纹饰统计表　（重量单位：克）

陶质		夹砂						泥质			印纹硬陶和原始瓷	合计	百分比（%）
纹饰	陶色	灰	黑皮	红	褐	黄	白	灰	黑皮	褐			
绳纹	数量	44	62	33	27	18	1	37	48	13		283	40.66
	重量	1290	1230	1380	1260	930	25	520	440	75		7150	32.82
绳纹和附加堆纹	数量	1		6	3	3						13	1.87
	重量	235		540	440	300						1515	6.95
绳纹和弦纹	数量							1				1	0.14
	重量							1595				1595	7.32

续表

陶质		夹砂						泥质			印纹硬陶和原始瓷	合计	百分比（%）
纹饰＼陶色		灰	黑皮	红	褐	黄	白	灰	黑皮	褐			
网格纹	数量	2		27	17	16	1				2	65	9.34
	重量	85		980	940	625	60				45	2735	12.55
网格纹和附加堆纹	数量		1	6	1	4						12	1.72
	重量		95	400	40	445						980	4.50
网格纹和弦纹	数量							4				4	0.57
	重量							25				25	0.11
篮纹	数量				2	4						6	0.86
	重量				230	125						355	1.63
篮纹和附加堆纹	数量			1		1						2	0.29
	重量			305		25						330	1.51
附加堆纹	数量	2		12	2	3						19	2.73
	重量	15		425	50	185						675	3.10
弦纹	数量	4						20	7			31	4.45
	重量	45						370	100			515	2.36
弦纹和云雷纹	数量							1				1	0.14
	重量							25				25	0.11
云雷纹	数量										3	3	0.43
	重量										120	120	0.55
叶脉纹	数量										3	3	0.43
	重量										195	195	0.90
素面	数量	55	30	63	29	14	4	14	33	11		253	36.35
	重量	800	200	2260	910	375	90	260	550	125		5570	25.57
合计	数量	108	93	148	81	63	6	77	88	24	8	696	100.00
	重量	2470	1525	6290	3870	3010	175	2795	1090	200	360	21785	100.00
百分比（%）	数量	15.52	13.36	21.26	11.64	9.05	0.86	11.06	12.64	3.45	1.15	100.00	
		71.69						27.16					
	重量	11.34	7.00	28.87	17.76	13.82	0.80	12.83	5.00	0.92	1.65	100.00	
		79.60						18.75					

表3.3.64 小嘴H74可辨器形统计表

陶质	夹砂						泥质			合计	百分比（%）
器形＼陶色	灰	黑皮	红	褐	黄	白	灰	黑皮	褐		
鬲	9	15		6				1		31	8.24
甗	1									1	0.27
鬲足或甗足	7	6	5	10						28	7.44
罐	3	2		3			3	5	2	18	4.79
斝							1			1	0.27
爵		1					1			2	0.53
豆								1		1	0.27
盆							6	9	2	17	4.52
簋							1			1	0.27
大口尊							2			2	0.53
缸	13	11	139	41	63	7				274	72.87
合计	33	35	144	60	63	7	14	16	4	376	100.00
百分比（%）	8.78	9.31	38.29	15.96	16.76	1.86	3.72	4.26	1.06	100.00	

（三十三）H75

位于Q1610T1714西南部、Q1610T1713西北部，并向西延伸至两探方西壁，后经扩方发掘完毕。开口于第2层下，打破生土。平面形状为椭圆形，口小底大，为袋状坑。基线方向为90°或270°，坑口东西长1.9、南北宽1.32米，坑底东西长2.02、南北宽1.58、深0.42米（图3.3.87）。坑内填土为黑灰色土，土质疏松。坑内出土大量陶片，并夹杂部分木炭，出土陶片中可辨器形有陶鬲、罐、盆、大口尊、缸等（图3.3.88～图3.3.91；表3.3.65、表3.3.66）。该灰坑共采集木炭样品1件，进行了碳-14年代测定，检测结果见表3.3.67。

1）青铜器

刀 标本1件。

标本H75：37，刃口残缺。刀身呈长方形，直背。长5.1、宽1.35、厚0.52厘米（图3.3.88）。

2）陶器

鬲 标本8件。

标本H75：3，夹砂灰胎，外施红色陶衣。下腹缺失。侈口，平折沿，沿面有一周凹槽，圆

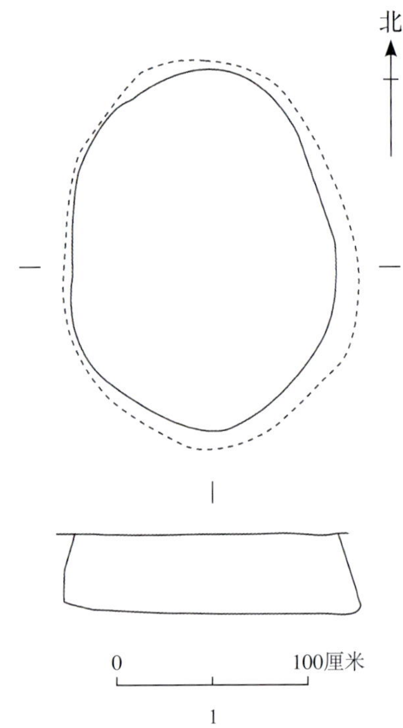

2

图 3.3.87　小嘴 H75 平、剖面图和照片

1. 平、剖面图　2. H75清理完毕后照片

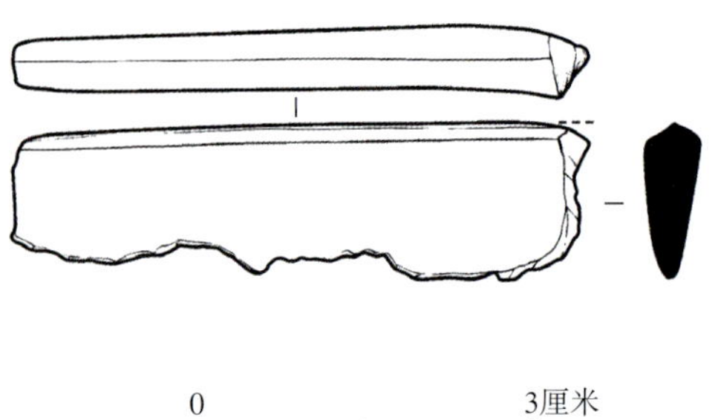

图 3.3.88　青铜刀（小嘴 H75：37）

唇，束颈，鼓腹。颈部以下饰绳纹。口径17.4、残高7.32厘米（图3.3.89，1）。

标本H75：5，夹砂灰陶。裆部及足残。侈口，平折沿，圆唇，束颈，鼓腹。颈部以下饰绳纹。口径14.4、残高10.4厘米（图3.3.89，6）。

标本H75：6，夹砂红胎黑皮陶。口部及足尖残。束颈，微鼓腹，联裆。颈部饰两周弦纹，弦纹以下饰绳纹。残高9.24厘米（图3.3.89，8）。

标本H75：18，夹砂黑皮陶。下腹缺失。侈口，平折沿，沿面有一周凹槽，圆唇，束颈，鼓腹。颈部以下饰绳纹。口径15.1、残高7.4厘米（图3.3.89，5）。

标本H75：20，夹砂灰陶。腹部缺失。敞口，平折沿，沿面有一周凹槽，圆唇，束颈。上腹饰一周附加堆纹。复原后口径25、残高5.6厘米（图3.3.89，4）。

标本H75：21，夹砂红陶。腹部缺失。侈口，平折沿，沿面有一周凹槽，圆唇，束颈，鼓腹。颈部以下饰绳纹。口径21.1、残高4.6厘米（图3.3.89，3）。

标本H75：22，夹砂黑皮陶。下腹缺失。侈口，平折沿，沿面有一周凹槽，圆唇，束颈，鼓腹。颈部以下饰绳纹。口径17.5、残高10.5厘米（图3.3.89，2）。

标本H75：23，夹砂黑皮陶。下腹缺失。敞口，平折沿，沿面有一周凹槽，圆唇，束颈，直腹。颈部以下饰绳纹。复原后口径17.5、残高4.8厘米（图3.3.89，7）。

罐　标本2件。

标本H75：4，泥质红陶。小口微敞，长颈，溜肩，深腹圆鼓，腹部残。素面。口径14.2、残高4.8厘米（图3.3.90，3）。

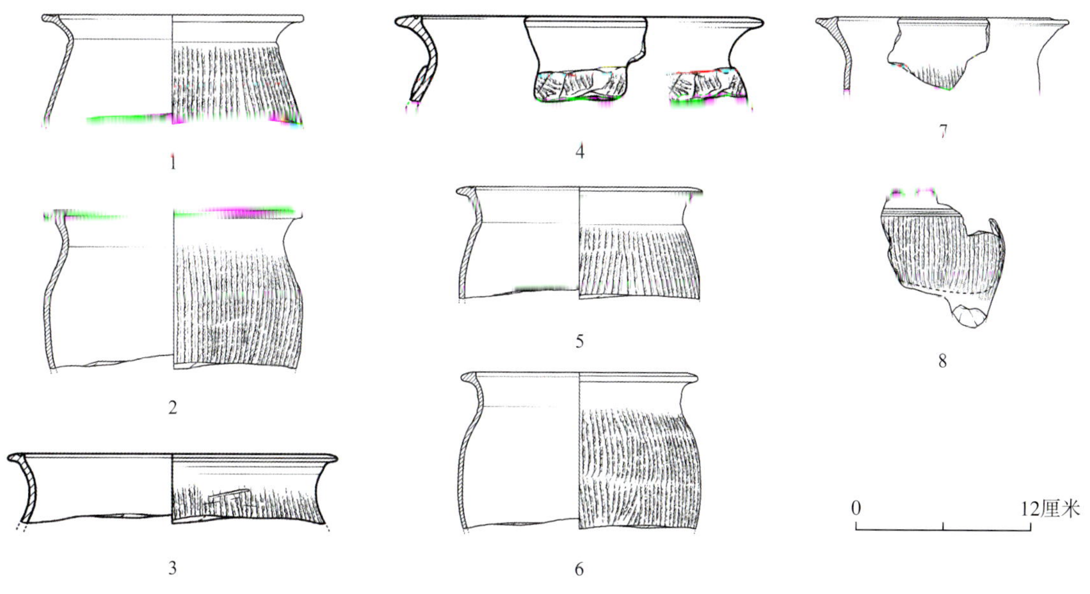

图 3.3.89 小嘴 H75 出土陶鬲

1. H75：3 2. H75：22 3. H75：21 4. H75：20 5. H75：18 6. H75：5 7. H75：23 8. H75：6

标本H75：11，泥质灰陶。下腹残。口微敞，长颈内凹，溜肩，深腹圆鼓。颈部及上腹部各饰两周弦纹。口径12.2、残高6.2厘米（图3.3.90，1）。

盆 标本2件。

标本H75：19，泥质灰陶。大口微侈，沿外折，沿面略向外倾斜，腹壁斜收，底残。下腹饰绳纹。复原后口径29.4、高9厘米（图3.3.90，5）。

标本H75：24，泥质红胎黑皮陶。底残。侈口，沿外折，沿面略向外倾斜，上腹较直，下腹斜收。腹部饰一周宽带方格纹，上下各饰两周弦纹。复原后口径21.7、残高9厘米（图3.3.90，2）。

大口尊 标本3件。

标本H75：1，泥质灰陶。口及底残。束颈，肩部突出，腹部斜收。肩部饰一周附加堆纹，上腹及下腹各饰三周弦纹，下腹弦纹下饰绳纹。残高19厘米（图3.3.91，3）。

标本H75：2，泥质灰陶。仅存肩部。折肩，下腹斜收。肩部自上至下分别饰两周弦纹及一周附加堆纹，腹部饰间断绳纹。残高12厘米（图3.3.91，2）。

标本H75：8，泥质红胎黑皮陶。下腹及底残。大敞口，平折沿，圆唇，束颈，肩部突出不明显，腹部斜收。肩部饰一周附加堆纹，腹部饰绳纹且绳纹不明显。复原后口径34.6、残高15.8厘米（图3.3.91，1）。

缸 标本3件。

标本H75：9，夹砂红陶。下腹残。侈口，方唇，斜直腹。上腹饰两周附加堆纹，且满饰网格纹。口径45.2、残高19.2厘米（图3.3.91，6）。

标本H75：34，夹砂灰陶。下腹及底残。侈口，方唇，直腹。上腹部饰附加堆纹三周，且满饰绳纹。复原后口径35.2、残高24.5厘米（图3.3.91，5）。

标本H75：35，夹砂黑皮陶。下腹残。直口，方唇，直腹。上腹饰一周附加堆纹，堆纹上下满饰绳纹。口径34.2、残高15.9厘米（图3.3.91，4）。

器足 标本1件。

标本H75：33，泥质灰陶。足呈三棱状，其中两条棱线呈直线，另外一条为曲线，三线汇集于一点。残宽2.2、残高7厘米（图3.3.90，4）。

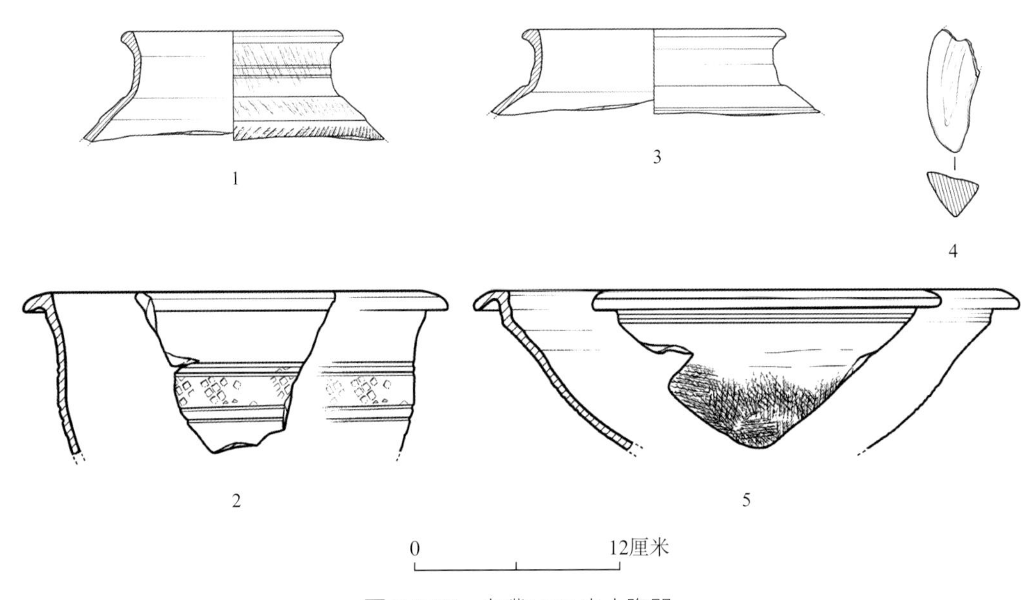

图3.3.90　小嘴H75出土陶器

1、3. 罐（H75：11、H75：4）　2、5. 盆（H75：24、H75：19）　4. 器足（H75：33）

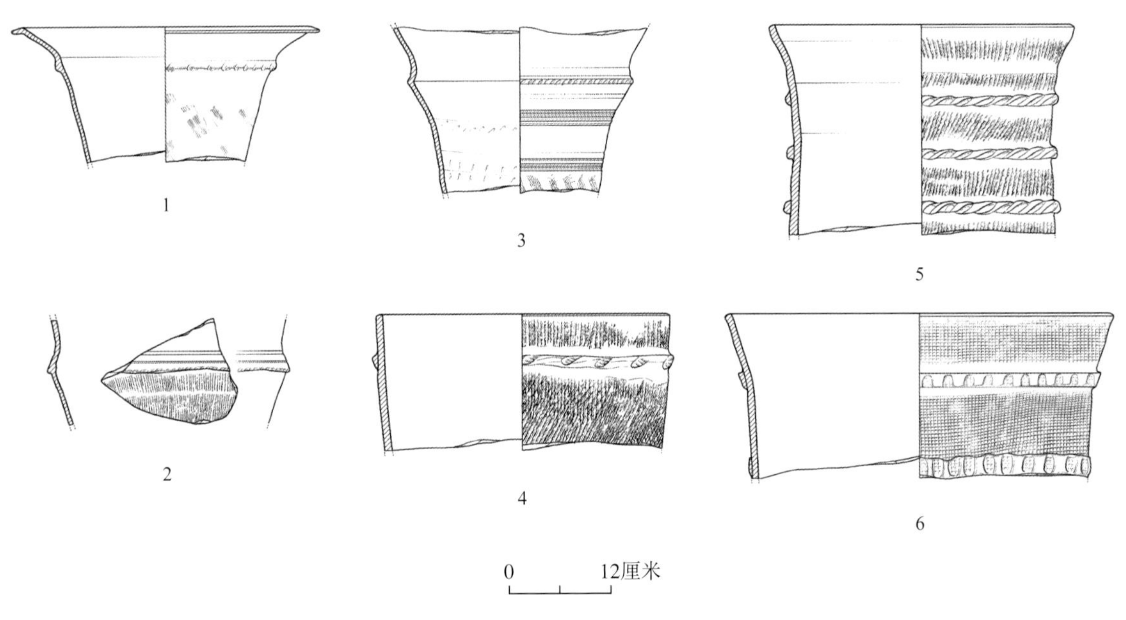

图3.3.91　小嘴H75出土陶器

1～3. 大口尊（H75：8、H75：2、H75：1）　4～6. 缸（H75：35、H75：34、H75：9）

表3.3.65 小嘴H75陶系、纹饰统计表 （重量单位：克）

陶质		夹砂						泥质				印纹硬陶和原始瓷	合计	百分比（%）
纹饰	陶色	灰	黑皮	红	褐	黄	白	灰	黑皮	红	褐			
绳纹	数量	57	86	139	105	23		279	150	8	92	3	942	39.68
	重量	2450	1355	4685	3340	1910		2680	1585	75	1190	35	19305	27.32
绳纹和附加堆纹	数量	10	6	14	1	19			1				51	2.15
	重量	5715	885	1795	55	1850			320				10620	15.03
绳纹和弦纹	数量				2			9	7				18	0.76
	重量				10			165	275				450	0.64
间断绳纹	数量							11	14				25	1.05
	重量							190	255				445	0.63
网格纹	数量	12	22	88	22	34		6	2		1		187	7.88
	重量	515	885	4645	820	2105		40	20		15		9045	12.80
网格纹和附加堆纹	数量	1		14		4	1						20	0.84
	重量	75		1535		665	40						2315	3.28
网格纹和弦纹	数量							18	9		2		29	1.22
	重量							350	260		70		680	0.96
篮纹	数量					1							1	0.04
	重量					90							90	0.13
附加堆纹	数量	1	10	49	3	9	1	3			4		80	3.37
	重量	20	215	2475	30	615	105	145			110		3715	5.26
附加堆纹、绳纹和网格纹	数量							1					1	0.04
	重量							360					360	0.51
弦纹	数量		1	1		1		47	13		1	1	65	2.74
	重量		10	20		145		1115	215		15	20	1540	2.18
云雷纹	数量											2	2	0.08
	重量											45	45	0.06
叶脉纹	数量											22	22	0.93
	重量											205	205	0.29
素面	数量	32	79	274	136	83	18	27	225	10	45	2	931	39.22
	重量	980	725	9280	3300	2530	885	215	2625	85	1190	20	21835	30.91

续表

陶质 / 纹饰	陶色	夹砂 灰	夹砂 黑皮	夹砂 红	夹砂 褐	夹砂 黄	夹砂 白	泥质 灰	泥质 黑皮	泥质 红	泥质 褐	印纹硬陶和原始瓷	合计	百分比（%）
合计	数量	113	204	579	269	174	20	401	421	18	145	30	2374	100.00
	重量	9755	4075	24435	7555	9910	1030	5260	5555	160	2590	325	70650	100.00
百分比（%）	数量	4.76	8.59	24.39	11.33	7.33	0.84	16.89	17.73	0.76	6.11	1.26	100.00	
		98.74												
	重量	13.81	5.77	34.59	10.69	14.03	1.46	7.45	7.86	0.23	3.67	0.46	100.00	
		99.54												

表3.3.66　小嘴H75可辨器形统计表

陶质 / 陶色 / 器形	夹砂 灰	夹砂 黑皮	夹砂 红	夹砂 褐	夹砂 黄	夹砂 白	泥质 灰	泥质 黑皮	泥质 褐	合计	百分比（%）
鬲	21	23		12			1		1	58	23.67
甗	2			1						3	1.22
鬲足或甗足	13	2	3	55			9	1		83	33.88
罐	3	2					8	4		17	6.94
斝		1					1			2	0.82
爵	4			1			1			6	2.45
盆							2		2	4	1.63
刻槽盆							8	12		20	8.16
大口尊							4	2		6	2.45
缸	3	3	27		4	1				38	15.51
器鋬	2			1			2		1	6	2.45
圈足			1					1		2	0.82
合计	48	31	31	70	4	1	36	20	4	245	100.00
百分比（%）	19.59	12.65	12.65	28.57	1.63	0.41	14.69	8.16	1.63	100.00	

表3.3.67　小嘴H75木炭样品加速质谱仪（AMS）碳–14测年数据

Lab编号	样品原编号	样品	碳–14年代（BP）	树轮校正后年代	
				1σ（68.2%）	2σ（95.4%）
BA192341	H75：2	木炭	3130±30	1440BC（54.4%）1388BC 1338BC（13.9%）1320BC	1496BC（1.9%）1474BC 1460BC（65.0%）1370BC 1333BC（28.5%）1298BC

注：所用碳–14半衰期为5568年，BP为距1950年的年代。

树轮校正所用曲线为IntCal20 atmospheric curve (Reimer et al 2020)，所用程序为OxCal v4.4.2 Bronk Ramsey (2020)；r: 5。

1. Reimer P J, Bard E, Bayliss A, Beck J W. IntCal13 and Marine13 radiocarbon age calibration curves 0–50,000 years cal BP, Radiocarbon, 2013, 55, 1869-1887.

2. Christopher Bronk Ramsey 2015, https://c14.arch.ox.ac.uk/oxcal/OxCal.html.

（三十四）H76

位于Q1610T1714北部。开口于第2层下，打破生土，北部打破H73，南部打破F1。平面形状为椭圆形，直壁平底，底部南部向内凹。基线方向为90°或270°，南北长约2.22、东西宽1.62、深0.7米（图3.3.92）。坑内填土为黑灰色土，土质较为疏松。坑内夹杂部分木炭，包含大量陶片。陶器中可辨器形有陶鬲、甗、簋、盆、缸等（图3.3.93、图3.3.94；表3.3.68、表3.3.69）。灰坑南部放置多件陶器，有陶甗、缸、鬲，这些陶器均残，但保留大部分器壁，由于陶器质量保存很差，均无法复原。该灰坑共采集木炭样品1件，进行了碳–14年代测定，检测结果见表3.3.70。

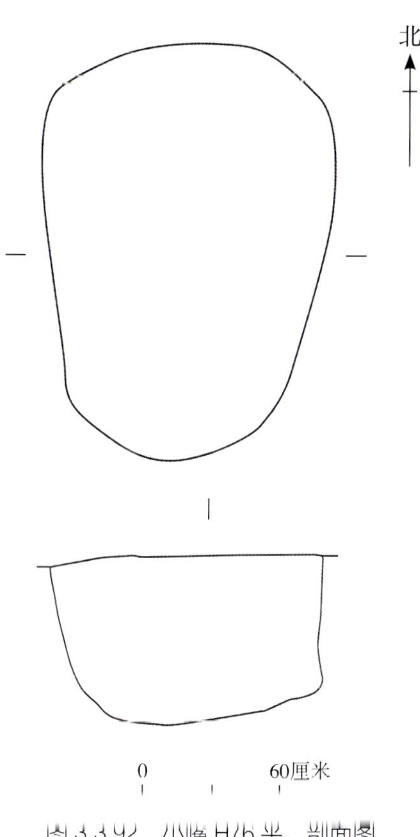

图3.3.92　小嘴H76平、剖面图

1）陶器

鬲　标本3件。

标本H76：3，夹砂褐陶。侈口，平折沿，圆唇，束颈，鼓腹。器表纹饰模糊不清。复原后口径23.5、残高8.4厘米（图3.3.93，1）。

标本H76：5，夹砂灰陶。口与足部残。束颈，微鼓腹，联裆。颈部饰一周弦纹，弦纹以下饰绳纹，绳纹已不清晰。残高5.94厘米（图3.3.93，4）。

标本H76：11，夹砂灰陶。下腹缺失。敞口，折沿下压，沿面有一周凹槽，束颈，圆唇。颈部施绳纹抹光，上腹饰一周圆圈纹。复原后口径28.6、高7.5厘米（图3.3.93，2）。

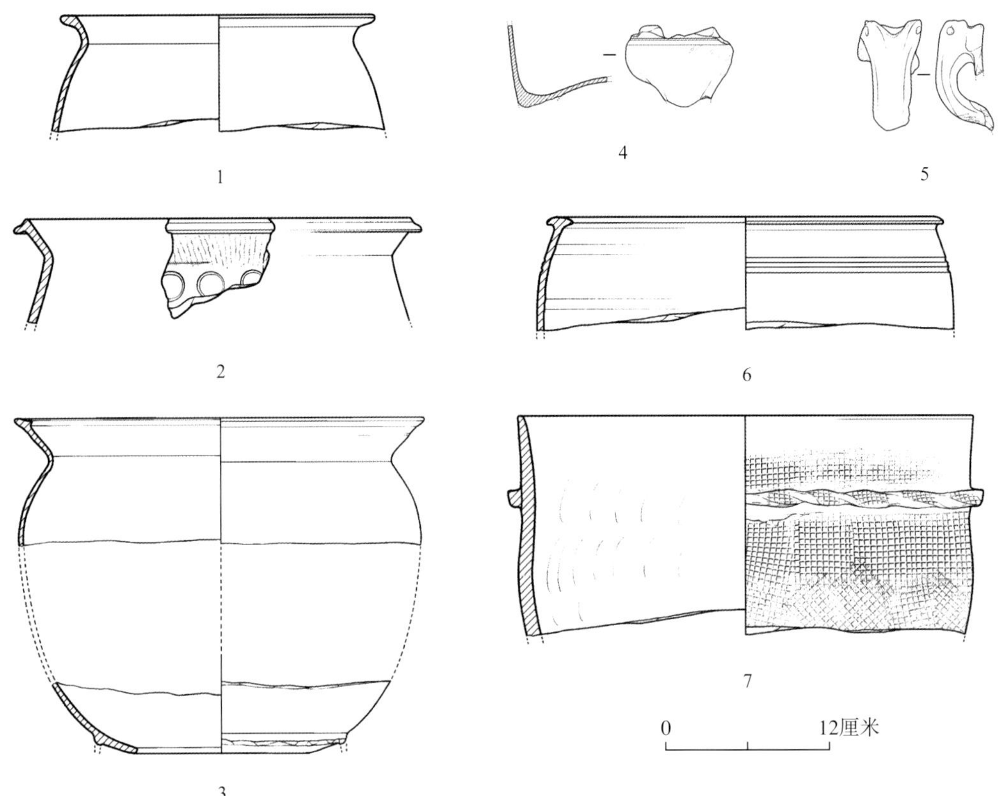

图3.3.93　小嘴H76出土陶器

1、2、4. 鬲（H76：3、H76：11、H76：5）　3. 甗（H76：18）　5. 簋耳（H76：7）　6. 盆（H76：6）　7. 缸（H76：1）

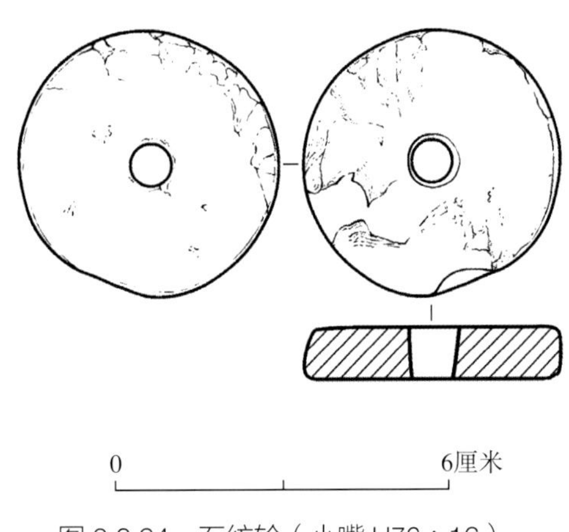

图3.3.94　石纺轮（小嘴H76：16）

甗　标本1件。

标本H76：18，夹砂灰陶。鬲部残损无法复原。侈口，折沿上仰，沿面有一周凹槽，圆唇，束颈，鼓腹。器表纹饰模糊不清。复原后口径30.9厘米（图3.3.93，3）。

簋耳　标本1件。

标本H76：7，泥质红胎黑皮陶。拱形，器身扁平。器物上部加厚并在两侧添加乳钉形成兽面。残高7.9厘米（图3.3.93，5）。

盆　标本1件。

标本H76：6，泥质红胎黑皮陶。下腹残。敛口，平折沿，尖唇，鼓腹。上腹饰两周弦纹。复原后口径28.1、残高8.2厘米（图3.3.93，6）。

缸　标本1件。

标本H76：1，夹砂红陶。下腹残。直口，方唇，直腹微鼓。颈部饰一周附加堆纹，堆纹上下饰方格纹。内壁有手指按压痕迹。复原后口径33.7、残高15.9厘米（图3.3.93，7）。

2）石器

纺轮 标本1件。

标本H76：16，扁平圆形，上下面较为平整，周壁平直。直径4.6、厚0.9、孔径0.9厘米（图3.3.94）。

表3.3.68 小嘴H76陶系、纹饰统计表 （重量单位：克）

纹饰 \ 陶质 / 陶色		夹砂						泥质				印纹硬陶和原始瓷	合计	百分比（%）
		灰	黑皮	红	褐	黄	白	灰	黑皮	红	褐			
绳纹	数量	95	110	230	112	29	7	75	152	17	26		853	40.22
	重量	1160	1040	7415	8230	665	230	455	2220	75	130		21620	39.79
绳纹和附加堆纹	数量	1	2	10	1	6							20	0.94
	重量	10	105	1275	20	875							2285	4.21
绳纹和弦纹	数量				1			3	5		2		11	0.52
	重量				65			75	115		135		255	0.47
网格纹	数量	6	10	73	24	21	5					5	144	6.79
	重量	350	170	3285	945	1020	165					95	6030	11.10
网格纹和附加堆纹	数量		1	7	4	4							16	0.75
	重量		70	515	1080	390							2055	3.78
网格纹和弦纹	数量							1			1		2	0.09
	重量							50			10		60	0.11
附加堆纹	数量	4		31	4	12	1						52	2.45
	重量	155		1107	230	645	20						2157	3.97
篮纹	数量				2	3							5	0.24
	重量				90	85							175	0.32
弦纹	数量	5	3	8	9			15	12		1		52	2.45
	重量	20	65	30	65			130	225		20		535	0.98
弦纹和乳钉纹	数量							1		2			3	0.14
	重量							15		10			25	0.05
刻划纹	数量				1								1	0.05
	重量				20								20	0.04
圆圈纹	数量	1											1	0.05
	重量	70											70	0.13

续表

陶质		夹砂						泥质				印纹硬陶和原始瓷	合计	百分比（%）
纹饰 \ 陶色		灰	黑皮	红	褐	黄	白	灰	黑皮	红	褐			
云雷纹	数量				3							7	10	0.47
	重量				110							150	260	0.48
叶脉纹	数量				1							4	5	0.24
	重量				55							60	115	0.21
素面	数量	191	86	213	161	76	48	47	101	8	14		945	44.55
	重量	1755	635	7655	2870	2980	1120	355	975	65	105		18515	34.08
合计	数量	303	212	572	323	151	61	142	270	27	44	16	2121	100.00
	重量	3520	2085	21282	13780	6660	1535	1080	3535	150	400	305	54332	100.00
百分比（%）	数量	14.28	9.99	26.97	15.23	7.12	2.88	6.69	12.73	1.27	2.07	0.75	100.00	
		76.47						22.76						
	重量	6.48	3.84	39.17	25.36	12.26	2.82	1.99	6.51	0.27	0.73	0.56	100.00	
		89.93						9.50						

表3.3.69　小嘴H76可辨器形统计表

陶质	夹砂						泥质				合计	百分比（%）
器形 \ 陶色	灰	黑皮	红	褐	黄	白	灰	黑皮	红	褐		
鬲	17	11	4	16							48	4.45
甗		1		1							2	0.19
鬲足或甗足	3	2	16	18							39	3.61
罐	5	2	1		1						9	0.83
斝			1	2			3	1	1		8	0.74
爵							1			1	2	0.19
豆							2	2			4	0.37
簋								1			1	0.09
盆	4	1					2	5	2		14	1.30
大口尊	1						1	3		1	6	0.56
鬶	3	2	1				1	1		1	9	0.83
缸	28	36	504	158	150	61					937	86.84
合计	61	55	527	195	151	61	10	13	3	3	1079	100.00
百分比（%）	5.66	5.10	48.84	18.07	13.99	5.65	0.93	1.20	0.28	0.28	100.00	

表3.3.70　小嘴H76木炭样品加速质谱仪（AMS）碳–14测年数据

Lab 编号	样品原编号	样品	碳–14年代（BP）	树轮校正后年代	
				1σ（68.2%）	2σ（95.4%）
BA192343	H76：1	木炭	3145±40	1494BC（9.2%）1478BC 1455BC（51.7%）1390BC 1336BC（7.3%）1322BC	1503BC（77.5%）1372BC 1353BC（18.0%）1299BC

注：所用碳–14半衰期为5568年，BP为距1950年的年代。

树轮校正所用曲线为IntCal20 atmospheric curve (Reimer et al 2020)，所用程序为OxCal v4.4.2 Bronk Ramsey (2020)；r: 5。

1. Reimer P J, Bard E, Bayliss A, Beck J W. IntCal13 and Marine13 radiocarbon age calibration curves 0–50,000 years cal BP, Radiocarbon, 2013, 55, 1869-1887.

2. Christopher Bronk Ramsey 2015, https://c14.arch.ox.ac.uk/oxcal/OxCal.html.

（三十五）H77

位于Q1610T1816北部。开口于第2层下，被H74打破，打破第4层。形状为椭圆形，斜壁平底。基线方向为150°或330°。长约1.14、深0.28米（图3.3.95）。填土为灰褐色黏土，土质较疏松。包含有陶片、动物骨骼、砺石等（图3.3.96；表3.3.71、表3.3.72）。

石器

砺石　标本1件。

标本H77：1，平面呈不规则形，表面光滑平整，中部有一条刻划直线，一边有切割痕迹。长6.5、宽6、厚2厘米（图3.3.96）。

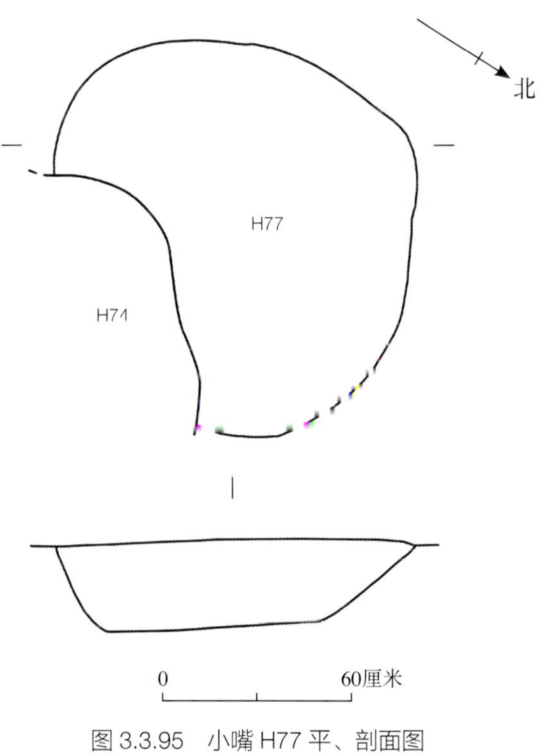

图3.3.95　小嘴H77平、剖面图

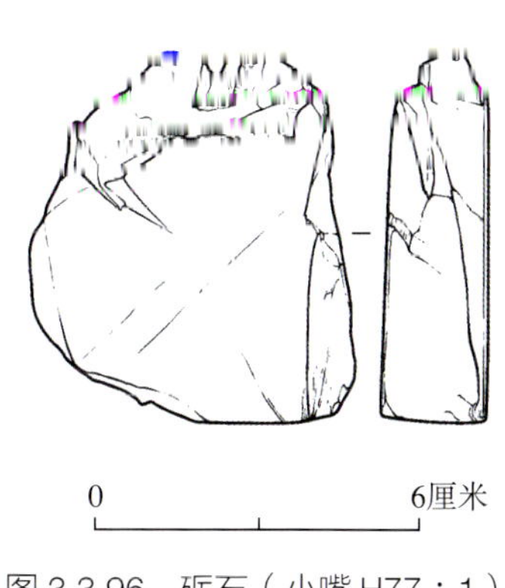

图3.3.96　砺石（小嘴H77：1）

表3.3.71　小嘴H77陶系、纹饰统计表　　（重量单位：克）

陶质		夹砂						泥质			合计	百分比（%）
纹饰＼陶色		灰	黑皮	红	褐	黄	白	灰	黑皮	褐		
绳纹	数量	5	2	6	2	5		17	18	7	62	31.63
	重量	955	100	260	735	285		165	165	85	2750	30.15
绳纹和附加堆纹	数量		3	2	1						6	3.06
	重量		420	175	145						740	8.11
网格纹	数量	6	4	8	13	9	7				47	23.98
	重量	255	130	295	555	855	365				2455	26.92
网格纹和附加堆纹	数量	1		7	1	3					12	6.12
	重量	40		810	40	405					1295	14.20
篮纹	数量			3	1						4	2.04
	重量			45	205						250	2.74
附加堆纹	数量			4	1		1			1	7	3.57
	重量			105	185		30			25	345	3.78
弦纹	数量								1	1	2	1.02
	重量								45	5	50	0.55
弦纹和窗棂纹	数量							1			1	0.51
	重量							30			30	0.33
圆圈纹	数量							1			1	0.51
	重量							5			5	0.05
素面	数量	1	3	17	2	1	7	5	15	3	54	27.55
	重量	30	35	590	45	75	80	60	200	85	1200	13.16
合计	数量	13	12	47	21	18	15	24	34	12	196	100.00
	重量	1280	685	2280	1910	1620	475	260	410	200	9120	100.00
百分比（%）	数量	6.63	6.12	23.98	10.71	9.18	7.65	12.24	17.35	6.12	100.00	
		64.29						35.71				
	重量	14.04	7.51	25.00	20.94	17.76	5.21	2.85	4.50	2.19	100.00	
		90.46						9.54				

表3.3.72　小嘴H77可辨器形统计表

陶质	夹砂						泥质			合计	百分比（%）
器形＼陶色	灰	黑皮	红	褐	黄	白	灰	黑皮	褐		
鬲	2	4		1						7	4.66
甗								1		1	0.67
鬲足或甗足	1			5		1	1			8	5.33
罐						1	1		1	3	2.00
爵		1								1	0.67
盆						1	1	1		3	2.00
大口尊									1	1	0.67
缸	13	12	47	21	18	15				126	84.00
合计	16	17	47	27	18	18	3	2	2	150	100.00
百分比（%）	10.66	11.34	31.34	18.00	12.00	12.00	2.00	1.33	1.33	100.00	

（三十六）H78

位于Q1610T1815西北部。开口于第2层下。形状为椭圆形，斜壁平底。基线方向为29°或209°，长约0.8米，宽约0.45米（图3.3.97）。填土为黑灰色黏土，土质较疏松。坑内出土零散陶片（表3.3.73、表3.3.74）。

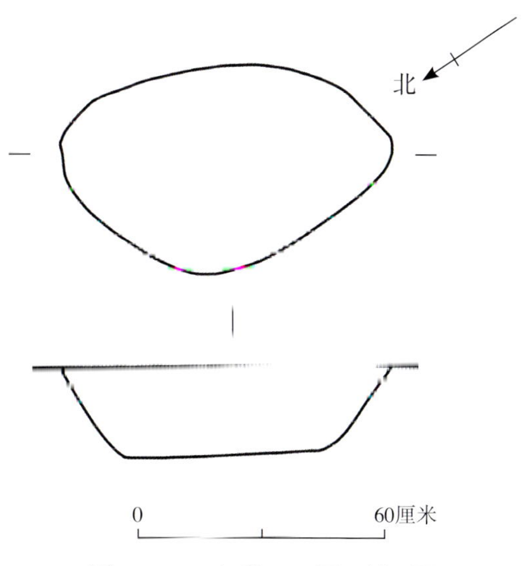

图3.3.97　小嘴H78平、剖面图

表3.3.73 小嘴H78陶系、纹饰统计表 （重量单位：克）

纹饰＼陶质/陶色		夹砂灰	夹砂黑皮	夹砂红	夹砂褐	夹砂黄	泥质灰	泥质黑皮	泥质褐	合计	百分比（%）
绳纹	数量	2	17	10	3	2		14		48	45.71
	重量	80	175	1170	110	130		130		1795	30.07
绳纹和附加堆纹	数量		4	1						5	4.76
	重量		665	250						915	15.33
绳纹和弦纹	数量		1							1	0.95
	重量		25							25	0.42
网格纹	数量	1	2	5		4				12	11.43
	重量	30	135	665		1165				1995	33.42
网格纹和附加堆纹	数量			4						4	3.81
	重量			410						410	6.87
附加堆纹	数量			3						3	2.86
	重量			155						155	2.60
弦纹	数量						1			1	0.95
	重量						10			10	0.17
素面	数量			8	14	4	1	3	1	31	29.52
	重量			220	145	165	15	115	5	665	11.14
合计	数量	3	24	31	17	10	2	17	1	105	100.00
	重量	110	1000	2870	255	1460	25	245	5	5970	100.00
百分比（%）	数量	2.86	22.86	29.52	16.19	9.52	1.90	16.19	0.95	100.00	
		80.95					19.05				
	重量	1.84	16.75	48.07	4.27	24.46	0.42	4.10	0.08	100.00	
		95.39					4.61				

表3.3.74 小嘴H78可辨器形统计表

器形＼陶质/陶色	夹砂灰	夹砂黑皮	夹砂红	夹砂褐	夹砂黄	泥质灰	泥质黑皮	合计	百分比（%）
鬲	1							1	1.54
甗				1				1	1.54
鬲足或甗足	1			4				5	7.69
盆						1	2	3	4.62
缸	3	8	31	3	10			55	84.62
合计	5	8	31	8	10	1	2	65	100.00
百分比（%）	7.69	12.31	47.69	12.31	15.38	1.54	3.08	100.00	

（三十七）H79

位于Q1610T1813西北部。开口于第4层下，打破生土。平面呈圆形，弧壁圜底。基线方向为90°或270°，长约0.66、深0.32米（图3.3.98）。填土为黑色黏土，土质疏松。出土散碎陶片，可辨器形有鬲、甗、豆、盆、缸（图3.3.99；表3.3.75、表3.3.76）。

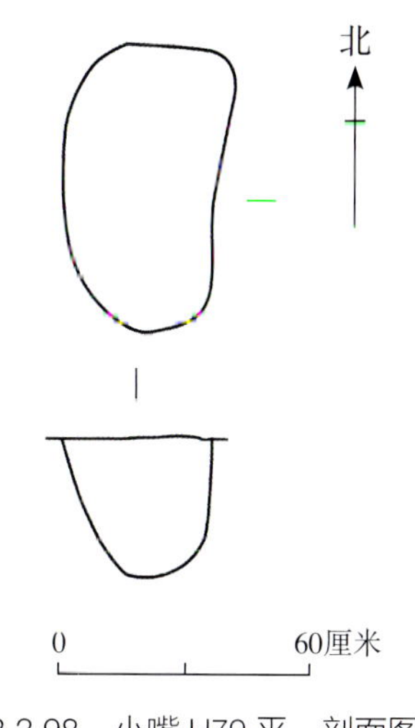

图3.3.98　小嘴H79平、剖面图

陶器

鬲　标本1件。

标本H79：2，夹砂灰陶。腹部缺失。侈口，平折沿，圆唇。素面。口径18.6、高3.6厘米（图3.3.99，1）。

豆圈足　标本1件。

标本H79：1，泥质灰陶。仅留圈足部分。圈足近底加厚。圈足腹部饰两周凸弦纹。底径10.5、高7厘米（图3.3.99，2）。

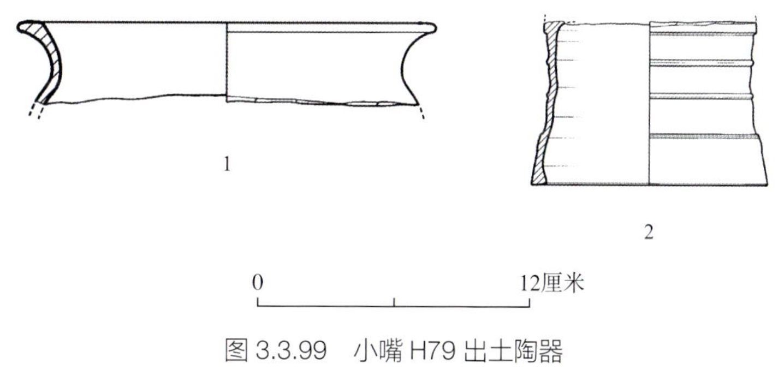

图3.3.99　小嘴H79出土陶器

1. 鬲（H79：2）　2. 豆圈足（H79：1）

表3.3.75　小嘴H79陶系、纹饰统计表　（重量单位：克）

陶质 / 陶色 / 纹饰		夹砂				泥质		合计	百分比（%）
		灰	黑皮	红	褐	灰	黑皮		
绳纹	数量	5	9	1	2		2	19	39.58
	重量	110	225	25	95		25	480	28.10
绳纹和附加堆纹	数量			2				2	4.17
	重量			425				425	24.88

续表

陶质		夹砂				泥质		合计	百分比（%）
纹饰 陶色		灰	黑皮	红	褐	灰	黑皮		
网格纹	数量	1	1	2	1			5	10.42
	重量	28	140	10	35			213	12.47
篮纹	数量			2				2	4.17
	重量			125				125	7.32
附加堆纹	数量		1					1	2.08
	重量		105					105	6.15
弦纹	数量					1	1	2	4.17
	重量					45	5	50	2.93
云雷纹	数量			1				1	2.08
	重量			15				15	0.88
素面	数量	4	4	5	2	1		16	33.33
	重量	75	50	130	35	5		295	17.27
合计	数量	10	15	13	5	2	3	48	100.00
	重量	213	520	730	165	50	30	1708	100.00
百分比（%）	数量	20.83	31.25	27.08	10.42	4.17	6.25	100.00	
		89.58				10.42			
	重量	12.47	30.44	42.74	9.66	2.93	1.76	100.00	
		95.32				4.68			

表3.3.76 小嘴H79可辨器形统计表

陶质	夹砂				泥质	合计	百分比（%）
器形 陶色	灰	黑皮	红	褐	灰		
鬲	1					1	3.03
甗				1		1	3.03
鬲足或甗足	1			4		5	15.15
豆圈足					1	1	3.03
盆					1	1	3.03
缸	4	5	13	2		24	72.73
合计	6	5	13	7	2	33	100.00
百分比（%）	18.18	15.15	39.39	21.21	6.06	100.00	

（三十八）H80

位于Q1610T1815西北部。开口于第4层下，打破生土。平面呈椭圆形，[illegible]长约0.4，宽0.3米。填土为黑色黏土，较为疏松。H100、H79、H80自东向西并列分布，土质土色及包含物均相同，因此无法分辨打破关系。

（三十九）H85

位于Q1610T1816西南部。开口于G25下，打破生土。平面呈椭圆形，弧壁近平底。基线方向为90°或270°，发掘部分东西长约0.76、南北宽约0.48、最深处距坑口0.19米（图3.3.100）。填土为黑褐色沙质黏土，土质较疏松，包含少量碎陶片（表3.3.77、表3.3.78）。

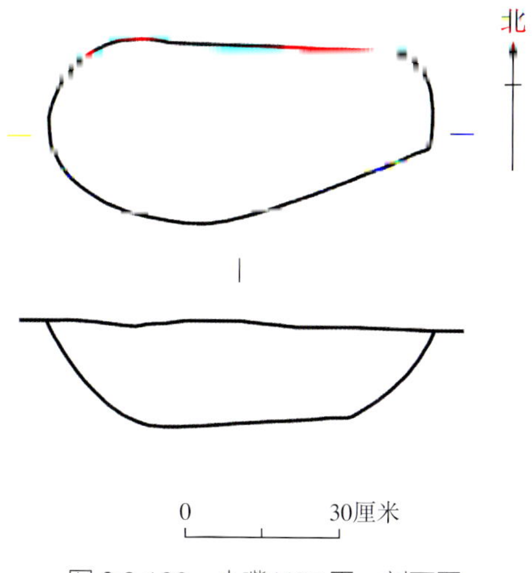

图3.3.100　小嘴H85平、剖面图

表3.3.77　小嘴H85陶系、纹饰统计表　（重量单位：克）

陶质		夹砂				泥质	合计	百分比（%）
纹饰＼陶色		灰	红	褐	黄	黑皮		
绳纹	数量	2	1		2	2	7	53.85
	重量	20	55		130	60	265	42.40
绳纹和附加堆纹	数量		1	1			2	15.38
	重量		130	60			190	30.40
网格纹	数量		1	1			2	15.38
	重量		25	70			95	15.20
附加堆纹	数量				1		1	7.69
	重量				30		30	4.80
素面	数量	1					1	7.69
	重量	45					45	7.20
合计	数量	3	3	2	3	2	13	100.00
	重量	65	210	130	160	60	625	100.00
百分比（%）	数量	23.08	23.08	15.38	23.08	15.38	100.00	
		84.62						
	重量	10.40	33.60	20.80	25.60	9.60	100.00	
		90.40						

表3.3.78　小嘴H85可辨器形统计表

陶质	夹砂				泥质	合计	百分比（%）
器形＼陶色	灰	红	褐	黄	灰		
斝					1	1	10.00
缸	1	3	2	3		9	90.00
合计	1	3	2	3	1	10	100.00
百分比（%）	10.00	30.00	20.00	30.00	10.00	100.00	

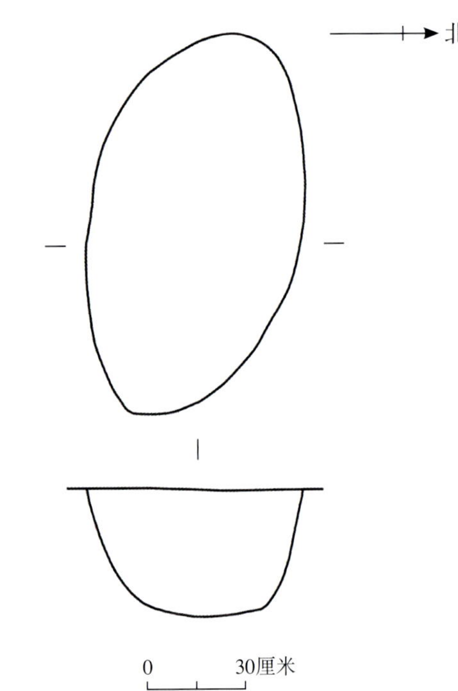

图 3.3.101　小嘴 H86 平、剖面图

（四十）H86

位于Q1610T1716中部。开口于G25下，打破生土。平面呈椭圆形，弧壁近圜底。基线方向为0°或180°，发掘部分东西长约0.68、南北宽约0.52、深0.38米（图3.3.101）。填土为黑褐色沙质黏土，土质较疏松，包含少量碎陶片（表3.3.79、表3.3.80）。

表3.3.79　小嘴H86陶系、纹饰统计表　　（重量单位：克）

陶质		夹砂					泥质				合计	百分比（%）
纹饰＼陶色		灰	黑皮	红	褐	黄	灰	黑皮	褐	黄		
绳纹	数量	16	1	5	6	2	16		5		51	65.38
	重量	215	40	235	225	485	145		580		1925	70.90
绳纹和附加堆纹	数量			2							2	2.56
	重量			200							200	7.37
绳纹、附加堆纹和网格纹	数量						1				1	1.28
	重量						55				55	2.03

续表

陶质 纹饰 \ 陶色		夹砂					泥质				合计	百分比（%）
		灰	黑皮	红	褐	黄	灰	黑皮	褐	黄		
附加堆纹	数量	1		1							2	2.56
	重量	15		25							40	1.47
网格纹	数量			1	1	1					3	3.85
	重量			35	20	65					120	4.42
戳印纹	数量						1				1	1.28
	重量						50				50	1.84
素面	数量	6		4	3			3		2	18	13.08
	重量	35		150	80			20		40	325	11.97
合计	数量	23	1	13	10	3	18	3	5	2	78	100.00
	重量	265	40	645	325	550	250	20	580	40	2715	100.00
百分比（%）	数量	29.49	1.28	16.67	12.82	3.85	23.07	3.85	6.41	2.56	100.00	
		64.11					35.89					
	重量	9.76	1.47	23.76	11.97	20.26	9.21	0.74	21.36	1.47	100.00	
		67.22					32.78					

表3.3.80　小嘴H86可辨器形统计表

陶质 器形 \ 陶色	夹砂					泥质		合计	百分比（%）
	灰	黑皮	红	褐	黄	灰	黄		
鬲	1			1				2	5.88
甗			1					1	2.94
鬲足或甗足				1				1	2.94
[illegible]						1	1	2	5.88
缸	7	1	13	4	3			28	82.35
合计	8	1	14	6	3	1	1	34	100.00
百分比（%）	23.52	2.94	41.18	17.65	8.82	2.94	2.94	100.00	

（四十一）H88

位于Q1610T1813东北部，向北延伸进Q1610T1814。开口于第2层下，打破F1。平面呈不规则长方形，斜壁平底。基线方向为90°或270°，发掘部分东西长约1.5、南北宽约0.86、最深处距坑口约0.21米。填土为灰褐色沙质黏土，土质较疏松，包含少量碎陶片，可辨器形有鬲。该灰坑共采集木炭样品1件，进行了碳–14年代测定，检测结果见表3.3.81。

陶器

鬲　标本2件。

标本H88：1，夹砂黑皮陶。口部残，实足尖残。鼓腹，联裆。颈部饰两周弦纹，弦纹下饰绳纹。残高4.6厘米（图3.3.102，2）。

标本H88：2，夹砂黑皮陶。下腹缺失。侈口，平折沿，圆唇。颈部以下饰绳纹。口径13.6、残高2.4厘米（图3.3.102，1）。

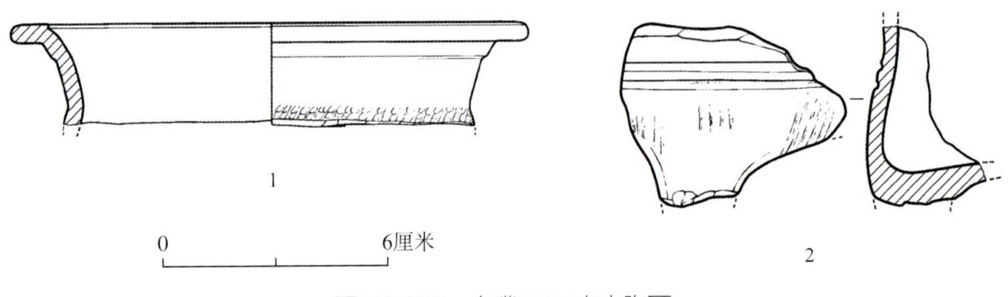

图3.3.102　小嘴H88出土陶鬲

1. H88：2　2. H88：1

表3.3.81　小嘴H88木炭样品加速质谱仪（AMS）碳–14测年数据

Lab 编号	样品原编号	样品	碳–14年代（BP）	树轮校正后年代	
				1σ（68.2%）	2σ（95.4%）
BA192333	H88：1	木炭	3015±30	1371BC（8.7%）1355BC 1296BC（59.5%）1216BC	1390BC（18.5%）1336BC 1321BC（70.1%）1188BC 1181BC（3.6%）1158BC 1146BC（3.3%）1128BC

注：所用碳–14半衰期为5568年，BP为距1950年的年代。

树轮校正所用曲线为IntCal20 atmospheric curve (Reimer et al 2020)，所用程序为OxCal v4.4.2 Bronk Ramsey (2020)；r: 5。

1. Reimer P J, Bard E, Bayliss A, Beck J W. IntCal13 and Marine13 radiocarbon age calibration curves 0–50,000 years cal BP, Radiocarbon, 2013, 55, 1869-1887.

2. Christopher Bronk Ramsey 2015, https://c14.arch.ox.ac.uk/oxcal/OxCal.html.

（四十二）H89

位于Q1610T1915西北部。开口于第2层下，打破生土。平面呈近圆形，斜壁近圜底。基线方向为90°或270°，发掘部分东西长约0.5、南北宽约0.45、最深处距坑口约0.3米（图3.3.103）。填土为灰褐色沙质黏土，土质较疏松，包含较多陶片（表3.3.82、表3.3.83）。

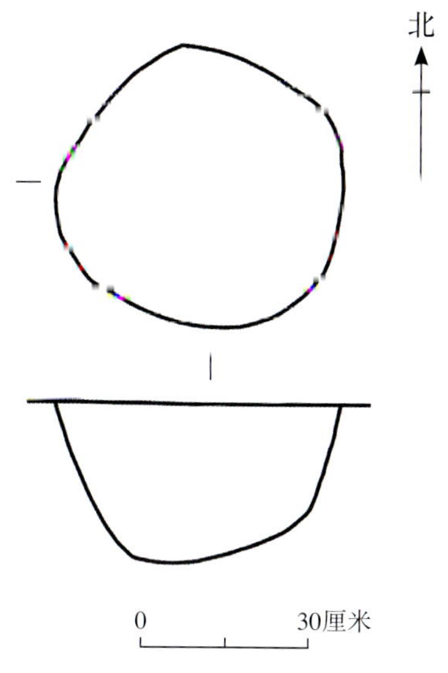

图 3.3.103　小嘴 H89 平、剖面图

表3.3.82　小嘴H89陶系、纹饰统计表　　（重量单位：克）

陶质		夹砂					泥质		合计	百分比（%）
纹饰＼陶色		灰	黑皮	红	褐	黄	灰	黑皮		
绳纹	数量	11	17	18	15	15	3	1	80	73.39
	重量	435	110	1550	785	795	5	15	3695	76.82
绳纹和附加堆纹	数量			1	1				2	1.83
	重量			135	50				185	3.85
网格纹	数量	1				3			4	3.67
	重量	20				125			145	3.01
网格纹和附加堆纹	数量					1			1	0.92
	重量					150			150	3.12
附加堆纹	数量			1					1	0.92
	重量			70					70	1.46
弦纹	数量						1	1	2	1.83
	重量						10	5	15	0.31
云雷纹	数量			1					1	0.92
	重量			50					50	1.04
素面	数量	5	5	2	1		3	2	18	16.51
	重量	260	20	150	35		15	20	500	10.40
合计	数量	17	22	23	17	19	7	4	109	100.00
	重量	715	130	1955	870	1070	30	40	4810	100.00

续表

陶质 \ 陶色 \ 纹饰		夹砂					泥质		合计	百分比（%）
		灰	黑皮	红	褐	黄	灰	黑皮		
百分比（%）	数量	15.60	20.18	21.10	15.60	17.43	6.42	3.67	100.00	
		89.91					10.09			
	重量	14.86	2.70	40.64	18.09	22.25	0.62	0.83	100.00	
		98.54					1.46			

表3.3.83　小嘴H89器形统计表

陶质 \ 陶色 \ 器形	夹砂					泥质	合计	百分比（%）
	灰	黑皮	红	褐	黄	黑皮		
鬲		1					1	1.43
斝						1	1	1.43
缸	9		23	17	19		68	97.14
合计	9	1	23	17	19	1	70	100.00
百分比（%）	12.86	1.43	32.86	24.29	27.14	1.43	100.00	

（四十三）H90

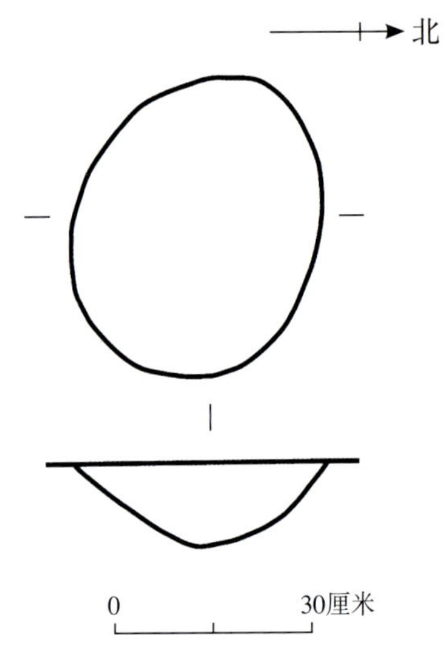

图 3.3.104　小嘴 H90 平、剖面图

位于Q1610T1915西北部。开口于第2层下，打破生土。平面呈椭圆形，弧壁近圜底。基线方向为0°或180°，发掘部分东西长约0.41、南北宽约0.37、最深处距坑口约0.12米（图3.3.104）。填土为灰褐色沙质黏土，土质较疏松，包含少许木炭和少量碎陶片，可辨器形有鬲、罐、盆、缸等（图3.3.105；表3.3.84、表3.3.85）。

陶器

罐　标本1件。

标本H90：1，泥质灰陶。下腹残。小口微敞，束颈，溜肩，深腹圆鼓。颈部饰一周弦纹，上腹部饰两周弦纹，腹中部也可见弦纹痕迹。口径16.9、残高7.2厘米（图3.3.105，1）。

缸　标本1件。

标本H90：2，夹砂黑皮陶。下腹残。直口，圆唇，直腹。上腹饰一周附加堆纹，堆纹上下满饰绳纹，堆纹以上绳纹有抹光。口径27.1、残高8.9厘米（图3.3.105，2）。

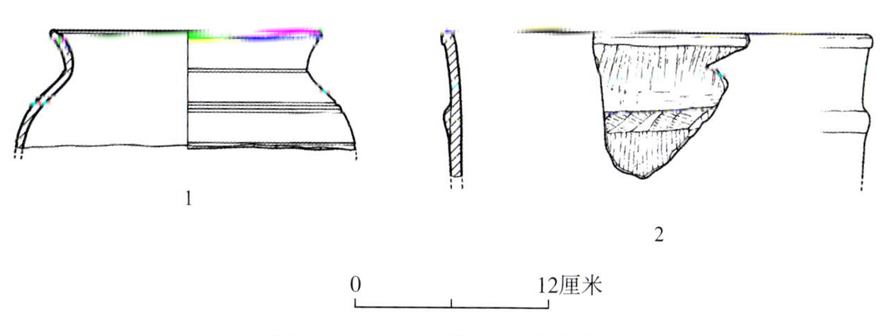

图 3.3.105　小嘴 H90 出土陶器

1. 罐（H90：1）　2. 缸（H90：2）

表3.3.84　小嘴H90陶系、纹饰统计表　（重量单位：克）

陶质		夹砂						泥质		合计	百分比（%）
纹饰 \ 陶色		灰	黑皮	红	褐	黄	白	灰	黑皮		
绳纹	数量	12	10	12	21	6		2	3	66	49.25
	重量	420	145	240	1605	435		10	25	2880	47.17
绳纹和附加堆纹	数量	4			1					5	3.73
	重量	360			100					460	7.53
网格纹	数量	1	3	7	6					17	12.69
	重量	55	45	600	650					1350	22.11
附加堆纹	数量			8						8	5.97
	重量			515						515	8.44
弦纹	数量							1		1	0.75
	重量							120		120	1.97
弦纹和云雷纹	数量								1	1	0.75
	重量								25	25	0.41
弦纹和乳钉纹	数量							1		1	0.75
	重量							5		5	0.08
云雷纹	数量			1						1	0.75
	重量			30						30	0.49
素面	数量	10	1	10	2	3	1	1	6	34	25.37
	重量	205	10	320	40	75	20	5	45	720	11.79

续表

陶质		夹砂						泥质		合计	百分比（%）
纹饰＼陶色		灰	黑皮	红	褐	黄	白	灰	黑皮		
合计	数量	27	14	38	30	9	1	5	10	134	100.00
	重量	1040	200	1705	2395	510	20	140	95	6105	100.00
百分比（%）	数量	20.15	10.45	28.36	22.39	6.72	0.75	3.73	7.46	100.00	
		88.81						11.19			
	重量	17.04	3.28	27.93	39.23	8.35	0.33	2.29	1.56	100.00	
		96.15						3.85			

表3.3.85　小嘴H90器形统计表

陶质	夹砂						泥质		合计	百分比（%）
器形＼陶色	灰	黑皮	红	褐	黄	白	灰	黑皮		
鬲	3			2					5	4.59
鬲足或甗足	1		2						3	2.75
罐							1		1	0.92
盆								2	2	1.83
缸	20	3	36	28	9	1			97	88.99
器鋬	1								1	0.92
合计	25	3	38	30	9	1	1	2	109	100.00
百分比（%）	22.94	2.75	34.86	27.52	8.26	0.92	0.92	1.83	100.00	

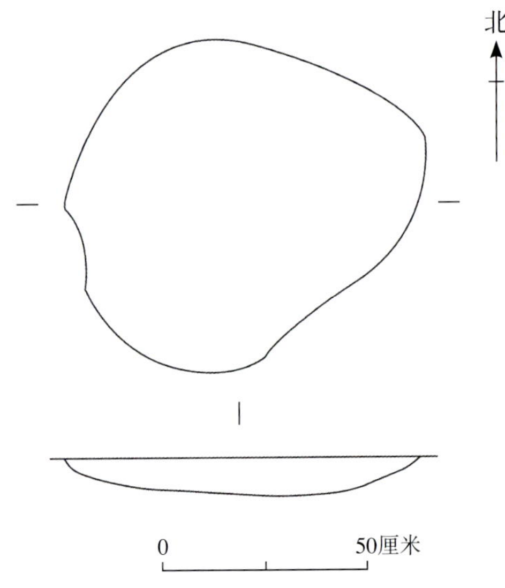

图3.3.106　小嘴H91平、剖面图

（四十四）H91

位于Q1610T1813东北部。开口于第2层下，打破F1。开口平面呈圆形，斜壁平底。发掘部分东西长约0.72、最深处距坑口约0.2米。填土为灰褐色沙质黏土，土质较疏松，包含大量碎陶片，可辨器形有鬲、缸等（图3.3.106）。

陶器

鬲 标本1件。

标本H91：5，夹砂灰陶。下腹缺失。侈口，平折沿，沿面有一周凹槽，圆唇。颈部以下饰绳纹。复原后口径16.8、残高3厘米（图3.3.107，3）。

缸 标本2件。

标本H91：1，夹砂灰陶。仅存腹片。厚胎缸，陶片自上至底厚度逐渐增加。器表满饰绳纹。器壁内有多层泥坯叠压的痕迹。残高14.2厘米（图3.3.107，2）。

标本H91：3，夹砂红陶。下腹残。直口，方唇，直腹微鼓。上腹饰一周附加堆纹，堆纹以下满饰绳纹。复原后口径29.6、残高9.7厘米（图3.3.107，1）。

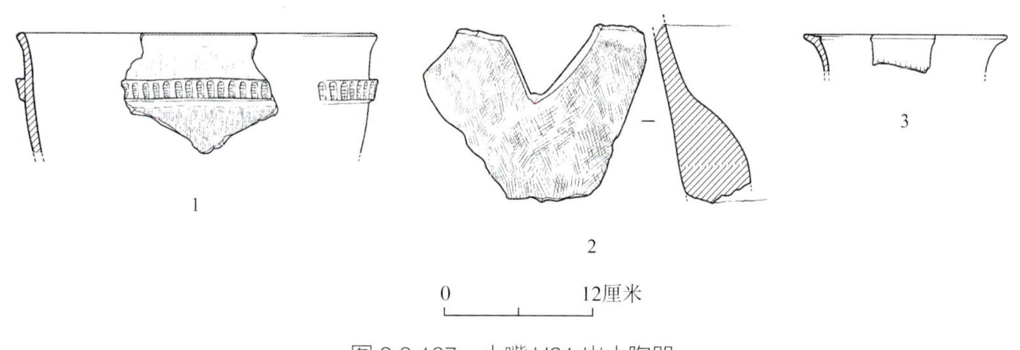

图3.3.107 小嘴H91出土陶器

1、2. 缸（H91：3、H91：1） 3. 鬲（H91：5）

（四十五）H93

位于Q1610T1813东北部。开口于第2层下，打破H95和生土。平面形状近椭圆形，斜壁弧底。发掘部分南北长约1.34、东西宽约0.88、最深处距坑口约0.16米。填土为灰褐色沙质黏土，土质较疏松，包含少量碎陶片及细碎动物骨骼。

（四十六）H94

位于Q1610T1817北部。开口于第3层下，打破H98。平面形状为椭圆形，斜壁平底。基线方向为90°或270°，发掘部分南北长约1.86、东西宽约1.96、最深处距坑口约0.14米（图3.3.108）。填土为黑色黏土，土质较致密，包含少量陶片（表3.3.86、表3.3.87）。

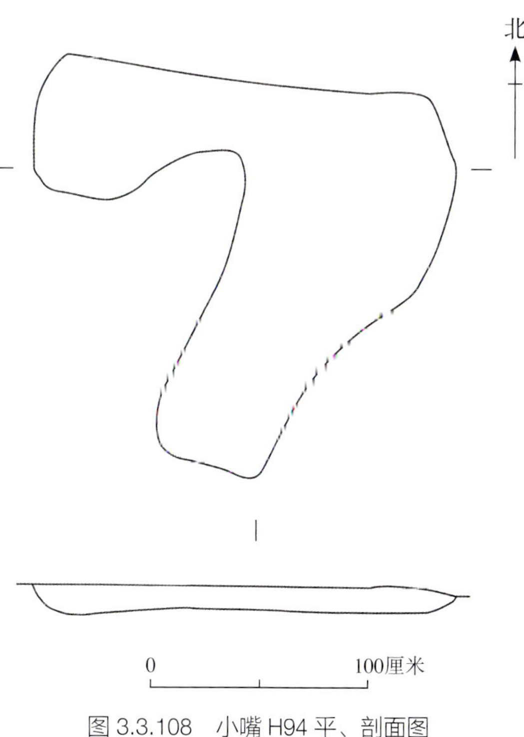

图3.3.108 小嘴H94平、剖面图

表3.3.86　小嘴H94陶系、纹饰统计表　（重量单位：克）

纹饰＼陶质/陶色		夹砂					泥质			印纹硬陶和原始瓷	合计	百分比（%）
		灰	黑皮	红	褐	黄	灰	黑皮	褐			
绳纹	数量	3		20	3	4	7	2	2	1	42	40.38
	重量	140		825	85	135	75	10	40	170	1480	39.00
绳纹和附加堆纹	数量			4		2					6	5.77
	重量			315		265					580	15.28
网格纹	数量			1							1	0.96
	重量			10							10	0.26
网格纹和附加堆纹	数量				1						1	0.96
	重量				50						50	1.32
附加堆纹	数量			2		2					4	3.85
	重量			225		90					315	8.30
附加堆纹、弦纹和窗棂纹	数量						1				1	0.96
	重量						30				30	0.79
素面	数量	7	3	20	5		2	12			49	47.12
	重量	145	15	885	175		25	85			1330	35.05
合计	数量	10	3	47	9	8	10	14	2	1	104	100.00
	重量	285	15	2260	310	490	130	95	40	170	3795	100.00
百分比（%）	数量	9.62	2.88	45.19	8.65	7.69	9.62	13.46	1.92	0.96	100.00	
		74.04					25.00					
	重量	7.51	0.40	59.55	8.17	12.91	3.43	2.50	1.05	4.48	100.00	
		88.54					6.98					

表3.3.87　小嘴H94可辨器形统计表

器形＼陶质/陶色	夹砂				泥质		合计	百分比（%）
	灰	红	褐	黄	灰	黑皮		
罐	1					1	2	2.90
豆					1		1	1.45
盆					2	1	3	4.35
缸	3	47	4	8			62	89.86
器鋬	1						1	1.45
合计	5	47	4	8	3	2	69	100.00
百分比（%）	7.25	68.12	5.80	11.59	4.35	2.90	100.00	

（四十七）H95

位于Q1610T1813东部。开口于第2层下，被H93打破。坑壁被破坏严重，现存部分东西长约1.12、南北宽约0.42、最深处距坑口约0.06米。填土为黑色黏土，土质较致密，包含少量陶片，可辨器形有爵、盆等（图3.3.109）。

陶器

爵　标本1件。

标本H95∶4，夹砂灰陶。尾部残，实足残。束腰，圆腹，腹旁附扁平状鋬，正对一足，底附三个圆锥形实足。腰部饰有一周弦纹。残高8.6厘米（图3.3.110，2）。

盆　标本1件。

标本H95∶2，泥质灰陶。下腹残。敞口，宽折沿斜向上伸，方唇，深腹略鼓。上腹饰有两周弦纹。口径27.7、残高8.8厘米（图3.3.110，1）。

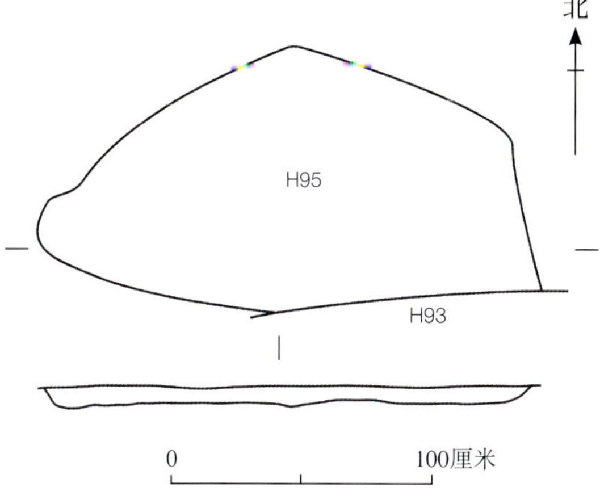

图 3.3.109　小嘴 H95 平、剖面图

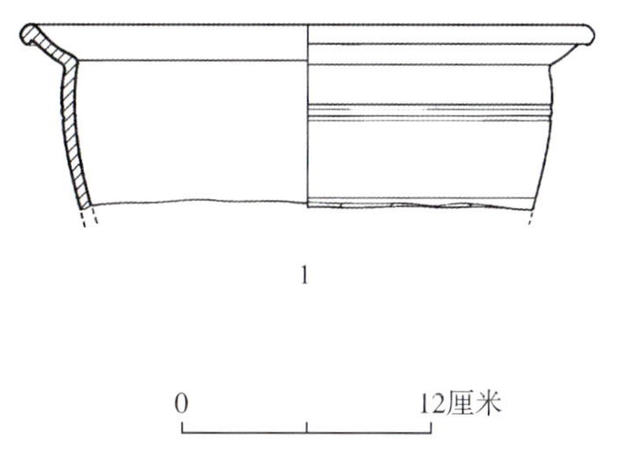

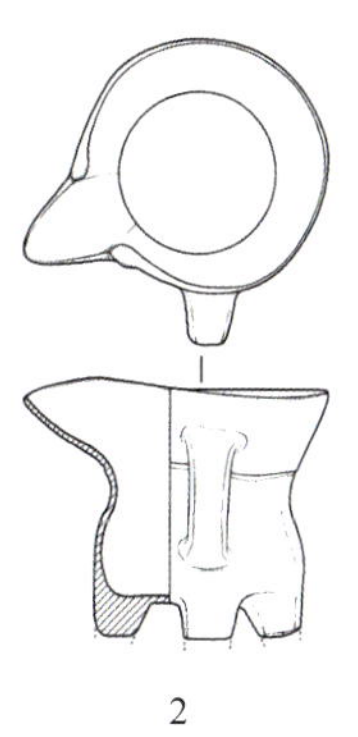

图 3.3.110　小嘴 H95 出土陶器

1. 盆（H95∶2）　2. 爵（H95∶4）

（四十八）H96

位于Q1610T1816西北部。开口于第3层，被H97打破。平面形状为近圆形，直壁平底。基线方向为0°或180°，发掘部分东西长约0.72、南北宽0.51米（图3.3.111）。填土为灰色黏土，土质较疏松，出土少量散碎陶片，可辨器形有鬲、斝、缸等（图3.3.112；表3.3.88、表3.3.89）。

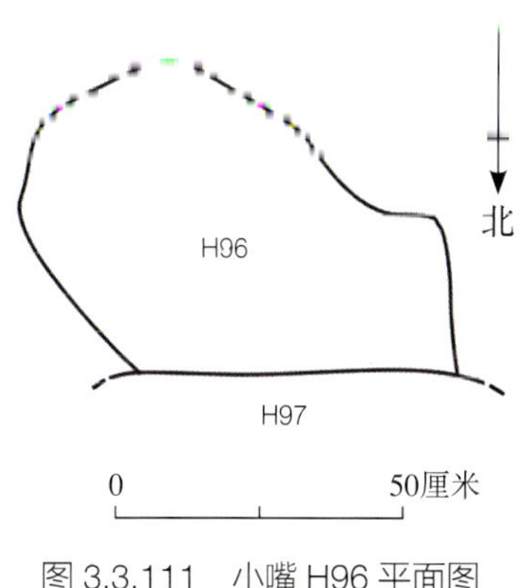

图 3.3.111　小嘴 H96 平面图

1）陶器

鬲 标本2件。

标本H96：1，夹砂灰陶。口部残。鼓腹，分裆，裆部较高，实足较矮。颈部饰有一周弦纹，弦纹以下饰绳纹。残高15.6厘米（图3.3.112，1）。

标本H96：2，夹砂灰陶。口部以下残。侈口，方唇。素面。口径14、残高1.4厘米（图3.3.112，2）。

2）石器

砺石 标本1件。

标本H96：6，一端残损，另一端有石片疤，刃部较锋锐。长约6.3、宽约4.6、厚约1.5厘米（图3.3.112，3）。

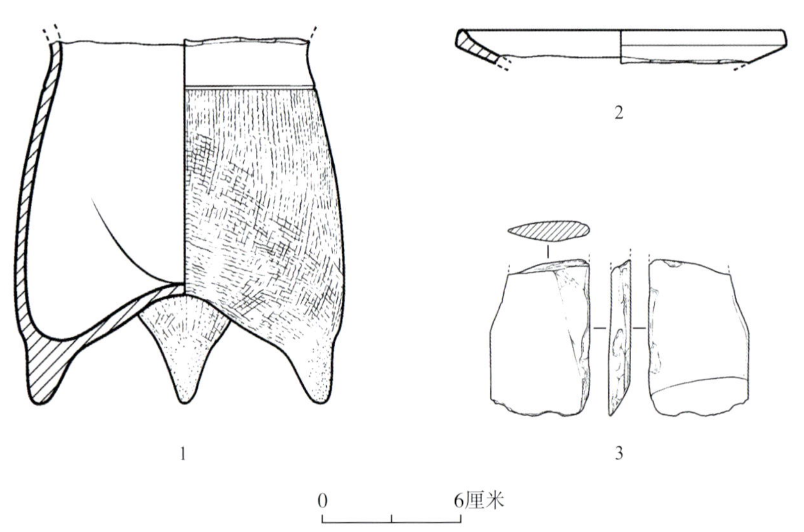

图3.3.112 小嘴H96出土陶器和石器

1、2. 陶鬲（H96：1、H96：2） 3. 砺石（H96：6）

表3.3.88 小嘴H96陶系、纹饰统计表（重量单位：克）

陶质		夹砂					泥质				合计	百分比（%）
纹饰 \ 陶色		灰	黑皮	红	褐	黄	灰	黑皮	红	褐		
绳纹	数量	4		4	1	4	6	13	2	4	38	58.46
	重量	55		285	5	150	50	125	10	50	730	38.62
绳纹和附加堆纹	数量	1									1	1.54
	重量	40									40	2.12

续表

陶质 纹饰 \ 陶色		夹砂					泥质				合计	百分比（%）
		灰	黑皮	红	褐	黄	灰	黑皮	红	褐		
绳纹和弦纹	数量		1								1	1.54
	重量		220								220	11.64
网格纹	数量	2		2	2	1					7	10.77
	重量	165		90	225	15					495	26.19
网格纹和附加堆纹	数量	1									1	1.54
	重量	210									210	11.11
附加堆纹	数量			1							1	1.54
	重量			25							25	1.32
弦纹	数量									1	1	1.54
	重量									10	10	0.53
弦纹和乳钉纹	数量						1				1	1.54
	重量						15				15	0.79
素面	数量	2	4	4		1	2	1			14	21.54
	重量	15	35	50		5	15	25			145	7.67
合计	数量	10	5	11	3	6	9	14	2	5	65	100.00
	重量	485	255	450	230	170	80	150	10	60	1890	100.00
百分比（%）	数量	15.38	7.69	16.92	4.62	9.23	13.85	21.54	3.08	7.69	100.00	
		53.84					46.16					
	重量	25.66	13.49	23.81	12.17	8.99	4.24	7.94	0.53	3.17	100.00	
		84.12					15.88					

表3.3.89　小嘴H96可辨器形统计表

陶质 器形 \ 陶色	夹砂					合计	百分比（%）
	灰	黑皮	红	褐	黄		
鬲	2	1				3	10.71
斝	1					1	3.57
缸	4		12	2	6	24	85.71
合计	6	2	12	2	6	28	100.00
百分比（%）	21.43	7.14	42.86	7.14	21.43	100.00	

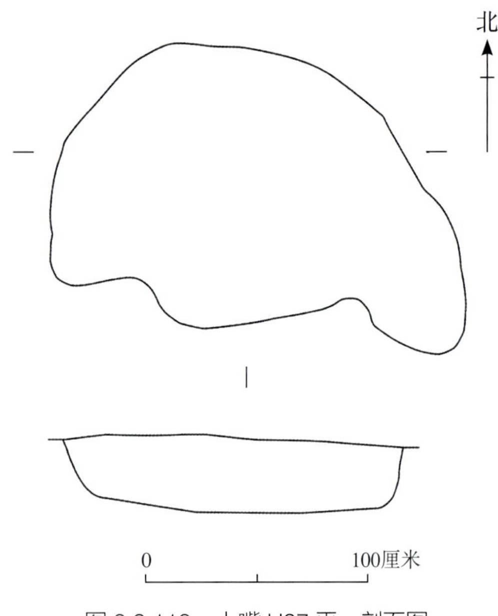

图 3.3.113　小嘴 H97 平、剖面图

（四十九）H97

位于Q1610T1816西北部。开口于第3层下，打破H96和第5层。平面形状为不规则圆形，直壁平底。基线方向为90°或270°。发掘部分东西长约1.52、南北宽约1.04、最深处距坑口约0.3米（图3.3.113）。填土为灰色黏土，土质较致密。坑内包含大量石块，石块中夹杂部分陶片（表3.3.90、表3.3.91）。小嘴遗址遍布石块，故而推测此坑为堆放石块的场地。

表3.3.90　小嘴H97陶系、纹饰统计表　　（重量单位：克）

陶质		夹砂					泥质			印纹硬陶和原始瓷	合计	百分比（%）
纹饰＼陶色		灰	黑皮	红	褐	黄	灰	黑皮	褐			
绳纹	数量	11	29	9	12	7	31	23	1		123	36.18
	重量	330	875	1140	365	370	280	490	5		3855	29.61
绳纹和附加堆纹	数量	2	1	5		2					10	2.94
	重量	160	105	120		120					505	3.88
网格纹	数量	1	12	8	14	14				1	50	14.71
	重量	160	760	710	885	1145				5	3665	28.15
网格纹和附加堆纹	数量			5		3					8	2.35
	重量			955		315					1270	9.75
附加堆纹	数量			3		3					6	1.76
	重量			195		205					400	3.07
弦纹	数量						5				5	1.47
	重量						30				30	0.23
云雷纹	数量									1	1	0.29
	重量									10	10	0.08
叶脉纹	数量									2	2	0.59
	重量									125	125	0.96

续表

陶质		夹砂					泥质			印纹硬陶和原始瓷	合计	百分比（%）
纹饰 \ 陶色		灰	黑皮	红	褐	黄	灰	黑皮	褐			
素面	数量	19	6	27	20	11	20	18	8		135	39.71
	重量	475	35	845	770	420	310	220	85		3160	24.27
合计	数量	33	48	57	46	40	62	41	9	4	340	100.00
	重量	1125	1775	3965	2020	2575	620	710	90	140	13020	100.00
百分比（%）	数量	9.71	14.12	16.76	13.53	11.76	18.24	12.06	2.65	1.18	100.00	
		65.88					32.94					
	重量	8.64	13.63	30.45	15.51	19.78	4.76	5.45	0.69	1.08	100.00	
		88.02					10.90					

表3.3.91　小嘴H97可辨器形统计表

陶质	夹砂					泥质			合计	百分比（%）
器形 \ 陶色	灰	黑皮	红	褐	黄	灰	黑皮	褐		
鬲	2	2		1					5	2.72
鬲足或甗足	5			9					14	7.61
罐	1	1				3			5	2.72
爵	1						1	1	3	1.63
瓮						1			1	0.54
缸	7	21	57	29	40				154	83.70
器錾						1			1	0.54
圈足						1			1	0.54
合计	16	24	57	39	40	6	1	1	184	100.00
百分比（%）	8.70	13.04	30.98	21.20	21.74	3.26	0.54	0.54	100.00	

（五十）H98

位于Q1610T1816北部。被H94打破，打破生土。平面形状为圆形，未清理。南北长约0.7、东西宽约0.55米（图3.3.114，1）。填土为原生红烧土，从表面形状看，烧土烧结程度不高（图3.3.114，2）。

图 3.3.114　小嘴 H98 平面图和红烧土面照片

1. 平面图　2. 红烧土面照片

（五十一）H99

位于Q1610T1816南部。开口于第4层下，被H100、G25打破。灰坑仅残存一部分，未清理。平面形状不规则，南北残长0.3、东西残宽0.22米（图3.3.115，1）。为一原生红烧土面，与H98类似，烧土烧结程度不高（图3.3.115，2）。

图 3.3.115　小嘴 H99 平面图和照片

1. 平面图　2. 照片

（五十二）H100

位于Q1610T1816西北部。开口于第4层下，打破生土。平面形状为椭圆形，弧壁平底。发掘部分东西长约0.84、最深处距坑口约0.34米。填土为黑色黏土，土质较致密，包含少量散碎陶片，可辨器形有鬲、缸等。第4层底部、H100坑表有完整鹿角一件（图3.3.117，2），由于两遗迹填土土质土色一致，无法判断具体归属，暂归为第4层。

1）陶器

鬲　标本1件。

标本H100：2，夹砂灰陶。下腹残。侈口，平折沿，沿面有一周凹槽，圆唇，束颈，鼓腹，颈部以下饰绳纹。口径16.9、残高7.7厘米（图3.3.116，1）。

缸　标本2件。

标本H100：1，夹砂红陶。下腹残。直口，方唇，口部加厚，直腹。上腹饰有一周附加堆纹，附加堆纹以下满饰绳纹。复原后口径36.2、残高12.1厘米（图3.3.116，2）。

标本H100：3，夹砂黄陶。上腹残。下腹弧收，饼状足。腹部满饰方格纹，饼状足饰戳印纹。残高13.8厘米（图3.3.116，3）。

2）石器

刀　标本1件。

标本H100：4，平面呈半圆形，顶部圆弧，中央有一圆形穿孔，刃部近平略内弧。通体磨光。长10.5、宽4.7、厚0.7、孔径0.4～0.8厘米（图3.3.117，1）。

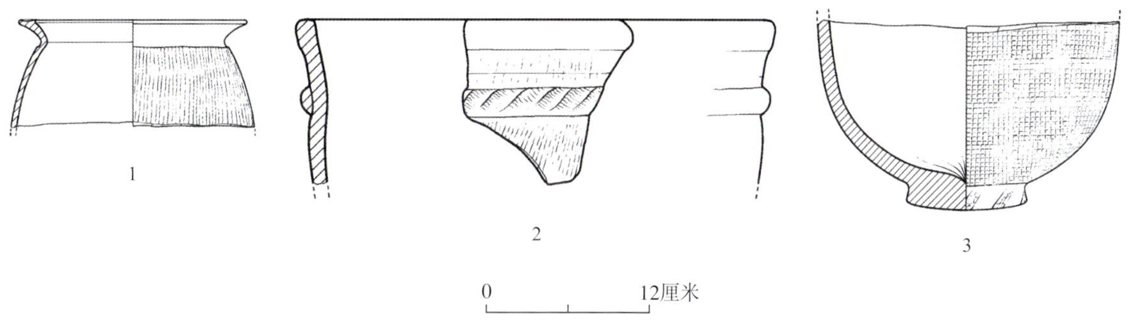

图 3.3.116　小嘴 H100 出土陶器

1. 鬲（H100：2）　2、3. 缸（H100：1、H100：3）

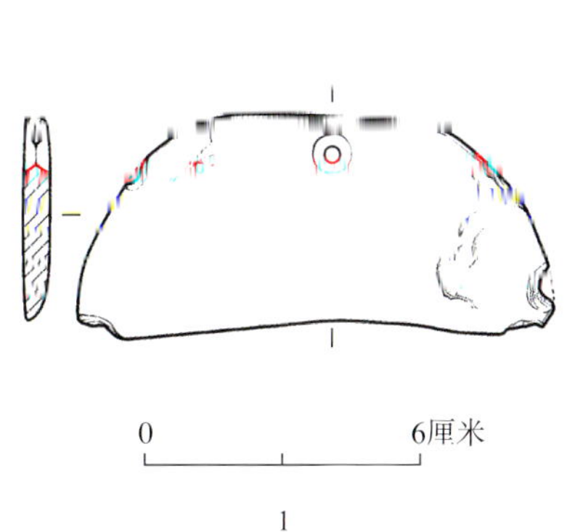

图 3.3.117　小嘴 H100 出土器物

1. 石刀线图（H100：4）　2. 鹿角出土照片

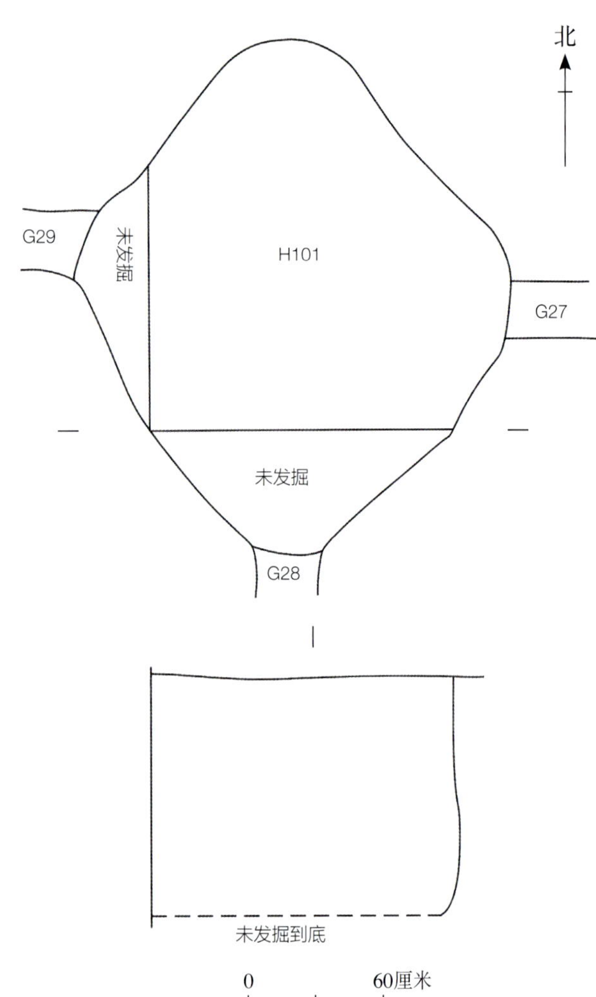

图 3.3.118　小嘴 H101 平、剖面图

（五十三）H101

位于Q1610T1416西南部。开口于第2层下，打破生土。开口平面呈近椭圆形，直壁，未发掘到底。基线方向为90°或270°，发掘部分南北长约2.2、东西宽约1.7、已清理深度1.1米（图3.3.118）。由于土质致密，利用探铲探至深度1.5米左右后难以下探。填土为浅红色黏土，土质较为致密，包含物较少，仅有零星陶片，可辨器形有鬲、罐、盆等。值得注意的是，G27、G28、G29与H101连接，且G27与G29形成的直线与G28垂直，分别连接H101轴端点。因此H101与G27～G29之间应该存在功能上的联系。

陶器

鬲　标本1件。

标本H101∶3，夹砂黑皮陶。颈部以下残。侈口，平折沿，沿面有一道凹槽，方唇，束颈。口径18.7、残高4厘米（图3.3.119，3）。

罐　标本1件。

标本H101∶1，泥质灰陶。颈部以下残。侈口，圆唇，短直颈。颈部饰三周弦纹。口径30.8、残高10.7厘米（图3.3.119，1）。

盆　标本1件。

标本H101∶2，泥质红陶，外施黑色陶衣。下腹残。侈口，平折沿，圆唇，腹部斜收。沿下饰两周弦纹，弦纹以下饰绳纹。复原后口径35.2、残高2.9厘米（图3.3.119，2）。

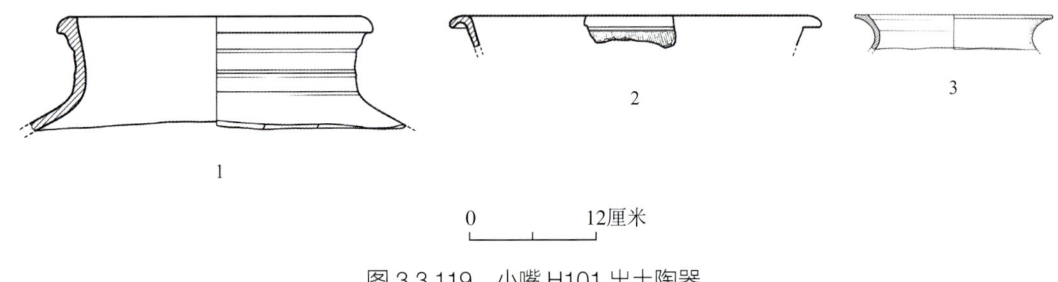

图 3.3.119　小嘴 H101 出土陶器

1. 罐（H101∶1）　2. 盆（H101∶2）　3. 鬲（H101∶3）

（五十四）H103

位于Q1610T1514西部，延伸入探方西壁。开口于第2层下。已揭露部分平面形状为半圆形，弧壁近圜底。基线方向为90°或270°，发掘部分东西长约1.0、南北宽约0.7、最深处距坑口约0.1米（图3.3.120）。填土为黑色黏土，土质较致密，包含少量碎陶片。

（五十五）H104

位于Q1610T1514西北部，北侧延伸入T1514西壁。开口于第2层下。已揭露部分平面形状为半圆形，斜壁近平底。基线方向为90°，发掘部分东西长约1.28、南北宽约0.7、最深处距坑口约0.3米（图3.3.121）。填土为黑色黏土，土质较致密，包含少量碎陶片。该灰坑共采集木炭样品1件，进行了碳–14年代测定，检测结果见表3.3.92。

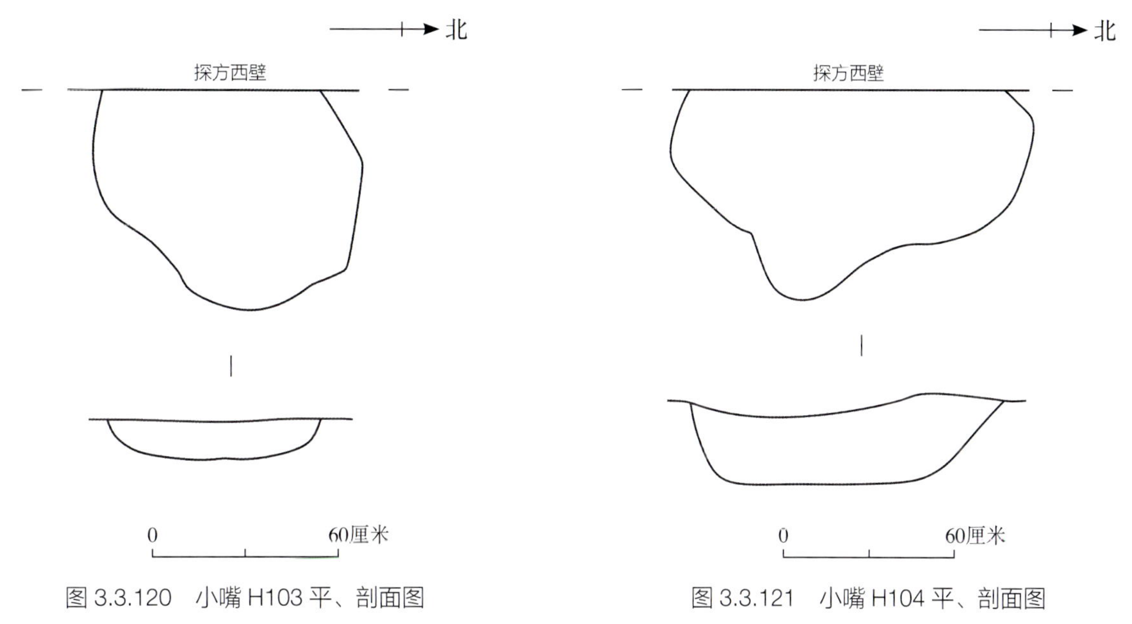

图 3.3.120　小嘴 H103 平、剖面图

图 3.3.121　小嘴 H104 平、剖面图

表3.3.92　小嘴H104木炭样品加速质谱仪（AMS）碳–14测年数据

Lab 编号	样品原编号	样品	碳–14 年代（BP）	树轮校正后年代	
				1σ（68.2%）	2σ（95.4%）
BA192335	H104：1	木炭	3130±30	1440BC（54.4%）1388BC 1338BC（13.9%）1320BC	1496BC（4.9%）1474BC 1460BC（65.0%）1370BC 1355BC（25.5%）1298BC

注：所用碳–14半衰期为5568年，BP为距1950年的年代。

树轮校正所用曲线为IntCal20 atmospheric curve (Reimer et al 2020)，所用程序为OxCal v4.4.2 Bronk Ramsey (2020)；r: 5。

1. Reimer P J, Bard E, Bayliss A, Beck J W. IntCal13 and Marine13 radiocarbon age calibration curves 0–50,000 years cal BP, Radiocarbon, 2013, 55, 1869-1887.

2. Christopher Bronk Ramsey 2015, https://c14.arch.ox.ac.uk/oxcal/OxCal.html.

（五十六）H105

位于Q1610T1716西北部。开口于第2层下。平面形状为椭圆形，弧壁近平底。基线方向为90°或270°，发掘部分东西长约1.25、南北宽约0.78、最深处距坑口约0.22米（图3.3.122）。填土为黑色黏土，土质较疏松，包含部分陶片，另出土完整陶斝一件。坑表东西还各放置有一石块。

（五十七）H106

位于Q1610T1914西南部，部分延伸入T1813、T1814、T1913。开口于第2层下。平面形状为近椭圆形，斜壁近平底。基线方向为90°或270°，发掘部分东西长约3.56、南北宽约2.23、最深处距坑口约0.68米（图3.3.123）。填土可分为两层：第1层为黑灰色黏土，土质较致密，包含少量陶片，厚度约0.88米；第2层为黄色黏土，土质较致密，分布于坑底及坑壁，未清理。从灰坑结构及遗迹位置关系看，H106与F1的功能可能有一定的关联。

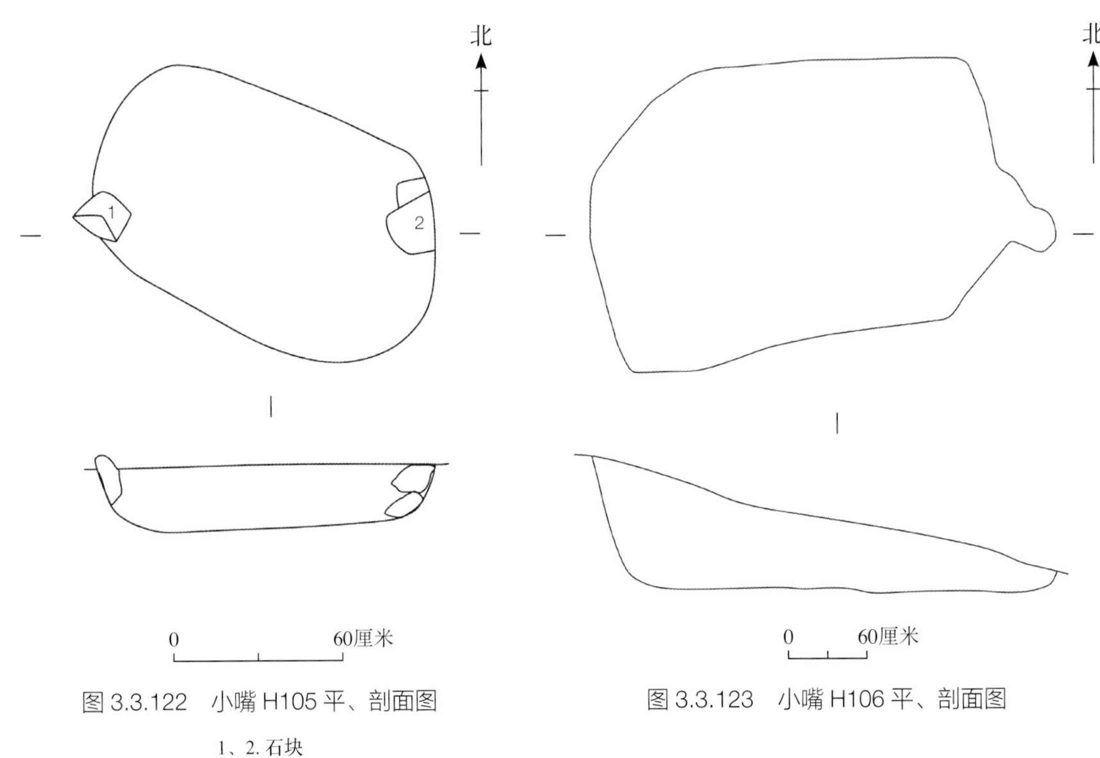

图 3.3.122　小嘴 H105 平、剖面图

1、2. 石块

图 3.3.123　小嘴 H106 平、剖面图

第四节　灰　　沟

灰沟共计29条。其中G1～G4、G13与G5～G11、G20～G29分属两处大型遗迹，依据其平面长度和宽度的不同，在此将其分别称为大型灰沟和小型灰沟。大型灰沟长7.6～26.4、宽1.3～1.8、深0.3～0.5米，剖面形态为斜壁圜底；小型灰沟长0.8～5.6、宽0.4～0.6、深

0.1～0.25米，剖面形态为直壁平底。鉴于灰沟遗迹数量较多且体量庞大，且同类灰沟在结构上具有高度相似性，本次发掘对各条灰沟采取了分段解剖的方式进行清理，以明晰灰沟整体结构及沟内堆积状况。针对G5～G12、G14～G29等小型灰沟，其深度为0.1～0.15，宽度0.14～0.28米，本次发掘选择了G9、G23、G25进行平面发掘，对于其余小型灰沟则采取分段解剖的方式予以清理。

从灰沟之间的关系来看，大型灰沟打破小型灰沟，但沟内填土及包含物高度相似，推测其形成时间应相距不远。遗迹中出土有大量与铸铜生产活动直接相关的遗物。

在上述大型灰沟和小型灰沟之外，第三类灰沟普遍深度不超过0.2、宽度不超过0.3米，灰沟平面形状不规则，其方向具有随意性，灰沟相互之间并未呈现出任何分布规律，且第三类灰沟存在打破第二类灰沟的现象，由此推测，第三类灰沟可能为第二类灰沟废弃后所形成的若干不规则小型沟状遗迹。

以下将对各条灰沟的发掘清理予以介绍。

（一）G1

主要位于Q1610T1915～Q1710T0415、Q1710T0314～T0414共8个探方中。G1开口于第3层下，被H3叠压，打破G7、G9、G10及生土。灰沟平面呈长条形，分布于西高东低的坡地之上，沟面西高东低，落差为1.3米（图3.4.1，1）。沟面距离地表0.3～0.5米。G1东西长26.4、宽1.4～1.8米，方向105°（图3.4.1，2）。我们对G1进行了解剖发掘，共布设解剖沟5条，编号JPG1～JPG5（图3.4.1，2）。5条解剖沟发掘出土有陶鬲、罐、瓮、大口尊、缸等（图3.4.2～图3.4.25；表3.4.1～表3.4.10），同时采集木炭样品4件，进行了碳–14年代测定，检测结果见表3.4.11。以下按解剖沟依次公布G1发掘出土的遗物和标本检测信息。

1. G1-JPG1

位于Q1610T1915东北部。东西长2.16、南北宽1.45、开口距地表0.3米。通过发掘可知G1为斜壁圜底，沟口宽1.4、沟面至沟底深0.18～0.4米。沟壁与沟底均铺垫有一层黄色黏土，黄色黏土厚约0.1米，与G9底部所见铺垫黄土的现象一致。G1底部用该黄土筑起两道土埂（图3.4.2），因此沟底自北向南被两道土埂分隔成三道凹槽，剖面呈“W”形。G1底部西高东低，落差达0.22米。

G1-JPG1内填土可分为两层：

第1层：陶片层。厚0.15～0.2米。该层中包含十分密集的陶片并夹杂少量黑灰色填土，陶片中可辨器形包括鬲、罐、瓮、尊、盆、缸等。除陶片外，G1中还出土有其他各类遗物，主要包括：①密集分布的青铜颗粒，直径1～3厘米；②青铜器残片，直径1～6厘米，可辨器类包括青铜爵足、青铜刀、青铜镞；③木炭块，长2～5厘米，部分木炭块可见切割痕迹；④石器，主要包括石锛、石凿、石镰、砺石等。

第2层：黑灰色土。厚0.1～0.25米。该层中夹杂少量陶片，同时出土有青铜颗粒、陶范碎块、木炭块及砺石、石凿、石锛等石质工具（图3.4.3～图3.4.10；表3.4.1、表3.4.2）。

G1-JPG1出土遗物和检测标本未分层收集，统一归入G1-JPG1内。

1

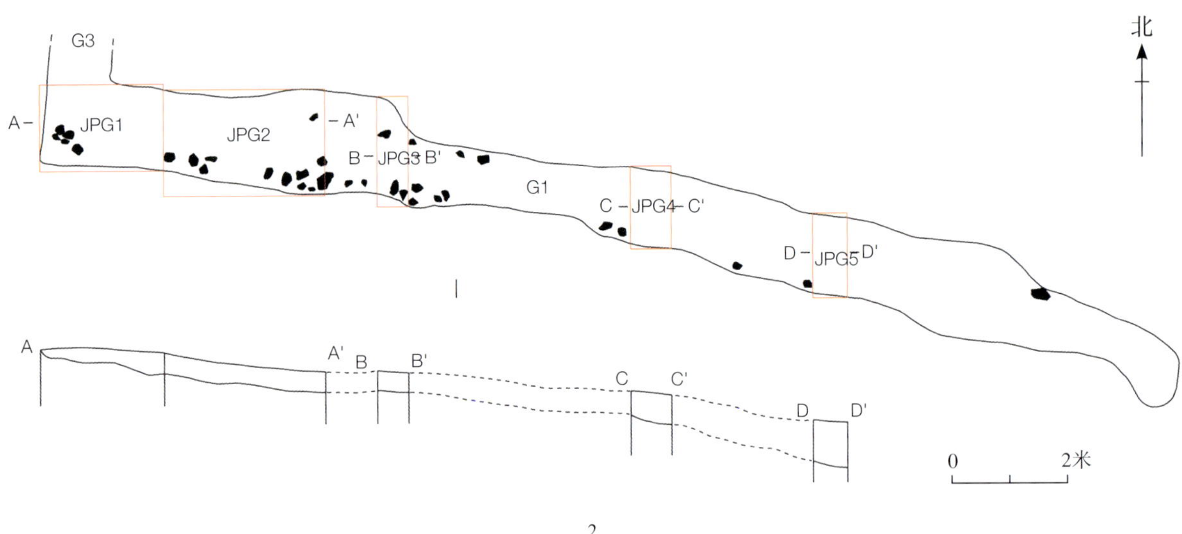

2

图3.4.1　小嘴G1俯视照片和平、剖面图

1. 俯视照片　2. 平、剖面图

1）青铜器

爵足　标本1件。

标本G1-JPG1：35，爵足，足与器身连接处残存部分器腹残片。横截面呈三角形。足残长7.2厘米（图3.4.3，4）。

刀　标本1件。

标本G1-JPG1：8，刀柄残缺。刀身大致呈三角形，直背弧刃。残长7.2、宽1.5、厚0.2厘米（图3.4.3，5）。

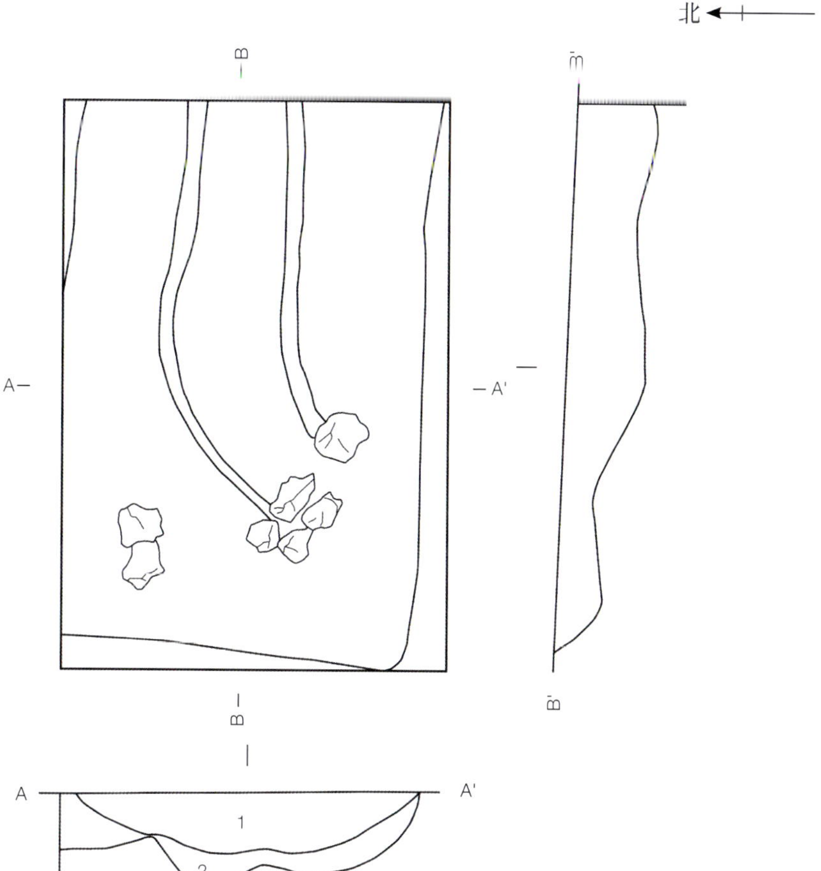

1

2

图 3.4.2　小嘴 G1-JPG1 平、剖面图和照片

1. 平、剖面图　2. 照片

经金相分析为锻造，金相组织可见α树枝晶，岛屿状（α+δ）共析体，少量铅颗粒和夹杂物弥散分布。化学成分分析铜含量为86.0%，锡含量为11.4%，铅含量为2.5%，氧含量为0.2%。

镞　标本1件。

标本G1-JPG1：31，有翼镞。三角形扁平双斜翼，脊作四棱状，双翼后峰较短，铤较长且作扁圆锥形。全长5.6厘米（图3.4.3，3；图3.4.4，4）。

青铜颗粒　标本若干件。

G1中还出土有集中分布的青铜颗粒，部分颗粒表面氧化十分严重，部分颗粒仍可辨识为某种青铜器的残片，但因个体过于细碎，器形无法断定。其直径为1～4厘米（图3.4.3，1、2；图3.4.5）。

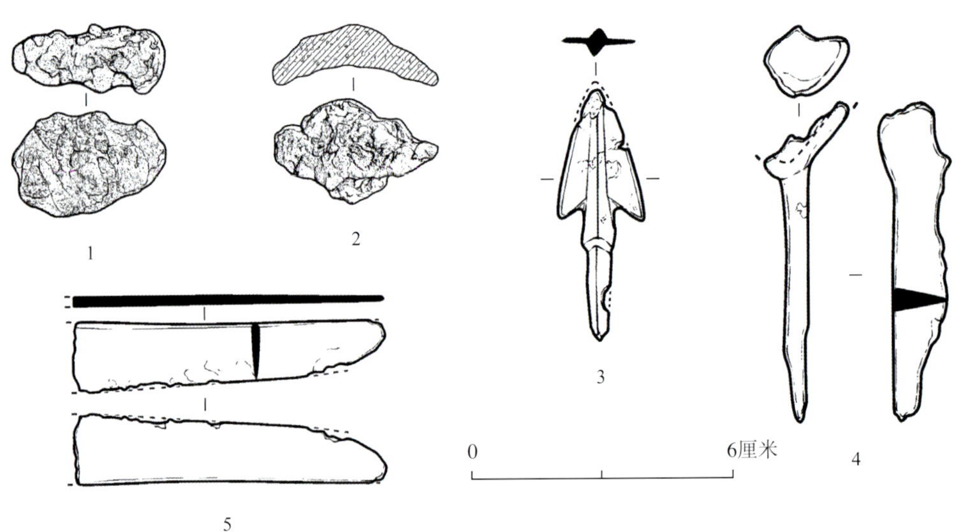

图3.4.3　小嘴G1-JPG1出土青铜器

1、2. 青铜颗粒（G1-JPG1：2、G1-JPG1：1）　3. 镞（G1-JPG1：31）
4. 爵足（G1-JPG1：35）　5. 刀（G1-JPG1：8）

图3.4.4　小嘴G1出土青铜器

1. 铜片（G1-JPG1：14）　2. 刀（G1-JPG1：30）　3. 锛（G1-JPG1：15）　4. 镞（G1-JPG1：31）

图 3.4.5　小嘴 G1 出土青铜颗粒

G1-JPG1青铜颗粒　取样经检测显示其金属基体以及周围锈蚀层中含有大量菱形的二氧化锡晶体，显示出与冶金渣样品相似，可能为熔铜浇铸时铜液表层或飞溅的铜液滴与空气接触后形成的浮渣（dross）或流铜、溅铜（spillage）。对其中未遭氧化的金属基体进行扫描电镜微区分析发现，锡含量为7.2%，铅含量为0.7%。

2）陶器

罐　标本2件。

标本G1-JPG1：3，夹砂红陶。侈口，卷沿，方唇，束颈。颈部饰绳纹。口径18.1、残高4.2厘米（图3.4.6，2）。

标本G1-JPG1：7，夹砂黑皮陶。侈口，折沿，方唇，竖颈，溜肩。颈部饰一周凸弦纹，肩部饰绳纹。口径17.8、残高6.4厘米（图3.4.6，3）。

斝　标本1件。

标本G1-JPG1：13，泥质红胎黑皮陶。残存上腹部及一弧形錾。外施陶衣，腹部饰两周弦纹，弦纹以下饰绳纹。残高8.2厘米（图3.4.6，1）。

盆　标本2件。

标本G1-JPG1：3，泥质黑皮陶。下腹部残。敞口，折沿，大圆唇，束颈。肩部饰三周弦纹。口径30.2、残高8.6厘米（图3.4.6，4）。

标本G1-JPG1：9，泥质黑皮陶。敞口，折沿，尖圆唇，腹部斜收。颈部以下饰绳纹。口径29、残高7.1厘米（图3.4.6，5）。

大口尊　标本1件。

标本G1-JPG1：4，泥质红胎黑皮陶。下腹部残。敞口，方唇，长颈斜向内收。颈部饰两道凸弦纹。口径32.4、残高16.9厘米（图3.4.6，6）。

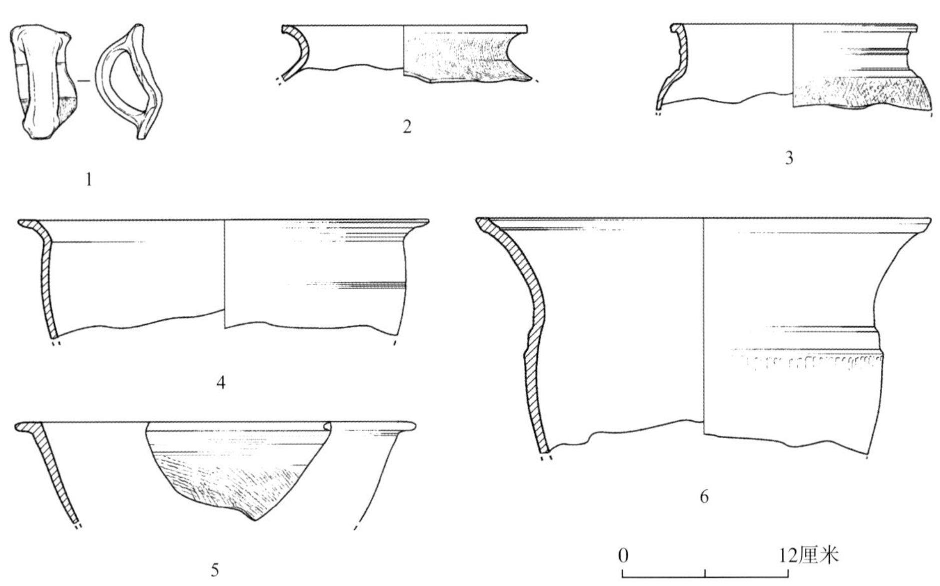

图 3.4.6　小嘴 G1-JPG1 出土陶器

1. 斝（G1-JPG1∶13）　2、3. 罐（G1-JPG1∶3、G1-JPG1∶7）
4、5. 盆（G1-JPG1∶5、G1-JPG1∶9）　6. 大口尊（G1-JPG1∶4）

缸　标本3件。

标本G1-JPG1∶10，夹砂灰陶。下腹及底部残。敞口，肩部微鼓。器表饰绳纹，颈部饰一周附加堆纹。口径34.1、残高14.2厘米（图3.4.7，1）。

标本G1-JPG1∶11，夹砂灰陶。敞口，斜直壁。器表饰绳纹，口部饰附加堆纹。口径29.6、残高18.8厘米（图3.4.7，2）。

标本G1-JPG1∶6，夹砂黄陶。敞口，斜直壁。器表饰绳纹及三道附加堆纹。口径40.2、残高24厘米（图3.4.7，3）。

印纹硬陶罐　标本1件。

标本G1-JPG1∶12，敞口，折沿，圆唇。肩部饰叶脉纹。颈部饰多道轮制痕迹。口径19.4、残高6.2厘米（图3.4.7，4）。

陶范　标本2件。

标本G1-JPG1∶18，泥质灰陶，夹杂细微砂粒。整体呈长方形。可见使用面较平，使用面表面局部可见微小的气孔，周壁不规则。长4.8、宽3.3、厚2厘米（图3.4.7，6；图3.4.8，2）。

标本G1-JPG1∶20，泥质，夹微量细砂。内壁青灰色，呈弧形，可见三道弦纹；外壁呈浅红色，凹凸不平。长6、宽5.8、厚6厘米。依据内壁三道弦纹及弧度，推测其为青铜尊或鼎类器物的陶范碎块；依据弦纹残存的弧度，复原其原始直径为14～16厘米（图3.4.7，5；图3.4.8，1）。

此外，在G1中，还出土有较多直径为1～3厘米的小陶范碎块。因其形态过于碎小，难以推测其为制作何种器类的陶范。在G1-JPG2区约0.35立方米的区域内，共出土有此类陶范碎块34枚。

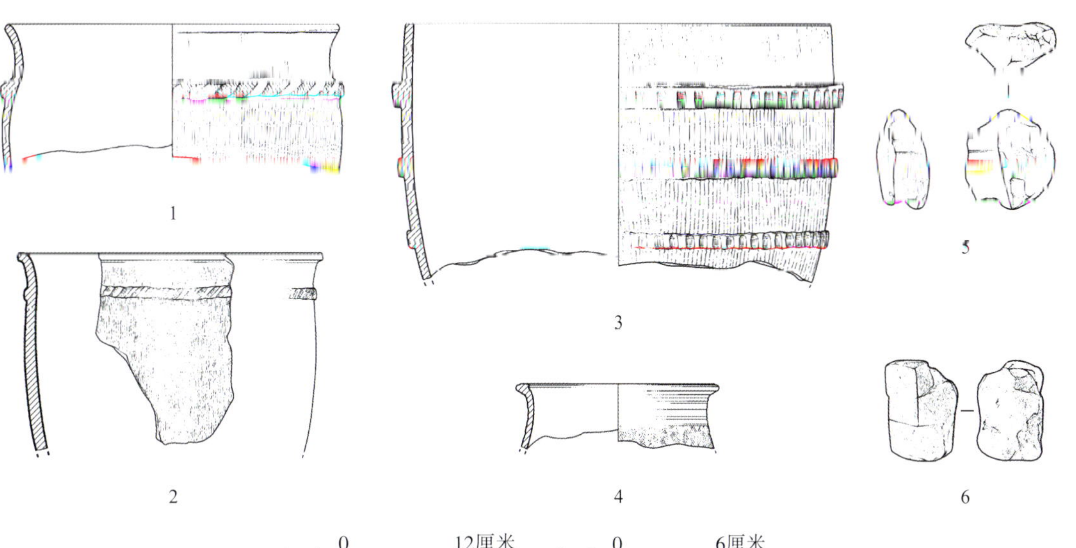

图 3.4.7 小嘴 G1-JPG1 出土陶器

1～3. 缸（G1-JPG1：10、G1-JPG1：11、G1-JPG1：6） 4. 印纹硬陶罐（G1-JPG1：12）
5、6. 范（G1-JPG1：20、G1-JPG1：18）

图 3.4.8 小嘴 G1-JPG1 出土陶范照片

1. G1-JPG1：20 2. G1-JPG1：18

3）石器

凿 标本1件。

标本G1-JPG1：37，青色砂岩。顶部已残。通体磨光，单面刃，刃面宽而平直。残长6.1、宽4.6、厚2.8厘米（图3.4.9，1）。

镰 标本2件。

标本G1-JPG1：39，青灰色砂岩。后端已残。直刃弧背，前端尖圆。残长5.9、中宽2.9、中厚0.8厘米（图3.4.9，3）。

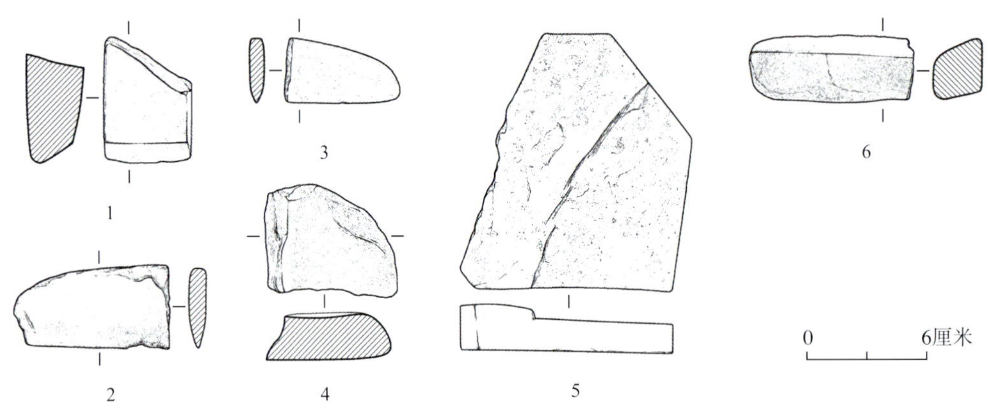

图 3.4.9　小嘴 G1-JPG1 出土石器

1. 凿（G1-JPG1：37）　2、3. 镰（G1-JPG1：41、G1-JPG1：39）
4、6. 砺石（G1-JPG1：38、G1-JPG1：36）　5. 砧（G1-JPG1：40）

图 3.4.10　石镰照片（小嘴 G1-JPG1 ：41）

标本G1-JPG1：41，黑色细砂岩。后端已残。弧背直刃，前端尖圆。残长7.8、中宽4.8、中厚0.9厘米（图3.4.9，2；图3.4.10）。

砧　标本1件。

标本G1-JPG1：40，灰色石英岩。平面呈不规则多边形，有一面被修整成平整台面。长12.2、宽10.6、厚2.2厘米（图3.4.9，5）。

砺石　标本2件。

标本G1-JPG1：36，红色石英岩。一侧残断。平面近似长方形，表面有明显的使用磨损痕迹。长16.2、宽4.4、厚5厘米（图3.4.9，6）。

标本G1-JPG1：38，黄褐色砂岩。器体残破。形状不规则，一面有明显的使用磨损痕迹。残长6.3、宽5、厚2厘米（图3.4.9，4）。

表3.4.1　小嘴G1-JPG1陶系、纹饰统计表　（重量单位：克）

陶质		夹砂						泥质				印纹硬陶和原始瓷	合计	百分比（%）
纹饰＼陶色		灰	黑皮	红	褐	黄	白	灰	黑皮	红	褐			
绳纹	数量	438	282	137	186	96		47	39	4	9	3	1241	46.31
	重量	9306	5329	2443	7210	6252		498	562	33	116	73	31822	38.26
绳纹和附加堆纹	数量	7	12	13	10	6	4		2				54	2.01
	重量	1200	922	1800	1074	952	647		117				6712	8.07
绳纹和弦纹	数量	2	5					11	7		1		26	0.97
	重量	19	127					179	251		27		603	0.72

续表

纹饰 \ 陶色 \ 陶质		夹砂						泥质				印纹硬陶和原始瓷	合计	百分比（%）
		灰	黑皮	红	褐	黄	白	灰	黑皮	红	褐			
网格纹	数量	6	7	15	10	66	13		3	4			124	4.63
	重量	82	443	755	6237	6226	760		46	35			14584	17.53
网格纹和附加堆纹	数量	2		1		12							15	0.56
	重量	231		133		887							1251	1.50
网格纹和弦纹	数量	1											1	0.03
	重量	52											52	0.06
篮纹	数量			13	2	10							25	0.93
	重量			671	227	997							1895	2.28
附加堆纹	数量	3	2	12	5	13	4						39	1.45
	重量	142	24	977	373	748	470						2734	3.29
附加堆纹和圆圈纹	数量			1									1	0.03
	重量			724									724	0.87
弦纹	数量	7	9		2			25	12				55	2.05
	重量	58	112		14			534	280				998	1.20
弦纹和云雷纹	数量								2				2	0.07
	重量								36				36	0.04
弦纹和乳钉纹	数量	1	1					2					4	0.15
	重量	13	9					9					31	0.04
云雷纹	数量			3		4						3	10	0.37
	重量			320		366						49	735	0.88
叶脉纹	数量								1			10	11	0.41
	重量								9			157	166	0.20
乳钉纹	数量	1	1										2	0.07
	重量	2	17										19	0.02
几何划纹	数量								1				1	0.03
	重量								9				9	0.01
素面	数量	234	234	151	169	114	18	79	48	11	4	7	1069	39.89
	重量	3254	2618	3794	3604	3801	1406	1261	724	103	65	176	20806	25.01
合计	数量	702	553	346	384	321	39	164	115	19	14	23	2680	100.00
	重量	14359	9601	11617	18739	20229	3283	2481	2034	171	208	455	83177	100.00
百分比（%）	数量	26.19	19.89	12.91	14.33	11.98	1.45	6.12	4.29	0.71	0.52	0.86	100.00	
		86.75						11.64						
	重量	17.26	11.54	13.97	22.53	24.32	3.95	2.98	2.45	0.21	0.25	0.55	100.00	
		93.57						5.89						

表3.4.2　小嘴G1-JPG1可辨器形统计表

陶质	夹砂						泥质			合计	百分比（%）
器形＼陶色	灰	黑皮	红	褐	黄	白	灰	黑皮	褐		
鬲	8	8								16	1.49
甗	7	4								11	1.03
鬲足或甗足	6	3	17							26	2.43
罐	27	19					10	8	2	66	6.17
斝	2	5					1	1		9	0.84
爵	1						2			3	0.28
豆							2			2	0.19
盆	2						5	4		11	1.03
大口尊		2					3			5	0.47
缸	117	45	256	143	321	39				921	86.07
合计	170	86	273	143	321	39	23	13	2	1070	100.00
百分比（%）	15.89	8.04	25.51	13.36	30.00	3.64	2.15	1.21	0.19	100.00	

2. G1-JPG2

位于Q1610T2015中部。基线方向为0°或180°。东西长2.85、南北宽1.6米，开口距地表0.3～0.4米。解剖沟中所见G1开口近长方形，弧壁，底部可见两道沟槽，沟壁及底部铺垫有较纯净的黄色黏土，G1-JPG2中所见的沟壁及沟底结构与G1-JPG1中所见相似（图3.4.11）。

G1-JPG2内堆积无分层现象。沟内填土为灰黑色土，土质疏松。包含陶片、铜粒及木炭块。陶片中可辨器形包括鬲、罐、盆、缸等（图3.4.12～图3.4.16；表3.4.3、表3.4.4）。

G1-JPG2出土2件坩埚残片。其中G1-JPG2：11经扫描电镜能谱面扫描分析，坩埚渣层中含大量PbO（23.5%）和少量CuO（2.8%），不含SnO_2。渣玻璃基体主要成分为SiO_2、PbO和CaO。坩埚黏土基质夹有大量磨圆度中等的石英颗粒，粒径大部分在300μm以上，较大者粒径可达0.5厘米左右，应为制陶过程中加入的羼和料。黏土基质本身较为纯净，可观察到氧化铁颗粒，化学分析显示黏土的FeO和Al_2O_3含量较高，成分与本地红土的化学成分接近，属易熔黏土。

G1-JPG2出土铜颗粒，取样经检测以硅酸盐基质为主，SnO_2、PbO和CuO含量较高，炉渣中常见棒状及菱形二氧化锡晶体，四方形马来亚石以及氧化亚铜晶体，玻璃态基质中PbO含量较高，SnO_2含量54.9%，PbO含量3.5%。

G1-JPG2出土铜块标本，经金相检测，均为铸造组织，金相组织可见α树枝晶，网状（α+δ）共析体，大量铅颗粒弥散分布，可见直径50μm以上的大铅颗粒，锈蚀区域见自

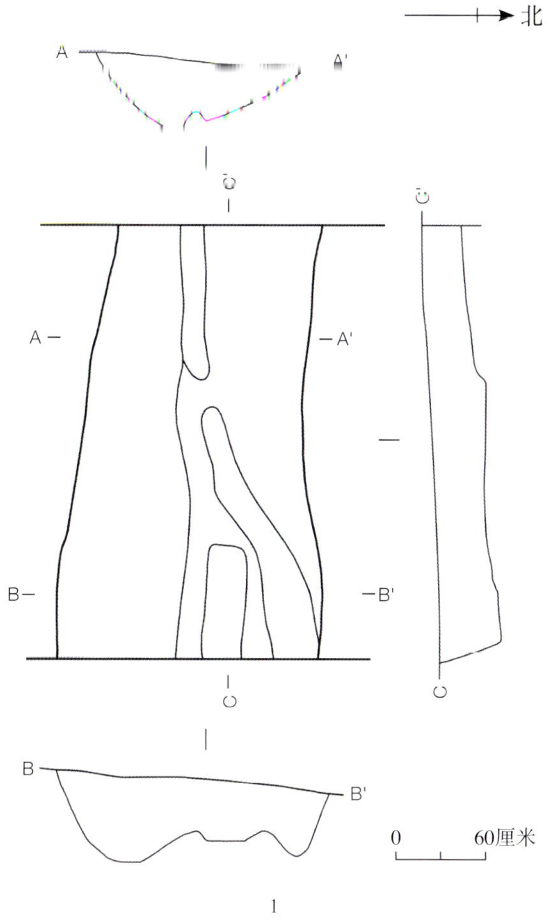

2

图 3.4.11 小嘴 G1-JPG2 平、剖面图和照片

1. 平、剖面图 2. 照片

由铜沉积；扫描电镜能谱分析化学为铅锡青铜，铜含量为74.2%，锡含量为11.3%，铅含量为12.8%，氧含量为1.1%。

G1-JPG2采集木炭样品78个，经鉴定种属为栎属壳斗科（*Quercus* sp.）。木炭样品从横切面上看：生长轮甚明显；环孔材；导管横切面为圆形及卵圆形，部分具侵填体。早材至晚材急变；晚材管孔通常略小，单管孔，径列，轴向薄壁组织量多，①主要为星散–聚合及离管带状，宽1～3细胞，排列不规则，弦向断续相连；②间呈星散状；③环管状偶见。木射线中至密，分宽窄两类：①窄木射线极细。②宽木射线被许多窄木射线分隔（图3.4.12，1）。从径切面上看：单穿孔；管间纹孔式互列，圆形及卵圆形。薄壁细胞端壁节状加厚多而不明显；部分含树胶；晶体未见。射线组织同形。射线–导管间纹孔式通常为刻痕状，少数肾形或类似管间纹孔式，通常直立或斜列（图3.4.12，2）。从弦切面上看：木射线分宽窄两类：①窄木射线通常单列（稀2列或成对），高1～25细胞或以上，多数5～15细胞（图3.4.12，3）。②宽木射线（一部分似半复合射线）最宽处宽至许多细胞，高至许多细胞。

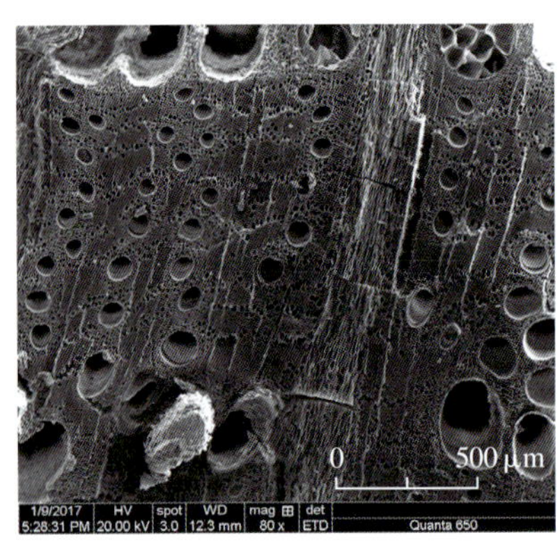

1

2

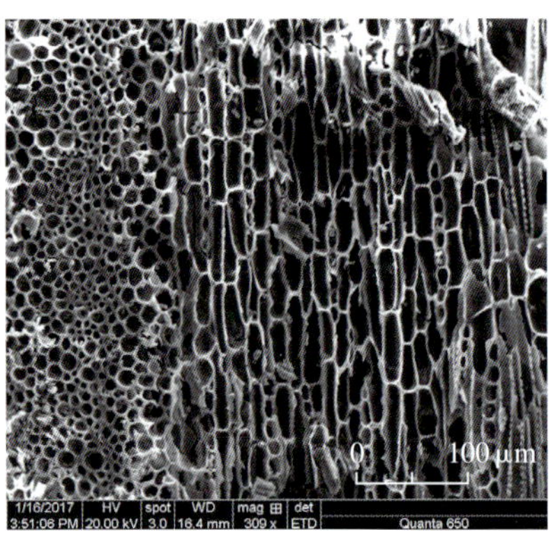

3

图 3.4.12　小嘴 G1-JPG2 木炭样品切面显微影像

1. 横切面　2. 径切面　3. 弦切面

1）陶器

鬲　标本1件。

标本G1-JPG2∶5，夹砂灰陶。侈口，平折沿，方唇。颈部饰一周凸弦纹，颈部及以下饰绳纹。口径21.7、残高5.9厘米（图3.4.14，1）。

罐　标本1件。

标本G1-JPG2∶9，夹砂红陶。侈口，卷沿，圆唇，束颈，溜肩。腹部带有一錾，颈部以下饰绳纹，肩部饰三周弦纹。口径14.8、残高6.6厘米（图3.4.14，2）。

豆　标本2件。

标本G1-JPG2∶3，泥质红胎黑皮陶。盘底残。敞口，折沿，尖圆唇。口径15.9、残高3.9厘米（图3.4.14，4）。

标本G1-JPG2∶8，泥质灰陶。仅存柄部。柄上粗下细，自上而下饰三组弦纹。柄部最大径9.1、残高10.5厘米（图3.4.14，3）。

印纹硬陶罐　标本2件。

标本G1-JPG2∶4，敞口，方唇，束颈。颈部可见多道轮制痕迹。口径16.8、残高4厘米（图3.4.14，5）。

标本G1-JPG2∶6，侈口，圆唇，直颈。颈部饰三道弦纹。口径15、残高5.1厘米（图3.4.14，7）。

印纹硬陶尊　标本1件。

标本G1-JPG2∶7，肩部以下残。侈口，圆唇，斜颈。颈部内壁可见轮制痕迹。口径15.1、残高5.5厘米（图3.4.14，6）。

陶范　在G1-JP2区约0.35立方米的区域内，共出土有此类陶范碎块34枚，直径为1～3厘米，因其形态过于碎小，难以推测其为制作何种器类（图3.4.15，Ⅰ、Ⅱ）。

坩埚残块　标本1件。

标本G1-JPG2∶11，夹砂灰陶残片，器表饰绳纹，内壁残留有铜汁凝结物，同时局部可见集中分布的气孔。残长4.4、宽4.5、高1.8厘米（图3.4.13，2）。

标本G1-JPG2：20，夹砂灰陶。素面。内壁附着烧结炼渣、铜汁凝结块和木炭等遗存。内壁附着物厚0.5～1.2厘米，坩埚残块长5.9、宽4、高1.8厘米（图3.4.13，1）。

图 3.4.13　小嘴 G1 出土陶坩埚残片

1. G1-JPG2：20　2. G1-JPG2：11

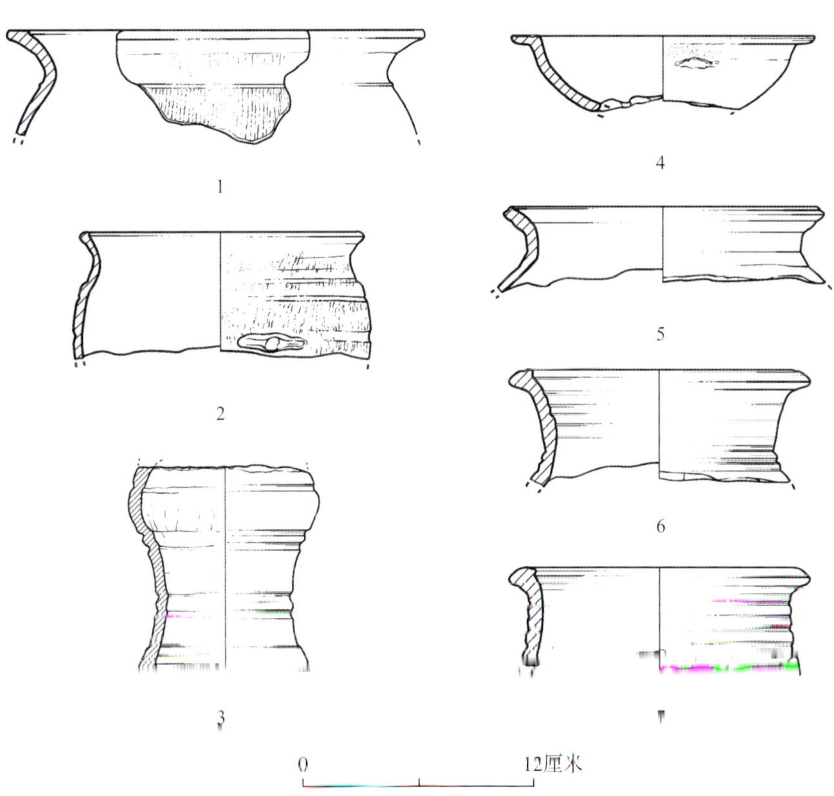

图 3.4.14　小嘴 G1-JPG2 出土陶器

1. 鬲（G1-JPG2：5）　2. 罐（G1-JPG2：9）　3、4. 豆（G1-JPG2：8、G1-JPG2：3）
5、7. 印纹硬陶罐（G1-JPG2：4、G1-JPG2：6）　6. 印纹硬陶尊（G1-JPG2：7）

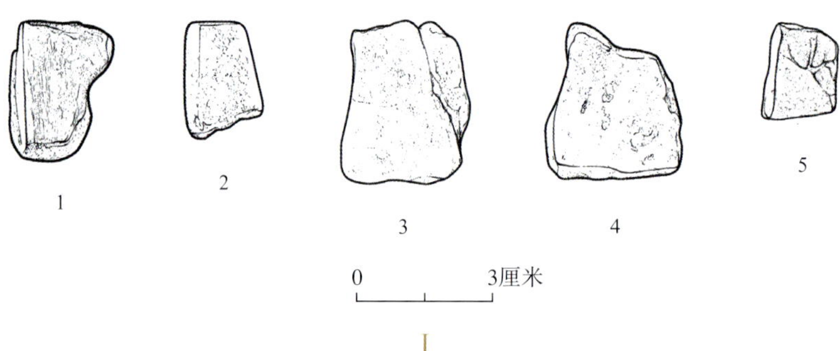

Ⅰ

Ⅱ

图3.4.15　小嘴G1-JPG2出土陶范举例

Ⅰ.线图：1. G1：10-1　2. G1：10-2　3. G1：10-3　4. G1：10-4　5. G1：10-15　Ⅱ.照片

2）石器

镰　标本1件。

标本G1-JPG2：32，黑褐色砂岩。前端尖圆，后端已残。残长6、宽3.6、厚0.8厘米（图3.4.16，1）。

刀　标本1件。

标本G1-JPG2：42，灰白色砂岩。前端尖圆，后端已残。直刃弧背，前端有一圆形穿孔。残长5.2、宽3.6、厚0.8厘米（图3.4.16，2）。

砺石　标本5件。

标本G1-JPG2：19，灰白色砂岩。器体残破。大致呈长条形，一面可见明显的磨痕。残长10、宽6.4、厚2厘米（图3.4.16，5）。

标本G1-JPG2：46，黄褐色砂岩。器体残断。两面有明显摩擦使用痕迹。残长7.7、宽6.3、厚1.8厘米（图3.4.16，6）。

标本G1-JPG2：50，红褐色砂岩，器体残断，大致呈三角形，器表有明显的磨痕。残长5.9、宽4.7、厚1.7厘米（图3.4.16，7）。

标本G1-JPG2：55，黄色砂岩。器体残破，表面有清晰磨痕。通长8、宽4.4、厚1.8厘米（图3.4.16，3）。

标本G1-JPG2：63，黄灰色砂岩。器体残断。大致呈长条形，表面可见清晰磨痕。残长6.3、宽3.7、厚1厘米（图3.4.16，4）。

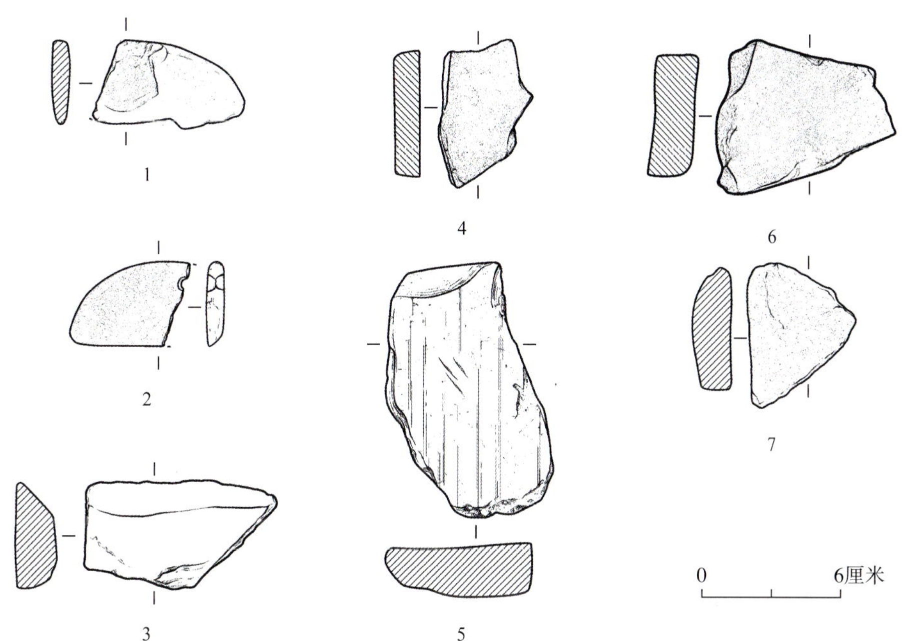

图 3.4.16　小嘴 G1-JPG2 出土石器

1. 镰（G1-JPG2：32）　2. 刀（G1-JPG2：42）　3～7. 砺石（G1-JPG2：55、G1-JPG2：63、G1-JPG2：19、G1-JPG2：46、G1-JPG2：50）

表3.4.3　小嘴G1-JPG2陶系、纹饰统计表　（重量单位：克）

纹饰＼陶质 / 陶色		夹砂						泥质				印纹硬陶和原始瓷	合计	百分比（%）
		灰	黑皮	红	褐	黄	白	灰	黑皮	红	褐			
绳纹	数量	68	100	60	158	43	9	74	90	9	23	1	635	39.51
	重量	847	1163	3978	4011	2499	451	750	906	115	256	13	14989	33.08
绳纹和附加堆纹	数量	6	1	6	8	4							25	1.56
	重量	139	218	641	444	373							1815	4.01

续表

纹饰 \ 陶质 / 陶色		夹砂						泥质				印纹硬陶和原始瓷	合计	百分比（%）
		灰	黑皮	红	褐	黄	白	灰	黑皮	红	褐			
绳纹和弦纹	数量		2		2			6	16	1			27	1.68
	重量		11		75			139	272	12			509	1.12
绳纹、弦纹和乳钉纹	数量							1					1	0.06
	重量							87					87	0.19
网格纹	数量		1	95	49	41	15		1	1	1	1	205	12.76
	重量		4	4085	2583	1883	350		4	10	20	18	8957	19.76
网格纹和附加堆纹	数量			11	1	9							21	1.31
	重量			1195	70	703							1968	4.34
网格纹和弦纹	数量							3	2		1		6	0.37
	重量							37	79		12		128	0.28
篮纹	数量			4		24	15						43	2.67
	重量			249		1285	876						2410	5.32
附加堆纹	数量	12	7	5	14	6	4						48	2.99
	重量	168	82	356	628	604	252						2090	4.61
附加堆纹和弦纹	数量								1				1	0.06
	重量								42				42	0.09
附加堆纹和篮纹	数量					1	1						2	0.12
	重量					438	57						495	1.10
弦纹	数量	7	5		1			20	12		5		50	3.11
	重量	66	109		27			242	262		86		792	1.74
云雷纹	数量			2								8	10	0.62
	重量			76								199	275	0.61
叶脉纹	数量								1			7	8	0.50
	重量								5			70	75	0.16
绹索纹	数量							3					3	0.19
	重量							53					53	0.12
素面	数量	90	85	45	64	135	17	28	45	3	8	2	522	32.48
	重量	1325	1217	1457	1491	2950	710	667	651	44	88	33	10633	23.46
合计	数量	183	201	228	297	263	61	135	168	14	38	19	1607	100.00
	重量	2545	2804	12037	9329	10735	2696	1975	2221	181	462	333	45318	100.00

续表

陶质		夹砂						泥质				印纹硬陶和原始瓷	合计	百分比（%）
纹饰＼陶色		灰	黑皮	红	褐	黄	白	灰	黑皮	红	褐			
百分比（%）	数量	11.39	12.51	14.19	18.48	16.37	3.79	8.40	10.45	0.87	2.36	1.18	100.00	
		76.73						22.08						
	重量	5.62	6.19	26.56	20.59	23.69	5.95	4.36	4.90	0.40	1.01	0.73	100.00	
		88.60						10.67						

表3.4.4 小嘴G1-JPG2可辨器形统计表

陶质	夹砂					泥质				合计	百分比（%）
器形＼陶色	灰	黑皮	红	褐	黄	灰	黑皮	红	褐		
鬲	7	15	1							23	15.54
甗							2			2	1.35
鬲足	7	1	17	18						43	29.05
罐	13	9	1	5		4	8	2	6	48	32.43
斝	6	2								8	5.41
豆							1			1	0.68
盆						1	2			3	2.02
大口尊						7	2		1	10	6.76
缸	1				8					9	6.08
器盖						1				1	0.68
合计	34	27	19	23	8	13	15	2	7	148	100.00
百分比（%）	22.97	18.24	12.83	15.54	5.41	8.78	10.14	1.35	4.73	100.00	

3. G1-JPG3

位于Q1710T0115中部，南北长1.4、东西宽0.7米，开口距地表0.35米。解剖沟中所见G1开口近长方形，弧壁，底部有两道沟槽，沟壁及底部铺垫有较纯净的黄色黏土，G1-JPG3中所见的沟壁及沟底结构与上述两条解剖沟中所见相似（图3.4.17）。

G1-JPG3内堆积无分层现象。沟内填土为灰黑色，土质疏松。包含碎陶片、木炭块和少量铜粒。与G1-JPG1和G1-JPG2相比，G1-JPG3中出土的铜颗粒密度明显降低。沟内出土陶片中可辨器形包括鬲、罐、盆、大口尊、缸等（图3.4.18；表3.4.5、表3.4.6）。

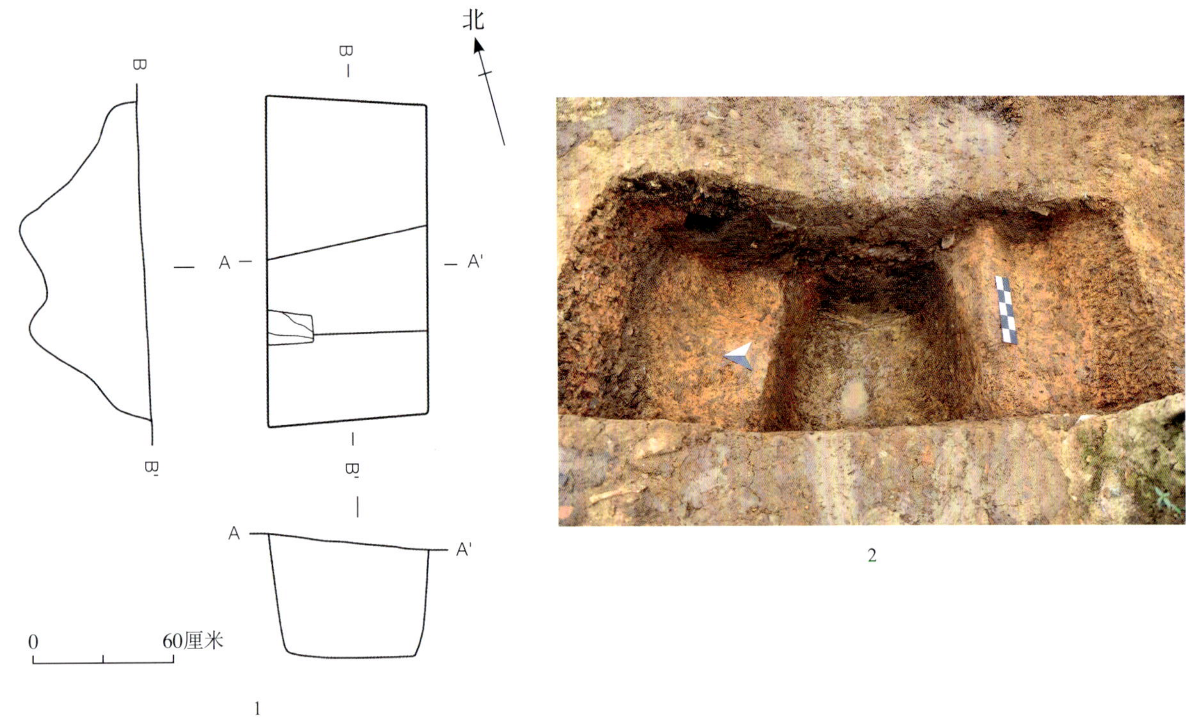

图 3.4.17　小嘴 G1-JPG3 平、剖面图和照片

1. 平、剖面图　2. 照片

G1-JPG3出土1件坩埚残片，经扫描电镜能谱面扫描分析，坩埚渣层中SnO_2（41.0%）、PbO（23.1%）和CuO（11.5%）含量较高。渣基体中含有大量弥散分布的针状、棒状和菱形二氧化锡（SnO_2）晶体、菱形马来亚石（锡榍石）［CaSnO（SiO_4）］晶体和方形氧化亚铜（Cu_2O）晶体。渣玻璃基质中PbO（60%）含量较高。渣层中夹有许多金属颗粒，大部分铜颗粒锈蚀较为严重，多为纯铜或铅锡青铜。坩埚黏土基质中FeO含量（10.1%）高于另外两样品（4.8%~5.6%），靠近渣层处烧结严重并受到渣层侵蚀。

G1-JPG3出土铜块标本，经金相检测，均为锻造组织，金相组织α树枝晶，少量岛屿状（α+δ）共析体，大量铅颗粒，较大尺寸铅颗粒弥散分布，小铅颗粒沿晶粒间界分布，铅颗粒内部可见少量夹杂物；扫描电镜能谱分析化学成分为铅青铜，铜含量为79.1%，锡含量为1.5%，铅含量为18.2%，氧含量为1.2%。

陶器

罐　标本1件。

标本G1-JPG3：3，泥质红胎黑皮陶。侈口，折沿，方唇，束颈。素面。口径18、残高4.2厘米（图3.4.18，1）。

斝　标本1件。

标本G1-JPG3：11，泥质红陶。残存上腹部及一弧形鋬。外施陶衣，腹部饰一周弦纹，弦纹以下饰绳纹。残高8.8厘米（图3.4.18，2）。

盆 标本1件。

标本G1-JPG3：4，泥质黑皮陶。微敞口，平折沿，方唇，深腹，口径23.2、残高5.0厘米（图3.4.18，3）。

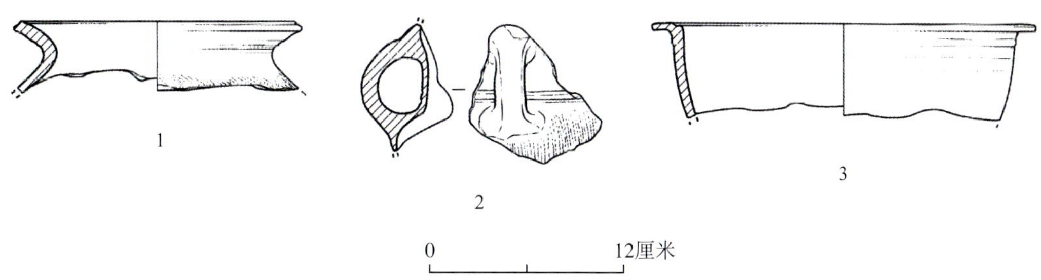

图 3.4.18 小嘴 G1-JPG3 出土陶器

1. 罐（G1-JPG3：3） 2. 斝（G1-JPG3：11） 3. 盆（G1-JPG3：4）

表3.4.5 小嘴G1-JPG3陶系、纹饰统计表 （重量单位：克）

陶质		夹砂						泥质				印纹硬陶和原始瓷	合计	百分比（%）
纹饰 \ 陶色		灰	黑皮	红	褐	黄	白	灰	黑皮	红	褐			
绳纹	数量	67	142	32	35	18	13	27	63	3	1		401	37.09
	重量	1459	3716	2173	1781	801	898	417	679	16	9		11949	31.50
绳纹和附加堆纹	数量	5	7		1	4	2						19	1.76
	重量	572	319		164	449	135						1639	4.32
绳纹和弦纹	数量	1						1	3				5	0.46
	重量	6						4	36				46	0.12
网格纹	数量		4	79	22	82	7						194	17.95
	重量		293	4142	1562	2853	867						9717	25.62
网格纹和附加堆纹	数量			11	1	10	4						26	2.41
	重量			867	39	1443	504						2853	7.52
网格纹和弦纹	数量							5	2	1			8	0.74
	重量							134	15	7			156	0.41
篮纹	数量			11	8	7	[illegible]						28	2.59
	重量			1003	100	855	91						2049	5.40
篮纹和附加堆纹	数量			5									5	0.46
	重量			638									638	1.68
附加堆纹	数量	4	6	9	5	8	6						38	3.52
	重量	87	200	283	388	303	249						1510	3.98

续表

陶质		夹砂						泥质				印纹硬陶和原始瓷	合计	百分比（%）
纹饰 \ 陶色		灰	黑皮	红	褐	黄	白	灰	黑皮	红	褐			
弦纹	数量	2	1		1			12	12	1			29	2.68
	重量	52	11		4			172	259	9			507	1.34
弦纹和云雷纹	数量							1					1	0.09
	重量							10					10	0.02
云雷纹	数量											6	6	0.56
	重量											188	188	0.50
叶脉纹	数量					1				3		1	5	0.46
	重量					57				14		43	114	0.30
席纹	数量											1	1	0.09
	重量											105	105	0.28
素面	数量	65	60	67	34	11	14	22	37	4	1		315	29.14
	重量	914	1079	1905	1024	287	400	201	599	33	7		6449	17.00
合计	数量	144	220	220	101	141	48	68	117	12	2	8	1081	100.00
	重量	3090	5618	11011	5062	7048	3144	938	1588	79	16	336	37930	100.00
百分比（%）	数量	13.32	20.35	20.35	9.34	13.04	4.44	6.29	10.82	1.11	0.19	0.74	100.00	
		80.84						18.41						
	重量	8.15	14.81	29.03	13.34	18.58	8.29	2.47	4.19	0.21	0.04	0.89	100.00	
		92.20						6.91						

表3.4.6 小嘴G1-JPG3可辨器形统计表

陶质	夹砂						泥质			合计	百分比（%）
器形 \ 陶色	灰	黑皮	红	褐	黄	白	灰	黑皮	红		
鼎		2								2	0.32
鬲	4	21		4						29	4.67
鬲足或甗足	7	6	12	10						35	5.64
罐	2		1				2	2	1	8	1.29
斝	2									2	0.32
爵	1									1	0.16
簋							2			2	0.32
盆							1	1		2	0.32

续表

陶质 / 陶色 / 器形	夹砂						泥质			合计	百分比（%）
	灰	黑皮	红	褐	黄	白	灰	黑皮	红		
大口尊								5		5	0.81
缸	19	65	194	66	143	48				535	86.15
合计	35	94	207	80	143	48	5	8	1	621	100.00
百分比（%）	5.64	15.14	33.33	12.88	23.03	7.73	0.81	1.29	0.16	100.00	

4. G1-JPG4

位于Q1710T0215西部。南北长1.8、东西宽0.9米，开口距地表0.5米。G1-JPG4中所见G1开口近似长方形，弧壁，南壁较陡，北壁相对和缓。沟底南侧可见一道明显凸起的土埂，而北侧则隐约可见另一道凸起的土埂，总体而言G1-JPG4中所见沟壁及沟底的形制与上述灰沟类似，不同之处在于，G1-JPG4中基本不见纯净的黄色黏土，沟壁及底部直接可见红色生土，同时G1-JPG4底部两道凸起的土埂其结构总体与G1-JPG1～G1-JPG3中类似，但已趋近于消失（图3.4.19）。

G1-JPG4中堆积未见分层，沟内填土及包含物与G1-JPG3相似，沟内为灰褐色填土，土质疏松，包含物除陶片及木炭块以外（图3.4.20；表3.4.7、表3.4.8），还发现有极少量的铜颗粒。

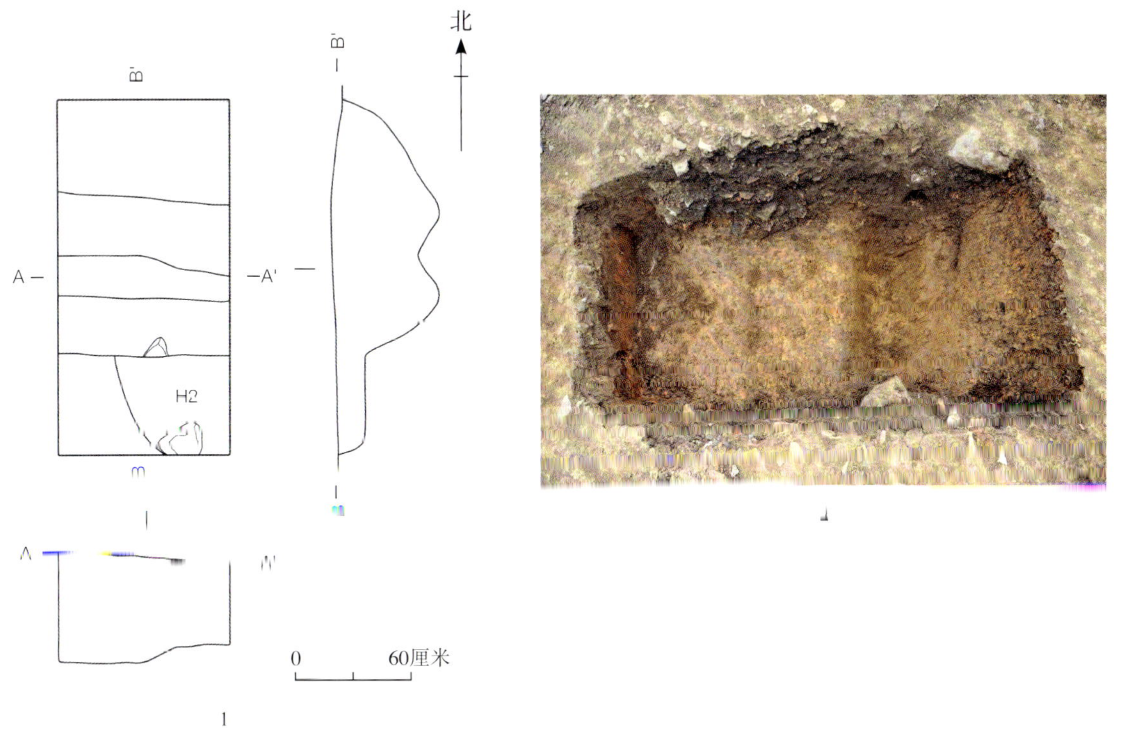

图3.4.19 小嘴G1-JPG4平、剖面图和照片

1. 平、剖面图 2. 照片

陶器

鬲　标本3件。

标本G1-JPG4：2，夹砂红陶。侈口，平折沿，方唇，束颈，肩部饰一周附加堆纹。口径24、残高4.8厘米（图3.4.20，1）。

标本G1-JPG4：3，夹砂灰陶。侈口，沿面较窄，沿面有一周凹槽，颈部微外鼓。颈部以下饰绳纹。口径17.1、残高4.7厘米（图3.4.20，2）。

标本G1-JPG4：4，夹砂灰陶。侈口，平折沿，方唇，沿面有一周凹槽。颈部以下饰绳纹。口径18、残高4.4厘米（图3.4.20，3）。

罐　标本1件。

标本G1-JPG4：5，泥质灰陶。侈口，卷沿，方唇，束颈。素面。口径13.8、残高6厘米（图3.4.20，4）。

斝　标本1件。

标本G1-JPG4：7，泥质灰陶。残存上腹部。外施陶衣。腹部饰一周弦纹及绳纹，弦纹以下饰绳纹。残高9.9厘米（图3.4.20，5）。

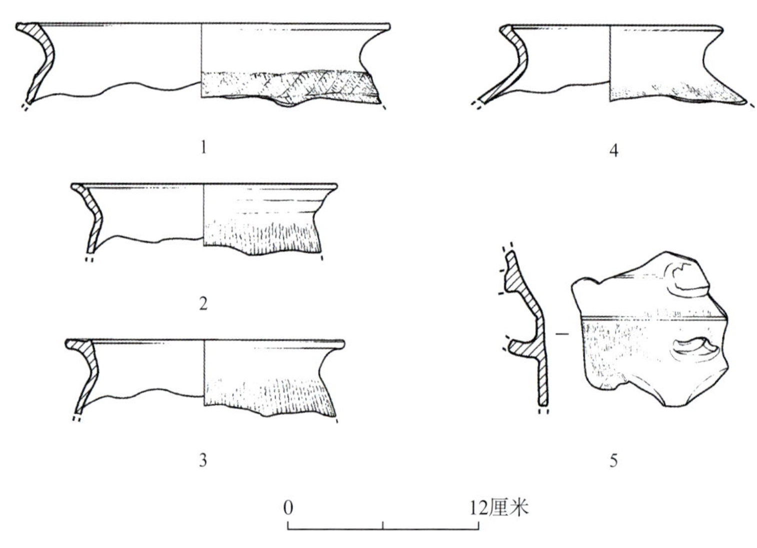

图 3.4.20　小嘴 G1-JPG4 出土陶器

1～3. 鬲（G1-JPG4：2、G1-JPG4：3、G1-JPG4：4）　4. 罐（G1-JPG4：5）　5. 斝（G1-JPG4：7）

表3.4.7　小嘴G1-JPG4陶系、纹饰统计表　　（重量单位：克）

陶质		夹砂						泥质			印纹硬陶和原始瓷	合计	百分比（%）
纹饰＼陶色		灰	黑	红	褐	黄	白	灰	黑	褐			
绳纹	数量	146	66	52	122	49	7	45	46	3	5	541	41.84
	重量	3734	1071	2822	3113	3378	162	473	663	43	102	15561	36.77

续表

纹饰 \ 陶质/陶色		夹砂						泥质			印纹硬陶和原始瓷	合计	百分比（%）
		灰	黑	红	褐	黄	白	灰	黑	橘			
绳纹和附加堆纹	数量	2										2	0.15
	重量	47										47	0.11
绳纹和网格纹	数量	1		11		10						22	1.70
	重量	44		1457		1078						2579	6.09
绳纹和弦纹	数量								1			1	0.08
	重量								25			25	0.06
网格纹	数量	34	7	52		93	2					188	14.54
	重量	1891	673	2520		4411	322					9817	23.20
网格纹和附加堆纹	数量			10		12						22	1.70
	重量			740		903						1643	3.88
网格纹、弦纹和附加堆纹	数量			1								1	0.08
	重量			75								75	0.18
篮纹	数量	5		3		8	11					27	2.09
	重量	247		102		348	595					1292	3.05
附加堆纹	数量	6	3	7		16			1			33	2.55
	重量	448	29	519		1001			31			2028	4.79
弦纹	数量	11	2					15	7			35	2.71
	重量	84	23					195	125			427	1.01
弦纹和云雷纹	数量								2			2	0.15
	重量								15			15	0.03
弦纹和叶脉纹	数量								2			2	0.15
	重量								27			27	0.06
弦纹和乳钉纹	数量							1				1	0.08
	重量							5				5	0.01
戳印纹	数量								1			1	0.08
	重量								9			9	0.02
叶脉纹	数量										2	2	0.15
	重量										150	150	0.35
间断绳纹	数量		5					2	1			8	0.62
	重量		143					46	19			208	0.49

续表

陶质		夹砂						泥质			印纹硬陶和原始瓷	合计	百分比（%）
纹饰 \ 陶色		灰	黑	红	褐	黄	白	灰	黑	褐			
素面	数量	93	50	66	39	72	5	20	50	8	2	405	31.32
	重量	1536	608	1875	569	2243	46	417	995	74	50	8413	19.88
合计	数量	298	133	202	161	260	25	83	111	11	9	1293	100.00
	重量	8031	2547	10110	3682	13362	1125	1136	1909	117	302	42321	100.00
百分比（%）	数量	23.05	10.29	15.62	12.45	20.11	1.93	6.42	8.58	0.85	0.70	100.00	
		83.45						15.85					
	重量	18.98	6.02	23.89	8.70	31.57	2.66	2.68	4.51	0.28	0.71	100.00	
		91.82						7.47					

表3.4.8　小嘴G1-JPG4可辨器形统计表

陶质	夹砂						泥质			合计	百分比（%）
器形 \ 陶色	灰	黑	红	褐	黄	白	灰	黑	褐		
鬲	17	9		1						27	3.80
鬲足	11	2	23	8						44	6.19
甗	1									1	0.14
罐	7	4	1	4			2	11	1	30	4.22
斝				1			1			2	0.28
爵	1						1			2	0.28
豆		1						1		2	0.28
盆	1							3		4	0.56
大口尊							1			1	0.14
缸	74	13	174	52	260	25				598	84.11
合计	112	29	198	66	260	25	5	15	1	711	100.00
百分比（%）	15.75	4.08	27.85	9.28	36.57	3.52	0.70	2.11	0.14	100.00	

5. G1-JPG5

位于Q1710T0315西侧。南北长1.8、东西宽0.74米，开口距地表0.4米。G1-JPG5中所见的G1北壁和缓，南壁陡直，沟底凸起一道细窄的土埂，使沟底被分成两道凹槽。沟壁及底部均可见红色生土，G1-JPG1～JPG3中所见的黄色黏土在G1-JPG5中未发现（图3.4.21）。

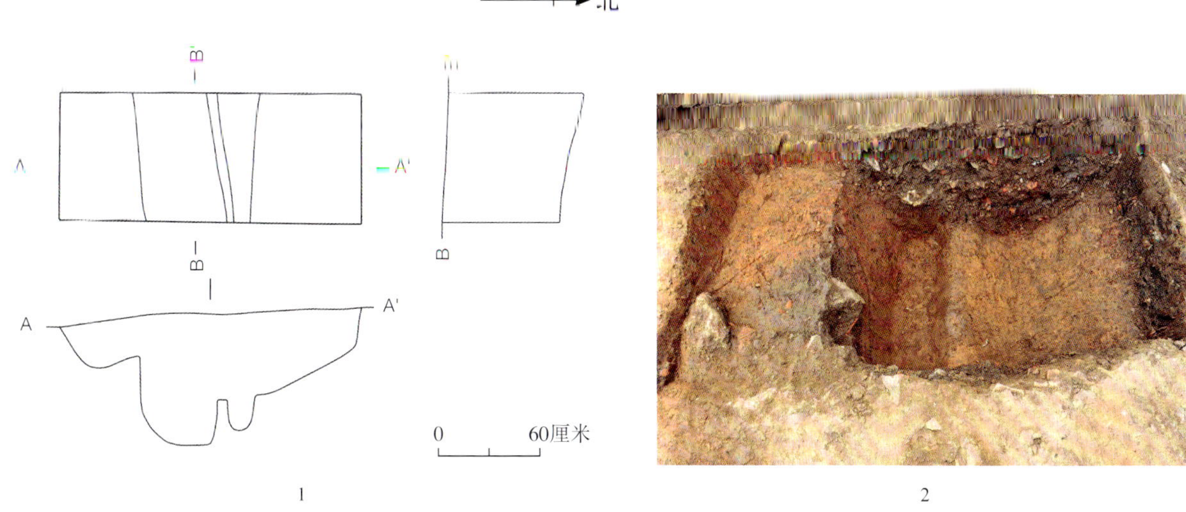

图3.4.21 小嘴G1-JPG5平、剖面图和照片

1. 平、剖面图 2. 照片

G1-JPG5内填土未分层，沟内堆积为灰黑色填土，土质疏松，包含有陶片、铜粒、石锛、木炭块等。陶片中可辨器形包括缸、鬲、罐等（图3.4.22～图3.4.25；表3.4.9、表3.4.10）。G1-JPG5中出土的铜粒及细碎铜片数量较G1-JPG3与G1-JPG4中较多，但此类遗物的密度仍低于G1-JPG1和G1-JPG2。

1）青铜器

爵足 标本1件。

标本G1-JPG5：11，爵足仅残存足尖部分，器身氧化严重，器表多气孔。残长2.9厘米（图3.4.22，1；3.4.23）。

2）陶器

盆 标本2件。

标本G1-JPG5：2，泥质灰陶。侈口，折沿，圆唇。肩部饰方格纹及两周弦纹。口径24.1、残高6.5厘米（图3.4.22，3）。

标本G1-JPG5：4，泥质灰陶。敞口，折沿，圆唇。肩部饰两周凸弦纹。口径[illegible]、残高5.8厘米（图3.4.22，4）。

3）石器

砺石 标本1件。

标本G1-JPG5：20，黄色砂岩。已残断。平面呈长条形，两面有明显的磨损痕迹。残长14.4、宽4.4、厚1.6厘米（图3.4.22，2）。

除上述遗物以外，G1中还分布有大量石块，均为石英砂岩。石块棱角分明，形状不规

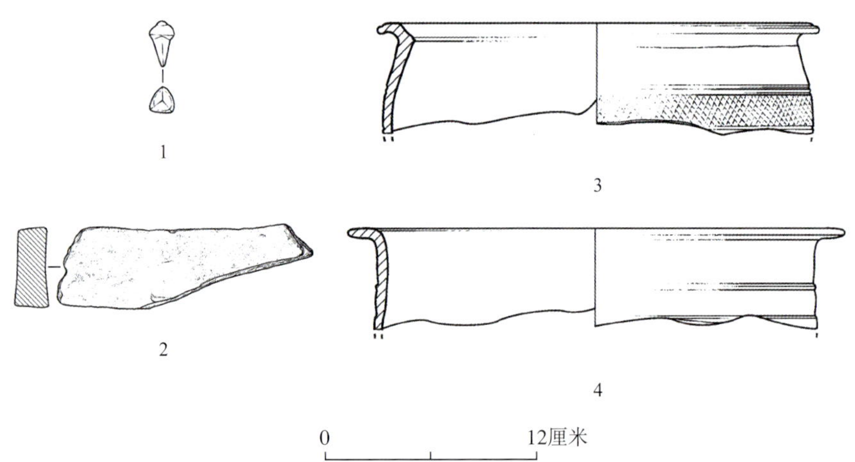

图 3.4.22　小嘴 G1-JPG5 出土青铜器、石器和陶器

1. 青铜爵足（G1-JPG5：11）　2. 砺石（G1-JPG5：20）　3、4. 陶盆（G1-JPG5：2、G1-JPG5：4）

图 3.4.23　青铜爵足照片（小嘴 G1-JPG5：11）

则。石块最大径为18～45厘米。依据石块的分布区域可将其分为两类：第一类石块分布于G1的南、北两侧，整体上呈条带状分布于G1的边界（图3.4.24）；第二类石块分布于G1内部，分布位置散乱，无规律可循。上述石块均叠压沟内的黑灰色填土（图3.4.25）。

具体而言，在G1的南侧共分布有28块石块，依次编号为S1～S28，石块最大

图 3.4.24　小嘴 G1 中第一类石块

图 3.4.25　小嘴 G1 中第二类石块

径为20～45厘米。这些石块整体上呈条带状排列于G1的南侧，在G1的西段可见4处石块群（S1～S5，S6～S9，S10～S18，S19～S24），每个石块群由4～9块连续分布的石块组成。相邻石块群之间的水平间距为1～2米。在G1东段，石块则呈以单块形式出现（S25、S26、S27、S28），相邻石块水平间距为2～2.5米。G1的北侧边界同样可见沿沟边分布的石块（S29～S34），其中S29～S33相邻石块的水平距离为0.5～1.4米，S33与S34之间的水平间距则为13.9米。

G1中分布的第二类石块散布于沟内填土中。在G1的5道解剖沟中，此类石块共发现8块，石块形状不规则，最大径为25～45厘米，石块分布位置无规律可循。

G1共采集木炭样品4件，进行了碳–14年代测定，检测结果见表3.4.11。

表3.4.9　小嘴G1-JPG5陶系、纹饰统计表　　（重量单位：克）

陶质		夹砂						泥质				印纹硬陶和原始瓷	合计	百分比（%）
纹饰＼陶色		灰	黑	红	褐	黄	白	灰	黑	红	褐			
绳纹	数量	110	65	48	212	64	3	70	52	6	77		707	36.76
	重量	2462	2916	3784	2804	4031	188	755	576	74	613		18203	35.15
绳纹和附加堆纹	数量	3		4	15	10							32	1.66
	重量	244		307	229	1883							2663	5.14
绳纹和弦纹	数量	1						8	10		3		22	1.14
	重量	126						117	220		20		483	0.93
绳纹和圆圈纹	数量										2		2	0.10
	重量										10		10	0.02
网格纹	数量	18	9	49	16	65	7	3					167	8.68
	重量	741	247	1990	826	3149	437	18					7408	14.30
网格纹和附加堆纹	数量	1	1	5	1	6							14	0.73
	重量	80	101	542	36	401							1160	2.24
网格纹和弦纹	数量	2						1	12				15	0.78
	重量	16						23	97				136	2.62
篮纹	数量	7		9	1	5							22	1.14
	重量	263		718	314	227							1522	2.94
附加堆纹	数量		6	7	12	21	3			1			50	2.60
	重量		82	637	195	1103	194			65			2276	4.39
弦纹	数量	7	4					16	9		12		48	2.50
	重量	50	81					155	230		102		618	1.19
云雷纹	数量											2	2	0.10
	重量											40	40	0.08

续表

陶质		夹砂						泥质				印纹硬陶和原始瓷	合计	百分比（%）
纹饰＼陶色		灰	黑	红	褐	黄	白	灰	黑	红	褐			
叶脉纹	数量									1		2	3	0.16
	重量									41		32	73	0.14
圆圈纹	数量						1						1	0.05
	重量						30						30	0.06
乳钉纹	数量	1											1	0.05
	重量	22											22	0.04
素面	数量	91	89	127	241	76	38	48	59	5	59	2	835	43.42
	重量	1416	1185	3834	4331	2408	1611	905	727	75	624	28	17144	33.10
合计	数量	241	174	249	498	249	52	146	142	13	153	6	1923	100.00
	重量	5420	4612	11812	8735	13202	2460	1973	1850	255	1369	100	51788	100.00
百分比（%）	数量	12.53	9.05	12.95	25.90	12.95	4.02	7.59	7.38	0.68	7.96	0.31	100.00	
		77.40						23.61						
	重量	10.46	8.91	22.81	16.87	25.49	4.75	3.81	3.57	0.49	2.64	0.19	100.00	
		89.29						10.51						

表3.4.10　小嘴G1-JPG5可辨器形统计表

陶质	夹砂						泥质			合计	百分比（%）
器形＼陶色	灰	黑	红	褐	黄	白	灰	黑	褐		
鬲	16	24	3	22						65	7.57
甗		1								1	0.12
鬲足或甗足	7	4	16	6						33	3.85
罐	5	5		2			6	7		25	2.91
斝	3						1		1	5	0.58
爵			1				1		1	3	0.35
豆								1		1	0.12
簋								1		1	0.12
盆							8	6	1	15	1.75
大口尊							2	1	3	6	0.70
缸	83	51	217	49	249	52				701	81.70
器盖				2						2	0.23
合计	114	85	237	81	249	52	18	16	6	858	100.00
百分比（%）	13.29	9.90	27.62	9.44	29.02	6.06	2.09	1.86	0.70	100.00	

表3.4.11　小嘴G1木炭样品加速质谱仪（AMS）碳–14测年数据

Lab 编号	样品原编号	样品	碳–14年代（BP）	树轮校正后年代	
				1σ（68.2%）	2σ（95.4%）
BA161087	G1：1	木炭	3110±25	1422BC（41%）1384BC 1341BC（27.3%）1313BC	1439BC（53.8%）1366BC 1360（41.6%）1293
BA161091	G1	木炭	3125±30	1436BC（50.5%）1386BC 1339BC（17.8%）1318BC	1495BC（3.1%）1478BC 1456BC（62.1%）1367BC 1359BC（30.3%）1294
BA161090	G1：5	木炭	3030±30	1376BC（18%）1349BC 1303BC（35.6%）1255BC 1249BC（14.6%）1226BC	1399BC（95.2%）1200BC 1138BC（0.3%）1135BC
BA161095	G1：2	木炭	2975±30	1260BC（10.4%）1241BC 1235BC（30.3%）1187BC 1181BC（14.3%）1156BC 1148BC（13.2%）1127BC	1371BC（1.4%）1357BC 1294BC（91.6%）1108BC 1095BC（1.3%）1081BC 1069BC（1.2%）1056BC

注：所用碳–14半衰期为5568年，BP为距1950年的年代。

树轮校正所用曲线为IntCal20 atmospheric curve (Reimer et al 2020)，所用程序为OxCal v4.4.2 Bronk Ramsey (2020)；r: 5。

1. Reimer P J, Bard E, Bayliss A, Beck J W. IntCal13 and Marine13 radiocarbon age calibration curves 0–50,000 years cal BP, Radiocarbon, 2013, 55, 1869-1887.

2. Christopher Bronk Ramsey 2015, https://c14.arch.ox.ac.uk/oxcal/OxCal.html.

（二）G2

位于Q1710T0411～T0413共3个探方中。G2开口于第3层下，打破第4层及生土。灰沟平面呈长条形，分布于南高北低的坡地之上，沟面南高北低，南北落差0.3米。灰沟长15.3、宽1.75～2米，方向15°。本次发掘在G2北段布设了解剖沟一条，编号为G2-JPG1（图3.4.26、图3.4.27）。解剖沟内发掘出土陶鬲、甗、罐、盆、大口尊、缸等（图3.4.28～图3.4.30；表3.4.12、表3.4.13），另见少量石器、石块、青铜颗粒等。

G2-JPG1

位于Q1710T0412北部。东西长3、南北宽0.8米，解剖沟开口距离地表0.2米。通过发掘可知，G2被T0412第3层所叠压，G2为斜壁圜底，沟口宽1.4米，沟面至沟底深0.2～0.4米。沟东壁和沟底分布有一层厚约0.05米的黄色黏土，该黄土细腻纯净，黏性较强，与G1及G9底部所见的黄土一致。黄土以下即为红色生土（图3.4.27）。

G2-JPG1内堆积可分两层。

第1层：黑褐土。厚0.2米，夹杂较多陶片，可辨器形有鬲、罐、大口尊等，此外该层中还出土有孔雀石2枚。

第2层：黑灰土。厚0.2～0.38米，夹杂少量陶器碎片，可辨器形包括盆、豆、斝等，还出土有青铜颗粒1枚。与G1-JPG1相比，G2-JPG1中出土的铸铜类遗物数量显著降低。

与G1类似，在对G2进行解剖式发掘的过程中，发现G2东、西两侧存在一批沿沟边

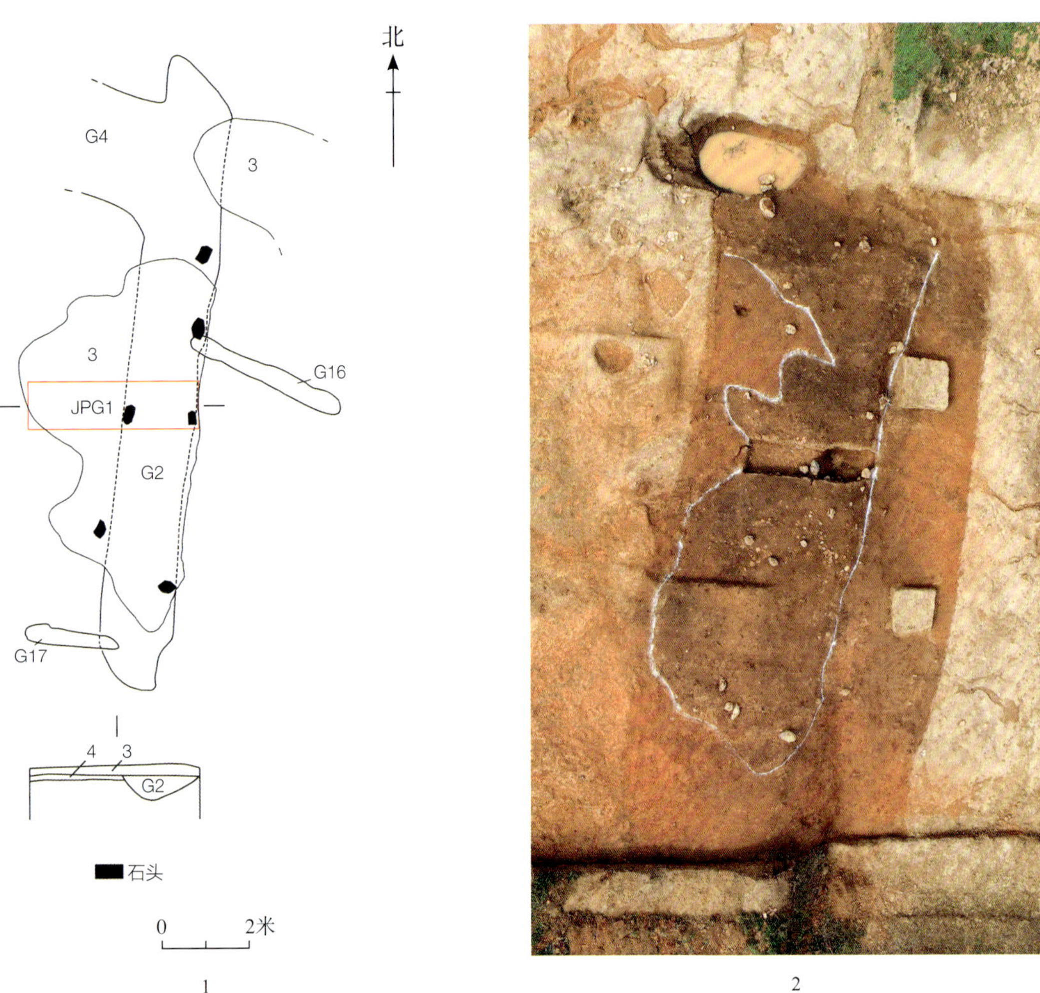

图 3.4.26　小嘴 G2 平、剖面图和俯视照片

1. 平、剖面图　2. 俯视照片

图 3.4.27　小嘴 G2-JPG1 照片

分布的石块。石块形状不规则，均为石英岩，最大径26～30厘米，共计8块，依次编号为S1～S8。其中，S1～S4沿G2东侧分布，S1、S2、S3、S4之间的间距分别为1.3、1.6和5.4米。S5～S8沿G2西侧分布，其中S5与S7之间的间距为5.[illegible]米。

1）陶、瓷器

鬲　标本9件。

标本G2-JPG1：3，夹砂褐陶。侈口，平折沿，尖圆唇，沿面有一周凹槽。颈部饰一周弦纹，颈部以下饰绳纹。口径17.2、残高4.9厘米（图3.4.28，4）。

标本G2-JPG1：5，夹砂红陶。侈口，卷沿，方唇，沿面较窄。颈部饰一周附加堆纹，颈部以下饰绳纹。口径33.1、残高7.7厘米（图3.4.28，8）。

标本G2-JPG1：18，夹砂红胎黑皮陶。侈口，平折沿，方唇，沿面有一道凹槽。颈部以下饰绳纹。口径24.8、残高6.8厘米（图3.4.28，6）。

标本G2-JPG1：20，夹砂灰陶。侈口，平折沿，方唇，沿面有一道凹槽。颈部以下饰绳纹。口径15.5、残高4.7厘米（图3.4.28，3）。

标本G2-JPG1：1，夹砂红胎黑皮陶。侈口，平折沿，方唇，束颈，肩微鼓，分裆，三尖锥足略外撇。颈部以下饰绳纹。口径17.8、腹径17.2、高18.9厘米（图3.4.28，9）。

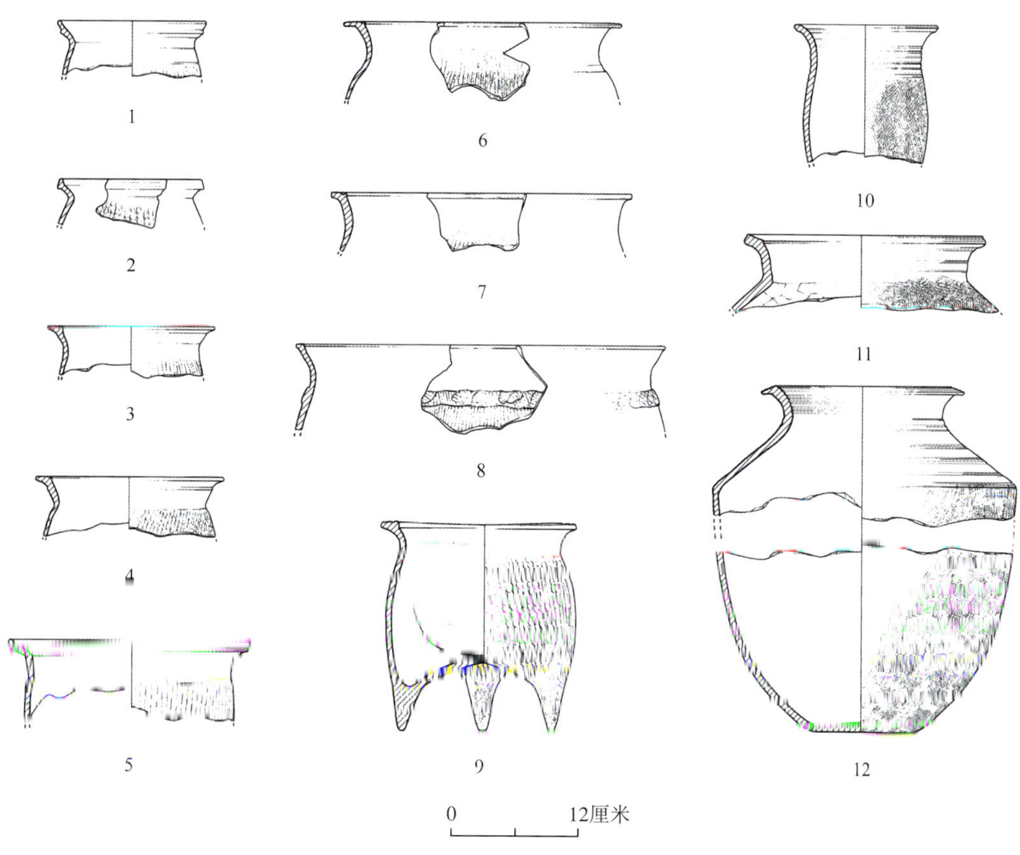

图3.4.28　小嘴G2出土陶、瓷器

1～9. 鬲（G2-JPG1：13、G2-JPG1：12、G2-JPG1：20、G2-JPG1：3、G2-JPG1：14、G2-JPG1：18、G2-JPG1：8、G2-JPG1：5、G2-JPG1：1）　10、11. 印纹硬陶罐（G2-JPG1：22、G2-JPG1：9）　12. 原始瓷尊（G2-JPG1：15）

标本G2-JPG1：8，夹砂红胎黑皮陶。侈口，平折沿，方唇，沿面有一周凹槽。颈部以下饰绳纹。口径28.2、残高5.4厘米（图3.4.28，7）。

标本G2-JPG1：12，夹砂红胎黑皮陶。侈口，折沿，沿面上仰，方唇。颈部饰一周弦纹，腹部饰绳纹。口径14、残高4.6厘米（图3.4.28，2）。

标本G2-JPG1：13，夹砂灰陶。侈口，折沿，沿面上仰，沿面有一周凹槽，方唇。颈部及肩部饰两周弦纹，腹部饰绳纹。口径13.4、残高5.2厘米（图3.4.28，1）。

标本G2-JPG1：14，夹砂黑皮陶。侈口，折沿上仰，沿面内有一周凹槽，方唇，长颈，腹部近直。腹部饰绳纹。口径22.8、残高7.2厘米（图3.4.28，5）。

罐　标本3件。

标本G2-JPG1：10，泥质灰陶。侈口，卷沿，方唇，短颈。肩部饰一周弦纹。口径15.8、残高5.6厘米（图3.4.29，2）。

标本G2-JPG1：11，泥质红胎黑皮陶。直口，厚唇，唇面向外。肩部饰一周弦纹。口径13.1、残高5厘米（图3.4.29，4）。

标本G2-JPG1：17，夹砂灰陶。侈口，平折沿，沿面有一周凹槽，尖唇，短颈，广肩。颈部及肩部饰一道弦纹。口径14.8、残高5.5厘米（图3.4.29，3）。

爵　标本1件。

标本G2-JPG1：7，夹砂灰陶。敞口，束腰，扁圆腹，圜底，颈、腹部接一扁状鋬，三锥足残。颈部至腹部饰三周弦纹。通体残高8.6厘米（图3.4.29，5）。

豆　标本1件。

标本G2-JPG1：16，泥质灰陶。仅存豆盘。沿面外倾，浅盘，弧腹。口径13.5、残高3.3厘米（图3.4.29，1）。

盆　标本3件。

标本G2-JPG1：2，泥质灰陶。敞口，方唇，平折沿，斜腹。口径31、残高6.6厘米（图3.4.29，9）。

标本G2-JPG1：4，泥质灰陶。侈口，折沿上仰，方唇，束颈，溜肩，下腹斜收。上腹部内壁可见手捏痕迹。口径24.8、残高16.4厘米（图3.4.29，10）。

标本G2-JPG1：19，泥质黑皮陶。直口，方唇，平折沿。上腹部饰弦纹及云雷纹。口径24.3、残高4.9厘米（图3.4.29，7）。

大口尊　标本1件。

标本G2-JPG1：6，泥质红胎黑皮陶。颈部及以下残。敞口，平折沿，厚方唇。口径31.3、残高5.4厘米（图3.4.29，8）。

缸　标本1件。

标本G2-JPG1：21，夹砂灰陶。缸口及上腹部残。下腹斜收，圜底下接饼足。器壁饰方格纹。残高8.1厘米（图3.4.29，6）。

印纹硬陶罐　标本2件。

标本G2-JPG1：22，底部残。侈口，卷沿，方唇，溜肩，腹微鼓。腹部饰云雷纹。颈部可见多道轮制痕迹。口径14、残高12.5厘米（图3.4.28，10）。

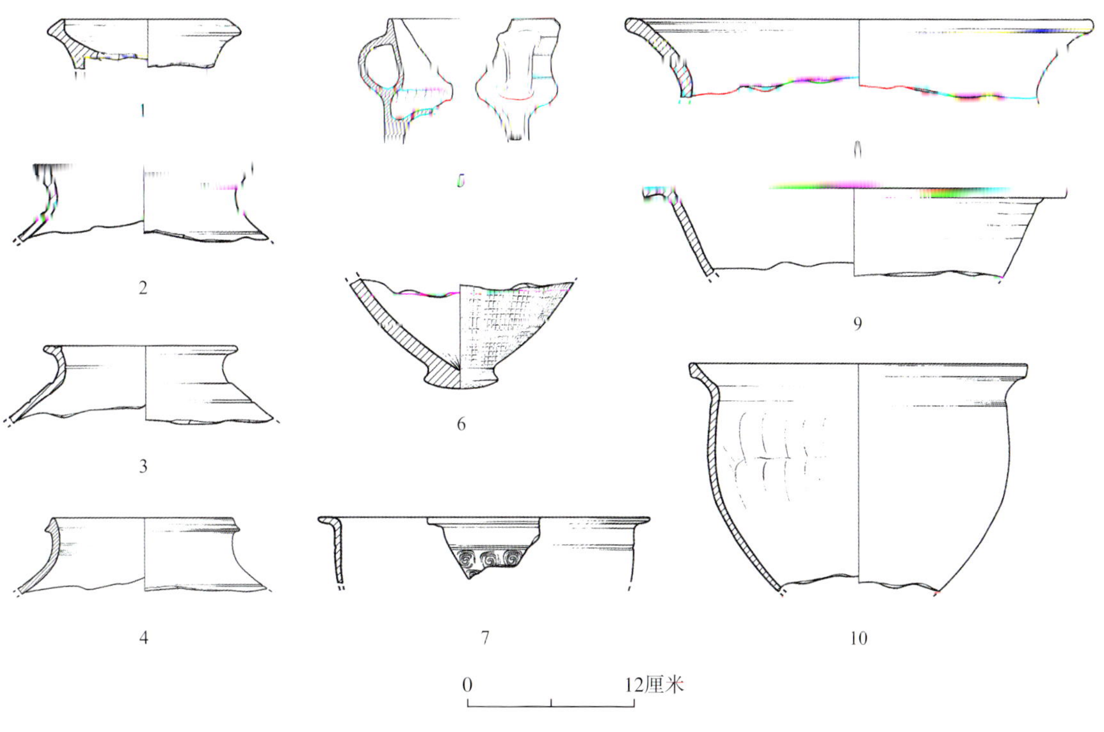

图 3.4.29　小嘴 G2 出土陶器

1. 豆（G2-JPG1：16）　2～4. 罐（G2-JPG1：10、G2-JPG1：17、G2-JPG1：11）　5. 爵（G2-JPG1：7）
6. 缸（G2-JPG1：21）　7、9、10. 盆（G2-JPG1：19、G2-JPG1：2、G2-JPG1：4）　8. 大口尊（G2-JPG1：6）

标本G2-JPG1：9，灰白色胎，器表为黄色。折肩残。侈口，仰折沿，方唇。肩部表面压印云雷纹。沿面及颈部可见多道轮制痕迹。口径23、残高7厘米（图3.4.28，11）。

原始瓷尊　标本1件。

标本G2-JPG1：15，灰白色胎，器表施黄色釉。侈口，卷沿，尖圆唇，折肩，深腹斜收，平底。沿面及肩部饰多周弦纹，腹部拍印方格纹。口径17.2、复原后高31.2厘米（图3.4.28，12）。

2）石器

凿　标本1件。

标本G2-JPG1：27，白色细砂岩。器体呈扁梯形，顶窄面平。通体磨光，单面刃。长4.9、中宽2.3、中厚1.3厘米（图3.4.30，3）。

砺石　标本3件。

标本G2-JPG1：23，黄色砂岩。平面呈方

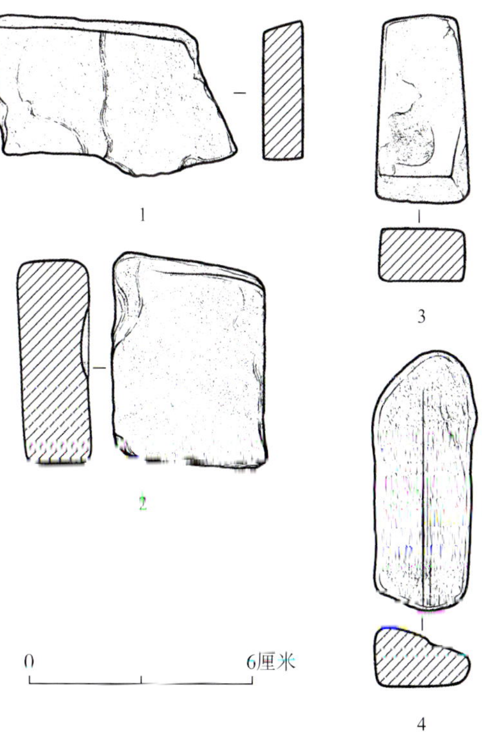

图 3.4.30　小嘴 G2 出土石器

1、2、4. 砺石（G2-JPG1：32、G2-JPG1：23、G2-JPG1：31）
3. 凿（G2-JPG1：27）

形，表面可见明显磨痕。长5.3、中宽4、中厚1.7厘米（图3.4.30，2）。

标本G2-JPG1∶31，灰色砂岩。平面呈长条形，一面有明显磨痕。长6.6、中部宽3.4、中部厚1.4厘米（图3.4.30，4）。

标本G2-JPG1∶32，黄色砂岩。器体残破。平面呈长条形，表面有磨痕。长6.2、中宽3.8、中厚1厘米（图3.4.30，1）。

表3.4.12　小嘴G2陶系、纹饰统计表　（重量单位：克）

陶质		夹砂						泥质				印纹硬陶和原始瓷	合计	百分比（%）
纹饰＼陶色		灰	黑皮	红	褐	黄	白	灰	黑皮	红	褐			
绳纹	数量	380		195	278	35	3	113	57	32	54		1147	43.96
	重量	5230		6750.5	6585	3192	96	895	648.5	212	499.5		24108.5	25.34
绳纹和附加堆纹	数量	20		14	7	5			1				47	1.80
	重量	1984.5		1531.5	394	459			81.5				4450.5	4.68
绳纹和弦纹	数量	3	1					9	5		2		20	0.77
	重量	31	16					105	161		57		370	0.39
绳纹、附加堆纹和篮纹	数量						1						1	0.04
	重量						16012						16012	16.83
网格纹	数量			115	8	129	10	11			1	5	279	10.69
	重量			6509	301.5	6186.5	903	63.5			61.5	162	14187	14.91
网格纹和附加堆纹	数量			15		19	1						35	1.34
	重量			5101		2981.5	83						8165.5	8.58
网格纹和弦纹	数量							4	1		2		7	0.27
	重量							40.5	90.5		31.5		162.5	0.17
篮纹	数量			17								3	20	0.77
	重量			1061.5								66	1127.5	1.19
附加堆纹	数量	20		36	6	10	4	1	2		1		80	3.07
	重量	780.5		1868	196	3324	1213	8.5	62.5		61.5		7514	7.90
附加堆纹和弦纹	数量							1			2		3	0.11
	重量							21			66		87	0.09
弦纹	数量	14		1	8			25	27	7	8	1	91	3.49
	重量	142		9.5	95.5			351.5	213.5	167	121.5	6	1106.5	1.16
弦纹和乳钉纹	数量								1				1	0.04
	重量								19.5				19.5	0.02

续表

陶质		夹砂						泥质				印纹硬陶和原始瓷	合计	百分比（%）
纹饰	陶色	灰	黑皮	红	褐	黄	白	灰	黑皮	红	褐			
弦纹和云雷纹	数量										1		1	0.04
	重量										18		18	0.02
弦纹、绳纹和戳印纹	数量										1		1	0.04
	重量										13		13	0.01
云雷纹	数量							1	2	10		5	18	0.69
	重量							3.5	47	399		125	574.5	0.60
叶脉纹	数量									2		10	12	0.46
	重量									21.5		236.5	258	0.27
菱形纹	数量											1	1	0.04
	重量											28.5	28.5	0.03
兽面纹	数量								1				1	0.04
	重量								8				8	0.01
圆圈纹	数量				1								1	0.04
	重量				21								21	0.02
素面	数量	161	2	276	115	92	25	53	67	28	22	2	843	32.31
	重量	2051.5	131	6886.5	2014	3011	633	574.5	679.5	461.5	403	51.5	16897	17.76
合计	数量	598	3	669	423	290	44	218	164	79	94	27	2609	100.00
	重量	10220	147	29717.5	9607	19154	18940	2063	2011.5	1261	1332.5	675.5	95128.5	100.00
百分比（%）	数量	22.92	0.11	25.64	16.21	11.12	1.69	8.36	6.29	3.03	3.60	1.03	100.00	
		77.69						21.27						
	重量	10.74	0.15	31.24	10.10	20.13	19.91	2.17	2.11	1.33	1.40	0.71		
		92.28						7.01						

表2.4.13　小嘴OC可辨器形统计表

陶质	夹砂						泥质				印纹硬陶	合计	百分比（%）
器形　陶色	灰	黑皮	红	褐	黄	白	灰	黑皮	红	褐			
鬲	25	40	4	23						1		99	8.66
鬲足或甗足	6	3	46	31								86	7.52
甗	2	1										3	0.26
罐	3	2	4	5		1	2	6		3		26	2.27
鬶				1								1	0.09

续表

陶质	夹砂						泥质				印纹硬陶	合计	百分比（%）
器形 \ 陶色	灰	黑皮	红	褐	黄	白	灰	黑皮	红	褐			
爵	4			1								5	0.44
簋							1					1	0.09
豆							3		1	1		5	0.44
盆	1						10		1	1		13	1.14
瓮	1	1		1						1		4	0.35
大口尊							1	2	1	3		7	0.61
缸	98		416	130	219	24						887	77.60
硬陶尊											2	2	0.17
器盖		1										1	0.09
器鋬	2	1										3	0.26
合计	142	55	470	192	219	25	17	8	3	10	2	1143	100.00
百分比（%）	12.42	4.81	41.12	16.80	19.16	2.19	1.49	0.70	0.26	0.87	0.17	100.00	

（三）G3

位于Q1610T1915～T1917、Q1610T2016～T2019共7个探方中。G3开口于第4层下，打破G11及第5层。灰沟平面呈长条形，方向14°，分布于南高北低的坡地之上。沟面亦呈南高北低，落差为0.8米。G3长21.8、宽1.3～1.5米。本次发掘对G3布设了两条解剖沟，分别编号为G3-JPG1、G3-JPG2（图3.4.31～图3.4.34；表3.4.14、表3.4.15）。

与G1、G2类似，在G3中亦发现有一批沿沟边分布的石块，均为石英砂岩，共计16块。

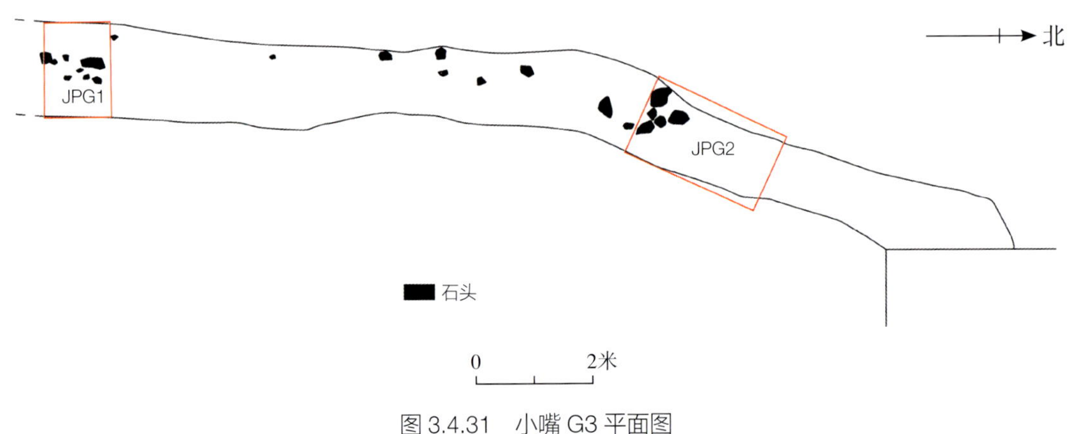

图3.4.31　小嘴G3平面图

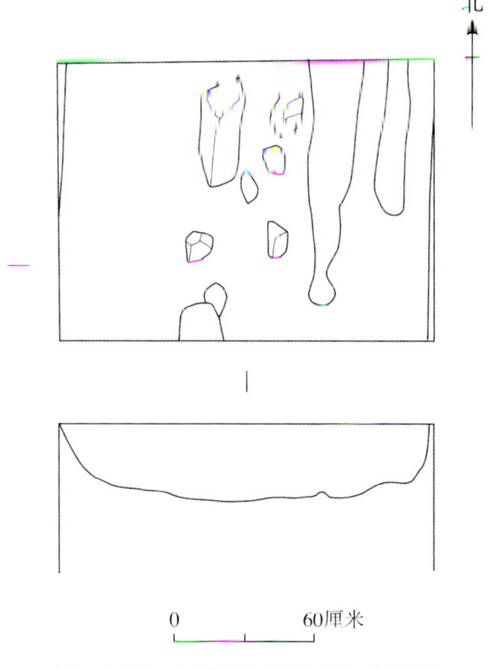

图3.4.32　小嘴G3-JPG1平、剖面图

这些石块形状不规则，最大径20～52厘米。其中S1～S6和S12～S16为两处相对集中分布的石块群，分别位于G3的南端和中部偏北。其余的石块（S7～S11）则以单块间隔分布于G3西侧，相邻石块的间距为0.8～1.8米。

1. G3-JPG1

位于Q1610T1916南部。南北长1.65、东西宽1.5米，井口距地表0.3米。通过发掘可知：G3为斜壁圜底，沟口宽，距离地表0.3米，沟面至沟底深0.2～0.4米。沟壁及沟底可见垫有一层黄色黏土，厚约0.1米，并以黄土在沟底东侧筑起一道宽0.15、高0.1米的土埂。此种情形与G1底部所见黄土一致（图3.4.32）。

G3-JPG1中填土仅为1层：黑灰色土。夹杂较多的炭屑及少量陶片，可辨器形包括缸、鬲、罐、盆等（表3.4.14、表3.4.15）。同时G3-JPG1中还出土有少量青铜颗粒以及砺石、石凿、红烧土块等遗物。与G1相比，G3表层中未见和G1一样密集的陶片层，仅见一层黑灰色填土。

G3-JPG1出土铜颗粒，取样经检测显示其金属基体以及周围锈蚀层中含有大量菱形的二氧化锡晶体，显示出与冶金渣样品相似，可能为熔铜浇铸时铜液表层或飞溅的铜液滴与空气接触后形成的浮渣（dross）或流铜、溅铜（spillage）。对其中未遭氧化的金属基体进行扫描电镜微区分析发现铜含量89%，锡含量6.7%，铅含量3.7%。

陶器

鬲　标本3件。

标本G3-JPG1：1，夹砂灰陶。腹部残。侈口，平折沿，尖圆唇，沿面有一周凹槽。口径15.8、残高3.5厘米（图3.4.33，2）。

标本G3-JPG1：2，夹砂红陶。腹部残。侈口，平折沿，方唇。肩部饰一周附加堆纹。口径21.8、残高5.2厘米（图3.4.33，1）。

标本G3-JPG1：3，夹砂灰陶。侈口，卷沿，圆唇。颈部饰一周弦纹，腹部饰绳纹。口径15.8、残高4.3厘米（图3.4.33，3）。

罐　标本1件。

标本G3-JPG1：4，夹砂红胎黑皮陶。侈口，平折沿，圆唇，直颈。颈部饰两周弦纹，腹部饰绳纹。口径17.7、残高5厘米（图3.4.33，7）。

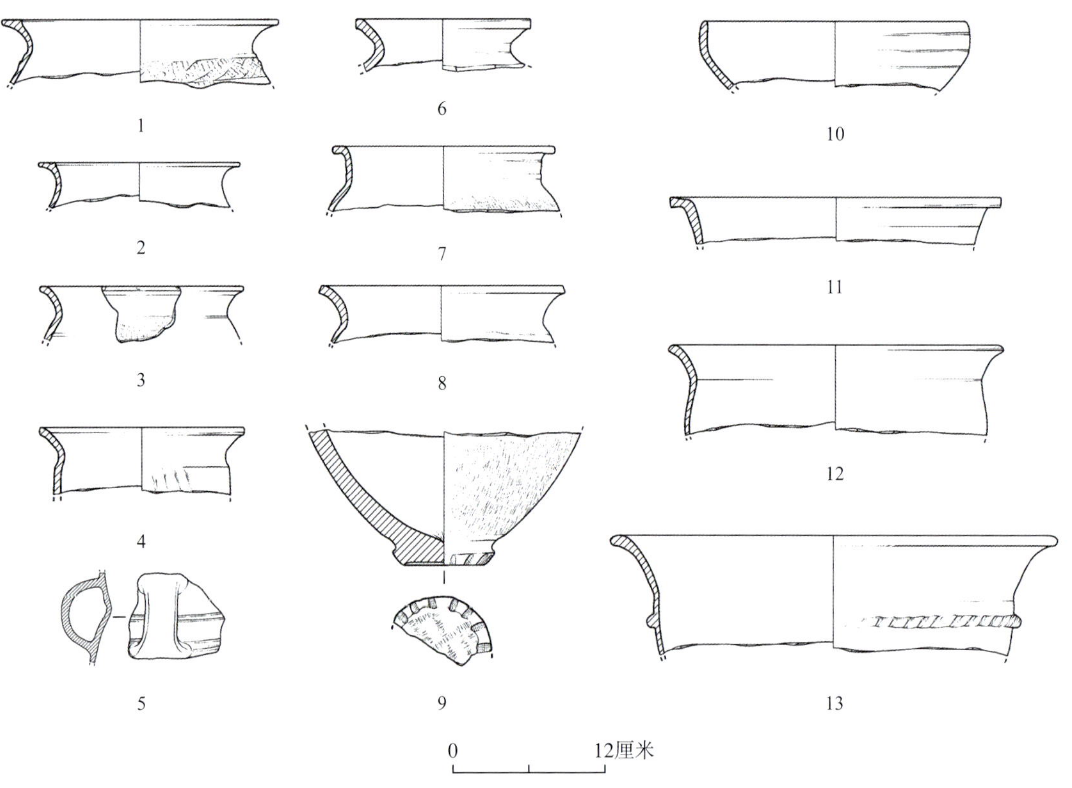

图3.4.33　小嘴G3出土陶器

1～4. 鬲（G3-JPG1∶2、G3-JPG1∶1、G3-JPG1∶3、G3-JPG2∶5）　5. 斝（G3-JPG2∶11）　6～8. 罐（G3-JPG2∶2、G3-JPG1∶4、G3-JPG2∶7）　9. 缸（G3-JPG2∶10）　10. 盂（G3-JPG2∶3）　11、12. 盆（G3-JPG2∶8、G3-JPG2∶9）　13. 大口尊（G3-JPG2∶6）

2. G3-JPG2

位于Q1610T2018中部。G3-JPG2表层中未见和G1一样密集的陶片层，仅见一层黑灰色填土。夹杂较多的炭屑及少量陶片（图3.4.33；表3.4.14、表3.4.15）。方向为25°。南北长2.4、东西宽1、沟面至沟底深0.16～0.4米（图3.4.34）。在沟底中部筑起一道宽0.16、高0.1米的土埂。

陶器

鬲　标本1件。

标本G3-JPG2∶5，夹砂灰陶。侈口，折沿，圆唇，束颈。肩部饰绳纹。口径16、残高5厘米（图3.4.33，4）。

罐　标本2件。

标本G3-JPG2∶2，夹砂黄陶。侈口，折沿，方唇，束颈。口径13.8、残高4厘米（图3.4.33，6）。

标本G3-JPG2∶7，夹砂灰陶。侈口，折沿，方唇，束颈。口径19.6、残高4.2厘米（图3.4.33，8）。

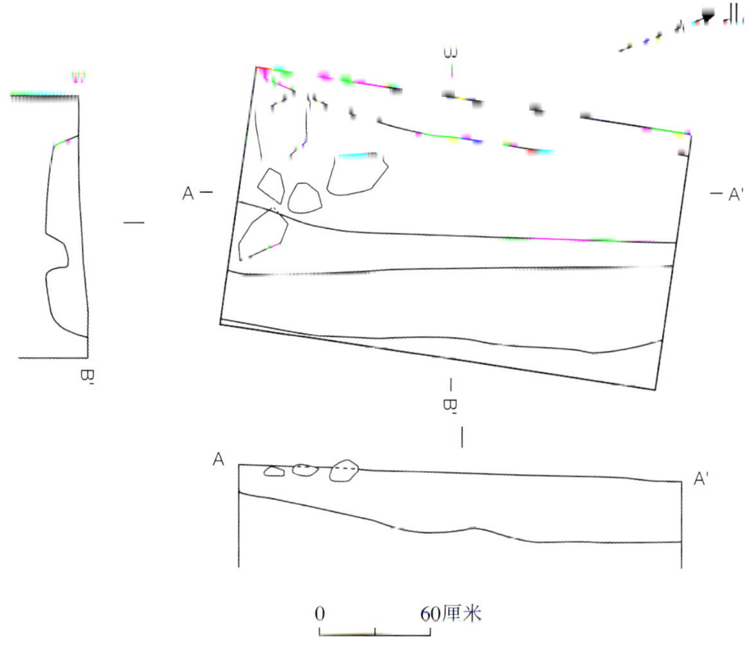

图 3.4.34　小嘴 G3-JPG2 平、剖面图

斝　标本1件。

标本G3-JPG2：11，夹砂灰陶。仅存腹部。腹部饰两组弦纹，腹部接一条形鋬。残高6.9厘米（图3.4.33，5）。

盆　标本2件。

标本G3-JPG2：8，夹砂黑皮陶。平折沿，方唇。颈肩交界处饰一周弦纹。口径25.8、残高3.6厘米（图3.4.33，11）。

标本G3-JPG2：9，泥质灰陶。侈口，卷沿，圆唇，束颈，鼓肩。颈肩结合处饰一周弦纹。口径25.4、残高6.4厘米（图3.4.33，12）。

盂　标本1件。

标本G3-JPG2：3，夹砂灰陶。敛口，尖圆唇。口沿饰三周弦纹。口径20.3、残高5.2厘米（图3.4.33，10）。

大口尊　标本1件。

标本G3-JPG2：6，泥质红胎黑皮陶。敞口，圆唇，肩部微鼓并饰有一周附加堆纹。口径34.6、残高8.6厘米（图3.4.33，13）。

缸　标本1件。

标本G3-JPG2：10，夹砂灰陶。口部及上腹部残。下腹斜收，饼状底。器表饰绳纹，器底有一周按压纹。残高10.2厘米（图3.4.33，9）。

表3.4.14　小嘴G3陶系、纹饰统计表　　（重量单位：克）

陶质		夹砂						泥质				印纹硬陶和原始瓷	合计	百分比（%）
纹饰＼陶色		灰	黑皮	红	褐	黄	白	灰	黑皮	红	褐			
绳纹	数量	111	229	72	80	65	3	74	83	6	9		732	49.86
	重量	800	2352	2671	1093	2799	318	419	591	53	86		11182	39.78
绳纹和附加堆纹	数量	7	9	2									18	1.23
	重量	163	638	180									981	3.49
绳纹和弦纹	数量	1	1	1				3	1				7	0.48
	重量	6	18	18				55	23				120	0.43
网格纹	数量	1	6	44	8	43	1						103	7.02
	重量	109	293	1430	470	2001	13						4316	15.35
网格纹和附加堆纹	数量			6		15							21	1.43
	重量			619		1190							1809	6.44
网格纹和弦纹	数量							3					3	0.20
	重量							27					27	0.10
篮纹	数量	1		8	1								10	0.68
	重量	4		436	25								465	1.65
附加堆纹	数量	4	6	11	1	13	1		1				37	2.52
	重量	52	124	577	7	327	67		10				1164	4.14
弦纹	数量	2	2	1	2			15	4		2		28	1.90
	重量	30	49	10	23			154	31		10		307	1.10
云雷纹	数量											3	3	0.20
	重量											34	34	0.12
云雷纹、叶脉纹和弦纹	数量											1	1	0.07
	重量											119	119	0.42
叶脉纹	数量									2		5	7	0.48
	重量									216		240	456	1.62
兽面纹	数量			1									1	0.07
	重量			118									118	0.42
素面	数量	89	89	52	73	76	4	46	39	16	8	5	497	33.86
	重量	1204	1245	1195	853	1290	100	367	521	115	59	58	7007	24.94
合计	数量	216	342	198	165	212	9	141	128	24	19	14	1468	100.00
	重量	2368	4719	7254	2471	7607	498	1022	1176	384	155	451	28105	100.00

续表

陶质		夹砂						泥质				印纹硬陶和原始瓷	合计	百分比（%）
器形	陶色	灰	黑皮	红	褐	黄	白	灰	黑皮	红	褐			
百分比（%）	数量	14.71	23.30	13.49	11.24	14.44	0.61	9.60	8.72	1.64	1.30	0.95	100.00	
		77.79						21.26						
	重量	8.42	16.79	25.82	8.80	27.07	1.77	3.63	4.18	1.37	0.55	1.60	100.00	
		88.67						9.73						

表3.4.15　小嘴G3可辨器形统计表

陶质	夹砂					泥质				合计	百分比（%）
器形　陶色	灰	黑皮	红	褐	黄	灰	黑皮	褐	红		
鬲	18	33	3	7			1		1	63	42.57
甗		1		1						2	1.35
鬲足或甗足	4	2	25	12						43	29.05
罐				1		5	1	2	3	12	8.11
斝	1									1	0.68
盆	2					1	3			6	4.05
盂	1									1	0.68
大口尊	1	1	1			1	2			6	4.05
缸	2	2	5		4					13	8.78
器盖			1							1	0.68
合计	29	39	35	21	4	7	7	2	4	148	100.00
百分比（%）	19.60	26.35	23.65	14.19	2.70	4.73	4.73	1.35	2.70	100.00	

（四）G4

位于Q1710T0313、T0413两个探方中。G4开口于第1层下，被G12、H13打破，同时打破生土。平面大体呈长条形，分布于西高东低的坡地之上，沟面西高东低，落差为0.3米。G4东西长7.6、南北宽2.5米，方向105°。本次发掘对G4布设了一条解剖沟，编号为G4-JPG1（图3.4.35）。

G4-JPG1

位于Q1710T0413。南北长2.1、东西宽0.9米，解剖沟开口距地表0.3米。通过发掘可

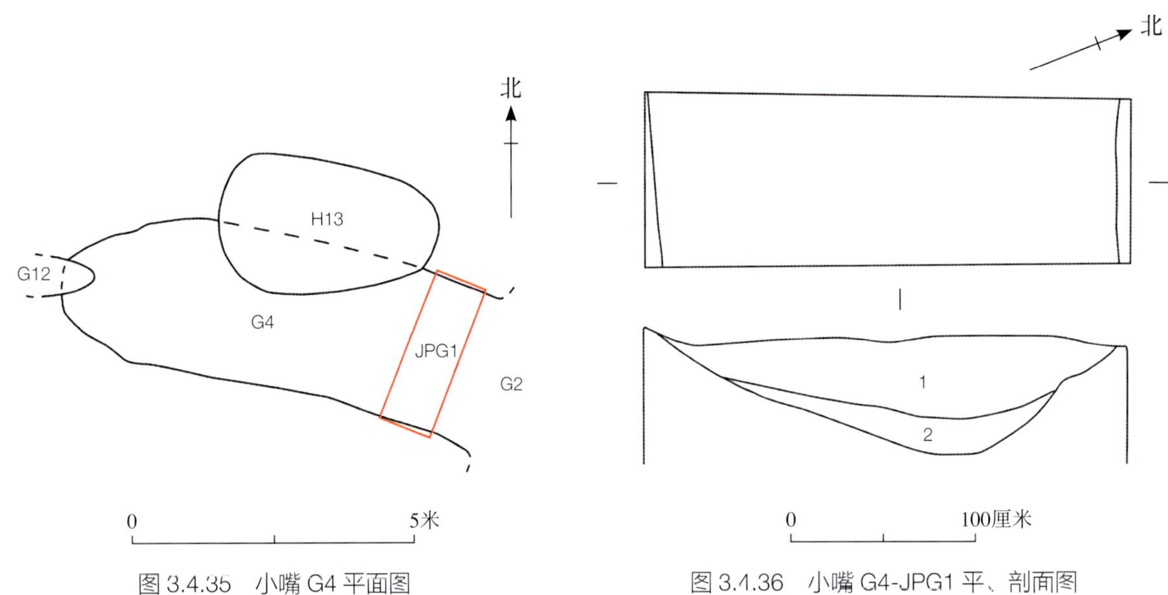

图3.4.35　小嘴G4平面图
图3.4.36　小嘴G4-JPG1平、剖面图

知，G4横截面为斜壁圜底，沟口宽1.5、深0.1～0.2米。沟底及沟壁可见一层厚约0.05米的黄色黏土，与G1、G2、G3中所见的一致（图3.4.36）。

G4-JPG1内堆积可分为两层。

第1层：黑灰色土。该层为Q1710T0413第3层堆积，厚0.2～0.45米。填土自南向北倾斜分布于G4表面。上层填土中夹杂较多陶片，可辨器形包括缸、鬲、盆、豆、爵、斝等，同时还出土有小铜粒2枚。

第2层：灰褐色土。该层为沟内堆积，厚0.1～0.2米。填土中包含陶片相对较少，可辨器形包括缸、鬲、罐、盆等。

与G1、G2、G3不同的是，在G4沟边并未发现呈线状连续分布的石块，仅在G4表面上层填土中发现有少量石块，但石块分布位置散乱，并无规律可循。

G4-JPG1出土遗物未分层收集，统一归入G1-JPG1内。

陶器

鬲　标本4件。

标本G4-JPG1：6，夹砂黑皮陶。侈口，平折沿，方唇，唇沿下垂，唇外中部略内凹，腹部近直。腹部饰绳纹。口径13.8、残高4.8厘米（图3.4.37，1）。

标本G4-JPG1：8，夹砂灰陶。侈口，折沿上仰，方唇，直颈。口径12、残高5厘米（图3.4.37，7）。

标本G4-JPG1：9，夹砂黑皮陶。侈口，卷沿，厚方唇，腹微鼓。口径15.4、残高7.2厘米（图3.4.37，4）。

标本G4-JPG1：10，夹砂灰陶。侈口，折沿上仰，方唇，唇外中部略内凹。口径16.6、残高4.2厘米（图3.4.37，5）。

爵 标本2件。

标本G4-JPG1：4，泥质灰陶。口、流、鋬均残，仅存圆腹，下接三锥足。残高6.2厘米（图3.4.37，6）。

标本G4-JPG1：11，泥质灰陶。口、流均残，仅存鋬及一锥足。残高9.6厘米（图3.4.37，8）。

缸 标本2件。

标本G4-JPG1：2，夹砂红陶。底部残。敞口，斜直腹。器表饰方格纹，颈部饰一周附加堆纹。口径38、残高21.8厘米（图3.4.37，9）。

标本G4-JPG1：3，夹砂红陶。口部及上腹部残。下腹斜收，底部收成饼状。仅存下腹部及底。器表饰方格纹。残高24.8厘米（图3.4.37，3）。

印纹硬陶罐 标本1件。

标本G4-JPG1：5，灰白色胎。侈口，折沿，方唇，沿面外侧有一周凹槽。肩部饰云雷纹。颈部内壁可见多道轮制痕迹，内壁可见手指按压痕迹。口径18、残高5.5厘米（图3.4.37，2）。

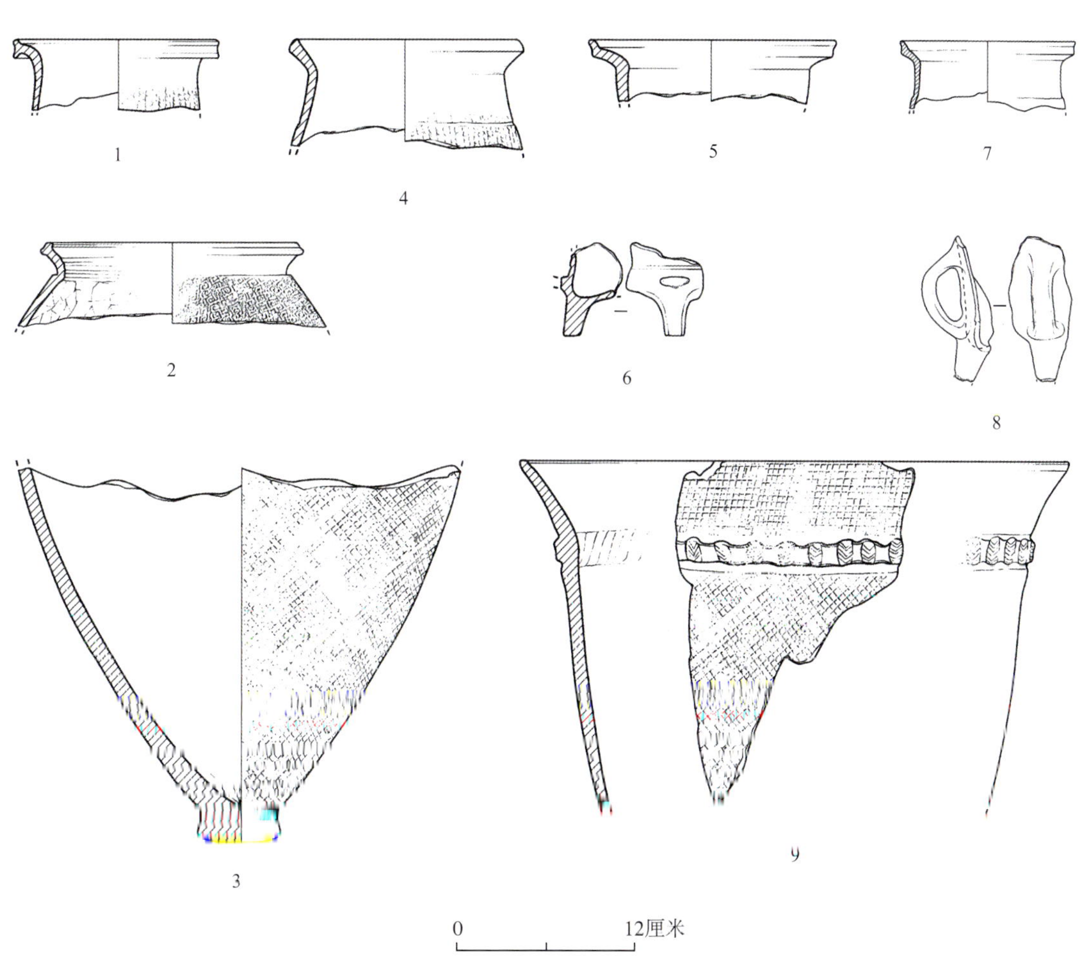

图3.4.37 小嘴G4出土陶器

1、4、5、7. 鬲（G4-JPG1：6、G4-JPG1：9、G4-JPG1：10、G4-JPG1：8） 2. 印纹硬陶罐（G4-JPG1：5）
3、9. 缸（G4-JPG1：3、G4-JPG1：2） 6、8. 爵（G4-JPG1：4、G4-JPG1：11）

（五）G9

位于Q1610T1912～T1915共4个探方中。G9北段开口于第2层下，同时被G1打破，南段被G13叠压。平面呈长条形，分布于南高北低的坡地之上，沟面南高北低，落差为0.9米。沟面距地表0.25～0.3米，南北长17.85、宽0.3～0.4米，方向9°。

通过解剖发掘可知，G9为直壁平底，其北段保存相对较好，南段因被G13叠压，沟壁受到明显破坏，沟面至沟底0.1～0.25米。沟底南高北低，落差0.8米。沟壁及沟底均铺垫一层黄色黏土，该黄土层厚约0.1米，土质细腻纯净，黏性较强，黄土之下即为红色生土。

G9内填土呈黑灰色，土质疏松。包含物有陶片、炭屑及红烧土块，陶片可辨器形包括鬲口沿、缸、罐口沿等。

陶器

鬲　标本2件。

标本G9：1，夹砂黄陶。侈口，平折沿，方唇，沿面有一周凹槽。腹部饰绳纹。口径15、残高7.2厘米（图3.4.38，5）。

标本G9：8，夹砂褐陶。侈口，平折沿，方唇，沿面有一周凹槽。颈部以下饰绳纹。口径13.8、残高4.6厘米（图3.4.38，1）。

鬲足　标本1件。

标本G9：7，夹砂黄陶。仅存一足，实足尖残。足上部饰绳纹。残高8.3厘米（图3.4.38，7）。

罐　标本2件。

标本G9：12，泥质灰陶。肩部以下残。口近直，圆唇，束颈。口径16.6、残高4厘米（图3.4.38，2）。

标本G9：13，泥质红胎黑皮陶。口及腹部均残，仅存底部。圜底内凹。底径10.2、残高2.1厘米（图3.4.38，6）。

斝　标本1件。

标本G9：3，泥质灰陶。残存上腹部及一弧形鋬。腹部饰一道弦纹。残高6.2厘米（图3.4.38，3）。

盆　标本1件。

标本G9：2，泥质黑皮陶。敞口，平折沿，沿面下垂。颈部饰多周弦纹。口径24.6、残高5.6厘米（图3.4.38，9）。

缸　标本3件。

标本G9：4，夹砂红陶。下腹残。敞口，斜直壁。陶胎内掺有大颗粒的砂粒，器表饰绳纹，口沿处饰一周附加堆纹。口径31.2、残高7.4厘米（图3.4.38，10）。

标本G9：5，夹砂黄陶。口沿及腹部均残，仅存圈足。圈足径17.2、残高5.1厘米（图3.4.38，4）。

标本G9：6，泥质黄陶，仅存圈足，底径18、残高4.9厘米（图3.4.38，8）。

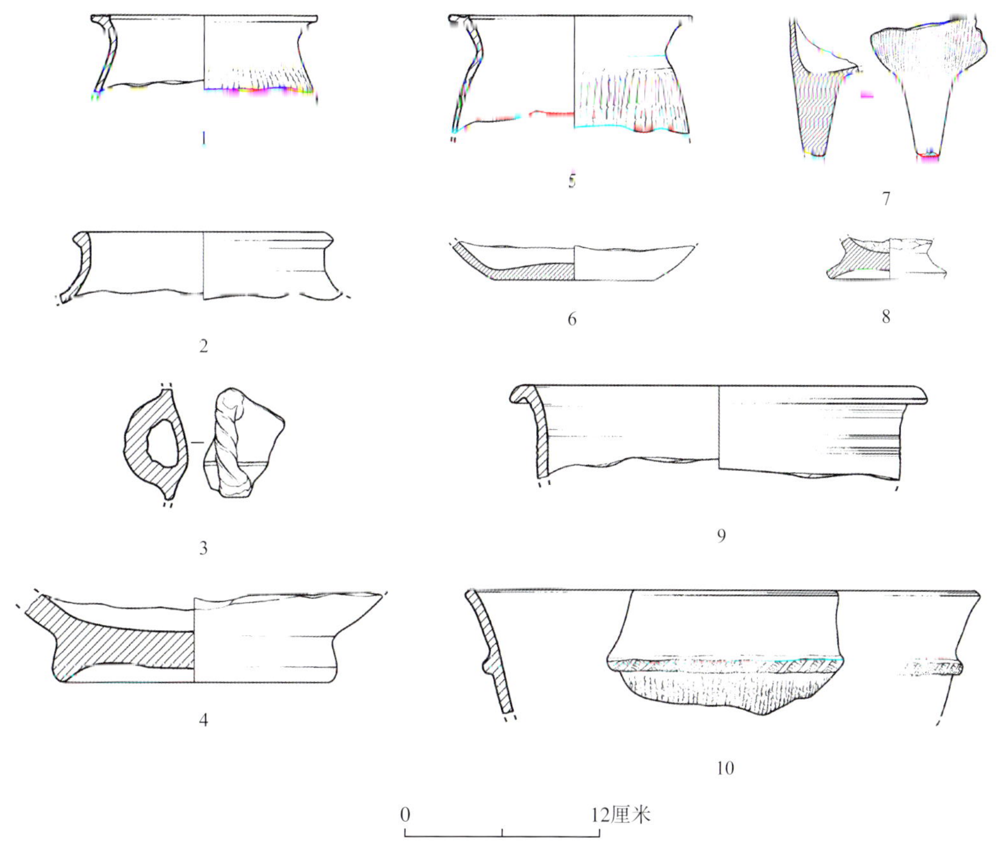

图 3.4.38 小嘴 G9 出土陶器

1、5. 鬲（G9：8、G9：1） 2、6. 罐（G9：12、G9：13） 3. 鋬（G9：3） 4、8、10. 缸（G9：5、G9：6、G9：4）
7. 鬲足（G9：7） 9. 盆（G9：2）

（六）G12

位于Q1710T0213～T0313中。灰沟开口于第3层下，其东端打破G4，其余部分直接打破生土。平面呈“L”形。灰沟南北段长1.75、东西段长3.1、宽0.2米，开口距地表0.25米，沟口至沟底深0.1～0.15米，沟底不平，沟壁结构不明显。沟内为较疏松的黑灰色填土，包含较多炭屑，及少量细碎的陶片和红烧土颗粒。

陶器

鬲 标本1件。

标本G12：1，肩部以下残。侈口，平折沿，尖圆唇，束颈，鼓肩。肩部饰一周附加堆纹。口径22.8、残高7.2厘米（图3.4.39，1）。

印纹硬陶罐 标本1件。

标本G12：2，残存颈及肩部。广肩。颈部饰多周弦纹，肩部饰叶脉纹，可见一条形组。残高10、宽6.4厘米（图3.4.39，2）。

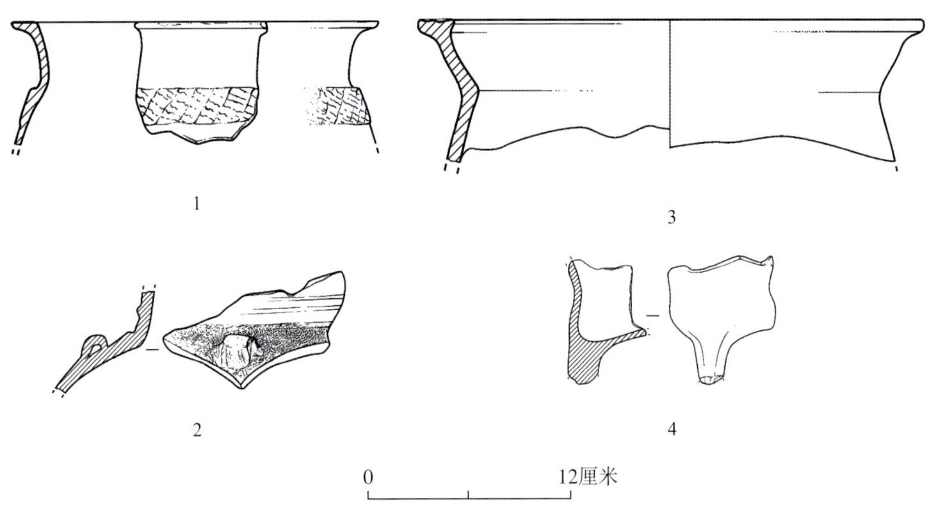

图 3.4.39　小嘴 G12 和 G16 出土陶器

1、3. 鬲（G12：1、G16：1）　2. 印纹硬陶罐（G12：2）　4. 爵（G16：2）

（七）G13

位于Q1610T1912～Q1610T1914等3个探方中。G13开口于第2层下，被H54、H69打破，打破生土。G13平面呈长条形，分布于南高北低的坡地之上，沟面南北落差0.9米。G13南北长14、宽0.95～1.1米，方向10°。本次发掘对G13进行了全面清理（图3.4.40）。

G13为斜壁圜底。沟口宽0.95～1.1米，沟口至沟底深0.25米。沟底南高北低，落差0.9米。沟壁及沟底均铺垫有纯净的黄色黏土，黄土厚0.1米，与G1～G4中所见的黄土一致。

G13东侧分布有一条排列整齐的石块，均为石英砂岩，最大径0.25～0.4米。石块大小错落，契合紧密，主要沿G13东壁分布。这一现象与G1～G3中所见石块间隔分布的形态有明显差异。本次发掘共在G13中发现石块41块，其中39块沿G13东壁分布，依次编号为S1～S39。G13东壁的石块分布形态基本可以分成两类：①单层间隔分布，即石块连续排列，间距0.04～0.05米，例如S1～S4；②双层连续分布，即石块依次连续分布，石块间无间距，如S17～S22。此外，在G13西侧亦发现2块石块分布，编号为S40、S41。

G13内堆积为黑灰土，未见分层。黑灰土中包含有大量陶片，可辨器形包括鬲、罐、豆、盆、壶、缸等（图3.4.41、图3.4.42；表3.4.16、表3.4.17），同时出土有小铜粒、陶范碎块、木炭块、红烧土块以及石锛、石凿、石镰、砺石等石质工具。

1）青铜颗粒

G13铜颗粒取样经金相检测，均为锻造组织，金相组织可见α树枝晶，岛屿状（α+δ）共析体，铅颗粒和夹杂物弥散分布。化学成分分析铜含量为91.9%，锡含量为3.9%，铅含量为2.9%，氧含量为1.3%。

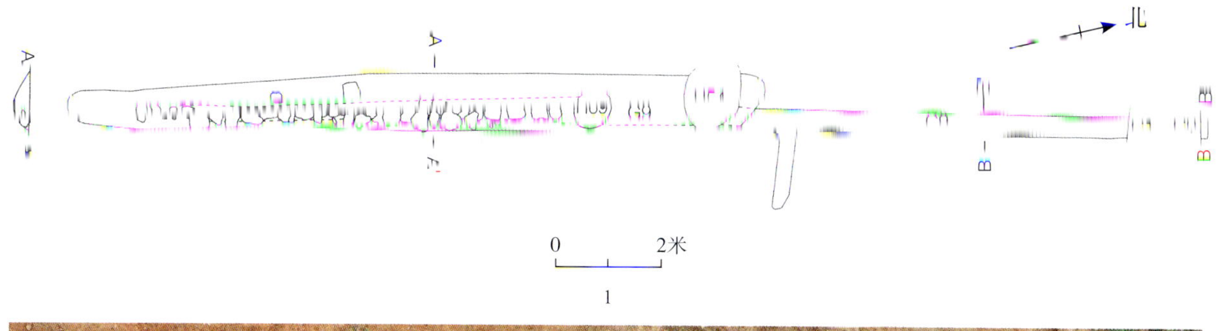

1

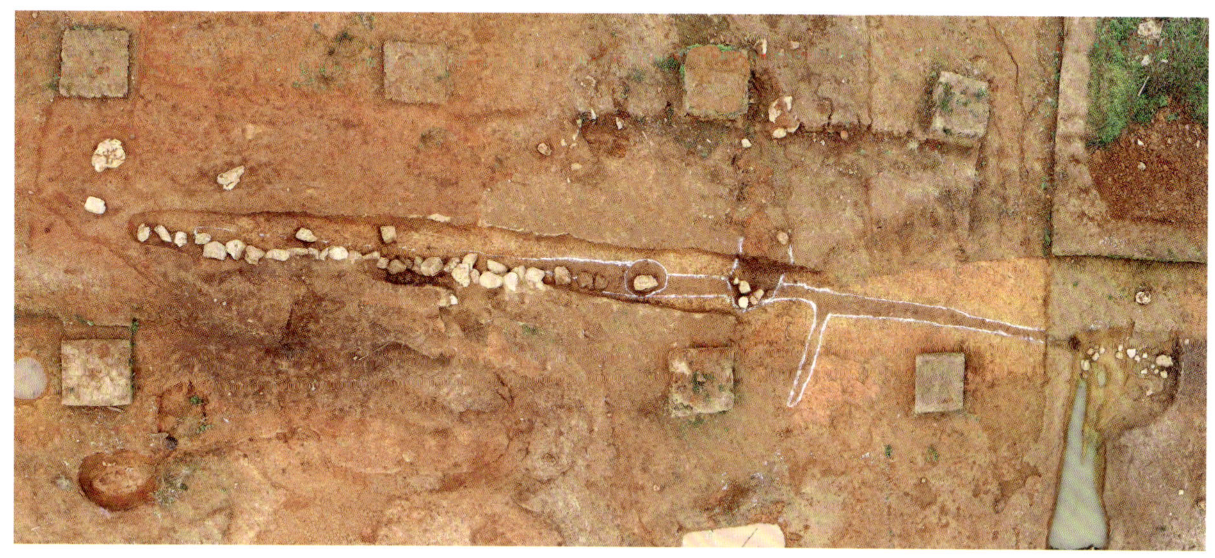

2

图 3.4.40　小嘴 G13 平、剖面图和俯视照片

1. 平、剖面图　2. 俯视照片

2）陶器

鬲　标本3件。

标本G13：1，夹砂灰陶。裆部及实足根残缺。侈口，平折沿，方唇，沿面有一周凹槽，腹部近直，三袋足。颈部饰一周附加堆纹，腹部饰粗绳纹。口径28.8、残高27.2厘米（图3.4.41，10）。

标本G13：2，夹砂红胎黑皮陶。侈口，平折沿，方唇，沿面有两周凹槽。口径19.8、残高4.2厘米（图3.4.41，6）。

标本G13：9，夹砂黑皮陶。侈口，平折沿，尖圆唇，沿面有一周凹槽。腹部饰绳纹。残高5.6厘米（图3.4.41，7）。

罐　标本3件。

标本G13：6，夹砂灰陶。侈口，折沿，沿面外倾，方唇，束颈。肩部饰绳纹。口径19.6、残高4.6厘米（图3.4.41，4）。

标本G13：5，夹砂黑皮陶。平折沿，方唇，束颈。口径18.6、残高3.7厘米（图3.4.41，8）。

标本G13：24，夹砂灰陶。侈口，折沿，尖圆唇，束颈。口径23.6、残高4厘米（图3.4.41，1）。

豆　标本1件。

标本G13：3，泥质红胎黑皮陶。假腹豆，侈口，平折沿，方唇，浅盘。器表磨光，盘表面饰一周弦纹，高圈足饰三周弦纹及两个对称分布的十字镂孔。口径15.4、高15.6、圈足径10.1厘米（图3.4.41，3）。

盆　标本2件。

标本G13：17，泥质红胎黑皮陶。侈口，卷沿，尖圆唇，束颈，下腹微鼓。颈及上腹部饰弦纹，下腹部饰绳纹。口径20.6、残高9.3厘米（图3.4.41，5）。

标本G13：18，泥质红胎黑皮陶。侈口，卷沿，尖圆唇，束颈，下腹微鼓。颈肩部饰多道弦纹，腹部饰绳纹。口径25.4、残高10.8厘米（图3.4.41，2）。

壶　标本1件。

标本G13：13，泥质黑皮陶。侈口，平折沿，尖圆唇，长颈。颈部饰多道弦纹。口径14.8、残高6.1厘米（图3.4.41，9）。

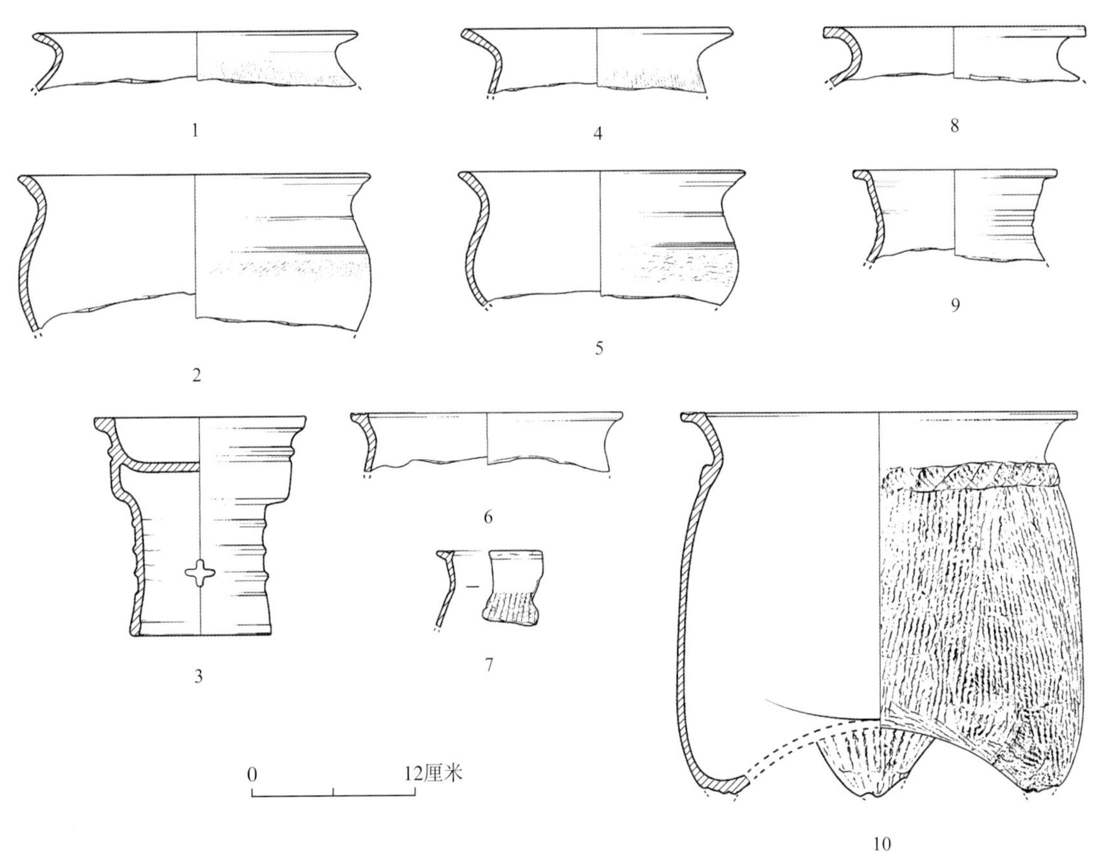

图3.4.41　小嘴G13出土陶器

1、4、8.罐（G13：24、G13：6、G13：5）　2、5.盆（G13：18、G13：17）　3.豆（G13：3）
6、7、10.鬲（G13：2、G13：9、G13：1）　9.壶（G13：13）

3）石器

凿　标本1件。

标本G13：4，顶窄而斜平，体呈一面宽一面窄的扁四棱体，横截面近似长方形。通体磨光。单面刃，刃面宽而平直。长8.7、宽2.3、中厚3厘米（图3.4.42，1）。

镰　标本2件。

标本G13：21，前端尖圆，后端已残。弧背直刃，通体磨光。残长10、宽4.9、厚0.8厘米（图3.4.42，3）。

标本G13：23，前端尖圆，已残，后端圆鼓。凸背凹刃，通体磨光。残长12.4、前宽4.2、后宽5.2、中厚0.9厘米（图3.4.42，2）。

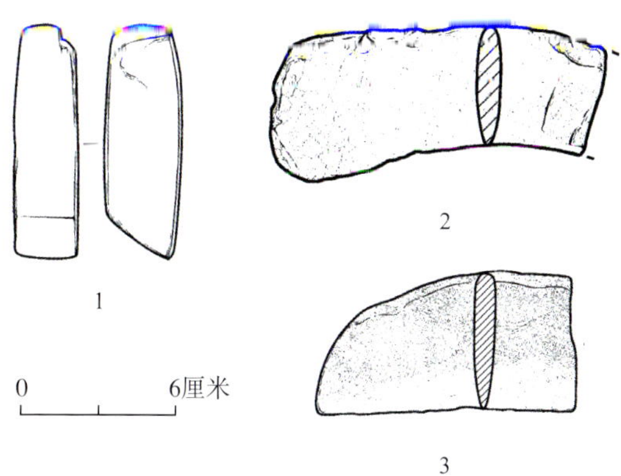

图 3.4.42　小嘴 G13 出土石器

1. 凿（G13：4）　2、3. 镰（G13：23、G13：21）

（八）G14

位于Q1710T0414中。平面呈长条形。灰沟被H25和H26打破，其余部分开口于第3层下，打破生土。灰沟东西长0.6、宽0.12～0.08、开口距地表0.35、沟口至底部深0.1米（图3.4.43）。沟壁结构不明。沟内填土为黑灰土，夹杂较多炭屑，包含较多残碎陶片（表3.4.16、表3.4.17）。

（九）G15

位于Q1710T0214中。平面呈长条形。开口于第3层下，打破生土。灰沟南北长3.08、宽0.08～0.96、开口距地表0.25米，沟口至沟底深0.12米。沟壁结构不明。沟内填土为黑灰色，土质疏松，夹杂炭屑、红烧土块及细碎的陶片。

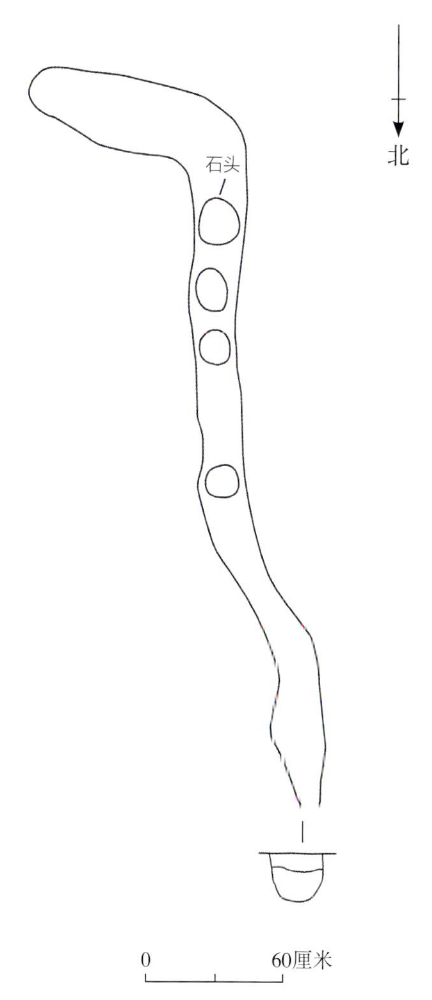

图 3.4.43　小嘴 G14 平、剖面图

表3.4.16　小嘴G14陶系、纹饰统计表　　　（重量单位：克）

纹饰＼陶质、陶色		夹砂 灰	夹砂 黑皮	夹砂 红	夹砂 褐	夹砂 白	泥质 灰	泥质 黑皮	印纹硬陶和原始瓷	合计	百分比（%）
绳纹	数量		1					4		5	21.74
	重量		6					58		64	23.06
绳纹和弦纹	数量						1			1	4.35
	重量						6.5			6.5	2.34
网格纹	数量					1				1	4.35
	重量					33				33	11.89
附加堆纹	数量					1				1	4.35
	重量					41				41	14.77
云雷纹	数量								1	1	4.35
	重量								16	16	5.77
素面	数量	3	1	1	1	1	2	5		14	60.87
	重量	34	5	10	15	7	12	34		117	42.16
合计	数量	3	2	1	1	3	3	9	1	23	100.00
	重量	34	11	10	15	81	18.5	92	16	277.5	100.00
百分比（%）	数量	13.04	8.70	4.35	4.35	13.04	13.04	39.13	4.35	100.00	
		43.48					52.17				
	重量	12.25	3.96	3.60	5.41	29.19	6.67	33.15	5.77	100.00	
		54.41					39.82				

表3.4.17　小嘴G14可辨器形统计表

器形＼陶质、陶色	夹砂 灰	夹砂 白	合计	百分比（%）
鬲	1		1	25.00
缸		3	3	75.00
合计	1	3	4	100.00
百分比（%）	25.00	75.00	100.00	

（十）G16

位于Q1710T0412、T0312中。开口于第2层下，打破第3层、G2，其余部分打破生土。平面呈长条形。灰沟东西长1.52、宽0.28～0.35米，沟底不平，沟口至沟底深0.1～0.15米，沟壁结构不明。沟内填土为黑灰色，夹杂大量炭屑、红烧土颗粒及少量陶片。

陶器

鬲　标本1件。

标本G16：1，夹砂灰陶。颈部以下残。平折沿，方唇，沿面可见两周凹槽，束颈。素面。口径29.2、残高7.6厘米（图3.4.39，3）。

爵　标本1件。

标本G16：2，夹砂灰陶。仅存腹部及一足，足尖残断。束腰，底近平。残高7.3、宽6厘米（图3.4.39，4）。

（十一）G17

位于Q1710T0311～T0411中。开口于第3层下，其东端打破G2，其余打破生土。平面呈长条形。灰沟东西长2.4、宽0.25～0.3、深0.1～0.17米，沟壁结构不明。沟内填土为黑灰色，夹杂大量炭屑和少量细碎陶片。

（十二）G18

位于Q1710T0311中。开口于第3层下，打破生土。平面呈长条形。灰沟东西长0.8、宽0.2～0.25、沟口至沟底深0.12～0.15米，沟壁结构不明。沟内填土为黑灰色，夹杂较多炭屑。

（十三）G19

位于Q1710T0312中。开口于第3层下，打破生土。平面呈长条形。灰沟东西长1.1、宽0.15、沟口至沟底深0.1米，沟壁结构不明。沟内填土为黑灰色，夹杂较多炭屑及少量陶片。

（十四）G22

位于Q1610T1716南部，开口于第2层下。平面呈长条形，灰沟斜壁平底，长1.56、宽0.31米，开口距地表0.4米，深0.14米。填土为灰褐土，土质疏松。可辨器形有陶鬲、缸（图3.4.44；表3.4.18、表3.4.19）。沟内横躺一陶缸，陶缸基本占据沟内全部空间，陶缸内有不完整陶罐（图3.4.44）。

（十五）G23

分布于Q1610T1715、T1815、T1915北部。开口于第4层下，打破生土。由于G23东部为一现代陡坎，因此被破坏，未继续向东延伸，方向为98°（图3.4.45）。G23斜壁平底，沟底及沟壁涂抹纯净黄色黏土，开口距地表0.3、长约8.54、宽0.2～0.4米。G23被第4层叠压，残

图 3.4.44　小嘴 G22 陶罐、缸出土情况

表3.4.18　小嘴G22陶系、纹饰统计表　　（重量单位：克）

纹饰＼陶质/陶色		夹砂					泥质		合计	百分比（%）
		灰	黑皮	红	褐	黄	灰	黑皮		
绳纹	数量	5	4	1	2		1	2	15	50.00
	重量	130	10120	115	80		245	75	10765	95.01
网格纹	数量			1					1	3.33
	重量			80					80	0.71
网格纹和附加堆纹	数量					1			1	3.33
	重量					105			105	0.93
篮纹	数量			2		1			3	10.00
	重量			95		15			110	0.97
素面	数量	2	1	5	1	1			10	33.33
	重量	65	5	170	15	15			270	2.38
合计	数量	7	5	9	3	3	1	2	30	100.00
	重量	195	10125	460	95	135	245	75	11330	100.00
百分比（%）	数量	23.33	16.67	30.00	10.00	10.00	3.33	6.67	100.00	
		90.00					10.00			
	重量	1.72	89.36	4.06	0.84	1.19	2.16	0.66	100.00	
		97.17					2.82			

表3.4.19 小嘴G22可辨器形统计表

陶质 / 陶色 / 器形	夹砂					泥质	合计	百分比（%）
	灰	黑皮	红	褐	黄	灰		
鼎		1				1	2	10.00
缸	2	1	10	1	4		18	90.00
合计	2	2	10	1	4	1	20	100.00
百分比（%）	10.00	10.00	50.00	5.00	20.00	5.00	100.00	

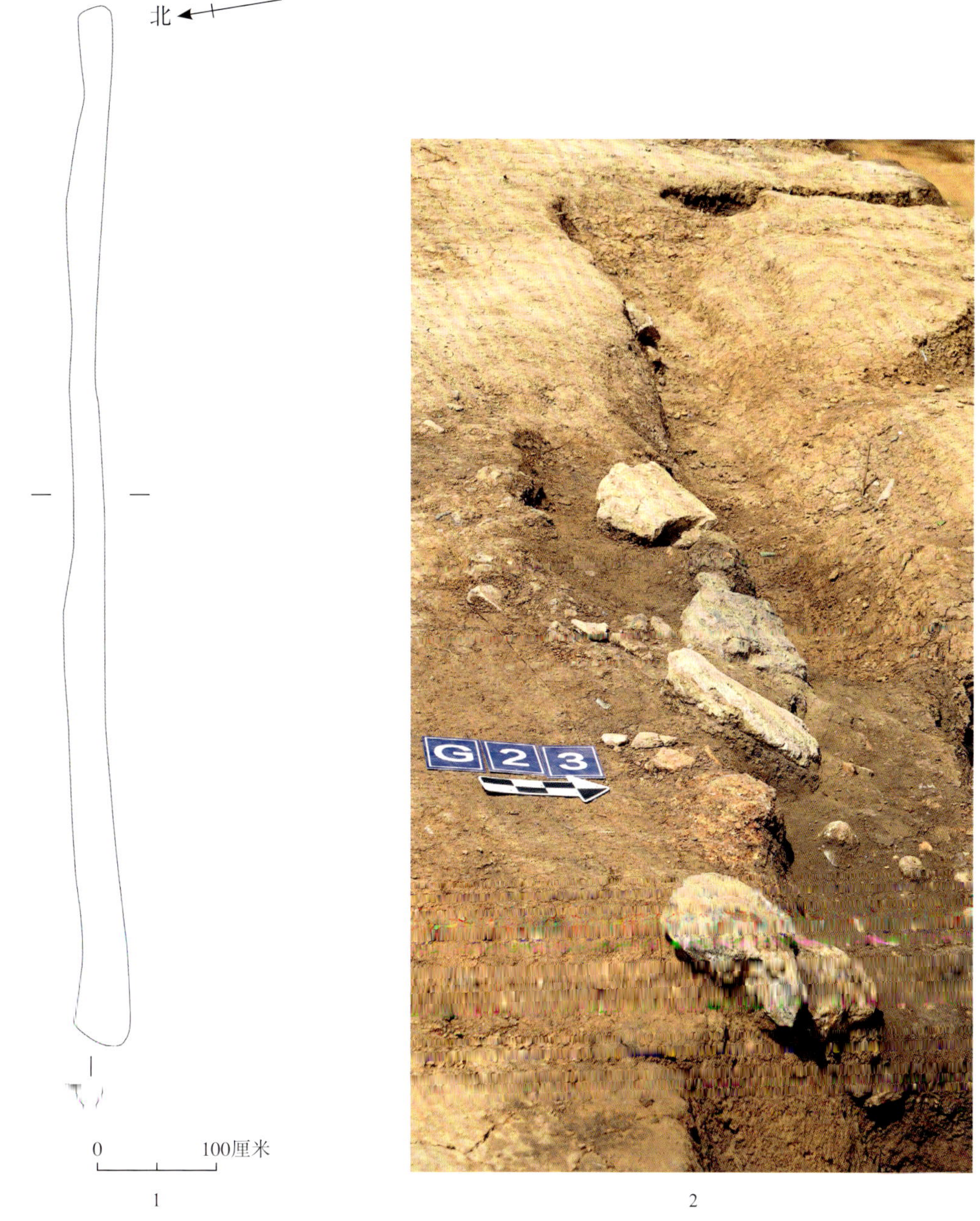

图3.4.45 小嘴G23平、剖面图和石块堆积情况照片

1. 平、剖面图 2. 石块堆积情况照片

存深度0.18米，但是从G23两侧生土高程来看，G23深度应比现存深度更深，至少达到了0.32米。填土为黑灰色土，土质疏松，出土部分陶片，可辨器形有陶鬲、缸残块（表3.4.20、表3.4.21），但陶片多细碎。

表3.4.20　小嘴G23陶系、纹饰统计表　　（重量单位：克）

陶质		夹砂					泥质			合计	百分比（%）
纹饰＼陶色		灰	黑皮	红	褐	黄	灰	黑皮	褐		
绳纹	数量	9	105	13	5	14	5	5		156	73.93
	重量	130	460	960	155	365	100	45		2215	43.52
绳纹和附加堆纹	数量			3		1				4	1.89
	重量			415		705				1120	22.00
网格纹	数量	6		1				4		11	5.21
	重量	50		445				20		515	10.12
篮纹	数量	1		2						3	1.42
	重量	65		25						90	1.77
附加堆纹	数量			2						2	0.95
	重量			135						135	2.65
素面	数量	3	7	7	5	8	2	2	1	35	16.59
	重量	35	15	105	225	575	15	25	20	1015	19.94
合计	数量	19	112	28	10	23	7	11	1	211	100.00
	重量	280	475	2085	380	1645	115	90	20	5090	100.00
百分比（%）	数量	9.00	53.08	13.27	4.74	10.90	3.32	5.21	0.47	100.00	
		90.99					9.00				
	重量	5.50	9.33	40.96	7.46	32.32	2.26	1.77	0.40	100.00	
		95.57					4.43				

表3.4.21　小嘴G23可辨器形统计表

陶质	夹砂					泥质	合计	百分比（%）
器形＼陶色	灰	黑皮	红	褐	黄	灰		
甗	1	2					3	3.95
鬲足或甗足		2		2			4	5.26
罐						1	1	1.31
盆	1						1	1.34

续表

陶质 \ 器形 \ 陶色	夹砂					泥质	合计	百分比（%）
	灰	黑皮	红	褐	黄	灰		
人口尊						1	1	1.31
缸	6	1	28	8	23		66	86.84
合计	8	5	28	10	23	2	76	100.00
百分比（%）	10.53	6.58	36.84	13.16	30.26	2.63	100.00	

（十六）G24

位于Q1610T1715西北部。开口于第2层下。平面呈长条形，斜壁平底。开口距地表0.3、长1.3、宽0.28、深0.12米。填土为灰褐色，土质疏松，沟内出土零散陶片（表3.4.22、表3.4.23）。

表3.4.22　小嘴G24陶系、纹饰统计表　（重量单位：克）

陶质 \ 纹饰 \ 陶色		夹砂					泥质	合计	百分比（%）
		灰	黑皮	红	褐	黄	黑皮		
绳纹	数量	5	4	4	1	3	2	19	51.35
	重量	30	15	155	10	35	20	265	32.51
绳纹和附加堆纹	数量					1		1	2.70
	重量					135		135	16.56
网格纹	数量				1			1	2.70
	重量				70			70	8.59
篮纹	数量			2	1			3	8.11
	重量			145	80			225	27.61
素面	数量	3	3	2	2	1	2	13	35.13
	重量	30	20	15	45	5	5	120	14.72
合计	数量	8	7	8	5	5	4	37	100.00
	重量	60	35	315	205	175	25	815	100.00
百分比（%）	数量	21.62	18.92	21.62	13.51	13.51	10.81	100.00	
		89.18							
	重量	7.36	4.29	38.65	25.15	21.47	3.07	100.00	
		96.92							

表3.4.23　小嘴G24可辨器形统计表

陶质	夹砂					合计	百分比（%）
器形＼陶色	灰	黑皮	红	褐	黄		
鬲		1				1	4.76
罐	2					2	9.52
缸			8	5	5	18	85.71
合计	2	1	8	5	5	21	100.00
百分比（%）	9.52	4.76	38.10	23.81	23.81	100.00	

（十七）G25

分布于Q1610T1716、T1816、T1916南部。开口于第4层下，打破第5层。东边被陡坎破坏，方向为102°，与G23大致平行（图3.4.46）。直壁平底。开口距地表0.3、长约7.4、宽0.4～0.6、深0.2米。填土颜色为黑灰色，可辨器形有陶鬲、甗、罐、缸等（表3.4.24、表3.4.25），出土陶片多较细碎。

图3.4.46　小嘴G25照片（右为北）

表3.4.24　小嘴G25陶系、纹饰统计表　（重量单位：克）

陶质 / 纹饰	陶色	夹砂						泥质			印纹硬陶和原始瓷	合计	百分比（%）
		灰	黑皮	红	褐	黄	白	灰	黑皮	褐			
绳纹	数量	54	11	26	36	9		9	29	7		181	42.99
	重量	1565	500	1065	1000	345		65	290	85		4915	35.25
绳纹和附加堆纹	数量		2	5	5							12	2.85
	重量		115	300	425							840	6.02
绳纹和弦纹	数量							2	5			7	1.66
	重量							15	75			90	0.64
网格纹	数量	5	3	25	5	8						46	10.93
	重量	100	115	1730	340	310						2595	18.61
网格纹和附加堆纹	数量			4		1						5	1.19
	重量			450		75						525	3.76
篮纹	数量			2								2	0.47
	重量			220								220	1.58
附加堆纹	数量			8		8						16	3.80
	重量			690		280						970	6.96
弦纹	数量	1		1				3	13	1		19	4.51
	重量	20		10				20	565	5		620	4.45
叶脉纹	数量										3	3	0.71
	重量										45	45	0.32
素面	数量	21	20	34	11	6	1	13	22	2		130	30.88
	重量	850	150	1030	360	215	70	240	205	5		3125	22.41
合计	数量	81	36	105	57	32	1	27	69	10	3	421	100.00
	重量	2535	880	5495	2125	1225	70	340	1135	95	45	13945	100.00
百分比（%）	数量	19.24	8.55	24.94	13.54	7.60	0.24	6.41	16.39	2.38	0.71	100.00	
		74.11						25.18					
	重量	18.18	6.31	39.40	15.24	8.78	0.50	2.44	8.14	0.68	0.32	100.00	
		88.41						11.26					

表3.4.25　小嘴G25可辨器形统计表

陶质	夹砂					泥质		合计	百分比（%）
器形 \ 陶色	灰	黑皮	红	褐	黄	灰	黑皮		
鬲	2	6		1				9	3.64
甗	1	1		1				3	1.21
鬲足或甗足	1		3	6				10	4.05
罐	2			1	1	1	2	7	2.83
斝	1					1	1	3	1.21
爵		2						2	0.81
缸	32	9	98	43	31			213	86.23
合计	39	18	101	52	32	2	3	247	100.00
百分比（%）	15.79	7.29	40.89	21.05	12.96	0.81	1.21	100.00	

图3.4.47　小嘴G26剖面照片

（十八）G26

分布于Q1610T1714、T1814南部。被F1第1层叠压，打破F1第3层。方向与F1大体一致，因此应与F1同时使用。开口距地表0.5米，已揭露部分东西长5.85、南北宽0.3～0.46、深0.34米。经过局部解剖，其为斜壁平底（图3.4.47）。填土颜色为灰褐色，土质较疏松，包含少量陶片，可辨器形有陶鬲、盆等（表3.4.26～表3.4.29）。该灰沟共采集木炭样品1件，进行了碳-14年代测定，检测结果见表3.4.30。

（十九）G27

分布于Q1610T1416、T1516、T1517内。开口于第2层下，打破生土，东北部被F2打破，向东被现代陡坎破坏，未继续向东延伸，向西被H101打破或连接。方向为102°。直壁平底。开口距地表0.3、长7、宽0.3～0.9、深0.1米。填土为灰褐色，土质疏松，出土有较多陶片。沟两侧及底部分布不规则的纯净黄土，与2015～2017年度发掘区内小型宽沟特征相似。

（二十）G28

位于Q1610T1415、T1416内。开口于第2层下，打破生土，北部被H101打破或与H101

表3.4.20 小嘴G26（T1714部分）[1]陶系、纹饰统计表 （重量单位：克）

纹饰 \ 陶质	陶色	夹砂					泥质		合计	百分比（%）
		灰	黑灰	红	褐	黄	灰	黑灰		
绳纹	数量	26	21	13	17	2	4	5	88	60.69
	重量	805	225	210	465	175	50	55	1985	43.43
绳纹和附加堆纹	数量	1	1	2	1	2			7	4.82
	重量	90	95	425	50	40			700	15.32
绳纹和弦纹	数量						1		1	0.69
	重量						80		80	1.75
网格纹	数量			1	2	1			4	2.76
	重量			20	230	60			310	6.78
网格纹和附加堆纹	数量			1					1	0.69
	重量			170					170	3.72
篮纹	数量			1		1			2	1.38
	重量			20		140			160	3.50
附加堆纹	数量	12	2	2	7				23	15.86
	重量	295	50	45	210				600	13.13
弦纹	数量							3	3	2.07
	重量							55	55	1.20
弦纹和云雷纹	数量						1		1	0.69
	重量						20		20	0.43
素面	数量	2	4	7	1	1			15	10.34
	重量	180	90	185	30	5			490	10.72
合计	数量	41	28	27	28	7	6	8	145	100.00
	重量	1370	460	1075	985	420	150	110	4570	100.00
百分比（%）	数量	28.27	19.31	18.62	19.31	4.83	4.14	5.52	100.00	
		90.34					9.66			
	重量	29.98	10.07	23.52	21.55	9.19	3.28	2.41	100.00	
		94.31					5.69			

① G26出土陶片的统计是按所属探方分别进行的。

表3.4.27　小嘴G26（T1714部分）可辨器形统计表

陶质	夹砂					泥质		合计	百分比（%）
器形＼陶色	灰	黑皮	红	褐	黄	灰	黑皮		
鬲	1	3		4				8	8.51
甗				1				1	1.06
罐	3							3	3.19
盆						1	5	6	6.38
大口尊						1		1	1.06
缸	20	9	27	12	7			75	79.79
合计	24	12	27	17	7	2	5	94	100.00
百分比（%）	25.53	12.77	28.72	18.09	7.45	2.13	5.32	100.00	

表3.4.28　小嘴G26（T1814部分）陶系、纹饰统计表　　　（重量单位：克）

陶质		夹砂					泥质		合计	百分比（%）
纹饰＼陶色		灰	黑皮	红	褐	黄	灰	黑皮		
绳纹	数量	6	11	12		2		4	35	43.75
	重量	140	50	305		80		45	620	38.39
网格纹	数量			3		1			4	5.00
	重量			175		55			230	14.24
弦纹	数量							2	2	2.50
	重量							50	50	3.10
戳印纹	数量							1	1	1.25
	重量							45	45	2.79
素面	数量	9	8	8	3	2	4	4	38	47.50
	重量	170	140	185	40	40	30	65	670	41.49
合计	数量	15	19	23	3	5	4	11	80	100.00
	重量	310	190	665	40	175	30	205	1615	100.00
百分比（%）	数量	18.75	23.75	28.75	3.75	6.25	5.00	13.75	100.00	
		81.25					18.75			
	重量	19.19	11.76	41.18	2.48	10.84	1.86	12.69	100.00	
		85.45					14.55			

表3.4.29 小嘴G26（T1814部分）可辨器形统计表

陶质 \ 陶色 \ 器形	夹砂					泥质		合计	百分比（%）
	灰	黑皮	红	褐	黄	灰	黑		
鼎	1							1	2.04
鬲		2						2	4.08
甗		2						2	4.08
鬲足或甗足			1	2				3	6.12
罐						1		1	2.04
盆							1	1	2.04
缸	11		20		5			36	73.47
器足			3					3	6.12
合计	12	4	24	2	5	1	1	49	100.00
百分比（%）	24.49	8.16	48.98	4.08	10.20	2.04	2.04	100.00	

表3.4.30 小嘴G26木炭样品加速质谱仪（AMS）碳-14测年数据

Lab 编号	样品原编号	样品	碳-14 年代（BP）	树轮校正后年代	
				1σ（68.2%）	2σ（95.4%）
BA192340	G26：1	木炭	3280±30	1607BC（23.3%）1580BC 1544BC（44.9%）1506BC	1620BC（93.7%）1498BC 1472BC（1.8%）1462BC

注：所用碳-14半衰期为5568年，BP为距1950年的年代。

树轮校正所用曲线为IntCal20 atmospheric curve (Reimer et al 2020)，所用程序为OxCal v4.4.2 Bronk Ramsey (2020)；r: 5。

1. Reimer P J, Bard E, Bayliss A, Beck J W. IntCal13 and Marine13 radiocarbon age calibration curves 0–50,000 years cal BP, Radiocarbon, 2013, 55, 1869-1887.

2. Christopher Bronk Ramsey 2015, https://c14.arch.ox.ac.uk/oxcal/OxCal.html.

相连。保存状况较差，灰沟南端被破坏。方向为6°。直壁平底。开口距地表0.4、长1.6、宽0.15～0.34、深0.1米。填土为黑褐色，土质疏松，较为纯净。

（二十一）G29

位于Q1610T1416内西扩方区内。开口于第2层下，打破生土，东部被H101打破或与H101相连，西部延伸至探方西壁。保存状况较差。方向为88°。直壁平底。开口距地表0.4、长2米，并继续向西延伸，宽0.15、深0.1米。填土为黑褐色，土质疏松，较为纯净。

第五节　房　　址

（一）F1

分布于Q1610T1713、T1714、T1813、T1814、T1914内，叠压于第2层下，打破生土，为半地穴建筑。建筑东部被H88、H91、H106打破，西北部被H76打破。总体上呈不规则长方形，大体呈东西向，其中未发掘部分东西长2.25、已发掘部分长6、南北宽约4.2米（图3.5.1）。F1垫土填土可分为3层。第1层为黑灰色土（图3.5.2）。夹杂大量木炭，分布于整个F1，深0.2～0.35米。表面及填土中分布有诸多石块，石块分布多数无明显规律，但靠近F1南界的六块石块并列一排，与F1方向一致（图3.5.3），应为有意放置，出土大量陶片和少量石器及青铜颗粒。本层可辨器形有陶鬲、盆、罐、爵、斝、缸、器盖等（图3.5.4～图3.5.7；表3.5.1、表3.5.2）。第2层为红褐色土。分布于F1西北部，深0.15米。包含物极少，仅有少量陶片。第3层为黄色土。分布于整个F1，厚0.2～0.35米。无包含物。F1北部发现一排柱洞，共4个，与F1大体平行，柱洞均为近圆形。柱洞编号为D1～D4，相邻柱洞之间的距离为2.2～2.7米。D1由2块石块组成，石础已裸露在外，东西长约0.37、南北宽约0.27米（图3.5.4，1）。D2由4块石块组成，表面较平，石础距坑表0.2米，直径为0.32米（图3.5.4，2）。D3内有1块石块，倾斜放置，石础西部距坑表0.3米，东部距坑表0.1米，直径0.31米（图3.5.4，3）。D4无石块，直径为0.27米（图3.5.4，4）。G26被F1第1层叠压，并打破F1第3层，方向与F1大体一致，推测应与F1同时使用。H106打破F1，坑底及坑壁亦分布有黄色土，与F1第3层土质土色一致，显示H106与F1的功能具有关联性。该房址共采集木炭样品2件，进行了碳–14年代测定，检测结果见表3.5.3。

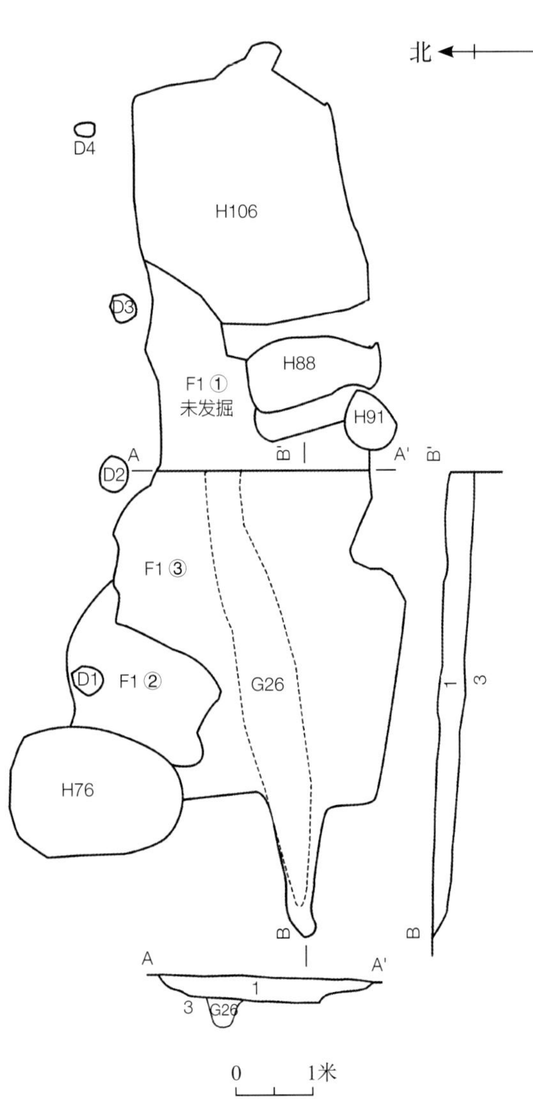

图 3.5.1　小嘴 F1 平、剖面图

图 3.5.2　小嘴 F1 第 1 层层表及其与 H76 的关系（左为北）

图 3.5.3　小嘴 F1 南部第 1 层表面石块

图 3.5.4　小嘴 F1 柱洞情况

1. D1　2. D2解剖　3. D3解剖　4. D4

1）陶器

鬲　标本7件，均为侈口。

标本F1①：16，夹砂灰陶。肩部以下残。平折沿，圆唇。沿面有一周凹槽，束颈，肩部微鼓。肩以上素面，肩部饰一周附加堆纹，堆纹以下满饰绳纹。口径28.7、残高6.9厘米（图3.5.5，9）。

标本F1①：20，夹砂灰陶，外施黑色陶衣。肩部以下残。侈口，平折沿，圆唇，沿面内侧起棱，沿面有一周凹槽，束颈，溜肩。颈部以下饰绳纹。口径18.6、残高5.8厘米（图3.5.5，4）。

标本F1①：21，夹砂黑皮陶。下腹残。折沿，沿内侧有一周凹槽，方唇，束颈，鼓腹。腹部饰绳纹。口径15.4、残高4.2厘米（图3.5.5，12）。

标本F1①：28，夹砂红胎黑陶。下腹残。侈口，卷沿，圆唇，束颈，鼓腹。颈部以下饰绳纹，颈部以上绳纹抹光。口径19.3、残高6.9厘米（图3.5.5，3）。

标本F1①：34，夹砂褐陶。下腹残。平折沿，沿内侧起棱，束颈。沿外侧饰一周弦纹，颈部以下饰绳纹。口径16.2、残高5.6厘米（图3.5.5，1）。

标本F1①：35，夹砂灰陶。下腹残。折沿上仰，方唇，上腹较直。沿部素面，沿以下饰绳纹。口径22.6、残高4.5厘米（图3.5.5，10）。

标本F1①：44，夹砂灰陶。肩部以下残。折沿上仰，方唇，上腹较直。上腹绳纹被抹光，饰一周弦纹，弦纹以下满饰绳纹。口径14.2、残高4.9厘米（图3.5.5，5）。

鬲足　标本1件。

标本F1①：32，夹砂灰陶。仅余鬲足。高尖锥足，火候较高。残高7.2厘米（图3.5.5，13）。

箅格　标本1件。

标本F1①：57，夹砂红胎黑皮陶。箅面残留13处圆孔。长6.4、残高3.9厘米（图3.5.6，11）。

罐　标本2件。

标本F1①：17，泥质灰陶。下腹残。侈口，束颈。肩部饰两组弦纹，每组弦纹由两周弦纹组成。口径22.4、残高5.4厘米（图3.5.5，8）。

标本F1①：31，泥质黑皮陶。腹部残。小口微敞，溜肩。颈部及肩部各饰两周弦纹。口径13.6、残高5.7厘米（图3.5.5，2）。

爵　标本2件。

标本F1①：14，夹砂红陶。口、鋬、足尖残。束腰，扁圆腹，底近平，底附三个圆锥状实足。腰部及上腹各饰一周弦纹。残高8.5厘米（图3.5.5，14）。

标本F1①：40，夹砂灰陶。口、足尖残缺。束腰，扁圆腹，底近平，腹旁附扁平弓形鋬，鋬正对一足，底附二个圆锥形实足。腰部饰有弦纹。残高8.4厘米（图3.5.6，12）。

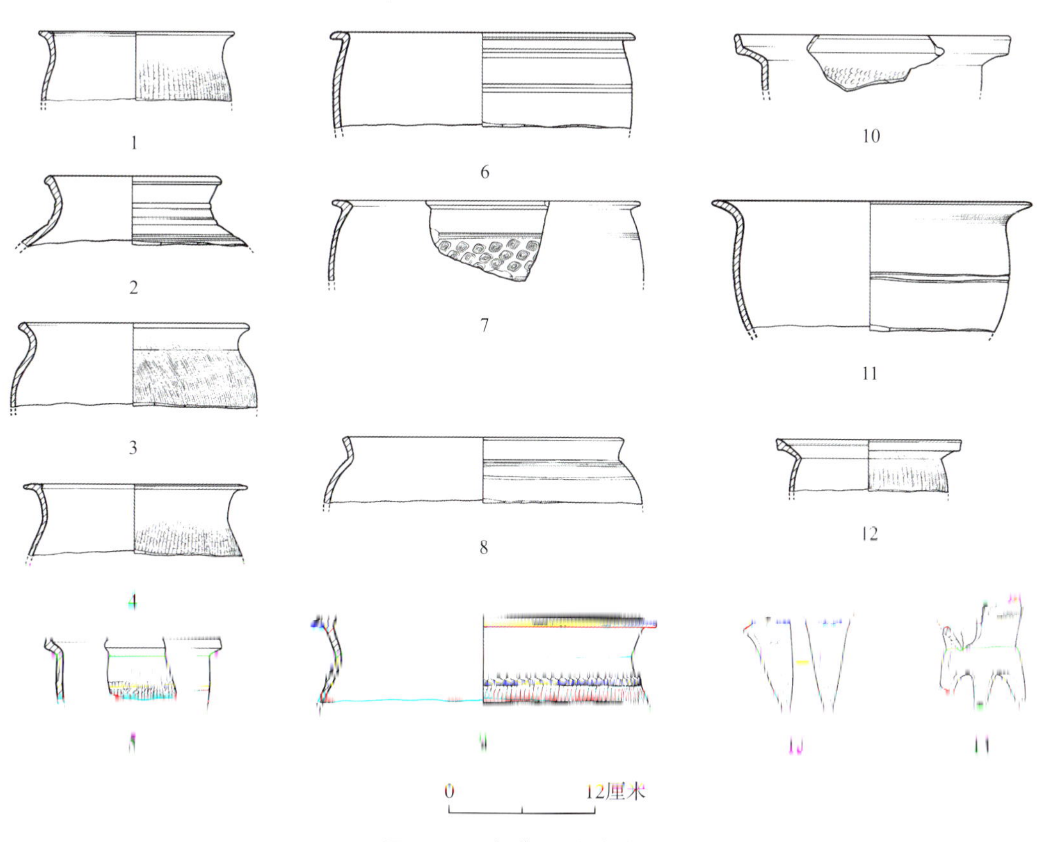

图3.5.5　小嘴F1出土陶器

1、3～5、9、10、12. 鬲（F1①：34、F1①：28、F1①：20、F1①：44、F1①：16、F1①：35、F1①：21）
2、8. 罐（F1①：31、F1①：17）　6、7、11. 盆（F1①：24、F1①：19、F1①：15）　13. 鬲足（F1①：32）　14. 爵（F1①：14）

盆 标本3件。

标本F1①：15，泥质灰陶。底残。敞口，卷沿，圆唇，束颈，弧腹。腹部饰两周弦纹。口径26.8、残高10.5厘米（图3.5.5，11）。

标本F1①：19，泥质黑皮陶。下腹残。敛口，折沿上扬，圆唇，弧腹。上腹饰数周弦纹，弦纹下饰云雷纹。口径25.7、残高6.5厘米（图3.5.5，7）。

标本F1①：24，泥质灰陶。下腹残。敛口，平折沿，圆唇，弧腹。上腹各饰数周弦纹。口径25.4、残高7.9厘米（图3.5.5，6）。

缸 标本10件。

标本F1①：1，夹砂红陶。下腹残。侈口，方唇，斜直腹。上腹饰一周附加堆纹，堆纹上下均饰云雷纹。残高9.4厘米（图3.5.6，9）。

标本F1①：2，夹砂红陶。下腹残。侈口，方唇，唇部有一周凹槽，斜直腹。上腹饰一周附加堆纹，堆纹上下均饰方格纹。口径27.4、残高10.2厘米（图3.5.6，2）。

标本F1①：3，夹砂红陶。下腹残。侈口，方唇，斜直腹。上腹饰一周附加堆纹，堆纹上下均饰方格纹。口径29.5、残高14.2厘米（图3.5.6，4）。

标本F1①：4，夹砂红陶。下腹残。侈口，圆唇，斜直腹。上腹饰附加堆纹，堆纹上下饰有绳纹，绳纹已模糊不清。口径30、残高10.3厘米（图3.5.6，8）。

标本F1①：7，夹砂褐陶。仅存腹片。饰叶脉纹。残高9.4厘米（图3.5.6，7）。

标本F1①：9，夹砂红陶。底残。侈口，圆唇，腹部微鼓。颈部饰附加堆纹，堆纹上下均饰方格纹。口径36.3、残高24.4厘米（图3.5.6，1）。

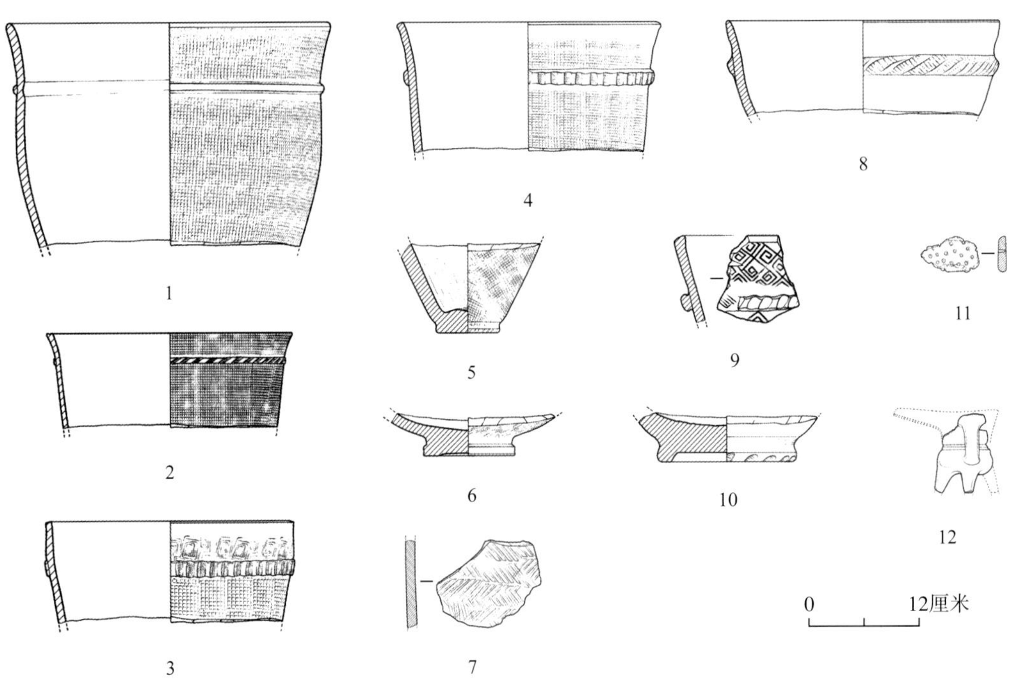

图3.5.6　小嘴F1出土陶器

1~10. 缸（F1①：9、F1①：2、F1①：13、F1①：3、F1①：12、F1①：11、F1①：7、F1①：4、F1①：1、F1①：10）
11. 箅格（F1①：57）　12. 爵（F1①：40）

标本F1①：10，夹砂红陶。仅余底部。饼状足，足部内凹形成矮圈足。足部边缘饰一周戳印纹。底径15.5、残高3.2厘米（图3.5.6，10）。

标本F1①：11，夹砂红陶。腹部残，仅余底部。饼状足，足部微凹。腹部饰绳纹，足部素面。底径10.1、残高4.4厘米（图3.5.6，6）。

标本F1①：12，夹砂红陶。上腹残。下腹斜收，接饼状足。腹部饰方格纹，有明显压印痕迹。底径7，残高9.5厘米（图3.5.6，5）。

标本F1①：13，夹砂红陶。下腹残。口微敛，方唇，斜直腹。上腹饰附加堆纹，堆纹以下饰方格纹，堆纹以上饰云雷纹，云雷纹个体较一般缸所饰云雷纹更大。口径27.4、残高10.8厘米（图3.5.6，3）。

2）石器

锛　标本2件。

标本F1①：53，正面呈长方形，单面直刃，顶部残，刃部与顶部几乎同宽，通体磨光。长9.5、宽3.7厘米（图3.5.7，3）。

标本F1①：54，平面呈梯形，单面刃，顶部呈弧形，通体磨光。长4、宽2.4、厚1厘米（图3.5.7，5）。

砺石　标本3件。

标本F1①：56，平面呈不规则形，表面光滑平整，边缘残损。边缘有切割痕迹，可能经过改制。长9.2、宽8.9、厚3厘米（图3.5.7，1）。

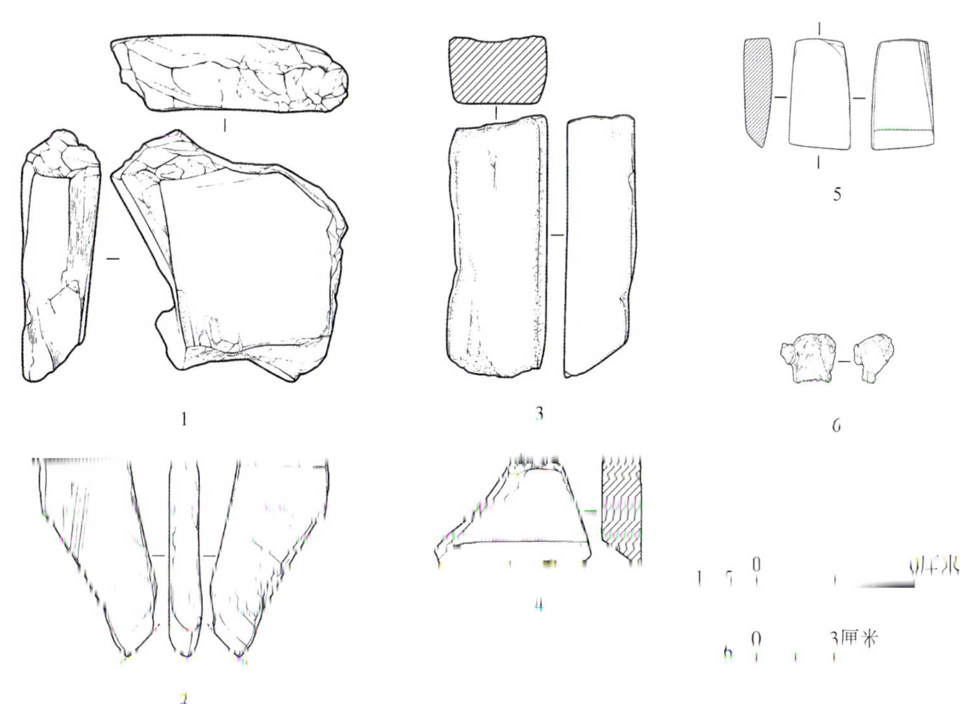

图3.5.7　小嘴F1出土石器和铜炼渣

1、2、4. 砺石（F1①：56、F1①：58、F1①：59）　3、5. 锛（F1①：53、F1①：54）　6. 铜炼渣（F1①：60）

标本F1①：58，平面呈不规则形，已残断，表面有使用痕迹。长7.2厘米（图3.5.7，2）。

标本F1①：59，平面呈三角形，表面平整。长4、宽5.9厘米（图3.5.7，4）。

3）检测样品

铜炼渣 样品1件。

标本F1①：60，表面疏松多孔。长2厘米（图3.5.7，6）。

表3.5.1 小嘴T1714～T1915F1陶系、纹饰统计表 （重量单位：克）

陶质		夹砂						泥质				印纹硬陶和原始瓷	合计	百分比（%）
纹饰＼陶色		灰	黑皮	红	褐	黄	白	灰	黑皮	红	褐			
绳纹	数量	88	121	164	117	38	14	98	55		47		742	38.95
	重量	1770	1910	9640	4170	2495	540	1020	675		850		23070	34.10
绳纹和附加堆纹	数量	7	1	23	5	7	3						46	2.41
	重量	590	25	1865	345	800	250						3875	5.73
绳纹和弦纹	数量								11		2		13	0.68
	重量								170		155		325	0.48
网格纹	数量	6	7	98	82	25	11	1	1			1	232	12.18
	重量	160	575	4790	3610	1125	485	15	20			40	10820	15.99
网格纹和附加堆纹	数量	1		11	10	7	2						31	1.63
	重量	35		1350	840	1115	150						3490	5.16
网格纹和弦纹	数量							3	1		1		5	0.26
	重量							40	35		15		90	0.13
篮纹	数量	2	2	6	10	4							24	1.26
	重量	65	470	370	840	355							2100	3.10
附加堆纹	数量	9	4	28	3	4	5				1		54	2.83
	重量	450	310	1330	135	225	235				40		2725	4.03
附加堆纹和云雷纹	数量			1		1							2	0.10
	重量			100		155							255	0.38
附加堆纹、云雷纹和方格纹	数量			1									1	0.05
	重量			1385									1385	2.05
弦纹	数量	3			1			21	29	1	2		57	2.99
	重量	100			30			340	700	40	40		1250	1.85

续表

陶质 纹饰＼陶色		夹砂						泥质				印纹硬陶和原始瓷	合计	百分比（%）
		灰	黑皮	红	褐	黄	白	灰	黑皮	红	褐			
云雷纹	数量		1		1	7						7	16	0.84
	重量		60		50	755						365	1230	1.82
叶脉纹	数量											11	11	0.58
	重量											430	430	0.64
戳印纹	数量											2	2	0.10
	重量											75	75	0.11
素面	数量	144	93	155	80	54	17	50	63		13		669	35.12
	重量	2560	1105	6290	2405	2075	350	730	800		220		16535	24.44
合计	数量	260	229	487	309	147	52	173	160	1	66	21	1905	100.00
	重量	5730	4455	27120	12425	9100	2010	2145	2400	40	1320	910	67655	100.00
百分比（%）	数量	13.65	12.02	25.56	16.22	7.72	2.73	9.08	8.40	0.05	3.46	1.10	100.00	
		77.90						21.00						
	重量	8.47	6.58	40.09	18.37	13.45	2.97	3.17	3.55	0.06	1.95	1.34	100.00	
		89.93						8.73						

表3.5.2　小嘴T1714～T1915F1可辨器形统计表

陶质 器形＼陶色	夹砂						泥质				合计	百分比（%）
	灰	黑皮	红	褐	黄	白	灰	黑皮	红	褐		
鬲		3	2	6			1				12	1.10
甗	6			2							8	0.73
鬲足或甗足	11	2	12	20							45	4.11
罐	8		1	6			2	5	1	1	24	2.19
斝	2										2	0.18
爵	1			1							2	0.18
豆							1	3			4	0.37
盆	2						9	9			20	1.83
刻槽盆								1			1	0.09
瓮		3						2			5	0.46
大口尊				1			1	5			7	0.64

续表

陶质	夹砂						泥质				合计	百分比（%）
器形 \ 陶色	灰	黑皮	红	褐	黄	白	灰	黑皮	红	褐		
缸	60	43	457	197	146	52					955	87.21
器足	2			3							5	0.46
器盖								1			1	0.09
器鋬				3							3	0.27
圈足							1				1	0.09
合计	92	51	472	239	146	52	15	26	1	1	1095	100.00
百分比（%）	8.40	4.66	43.11	21.83	13.33	4.75	1.37	2.37	0.09	0.09	100.00	

表3.5.3　小嘴F1木炭样品加速质谱仪（AMS）碳–14测年数据

Lab 编号	样品原编号	样品	碳–14 年代（BP）	树轮校正后年代	
				1σ（68.2%）	2σ（95.4%）
BA192332	F1：5	木炭	3125±30	1436BC（50.5%）1386BC 1339BC（17.8%）1318BC	1494BC（3.1%）1478BC 1456BC（62.1%）1366BC 1359BC（30.3%）1294BC
BA192342	F1：10	木炭	3220±40	1511BC（68.3%）1441BC	1606BC（3.1%）1581BC 1544BC（92.3%）1414BC

注：所用碳–14半衰期为5568年，BP为距1950年的年代。

树轮校正所用曲线为IntCal20 atmospheric curve (Reimer et al 2020)，所用程序为OxCal v4.4.2 Bronk Ramsey (2020)；r: 5。

1. Reimer P J, Bard E, Bayliss A, Beck J W. IntCal13 and Marine13 radiocarbon age calibration curves 0–50,000 years cal BP, Radiocarbon, 2013, 55, 1869-1887.

2. Christopher Bronk Ramsey 2015, https://c14.arch.ox.ac.uk/oxcal/OxCal.html.

（二）F2

分布于Q1610T1416、T1516、T1417、T1517内。叠压于第2层下，打破生土，东南部打破G27，为一半地穴建筑。建筑基本呈不规则长方形，方向大体呈东西向，G27及H101等主要遗迹均位于其南部，因此建筑可能坐北朝南。建筑东部被陡坎打破，东部边界不明，西部边界比较明显。F2东西长约10.6、建筑基址宽3.9米（图3.5.8，1）。垫土分为两层（图3.5.8，3）。第1层为黑灰色土。该层夹杂部分木炭，厚0.5米。垫土表面零星分布有石块，包含大量陶片，可辨器形有陶鬲、盆、罐、爵、斝。经发掘F2西部第1层黑灰土后，底部露出至少三处由多块石头集聚叠垒形成的石块遗迹。这些石块遗迹均呈近圆形，表面较为平整。编号为S1-3（图3.5.8，1）。S1位于F2西北部，表面由至少13块石块组成，东西长0.94、南北宽0.86米（图3.5.8，2）。S2位于F2中部偏北，表面由至少10块石块组成，南北

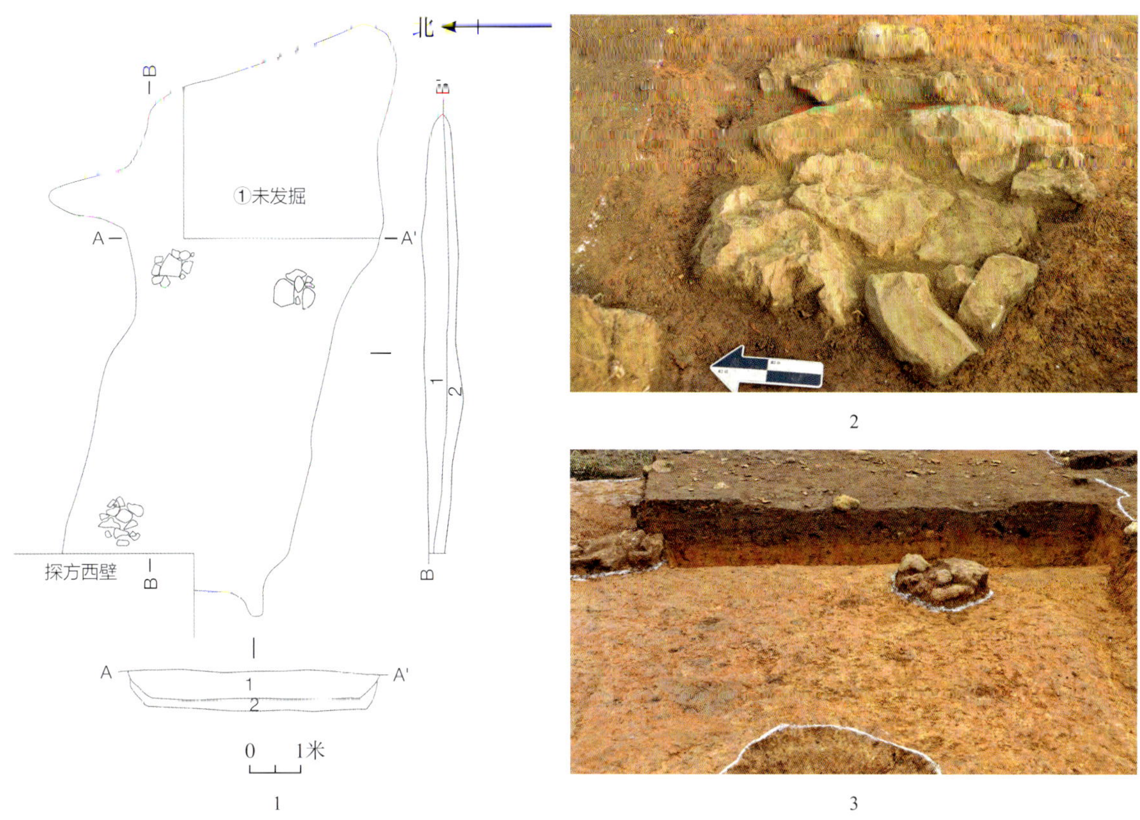

图 3.5.8 小嘴 F2 平、剖面图和照片

1. F2平、剖面图 2. F2内S1石块群情况照片 3. F2分层情况照片

长0.8、东西宽0.72米。S3位于F2中部偏南，表面至少由7块石块组成，南北长0.66、东西宽0.64米。第2层为黄色土。土质致密。陶片极少。厚0.18～0.22米。

值得注意的是，F2南部Q1610T1515内的H110表面亦由多块石块组成，表面可见石块9块，且表面呈近圆形。东西长0.94、南北宽0.84米。遗迹形态及结构与F1①内S1-3相同。

陶器

鬲 标本1件。

标本F2①：2，夹砂灰陶。侈口，平折沿，沿面有一周凹槽，束颈。颈部绳纹被抹光，颈部以下饰一周附加堆纹。口径12.8、残高3.4厘米（图3.5.9，5）。

罐 标本1件。

标本F2①：1，夹砂灰陶。颈部以下残。侈口，方唇，束颈。口径16、残高4.2厘米（图3.5.9，4）。

盆 标本2件。

标本F2①：4，泥质黑皮陶。下腹残。敞口，平折沿，圆唇。上腹饰一周带状方格纹，方格纹以上饰两周弦纹。口径19.7、残高5.8厘米（图3.5.9，2）。

标本F2①：6，泥质灰陶。底残。侈口，平折沿，圆唇，腹部斜收。腹部满饰绳纹。口径18.3、残高3.9厘米（图3.5.9，3）。

缸　标本1件。

标本F2①：3，夹砂红陶。侈口，方唇，斜直腹。上腹饰一周附加堆纹，堆纹上下满饰方格纹。口径48、残高14.5厘米（图3.5.9，1）。

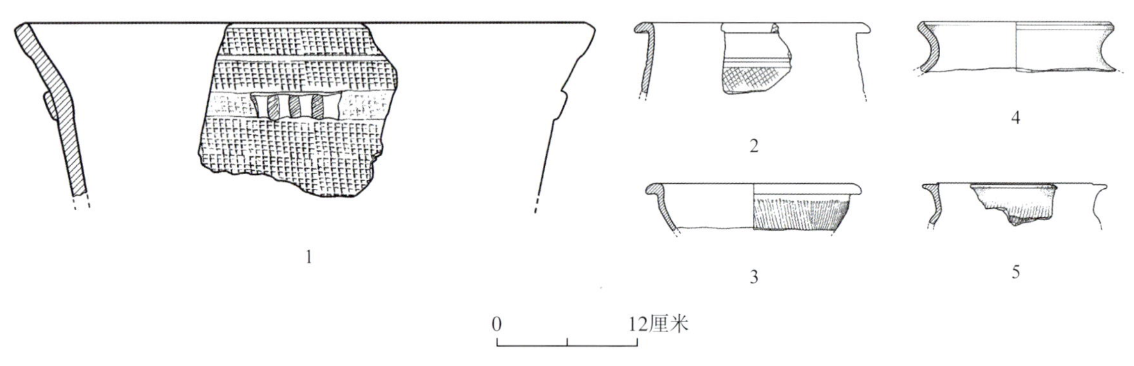

图3.5.9　小嘴F2出土陶器

1. 缸（F2①：3）　2、3. 盆（F2①：4、F2①：6）　4. 罐（F2①：1）　5. 鬲（F2①：2）

第六节　墓　　葬

小嘴墓葬及出土器物的基本情况见表3.6.1。

（一）M1

位于Q1609T1411中部。墓葬被现代扰土层打破，墓口和墓葬西南部遭到严重破坏，仅存墓底部分。M1打破M2，M2打破生土（图3.6.1），保存状况较差。长方形竖穴土坑墓，方向304°。墓壁略微倾斜，口稍大于底，口部残长1.88、宽0.88、残深0.1～0.28米（图3.6.2）。墓葬填土为黄灰色，土质较松软。墓内未见葬具，仅在墓底西北部发现2枚铁质棺

表3.6.1　小嘴墓葬出土器物登记表

墓葬编号	方向	墓室 长 × 宽—深（米）	随葬器物
M1	304°	1.88 × 0.88—（0.1 ～ 0.28）	陶、瓷器：釉陶罐 1、瓷碗 2、瓷盏 1
M2	304°	1.9 × 1.1—（0.1 ～ 0.26）	青铜器：爵 1、鼎 1
M3	10°	2.5 × 0.9—0.2	青铜器：爵 1、斝 1、鼎 1、钺 1、戈 2、镞 16、面具 1、泡 1； 陶器：圆陶片 1、硬陶残片 1； 玉石器：玉柄形器 1、玉璧 1； 角器：镞 6

钉。出土随葬品4件，均位于墓底西北端，靠近墓壁下，釉陶罐竖向放置，2件瓷碗和1件瓷盏倒扣叠放在一起。

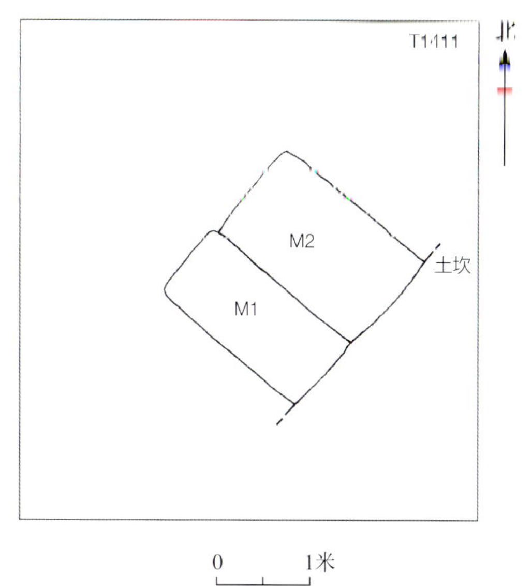

图 3.6.1　小嘴 M1、M2 分布情况

陶、瓷器

釉陶罐　标本1件。

标本M1：1，泥质灰陶，器表施釉。口残。折肩，深腹微鼓，矮圈足。肩径17、底径8、残高17厘米（图3.6.3，1）。

瓷碗　标本2件。形制、釉色基本一致。灰白胎，内外壁施釉，白中泛黄，有小开片裂纹，足底不施化妆土。敞口，尖圆唇，斜腹，平底，矮圈足。

标本M1：2，口径17.6、足径7、通高5.5厘米（图3.6.3，2；图3.6.4，1）。

标本M1：3，口径17.6、足径7.4、通高5.4厘米（图3.6.3，3；图3.6.4，2）。

瓷盏　标本1件。

标本M1：4，灰褐色胎，内外施黑釉，外釉不及底。直口，厚圆唇，斜腹，平底，矮圈足。口径12.2、足径3.4、通高5.4厘米（图3.6.3，4；图3.6.4，3）。

M1出土瓷碗（M1：3）形制与盘龙城遗址西侧的殷家河湾M1出土瓷碗（2008HP殷M1：9）[①]相近，瓷盏（M1：4）与武昌放鹰台M23出土的兔毫釉碗（97WFM23：3）[②]形制基本一致，殷家河湾M1和武昌放鹰台M23的年代都为北宋中晚期，由此可判断小嘴M1的年代应为北宋中晚期。

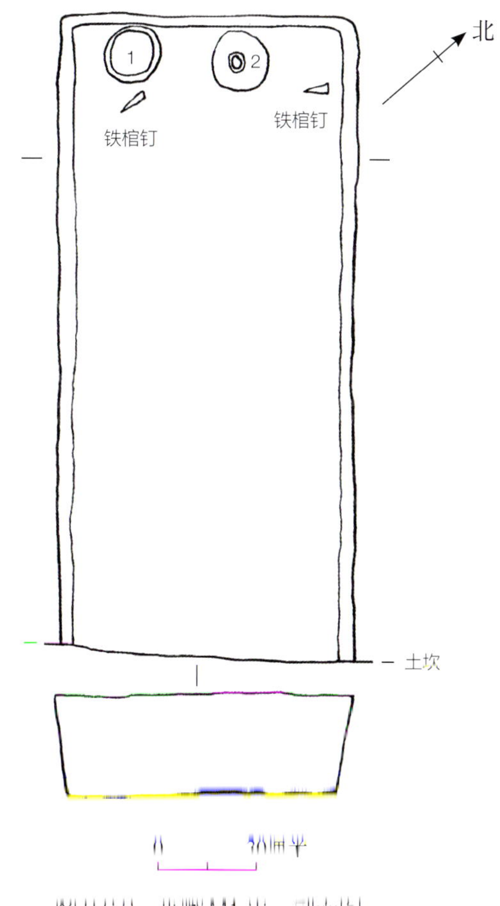

图3.6.2　小嘴M1平、剖面图

1. 釉陶罐　2、3. 瓷碗　4. 瓷盏（3、4被压在2下面）

① 武汉市盘龙城遗址博物馆筹建处：《盘龙城“澜桥康城”工地宋墓清理简报》，《武汉文博》2009年第4期。

② 武汉市博物馆：《洪山放鹰台遗址97年度发掘报告》，《江汉考古》1998年第3期。

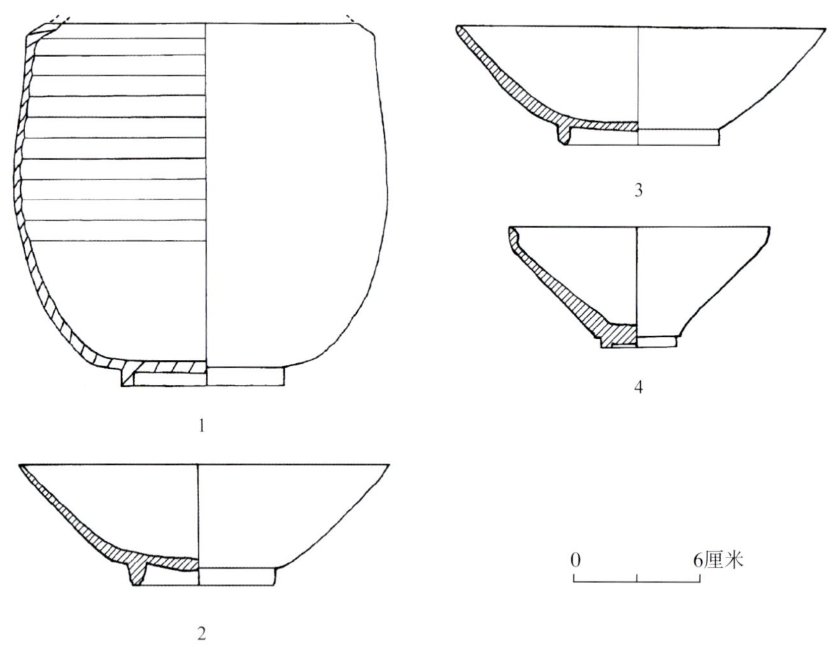

图3.6.3 小嘴M1出土陶、瓷器

1. 釉陶罐（M1：1） 2、3. 瓷碗（M1：2、M1：3） 4. 瓷盏（M1：4）

图3.6.4 小嘴M1出土瓷器照片

1、2. 碗（M1：2、M1：3） 3. 盏（M1：4）

（二）M2

位于Q1609T1411中部。墓葬被现代扰土层打破，墓口和墓葬西南部遭到严重破坏，仅存墓底部分。M1打破M2，M2打破生土，保存状况较差。M2为长方形竖穴土坑墓，方向约305°。墓壁稍微倾斜，口大于底，口径12.2、足径3.4、通高5.4厘米（图3.6.5）。墓底东北角有一椭圆形角坑，长径0.66、短径0.38、深0.14米。墓葬填土为黄褐色，土质较硬。墓内未见葬具，在墓底东南部随葬品下面发现一小截人腿骨和少量骨渣。墓内有多处朱砂痕迹。随葬品仅残余2件青铜器，位于墓葬西南部。

青铜器

鼎 标本1件。

标本M2：1，绿色锈，鼎腹部有残缺，现已修复。方唇，加厚唇边，侈口，上立对称的半圆形双耳，束颈，圆腹，圜底，中空尖锥状足外撇。上腹部饰两周平行凸弦纹。口径13.9、通高17.5、壁厚0.2厘米（图3.6.6）。

爵 标本1件。

标本M2：2，绿色锈，较完整。爵身腹部横截面呈椭圆形，流尾弧线上扬，流折处立有2个三棱状矮柱，柱帽略残，大体呈三角形。弧腹，平底，三个尖棱锥状实足略外撇，器身一侧有一半圆形鋬。鋬两侧各有一组粗阳线无目夔纹，与鋬相对的一侧有一组粗阳线单目夔纹。爵底外侧可见明显的三分范范缝。流尾长17.3、通高17.2、壁厚0.2厘米（图3.6.7）。

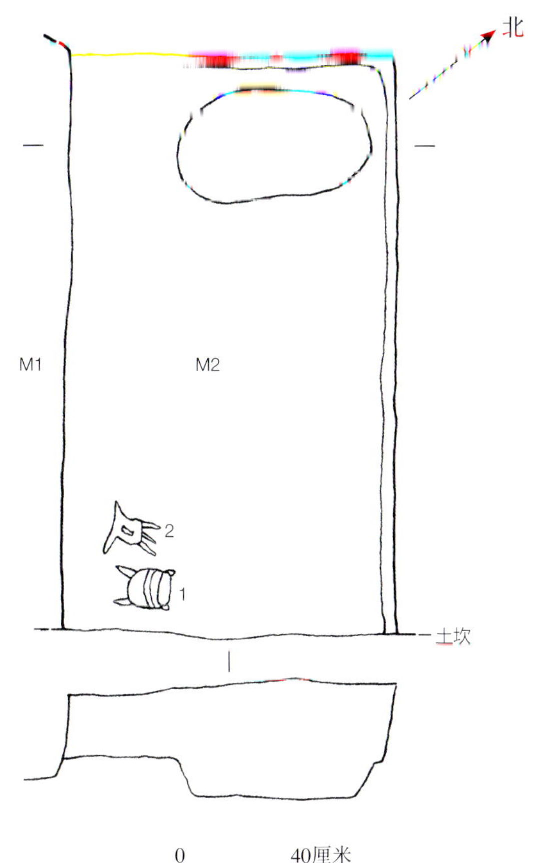

图3.6.5 小嘴M2平、剖面图

1. 青铜鼎 2. 青铜爵

1

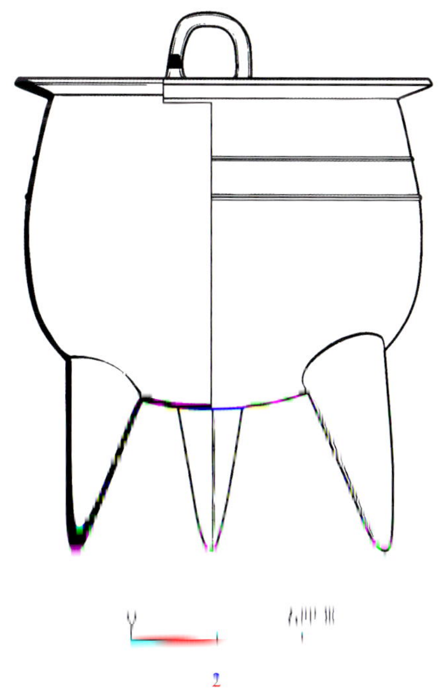

2

图3.6.6 青铜鼎（小嘴M2：1）

1. 照片 2. 线图

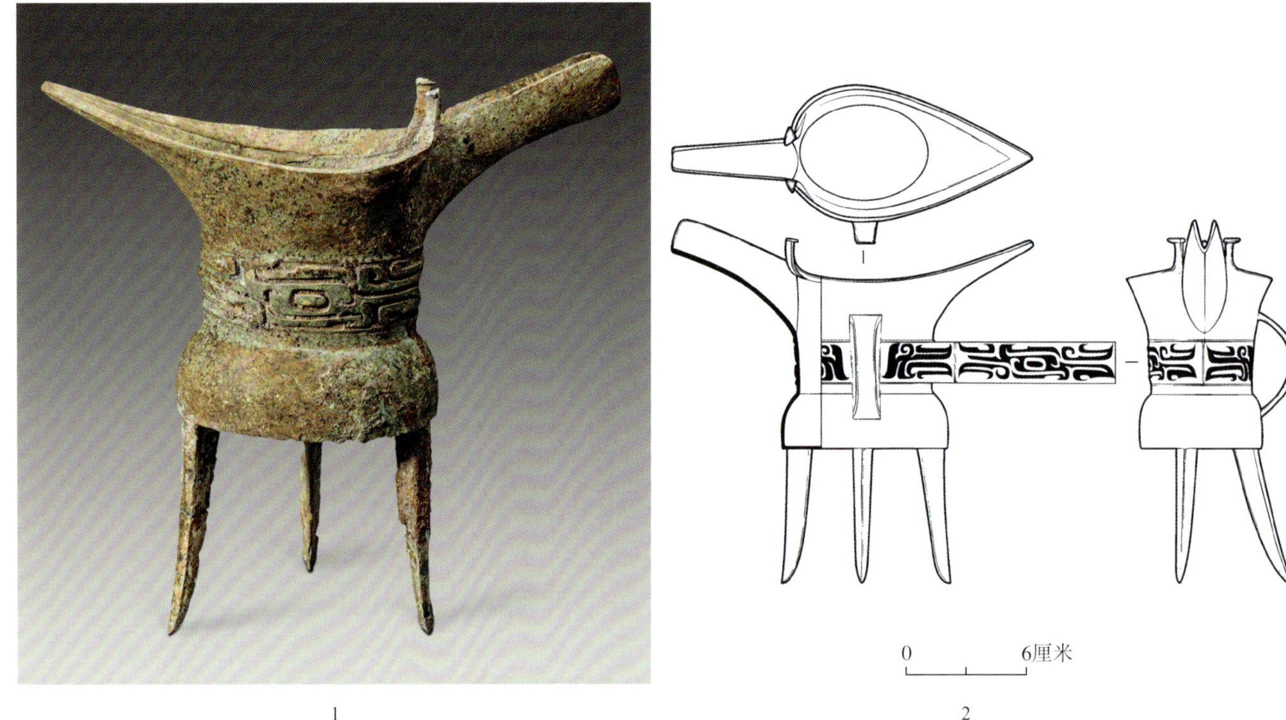

图 3.6.7　青铜爵（小嘴 M2∶2）

1. 照片　2. 线图

M2出土青铜圆鼎（M2∶1），方唇，圆腹，圜底，整体特征与盘龙城第六期青铜鼎（杨家嘴M26∶6）[①]一致；青铜爵（M2∶2）为平底，腹部横截面虽呈椭圆形，但接近圆形，为盘龙城晚期青铜爵的形制特征，初步判断小嘴M2的年代为盘龙城第六期。两座墓葬之间存在打破关系，即M1打破M2。这是盘龙城遗址首次发现宋代墓葬打破商时期墓葬，为研究盘龙城遗址的历史变迁提供了新材料。

（三）M3

M3开口于探方Q1610T2018第3层下，打破第4层，发现时墓葬已有部分裸露在地表。墓葬西北侧被G3打破。M3墓坑为长方形竖穴土坑，墓葬方向10°，长2.15、宽0.9、墓深0.2米。墓葬填土为灰褐色土，夹杂有陶片。墓坑内不见棺痕，南部土色较黑。

M3出土随葬品为青铜器24件、玉器2件、陶器2件和角器6件（图3.6.8）。墓葬南部自西向东为斝、爵、鼎（图3.6.9），鼎足下发现有青铜镞及角镞，青铜爵与青铜鼎之间有一组骨头。墓葬中部西侧发现有青铜面具、青铜戈、玉柄形器及有领玉璧，其中青铜面具覆盖在玉柄形器、有领玉璧和青铜戈之上，有领璧东侧有一组骨头。墓葬北部西侧有青铜钺与另一件青铜戈。墓葬北部东侧则有一件青铜泡。

M3内出土的两组骨头皆出自靠近墓葬中部的区域。骨头大多残损，骨密质部分多呈白

① 武汉大学历史学院等：《2014年盘龙城杨家嘴遗址M26、H14发掘简报》，《江汉考古》2016年第2期。

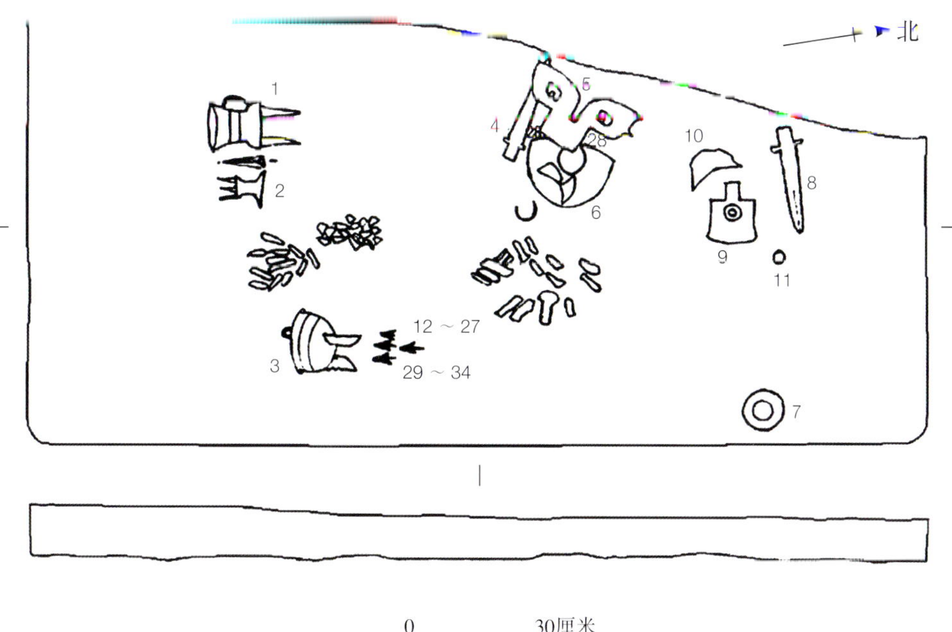

图 3.6.8 小嘴 M3 平、剖面图

1. 青铜斝 2. 青铜爵 3. 扁足鼎 4、8. 青铜戈 5. 青铜面具 6. 有领玉璧 7. 青铜泡 9. 青铜钺 10. 硬陶残片 11. 圆陶片 12～27. 青铜镞 28. 玉柄形器 29～34. 角镞

图 3.6.9 小嘴 M3 青铜爵、斝、鼎组合

色，骨松质部分呈黑色，个别骨头及边缘处呈现灰色，较为完整的骨头上有多处垂直于长轴的裂隙（图3.6.10）。这些骨头虽然大多残损，但从残余的骨骼形态观察，可以判断这些骨头为人骨。人骨约略分为两组。其中墓葬中部，有领璧东侧的一组，可辨认有顶骨碎块、左侧胫骨近端、胫骨脊一类粗大的肢骨残块以及少量髂骨残块。在青铜鼎与青铜爵之间的一组，可辨认的有残存的肋骨，腓骨以及一节类似于股骨近端的关节头。这些骨头的长度多在5～7厘米范围内。

1）青铜器

斝　标本1件。

标本M3：1，发现时一足与器身断开，器身口朝南侧置。口沿部在发现时遭到破坏，断裂的斝足足尖朝南放置在这件斝与青铜爵之间。腹部的破损部位与底部斝足断裂的部分产生了内凹形变，推测是故意打击形成的（图3.6.11，1；图3.6.12，1）。底部见有烟炱痕迹。侈口弧腹浅圜底，带状半圆形鋬，空心三棱尖锥足外撇。仅上腹部有一周三组纹饰，其中鋬的两侧各有一组夔纹，与鋬相对的一组为兽面纹。腹上每两组纹饰之间有一条范缝，鋬上的范缝与一足上的范缝相连，鋬对应的器身上无纹饰（图3.6.12，2）。残高21.5、足高10.5、壁厚0.1、残余部分最大直径13.2、唇厚0.2厘米（图3.6.11，2、3）。

爵　标本1件。

标本M3：2，出土时鋬朝下，器身侧置。该爵流口部及尾部皆有残破，爵柱仅存一个，

图3.6.10　小嘴M3中部人骨出土情况

1

2

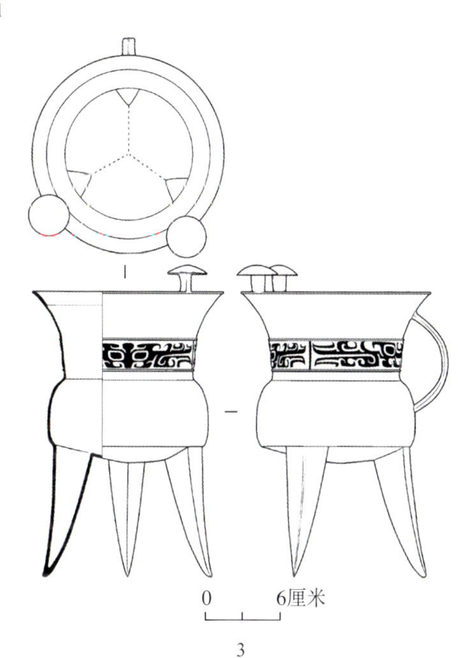

3

图 3.6.11　青铜斝（小嘴 M3：1）

1. 修复前照片　2. 修复后照片　3. 线图

1

2

图 3.6.12　青铜斝（小嘴 M3：1）局部照片

1. 底部范缝及受砸击痕迹　2. 鋬部范缝

器底有长条裂隙，由其断裂形态观察，应当是由打击形成的（图3.6.13，3）。柱帽平面呈三角钉状，长流短尾，口沿处统一加厚，略厚于器腹，一侧的颈与腹之间有拱形鋬，平底下接三棱尖锥足外撇。颈上一周饰有阳线S形云纹，上下界饰以弦纹（图3.6.14，1）。口沿平滑，底部外侧可见三分范范缝，与尾相对应的一足为补铸（图3.6.13，1、2、4）。这件爵颜色偏黑，结合其补铸情况，推测是长期使用所致。通高13.5、足高5.4、壁厚0.1、流至尾残长13.8、底长8、底宽4.8、唇厚0.2厘米（图3.6.14，2）。

扁足鼎　标本1件。

标本M3：3，口朝南侧放置，在墓葬南部人骨东侧。器身相对完整（图3.6.15），三扁足中一足略有残损，下腹近足处有两道平行的斜向内凹痕，推断是下葬时受到砸击形成的（图3.6.16）。鼎耳与足呈四点配列式，折沿略上翘，弧腹圜底，鼎足扁平。口沿上不见这一时期常有的加厚，除鼎耳底部部分加厚，口沿的其余部分则改为以不连续的弦纹标示出原本应当加厚部分的边缘。上腹部环绕有一周三组窄带状兽面纹，足呈夔形，足尖为外撇的夔尾。这件鼎每两组纹饰之间可见有范缝，耳孔外大内小近椭圆形，其中一边的耳孔内侧底部两端有浅而短的凹槽，青铜鼎纹饰的空隙处都填充有黑色的填充物，足上的纹饰整体风格相同，每组纹饰在细部上都略有差异。通高18、足高7.6、器壁厚0.2、口沿处直径12.5～14.3、口沿宽1.2厘米（图3.6.15）。

面具　标本1件。

标本M3：5，在墓葬中部人骨西侧发现，正面朝下放置。由于青铜面具面积较大而胎质较薄，出土后整体已经断裂为两个大的部分及若干小碎块，但整体形状依然清晰可辨（图3.6.17）。面具整体近似T形，类似羊、鹿一类兽面形象，两角向侧外翼状伸展，两角近末端靠下部位各有两个近似长椭圆形的空缺，呈现出两目的形状，两角下部分共同连接至面具下端，面具的下端近似方形，底部两端为圆角，面具下端左侧上部及下部各有一圆孔，右侧相同位置残断严重，推测也有相同的圆形孔，或作为绑缚使用。弧面最宽26.5、直线最宽24、目最宽处5、单幅角弧面距离12.8、直线距离1、兽面具下端部分高约9.4、面具厚度为0.15厘米（图3.6.18）。

戈　标本2件。

标本M3：4、M3：8，两件戈形制相似，长援，上阑、下阑突出均等，长方形内，以援脊为中心左右对称，M3：4出土于墓葬中部人骨西侧、被青铜面具（M3：5）南部叠压；（图3.6.17）；M3：8位于墓葬北部偏西。其中M3：8援部有缺损。

标本M3：4，直内，有阑。器体素面无纹饰（图3.6.19，1～3），通长26.3、内长6、援长6.9、阑长20.3、援脊最厚处0.9厘米。器体素面无纹饰（图3.6.19，1～3）。

标本M3：8，整体形态与M3：4相近，器身略薄于M3：4。通长24.3、内长5.6、援长18、阑长6.8、援脊最厚处0.7厘米（图3.6.19，4～6）。

钺　标本1件。

标本M3：9，位于青铜戈M3：8南侧，刃部朝东放置。刃部一边有锈蚀产生的残损，内部一侧也有片状脱落的痕迹。直内狭短，两肩平，两肩下各有一长方形穿，器身中部有一圆形孔，圆孔周边鼓起，鼓起部分内部呈空腔，弧刃，刃部两角外张。通体素面无纹饰，而钺

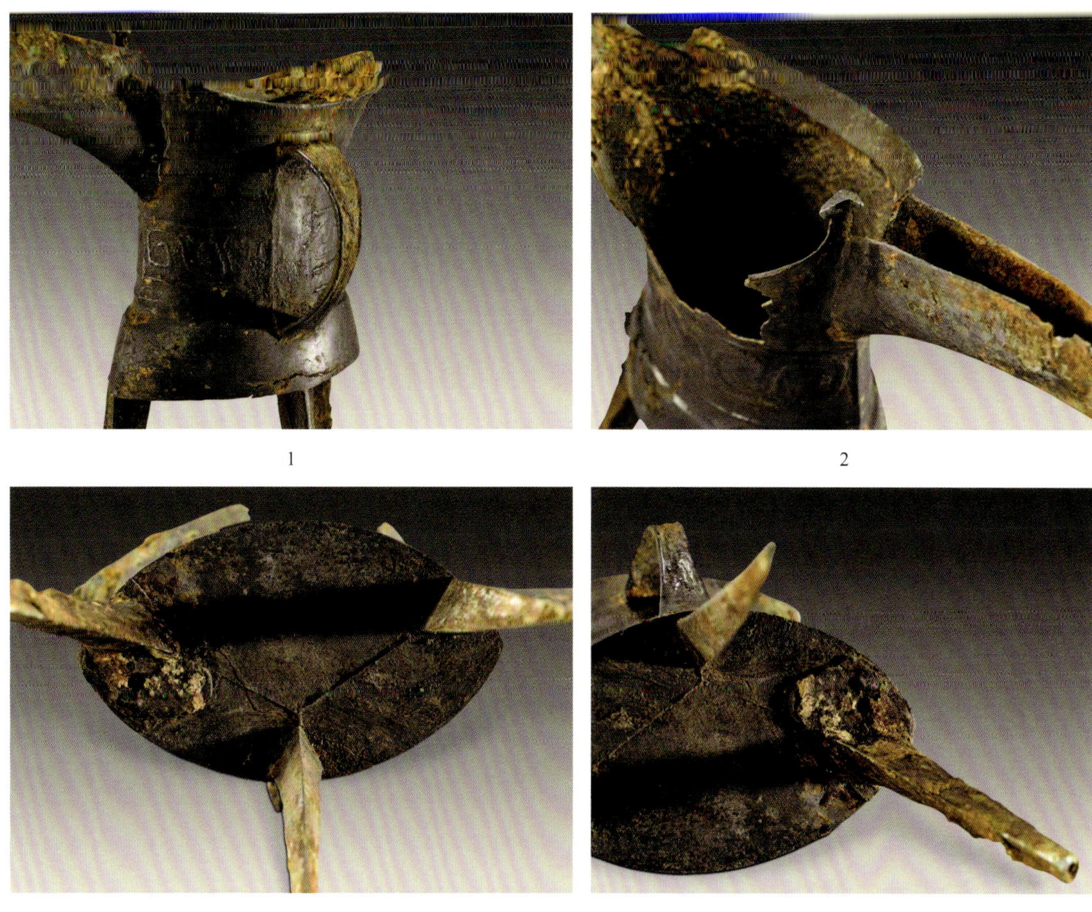

图 3.6.13　青铜爵（小嘴 M3：2）局部照片

1. 鋬内范缝　2. 柱帽范缝　3. 器底范缝及受打击裂隙　4. 足部补铸痕迹

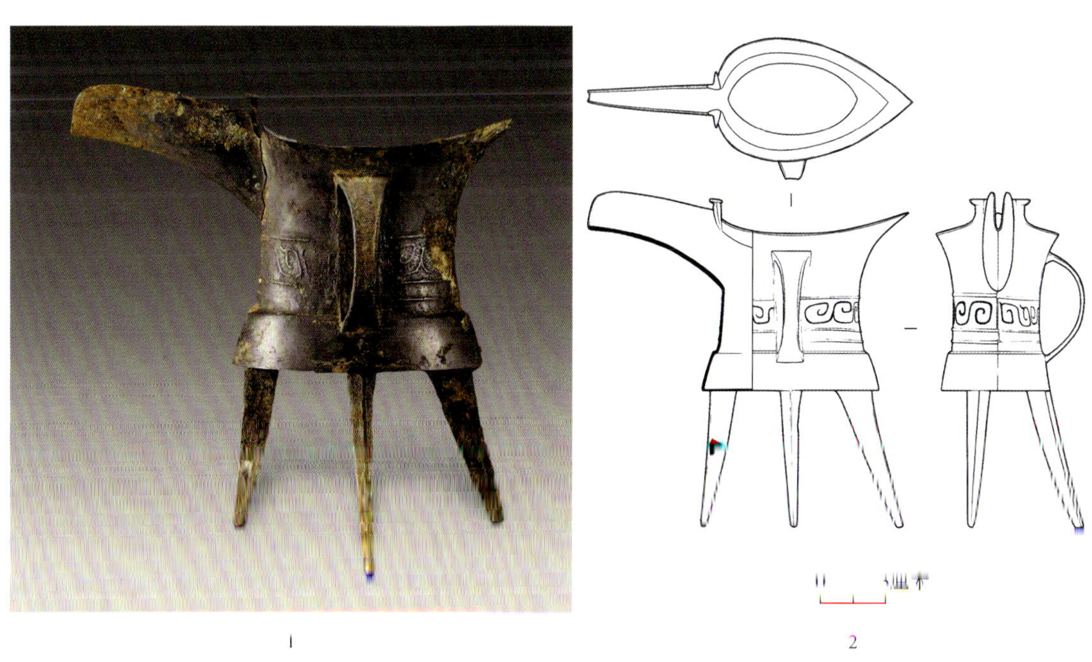

图 3.6.14　青铜爵（小嘴 M3：2）

1. 照片　2. 线图

1

2

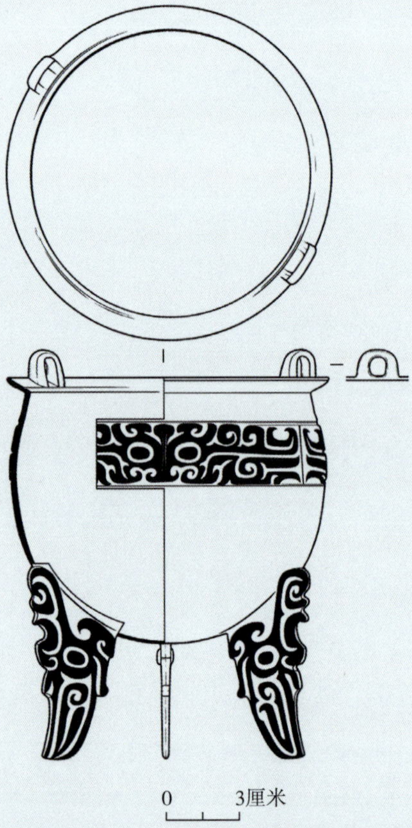

3

图 3.6.15　青铜扁足鼎（小嘴 M3：3）

1. 正视照片　2. 侧视照片　3. 线图

1

2

图 3.6.16　青铜扁足鼎（小嘴 M3：3）腹部受砸击痕迹

1. 外侧　2. 内侧

图 3.6.17　小嘴 M3 青铜面具（M3：5）、青铜戈（M3：4）和玉柄形器（M3：28）出土情况

1　　2

图 3.6.18　青铜面具（小嘴 M3：5）①

1. 照片　2. 线图

身侧棱上有斜向划痕（图3.6.20，1）。两肩下的长方形穿内呈外大内小，最窄处在中部，应当是以双合范对开铸造留下的痕迹（图3.6.20，3）。通长13、内长4.1、肩宽10.6、圆穿鼓起最厚处2.2、其余器身最厚处0.7厘米（图3.6.20，2）。

泡　标本1件。

标本M3：7，出于墓葬北部东侧，附近分布有较多的疑似漆皮的红色痕迹，青铜片似正面朝下放置，发现时仅存留有两个边缘有弧度的残片。推测原本为一个圆形青铜泡，泡中部凸起，近边缘处亦有一圈凸棱。青铜片复原其直径约为7.8、凸棱内直径约为5.5、边缘厚度0.2厘米（图3.6.21）。

① 为保护面具完整形态，器物随土正面朝下进行了提取和复原，因此面具线图为其背面，剖面为变形弯曲度。

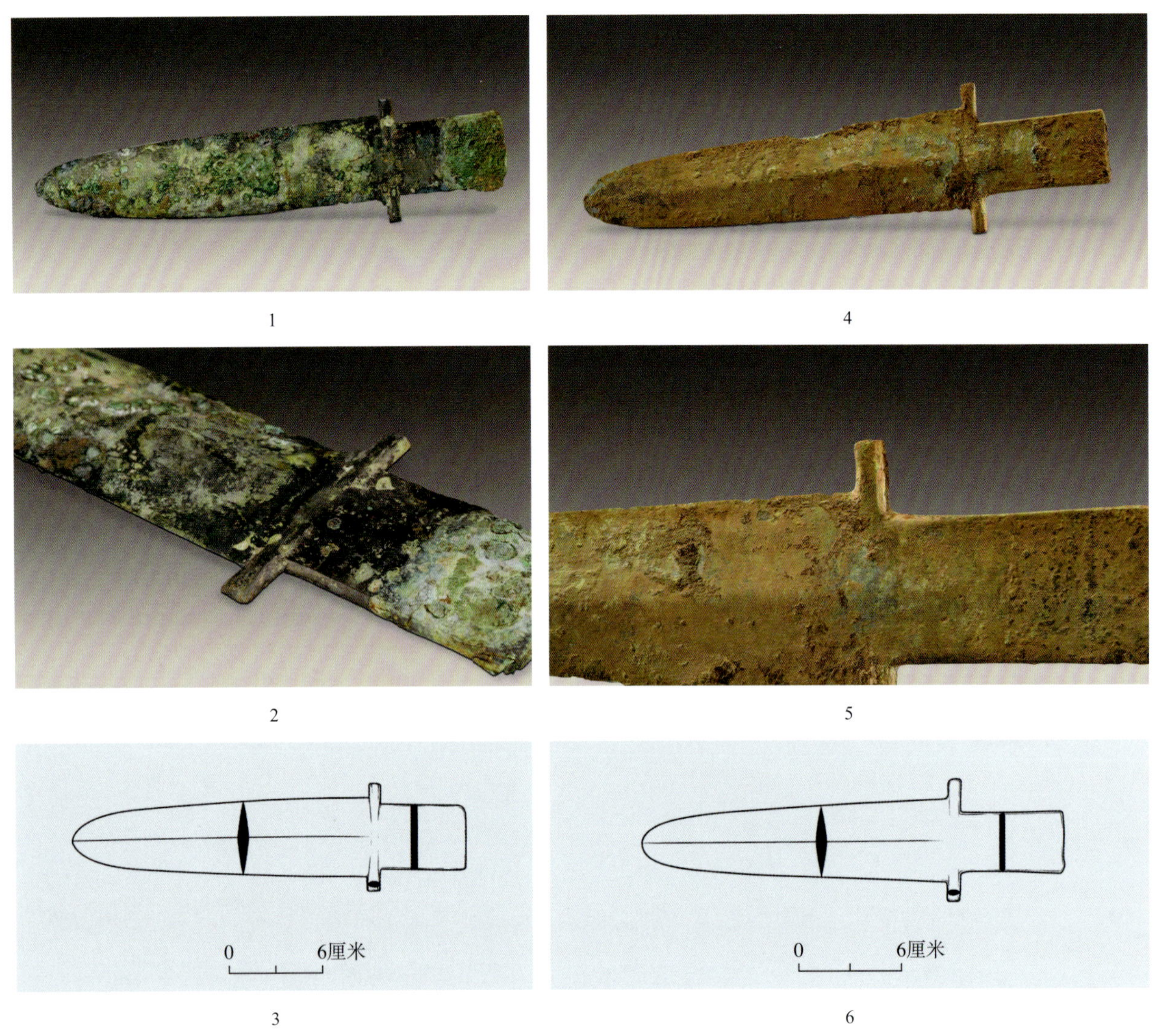

图3.6.19　小嘴M3出土青铜戈

1. M3：4器身正视照片　2. M3：4阑部照片　3. M3：4线图　4. M3：8器身正视照片　5. M3：8阑部照片　6. M3：8线图

镞　标本16件。

标本M3：12～M3：27，青铜镞上下分层放置，集中出于扁足鼎北侧（图3.6.22）。大部分青铜镞一面铜锈色明显，一面覆有坚硬黄色泥土，或为未剥离的范土，除2件残损严重外，其余较完整。发现镞的范围内土色偏黑，这些镞或为成组包装放置。这些青铜镞形制相同，皆为三角形弧边锋刃，扁平双斜翼，双翼后锋较窄，脊铤作圆柱状，铤为直径略小于脊铤的长细圆锥状。其中，标本M3：13，通长6.5、翼宽1.7、铤长2.4厘米（图3.6.22，4、6）。标本M3：15，通长5.8、翼宽1.7、铤长2.4厘米（图3.6.22，3、5）。标本M3：17，通长7.1、翼宽2.1、铤长2.8厘米（图3.6.22，2）。

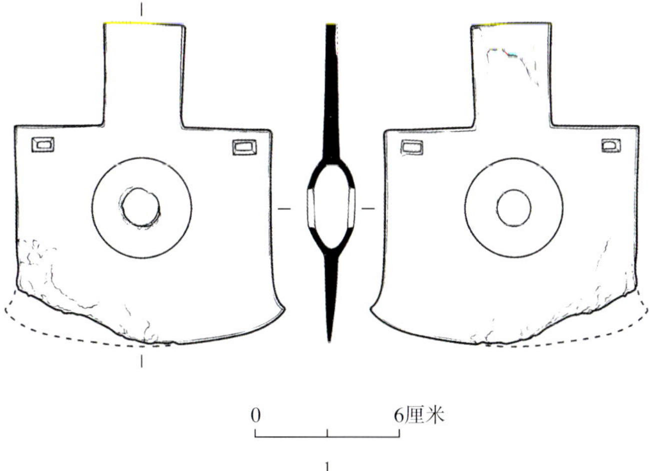

1

2　　3

图 3.6.20　青铜钺（小嘴 M3：9）

1. 线图　2. 器身正视照片　3. 边缘范缝照片

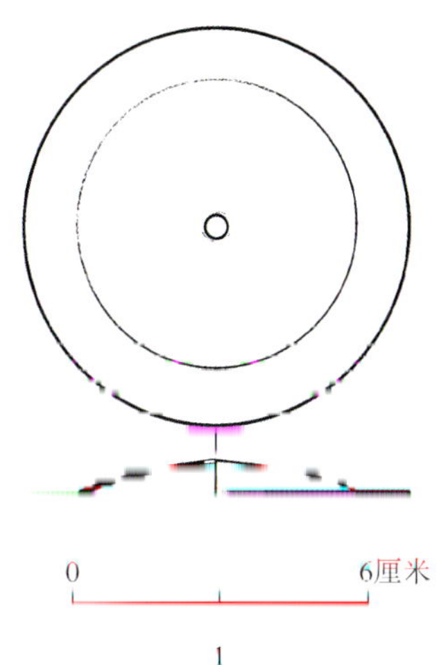

1

2　　3

图 3.6.21　青铜泡（小嘴 M3：7）

1. 线图　2. 外侧照片　3. 内侧照片

1

2

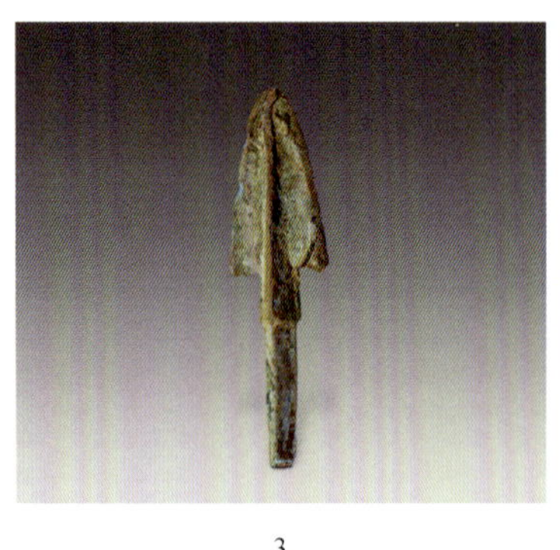

3

4

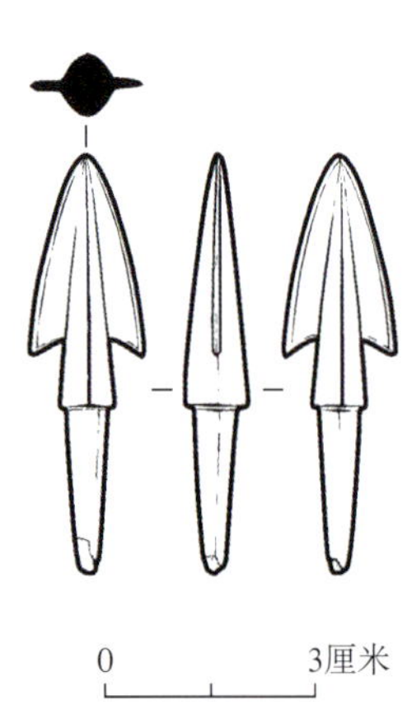

5

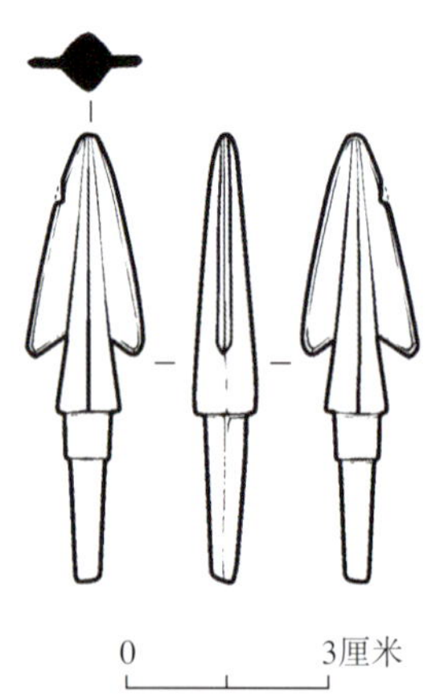

6

图 3.6.22　青铜镞（小嘴 M3：12 ～ M3：27）

1. 整体照片　2～4. 单件照片（M3：17、M3：15、M3：13）　5、6. 线图（M3：15、M3：13）

2）陶器

圆陶片 标本1件。

标本M3：11，出土于墓葬南部。圆陶片较薄，四周磨圆。陶片壁厚0.1、直径3.3厘米（图3.6.23、图3.6.24）。

硬陶残片 标本1件。

标本M3：10，出土于北部偏东处。出土时仅有一块硬陶片，为一器物底部到腹部连接处（图3.6.24）。

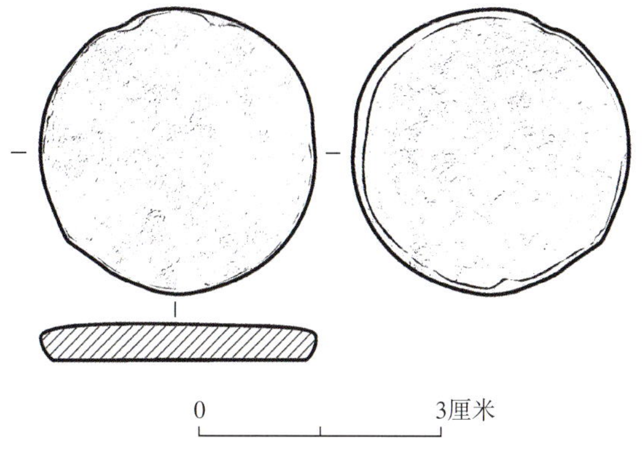

图3.6.23 圆陶片（小嘴M3：11）

3）玉器

有领璧 标本1件。

标本M3：6，玉璧西南侧部分被青铜面具叠压。颜色为青绿色伴有白色及浅黄沁色，表面亦布裂纹。发现时已经碎成两块较大的残块和三块小的残块，两块大的碎块叠置在一起，两块较小的碎块则放置在大碎块的表面，另有一段有领璧的领在玉璧的东南侧，两面领高度相等（图3.6.25，3）。两块小的残块下见到朱砂痕迹。玉璧好（孔）四周有领两面突出，领的部分略向外撇，体扁薄而匀称，清理出的一面可见在肉上有九组同心圆纹饰，每组由至少两条细同心圆阴线弦纹组成。好内不见钻痕，在肉上无纹饰的区域也可见与弦纹轨迹相同的

图3.6.24 硬陶残片（小嘴M3：10）和圆陶片（小嘴M3：11）出土情况

密集而浅的痕迹，或为器表上遗留下的制作痕迹。领部厚度与肉部厚度同为0.35、复原其直径为23、好直径7、领高从肉面起算1.4厘米（图3.6.25，1、2、4）。

柄形器　标本1件。

标本M3：28，叠压在青铜面具之下，呈绿色，清理时发现，出土于青铜面具之下，柄形器为扁长方体，平刃两角略内收，器物柄部略内收。柄形器长12、宽2、厚0.3厘米（图3.6.17、图3.6.26）。

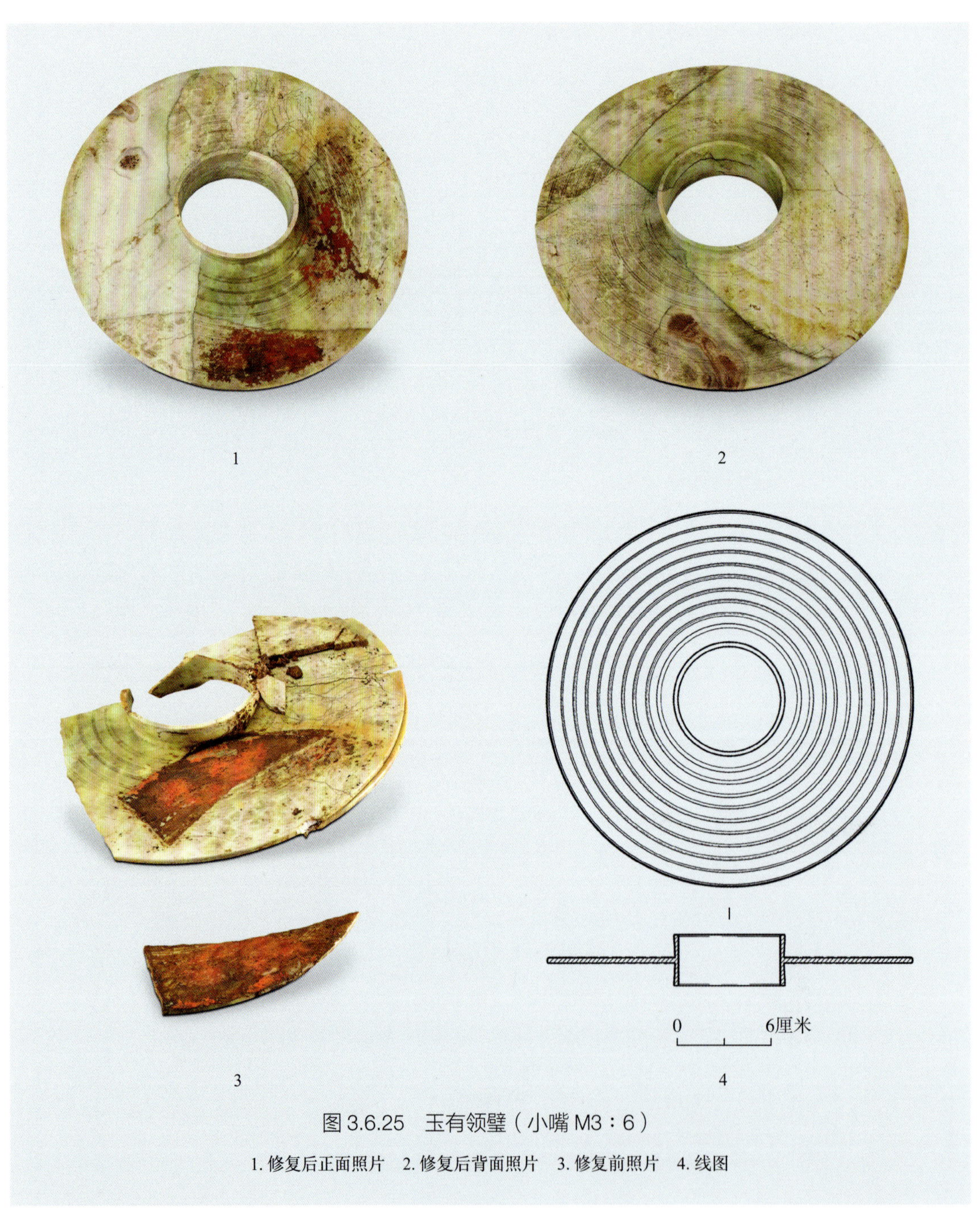

图3.6.25　玉有领璧（小嘴M3：6）

1. 修复后正面照片　2. 修复后背面照片　3. 修复前照片　4. 线图

4）角器

镞　标本6件。

标本M3：29～M3：34，6枚角镞集中出土于青铜镞下，出土时可辨有6枚，其中4枚脊前端仍完整可见，另有2枚破损严重。角镞整体为流线型，中脊一面圆鼓凸出，另一面则为平面，铤部细长（图3.6.27，2～4）。这些角镞平面部分可见到斜向磨痕，应为制作痕迹（图3.6.27，1）。

图3.6.26　玉柄形器（小嘴M3：28）

小嘴M3具体年代主要依据M3内随葬器物的时代特征加以确定。M3青铜爵横截面窄长，腹斜直，底平直，尚处于盘龙城第四期器身棱角分明的阶

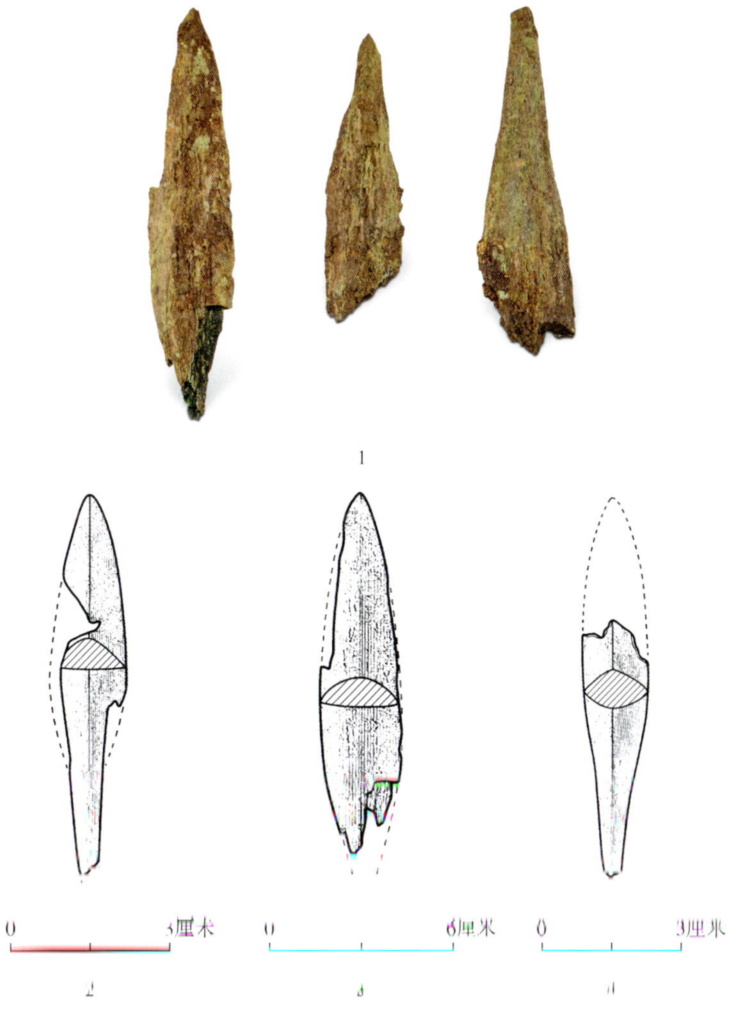

图3.6.27　角镞（小嘴M3：31～M3：33）

1. M3：31～M3：33照片　2. M3：31线图　3. M3：32线图　4. M3：33线图

图3.6.28　小嘴M3墓内烧骨

段，其腹部装饰有阳线云纹及短小的三角钉状柱，也显示出盘龙城青铜器较早阶段的时代特征，其年代特征与盘龙城PLZM2：23青铜爵①、PWZT82H7：5青铜爵②形制相似。小嘴M3青铜斝腹部圆弧不见折棱，腹上纹饰为两组夔纹夹一组兽面纹，尚未发展成三组兽面纹，柱帽部分虽为菌状，却还未出现较晚阶段的涡纹。这件青铜斝形制特征接近PLZM2：10青铜斝③。PWZT82H7：5和PLZM2的遗物时代相同，皆为盘龙城第四期。由M3内葬器物年代进行判断，M3年代应为盘龙城第四期，相当于中原地区的二里冈上层一期。

小嘴M3内人骨的迹象似经过燔烧，现代法医学研究证明人骨在700℃以上高温中长时间燃烧会导致骨头呈白色及骨裂现象的共同出现④（图3.6.28）。人骨经燔烧后堆放在墓坑内，且放置的位置在墓葬中间，随葬品围绕人骨放置，则这些经过燔烧的人骨应当就是墓主。火葬的行为早在新石器时代就已经存在，多见于北方地区，但多为直接在墓坑内点火焚烧，墓壁和墓底多见有烧结现象⑤。而时代相近的商文化墓葬中与小嘴M3中情形类似的“火葬”形式，仅在盘龙城杨家湾M11和郑州市铭功路西侧商文化遗址中的M151两处见到过，然而这两例火葬的具体情况是火焚烧骨头后以陶罐盛殓⑥。小嘴M3这种燔烧人骨后捡骨下葬的情况确属特例。

小嘴M3内随葬有青铜器和玉器，青铜容器仅出有爵、斝、鼎。玉器中的有领玉璧是迄今发现这一时期商文化系统中最大的有领璧。

小嘴M3内随葬有许多兵器，其中随葬有青铜戈2件、青铜钺1件、青铜镞16件及角镞6件。另有青铜泡1件，有学者认为可用于盾牌、甲胄一类防具的装饰物⑦。此外M3中还有盘龙城唯一一件发掘所得的青铜面具，青铜面具被学者认为是标示了所有者等级身份的一种礼器⑧。在盘龙城同类墓葬中随葬兵器的最多不超过5件，大多数仅有2件。

盘龙城遗址已经发掘的，墓葬形制相近的墓葬，以小嘴M3中青铜兵器数量最多，我们据此推测墓主生前拥有一定的军事背景，与小嘴M3同时期且等级相近的PLWM4中也仅见有一戈一钺。综上，小嘴M3墓主可能是商文化时期盘龙城的军事贵族。这座墓葬同时为我们展现了商文化时期盘龙城一种特殊的埋葬。

① 《盘龙城（1963~1994）》，第164页，图一零五，5。
② 《盘龙城（1963~1994）》，第132页，图八一，3。
③ 《盘龙城（1963~1994）》，第166页，图一零七，1。
④ 徐国昌、任甫、候续伟、袁立波：《烧骨组织形态变化及DNA技术在个体识别中的应用》，《法医学杂志》2007年第5期。
⑤ 陈国庆、梅术文：《小河沿文化火烧墓坑及烧骨葬俗初探》，《北方文物》2014年第4期。
⑥ 《盘龙城（1963~1994）》，第265页；马全：《郑州市铭功路西侧的商代遗存》，《文物参考资料》1956年第10期。
⑦ 曹斌：《商周铜昜形制》，《考古与文物》2011年第3期。
⑧ 黄尚明、笪浩波：《关于商代青铜面具的几个问题》，《江汉考古》2007年第4期。

第七节　其他调查遗物

2002～2013年间在小嘴M1、M2南北两侧50米范围内，盘龙城遗址博物馆工作人员陆续采集到一些青铜、玉、石、陶器以及炉壁等文物标本（图3.7.1～图3.7.7），特别是陶斝足整体形状类似于早中商时期的三棱形青铜斝足，可能为铸造青铜斝的陶模，这为了解小嘴区域的青铜器铸造生产活动提供了新线索。特别是在2013年秋，相关工作人员在小嘴东部河滩采集到一些小型石范残件和石器、陶器残片等，也说明盘龙城商时期居民已经掌握了铸造青铜器的相关技术。发现的这些石范均为二合范中的一合，个体较小，表明这里可能是一处铸造小型青铜工具的地方，即以生产青铜工具为主的手工作坊。

1）青铜器

刀　标本1件。

标本小嘴采：026，在M2以南11米处的土坎上采集。刀柄为绿色锈，刀身为黄褐色土锈，器形完整。直柄，直背，翘尖，凸刃。通长13、刀身中部宽2.5厘米（图3.7.1，1）。

2）陶器

爵　标本1件。

标本小嘴采：02，残。夹砂灰陶。敞口，方唇，平底，腰部略束，一足上方附加有一鋬，鋬呈"人"字形，圆柱状尖锥足已残。素面。上腹高8、平底径6.5厘米（图3.7.2，6）。

斝足　标本1件。

标本小嘴采：023，在M2东南30米处的土坎上采集，泥质红陶。实心三棱状尖锥足，足顶及尖残，外侧面有一条竖向中脊线，中脊线夹角约152°。残长7.5厘米（图3.7.2，7；图3.7.3，3）。

纺轮　标本2件。在M2东南20米处的地表采集。

标本小嘴采：019，泥质褐陶。圆饼状，中间穿孔。直径1.0、孔径0.6、厚2厘米（图3.7.2，4）。

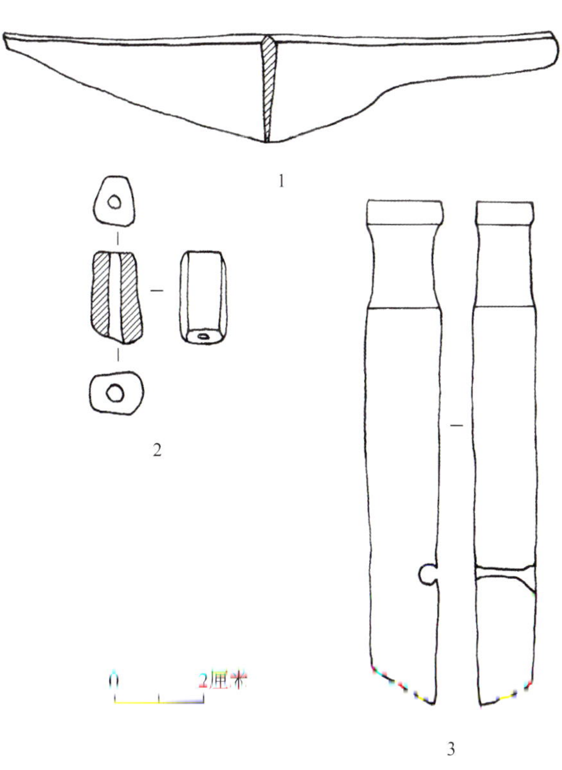

图3.7.1　小嘴采集青铜器和玉器

1. 青铜刀（小嘴采：026）　2. 玉管（小嘴采：027）　3. 玉柄形器（小嘴采：025）

标本小嘴采：020，泥质灰陶。算珠状，中间穿孔。直径4、孔径0.7、厚2厘米（图3.7.2，3）。

拍　标本2件。

标本小嘴采：015，残。夹砂褐黄陶。圆形拍面呈弧状，圆柱状拍柄已残。拍面径7.8、柄径3.5厘米（图3.7.2，1）。

标本小嘴采：016，残。夹砂灰黄陶。圆形拍面呈弧状，圆柱状拍柄已残。拍面径6.8、柄径3厘米（图3.7.2，2）。

炉壁　标本1件。在M2东北40米处的地表采集若干件。不规则形，基本上为夹砂红陶。内壁附着青黑色炉渣，表面凹凸不平并有小气孔。

标本小嘴采：028，残长3.2、残宽2.8厘米（图3.7.3，4）。

中柱盂　标本1件。

标本小嘴采：03，残仅剩中柱部分。泥质黄灰陶。圆筒状，顶端呈略弧状并有向外延伸的痕迹。残高10、径6.8厘米（图3.7.2，5）。

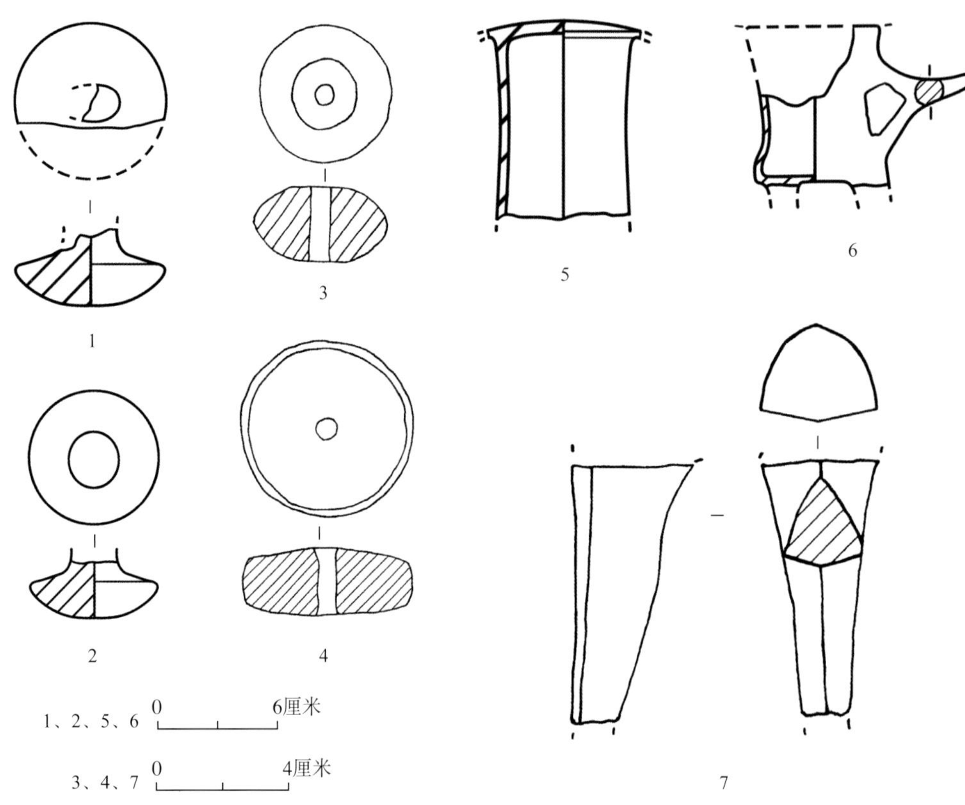

图3.7.2　小嘴采集陶器

1、2. 陶拍（小嘴采：015、小嘴采：016）　3、4. 纺轮（小嘴采：020、小嘴采：019）
5. 中柱盂（小嘴采：03）　6. 爵（小嘴采：02）　7. 斝足（小嘴采：023）

3）石器

锛　标本2件。

标本小嘴采：09，残。黑页岩。体呈长方体，窄面下方单面斜刃略残。通体经打磨。通长11、有斜刃的一面较窄2.8、另一面较宽3.4厘米（图3.7.5，3）。

标本小嘴采：018，在M2东南15米处的地表采集，灰色页岩。较完整。平面呈梯形，上窄下宽，单面刃。通体打磨光滑。刃宽3.5、通高5.8、厚2厘米（图3.7.4，1）。

斧　标本2件。

标本小嘴采：014，略残。青灰色长江石。正面呈长条状，侧面呈椭圆状，上窄下宽，两面刃。通体经打磨。通长12、顶宽4、最厚3、刃宽6厘米（图3.7.5，2）。

标本小嘴采：021，在M2东南15米处的地表采集，灰色页岩。较完整。长方体，双面刃，刃部光滑，其他部位较粗糙。通高10、刃宽6.5、厚3.3厘米（图3.7.4，4）。

1　　　　　2

3　　　　　4

图3.7.3　小嘴采集器物照片

1. 玉柄形器（小嘴采：025）　2. 玉管（小嘴采：027）
3. 陶斝足（小嘴采：023）　4. 炉壁（小嘴采：028）

镰　标本1件。

标本小嘴采：024，在M2东南15米处的地表采集，黑色板岩。较完整。近三角形尖，身作窄长条状，尾端向下斜弧。通体磨光，局部有打击的破裂面。通长10.4、尾端宽4、中厚0.6厘米（图3.7.4，3）。

刀　标本2件。

标本小嘴采：012，残。黑色。长方体，一面为直刃，背略呈弧状。通体经打磨。残长7.5、宽5、厚0.7厘米（图3.7.5，5）。

标本小嘴采：022，在M2东南12米处的地表采集，黑色板岩。两端残。长条片状，直背，双面直刃，通体较为光滑。残长8.5、宽4.2、背厚0.7厘米（图3.7.4，2）。

杵　标本1件。

标本小嘴采：017，在M2东南20米处的地表采集，深灰色页岩。一端残。圆柱体，底部圆弧状。磨制光滑。残高9.6、顶端残径5.6厘米（图3.7.4，5）。

范　共采集有8件，标本6件。

标本小嘴采：01，双合范之其中一合，灰黑色板岩。平面近窄长的梯形，窄端为铸件

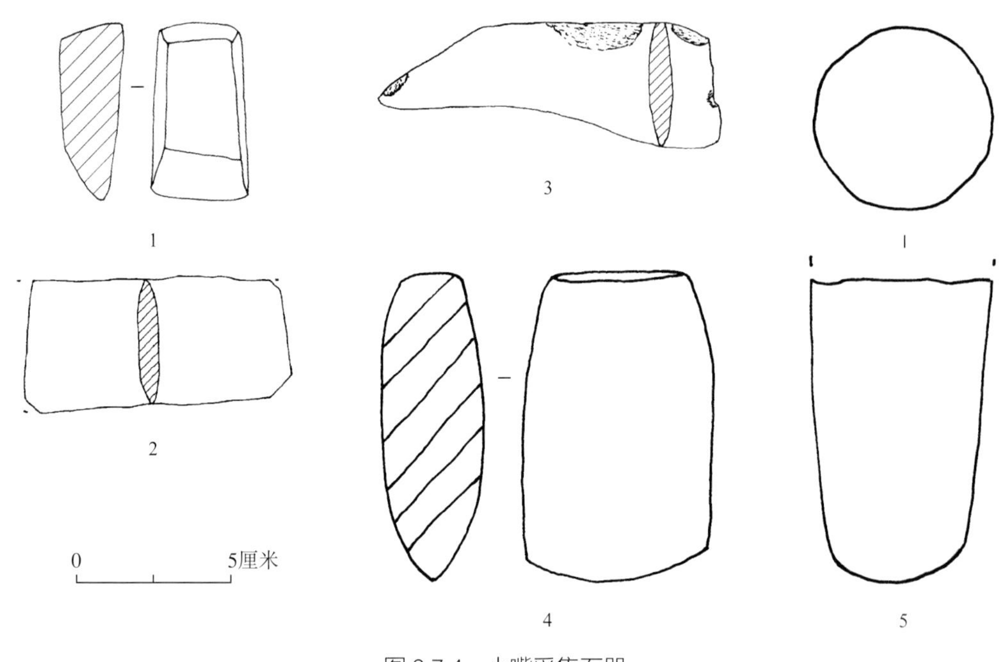

图 3.7.4　小嘴采集石器

1. 锛（小嘴采：018）　2. 刀（小嘴采：022）　3. 镰（小嘴采：024）　4. 斧（小嘴采：021）　5. 杵（小嘴采：017）

刃部，宽端为铸件銎口及范体的浇口。型腔人工凿刻，有较多小凹窝与裂隙。范体分型面经过较好的打磨，局部打磨为弧面。据型腔形态推断当为锛范。范体窄端，型腔刃部向两端扩张，銎口以下1厘米处有台阶状折棱，推测铸件相应位置亦有相应折棱。型腔中部有一道长约8厘米的凿刻凹槽，复原铸件当有一道阳线。据型腔复原，铸件体长19.5、銎口宽6、高2、刃宽4.5厘米。范体长21、宽7.8～10.8、厚5.5厘米（图3.7.6，1；图3.7.7）。

标本小嘴采：011，双合范之其中一合，已残，灰色板岩。平面近窄长的梯形，窄端为铸件刃部，铸件銎口及范体的浇口部分残。型腔人工凿刻，有较多小凹窝与裂隙。范体分型面经过较好的打磨，局部打磨为弧面。据型腔形态推断当为锛范。范体窄端，型腔刃部微微向两端扩张，残长12.5、宽4、铸件刃宽4.6厘米。范体残长14、残端宽9.8、较完整一端宽7.8、厚4.5厘米（图3.7.6，4）。

标本小嘴采：04，双合范之其中一合，已残。灰色板岩，内有较多发光颗粒。平面近窄长的梯形，窄端为铸件刃部，铸件銎口及范体的浇口部分残。型腔人工凿刻。范体分型面未经细致打磨。据型腔形态推断当为锛斧类范。范体窄端，型腔刃部微微向两端扩张，残长9、宽4厘米。范体残长11、残宽7～9、厚3～4.5厘米（图3.7.6，2）。

标本小嘴采：010，灰色页岩，内有较多发光颗粒，双合范之其中一合，已残。平面近不规则三角形，一端为铸件銎口及范体的浇口，刃端残。型腔人工凿刻，一壁较直，有较多小凹窝与裂隙。范体分型面经过较好的打磨，局部打磨为弧面。据型腔形态推测可能为斧锛类器物范，残长10.2厘米。范体残长11、厚3厘米。浇口部分残高约2厘米（图3.7.6，5）。

标本小嘴采：05，灰色页岩。双合范之其中一合，已残。平面近梯形，宽端为铸件銎口及范体的浇口，刃端残。型腔人工凿刻，较粗糙，分型面及范侧经打磨，局部为弧面。据型

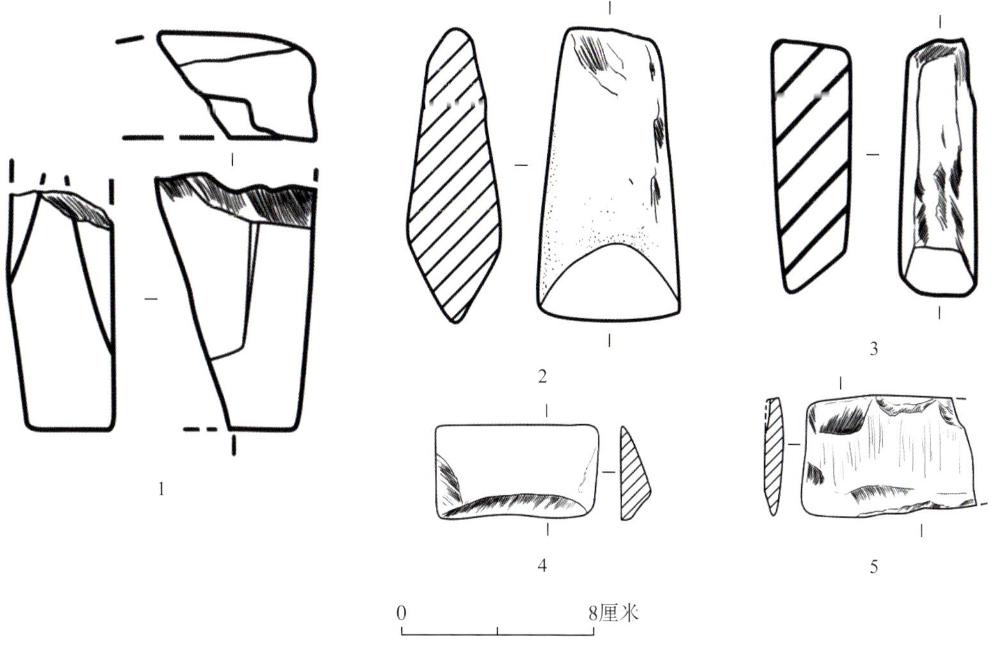

图 3.7.5　小嘴采集石器

1. 石范（小嘴采：06）　2. 斧（小嘴采：014）　3. 锛（小嘴采：09）　4. 砺石（小嘴采：013）　5. 刀（小嘴采：012）

腔形态推断当为锛斧类范。铸件型腔残长6.5、浇口处宽5.7、残高1厘米。范体残长9、最宽处10、厚2.5厘米（图3.7.6，3）。

标本小嘴采：06，深灰板页岩。双合范之其中一合，已残。平面近梯形，窄端为残存的铸件刃部。型腔人工凿刻，一壁较直，有较多小凹窝与裂隙。范体分型面经过较好的打磨，范背斜坡状。据型腔形态推测可能为斧锛类器物范。铸件型腔残长7厘米。范体残长9.5、范厚3～3.5厘米（图3.7.5，1）。

砺石　标本1件。

标本小嘴采：013，残。青灰色长江石。体呈长方体，截面呈三角状，通体经打磨，一面和四侧面平而光滑，另一面加工呈斜坡状并磨光。长6.6、宽3.6、厚0.3～1厘米（图3.7.5，4）。

4）玉器

柄形器　标本1件。

标本小嘴采：025，在M2东北45米处的地表采集。黄褐色，近长方体，柄身尾端残，通体光素无纹饰。柄身上端一侧有一穿孔。残长11、宽1.4、厚1.6厘米（图3.7.1，3；图3.7.3，1）。

管　标本1件。

标本小嘴采：027，在M2东南9米处的地表采集。乳白色，夹杂黑色斑块。近长方体，边棱经修整较圆滑，中间有一对穿的圆孔。长2.2、宽1.1厘米（图3.7.1，2；图3.7.3，2）。

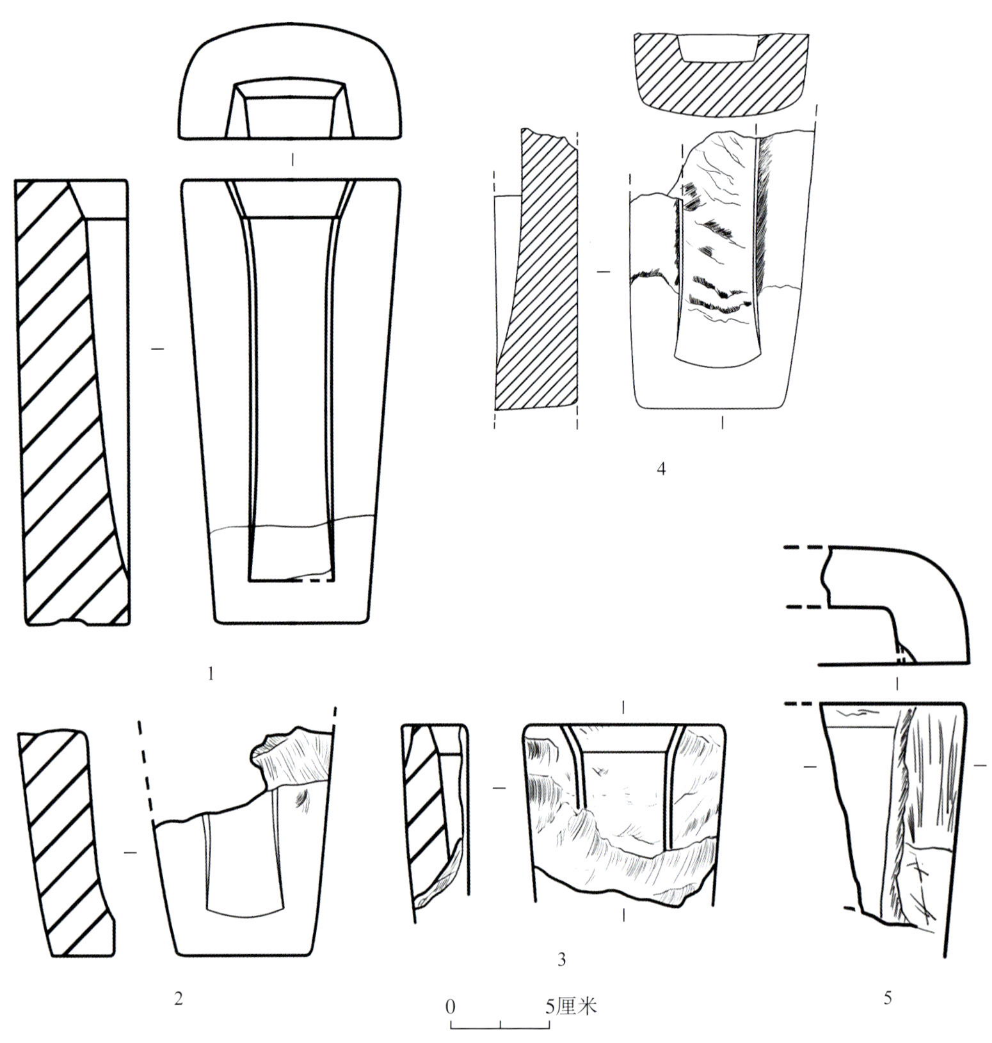

图 3.7.6　小嘴采集石范

1. 小嘴采：01　2. 小嘴采：04　3. 小嘴采：05　4. 小嘴采：011　5. 小嘴采：010

图 3.7.7　小嘴采集石范照片

1. 小嘴采：01　2. 小嘴采：010　3. 小嘴采：05　4. 小嘴采：06　5. 小嘴采：08　6. 小嘴采：07

第八节 年代与性质

一、年代

盘龙城遗址小嘴岗地发掘清理的各类遗迹和相关遗存包括建筑基址、灰坑、灰沟、墓葬及文化层。根据出土遗物和叠压打破关系，可将上述商时期文化遗存大体划分为两个阶段。

第一阶段，包括小嘴发掘区大部分灰坑、灰沟、房址、墓葬等遗迹，其根据层位叠压关系又可进一步分为两期。其中小嘴M3及Q1610T1917～T2018、T0216、T1816等探方中的第5层，为本阶段所见层位关系最早的遗存。M3出土青铜器已装饰宽带阳线兽面纹，这属于二里冈上层青铜器的装饰风格；而在形制上，扁足鼎，扁足接鼎腹身部分较矮；爵截面为橄榄形，腹身装饰细阳线纹饰，仍显现出了偏早的作风。Q1610T0216⑤：1鬲口沿为尖圆唇，平折沿，沿面带一周凹槽，与盘龙城李家嘴M2：48折沿联裆鬲[①]形态接近；Q1610T1918⑤：3与盘龙城杨家嘴T5⑥：24折沿鬲[②]形制相似，后者则属于原盘龙城报告第四期。整体观察小嘴第一阶段偏早遗存的年代可归于原盘龙城报告第四、五期。

小嘴房屋遗迹、纵横相连的各类14条灰沟、43个灰坑以及探方第4层，叠压或打破上述遗存，层位上显示相对年代较晚。从遗迹形态及结构来看，灰沟之间、灰沟与建筑基址之间存在密切关系，如各类灰沟形态类似，方向平行或垂直，沟底及沟壁大多铺垫黄色黏土，建筑基址方向大体与灰沟一致，且灰沟与建筑基址相互连接，建筑基址底部也铺垫有纯净的黄色黏土，因此上述灰沟与建筑基址的使用时期大体相同。灰沟与建筑基址内均填满含有大量木炭的黑灰土，可能类似于以往盘龙城考古报告中所称的“黑灰烬土”。这些黑灰土中包含陶器形态十分接近，且出土有铜颗粒、陶范、陶坩埚、孔雀石等铸铜遗物，遗迹的整体布局及包含物均与偏早遗存明显不同，可归于同一年代阶段。上述遗迹中出土的遗物较为丰富，陶鬲以口部沿面带一周凹槽的平折沿、联裆类为代表，如：小嘴H13：1可比较盘龙城楼子湾G2⑤：14折沿联裆鬲[③]；小嘴G2：5则近于盘龙城杨家嘴T3⑤：8折沿分裆鬲[④]；小嘴G1-JPG4：4鬲口沿与盘龙城杨家嘴T5⑤：3折沿鬲[⑤]形制接近。这些被比较的器物在原报告中被划分第四、五期。此外，小嘴H32：1，折沿方唇，与郑州商城C11M148：16折沿垂唇鬲[⑥]形制相似，后者属于二里冈上层一期，同样与原盘龙城报告第四、五期年代相当。不过，需要注意的是，上述单位出土的部分陶鬲口唇方钝，显现出偏晚的时代作风，如F1①：16陶折

① 《盘龙城（1964～1994）》，第158页。
② 《盘龙城（1964～1994）》，第315页。
③ 《盘龙城（1964～1994）》，第370页。
④ 《盘龙城（1964～1994）》，第322页。
⑤ 《盘龙城（1964～1994）》，第322页。
⑥ 河南省文物考古研究所：《郑州商城——1953～1985年考古发掘报告》，第724页，文物出版社，2001年。

沿鬲口沿特征类似于盘龙城杨家湾T29④：1[①]，可能晚至盘龙城第六、七期。虽然上述遗存类别、性质与本阶段偏早阶段遗存之间有着较大差别，然而本阶段遗迹和地层出土的遗物的文化特征，与偏早遗存之间显现出较为一致，可将其归于一个大的阶段，对应于二里冈上层一期偏晚，仍属于原盘龙城报告第四、五期。

第二阶段，主要包括H3、H4、H6、H11、H16、H50、H53、H54、H55、H74、H77等灰坑，G12、G14、G15、G16、G17、G18、G19等灰沟，以及Q1710T0412、T0512、T0612商时期文化层第3层。本阶段灰坑H3、H54打破上一阶段G1、G13；Q1710T0412、T0512、T0612第3层叠压于上一阶段G2、G4、G13之上，并且被归于本阶段遗迹出土的遗物形态特征明显晚于前期遗存，因此将其单独作为一个偏晚的阶段。需要注意的是G14、G15、G16、G17、G18、G19等灰沟，出土陶器标本较少，虽未发现明确可供推定年代的典型遗物，但从层位关系上判断，这批灰沟打破前期地层，推测其相对年代应晚于第一阶段。本阶段遗迹出土的陶鬲口沿多见沿面带两周凹槽，显现出偏晚的时代作风。小嘴H4：4鬲口沿，沿面带两周凹槽，且颈部饰附加堆纹，与盘龙城杨家湾T29④：1折沿联裆鬲[②]口沿形制接近；小嘴H50：9鬲口沿，尖圆唇，沿面带两周凹槽的风格，与盘龙城杨家嘴T6④：2折沿分裆鬲[③]风格相似。此外，小嘴这一阶段部分灰坑出土有形态较大的折沿方唇鬲，如T0115H11：9鬲折沿方唇，其唇部厚钝，肩部饰一周附加堆纹，风格与盘龙城遗址所见最晚一期的同类陶鬲一致。综合以上特征，推测本期遗存可晚至二里冈上层二期偏晚前后，属于盘龙城最晚阶段的第六、七期。

二、冶铸遗物和木炭树种检测分析

小嘴地点商时期遗存因破坏严重，单纯从遗迹类别、形态和结构难以推知遗址当初使用阶段的性质。因此，为进一步认识小嘴发掘区遗存的功能与性质，我们对发掘出土所获的坩埚、铜渣、铜块和青铜器进行了金相分析、成分分析，同时对出土的木炭进行了树种鉴定，以期补充认识当时遗址形成背后的人类活动。具体的鉴定结果已附于上述地层、遗迹出土的遗物或遗存分析之中。现将冶铸遗物和木炭树种整体分析报告公布如下，以帮助认识小嘴地点遗存形成的背景。

（一）冶铸遗物的分析与研究

我们对小嘴发掘区出土的铜冶金渣、坩埚以及小件金属样品进行了科学分析，以期揭示其所代表的冶金活动的技术内涵。在此共选取28件样品进行研究，其中小件金属样品18件，铜冶金渣7件，坩埚和炉壁残块3件（表3.8.1、表3.8.2；图3.8.1、图3.8.2）。大部分样品年代属小嘴第一阶段，即盘龙城第四、五期前后，相当于二里冈上层一期；仅H16、Q1710T0315③和Q1710T0114③出土遗物可能晚至第二阶段，即盘龙

① 《盘龙城（1964～1994）》，第237页。
② 《盘龙城（1964～1994）》，第237页。
③ 《盘龙城（1964～1994）》，第348页。

表3.8.1　北京科技大学科技史与文化遗产研究院科技考古实验室扫描电镜能谱分析精度测试结果

	Cu	Sn	Pb	Zn	As	Co
标样认定值	80.300	12.600	2.600	1.960	1.071	0.443
本实验室测量结果	78.1	12.7	2.8	2.0	1.1	0.5
相对误差 %	2.7	–0.8	–7.7	–2.0	–2.7	–12.9

表3.8.2　小嘴铸铜遗物检测样品信息表

编号	样品号	名称	分期	描述
1	G13：2	铜块	第一阶段	长 2.6、宽 2.1 厘米，不规则长圆状
2	G1-JPG3：2	铜块		长 1.2、宽 1.1 厘米，不规则三角形状
3	Q1710T0116 ④：11	铜块		长 1.0、宽 0.4 厘米，长条状
4	Q1710T0116 ④：9	铜镞		长 5.1 厘米，一侧翼残
5	Q1710T0116 ⑤：2	铜块		长 1.4、宽 1.3 厘米，不规则球状
6	Q1710T0116 ⑤：6	青铜器残片		其中青铜器残块长约 1.9 厘米，呈扁平片状，截面呈三角形，疑似为一铜刀残块
7	Q1710T0214 ⑤：5	青铜爵足残块		残长 2.9 厘米，为足跟尖部
8	Q1710T0214 ⑤：6	铜块		长 1.6、宽 1.1 厘米，不规则长圆状
9	G1-JPG2：15	铜粒		长 1.5、宽 1.1 厘米，不规则三角形状
10	Q1710T0215 ⑤：2	铜块		长 2.2、宽 1.8 厘米，不规则三角形状
11	Q1710T0216 ⑤：5	铜块		长 2.4、宽 1.8 厘米，不规则长圆状
12	Q1710T0216 ⑤：11	铜块		长 2.5、宽 1.7 厘米，不规则长圆状
13	G1-JPG1：8	青铜刀		残长 7.1、最宽处 1.5 厘米，直背弧刃
14	G1-JPG1：1	铜块		长 1.6、宽 0.8 厘米，长条状
15	H42：1	铜冶金渣		长 1.6、宽 1.6 厘米，三角形状，表面青灰色，多孔
16	H42：8	铜冶金渣		直径 0.6 厘米，颗粒状，多孔，表面有少量绿色铜锈
17	Q1710T0216 ⑤：10	铜冶金渣		长 1.8、宽 1.4 厘米，不规则长圆状
18	G1-JPG2：1	铜冶金渣		长 1.9、宽 1.2 厘米，不规则长方形状，表面呈黑色，多孔，附有少量绿色铜锈
19	G1-JPG1：2	铜冶金渣		长 1.3、宽 1.2 厘米，不规则球状
20	G1-JPG1：17	铜冶金渣		长 2.7、宽 1.6 厘米，不规则长圆状
21	G1-JPG3：18	坩埚		残长 7.4、宽 7.3 厘米，残片呈三角形，内表面粘有渣层，外表面饰有绳纹，侧面呈弧形内凹
22	G1-JPG2：2	坩埚 / 炉壁		长 1.7、宽 1.6 厘米，呈三角形，内表面粘有绿色渣层，外表面呈青灰色
23	Q1710T0016 ⑪：1	青铜爵足残块	第二阶段	残长 3.1 厘米，为足部中断，断口平整，似人为加工
24	H16：1	铜块		长 1.2、宽 1.0 厘米，不规则长圆状
25	H16：2	铜块		长 1.4、宽 1.0 厘米，三角形状
26	H16：5	铜块		长 0.8、宽 0.6 厘米，不规则球状

续表

编号	样品号	名称	分期	描述
27	H16：6	铜冶金渣	第二阶段	长1.2、宽0.7厘米，不规则长圆状
28	Q1710T0114③：1	坩埚/炉壁		长2.3、宽1.5厘米，长方形，内表面粘有一颗呈红色和绿色的铜渣，内侧陶质呈黑色，外侧青灰色

城六、七期前后，相当于二里冈上层二期及偏晚。18件青铜小件中2件为青铜爵足残块（Q1710T0214⑤：5、Q1710T0315③：1），1件为青铜刀残块（G1-JPG1：8），1件为青铜镞（Q1710T0116④：9），1件为扁平状青铜器残块（Q1710T0116⑤：6），疑似为青铜刀类工具。其余13件铜块样品器形不可辨识，样品多呈不规则状。7件铜冶金渣直径在2～5厘米，外表为黑色或青灰色，质地疏松多孔，密度较低，表面附有灰绿色锈蚀。3件坩埚/炉壁样品中G1-JPG3：18残长10、残宽6、厚约3厘米，内壁附着一层厚度1～5毫米的渣层，不见分层现象；渣层表面可见灰绿色锈蚀，显示其可能为青铜冶铸活动中用于熔化或盛放铜液的坩埚[①]（图3.8.1）。本次发掘中出土了多件与其类似的坩埚残片，从截面观察，其内侧与铜液接触区域呈灰黑色，且有部分熔融现象，中间部分为黄色至浅红色，最外侧再次变为浅黄色，未见熔融现象（图3.8.2）。推测坩埚内侧受热温度较高，使用时为内加热。坩埚剖面的颜色变化说明其曾进行过预烧，外侧因经历高温而呈黄色，中间部分因未烧透仍呈红色；坩埚外侧绳纹装饰保存完好也支持坩埚经过预烧这一判断。Q1710T0114③：1整体呈青灰色，疏松多孔，断口处可见大量较大的石英颗粒，内侧呈灰黑色，附有绿色和暗红色渣层。G1-JPG2：2为灰色陶质残片，表面附一薄层灰绿色渣层。这两件样品可能为坩埚或熔炉内侧与铜液接触部分脱落的残块。

利用北京科技大学科技史与文化遗产研究院Leica DM4000金相显微镜，Tescan Vega Ⅲ扫描电镜配备Bruker XFlash能谱仪对样品的金相结构、物相组成和化学成分进行分析。扫描电镜能谱分析条件为加速电压20kV，采集活动时间60s。以MBH 32XN7A作为标准参考样品，元素含量低于检出限时数据表中以bdl（below detection limit）表示，含量在0.5%以上元素的分析相对误差在10%以下，含量在0.1%～0.5%的元素分析相对误差在20%以下。对小件金属样品进行扫描电镜能谱分析时主要选取样品内部未经锈蚀的区域进行，分析结果中给出氧元素的半定量结果，以便评估所分析区域的锈蚀程度。

1. 坩埚和炉壁

扫描电镜能谱面扫描分析显示坩埚G1-JPG3：18渣层中SnO_2（41.0%）、PbO（23.1%）和CuO（11.5%）含量较高（表3.8.3）。渣基体中含有大量弥散分布的针状、棒状和菱形

① 本书中的坩埚定义为可移动的陶质冶金器具，一般从顶部鼓风加热。与之相对，熔炉则为不可移动的冶金器具，可从底部或顶部鼓风加热。参见周文丽、刘思然、陈建立：《中国古代冶金用坩埚的发现和研究》，《自然科学史研究》2016年第3期。

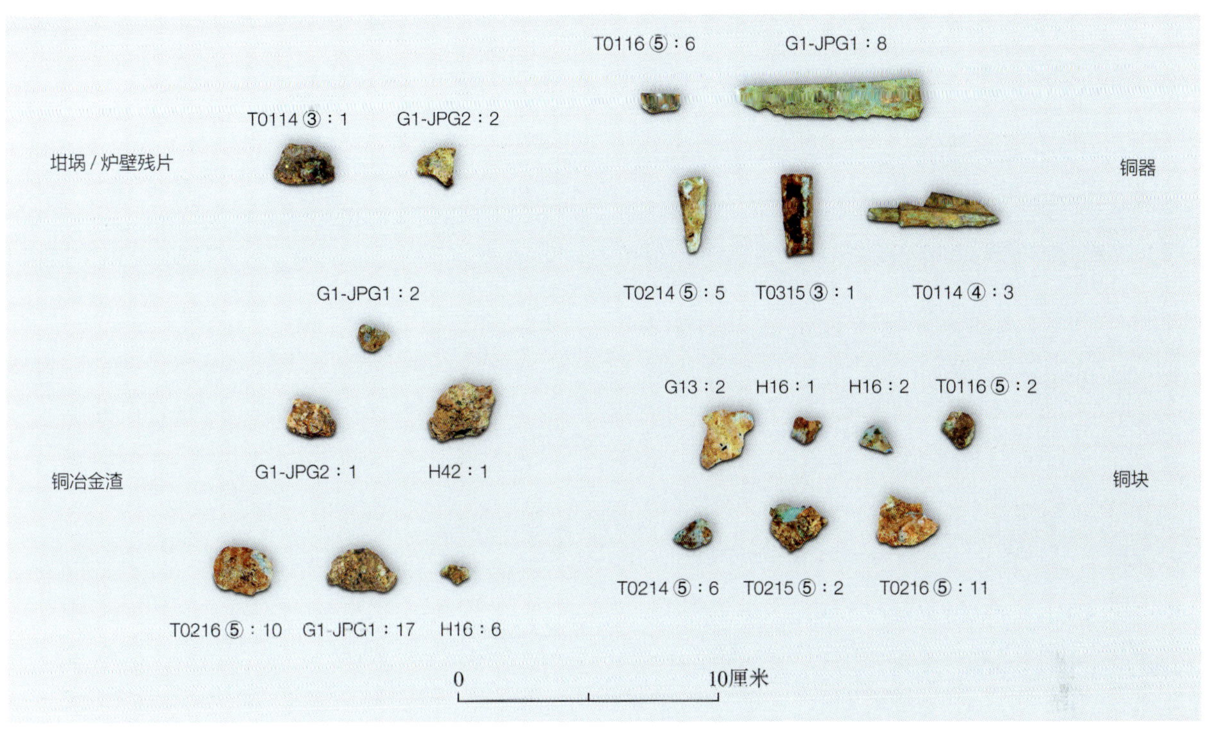

图 3.8.1　小嘴出土部分金属小件、铜冶金渣与坩埚 / 炉壁残块照片

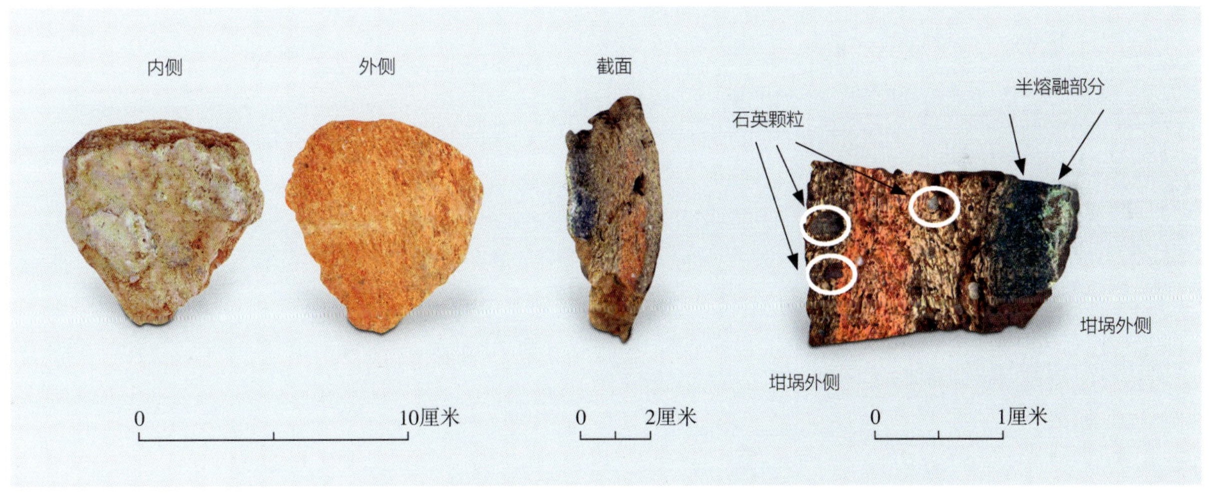

图 3.8.2　小嘴出土坩埚残片（G1-JPG3：18）内侧、外侧及剖面照片

二氧化锡（SnO_2）晶体、菱形马来亚石（锡榍石）[$CaSnO(SiO_4)$]晶体和方形氧化亚铜（Cu_2O）晶体。渣玻璃基质中PbO（60%）含量较高（图3.8.3）。渣层中夹有许多金属颗粒，大部分铜颗粒锈蚀较为严重，多为纯铜或铅锡青铜。G1-JPG2：2渣层中含大量PbO（23.5%）和少量CuO（2.8%），不含SnO_2。渣玻璃基体主要成分为SiO_2、PbO和CaO。Q1710T0114③：1渣层不均匀，PbO含量（8.3%～22.1%）、CuO含量（2.9%～27.6%）和SnO_2含量（bdl～31.1%）均有较大波动，部分区域可见高PbO玻璃中包含大量聚集的氧化亚铜晶体（图3.8.3，6），此外也可见含有大量二氧化锡晶体的青铜颗粒。

表3.8.3　小嘴坩埚与炉壁残块渣层化学成分表

序号	编号	Na_2O	MgO	Al_2O_3	SiO_2	P_2O_5	K_2O	CaO	TiO_2	FeO	SnO_2	CuO	PbO
1	G1-JPG 3：18	bdl	0.9	6.1	9.4	2.7	bdl	4.3	bdl	1.0	41.0	11.5	23.1
2	G1-JPG2：2-1	0.8	0.6	27.7	19.7	15.8	2.8	1.4	0.6	4.2	bdl	2.8	23.5
3	G1-JPG2：2-2	1.7	bdl	6.0	46.5	bdl	4.8	1.3	bdl	3.2	bdl	2.7	33.8
4	Q1710T0114③：1-1	bdl	0.7	14.4	37.1	bdl	1.4	2.9	bdl	1.6	1.1	27.6	13.2
5	Q1710T0114③：1-2	bdl	bdl	6.8	2.5	23.1	bdl	bdl	bdl	bdl	bdl	59.3	8.3
6	Q1710T0114③：1-3	bdl	0.7	15.4	42.6	0.7	2.1	4.0	bdl	2.6	bdl	17.9	13.9
7	Q1710T0114③：1-4	bdl	0.9	17.2	4.6	15.1	bdl	3.0	bdl	3.2	31.1	2.9	22.1

三件样品陶质部分均夹有大量磨圆度中等的石英颗粒，粒径大部分在300μm以上，较大者粒径可达0.5厘米左右（图3.8.3），应为制陶过程中加入的羼和料。黏土基质本身较为纯净，可观察到氧化铁颗粒，化学分析显示黏土的FeO和Al_2O_3含量较高，成分与本地红土的化学成分接近，属易熔黏土。G1-JPG3：18坩埚黏土基质中FeO含量（10.0%）高于另外两样品（4.8%～5.6%），靠近渣层处烧结严重并受到渣层侵蚀（图3.8.3，1；表3.8.4）。

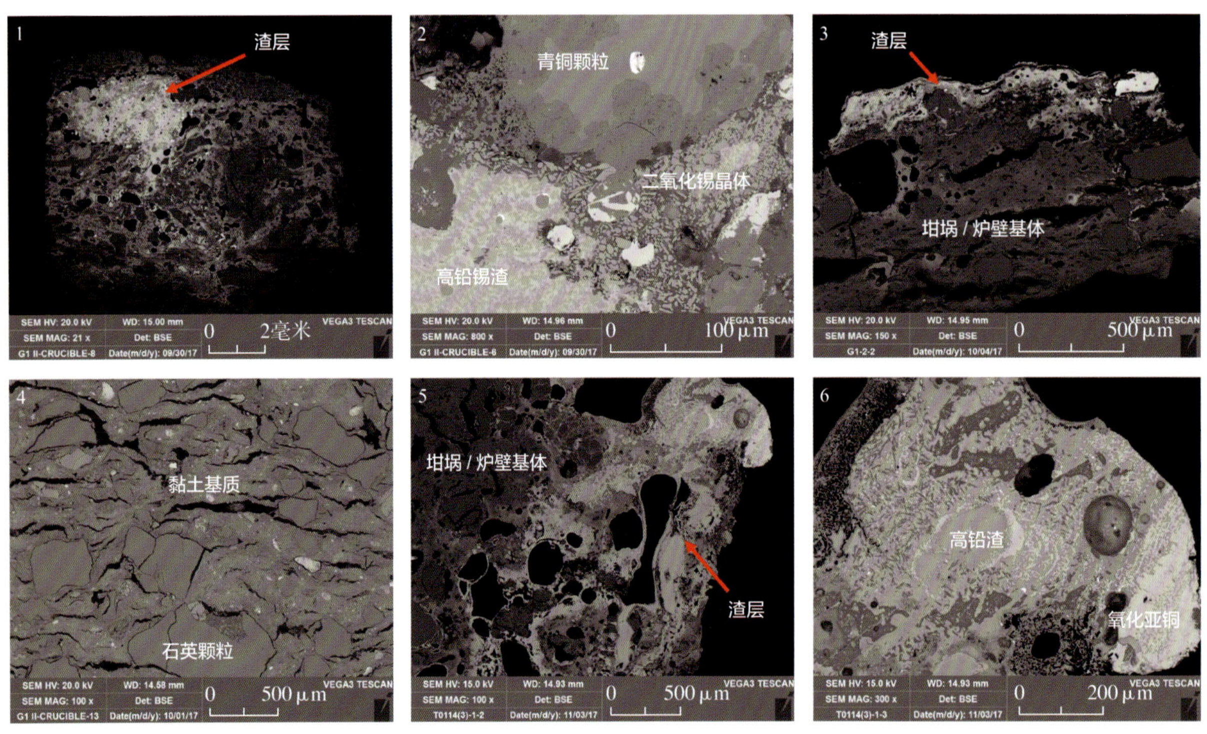

图3.8.3　小嘴坩埚及炉壁残块的扫描电镜背散射电子照片

1. G1-JPG3：18坩埚渣层　2. G1-JPG3：18坩埚渣层中青铜颗粒　3. G1-JPG2：2渣层与陶质基体
4. G1-JPG3：18坩埚陶质基体　5. Q1710T0114③：1渣层与陶质基体　6. Q1710T0114③：1渣层

表3.8.4　小嘴坩埚和炉壁残块陶质基体的平均化学成分与黏土基质化学成分表

序号	编号	种类	MgO	Al_2O_3	SiO_2	P_2O_5	K_2O	CaO	TiO_2	FeO
1	G1-JPG3：18	平均成分	0.8	29.5	54.9	2.1	1.3	0.9	1.2	9.5
2	G1-JPG2：2	平均成分	0.7	22.0	72.6	bdl	bdl	bdl	bdl	4.7
3	Q1710T0114③：1	平均成分	0.6	27.5	65.6	bdl	0.8	0.5	bdl	4.9
4	G1-JPG3：18	黏土基质	0.8	31.8	51.4	2.2	1.4	1.0	1.3	10.0
5	G1-JPG2：2	黏土基质	1.1	30.8	62.3	bdl	0.4	0.6	bdl	4.8
6	Q1710T0114③：1	黏土基质	0.5	30.7	62.2	bdl	0.8	0.3	bdl	5.6

2. 铜冶金渣

7件铜冶金渣样品中的3件（G1-JPG2：1、H42：1、H42：8）以硅酸盐基质为主，其中SnO_2、PbO和CuO含量较高，炉渣中常见棒状及菱形二氧化锡晶体、四方形马来亚石以及氧化亚铜晶体，玻璃态基质中PbO含量较高（表3.8.5）。与坩埚和炉壁残块的渣层相比，这3件冶金渣的SnO_2含量较高（47%～62.9%）而PbO含量则相对较低（3.5%～11.5%）。渣中常见青铜颗粒，但大部分青铜颗粒已经锈蚀，无法确定其化学成分。从锈蚀颗粒中残留的假晶组织可初步判断其锡含量波动很大，部分颗粒的锡含量较高（图3.8.4）。

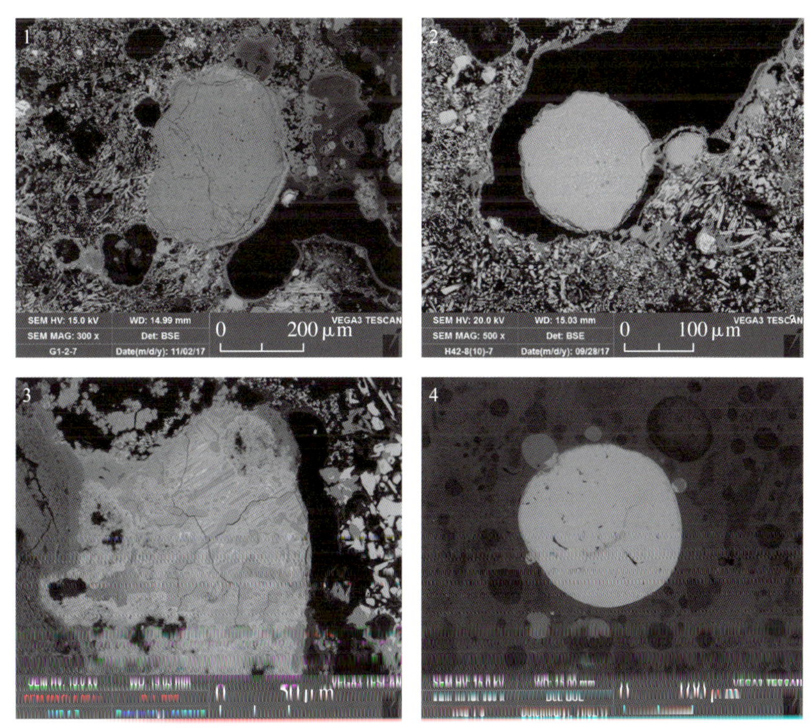

图3.8.4　小嘴铜冶金渣中的部分青铜颗粒

1. [illegible]青铜颗粒　2. [illegible]青铜颗粒
3. 完全锈蚀青铜颗粒，但从颗粒中残留的假晶可以判断其中含有大量δ相，锡含量可能达到20%～30%　4. 红铜颗粒

表3.8.5 小嘴铜冶金渣化学成分表

序号	编号	MgO	Al_2O_3	SiO_2	P_2O_5	CaO	TiO_2	FeO	SnO_2	CuO	PbO
1	G1-JPG2：1	0.8	13.4	11.9	3.1	5.5	0.5	3.9	54.9	2.5	3.5
2	H42：1	0.4	12.0	11.7	7.5	3.6	bdl	3.2	47.0	5.7	8.9
3	H42：8	bdl	11.2	3.1	6.0	bdl	bdl	4.0	62.9	1.3	11.5

另外4件样品（Q1710T0216⑤：10、H16：6、G1-JPG1：2、G1-JPG1：17）的截面有金属光泽，而显微分析显示其金属基体以及周围锈蚀层中含有大量菱形的二氧化锡晶体，与土壤埋藏环境中形成的二氧化锡锈蚀有显著差异，而与前述冶金渣样品相似（图3.8.5），其形成与高温氧化过程有关。模拟实验研究显示青铜在熔融浇铸过程中会因坩埚或熔炉内气氛的波动而发生氧化，冷却后可在金属基体上观察到二氧化锡晶体[①]。因此这几件样品可能为熔铜浇铸时铜液表层或飞溅的铜液滴与空气接触后形成的浮渣（dross）或流铜、溅铜（spillage），本书中统称为浮渣或流铜。对几件样品未遭氧化的金属基体进行扫描电镜微区分析发现其锡含量在4.9%～10.3%，其中3件的铅含量在1%以下，1件铅含量为3.7%（表3.8.6）。

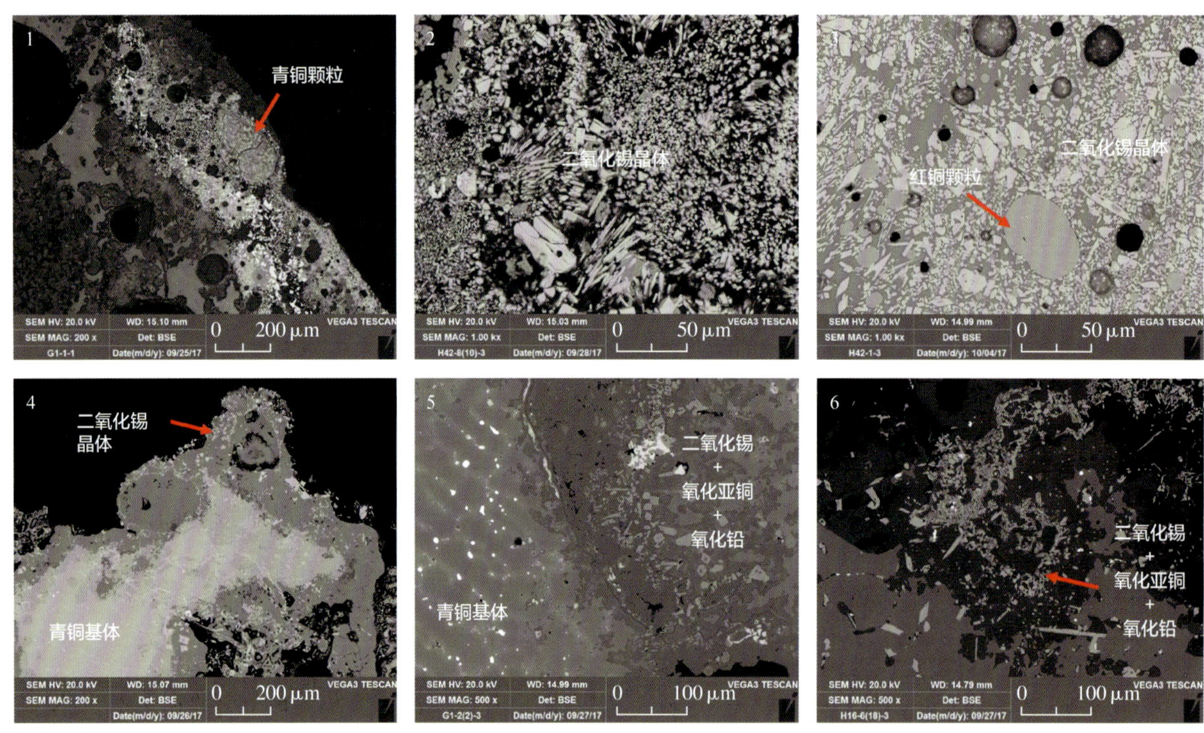

图3.8.5 小嘴铜冶金渣及浮渣/流铜扫描电镜背散射电子照片

1. G1-JPG2：1渣中青铜颗粒 2. H42：8渣中二氧化锡晶体 3. H42：1渣中二氧化锡晶体及红铜颗粒 4. G1-JPG1：17浮渣中金属基体与渣相 5. G1-JPG1：2浮渣中金属基体与渣相 6. H16：6浮渣

① Dungworth, D. Serendipity in the foundry? Tin oxide inclusions in copper and copper alloys as an indicator of production process. *Bulletin of the Metals Museum*, 2000, 32: 1-5.

表3.8.6　小嘴熔铜浮渣/流铜样品中未氧化部分的化学成分表

序号	编号	种类	Cu	Sn	Pb	O
1	G1-JPG1：17	浮渣 / 流铜	90.1	7.2	0.7	2.0
2	Q1710T0216⑤：10	浮渣 / 流铜	84.8	10.3	0.5	bdl
3	G1-JPG1：2	浮渣 / 流铜	89.0	6.7	3.7	0.6
4	H16：6	浮渣 / 流铜	91.8	4.9	0.2	3.1

3. 金属小件

18件金属小件样品均为铸造组织，部分样品中可见尺寸较大的铅颗粒，大部分样品中含有硫化亚铜夹杂（表3.8.7）。2件爵足残块（Q1710T0214⑤：5、Q1710T0315③：1）中含有大量铅颗粒，扫描电镜能谱分析显示其成分接近，均为铅锡青铜，铅含量较高（15.7%、10.4%），而锡含量相对较低（5.1%、6.4%）（图3.8.6，4）。青铜刀（G1-JPG1：8）、青铜镞（Q1710T0116④：9）和青铜器残片（Q1710T0116⑤：6）的锡含量均较高（11.4%、14.6%、14.4%），金相组织中（α+δ）共析体析出明显，而铅含量在1.1%至6.1%，明显低于爵足样品。器形不可辨识的13件铜块样品中Q1710T0116⑤：2的锡（bdl）、铅（0.5%）均较低，其金相组织显示为红铜铸造α等轴晶基体，在晶界处可见数量很少的铅颗粒（图3.8.6，1）。Q1710T0215⑤：2和G1-JPG3：2两件样品的锡含量较低，而铅含量分别为4.0%和18.2%，为铅青铜，金相组织中出现大量铅颗粒沿α等轴晶晶界分布的现象（图3.8.6，2）。

Pb-Sn二元散点图显示，小嘴第一阶段和第二阶段金属小件的化学成分没有显著差异（图3.8.7）。按器物类型进行区分则可观察到，青铜容器与青铜刀或青铜镞的铅、锡含量差别较为显著，而铜块样品成分变化范围较大，不仅存在高铅和高锡样品，还有部分样品的铅、锡含量均低于5%，与青铜器样品差异显著。

表3.8.7　小嘴金属小件器物的金相组织与化学成分表　　（单位：%）

序号	编号	种类	金相组织	Cu	Sn	Pb	O
1	G13：2	铜块	α 树枝晶，岛屿状（α+δ）共析体，铅颗粒和夹杂物弥散分布	91.9	3.9	2.9	1.3
2	G1-JPG3：2	铜块	α 树枝晶，少量岛屿状（α+δ）共析体，大量铅颗粒，较大尺寸铅颗粒弥散分布，小铅颗粒沿晶粒间界分布，铅颗粒内部可见少量夹杂物	79.1	1.5	18.2	1.2
3	Q1710T0116④：11	铜块	α 树枝晶，大量岛屿状（α+δ）共析体，少量铅颗粒弥散分布	89.6	5.3	4.1	1.2
4	Q1710T0116④：9	铜镞	α 树枝晶，网状（α+δ）共析体，少量夹杂物弥散分布，样品内部共析体部分锈蚀	83.7	14.6	1.1	0.5
5	Q1710T0116⑤：2	铜块	α 等轴晶，晶间腐蚀，晶粒内部可见四方形氧化亚铜晶体	97.8	bdl	0.5	1.8

续表

序号	编号	种类	金相组织	Cu	Sn	Pb	O
6	Q1710T0116⑤：6	青铜器残块	α 树枝晶，网状（α+δ）共析体，较大尺寸铅颗粒与夹杂物弥散分布	78.5	14.4	6.1	1.0
7	Q1710T0214⑤：5	爵足残块	α 树枝晶，少量岛屿状（α+δ）共析体，铅颗粒与少量夹杂物弥散分布，共析体锈蚀严重	78.3	5.1	15.7	0.9
8	Q1710T0214⑤：6	铜块	α 树枝晶，少量岛屿状（α+δ）共析体，少量铅颗粒与夹杂物弥散分布	91.7	3.7	3.2	1.4
9	Q1710T0215⑤：2	铜块	α 等轴晶，大量铅颗粒沿晶界分布	94.9	bdl	4.0	1.2
10	Q1710T0216⑤：5	铜块	α 树枝晶，晶间腐蚀严重	79.7	11.3	0.4	8.6
11	Q1710T0216⑤：11	铜块	α 树枝晶，少量岛屿状（α+δ）共析体，少量夹杂物弥散分布	94.7	3.0	0.8	1.1
12	G1-JPG1：8	青铜刀残块	α 树枝晶，岛屿状（α+δ）共析体，少量铅颗粒和夹杂物弥散分布	86.0	11.4	2.5	0.2
13	G1-JPG1：1	铜块	α 树枝晶，网状（α+δ）共析体，大量铅颗粒弥散分布，可见直径 50μm 以上的大铅颗粒，锈蚀区域见自由铜沉积	74.2	11.3	12.8	1.1
14	Q1710T0315③：1	爵足残块	α 树枝晶，少量岛屿状（α+δ）共析体，大量铅颗粒弥散分布，部分大尺寸铅颗粒脱落	81.6	6.4	10.4	1.5
15	H16：1	铜块	α 树枝晶，网状（α+δ）共析体，铅颗粒和夹杂物弥散分布	81.8	10.7	6.2	1.3
16	H16：2	铜块	α 树枝晶，岛屿状（α+δ）共析体，大量铅颗粒弥散分布，铅颗粒锈蚀严重	78.7	4.1	15.6	2.1
17	H16：5	铜块	α 树枝晶，少量岛屿状铅颗粒	96.4	2.3	0.7	0.6

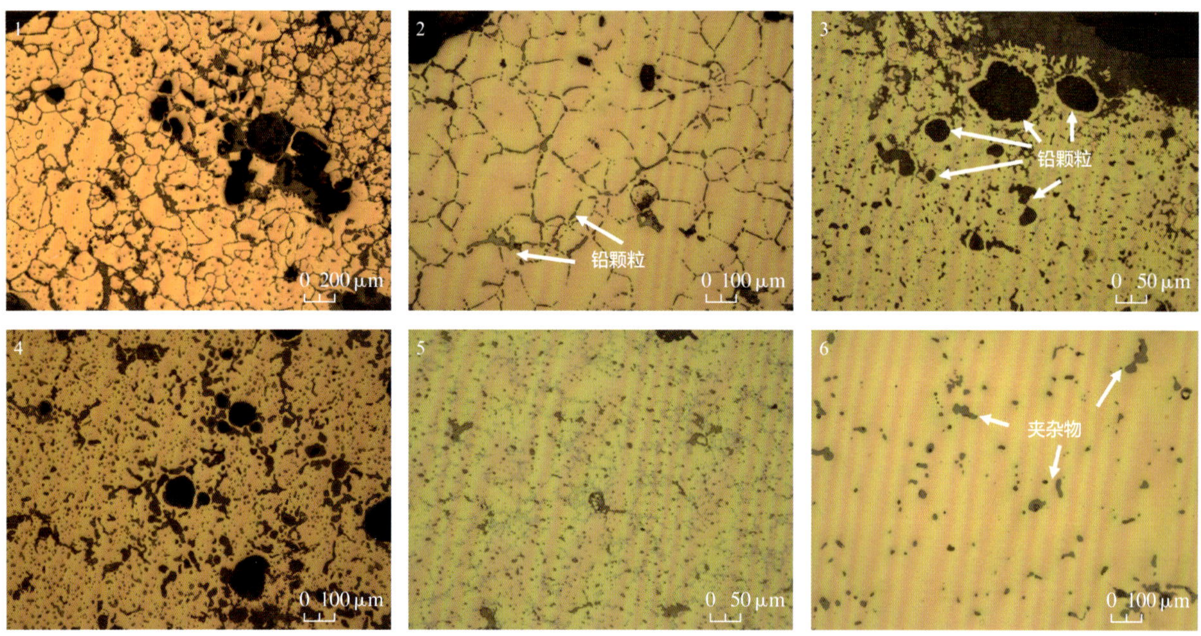

图 3.8.6　小嘴金属小件金相照片

1. Q1710T0116⑤：2红铜组织　2. Q1710T0215⑤：2铅青铜组织，大量铅颗粒沿晶界分布
3. G1-JPG1：1铅锡青铜组织，含有大尺寸铅颗粒　4. Q1710T0315③：1铅锡青铜组织
5. Q1710T0116⑤：6铅锡青铜组织，（α+δ）共析体连接成网　6. Q1710T0216⑤：11铅锡青铜组织中含有大量夹杂物

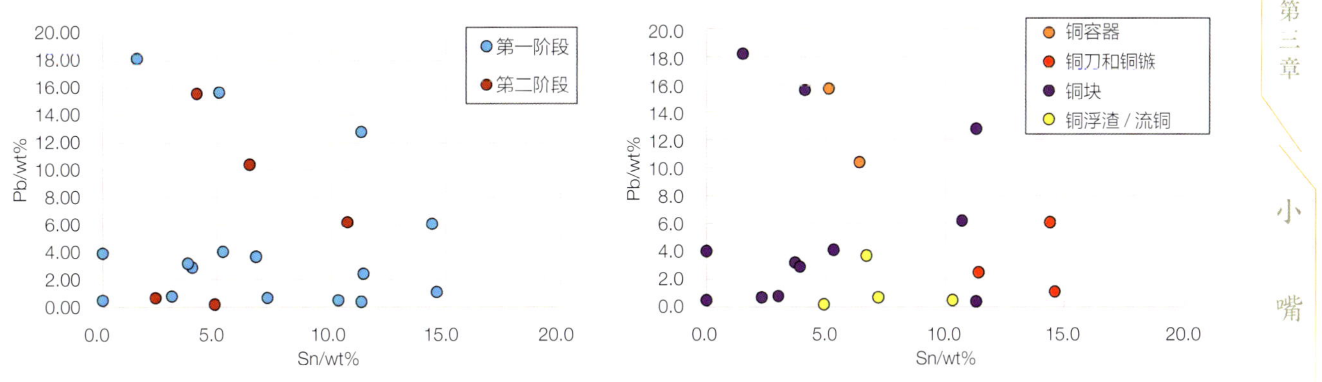

图 3.8.7　小嘴出土金属小件的铅锡二元散点图

4. 相关讨论

与青铜器不同，铜冶金渣与坩埚、炉壁、陶范等冶金遗物废弃后一般不会发生大范围的搬运，是判断古代铜冶铸生产的重要标志，也是复原冶金活动的关键依据。先秦时期铸铜遗址中最为常见的冶金遗物是熔铜或合金渣，渣体中常见团簇状分布的菱形和棒状二氧化锡晶体、方形氧化亚铜晶体、马来亚石晶体以及成分各异的铜颗粒。此类渣可在熔铜和配制合金两种冶金过程中产生。锡青铜熔化过程中如果坩埚或熔炉内的气氛氧化性较强，青铜中的锡、铅甚至部分铜会氧化进入渣中，在冷却过程中则析出形成晶体，如果氧化过程较为彻底则青铜中的所有合金元素均会氧化而只余纯铜颗粒[①]。反之当向金属铜中有意识添加金属锡、铅或其氧化物配制青铜合金时，由于反应物的残留和反应产物的二次氧化，也会形成含有铜、锡等金属氧化物的冶金渣。学界虽对如何分辨此两种过程进行过大量讨论，但目前为止仍不具有普适性的判别标准[②]，因而此类冶金渣统称为熔铜或合金渣。此外，铸铜遗址还可能出现熔铜浮渣和流铜、溅铜，后者一般仍保有金属内核，但因受到高温氧化基体内部及周围出现菱形及棒状二氧化锡晶体[③]。小嘴发现的铜冶金渣以及坩埚/炉壁内侧渣层，从化学成分到物相组成均与熔铜或合金渣相符，并发现了少量浮渣和陶范残块，确证这一区域曾发生熔铜、铸造活动。

盘龙城发掘报告及研究文章中多见有关“熔铜坩埚”的讨论，此类坩埚主要指一类器壁上薄下厚、器内作漏斗状的陶缸。徐劲松等将这些陶缸分为A、B、C三型，通过模拟实验

① 李延祥、许宏：《二里头遗址出土冶铸遗物初步研究》，《科技考古》（第二辑），第59～82页，科学出版社，2007年。

② 目前一般认为炉渣中存在超高锡青铜颗粒（Sn含量大于30%）其更可能与合金配置有关，相关讨论可见下文献及其引用的参考文献。梁宏刚、孙淑云、李延祥、佟伟华：《垣曲商城出土炉渣炉壁内金属颗粒及矿物组成的初步研究》，《文物保护与考古科学》2009年第4期；Rademakers F. *Into the Crucible: Methodological approaches to reconstructing crucible metallurgy, from New Kingdom Egypt to Late Roman Thrace*. Unpublished PhD thesis, UCL IOA, 2017: 443-448.

③ Liu S, Rehren Th, Pernicka E, Hausleiter A. Copper processing in the oases of northwest Arabia: technology, alloys and provenance. *Journal of Archaeological Science*, 2015: 53, 492-503.

认为A型和B型可用于铸铜[①]。但这些陶缸内壁大多未见因熔化铜液而产生的渣层，少数报道粘有铜渣的陶缸也未经科技检测，因此对其功能的判定尚存一定争议。小嘴出土了多件内壁附有灰绿色铜冶金渣的坩埚样品，其形制与陶缸不同，为浅腹侈口容器。本书的检测结果显示，制作坩埚或炉壁的材料为掺入了大量粗石英颗粒的高铁易熔黏土，FeO和Al_2O_3较高而SiO_2含量偏低，与盘龙城遗址出土陶器和本地生土的化学成分相似[②]。这类浅腹侈口坩埚曾发现于郧县李营遗址二里头文化时期灰坑中[③]，但似与郑州商城南关外以及紫荆山北铸铜作坊发现的坩埚存在差异。根据发掘报告，郑州商城坩埚可分为三类[④]，第一类为大口尊打掉口沿后改造而成的坩埚，内外壁均涂泥并附有较厚铜渣层，经检测确认为熔铜渣，且坩埚存在多次修补现象。第二类为粗砂质陶缸改造成的坩埚，形制为侈口、斜壁、平底或附加圈足，内壁涂泥，有渣层附着。第三类为泥质坩埚，数量很少，外壁糊草拌泥，或由草拌泥堆制而成，底径可达30～36厘米。郑州商城所见多为深腹坩埚，尺寸较大，常在内外壁进行涂泥，并有反复使用和修补形成的多层结构。笔者对南关外铸铜作坊几件坩埚内衬"泥"层的分析显示其为低黏土高粉砂质材料。这些特点均不见于小嘴坩埚，两地间坩埚制作工艺间可能存在差异。

以往已有多位学者通过郑州地区二里冈期青铜器和盘龙城青铜器成分的对比，探讨郑、盘两地青铜器生产工艺及合金元素使用模式的差异。郑州青铜器数据主要来源为田建花等分析的郑州市博物馆24件二里冈期青铜容器[⑤]，这批容器的大部分为调查采集所得，该文作者认为部分青铜器的年代可早至二里冈下层阶段[⑥]。此外，回族食品厂和南顺城街出土的部分青铜器也经过检测[⑦]，但其年代可能晚至商代白家庄期[⑧]。郝欣与孙淑云观察到盘龙城高铅青铜器显著多于郑州和晚期的殷墟青铜器，可能显示了盘龙城在使用铅料方面的特殊性[⑨]。刘睿良等比较了郑、盘两地青铜器的主微量元素含量，并通过K-S检验证明与郑州青铜器相比，盘龙城青铜器的锡含量显著偏高，可能显示郑、盘两地工匠在锡料获取难易程度与使用模式上的差异[⑩]。

将小嘴金属小件与以往发表的盘龙城青铜器化学成分进行铅锡散点作图[⑪]（图3.8.8），

---

① 徐劲松、董亚巍、李桃元：《盘龙城出土大口陶缸的性质及用途》，《盘龙城（1963～1994）》附录八，第599～607页。

② 李文杰：《盘龙城遗址普通陶器、硬陶、釉陶工艺研究》，《盘龙城（1963～1994）》附录九，第608～623页；南普恒、秦颖、李桃元、董亚巍：《湖北盘龙城出土部分商代青铜器铸造地的分析》，《文物》2008年第8期。

③ 张昌平、陈晖：《湖北郧县李营发现的铸铜遗存》，《考古》2016年第6期。

④ 河南省文物考古研究所：《郑州商城——1953～1985年考古发掘报告》，第348、349页，文物出版社，2001年。

⑤ 田建花、金正耀、齐迎萍、李功、汪海港、李瑞亮：《郑州二里岗期青铜礼器的合金成分研究》，《中原文物》2013年第2期。

⑥ 田建花：《郑州地区出土二里岗期铜器研究》，第52～56页，中国科学技术大学博士学位论文，2013年。

⑦ 河南省文物考古研究所、郑州市博物馆：《郑州新发现商代窖藏青铜器》，《文物》1983年第3期；河南省文物考古研究所、郑州市文物考古研究所：《郑州南顺城街青铜器窖藏坑发掘简报》，《华夏考古》1998年第3期。

⑧ 李维明：《郑州早商铜礼器年代辨识》，《故宫博物院院刊》2001年第2期。

⑨ 郝欣、孙淑云：《盘龙城商代青铜器的检验与初步研究》，《盘龙城（1963～1994）》附录一，第517～538页。

⑩ 刘睿良、马克・波拉德、杰西卡・罗森、唐小佳、张昌平：《共性、差异与解读：运用牛津研究体系探究早商郑州与盘龙城之间的金属流通》，《江汉考古》2017年第3期。

⑪ 以往盘龙城数据来源为：郝欣、孙淑云：《盘龙城商代青铜器的检验与初步研究》，《盘龙城（1963～1994）》，第517～538页。

结果显示小嘴二、三组青铜器的铅、锡含量整体低于相对应的盘龙城四至七期青铜器。将小嘴青铜器与以往分析的盘龙城青铜器和郑州地区二里冈期青铜器进行对比可发现，郑州青铜器的铅、锡含量大体上介于小嘴青铜器和盘龙城青铜器之间，且与小嘴青铜器更为接近。若整体考虑小嘴和已发表的盘龙城青铜器数据，郑州和盘龙城两地青铜器的成分差异似乎并不明显，盘龙城青铜器的总体锡含量累积概率曲线与郑州青铜器较为接近（图3.8.8）。

对于这一结果可有多方面解读。小嘴铜块部分可能为原料或半成品，其合金成分与成品青铜器间可能存在差异。Q1710T0116⑤：2为不含合金元素的红铜，Q1710T0116④：11、Q1710T0214⑤：6、Q1710T0215⑤：2、Q1710T0216⑤：11、G13：2、H16：5几件铜块的铅、锡含量均小于5%，而G1-JPG3：2为低锡高铅青铜（Sn<2%，Pb>10%），这些合金类型在商代二里冈期青铜器中罕见（图3.8.8）。因此不排除这些铜块尚未完成合金配置，在铸造前还需向其中添加铅、锡料以调整其合金元素含量。G1-JPG2：2-1炉壁/炉壁残块的渣层分析结果只含铜、铅两种金属，可能与处理这类低锡高铅的半成品合金有关。第二，小嘴所生产的青铜器类型与之前分析的盘龙城青铜器可能存在差异。小嘴铜块中两件爵足残块的铅含量明显高于青铜刀、青铜镞等工具和兵器残块，说明工匠可能针对不同类型器物使用不同的合金配比。目前已发表的盘龙城青铜器数据大部分为青铜礼容器，而小嘴铜块的器形大多无法辨识，考虑到其铅含量普遍偏低，可能部分为兵器和工具类制品的残块。第三，以往分析

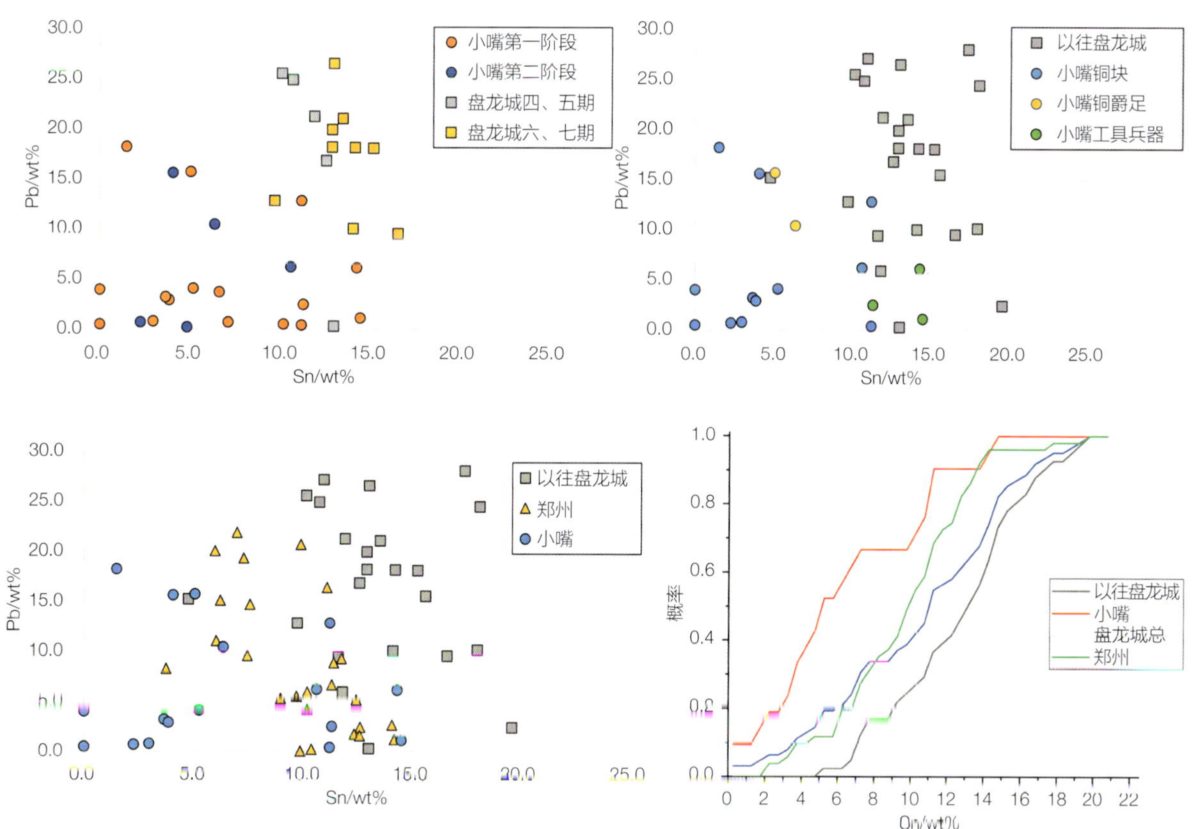

图3.8.8　盘龙城小嘴、盘龙城以往出土、郑州商城青铜器主量元素对比

（右下图为各组器物锡含量的累积概率曲线，其中“盘龙城总”为以往盘龙城青铜器数据和小嘴青铜器数据的总和）

的盘龙城青铜器样品可能尚未涵盖盘龙城遗址青铜器铅、锡含量的整体分布区间。两件爵足残块（Q1710T0214⑤：5、Q1710T0315③：1）的锡含量均低于7%，与以往分析的盘龙城青铜礼容器存在显著差异（图3.8.9），证明盘龙城可能存在锡含量较低的青铜容器。

最后，不同分析仪器间的系统误差以及器物锈蚀程度对于最终结果准确性的影响也值得注意。盘龙城发掘报告附录中青铜器化学成分分析数据分别由北京科技大学、中国科学院自然科学史研究所和日本武藏工业大学三个研究组使用扫描电镜能谱测得①。三组数据在铅锡含量散点图上差异明显，其中北京科技大学数据铅锡含量最高，自然科学史所最低，而日本数据介于二者之间（图3.8.9）。考虑到三组分析样品均以青铜容器为主，但数据依不同实验室产生聚团，可能说明各实验室分析方法间存在系统误差。实际上北京科技大学组与日本组

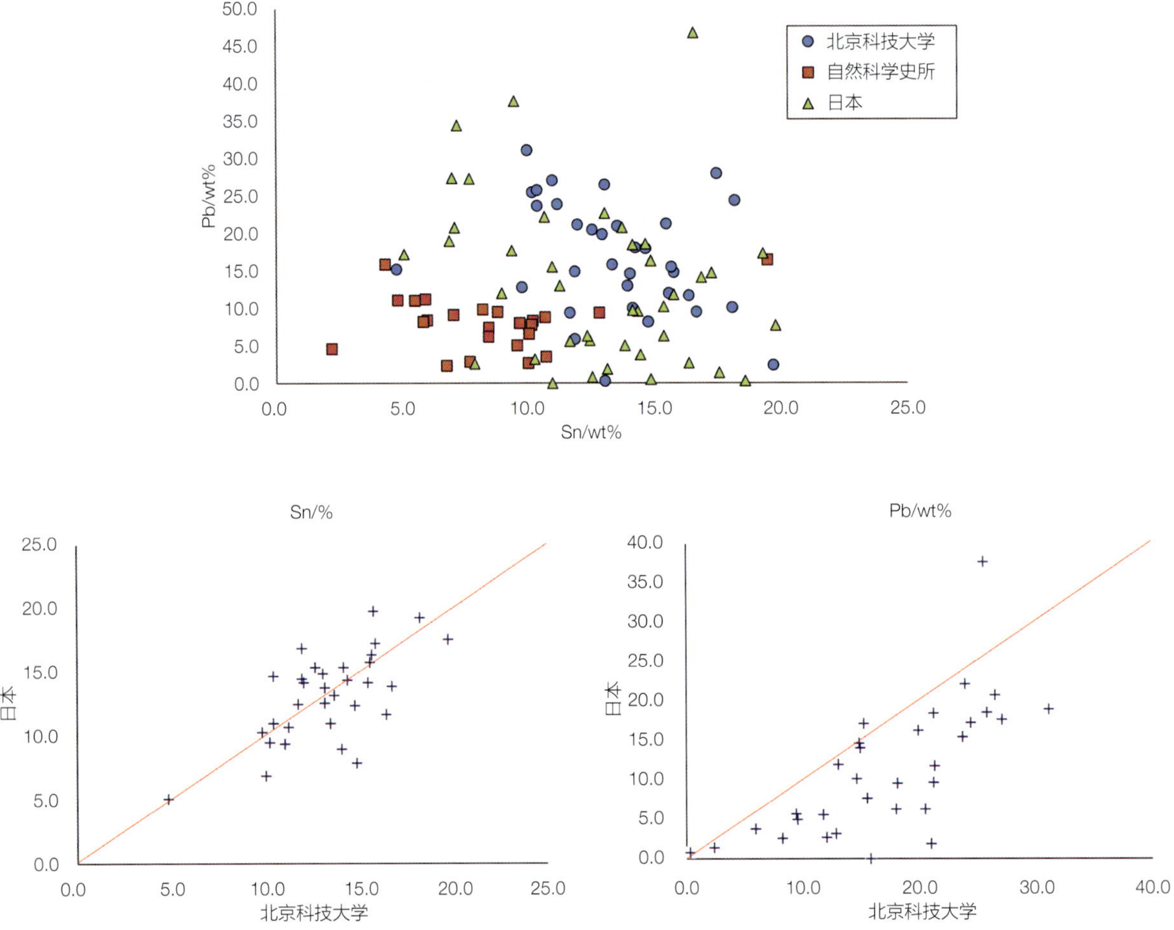

图 3.8.9　盘龙城以往出土青铜器三组分析数据对比

（下图中红色斜线斜率为1，如两组分析数据较为接近，数据点应接近该斜线，反之则远离该直线）

① 郝欣、孙淑云：《盘龙城商代青铜器的检验与初步研究》，《盘龙城（1963～1994）》，第517～538页；何堂坤：《盘龙城青铜器合金成分分析》，《盘龙城（1963～1994）》，第539～544页；陈建立、孙淑云、韩汝玢、陈铁梅、斋藤努、坂本埝、田口勇：《盘龙城遗址出土铜器的微量元素分析报告》，《盘龙城（1963～1994）》，第559～573页。

分析样品中有32件完全相同，考察这些样品的铅、锡含量数据发现两组结果间存在显著差异。锡含量的差异较为随机，数据点均匀分布在1：1斜线的两侧，少量样品的差异达5%以上，而铅含量作图显示北京科技大学青铜器数据系统性高于日本数据，部分样品的差异可达10%以上。以上讨论中“以往盘龙城数据”均为北京科技大学组数据，如更换成自然科学史所数据则与小嘴数据间的差异明显缩小，与郑州数据几乎完全吻合。由于各组均未公布仪器数据质量评估结果，目前尚无法判断哪一组数据的准确度更高。扫描电镜能谱在分析古代高铅锡青铜器时受到缺少标准参考物质、微观组织偏析严重以及样品锈蚀等诸多因素的影响，在进行不同实验室间数据的相互比较时应充分考虑分析结果本身的误差对于结论的影响。

虽然现有数据可能仍未完全概括两地青铜器的成分特征，但至少可显示盘龙城也有生产低铅、锡含量青铜器的可能。盘龙城与郑州在铅、锡料使用模式上的差异可能无法直接通过青铜器的铅、锡含量进行判断。盘龙城是否具有独立于郑州的本地青铜器生产技术传统仍然是一个值得探讨的问题，除依靠青铜器本身的铅锡含量数据进行比较外，还需要结合铸铜活动操作链的其他环节进行考察，利用坩埚、陶范等多种遗物反映的技术信息比较两地铸铜技术的异同。

上述通过对盘龙城小嘴出土青铜器、铜块、冶金渣和坩埚或炉壁的分析，确认了小嘴发掘区第一阶段（偏晚期）存在青铜熔铸活动，且可能延续至第二阶段。小嘴坩埚为本地易熔黏土掺入石英质粗砂制成，浅腹侈口，内加热使用，其形制有别于前人认定的盘龙城“熔铜陶缸”，与郑州商城出土坩埚也存在差异。小嘴青铜器中工具兵器类样品的锡含量高于容器类，而容器的铅含量明显更高，显示工匠对于不同种类器物合金成分的有意识控制。小嘴铜块中部分铅锡含量显著低于其他二里冈期器物，它们可能为铸铜原料或半成品。与以往分析的盘龙城青铜器相比，小嘴青铜器的铅锡含量偏低，显示盘龙城有生产这类合金元素含量较低器物的可能，盘龙城与郑州商城在合金技术与铅锡使用方式上是否存在差异仍需继续研究。比较不同研究组以往发表的盘龙城青铜器成分分析数据，不同实验室间的数据存在系统差异，现有数据的准确性仍需验证，在类似的比较研究中需要特别关注不同实验室间数据的可通约性。

（二）金属物料的溯源

为进一步认识小嘴出土冶铸遗存所反映金属物料的流通与交换，特别是其与墓葬和遗址出土的青铜器间的关系，我们还对上述小嘴出土冶金遗存开展了铅同位素和微量元素研究，推动盘龙城金属物料来源和本地青铜生产问题的讨论。本次共分析了11件无法分辨器形的铜块样品，1件青铜爵足残片和3件浮渣样品的铅同位素比值，并对其中的13件进行了微量元素分析（表3.8.8）。大部分样品属小嘴第一阶段偏晚期，相当于盘龙城四、五期前后，即二里冈上层一期阶段；仅3件属小嘴第二阶段，相当于盘龙城六、七期前后，即二里冈上层二期偏晚阶段。

微量元素分析在北京大学考古文博学院通过ICP-AES进行，样品去锈后称量质量，通过王水溶解后定容至100mL，溶液中不见未溶物，测试时未进一步稀释样品溶液。铅同位素分析在北京大学地球与空间科学学院通过MC-ICP-MS进行，15件样品中的14件通过扫描电镜

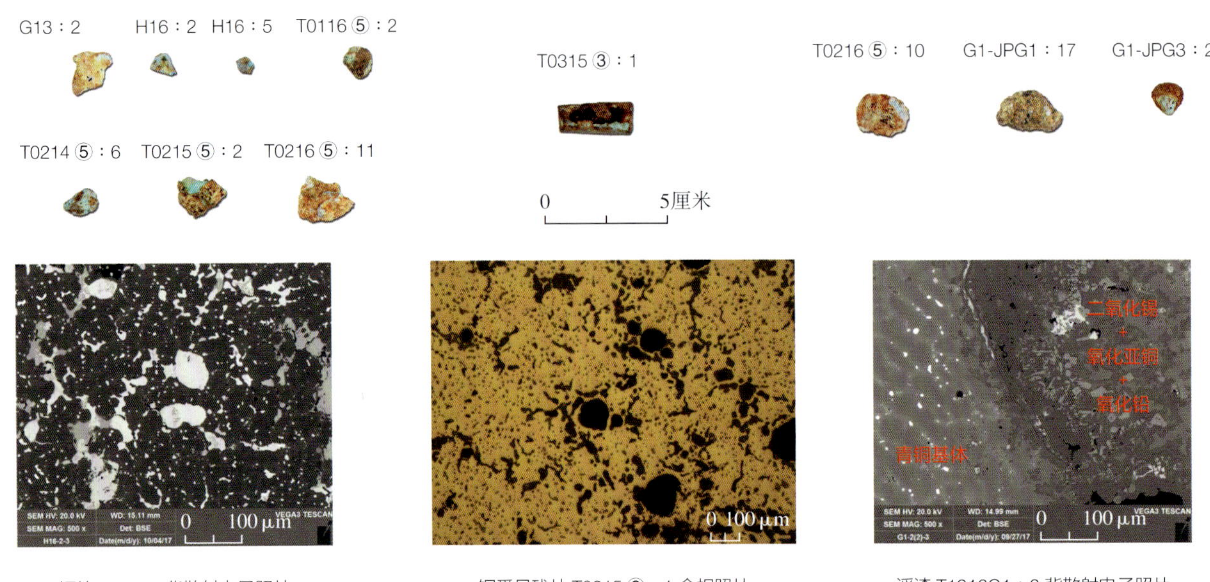

铜块 H16：2 背散射电子照片　　铜爵足残片 T0315③：1 金相照片　　浮渣 T1916G1：2 背散射电子照片

图 3.8.10　小嘴部分铜块、青铜爵足残片与浮渣的照片和显微分析

能谱分析其主量元素含量，结果已另文详细报道[①]，本书只给出代表性照片与能谱测量的铅含量结果（图3.8.10；表3.8.8）。需要说明的是，金相和扫描电镜观察显示本次分析样品均有晶间腐蚀，部分样品的锈蚀程度较为严重，会对分析结果产生一定影响。浮渣样品由于受到冶金过程中的高温氧化作用，其微量元素组成可能不同于原始的金属器物（图3.8.10）。

1. 微量元素

小嘴样品的银含量大部分高于1000ppm，最高可达3833ppm。其铋含量多在450～1000ppm，G1-JPG1：1铜块样品的铋含量达到2545ppm。除去G1-JPG1：2，剩余样品的银、铋含量具有明显的线性相关关系（图3.8.11），但银、铋与铜、锡、铅三个主量元素间无显著相关性。其余微量元素的含量均在500ppm以下，其中镍、砷、锑等具有矿源指征意义的微量元素含量均在200ppm以下。

2. 铅同位素

本次分析的铜块、青铜器残片和浮渣的$^{206}Pb/^{204}Pb$对1/Pb无线性关系，证明铅同位素比值变化与铅含量不相关。共有5件样品的$^{206}Pb/^{204}Pb$比值大于19，属高放射性成因铅，其中3件样品的铅含量大于10%。另有4件样品的$^{206}Pb/^{204}Pb$比值在16.5左右，207Pb/204Pb在15.25左右（表3.8.8），明显低于已发表的盘龙城青铜器数据，处于已发表商时期青铜器$^{206}Pb/^{204}Pb$比值的最低端。金正耀先生称这类特征物料为高比值铅，因其在用207Pb/206Pb作图时处于比值最高的一端（约0.92）。本书中均采用$^{206}Pb/^{204}Pb$为横轴作图，因此称其为“低比值组”。

① 刘思然等：《盘龙城遗址小嘴商代冶金遗物的分析与研究》，《江汉考古》2020年第6期。

表3.8.8　小嘴铸铜遗物检测样品的微量元素和铅同位素分析结果

序号	编号	类型	分期	Pb*	$^{208}Pb/^{204}Pb$	$^{207}Pb/^{204}Pb$	$^{206}Pb/^{204}Pb$	Co	Ni	As	Zn	Sb	Se	Te	Ag	Au	Bi	Sr	Cd
1	G13：2	铜块	第一阶段	2.9	38.99474	15.57293	18.69723	bdl	35	31	15	bdl	492	438	2053	bdl	611	55	bdl
2	H16：2	铜块	第二阶段	15.6	42.59856	16.05581	22.12261	bdl	28	84	3	bdl	86	352	1138	bdl	457	4	bdl
3	H16：5	铜块		0.7	38.80378	15.58171	18.58111	7	62	12	6	bdl	255	351	953	bdl	548	5	bdl
4	G1—JPG3：2	铜块	第一阶段	18.2	40.88334	15.82099	20.42775	—	—	—	—	—	—	—	—	—	—	—	—
5	Q1710T0116④：11	铜块		4.1	38.06269	15.68151	17.43161	bdl	32	169	6	72	250	478	1694	bdl	699	10	bdl
6	Q1710T0116⑤：2	铜块		0.5	41.1179	15.84776	20.53544	bdl	19	11	4	bdl	157	389	2290	bdl	727	10	bdl
7	Q1710T0214⑤：6	铜块		3.2	36.66522	15.27014	16.55799	bdl	25	71	2	142	116	367	3833	bdl	868	1	bdl
8	Q1710T0215⑤：2	铜块		4.0	39.00343	15.57307	18.70455	bdl	29	27	4	77	154	377	2072	bdl	688	4	bdl
9	Q1710T0216⑤：11	铜块		0.8	36.7326	15.31095	16.69795	—	—	—	—	—	—	—	—	—	—	—	—
10	G1—JPG2：15	铜块		—	36.6991	15.2481	16.49059	bdl	45	54	4	bdl	307	375	620	bdl	588	8	bdl
11	G1—JPG1：1	铜块		12.8	41.67997	15.92743	20.86803	bdl	89	180	2	21	136	268	2839	bdl	2545	2	bdl
12	Q1710T0315③：1	青铜爵足	第二阶段	10.4	36.55171	15.25562	16.45762	bdl	20	123	4	232	279	396	1281	bdl	561	8	bdl
13	G1—JPG1：17	浮渣	第一阶段	0.7	36.67778	15.2511	16.47894	bdl	21	9	8	bdl	344	541	520	bdl	476	15	bdl
14	Q1710T0216⑤：10	浮渣		0.5	36.93162	15.30235	16.80095	bdl	24	73	13	bdl	667	597	3318	bdl	716	12	bdl
15	G1—JPG1：2	浮渣		3.7	40.92835	15.82915	20.49273	bdl	34	39	5	74	256	328	1130	bdl	473	10	bdl

*铅含量为扫描电镜能谱分析数据；—表示未进行测试

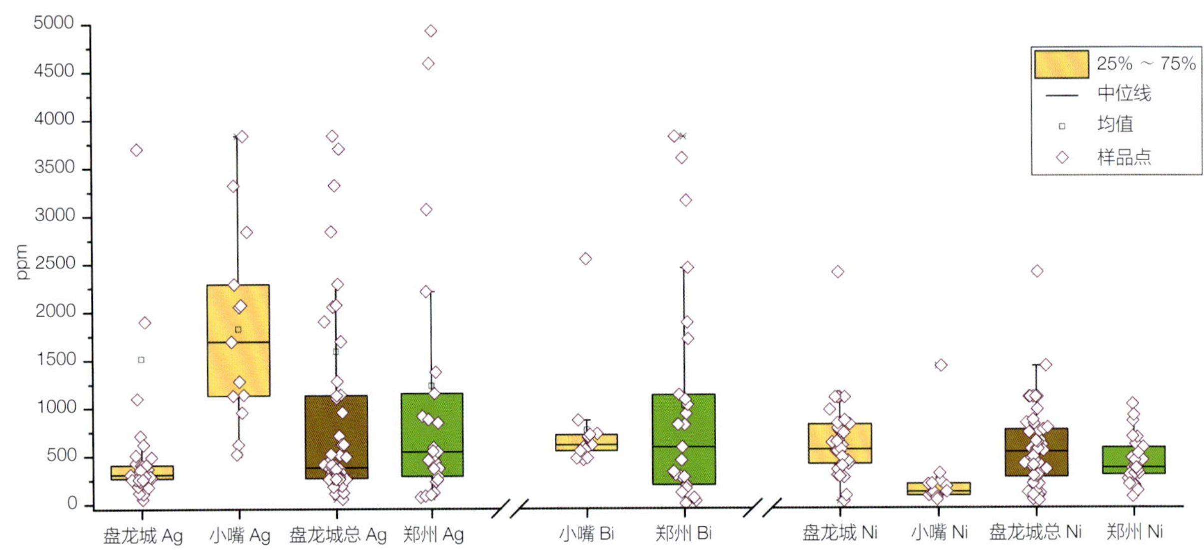

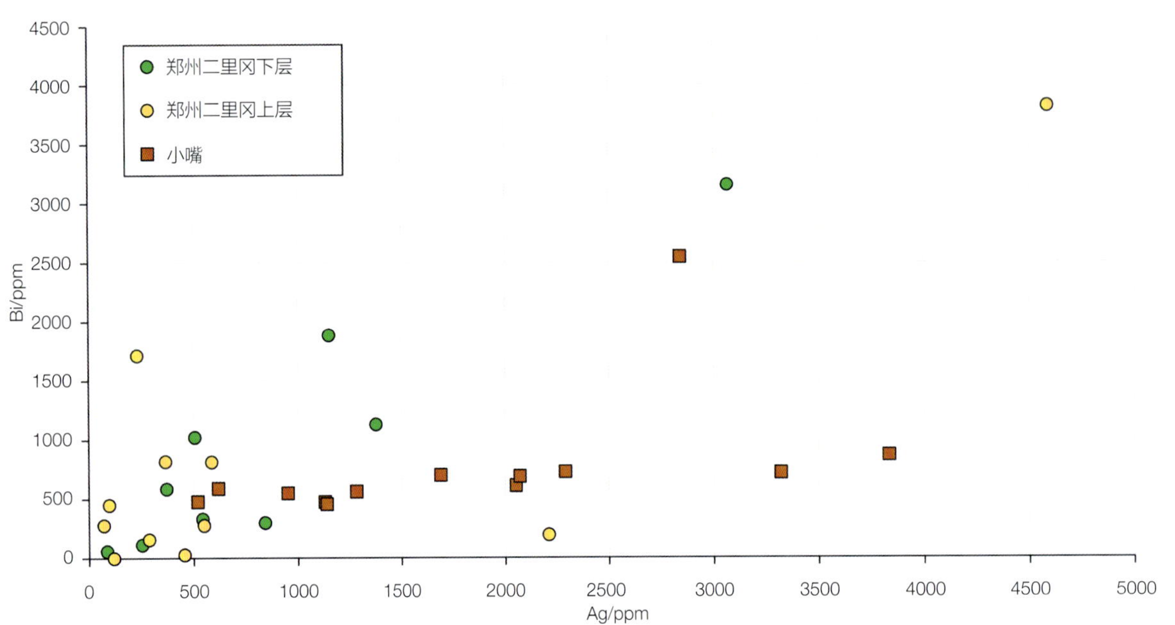

图 3.8.11　盘龙城小嘴铸铜遗物检测样品与盘龙城以往出土、郑州商城青铜器微量元素对比

这4件样品中G1-JPG2：15铜块未进行电镜分析，其余3件样品的铅含量分别为0.7%、3.2%和10.4%，显示这一铅同位素特征指示的主要是铅料来源，一件低铅样品可能显示其受到该类型铅料的混染或该铅矿源中同时含铜。

3. 相关讨论

在本研究以前，共有26件盘龙城青铜器经微量元素分析（共41个数据）[①]，34件经铅同

① 盘龙城青铜器微量元素数据来自陈建立等：《盘龙城遗址出土铜器的微量元素分析报告》，《盘龙城（1963～1994）》，第559～573页。

位素测试（共37个数据）[①]。被测青铜器中具有明确年代信息的多属于盘龙城第五期至第七期，相当于中原商文化的二里冈上层阶段，与本次检测的小嘴器物年代相仿。多位学者对盘龙城和郑州两地青铜器的微量元素和铅同位素比值进行了比较，发现两地青铜器中有相当比例样品除砷外各微量元素含量均低于1000ppm，认为它们在产源上可能具有一定共性。同时，郑州青铜器部分银含量较高，而盘龙城青铜器则有部分镍含量较高，可能分别代表了两遗址的本地金属原料特征[②]。

铅同位素分析显示盘龙城青铜器中有约60%的$^{206}Pb/^{204}Pb$高于19，同时207Pb/204Pb大于15.7，208Pb/204Pb大于40.8，Pb含量为0.3%～27.1%。学界将这种铅同位素特征称为高放射性成因铅，其主要流行于二里冈上层一期至殷墟三期，之后基本在中原地区消失，但在成都平原以及湖南宁乡地区其出现年代可晚至西周早期[③]。这种铅料的地质来源仍然存疑，目前主要的论点有西南说、秦岭说、晋南说、豫西说和北方说等[④]。多数学者认为所有商时期青铜器中的高放射性成因铅（高放铅）均来自同一个铅矿源[⑤]，但也有学者提出高放铅可能存在多个来源[⑥]，乃至存在历时性变化的规律[⑦]。总的来说，含有高放铅是二里冈上层青铜器的一个重要特征。因其地质来源可能非常有限，这类铅料在相隔遥远的盘龙城与郑州同时出现，显示两地间可能存在某种统一获取金属原料的机制。

另有约30%的盘龙城青铜器的$^{206}Pb/^{204}Pb$处于16.9～17.5，有学者提出这类物料与殷墟四期于安阳大量使用且延续至西周时期的铅料相似[⑧]。然而，对比研究显示殷墟四期出现的物料$^{206}Pb/^{204}Pb$主要在17.5以上，与盘龙城青铜器具有显著差异。崔剑锋和吴小红通过铅同位素矢量填图分析也发现具有铅同位素中间比值的盘龙城青铜器主要处于矢量填图的Ⅰ区，而殷墟晚期和西周物料主要处于Ⅱ区[⑨]。从现有夏商时期遗址的铅同位素数据来看，除盘龙城青铜器外仅部分二里头遗址青铜器和两件垣曲商城青铜器出现相似比值，其物料产源难以判断。考虑到郑州地区二里冈期青铜器中少见这类铅料，学界传统上将其视为盘龙城的特有原料[⑩]。

---

① 盘龙城铅同位素数据来自孙淑云等：《盘龙城出土青铜器的铅同位素比测定报告》，《盘龙城（1963～1994）》附录三，第545～551页；彭子成等：《盘龙城商代青铜器铅同位素示踪研究》，《盘龙城（1963～1994）》附录四，第552～558页；金正耀等：《江西新干大洋洲商墓青铜器的铅同位素比值研究》，《考古》1994年第8期。

② 刘睿良等：《共性、差异与解读：运用牛津研究体系探究早商郑州与盘龙城之间的金属流通》，《江汉考古》2017年第3期。

③ 金正耀：《中国铅同位素考古》，科学出版社，2008年。

④ Liu S, et al. Did China Import Metals from Africa in the Bronze Age? *Archaeometry*, 2018, 60: 105-117. 豫西说近年来由金正耀、金锐等人提出，参看金锐等：《商代青铜器高放射性成因铅矿料来源的调查研究》，《南方文物》2020年第6期。

⑤ 金正耀：《中国铅同位素考古》，第39～41页，科学出版社，2008年；Liu R,et al. 2019. Panlongcheng, Zhengzhou and the movement of metal in Early Bronze Age China. *Journal of World Prehistory*, 32, 393-428; Chen K, Mei J, Rehren Th, et al. Hanzhong bronzes and highly radiogenic lead in Shang period China. *Journal of Archaeological Science*, 2019, 101: 131-139.

⑥ Liu R, Rawson J, Pollard AM. Beyond ritual bronzes: identifying multiple sources of highly radiogenic lead across Chinese history. *Scientific Reports*, 2018, 8, DOI: 10.1038/s41598 018 30275 2.

⑦ 王庆铸等：《济南市刘家庄遗址出土商代青铜器的铅同位素分析》，《文物》2021年第7期。

⑧ Jin Z, Liu R, Rawson J, Pollard A M. Revisiting lead isotope data in Shang and Western Zhou bronzes. *Antiquity*, 2017, 91: 1574-1587.

⑨ 崔剑锋、吴小红：《铅同位素考古研究》，第36页，文物出版社，2008年。

⑩ 崔剑锋、吴小红：《铅同位素考古研究》，第38页，文物出版社，2008年。

郑州地区和垣曲商城青铜器中的一部分属于$^{206}Pb/^{204}Pb$比值约在16.5的低比值组，而以往盘龙城分析数据中不见此类特征。因这一比值也见于二里头遗址四期青铜器，说明这一铅源可能在中原地区从二里头文化晚期延续使用至二里冈下层阶段①。值得注意的是，田建花根据器形对她所分析的郑州地区青铜器进行了分期，发现其中属于$^{206}Pb/^{204}Pb$低比值组的器物主要处于二里冈下层阶段，9件经分析的器物中7件显示这一特征信号，而二里冈上层器物中比较罕见这类铅同位素比值②。目前仅有垣曲商城M1一件二里冈上层铜斝（M1：11）具有相近铅同位素比值③。这一现象可能反映了二里头类型铅料在二里冈上层阶段已经较少使用④。

小嘴样品的分析数据可以帮助我们进一步深化有关盘龙城金属物料来源的讨论。小嘴样品的微量元素分析显示其具有较高的银和铋含量，且银与铋含量具有一定相关性。早期盘龙城青铜器的中子活化分析数据中没有报道铋含量，但郑州二里冈期青铜器的ICP-AES分析数据显示部分青铜器的银、铋含量较高⑤。将盘龙城青铜器、小嘴样品以及郑州地区二里冈期青铜器的银、铋、镍含量进行对比，小嘴样品的银含量显著高于过往分析的盘龙城青铜器，镍含量则显著低于盘龙城青铜器，铋含量与郑州青铜器相近（图3.8.11）。如将小嘴样品和过往盘龙城青铜器数据合并，则郑、盘两地青铜器的微量元素分布差异不显著。如果只考虑郑州数据中有较为明确分期的部分，二里冈下层器物的银、铋含量也具有较强的相关性，但斜率大于小嘴样品，仅铋含量较高的G1-JPG1：1铜块与郑州青铜器较为接近（图3.8.11）。黎海超曾提出较高银含量可能是郑州二里冈下层青铜器的一个特征，至二里冈上层器物中已经较为罕见⑥。此外，二里头青铜器也显示了高银含量特征，进行过微量元素分析的29件器物中21件含量在1000ppm以上⑦。由此可见，小嘴样品的整体微量元素特征似与郑州地区二里冈下层青铜器及二里头遗址青铜器较为接近。小嘴样品与盘龙城过往青铜器的微量元素特征则存在系统差异，可能说明小嘴样品代表了一个相对集中批次的物料，而以往分析的青铜器样品较为分散，未能充分反映这一物料的微量元素特征。另一种可能则是小嘴铸铜遗址所生产器物的主体类型并非过往研究中较为关注的盘龙城礼容器，因此二者的微量元素特征存在差异。

小嘴样品的铅同位素比值在高放铅一端与盘龙城和郑州青铜器完全吻合，在另一端有3件铜块和1件浮渣样品的$^{206}Pb/^{204}Pb$比值达到16.5左右，与郑州青铜器和二里头青铜器中的低$^{206}Pb/^{204}Pb$部分较为接近，低于以往分析的盘龙城青铜器⑧（图3.8.12）。Q1710T0315③：1

① Liu R, et al. Panlongcheng, Zhengzhou and the movement of metal in Early Bronze Age China. *Journal of World Prehistory*, 2019, 32: 393-428.

② 田建花等：《郑州二里岗期青铜礼器的合金成分研究》，《中原文物》2013年第2期；金正耀：《中国铅同位素考古》，第18～32页，科学出版社，2008年。

③ 崔剑锋、佟伟华、吴小红：《垣曲商城出土部分铜炼渣及铜器的铅同位素比值分析研究》，《文物》2012年第7期。

④ 田建花：《郑州地区出土二里岗期铜器研究》，中国科学技术大学博士学位论文，第92页，2013年。

⑤ 郑州青铜器微量元素数据来自田建花等：《郑州二里岗期青铜礼器的合金成分研究》，《中原文物》2013年第2期。

⑥ 黎海超：《试论盘龙城遗址的区域特征》，《南方文物》2016年第1期。

⑦ 金正耀：《二里头青铜器的自然科学研究与夏文明探索》，《文物》2000年第1期；赵春燕等：《偃师二里头出土铜器的化学组成分析》，《中华文明探源工程文集技术与经济卷（Ⅰ）》，第372～380页，科学出版社，2009年。

⑧ 郑州铜器数据来自田建花：《郑州地区出土二里岗期铜器研究》，中国科学技术大学博士学位论文，2013年；彭子成等：《赣鄂豫地区商代青铜器和部分铜铅矿料来源的初探》，《自然科学史研究》1999年第3期。

青铜爵足残片样品断口平整，可能为人为切断待重熔的物料，而浮渣G1-JPG1：17中存在大量菱形SnO_2晶体，为高温熔融过程中形成，说明盘龙城工匠曾利用含此类铅料的青铜进行熔铸活动[①]。由于这一$^{206}Pb/^{204}Pb$比值已经处于已知商代青铜器铅同位素测试结果的最低端，其受到物料混熔的影响应较小，很可能代表了商人曾经使用的一类含铅物料的同位素特征。

通过地球化学中的Stacey-Kramers二阶段模式法计算这类矿料的地质年龄在1000Ma左右，U/Pb比值在9.0左右。根据铅构造模型（lead tectonic model）所有样品均接近或低于下地壳的演化线。该类型铅料在二里头遗址四期青铜器和二里冈下层青铜器中曾有发现。金正耀先生认为这类样品与燕齐战国货币及山东益都出土的两件岳石文化青铜器具有近似的铅同位素比值，因此其矿料来源可能在山东半岛[②]。将本次分析的小嘴样品、郑州地区二里冈期青铜器样品、以往分析的盘龙城样品以及战国燕齐货币样品的铅同位素比值与Hsu&Sabatini[③]收集的中国地质矿石铅同位素数据进行对比（图3.8.12）。郑州二里冈下层青铜器和3件小嘴样品的$^{206}Pb/^{204}Pb$比值整体仍低于燕齐货币，仅与华北地区铜铅矿石重合。这些矿石主要来自于华北特别是太行山东麓北段以及山西、河北北部太行山与大兴安岭交界地区的成矿带，盘龙城所处的长江中下游成矿带则未见类似矿料。目前已分析的瑞昌铜岭遗址炉渣、矿石及九瑞成矿带矿石样品的$^{206}Pb/^{204}Pb$比值均在17.5左右或以上[④]。考虑地质成矿背景及此类青铜器的主要发现区域，该类金属物料的产地应在中国北方地区，但其是否与燕齐货币同源仍需要在今后的研究中进一步考察。

郑州现有数据中具有低$^{206}Pb/^{204}Pb$比值的青铜器主要见于二里冈下层阶段，而小嘴样品则均属二里冈上层阶段，二者间的时间错位说明盘龙城可能在中原地区基本停止使用该类铅料时仍在利用其进行青铜生产。垣曲商城M1：11青铜斝为二里冈上层器物，但垣曲商城器物的铅同位素比值整体分布趋势与郑州和盘龙城均存在一定差异，其主要分布区间（$^{206}Pb/^{204}Pb=17.6\sim18.0$）内罕见其他二里冈期器物，且垣曲二里冈上下层器物的区别不大（图3.8.13），其金属料供应模式可能与郑州及盘龙城存在一定差异。

基于现有数据可以对这一类物料的流通机制及其在盘龙城铸铜手工业中的角色做一假设。如果低比值铅料在二里冈上层阶段于中原地区已不再流行，那么盘龙城直接从北方获取该物料的可能性较小，其来源更可能是未用尽的早期原料或重熔年代较早的青铜器制品。中原商文化南下扩张进入长江流域的时代为二里冈下层阶段[⑤]，可能向南方输送了一批早期青铜器或原料。它们可能被作为一种资源在盘龙城被反复重熔和再利用，并在二里冈上层阶段于小嘴形成了携带这一铅同位素比值特征的青铜器残片和浮渣。但必须说明的是，以上推理是建立在郑州地区自二里冈上层阶段即停止使用低比值铅物料的基础之上。郑州已发表的青铜器数据有限，是否可能存在部分郑州地区的二里冈上层青铜器也使用了类似物料仍需要进

① 刘思然等：《盘龙城遗址小嘴商代冶金遗物的分析与研究》，《江汉考古》2020年第6期。

② 金正耀：《二里头青铜器的自然科学研究与夏文明探索》，《文物》2000年第1期；金正耀等：《战国古币的铅同位素比值研究——兼说同时期广东岭南之铅》，《文物》1993年第8期。

③ Hsu Y-K, Sabatini BJ. A geochemical characterization of lead ores in China: An isotope database for provenancing archaeological materials, PLoS One 14. DOI 10.1371/journal.pone.0215973, 2019.

④ 邹桂森：《江西瑞昌铜岭遗址商代冶金考古综合性研究》，北京科技大学博士学位论文，2019年。

⑤ 孙卓：《商时期中原文化在江汉地区的影响历程》，《江汉考古》2019年第3期。

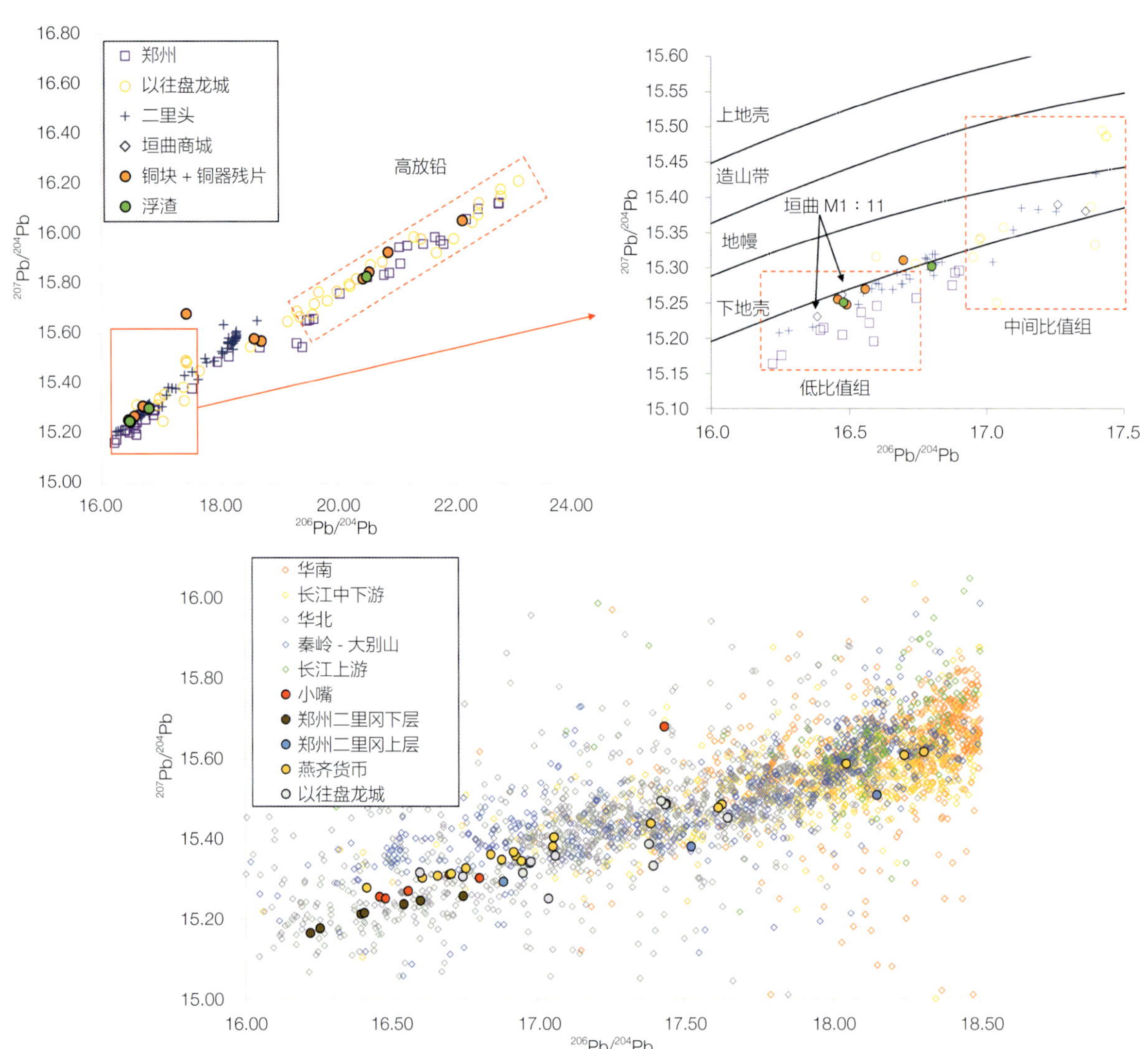

图 3.8.12　盘龙城小嘴铸铜遗物检测样品与盘龙城以往出土、郑州商城、垣曲商城、二里头青铜器及矿石同位素数据对比

一步验证。如果郑州地区在二里冈上层阶段仍在使用此类物料，则盘龙城更可能通过与中原地区的互动获取这种物料。

考虑到二里冈期青铜器铅同位素比值在以$^{206}Pb/^{204}Pb$为横坐标、$^{207}Pb/^{204}Pb$和$^{208}Pb/^{204}Pb$为纵坐标的两张图上均呈线性分布，极端情况下只需要两个主要的矿源（高放矿源和低比值矿源）即可通过混合形成其间的任意比值，因此不排除以往盘龙城青铜器中“本地特色”的中间比值组（$^{206}Pb/^{204}Pb$=16.9～17.5）（图3.8.13）为低比值物料混入少量高放铅物料后的结果。该图也显示中间比值组与低比值组之间还存在一些未能归组的样品，两组间可能并不存在清晰的分界。这一组青铜器只见于盘龙城而不见于郑州可能是因为郑州二里冈下层阶段罕见高放铅，而二里冈上层阶段罕见低比值铅，只有盘龙城遗址同时使用这两种物料，因此可以通过混合获得中间比值组器物。如果这一假设成立，盘龙城青铜器中这种北方物料所占比重可能十分可观。

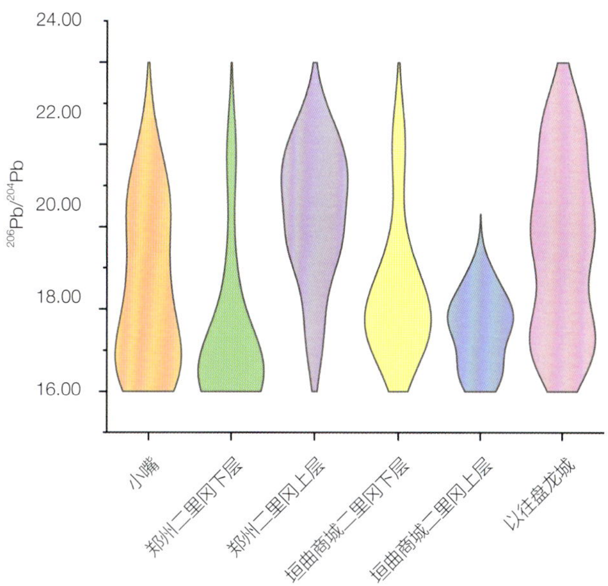

图 3.8.13　盘龙城小嘴铸铜遗物检测样品与盘龙城以往出土、郑州商城、垣曲商城青铜器铅同位素小提琴图对比

综上，盘龙城在二里冈上层阶段使用的低比值组铅和高放铅产源可能均不在长江中下游地区[①]，显示盘龙城铸铜所用物料可能有相当比例来自区域以外。如果盘龙城作为长江中下游铜料北运中枢的角色成立，那么盘龙城人在自身的铸铜活动中可能并不十分依靠本地向外输出的物料，而更多利用外界输入的含铅金属物料乃至重熔成品青铜器，这一现象背后的资源流通与管理机制值得进一步深入研究。

小嘴铜块、青铜器残片和浮渣样品的微量元素和铅同位素特征与以往分析的盘龙城青铜器存在一定差异，可能代表了一个较为特殊的物料批次。小嘴样品的铅同位素分析显示其中有三分之一属高放射性成因铅，另有约三分之一具有较低的铅同位素比值，^{206}Pb/^{204}Pb在16.5左右。这类低比值物料可能来自中国北方地区，且在中原地区流行时间早于盘龙城，可能以青铜器成品或原料的形式在中原商文化南向扩张阶段来到盘龙城，并在二里冈上层阶段被重熔铸造成新的青铜器。以往盘龙城分析数据中具有本地特征的中间比值组物料可能通过该类低比值物料混入少量高放铅后获得。盘龙城青铜器和铸铜遗物中的金属物料可能部分来源于长江中下游以外地区。

（三）木炭树种鉴定

小嘴发掘区同时发现不少的木炭样本。不少样本在发掘时可见明显地被切割的迹象，怀疑为人工所用木材遗留。为进一步认识小嘴发掘区出土木炭样本种属，以此认识冶铸遗址生产所用木材情况，我们随机采集8份木炭样本，进行了树种鉴定。

我们将采集的木炭样品用双面刀片从木炭上切出横、径、弦三个方向的切面，先在具有反射光源、明暗场、物镜放大倍数为5倍、10倍、20倍、50倍的Nikon LV150金相显微镜下

① 虽然存在高放铅产源长江中下游说，但并非目前学界的主流观点。

观察、记载木材特征，根据《中国木材志》[①]、《中国主要木材构造》[②]、《中国竹材结构图谱》[③]等主要书籍对树种木材、竹材特征的描述和现代木材、竹材的构造特征进行树种的鉴定。主要观察如下构造特征：木材横切面上年轮的缓急变化、管孔的大小、形状、数量及其排列的形式、木射线的宽度和数量、薄壁组织的清晰度和配列型式、侵填体、树脂道或树胶道的有无；弦切面上木射线的高度、宽度、木射线的叠生；径切面上导管或管胞壁上纹孔列数、排列方式，射线组织形态，木射线与导管或管胞交叉场纹孔、螺纹加厚等特征[④]。然后将木炭样本粘在铝质样品台上，样品表面镀金，在Quanta 650扫描电子显微镜下进行拍照。鉴定结果如下。

8份木炭样品中154块大于2毫米的木炭经鉴定，分别属于栎属（*Quercus* sp.）、豆梨（*Pyrus calleryana*）、柿属（*Diospyros* sp.）和一种未鉴定的阔叶树以及2种竹子。

这4个树种的构造特征分别如下：

1）栎属

从横切面上看：生长轮甚明显；环孔材；导管横切面为圆形及卵圆形，部分具侵填体。早材至晚材急变；晚材管孔通常略小，单管孔，径列，轴向薄壁组织量多，①主要为星散-聚合及离管带状，宽1～3细胞，排列不规则，弦向断续相连；②间呈星散状；③环管状偶见。木射线中至密，分宽窄两类；①窄木射线极细。②宽木射线被许多窄木射线分隔（图3.8.14，1）。从径切面上看：单穿孔；管间纹孔式互列，圆形及卵圆形。薄壁细胞端壁节状加厚多而不明显；部

表3.8.9　小嘴木炭鉴定结果

样品号	时代	数量（块）	种属	科
Q1710T0216⑤	二里冈上层一期偏晚	6	未鉴定阔叶树	
H42	二里冈上层一期偏晚	3	豆梨	蔷薇科
		4	柿属	柿科
		7	栎属	壳斗科
H42	二里冈上层一期偏晚	42	栎属	壳斗科
H46	二里冈上层一期偏晚	2	未鉴定阔叶树	
G1-JPG2	二里冈上层一期偏晚	78	栎属	壳斗科
H53	二里冈上层一期偏晚	2	栎属	壳斗科
H54	二里冈上层二期偏晚	1	竹子	竹亚科
H9：3	二里冈上层一期偏晚	9	竹子	竹亚科

① 成俊卿、杨家驹、刘鹏：《中国木材志》，中国林业出版社，1992年。
② 腰希申：《中国主要木材构造》，中国林业出版社，1988年。
③ 腰希申、庹铁梅、马乃训、王宇飞、李旸：《中国竹材结构图谱》，科学出版社，2002年。
④ 王树芝：《木炭在考古学研究中的应用》，《江汉考古》2003年第1期。

分含树胶；晶体未见。射线组织同形。射线-导管间纹孔式通常为刻痕状，少数肾形或类似管间纹孔式，通常直立或斜列（图3.8.14，2）。从弦切面上看：木射线分宽窄两类，①窄木射线通常单列（稀2列或成对），高1～25细胞或以上，多数5～15细胞。②宽木射线（一部分似半复合射线）最宽处宽至许多细胞，高至许多细胞（图3.8.14，3）。

2）豆梨

从横切面上看：生长轮明显；散孔材；宽度略均匀。导管横切面通常为卵圆形，单管孔，极少呈径列复管孔（2个），有时弦列成对。轴向薄壁组织星散-聚合及星散状（图3.8.15，1）。从径切面上看：导管螺纹加厚缺如，单穿孔，射线-导管间纹孔式；薄壁细胞端壁节状加厚明显，含树胶；菱形晶体偶见；射线组织同形（图3.8.15，2）。从弦切面上看：单列射线数少，高1～10细胞或以上，多列射线宽2（间或3）细胞，高4～38细胞或以上，多数10～20细胞，同一射线内间或出现2次多列部分（图3.8.15，3）。

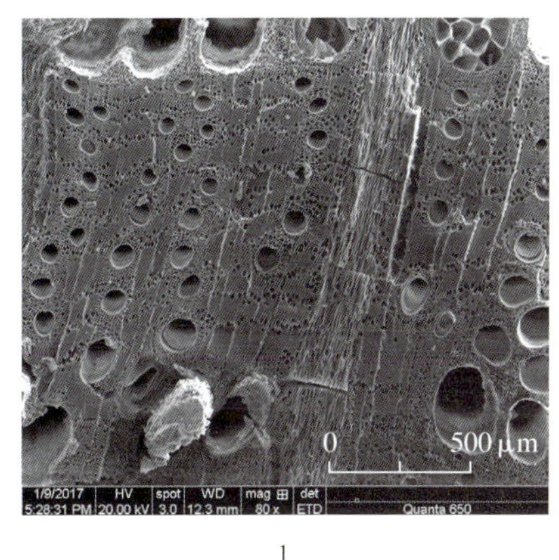

1

2

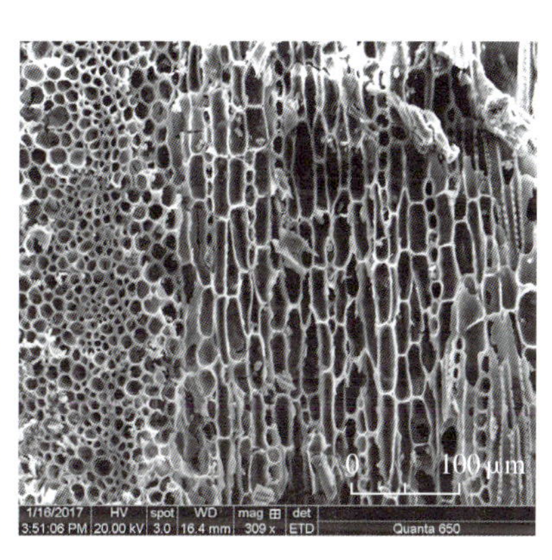

3

图 3.8.14 小嘴栎属木炭样品

1. 横切面 2. 径切面 3. 弦切面

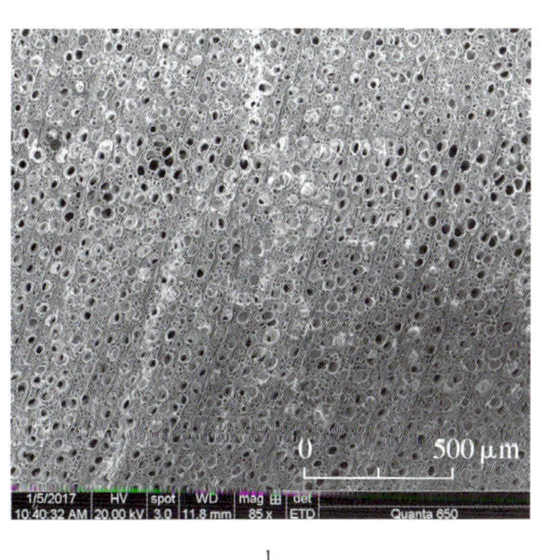

1

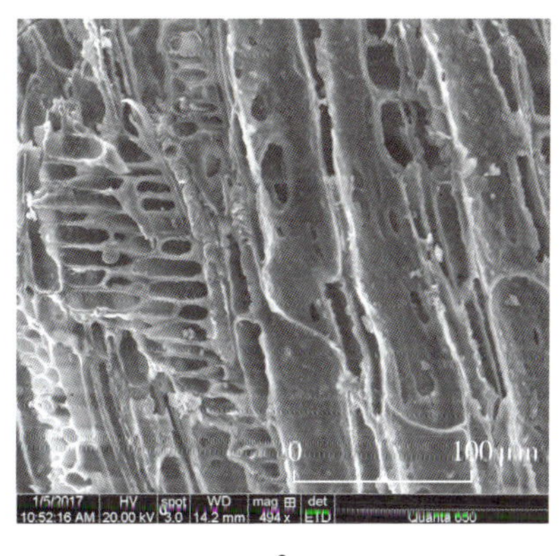

2

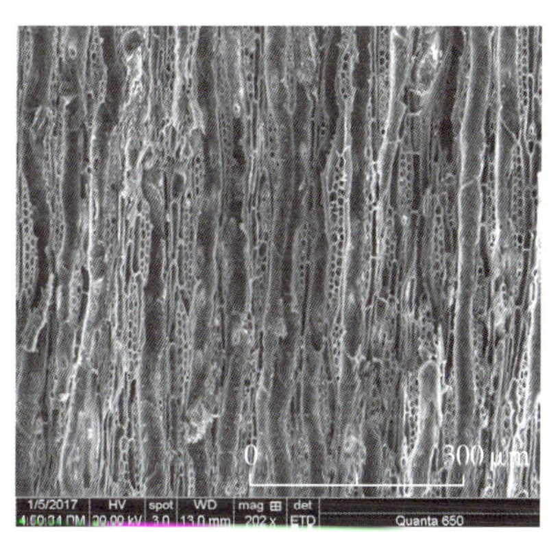

3

图 3.8.15 小嘴豆梨木炭样品

1. 横切面 2. 径切面 3. 弦切面

3）柿属

从横切面上看：生长轮略明显；通常为散孔材，或至半环孔材。管孔略少，中等大小，少数略大，自生长轮内部往外有逐渐减少减小趋势，分布欠均匀；导管在横切面上为圆形及卵圆形，径列复管孔（2~6，多数2~4个）及单管孔，稀呈管孔团。轴向薄壁组织离管弦向排列，细而密，兼呈傍管状。木射线稀至略密，极细至略细（图3.8.16，1）。从径切面上看：螺纹加厚缺如。单穿孔。射线组织主为异形Ⅱ型，稀Ⅲ型（图3.8.16，2）。从弦切面上看：木射线叠生；单列射线高1～11细胞或以上。多列射线通常宽2～3细胞，高3～29细胞或以上，同一射线内间或出现2次多列部分（图3.8.16，3）

4）未鉴定阔叶树

从横切面上看：生长轮略明显；为散孔材。管孔略少，中等大小；导管在横切面上为圆形，多数单管孔，极少复管孔（2~3个）。轴向薄壁组织呈傍管状。木射线略密（图3.8.17，1）。从径切面上看：螺纹加厚缺如；单穿孔。射线组织主为异形Ⅱ型，稀Ⅲ型（图

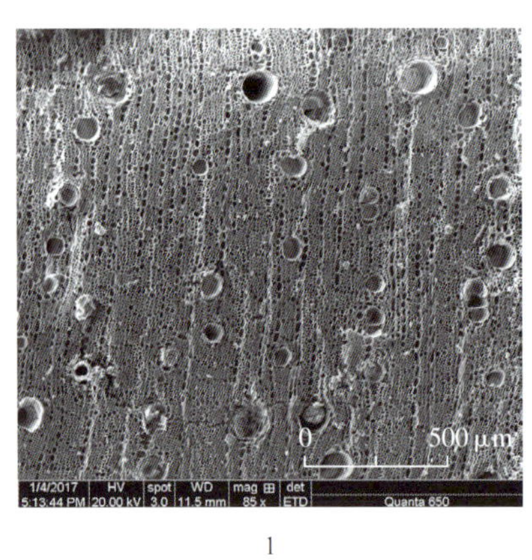

1

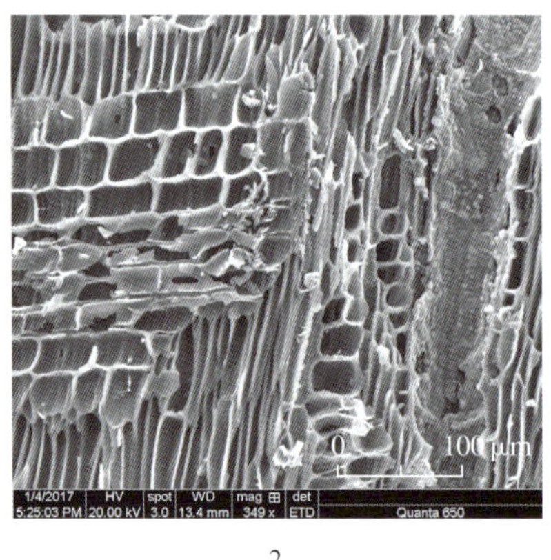

2

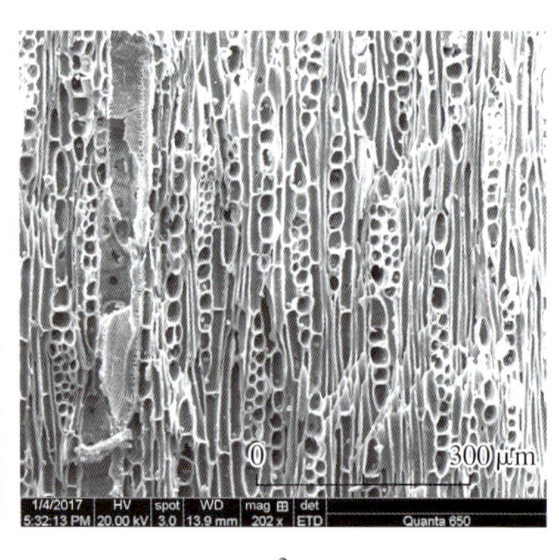

3

图 3.8.16　小嘴柿属木炭样品

1. 横切面　2. 径切面　3. 弦切面

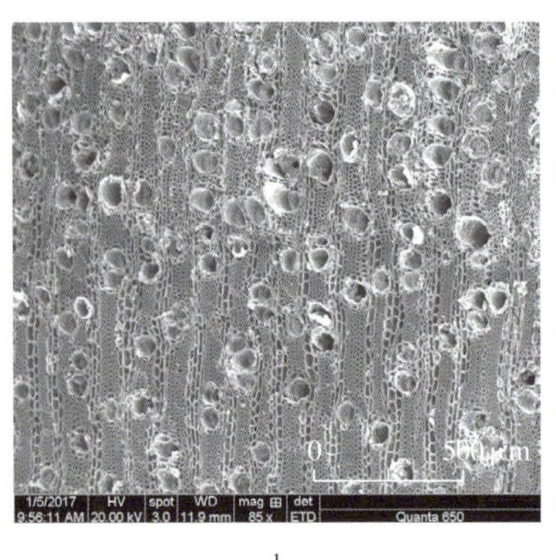

1

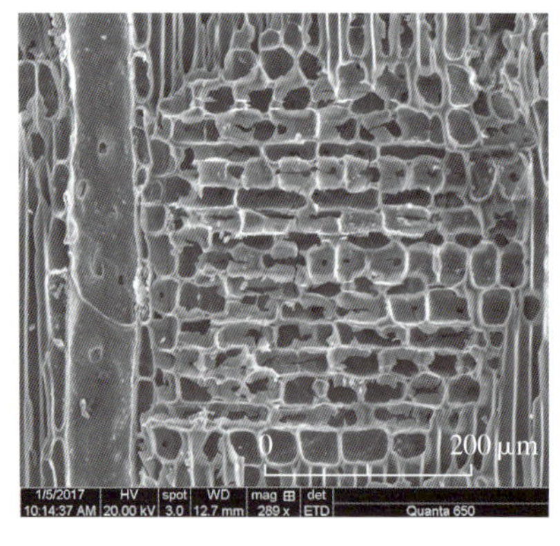

2

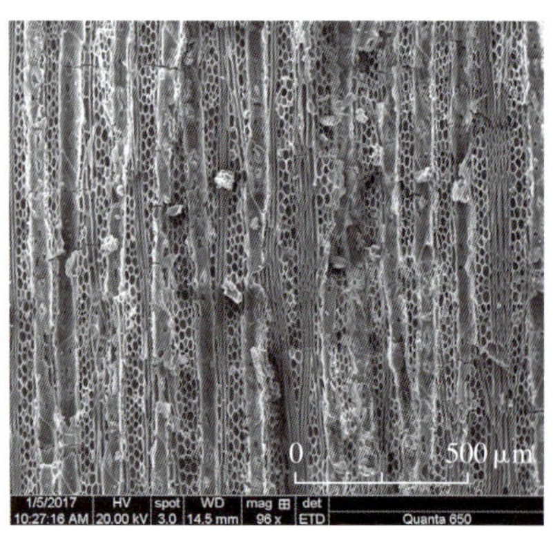

3

图 3.8.17　小嘴未鉴定阔叶树木炭样品

1. 横切面　2. 径切面　3. 弦切面

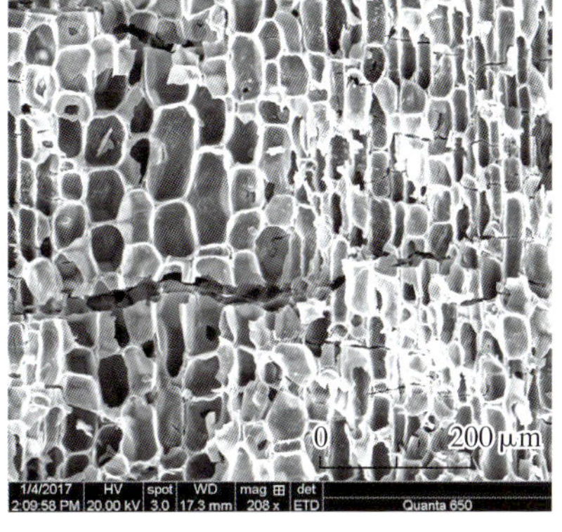

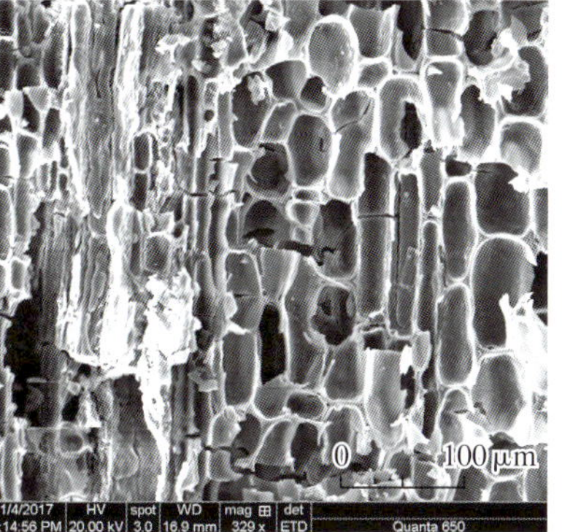

1 2 3

图 3.8.18 小嘴开放型维管束竹子木炭样品

1. 横切面 2. 径切面 3. 弦切面

3.8.17，2）。从弦切面上看：木射线叠生；单列射线极少。多列射线通常宽2～3细胞，高50细胞或以上（图3.8.17，3）。

5）竹亚科（Bambusoideae）

竹亚科木炭横切面维管束多数为开放型，维管束仅由一部分组成，没有纤维股的中心维管束，支撑组织仅由硬质细胞鞘承担，细胞间隙中有侵填体（图3.8.18，1；图3.8.19），外部维管束为半开放型，中部维管束为开放型。径切面和弦切面的薄壁细胞相同（图3.8.18，2；图3.8.18，3）。另一种维管束多数为半开放型，不存在纤维股，但侧方维管束鞘与内方维管束鞘相连（图3.8.20，1），径切面和弦切面的薄壁细胞相同（图3.8.20，2、3）。

木质材料对人类的经济有着举足轻重的作用。建筑材料、制造各种器具的用材，加工业的原料、燃料等都来自木材。然而，并不是任何一种木材都适合于一切用途，由于不同木材的特性不同，它们各自的用途也不同。我们认为这次检测鉴定的木材既有铸铜活动使用遗留的木炭，也有日常生活使用遗留的木炭。

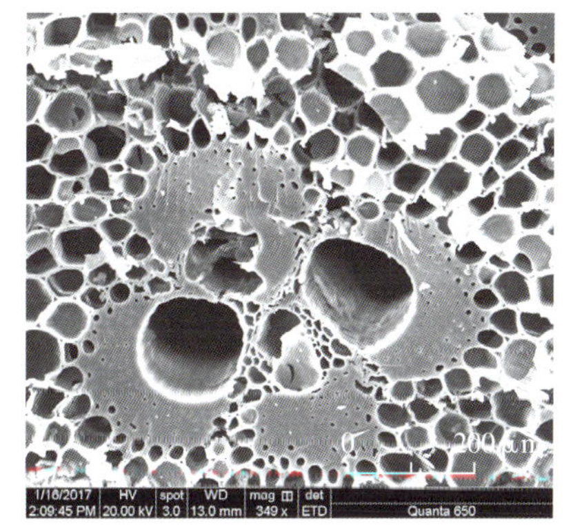

图 3.8.19 小嘴开放型维管束竹子横切面局部

其中H42取到了2份木炭样品，其中1份样品有42块木炭，经鉴定全部为栎属的木炭，另1份样品中有14块木炭，其中7块木炭为栎属的木炭，占50%，还有21%的豆梨木炭和29%柿木木炭。G1-JPG2内取到了72块木炭，经鉴定全部为栎属的木炭。栎木材强度大，耐冲击，有弹性，适于做屋架和农具，并且栎木导管中具有侵填体，颇耐腐，适合做坑木、篱柱。栎属也是具有很高的燃烧热值[1]，火力强大，燃烧持久，为优良的薪柴及烧炭用材。H42年代属于小嘴第一阶段偏晚期，坑内出土陶缸、陶范、陶片和一些砺石等石制品，应为铸铜沽

① 周泽生、董鸿运、李立：《黄土高原常见树草种热值、生物量与薪炭林的关系》，《陕西林业科技》1985年第4期。

1

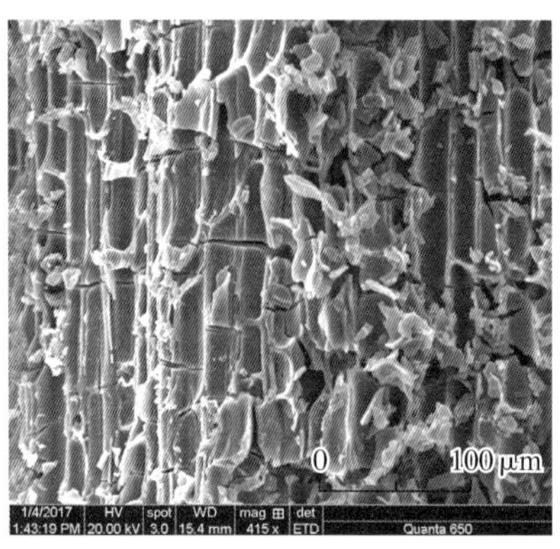

2

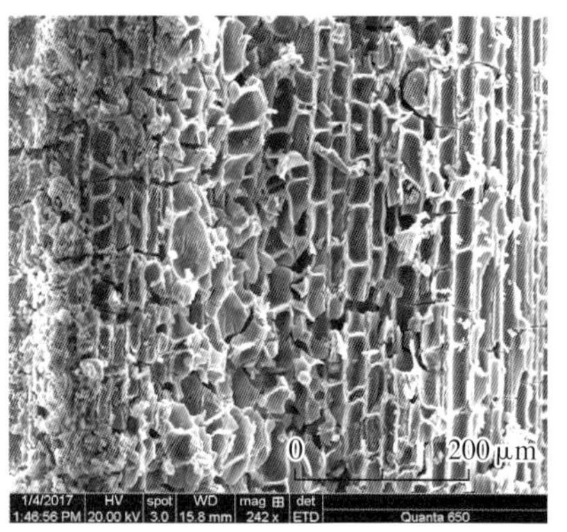

3

图 3.8.20　小嘴半开放型维管束竹子木炭样品

1. 横切面　2. 径切面　3. 弦切面

动废弃的垃圾坑。G1年代同样属于小嘴第一阶段偏晚期，G1-JPG2填土同样包含铸铜遗物，应与铸铜活动垃圾废弃相关。因此推测上述栎属木炭应与铸铜活动相关，为冶铜的燃料遗存。

此外，从现场发掘情况来看，少量炭块边缘可见平直的切面，疑似人工切割所致，经鉴定为豆梨和柿属。豆梨结构甚细，略重，略硬，木材致密，尺寸性稳定，可做各种器物，加工容易，尤适于雕刻，车旋，切面光滑，油漆后光亮性好，胶粘容易，握钉力颇大，不劈裂，适宜做木梳、伞柄、工农具柄，亦可做二胡的筒子。柿树木材纹理直，结构细，均匀；木材重，甚硬，冲击韧性高，宜做纺织木梭、木梳、伞柄、工农具柄等，因此，推测豆梨和柿属木炭可能是工具、器具的遗存。

H9、H46为小嘴第一阶段偏晚期，两灰坑未见其他冶铸生产遗物。H9取到1份样品，有9块炭，经鉴定为竹亚科的竹子，竹材的一些力学和理化性质优于木材，自古以来在人们生活中有重要作用，利用竹子可以制作或编织各种器具[①]，包括日常用具、工具、乐器、兵器、车马器的车舆与肩舆的栏杆等，也可以做燃料。因此，推测H9竹炭应该是日常燃料或日常用具、工具的遗存。H46取到1份样品，有2块木炭，经鉴定同为一种阔叶树种，很遗憾由于没有现代样本进行比对，未能鉴定，其用途不明。

H53、H54为小嘴第二阶段，属于原盘龙城报告第六、七期。两处灰坑均少见其他冶铸生产遗物。H53取到2块木炭，经鉴定为栎木木炭，根据木材的物理、力学性质推测，可能是燃料、工具、农具日常生活遗存。H54取到1块炭，经鉴定为竹亚科的竹子，应该是日常燃料或日常用具、工具的遗存。

此外，Q1710T0216第5层，属于小嘴第一阶段偏早期，未见冶铸生产遗物，取到了1份样品，有6块木炭，经鉴定同为一种阔叶树种，很遗憾由于没有现代样本进行比对，未能鉴定，用途不明。

① 王树芝、赵志军、胡雅丽：《湖北枣阳九连墩楚墓出土木质遗物的研究》，《新世纪的中国考古学（续）王仲殊先生九十华诞纪念论文集》，科学出版社，2015年。

综上所述，利用体式显微镜和电子扫描显微镜对盘龙城小嘴遗址出土的8份样品中的大于2毫米的154块木炭进行了鉴定，这些木炭分别属于栎属（*Quercus* sp.）、豆梨（*Pyrus calleryana*）、柿属（*Diospyros* sp.）和一种未鉴定的阔叶树以及2种竹子。经研究表明：铸铜活动废弃垃圾坑H42内，与铸铜活动垃圾废弃相关G1-JPG2内出土的栎木炭，为冶铜的燃料遗存，而铸铜活动废弃垃圾坑H42出土的豆梨和柿属木炭可能是工具、器具的遗存；生活垃圾坑H53出土的栎木，H54和H9出土的竹子可能是日常燃料或日常用具、工具的遗存。

三、性质

小嘴地点发掘揭露出各类遗迹包括建筑基址、灰沟、灰坑、墓葬等，其中多条长短不一的灰沟，在空间分布上纵横关联，共同构成了一处东西长达26.5米，南北延伸超过70米的大型遗迹，灰沟在发掘区西部与建筑基址、灰坑相连，这些遗迹成为分析本发掘区遗迹性质和功能的典型单位。

就灰沟的剖面结构及出土遗物而言，本次发掘所见的灰沟与此前盘龙城遗址杨家湾、杨家嘴等地点所见的“灰烬沟”遗迹具有一定的相似性，但本次发掘对此类灰沟的分布规模和空间结构相比以往有明显不同的认识：本次发掘所见的两类（大型灰沟与小型灰沟）之间存在打破关系，体现出了两类灰沟在营建过程中前后相继的出现过程，同时，同类灰沟之间在空间分布上保持着大体垂直或平行的位置关系，呈现出遗迹间明显的整体关联性。且由钻探工作可知，灰沟遗迹仍在向发掘区北、东、西三面延伸，足见此类灰沟遗迹的规模巨大。

就灰沟内包含物而言，大型灰沟内除出土有大量日用陶器碎片外，还出土有与青铜器铸造活动直接相关的遗物，包括：陶范、陶坩埚残片、青铜器残块、青铜颗粒、孔雀石、砺石、木炭块等。其中，陶范、内壁附着有明显铜液的陶坩埚残等遗物在盘龙城遗址均属首次发现。本次发掘仅对灰沟进行了分段解剖发掘，但在局部解剖沟中就发现有密集分布的陶范碎块、青铜颗粒及青铜容器残片，同时XRF原址检测亦表明，灰沟的局部区域土壤中铜元素含量显著高于周边区域。上述证据足以表明，盘龙城遗址应存在青铜器铸造生产活动，而本次发掘区所见的各类遗迹亦因与青铜器生产活动存在密切的关联。除灰沟外，本次发掘区还发掘了大量灰坑，其中以H16、H42为代表的少量灰坑出土有密集的木炭块、陶范碎块或青铜颗粒等遗物，表明其亦与铸铜活动存在紧密关联，其他多数灰坑则主要出土日用陶器碎片。

发掘区自东向西地势逐渐抬升。发掘区西部不见大型灰沟，与铸铜活动直接相关的遗物极少，不过仍可见到小型灰沟向西延伸，同时在西部发现建筑基址两座。F1附近分布窖藏及垃圾坑。F1方向为东西向，与发掘区内灰沟方向平行或垂直；且G26叠压于F1第1层下，打破第3层，即G26使用时间与F1相同；上述现象表明F1与小嘴发现的沟状遗迹应该存在功能上的联系。F1附近分布有H14、H73、H75、H76等重要灰坑，形状均比较规整。H75为袋状灰坑，H76及H14底部发现有较为完整的器物群，因此H14、H75、H76应为窖藏坑。F1附近分布有窖藏坑及大型垃圾坑，说明F1应该具有生活功能，但与灰沟之间的联系似乎暗示其不仅具有生活功能。F2位于发掘区最高点，附近分布有H101；F2与F1类似，方向及规模基本相同，且均为半地穴建筑，建造方式均为向下挖坑之后在其内垫黄土，二者在功能上亦可能相同。F2底部分布有多个石块遗迹，由多块石头集聚形成近圆形平台，而相似石块遗迹在F2范围之外亦有分布，因此这些石块遗迹应与柱础功能无关，更可能为生产操作台。在F2南部，G27、G28、G29与H101相连，连接点为H101轴端点，明显具有功能上的联系。H101内部填土较为纯净，包含物很少，其功能应非垃圾坑。G27、G28、G29仍旧是小嘴沟状遗迹向西的延伸，它们与H101连接暗示可能与生产活动有关。

目前已探明灰沟遗迹东西长度已达到70米，H101、F1和F2也与这一大型遗迹密切相关。F1、F2、H101的遗迹形态及关系显示出其与手工业生产之间的密切联系。商时期小嘴地点呈西高东低的地势，同时遗迹及地层堆积亦呈西高东低的趋势。小嘴发掘区西部地势高，生产类设施H101、F2即设置于此，发掘区中部地势次之，此处设置有F1，发掘区东部地势低，此处仅可以看到由各类灰沟组成的网络，基本不见明显具有生产功能的遗迹，同时小嘴西部至东部遗迹之间由灰沟相连接。小嘴地点遗迹布局显示出强烈的规律性。

此外，值得一提的是，本次发掘还出土有为数众多的生产工具，以砺石、磨石、石锛、石斧、石凿等石制品为大宗，同时还有铜刀、陶拍等工具。大量生产工具的出土与此前在盘龙城遗址杨家湾南坡等地点发掘过程中鲜有生产工具出土的现象形成明显差异。在小嘴H13、T0216④、F2等单位中还发现有用于某种加工活动的石制“操作台”，在盘龙城遗址以往的发掘工作中亦未曾发现，上述证据亦表明盘龙城小嘴岗地遗迹的特点与生产活动存在高度关联，而不同于普通居址或墓葬区。

综上所述，通过本次对盘龙城小嘴岗地的发掘，获得了一批与青铜器生产活动直接相关的重要遗存，遗存年代主体属于原盘龙城第四、五期，即二里冈上层文化一期前后，与盘龙城城址、宫殿区和李家嘴贵族墓葬同时。这一收获表明盘龙城遗址确实存在青铜器生产活动，亦为重新认识早期国家青铜器生产体系及盘龙城遗址的性质提供了新的材料。

第四章

小王家嘴

第一节　遗 址 概 况

一、发掘情况

小王家嘴位于盘龙湖西岸、杨家湾以北，现盘龙城遗址博物院博物馆以东（图4.1.1、图4.1.2）。该地点属于一处地势较为平缓的岗地，平均海拔26.7～27.9米，是盘龙湖沿岸几处较高的岗地之一。岗地沿岸高度呈台阶状或缓坡状递减，北、东、南三面地表被湖水侵蚀严重。小王家嘴与南边的杨家湾、北边的童家嘴隔湖相望，将湖水围成一个较为封闭的区域（图4.1.3）。与其他岗地略有不同的是，小王家嘴向湖中延伸较短，沿岸线较平缓，岗地面积较小，目前仅残余约2.5万平方米。

小王家嘴发掘点位于岗地东部，盘龙城遗址核心区外围西北处，距盘龙城遗址工作站直线距离约650米。2012年12月，对小王家嘴地点进行了全面考古勘探，在岗地东部发现青铜绿锈，初步判断为早期墓葬遗迹；随后，以2米为孔距在该区域进行了重点勘探，确定以Q1516、Q1517、Q1616及Q1617四个区域为核心的约4000平方米的墓地范围，发现商时期墓葬20座。

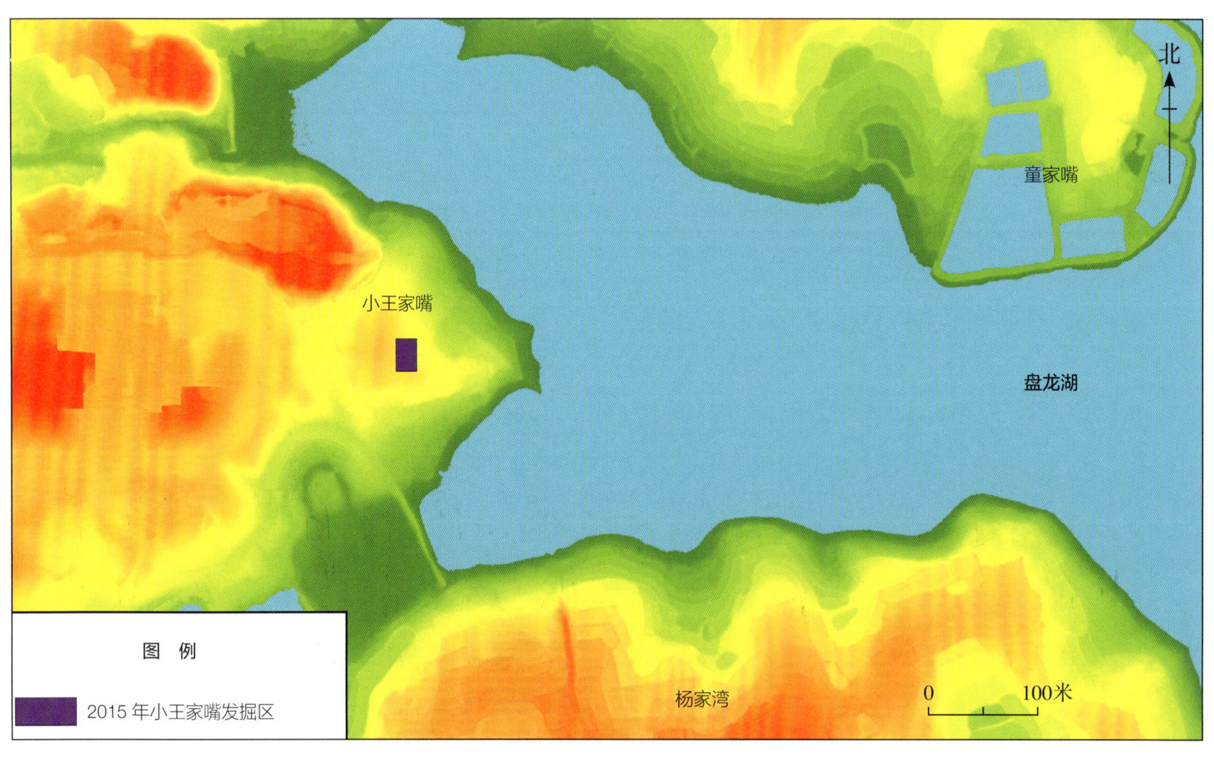

图 4.1.1　小王家嘴 DEM 地形图和发掘区位置

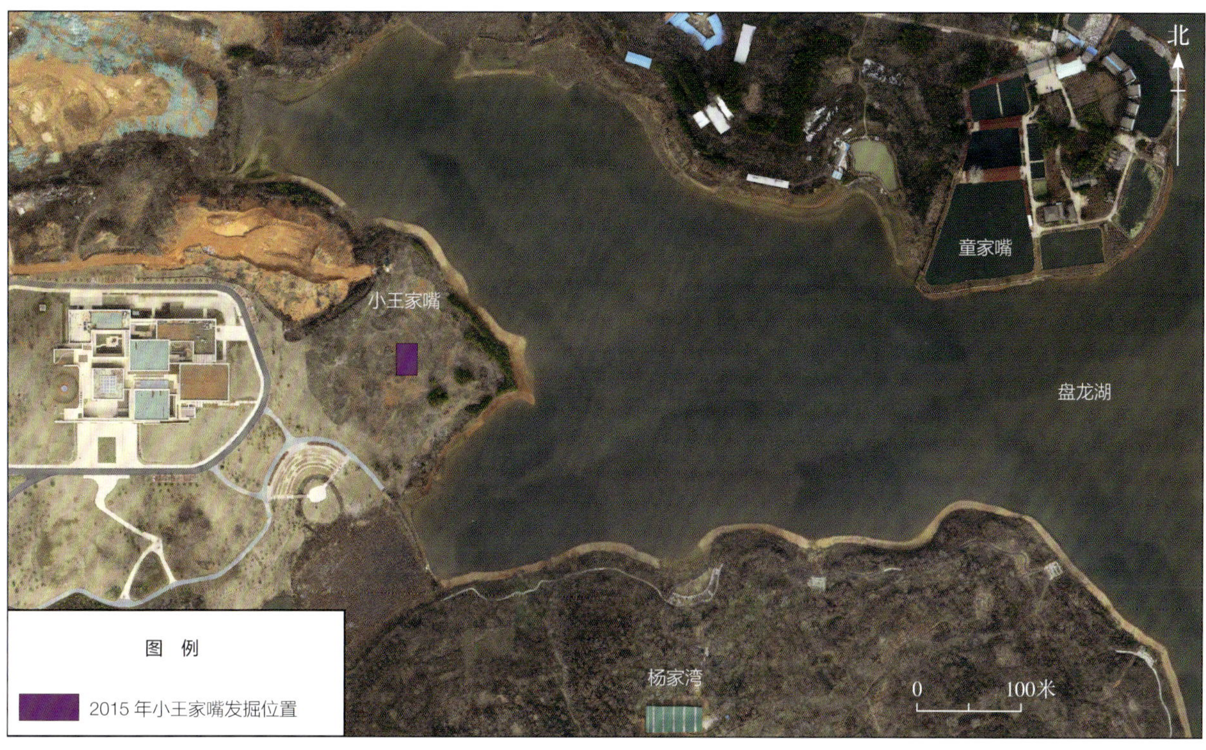

图 4.1.2　小王家嘴正射影像和发掘区位置

图 4.1.3　小王家嘴鸟瞰（上为东）

基于2012年的勘探工作成果，2015年春季对小王家嘴展开了考古发掘。发掘位置位于之前重点勘探区域的东部，即Q1517东南角。此次发掘共布设10米×10米的探方6个，呈东西两列分布，均为正南北向。探方编号分别为T0804、T0803、T0802、T0904、T0903、T0902。其中T0802南部未完全揭露，发掘面积约600平方米。2015年小王家嘴地点的发掘共发现商时期遗迹单位29处，其中墓葬21座、灰坑8个。此外，另清理晚期墓葬5座（图4.1.4、图4.1.5）。

二、遗物的整理与修复

此次小王家嘴墓葬随葬品大量为碎器，给整理和修复带来了很大的困难。以下需要对此次发掘所获遗物的整理和修复工作做几点说明。

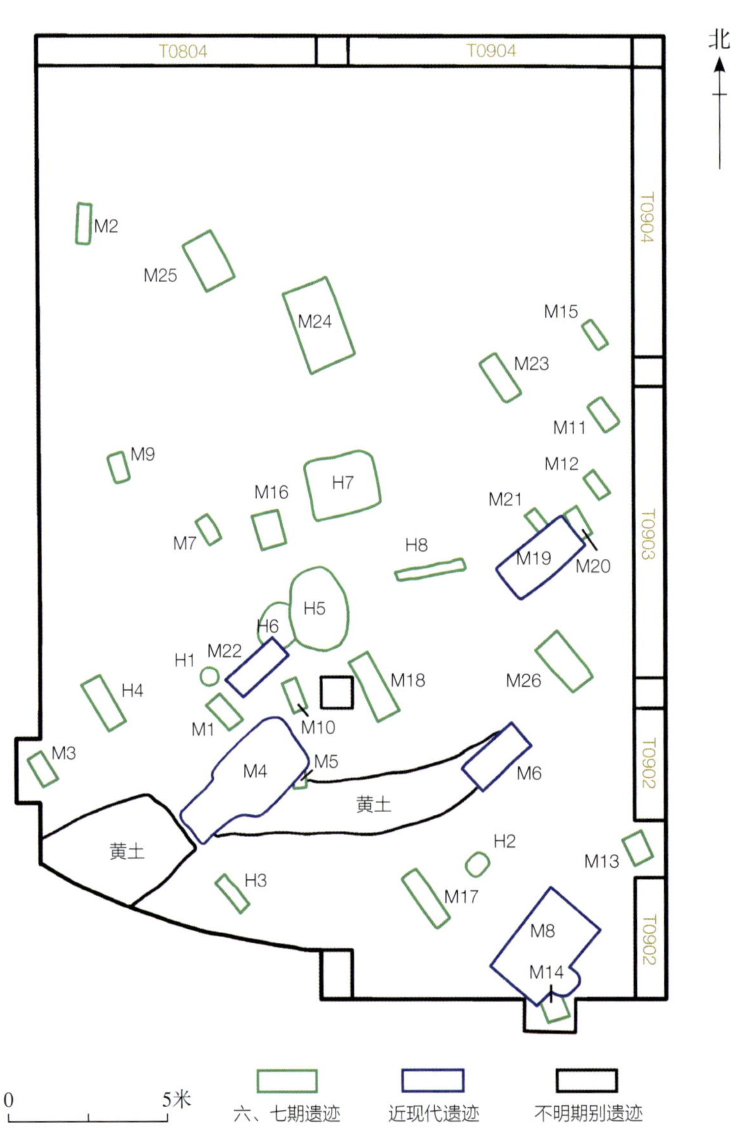

图 4.1.4　小王家嘴发掘区探方及遗迹分布

图 4.1.5 小王家嘴发掘区航拍（上为北）

（一）整理

小王家嘴地点墓葬出土的遗物多处于残破状态，这是该墓地随葬品最为显著的特征之一。造成遗物残破可能主要有以下几类原因：①盘龙城地处于网纹红土分布区，土壤呈酸性，可能对遗物造成严重的腐蚀（图4.1.6，1）。②小王家嘴岗地原为耕地，常年的翻土耕作对遗迹破坏较大。本次发掘的墓葬大部分墓底距地表深度仅存20厘米左右，墓葬上部的破坏也有可能对遗物造成破坏（图4.1.6，3）。③墓葬中的部分碎器可能属于器物原有意打碎或仅将碎片随葬，即所谓的“碎器”葬（图4.1.6，2）。基于遗物的残碎情况，特别是针对“碎器”葬俗现象，同时为便于后续整理工作，我们在发掘过程中力图对碎器进行记录和保存更多信息，并为此进行一系列方法上的尝试。

小王家嘴墓葬出土的部分陶器，不仅出土时呈残破状，而且保存状态极差。大部分陶器碎片在提取时茬口已经磨圆；另外有些陶质极差，酥脆易碎，难以剥离。这些问题为接下来的整理拼对工作带来较大的困难。因此，在提取过程中就对有些破碎的陶器进行了现场拼接，而现场难以拼接的陶片就按照出土时的原有位置摆放、拍照，以便于后续整理（图4.1.7）。

与陶器的情况相似，随葬的青铜器也多为残片，且大多矿化程度较高。同时，如果按照常规方式提取，器物会因没有泥土的支撑而成粉末状剥落，不利于文物的保护与复原。另外，器物这种破碎状态又反映出特定的葬俗，常规的提取方式也会使得这方面的信息缺失。出于以上考虑，我们在器物提取的过程中采用整体提取的方式，在室内再进行细致的清理工作。与以往不同的是，我们在初步的室内清理过程中并没有将所有的泥土剔除，仅清理出器物大致轮廓。一方面，将器物完全提取难度较大，需要配合相应的文保手段对器物加固后才能实现；另一方面，将器物保持在大致轮廓的状态下，有利于保留更多的出土时的信息。为了更好地记录这些信息，在初步清理之后我们对器物进行了拍照（图4.1.8，1），同时还使用三维成像技术对所有器物进行建模，在软件中可以实现多角度的观察和测量（图4.1.8，2）。这样在器物进一步修复之后，依然可以直观地保留器物的出土信息。

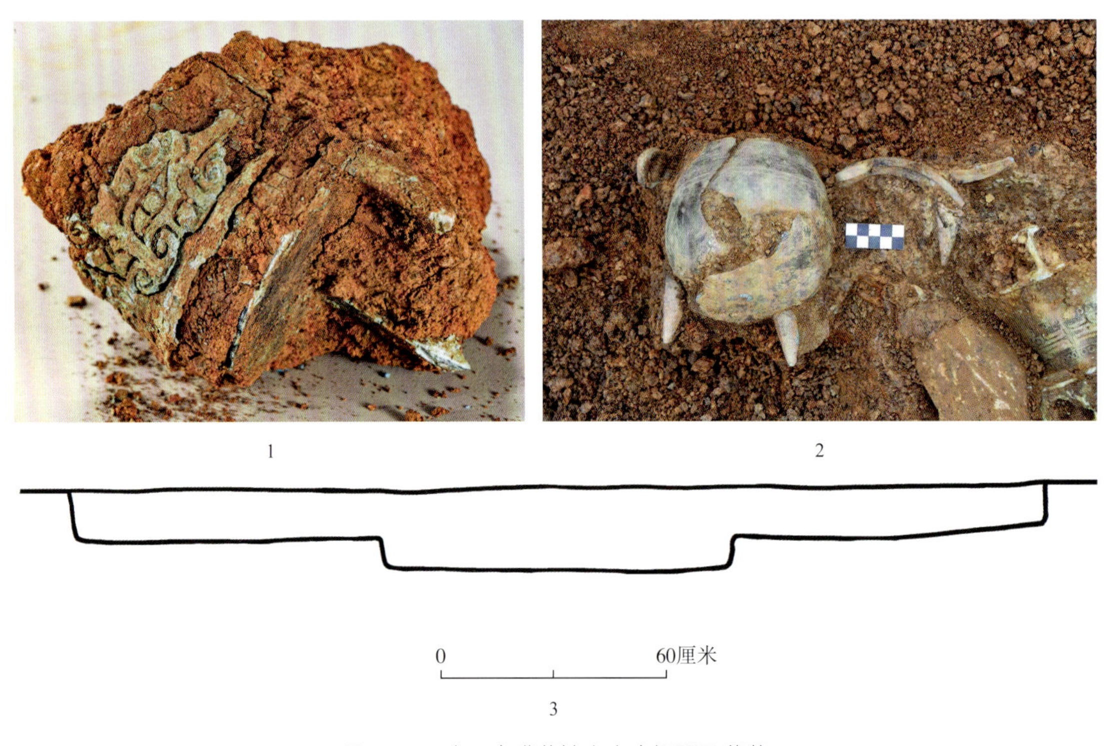

图4.1.6　小王家嘴墓地出土青铜器及墓葬

1. 被侵蚀的青铜爵腹部（M24：2）　2. 青铜鼎碎器现象（M26：2）　3. M24剖面图

图 4.1.7　小王家嘴 M1 陶器出土情况

1

2

图 4.1.8　小王家嘴墓地出土青铜器整理

1. M26出土青铜觚和青铜斝　2. M24出土青铜觚的3D模型

1

2

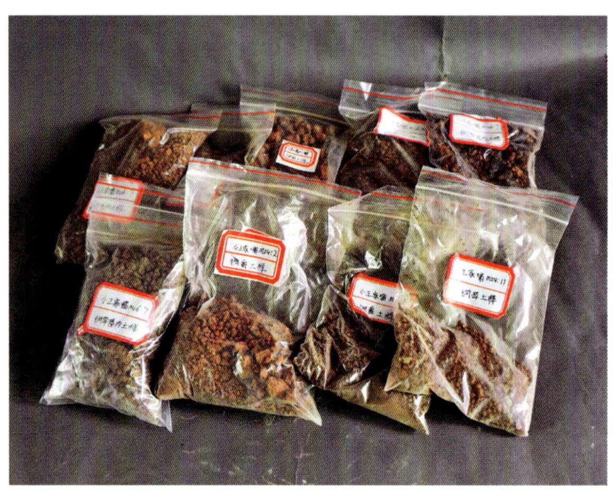

3

图 4.1.9　青铜器整理及样品采集

1. 青铜器碎片归类　2. 铜残渣采集　3. 土样采集

完成上一步记录工作后，我们进一步对出土器物进行了细致的整理。由于大部分青铜器保存状态较差，我们与中国社会科学院考古研究所文化遗产保护研究中心合作，对青铜器进行清理。我们对碎片做了进一步辨认，将同一件器物的碎片进行归类，以便于进一步拼接；同时对碎片厚度进行了测量，以便更加准确地了解器物器壁的厚度。最后我们还对剥落的泥土、铜残渣进行采集，用于进一步的检测工作（图4.1.9）。

（二）修复

对于青铜器的修复，我们进行了尝试性的探索。从青铜器的初步清理我们已知，青铜器保留有早商时期“碎器”葬俗的信息，这种现象在过去的发现中也常常见到，但从未在遗物修复中着重保留这种信息，大部分情况只能通过文字描述、墓葬线图等抽象材料得知，并无一个具体的印象。因此，本次修复意在保护青铜器的基础上最大限度地保留遗存现象。另外，由于青铜器本身在出土时呈现出良莠不齐的保存状况，所以我们还根据器物不同的保存状况采取了不同的修复方式。通过与中国社会科学院考古研究所文化遗产保护研究中心的合作与讨论，文化遗产保护研究中心创造性地制定出四种修复方案，有针对性地对这批遗物进行保护。

第一种，对保存情况完好、材质较好的器物进行有害锈的处理、加固。采取这种方式修复的器物多为小件的兵器（图4.1.10，1）。

第二种，通过器物保存的关键部分碎片，对器物进行完整修复。这也是过去对青铜器修复的主要方式。采用这种方式的器物往往材质较好，碎片保存较多（图4.1.10，3）。

第三种，对因“碎器”习俗而造成的变形器物及其碎片，保留变形的状态，根据变形的内腔形态制作树脂模型作为固定内腔，将器物的不同碎片直接固定在内腔上，而不是传统上通过相互拼接加固。这种方式既可以保留器物的信息，也可以体现器物出土时的原貌（图4.1.10，2）。

第四种，制作器物模型、支架等，将碎片固定于其上。与第三种方式不同的是，模型、支架为参照已有器物而制作的完整形态，并不体现器物的真实尺寸。采用这种方式修复的器物往往碎片较少，矿化程度较为严重（图4.1.10，4）。

以上四种修复方式，前两种为传统的修复方式，体现了器物原本的形态，这也是器物类型学研究的基础依据；后两种为创造性的修复方式，意在保留器物经过下葬行为所呈现出的形态，是葬俗等古代社会行为研究的基础依据。

1

3

2

4

图 4.1.10　青铜器四种修复方式举例

1. 戈（M24：16）　2. 鼎（M24：13）　3、4. 斝（M24：11、H1：3）

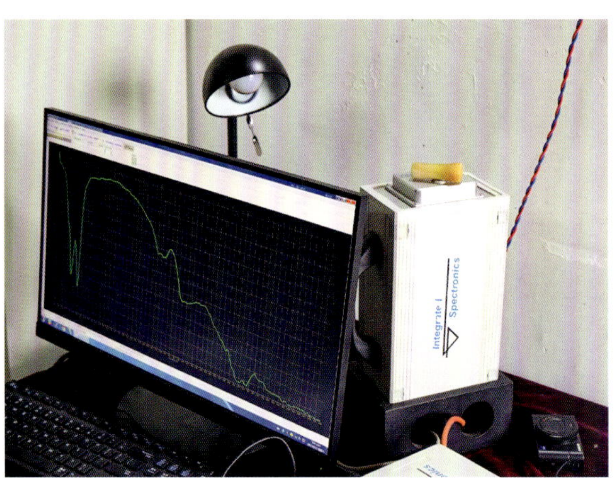

图 4.1.11　便携式红外矿物分析仪检测

三、玉石器检测

小王家嘴共发现玉石器12件，材质形态差异较大，有些器物上保留有玉质半透明体，有些沁蚀严重，甚者为粉末状剥落。为判断这些玉石器的材质，我们请加拿大英属哥伦比亚大学人类学系的荆志淳教授对这批材料进行了检测。通过便携式红外矿物分析仪，可以有效地鉴定和区分各类含羟基的矿物、碳酸盐和其他矿物，从而对玉石器材质进行判定（图4.1.11）。

第二节　地　　层

小王家嘴发掘区原为以橘树为主的乔木林，间杂有一些以栀子花为主的灌木植物。植物地下根系较深，对遗迹单位有着一定的破坏（图4.2.1）。整个发掘区地表由西南向东北倾斜，西南部海拔最高点T0803西南角为28.79米，东北部海拔最低点T0904东北角为26.49米，最大高差2.3米。发掘区中部有一条自西北向东南延伸的坎坡，形成了较为明显的两级落差。发掘区堆积情况较为简单，6个探方地层可相互对应。整个发掘区地层情况如下。

第1层，表土层。褐色黏土，土质较为疏松，包含有树根、草叶茎和零星的商时期陶片。厚0.1～0.4米。该层西部堆积较厚，东部较薄。清理完成后原先地表的坎坡变为缓坡，高差略有缓和。开口在第1层下的单位有M4、M6、M8、M19、M22等5座晚清民国时期墓葬

图 4.2.1　小王家嘴发掘区树木根系对遗址的破坏

和M2、M14、M23等3座商时期墓葬。

第2层，文化层。黄褐色黏土，土质较致密，包含有少量的青花瓷片、瓦片等遗物，年代为晚清民国时期，发达的树木根系也延伸至该层。深0.1～0.4、最厚处0.4米。该层几乎遍布整个发掘区域，其中东南部堆积较厚，西部、北部较少或无。小王家嘴发现的商时期遗迹多在第2层下，打破生土。开口在第2层下的单位有M1、M3、M5、M7、M9、M10、M11、M12、M13、M15、M16、M17、M18、M20、M21、M24、M25、M26等18座商时期墓葬。从出土遗物来看，目前小王家嘴发现的商时期遗迹单位年代较为单纯，均为早商时期。

第2层下为生土。红褐色黏土，夹有大量黑色锰结核颗粒，土质致密。深0.1～0.8米。

已发掘单位的叠压打破关系较为简单。晚清民国时期的墓葬均开口在第1层下，打破第2层，之间无打破关系，并呈现一定的分布规律。商时期墓葬M2、M14、M23三座墓葬开口于第1层下，其他商时期墓葬和灰坑开口于第2层下，打破生土。商时期墓葬之间无打破关系，而灰坑之间存在一组打破关系。另外，4座晚清民国时期的墓葬打破商时期的遗迹。发掘区遗迹之间的打破关系有以下4组：

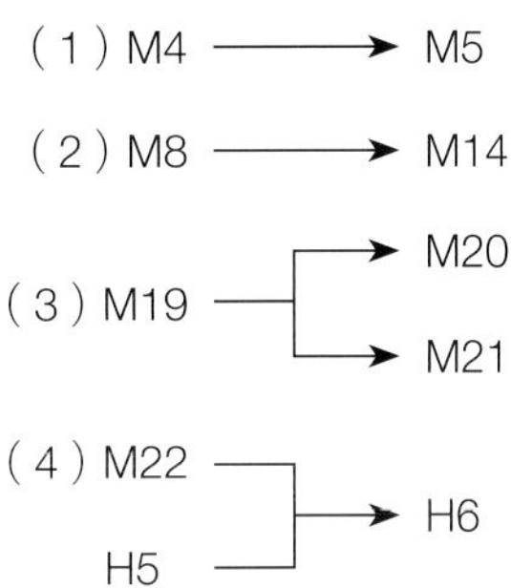

以上层位关系中除H5→H6为商时期遗迹之间的打破关系外，其他均为晚清民国时期墓葬打破商时期的墓葬或灰坑。晚清民国时期墓葬对商时期遗迹单位无疑有一定的破坏。晚清民国时期墓葬在分布上也呈现出一定的规律性，密度较高；同时从已发掘完成的晚清民国时期墓葬来看，其深度在0.5～0.6米，超过商时期墓葬0.1～0.2米的深度。一方面，在晚清民国的一段时间内，该区域应为单纯的墓地；另一方面，在发掘区仅存在商时期和晚清民国两个时期的遗存，而作为晚清民国时期的墓葬区极少有生活的遗存，表明小王家嘴商时期墓葬除自然力之外，仅有晚清民国时期的墓葬对其产生了破坏，这种破坏应较为有限。

第三节　灰　　坑

灰坑共发现8个。按照开口形状可分为长方形和圆形两种。其中圆形或近圆形的灰坑4个，包括H1、H2、H5、H6，均为斜壁圜底坑，直径0.6～2.4米。除H1外，其他均出土碎陶片。H1较为特殊，出土青铜觚、青铜爵、青铜斝各一件，且器物或是变形严重，或是脱落打碎，均集中放置于坑中。长方形或近长方形的灰坑4个，包括H3、H4、H7、H8，均为直壁平底坑。其中H7、H8出土碎陶片，数量较少，不见可修复器物，H3、H4不见出土器物，可见有机质朽痕。

（一）H1

位于发掘区西南部，Q1517T0802北隔梁下，部分延伸进Q1517T0803内。开口于第2层下。开口平面为圆形，斜直壁，底近平。基线方向为90°或270°。直径0.6、深0.12米。填土为黄色夹灰色沙质土，土质疏松。出土遗物4件，其中青铜器3件，包括青铜觚1件、青铜爵1件、青铜斝1件，另外还有红陶片1件，器形不明（图4.3.1～图4.3.6）。

H1出土遗物较为特殊，3件青铜器均为有意识地打碎、变形后埋入灰坑，具有特殊的意义。

青铜器

觚　标本1件。

标本H1：1，出土时圈足与器身分离，口部有明显压扁变形的现象。大敞口，细腰，圈足下缘为直口。腹部饰一周两组兽面纹，兽面纹以上有两周弦纹，圈足上部饰三周弦纹，间有十

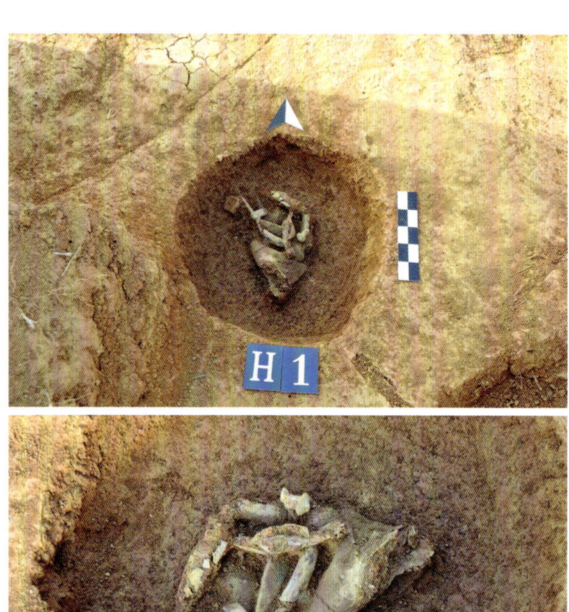

图4.3.1　小王家嘴H1俯视照片

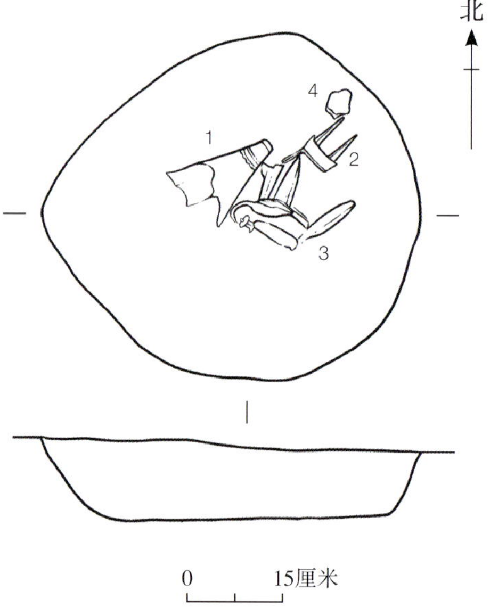

图4.3.2　小王家嘴H1平、剖面图

1. 青铜觚　2. 青铜爵　3. 青铜斝　4. 红陶片

字形镂空，下部饰一周夔纹。两组兽面纹之间的范缝宽窄不一（图4.3.3，3、4）。复原后口径14.1、圈足径10.4、残高14.4厘米，碎片及修复后总重273.1克（图4.3.3，1、2）。

爵 标本1件。

标本H1：2，出土时流与器身分离，腹部的一侧打破变形，向内腔卷曲，不见錾及部分腹片。长流，束腰，下腹出阶似裙摆外张，平底下有三棱形尖锥足（图4.3.4）。腹部饰两组

图 4.3.3 青铜觚（小王家嘴 H1：1）

1. 器身正视照片 2. 线图 3、4. 腰部范缝及圈足镂孔局部照片

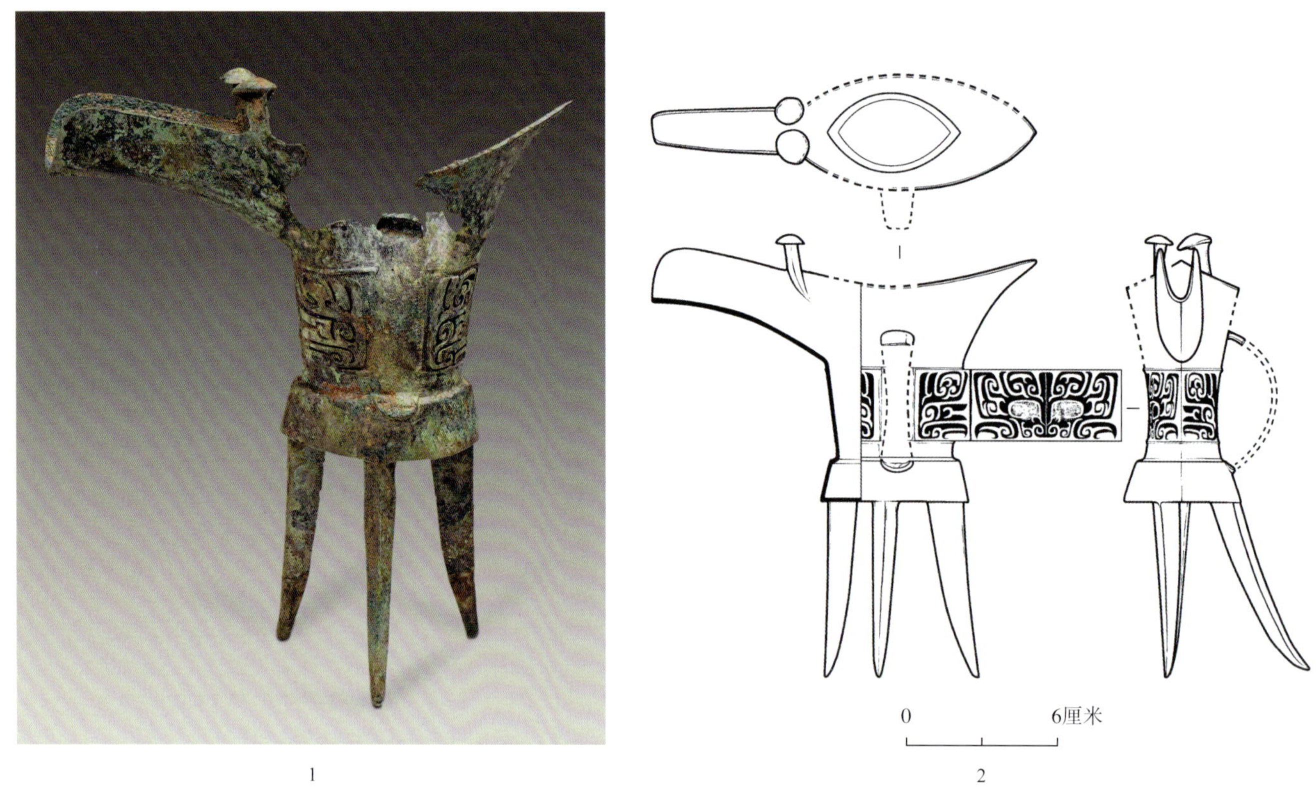

图 4.3.4　青铜爵（小王家嘴 H1：2）

1. 照片　2. 线图

兽面纹，两组兽面纹略有不同，腹部对应鋬内侧位置的纹饰中部因放置鋬芯而为素面，鋬两侧兽面纹不见兽目，线条卷曲如兽体，鋬对侧的兽面纹变形、锈蚀严重，但兽目、角、颚等部分可辨认（图4.3.6，1、2）。底部见Y形范缝及烟炱痕迹（图4.3.6，3），鋬下对应的腹部、三锥足外侧面中部可见范缝（图4.3.6，2），柱帽下面可见呈直角相交的范缝，双柱的截面对应流折处呈现夹角情况（图4.3.6，4）。该器物口部壁厚0.16、纹饰处厚0.24厘米。流、尾长15.2、通高17.2厘米，复原后重192.9克。

斝　标本1件。

标本H1：3，出土时破碎严重，仅见一柱帽、两足、鋬及部分腹底碎片等。腹部残片饰夔纹。柱帽下面为T形范缝（图4.3.5，1）。足部有烟炱痕迹（图4.3.5，2）。器壁较薄，厚约0.18、纹饰部分厚0.24厘米，复原后口径17.4、高24.2厘米，修复后重402.8克（图4.3.5，3）。

另外，还出土一件红陶片，无法辨认器形。

1

2

1

0 6厘米

3

图 4.3.5 青铜斝（小王家嘴 H1：3）

1. 柱帽底部范缝照片 2. 复原后器身照片 3. 线图

1

2

3

4

图 4.3.6　青铜爵（小王家嘴 H1：2）局部照片
1. 口部破损情况　2. 足部范缝　3. 底部范缝　4. 柱帽底部范缝

（二）H2

位于发掘区东南部，Q1517T0902中部。H2开口近似圆角方形，圜底。基线方向为90°或270°。开口直径0.66～0.74、深0.31米。填土为黄色沙土，土质较疏松。包含少量陶片。出土有夹砂红陶片、夹砂灰陶片等，无可修复器物（图4.3.7）。

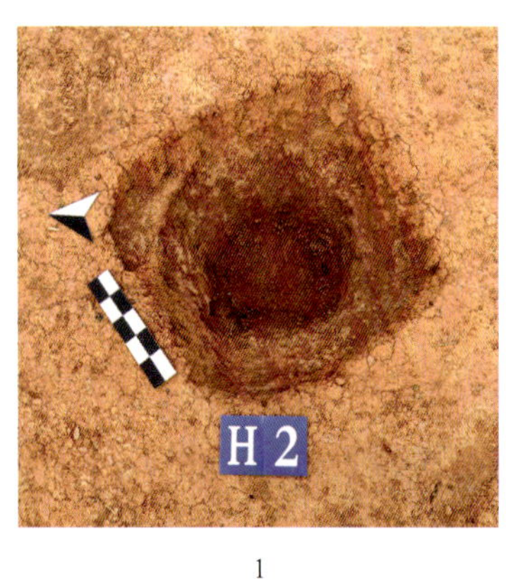

1

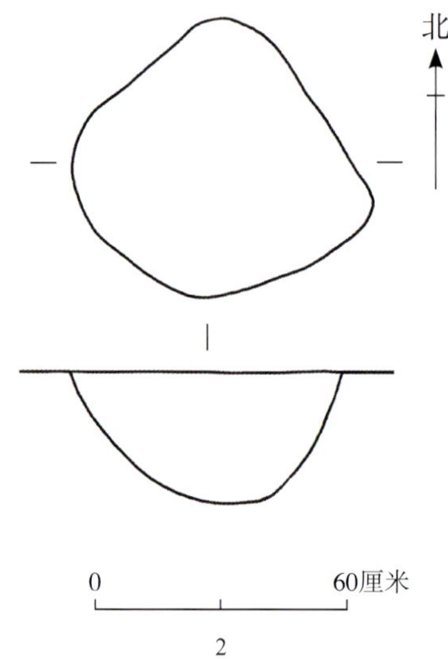

2

图 4.3.7　小王家嘴 H2 俯视照片和平、剖面图
1. 俯视照片　2. 平、剖面图

（三）H3

位于发掘区西南部，Q1517T0802南部。开口平面为长方形，直壁，平底。基线方向为150°或330°，开口长1.28、宽0.36～0.4、深0.2米。填土为黄色夹灰色沙质土，土质疏松。无包含物（图4.3.8，1）。

（四）H4

位于发掘区西南部，Q1517T0802北部隔梁下。开口平面为长方形，直壁，平底。基线方向为150°或330°。开口长1.84、宽0.6～0.66、深0.14米。填土为黄色夹灰色沙质土，土质疏松。无包含物，在北部近底处有一层灰色有机质腐朽痕迹（图4.3.8，2）。

H3、H4从遗迹形制上来看，与墓地中第二类墓葬相同，并且方向均为西北—东南向，从性质上不排除墓葬的可能。

（五）H5

位于发掘区中部偏南，Q1517T0803东隔梁下。开口平面为椭圆形，斜壁，平底。基线方向为0°或180°。长径2.4、短径1.7、深0.2米。填土为黄色黏土，土质疏松。包含极少量的陶片。可见泥质红陶口沿、夹砂红陶片、泥质灰陶片、夹砂灰陶鬲足、云雷纹硬陶片等，器形不明（图4.3.9）。

（六）H6

位于发掘区中部偏南，Q1517T0803东南部。开口平面近圆形，斜壁，圜底。开口直径1.4、深0.14米（图4.3.10）。填土为黄色黏土，土质疏松。包含极少量的陶片。陶片可见夹砂红陶片、泥质灰陶口沿等，无可辨认的陶器。

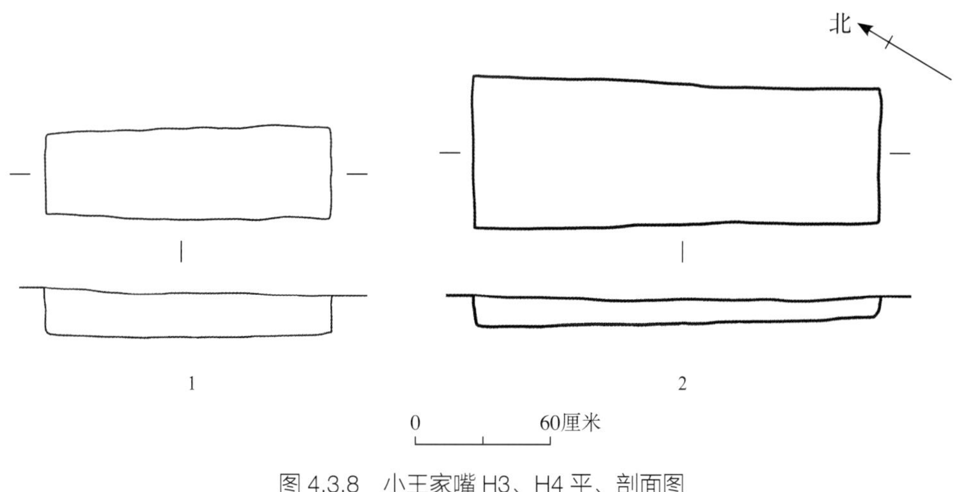

图 4.3.8　小王家嘴 H3、H4 平、剖面图

1. H3　2. H4

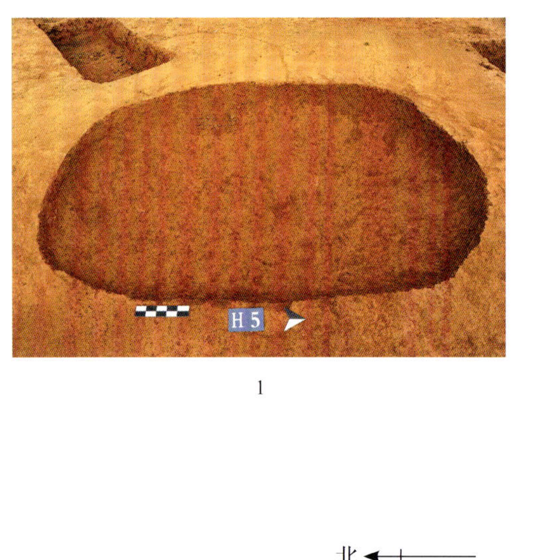

1

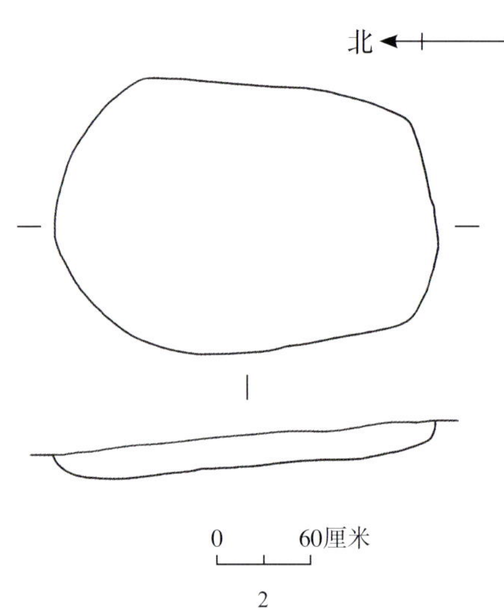

2

图 4.3.9　小王家嘴 H5 俯视照片和平、剖面图

1. 俯视照片　2. 平、剖面图

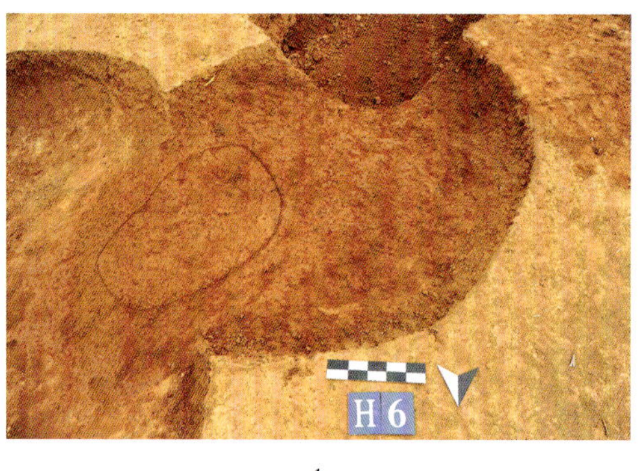

1

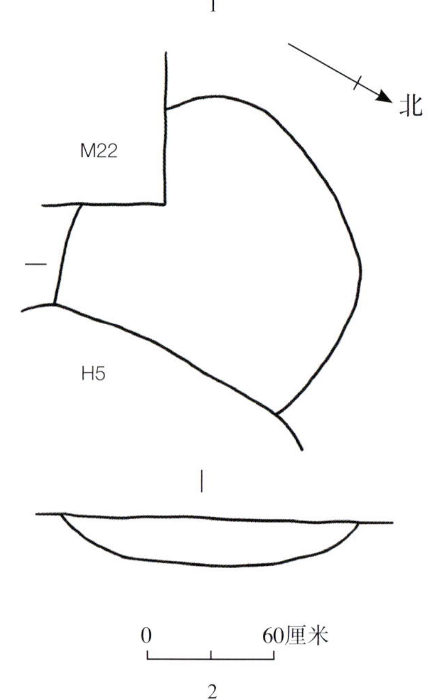

2

图 4.3.10　小王家嘴 H6 俯视照片和平、剖面图

1. 俯视照片　2. 平、剖面图

（七）H7

位于发掘区中部，Q1517T0803东隔梁下。H7开口平面为近方形，斜壁，平底。基线方向为97°或277°，开口长约2.1、宽1.9、深1米（图4.3.11）。填土为黄色黏土，土质疏松。包含少量陶片、石块。坑内填土中和坑四角常见石块，大小不一，并无人工痕迹，均为石英砂岩。此外还出土少量碎陶片，可见夹砂红陶缸片、夹砂灰陶片、泥质灰陶片等，均无法修复，此外可见硬陶尊残片，可修复口沿部分（图4.3.12）。

陶器

印纹硬陶尊　标本1件。

标本H7：1，泥质灰陶。仅见口部残片。敞口，圆唇，微束颈。腹部饰有云雷纹。复原后口径14厘米（图4.3.12）。

1

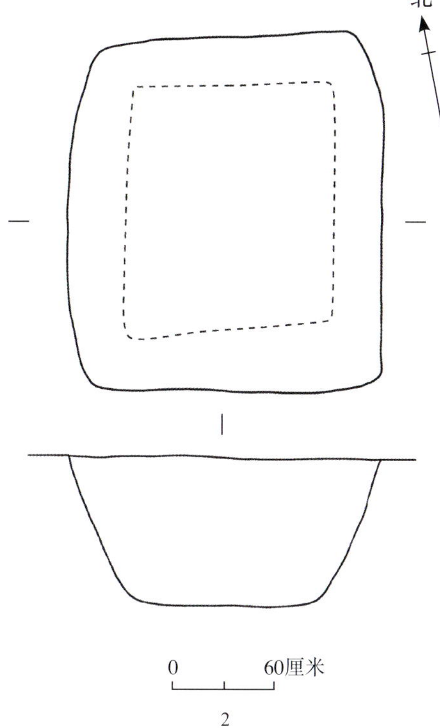

2

图 4.3.11　小王家嘴 H7 俯视照片和平、剖面图

1. 俯视照片　2. 平、剖面图

（八）H8

位于发掘区中部偏东，Q1517T0903西部。开口平面为长条形，直壁，平底。基线方向为75°或255°，开口长2.3、宽0.44、深0.14米（图4.3.13）。填土为黄色黏土，土质疏松。包含少量陶片。可见夹砂红陶片，胎较厚，可能为陶缸残片，其他还可见泥质灰陶片等。

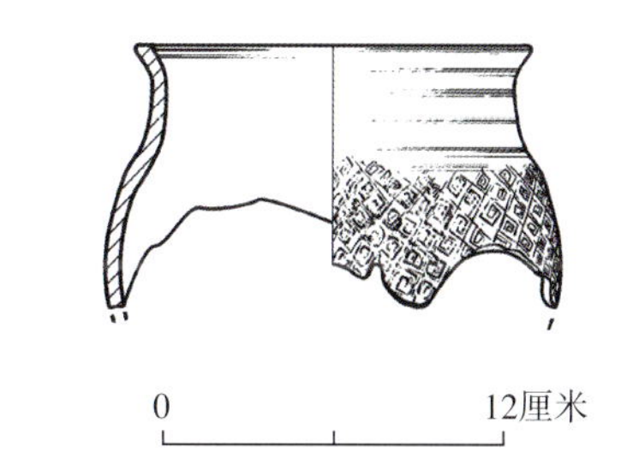

图 4.3.12　印纹硬陶尊（小王家嘴 H7：1）

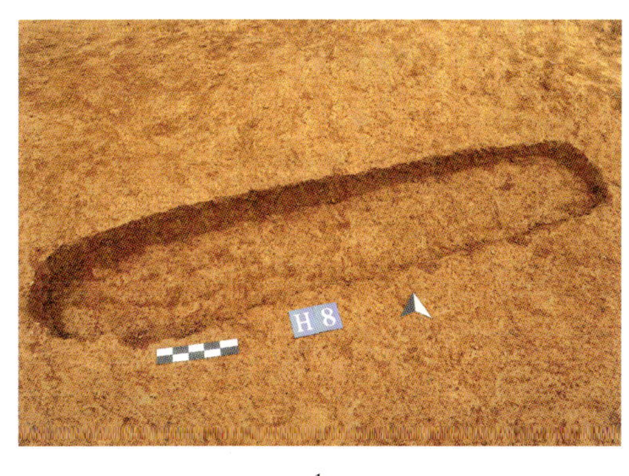

1

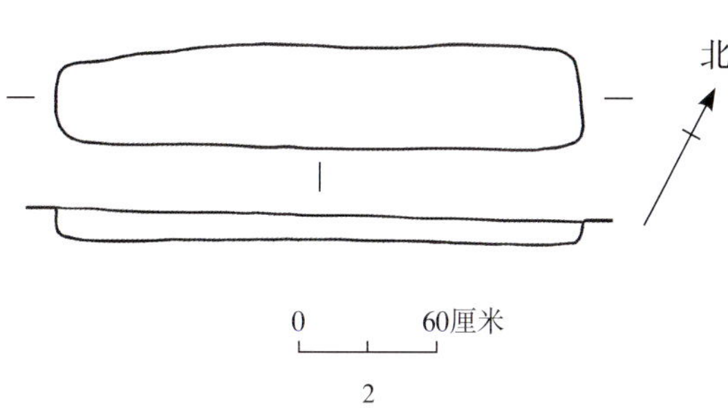

2

图 4.3.13　小王家嘴 H8 俯视照片和平、剖面图

1. 俯视照片　2. 平、剖面图

第四节　墓　　葬

小王家嘴本次发掘共清理商时期墓葬21座（表4.4.1），均为长方形土坑竖穴墓，西北—东南走向。墓葬随葬品数量多寡较为悬殊，一般摆放在墓室南部。墓室中基本不见人骨、棺椁等任何有机质痕迹。因人骨保存情况极差，墓葬方向较难确知，但其中M24西北部隐约可见头骨痕迹，可判断墓葬方向为340°。此外，盘龙城以往人骨保存状况较好的商时期墓葬，随葬品多置于墓主脚端。若随葬品集中置于墓葬的其中一端，反向一端则可能是墓葬方向。其他无法确认方向的墓葬，暂约定墓葬长轴沿逆时针方向旋转至正方向所形成的角度数为墓葬方向。

表4.4.1　小王家嘴墓葬登记表

墓号	方向	尺寸（长×宽—深）（米）	遗物
M1	330°	1.15×0.55—0.14	青铜器：爵1、爵柱帽1、斝1、鼎1； 陶器：鬲1、甗1、陶纺轮1、圆陶片1； 玉器痕迹；残漆皮
M2	20°或200°	1.20×0.50—0.03	青铜器：斝柱帽1；残漆皮
M3	340°	1.06×0.49—0.28	青铜器：爵1； 陶器：残鬲（鬲足）2、泥质灰陶残片、泥质红胎黑皮陶残片
M5	342°或162°	0.64×0.46—0.18（残）	陶器：残鬲1
M7	332°	0.90×0.48—0.10	陶器：斝1、爵1、盆1
M9	340°	1.00×0.52—0.16	陶器：盆1、陶鬲残片
M10	340°	1.00×0.56—0.10	陶器：灰陶残片
M11	340°	0.97×0.42—0.22	青铜器：爵1； 陶器：残斝1
M12	340°或160°	1.16×0.5—0.14	玉器：柄形器1
M13	333°或153°	0.90×0.60—0.15	玉器：柄形器1
M14	348°或168°	0.80×0.70—0.18（残）	青铜器：爵足2、残圈足1； 玉器：有领璧1、柱形器1
M15	337°或157°	1.14×0.42—0.12	陶器：鬲1
M16	170°	1.10×0.85—（0.25～0.43）	陶器：瓮1
M17	335°或155°	1.60×0.60—（0.14～0.20）	青铜器：爵1； 陶、瓷器：鬲3、爵2、簋1、瓮2、缸1、纺轮1； 原始瓷罐1
M18	337°或157°	2.06×（0.62～0.65）—（0.06～0.18）	青铜器：刀1； 陶器：鬲1、瓮1、夹砂灰陶残片； 玉器：钺1； 石器：凿1

续表

墓号	方向	尺寸（长×宽—深）（米）	遗物
M20	330°	1.02×0.52—0.20	—
M21	333°或153°	0.75×0.50—0.12（残）	陶器：鬲残片、泥质红胎黑皮陶残片、夹砂灰陶残片
M23	336°或156°	1.6×0.61—0.29	陶器：器口沿1
M24	340°	2.60×（1.50～1.60）—（0.10～0.14） 腰坑：0.92×0.72—（0.06～0.08）	青铜器：觚1、爵1、斝1、圆鼎1、扁足鼎1、戈1、刀1、镞5； 陶器：陶缸4、圆陶片1； 玉器：柄形器2、斧1、钺1； 漆器痕迹1
M25	340°	1.90×（0.98～1.00）—（0.01～0.12）	青铜器：爵1、斝1、戈1； 陶器：鬲1、罐1
M26	320°	1.96×（0.87～0.90）—（0.18～0.20） 腰坑：（0.98～0.58）×0.36—（0.05～0.06）	青铜器：觚2、爵2、斝2、鼎2； 陶器：印纹硬陶尊1；圆陶片1； 玉器：玉片饰1； 石器：管1；漆器痕迹1

（一）M1

位于发掘区西南部，Q1517T0802北隔梁下。开口于第2层下。墓圹平面呈长方形，墓壁较直，底近平。根据随葬品位于墓葬南向一端，推测墓葬方向为330°。墓葬开口长1.15、宽0.55、深0.14米，墓口距地表约0.5米。墓葬填土为黄色黏土，土质较疏松。包含少量陶片。在底部发现零星红色漆皮，可能为棺椁朽坏后残存的痕迹。未发现人骨。随葬品共计9件：其中青铜器4件，分别为爵1件、斝1件、爵柱帽1件、鼎1件；陶器4件，分别为鬲1件、甗1件、纺轮1件、圆陶片1件；另有一处玉器的痕迹，器类不详（图4.4.1、图4.4.2）。

随葬品主要集中于墓室的东部和南部。青铜器则主要放置于墓室南部。青铜鼎位于墓室南部近东壁的位置，东侧见有一件青铜斝。斝器身向北，三足中有两个足尖朝北，一个朝南。青铜爵靠西，器身紧贴斝的一足，爵流则位于斝器身的北侧。此外，墓室西部还零星分布有青铜爵足、青铜爵柱帽等。陶器主要放置在墓室东部。陶甗平铺于墓室近中部的位置，基本保持原器物的形状，其口、腹等残片偏南，足部残片则分布于北侧，足部残片下叠压有陶纺轮、玉器痕迹。陶片中还包含少许鬲口残片。墓葬出土随葬品如下。

1）青铜器

爵　标本1件。

标本M1：7，位于墓室南部，青铜斝以西。出土时器体散碎（图4.4.3），流部置于北侧，口沿残片（M1：7-3）及其他腹部残片位于偏南的位置（M1：7-1），另有一爵足（M1：7-2）位于墓室西北部，两足及腹部残片则大面积缺失（图4.4.4，1）。侈口，口沿处加厚；流、尾相较于这一时期的青铜爵略短，流略有上翘。上腹部直下，下腹部微呈伞裙状向外撇出，腹身截面为橄榄形，平底。三足较短，足截面呈菱形。单柱，柱帽为伞状，由人字形柱杆支撑，桥形鋬。上腹部装饰一周三组纹饰带，鋬对侧为一组兽面纹，鋬两侧为

图 4.4.1　小王家嘴 M1 照片

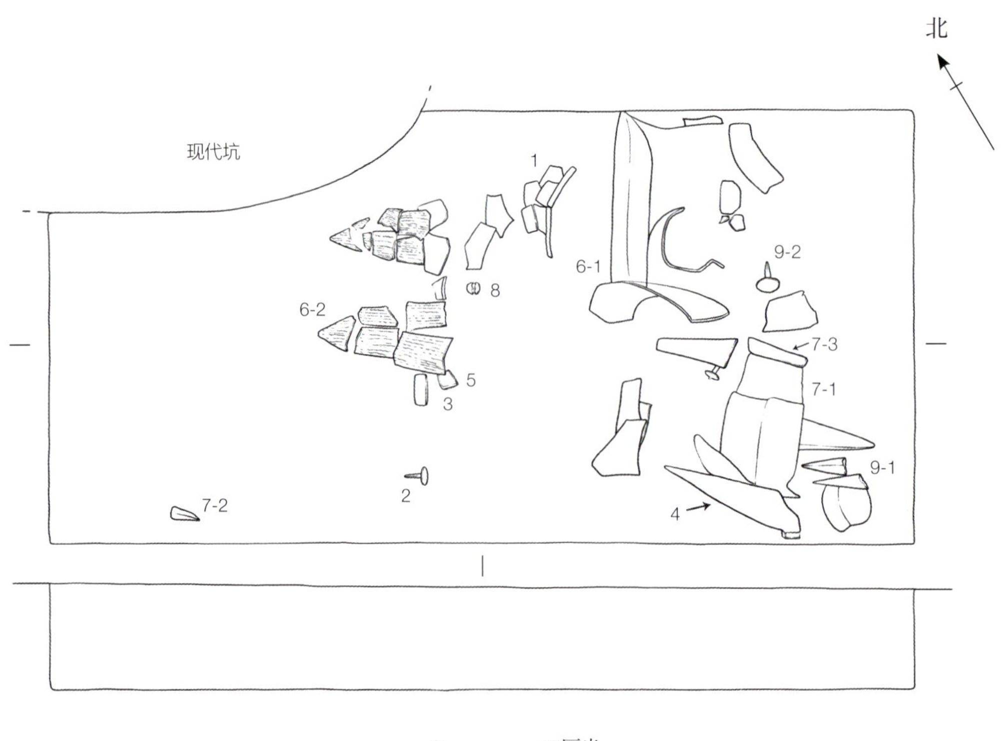

图 4.4.2　小王家嘴 M1 平、剖面图

1. 陶鬲　2. 爵柱帽　3. 陶纺轮　4. 青铜鼎　5. 玉器痕迹　6. 陶甗（6-1. 鬲体　6-2. 甑体）
7. 青铜爵（7-1. 腹残片　7-2. 足　7-3. 口沿残片）　8. 涂朱圆陶片　9. 青铜斝（9-1. 腹底残片　9-2. 柱帽）

1

2

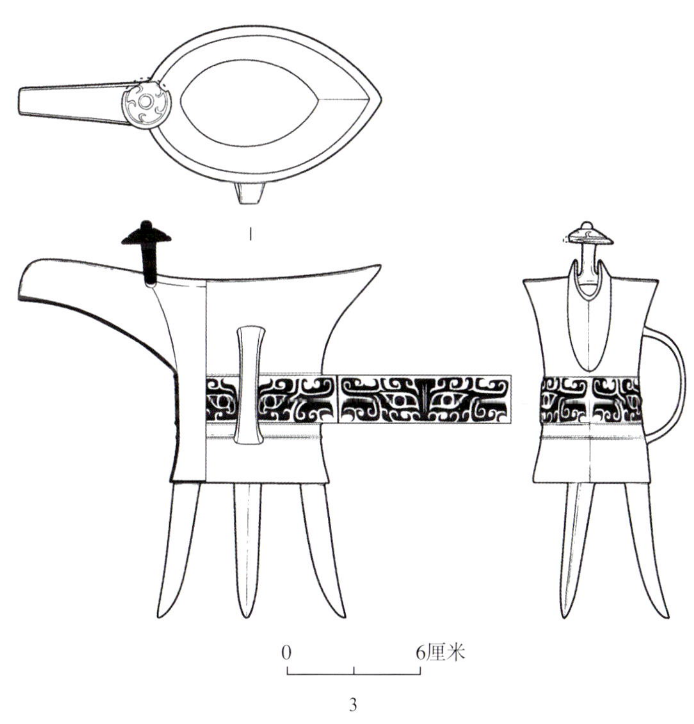

图 4.4.3 青铜爵（小王家嘴 M1：7）

1、2. 照片 3. 线图

两组对称的夔纹，单柱帽上饰有涡纹，顶部呈乳凸状（图4.4.3）。流、尾中轴器壁外可见两条范缝，延伸至腹部，底部可见Y形范缝，一侧较短、两侧较长，较长的范缝中有一条较粗，可能为浇口（图4.4.4，3）；一足外侧中线见有一条范缝。底部有烟炱痕迹（图4.4.4，

1

2

3

图 4.4.4　青铜爵（小王家嘴 M1：7）
修复前情况和局部照片
1. 修复前情况　2. 流下的腹部和足局部
3. 器底范缝和烟炱痕迹

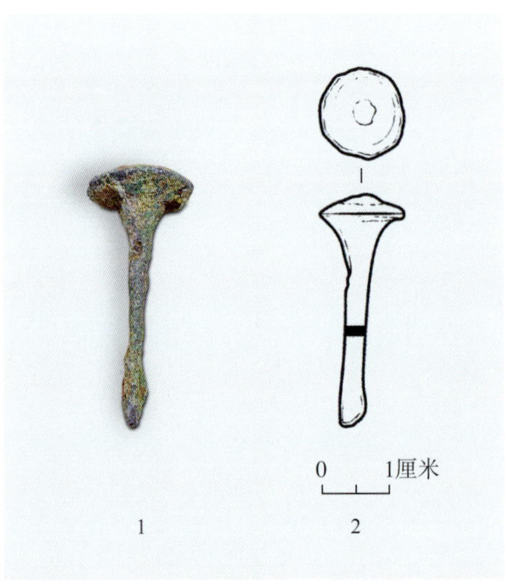

图 4.4.5　青铜爵柱帽（小王家嘴 M1：2）
1. 照片　2. 线图

3）。器表有光泽，材质似要比同墓的其他两件青铜器更好。复原后流、尾长16.1、通高17.4厘米，经测量，器壁厚度较为均匀，腹、底厚度在0.11～0.12厘米，修复后重143.5克（图4.4.3、图4.4.4）。

爵柱帽　标本1件。

标本M1：2，出土于墓室西侧。柱帽伞状，柱较高，伞帽下部不同于常见的平面，而是斜向下与柱杆相连。柱帽纹饰已不清晰。残高3.3厘米，重4.4克（图4.4.5）。

斝　标本1件。

标本M1：9，位于墓室南部，弦纹鼎东侧。出土时器物内侧朝上，两足脱落，足尖朝向腹底部，一柱帽（M1：9-2）脱落，见于器物西侧（图4.4.6，1），器物部分腹片残缺。敞口，束腰，下腹微鼓，平底下为三棱形空心锥足。上下腹部各饰一周独目的夔纹，纹饰带上下边缘可见连珠纹。复原后口径14.4、通高21.6厘米，复原后重376.6克（图4.4.6，2、3）。

1

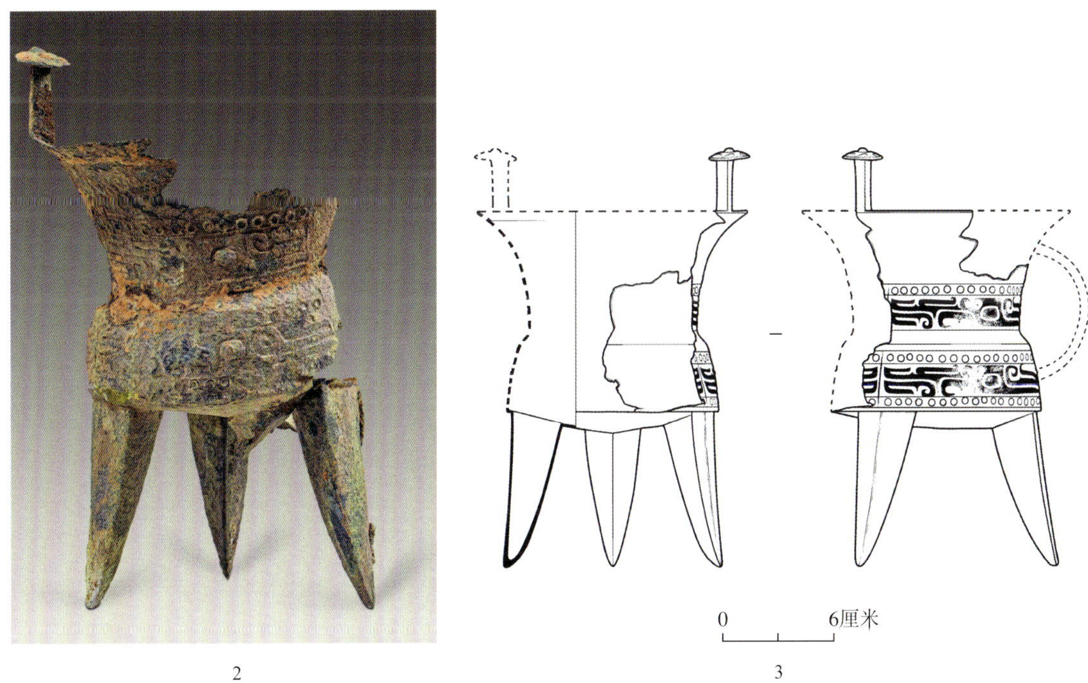

2　　3

图4.4.6　青铜斝（小王家嘴M1：9）

1. 出土情况照片　2. 器身正视照片　3. 线图

鼎　标本1件。

标本M1：4，平置于墓室东南角，鼎足朝北。器物锈蚀严重，口部保存较差，器身挤压变形严重，底部破裂，并因挤压产生错位（图4.4.7，1）。平折沿，腹部圆鼓，圜底下接圆锥足，沿上承环耳。上腹部饰有三周凸弦纹。周身可见烟炱痕迹，内壁附着有瘤状土锈。复原后器物口径13.2、残高13.7厘米，器壁较薄，腹部最薄处约为0.06厘米，纹饰较厚的部位仅0.23厘米，修复后及碎片等总重293.1克（图4.4.7，2、3；图4.4.8）。

2）陶器

鬲　标本1件。

标本M1：1，夹砂灰陶。位于墓室东部。仅见口沿、一足及部分裆片，无法修复。折沿，方唇，微束颈，颈部有一周微微凸起。腹部饰绳纹，绳纹较粗。复原后口径15厘米（图4.4.9，1）。

甗　标本1件。

标本M1：6，夹砂灰陶。甑体与鬲体分离，甑体位于墓室东南部，口向北，鬲体位于东部偏北，足向北。甑体口部为折沿，沿面有一周细线凹槽，方唇，微束颈，鼓腹。颈部以下饰绳纹，绳纹较粗。复原后口径25厘米（图4.4.9，2）。

纺轮　标本1件。

标本M1：3，夹砂红陶。侧边着地竖立于墓室中部，两侧平面朝向南北。圆饼形，较厚，中间穿孔。素面。直径4.4、厚1.5厘米，重39.2克（图4.4.10，1、2）。

圆陶片　标本1件。

标本M1：8，泥质红陶。出土时位于墓室中部。圆形薄片，略有弧度。出土时有红色颜料附着。直径3.8、厚0.5厘米，重7.5克（图4.4.10，3、4）。

1

2

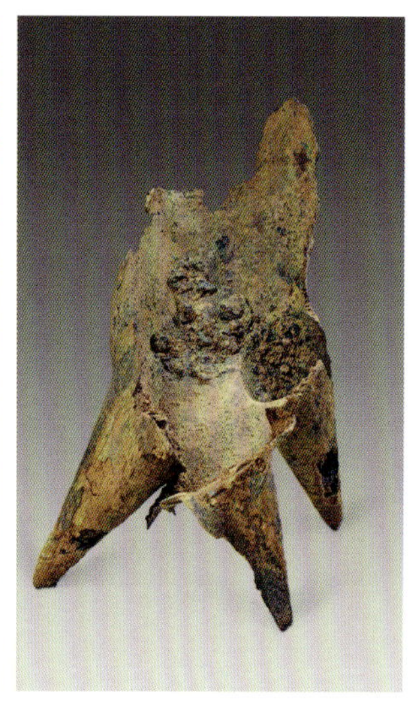
3

图4.4.7　青铜鼎照片（小王家嘴M1：4）

1. 修复前情况　2. 鼎外侧　3. 鼎内侧

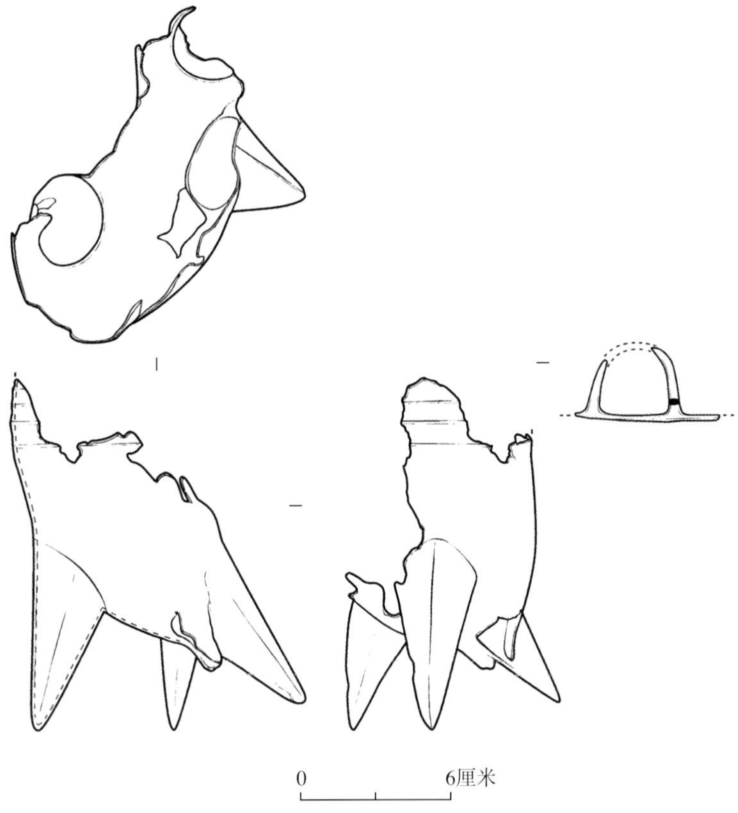

图 4.4.8 青铜鼎（小王家嘴 M1：4）

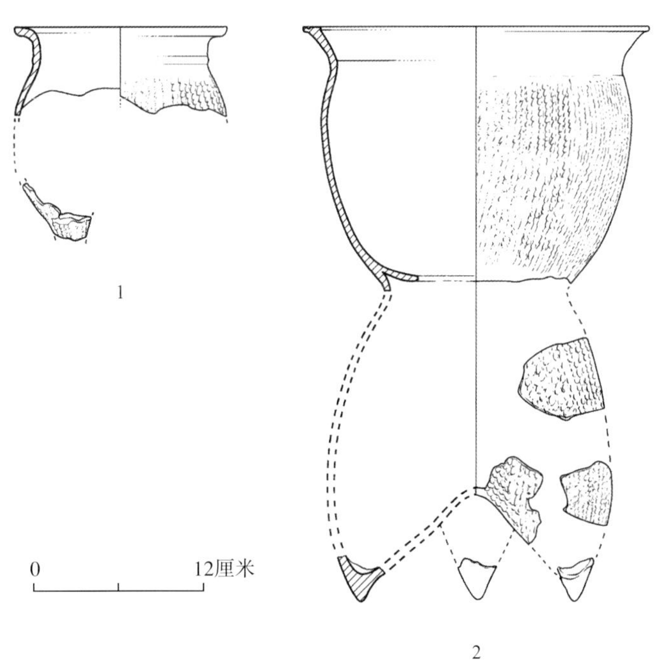

图 4.4.9 小工家嘴 M1 出土陶器

1. 鬲（M1：1） 2. 甗（M1：6）

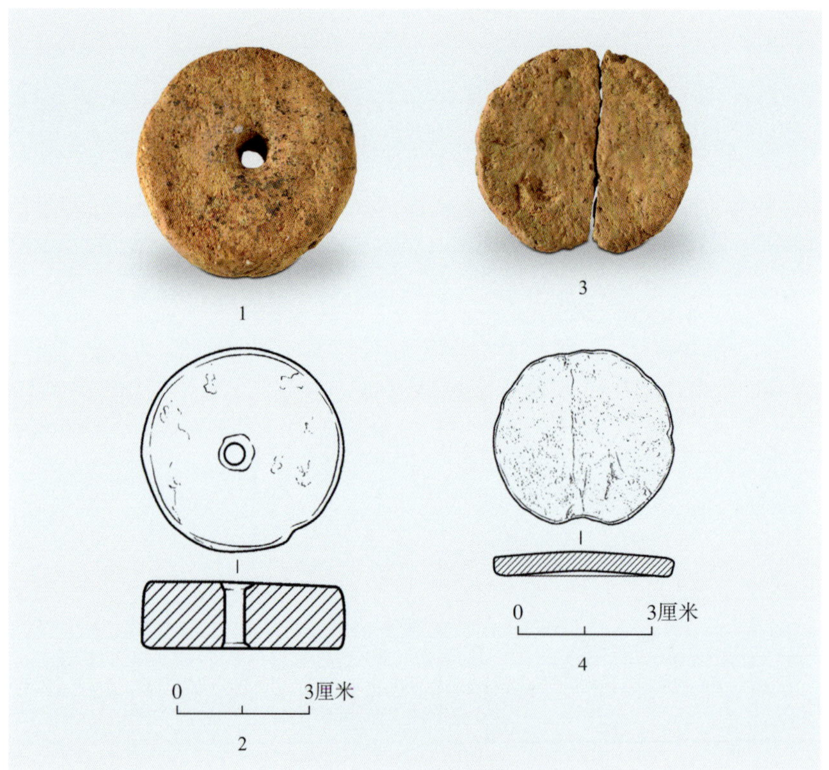

图 4.4.10　小王家嘴 M1 出土陶纺轮和圆陶片

1. 陶纺轮照片（M1：3）　2. 陶纺轮线图（M1：3）　3. 圆陶片照片（M1：8）　4. 圆陶片线图（M1：8）

（二）M2

位于发掘区西部，Q1517T0804西南部。开口于探方第1层下，墓葬上部破坏严重。残存平面近方形，墓壁较直，平底。依墓葬长轴方向推测墓葬方向为20°或200°。开口长约1.2、宽约0.5、残深0.03米，墓口距地表约0.4米。填土为黄色黏土，土质较疏松。无包含物。墓内未发现人骨、棺椁痕迹等，仅在墓底西南角发现一枚铜斝柱帽（图4.4.11、图4.4.12）。

图 4.4.11　小王家嘴 M2 俯视照片

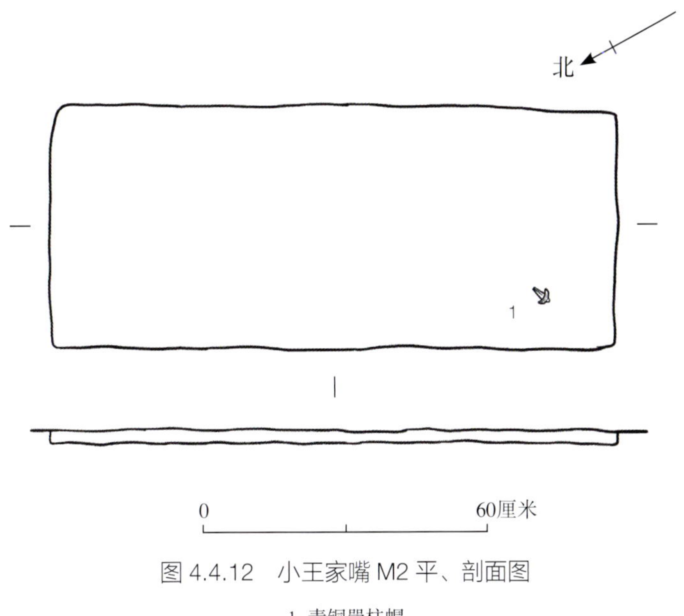

图 4.4.12　小王家嘴 M2 平、剖面图

1. 青铜斝柱帽

青铜器

斝柱帽　标本1件。

标本M2：1，器物锈蚀较为严重。柱帽为伞状，柱杆纤细、截面为梯形。可看出原来有纹饰，但具体纹饰不详，柱帽顶部有乳凸。柱帽底部与柱杆长边相接的一侧可见一条范缝。柱帽直径2、残高3厘米，重13.2克（图4.4.13）。

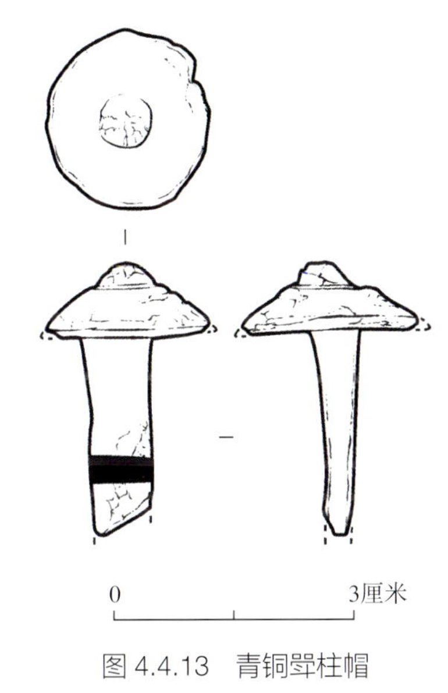

图 4.4.13　青铜斝柱帽

（小王家嘴 M2：1）

（三）M3

位于发掘区西南部，Q1517T0802西部扩方处。开口于探方第2层下。墓圹为长方形，墓壁较直，平底。根据墓内随葬品多集中于墓室南部，推测墓葬方向为340°。开口长约1.06、宽约0.49、残深0.28米，墓口距地表约0.35米。墓葬填土为黄色黏土，土质较疏松。包含有极少的陶片。墓内未发现人骨及棺椁痕迹。随葬品主要集中于墓室南部，破损严重，可辨认的有青铜爵1件，陶器均为残片，至少包括鬲等4个个体（图4.4.14、图4.4.15）。墓葬出土随葬品如下。

1）青铜器

爵　标本1件。

标本M3：1，位于墓室南部。出土时仅存部分底、腹片、足等残片（图4.4.16）。束腰，下鼓腹，平底，下接三棱锥足，足上棱部较圆滑，三足微外撇。在一束腰腹部残片上

图 4.4.14　小王家嘴 M3 俯视照片

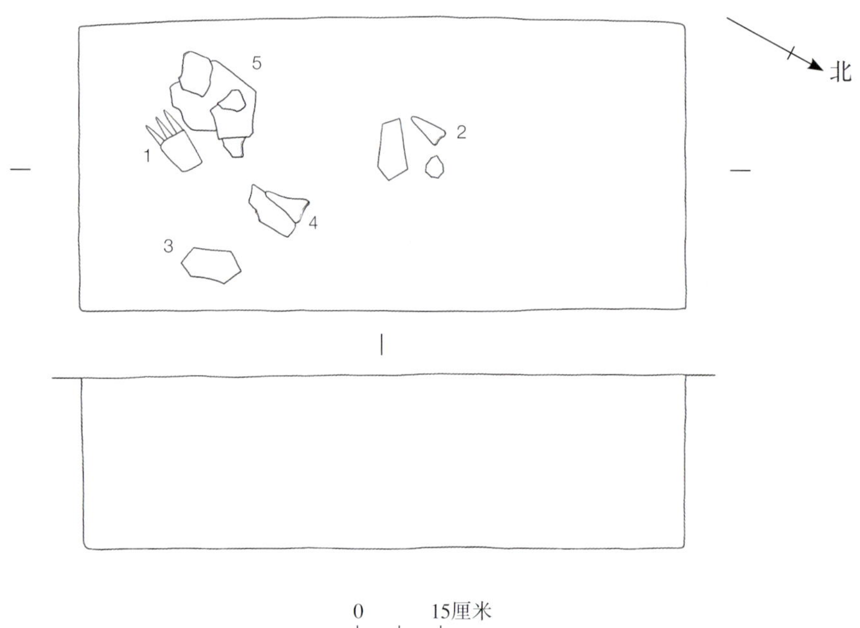

图 4.4.15　小王家嘴 M3 平、剖面图

1. 青铜爵　2. 陶鬲残片　3. 泥质灰陶片　4. 陶鬲足　5. 泥质红陶片

有细线阳纹装饰，位于墓室西南部。具体纹饰不明。底部可见Y形范缝，足可见两条相对的范缝。器物内壁较为粗糙，底部及三足有烟炱痕迹。腹身器壁较薄，厚0.16、底厚0.19厘米，腹部纹饰兽目处厚0.27厘米，纹饰带厚0.17厘米，三足与器身分离，残高分别为6.75、

图 4.4.16　青铜爵（小王家嘴 M3：1）出土情况

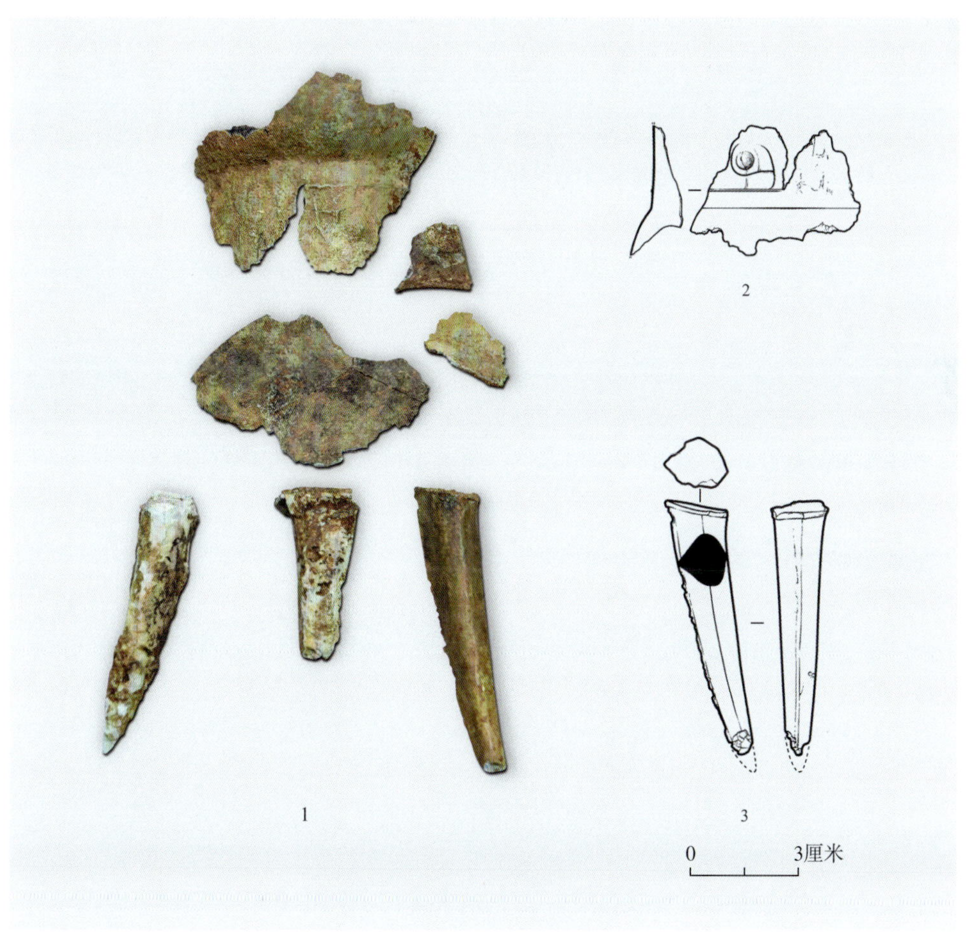

图 4.4.17　青铜爵（小王家嘴 M3：1）

1. 残片照片　2. 腹部线图　3. 器足线图

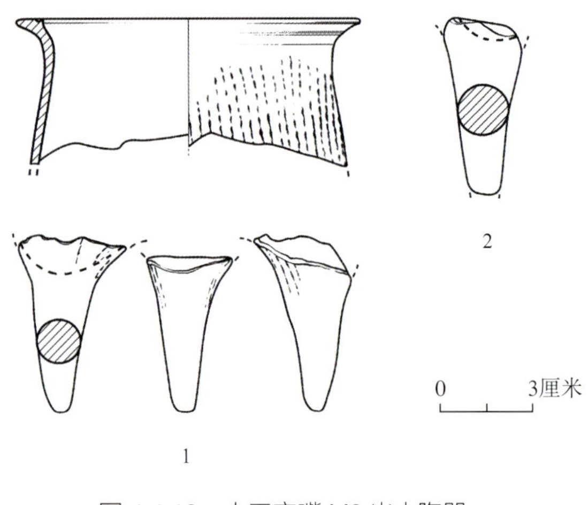

图 4.4.18 小王家嘴 M3 出土陶器

1. 鬲（M3：2） 2. 鬲足（M3：4）

5、3.1厘米，碎片总重55.4克（图4.4.17，1～3）。

2）陶器

鬲 标本1件。

标本M3：2，夹砂灰陶。位于墓室中部。仅见三足及部分口沿残片，基本不见腹、裆等残片，无法修复。平折沿，沿面上有一周浅凹槽，尖唇，三足足尖内敛。复原后口径10.4厘米（图4.4.18，1）。

鬲足 标本1件。

标本M3：4，夹砂灰陶。位于墓室南部。仅见一足。足为圆锥状，与同出的其他三足不同，应为另外一件陶鬲上的残足。残高5.4厘米（图4.4.18，2）。

残片 标本2件。

标本M3：3，泥质灰陶。位于墓室东南部。仅见腹部、肩部等残片，不见其他特征部位残片。饰弦纹。器形不明，无法修复。

标本M3：5，泥质红胎黑皮陶。位于墓室西南部。似盆罐类器物，仅见腹部残片，不见口沿、底等特征残片。饰绳纹。无法修复。

（四）M5

位于发掘区中部偏南，Q1517T0802东北部。开口于探方第2层下，北部被晚清民国时期的墓葬M4打破。墓壁较直，平底，从残存的部分推测墓圹应为长方形。依墓葬长轴方向推测墓葬方向为342°或162°。墓葬残长约0.64、宽约0.46、残深0.18米，残存墓口距地表约0.4米。填土为黄色黏土，土质较疏松。墓中随葬有1件陶器，裂为碎片，在发掘现场辨认应为陶鬲（图4.4.19、图4.4.20）。

墓内仅见1件陶鬲残片。

陶器

陶鬲 标本1件。

标本M5：1，夹砂灰陶。位于墓室西南角。腹片分两层铺放，均为内侧面朝上，仅见两个鬲足及腹片，无法修复。腹片饰绳纹。

（五）M7

位于发掘区西部，Q1517T0803中部。开口于第2层下。墓圹近长方形，墓壁较直，平底。根据墓内随葬品多集中于墓室南部，推测墓葬方向为332°。开口长约0.9、宽约0.48、残深0.1米，墓口距地表约0.1米。墓葬填土为黄色黏土，土质较疏松。墓内不见人骨及棺椁痕

图 4.4.19　小王家嘴 M5 俯视照片

图 4.4.21　小王家嘴 M7 俯视照片

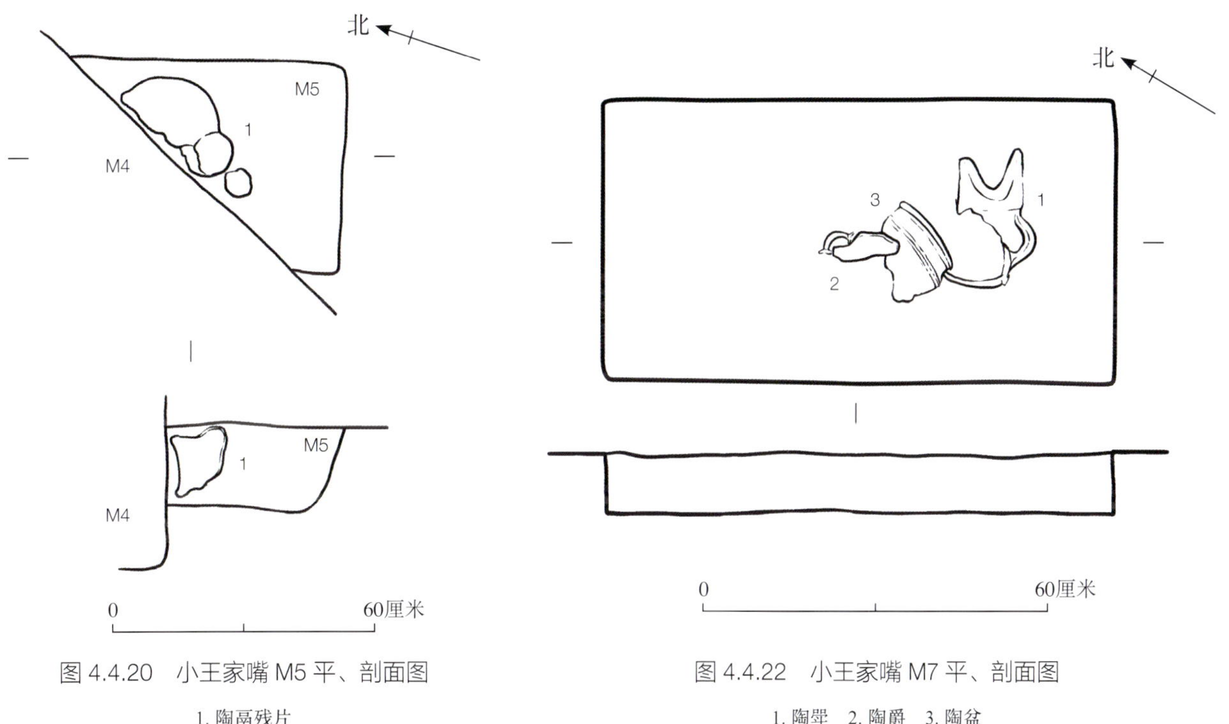

图 4.4.20　小王家嘴 M5 平、剖面图

1. 陶鬲残片

图 4.4.22　小王家嘴 M7 平、剖面图

1. 陶斝　2. 陶爵　3. 陶盆

迹。清理出土随葬品3件，均为陶器，集中置于墓室南部，包括斝1件、爵1件、盆1件，均破损较严重（图4.4.21、图4.4.22）。墓葬出土随葬品如下：

陶器

斝　标本1件。

标本M7：1，夹砂灰陶。出土时位于墓室南部，部分口沿叠压在北侧的陶盆下。直口，短束颈，鼓腹，分裆，下有三尖锥足，单錾。颈、腹部共饰四周弦纹，錾上有两个圆形乳钉。复原后口径14、通高17.8厘米（图4.4.23，2）。

爵　标本1件。

标本M7：2，泥质灰陶。出土时为碎片，位于陶盆北侧，部分残片叠压在陶盆下。仅见部分残片，无法修复。敞口，平底，双柱呈楔形、置于口部（图4.4.23，3）。

盆　标本1件。

标本M7：3，泥质灰陶，内外施黑皮。位于陶斝北侧，出土时口部朝下，保存状况差，底部残缺。直口微敛，折沿外翻，折腹。上腹饰两组各两周弦纹，下腹饰绳纹。复原后口径26、残高12.6厘米（图4.4.23，1）。

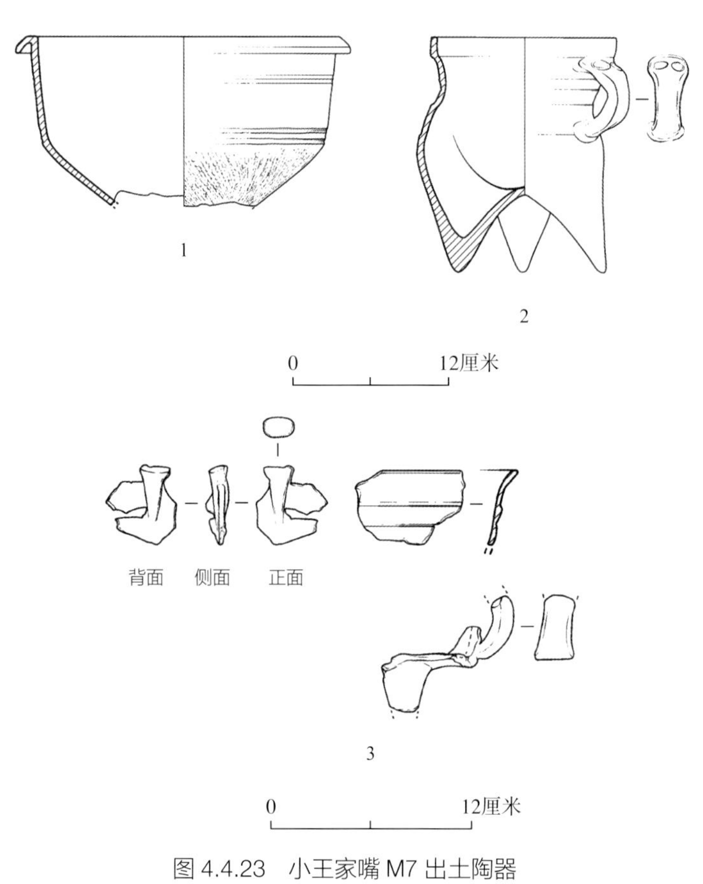

图4.4.23　小王家嘴M7出土陶器

1. 盆（M7：3）　2. 斝（M7：1）　3. 爵（M7：2）

（六）M9

位于发掘区西部，Q1517T0803西北部。开口于探方第2层下。墓圹平面近方形，墓壁较直，平底。根据墓内随葬品集中于墓室南部，推测墓葬方向为340°。开口长约1、宽约0.52、残深0.16米，墓口距地表约0.4米。墓葬填土为黄色黏土，土质较疏松。无包含物。未发现人骨及棺椁痕迹，仅在西南角出土陶盆1件及少量陶鬲残片（图4.4.24、图4.4.25）。墓葬出土随葬品如下：

图 4.4.24　小王家嘴 M9 俯视照片

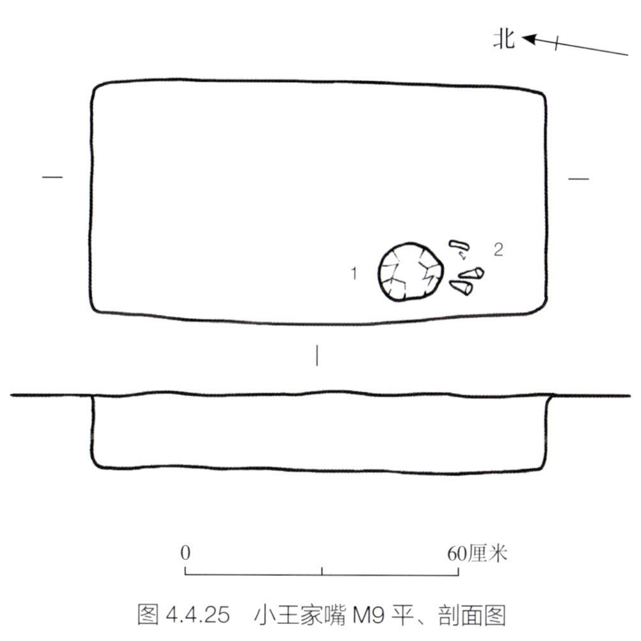

图 4.4.25　小王家嘴 M9 平、剖面图

1. 陶盆残片　2. 陶鬲足

陶器

鬲　标本1件。

标本M9∶2，夹砂红陶。位于西南角。仅见两个鬲足及少量碎片。无法修复。

盆　标本1件。

标本M9∶1，泥质红胎黑皮陶。可见腹部及少量口沿残片分两层叠放于墓室西南部，均为内壁朝上。底部残。深弧腹。上腹饰一周方格纹，方格纹上下缘各有两周弦纹，下腹饰绳纹（图4.4.26）。

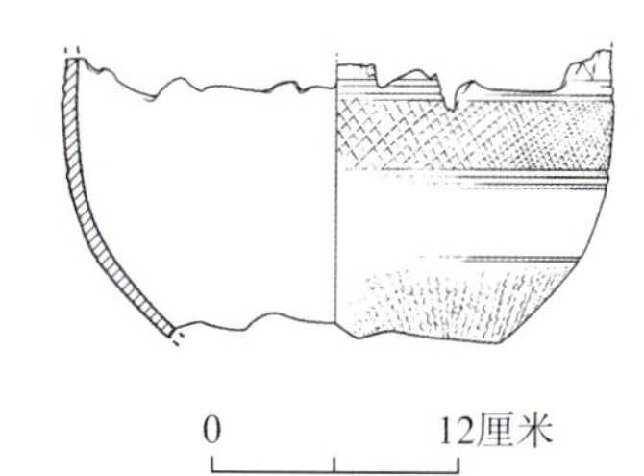

图 4.4.26　陶盆（小王家嘴 M9∶1）

（七）M10

位于发掘区中部偏南，Q1517T0802东部北隔梁下。开口于探方第2层下。墓圹近长方形，墓壁较直，平底。根据墓内随葬品集中于墓室南部，推测墓葬方向为340°。开口长约1、宽约0.56、残深0.1米，墓口距地表约0.1米。墓内填土为黄色黏土，土质较疏松。未发现人骨及棺椁痕迹，仅在西南部发现陶器残片一处（图4.4.27、图4.4.28）。

陶器

残片 标本1件。

标本M10：1，夹砂灰陶。位于墓室西南部。仅存器物腹片，内壁朝上。器形不明，无法修复。

图 4.4.27 小王家嘴 M10 俯视照片

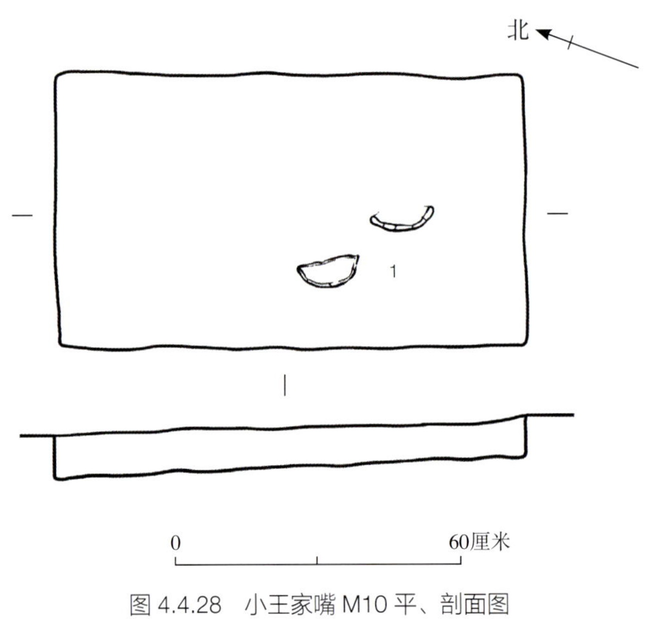

图 4.4.28 小王家嘴 M10 平、剖面图

1. 陶器残片

（八）M11

位于发掘区东部，Q1517T0903东北角。开口于探方第2层下。墓圹为规整的长方形，墓壁较直，平底。根据墓内随葬品集中于墓室南部，推测墓葬方向为340°。开口长约0.97、宽约0.42、残深0.22米，墓口距地表约0.4米。墓内填土为黄色黏土，土质较疏松。包含有少量陶片。未发现人骨及棺椁痕迹。共发现随葬品两件，包括青铜爵1件，陶斝1件。其中青铜爵和一部分陶器碎片放置于墓室西南角，一组陶斝碎片位于墓室东部（图4.4.29、图4.4.30）。

墓葬出土随葬品如下：

图 4.4.29　小王家嘴 M11 俯视照片

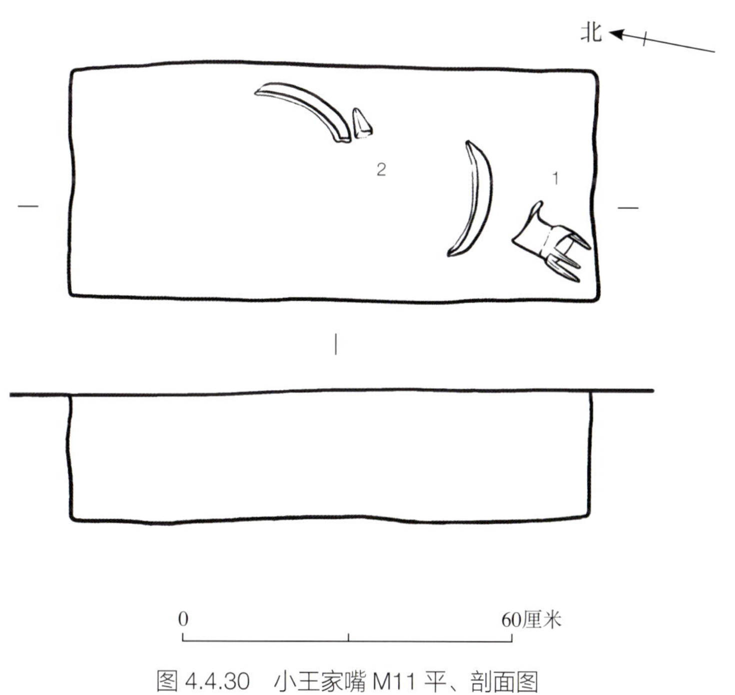

图 4.4.30　小王家嘴 M11 平、剖面图

1. 青铜爵　2. 陶斝

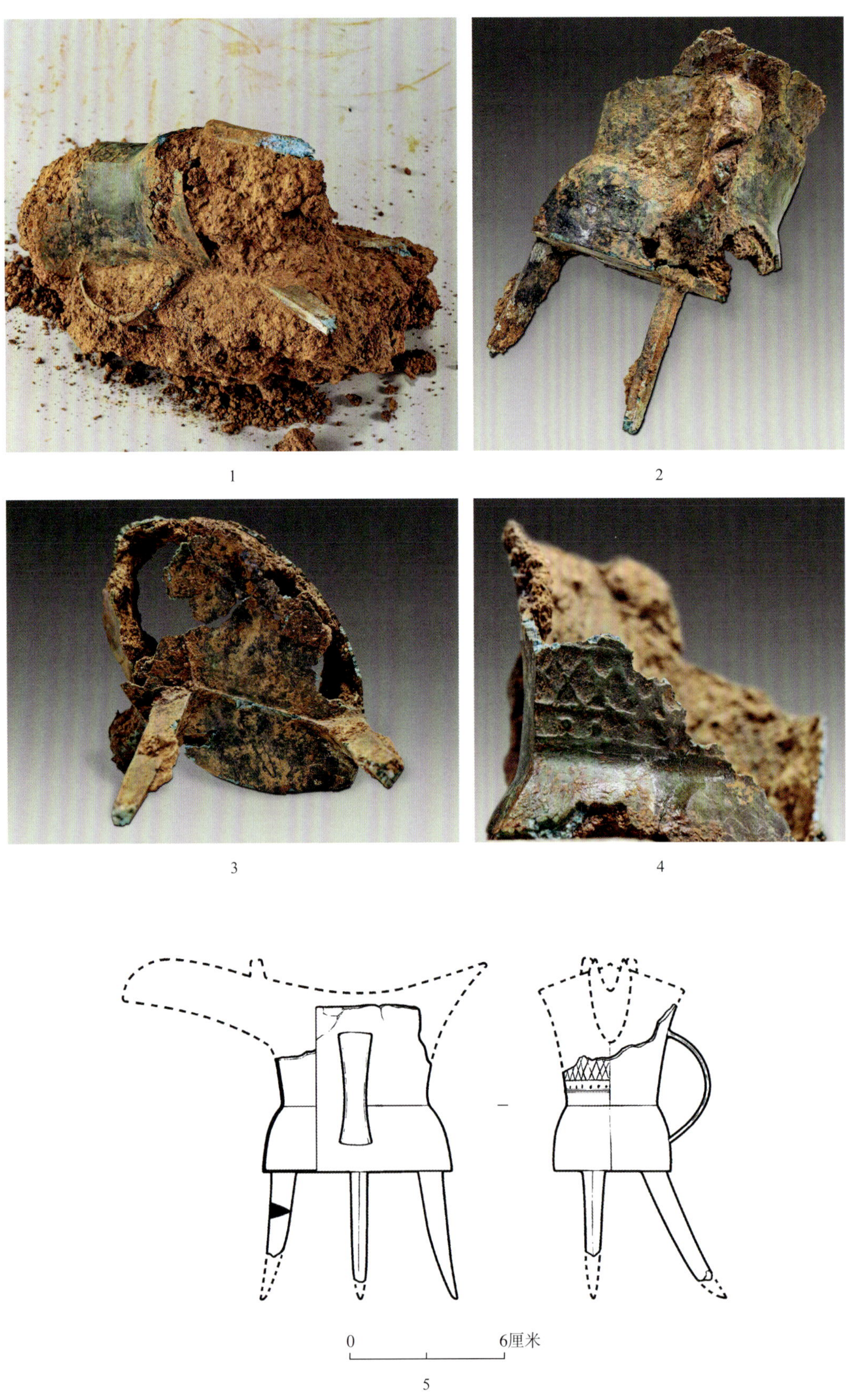

图 4.4.31　青铜爵（小王家嘴 M11：1）

1. 出土情况照片　2. 鋬一侧照片　3. 底部照片　4. 纹饰局部照片　5. 线图

1）青铜器

爵　标本1件。

标本M11：1，出土时流部一侧朝上，三足尖朝南放置在墓底。器物矿化较为严重，口部保存状况极差，足尖锈蚀（图4.4.31，1）。束腰，腹部横截面为枣核状，下腹微鼓，平底下接三棱形尖锥足（图4.4.31，2）。束腰部位饰有半周菱形纹（图4.4.31，4），鋬两侧为素面。腹部长轴侧的纵向范缝明显，底部可见Y形范缝，范缝中心点偏向一足。三足乃至腹部可见烟炱痕迹（图4.4.31，3）。残高10.7、器壁厚0.1、纹饰处厚0.2厘米，残片及复原后总重84.6克（图4.4.31，5）。

2）陶器

斝　标本1件。

标本M11：2，夹砂灰陶。出土时分散见于墓室南侧和墓室中部。仅见上腹片及一足。敛口，折肩，束腰，足为锥状，腹侧有一鋬。口、肩下饰弦纹，肩上可见一乳钉，足素面。复原后口径11.6、肩径16.8厘米（图4.4.32）。

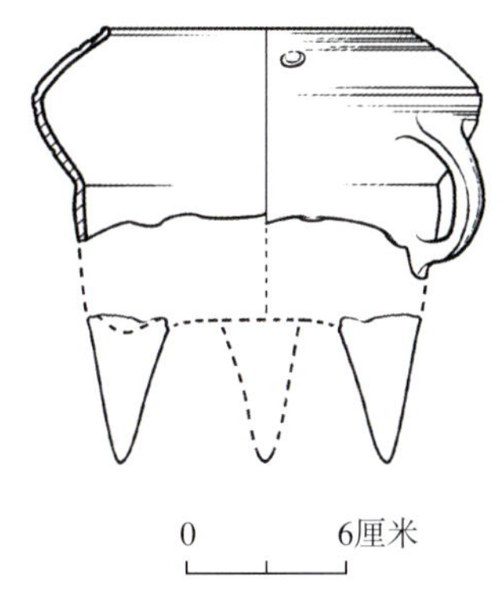

图4.4.32　陶斝（小王家嘴M11：2）

（九）M12

位于发掘区东部，Q1517T0903东部。开口于探方第2层下。墓圹平面近长方形，墓壁较直，墓底近平。依墓葬长轴方向推测墓葬方向为340°或160°。开口长约1.16、宽约0.5、残深0.14米，墓口距地表约0.3米。墓内填土为黄色黏土，土质较疏松。包含少量陶片。未发现人骨和棺椁痕迹，仅在西北部发现一件玉柄形器（图4.4.33、图4.4.34）。

图4.4.33　小王家嘴M12俯视照片

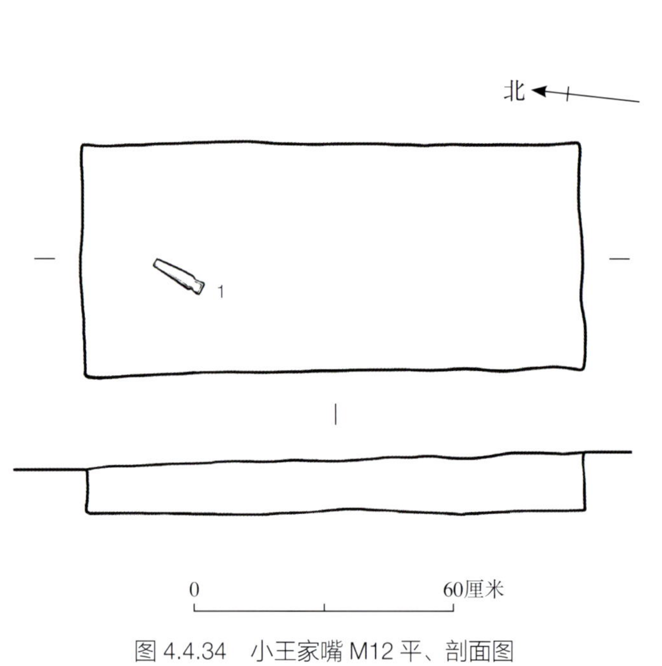

图 4.4.34　小王家嘴 M12 平、剖面图

1. 玉柄形器

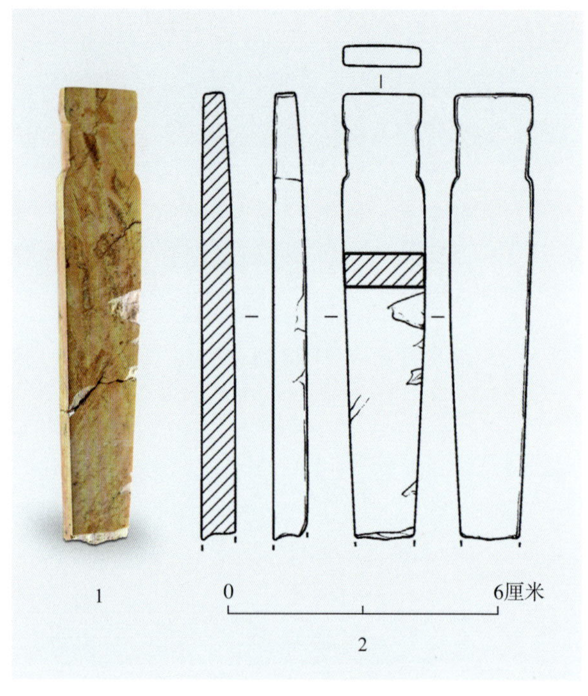

图 4.4.35　玉柄形器（小王家嘴 M12：1）

1. 照片　2. 线图

玉器

柄形器　标本1件。

M12：1，软玉，无半透明质体，通体黄色。器体细长，圆肩，长刃、刃部残，柄中部两面减地成亚腰。素面。残长9、首部宽1.7、厚0.51～0.72厘米，重24.7克（图4.4.35）。

（十）M13

位于发掘区东南部，Q1517T0902东隔梁下。开口于探方第2层下。墓圹平面近正方形，墓壁较直，平底。依墓葬长轴方向推测墓葬方向为333°或153°。开口长约0.9、宽约0.6、残深0.15米，墓口距地表约0.15米。填土为黄色黏土，土质较疏松。未发现人骨和棺椁痕迹。仅在墓葬的西北角发现玉柄形器1件（图4.4.36、图4.4.37）。

玉器

柄形器　标本1件。

标本M13：1，软玉，无半透明质体，通体白色。沁蚀严重，质地较差，触手有白色粉末脱落。器体扁平，刃部残缺。柄首饰一周阴线纹。残长10.3、柄部残长4.6、首宽2.8、厚0.34厘米，重14.4克（图4.4.38）。

图 4.4.36　小王家嘴 M13 俯视照片

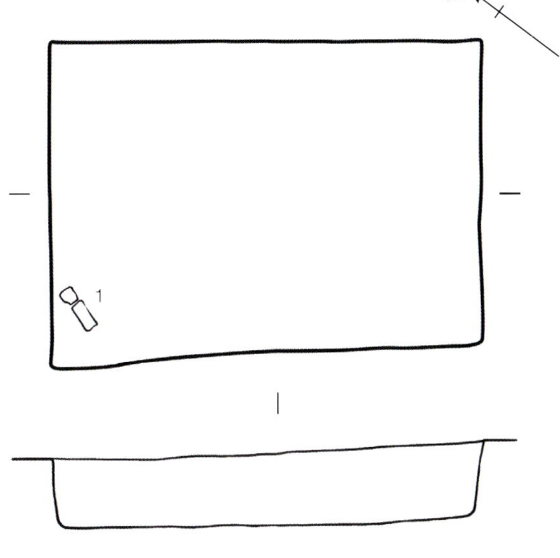

图 4.4.37　小王家嘴 M13 平、剖面图

1. 玉柄形器

（十一）M14

位于发掘区东南部，Q1517T0902南部扩方处。开口于第1层下。北部被晚清民国时期的墓葬M8打破，墓葬开口距离地表约0.15米。墓葬开口为长方形，墓壁较直，底近平。依墓葬长轴方向推测墓葬方向为348°或168°。墓葬开口残长约0.8、宽约0.7、残深0.18米。墓内填土为黄色黏土，土质较疏松。包含有少量陶片及原始瓷片。不见人骨及棺椁痕迹。共发现随葬品4件，包括青铜爵足1件，青铜圈足1件，玉有领璧1件，玉柱形器1件（图4.4.39、图4.4.40）。

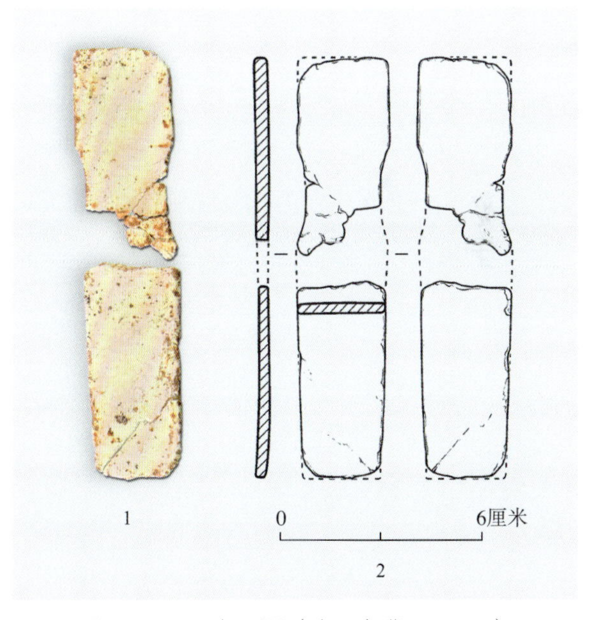

图 4.4.38　玉柄形器（小王家嘴 M13：1）

1. 照片　2. 线图

残余的随葬品主要见于墓室北部，靠近M8。偏东侧放置有青铜爵足、青铜圈足，圈足西侧有铜片锈渣，器形不明。中部见有玉柱形器和玉有领璧等。另外，在M8壁龛底部靠近M14的位置发现一件青铜爵足。由于M8属于晚清民国时期，其打破M14的位置正靠近随葬品的放置区域；同时M8的这件爵足与M14出土的爵足形态相似。因此判断该爵足应为M14的随葬品，极有可能是在后期破坏的过程中掉入了M8。

图 4.4.39　小王家嘴 M14 俯视照片

图 4.4.40　小王家嘴 M14 平、剖面图

1. 玉璧　2. 玉柱形器　3. 青铜爵足　4. 青铜圈足

墓葬出土随葬品如下：

1）青铜器

爵足　标本2件。

标本M14：3，位于墓室近东壁的位置。三棱形尖锥足，三棱明显。表面不见范缝，有黑色烟炱痕迹。残高5.8厘米，重14.4克（图4.4.41，1）。

标本M14：5，原出土于M8，认为原属于M14后补录。足尖锈蚀严重。三棱形尖锥足。残高5.2厘米，重10.6克（图4.4.41，2）。

圈足　标本1件。

标本M14：4，位于墓室近东壁的位置，青铜爵足（M14：3）以北。残损严重，具体器形不明。一端为圈足口部，另一端收束与口部形成两阶。收束的部分饰一周弦纹，一端有弧形缺口，疑似镂空。残高3.8厘米，重14.5克（图4.4.41，3）。

2）玉器

有领璧　标本1件。

标本M14：1，软玉，已无透明质体，通体白色，触手有白色粉末脱落。位于墓室中部靠北的位置。圆环形，部分残缺，玉璧内圆出领。复原后外径8.4、内径5.8、厚0.34、领高0.7厘米，重13.7克（图4.4.42）。

柱形器　标本1件。

标本M14：2，软玉，通体大部分为白色，部分可见淡绿色半透明玉质体。位于墓室中部，玉有领璧以南。圆柱形，两端均残，上端可见收束的阶，下端断面可见穿孔痕迹（图4.4.43，2）；中部饰四组交叉的平行阳线（图4.4.43，1）。从器形上看，该器物类似石家河时期的玉鸟柱残部，推测该器物为石家河时期的遗物，类似的完整器在盘龙城李家嘴M3中发现一件。残高3.6、截面直径1.4厘米，重13.7克（图4.4.43，3）。

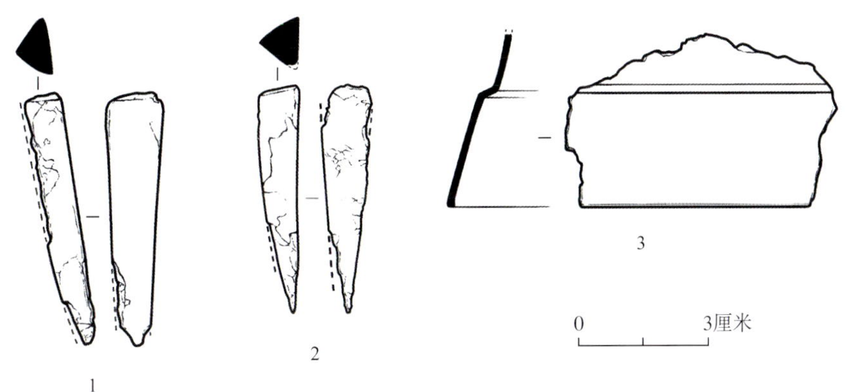

图 4.4.41　小王家嘴 M14 出土青铜器

1、2. 爵足（M14：3、M14：5）　3. 圈足（M14：4）

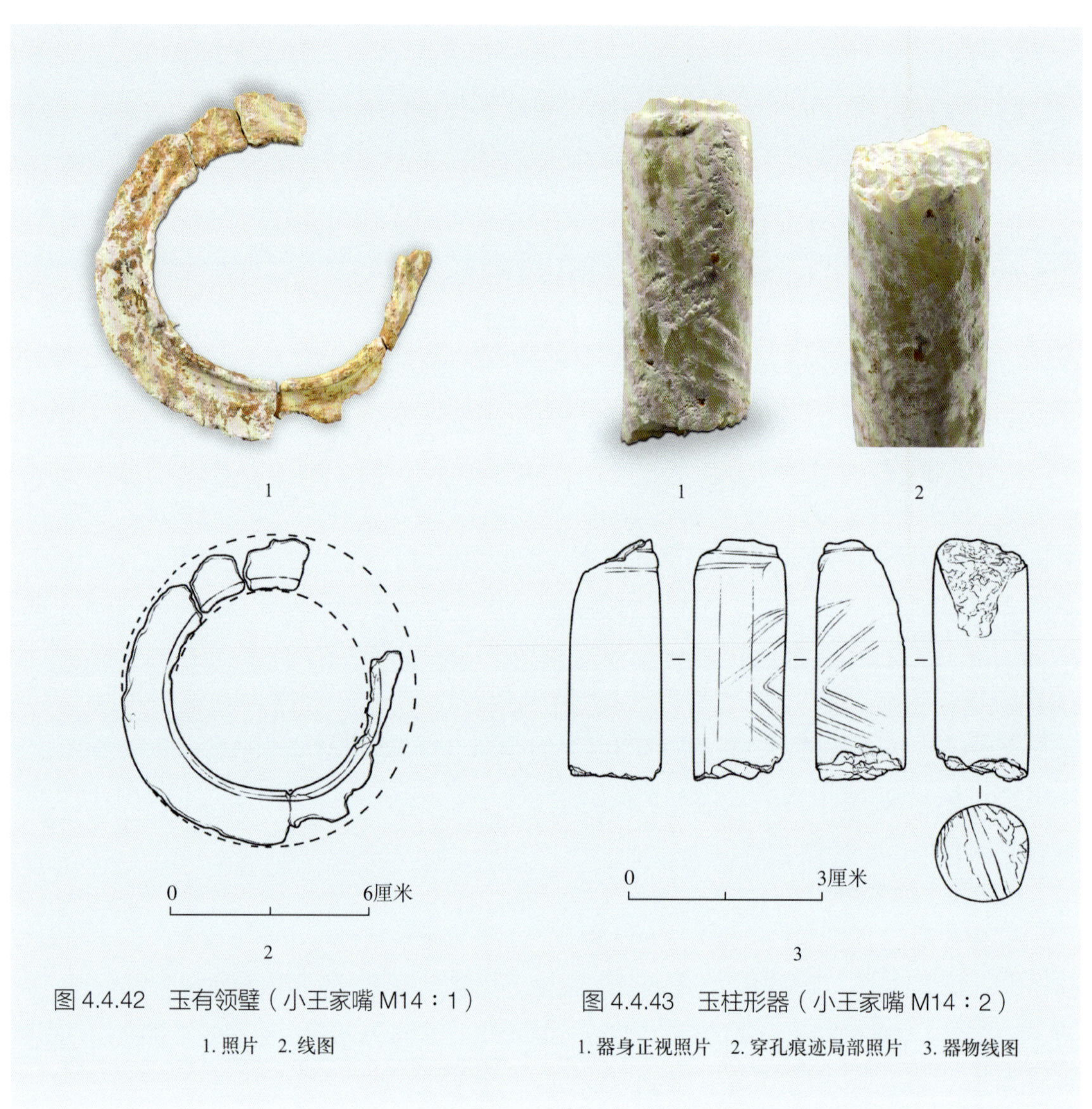

图4.4.42　玉有领璧（小王家嘴M14：1）

1. 照片　2. 线图

图4.4.43　玉柱形器（小王家嘴M14：2）

1. 器身正视照片　2. 穿孔痕迹局部照片　3. 器物线图

（十二）M15

位于发掘区东北部，Q1517T0904东南角。开口于第2层下。墓圹平面近方形，墓壁较直，平底。依墓葬长轴方向推测墓葬方向为337°或157°。开口长约1.14、宽约0.42、残深0.12米，墓口距地表深约0.2米。墓内填土为黄色黏土，土质较疏松。未发现人骨及棺椁痕迹。在西南角发现陶鬲1件（图4.4.44、图4.4.45）。

陶器

鬲　标本1件。

标本M15：1，夹砂灰陶。位于墓室西南角。仅见两个鬲足及少量碎片。无法修复。

图 4.4.44　小王家嘴 M15 俯视照片

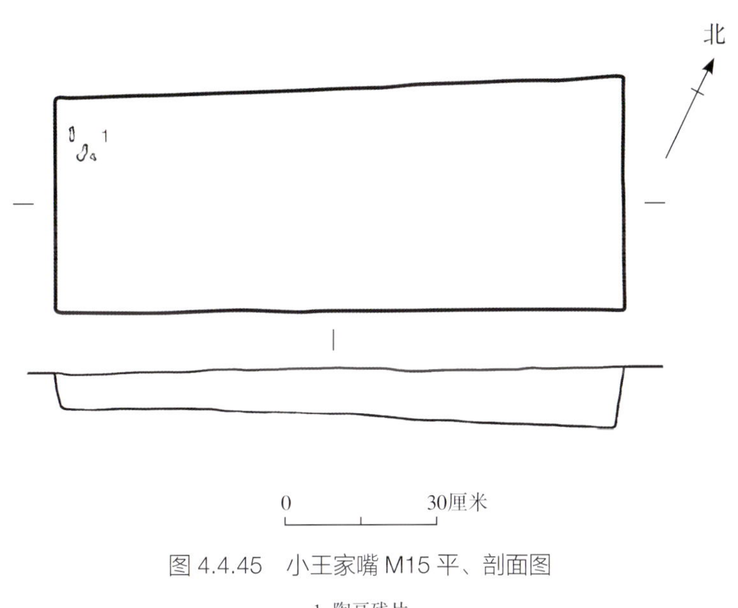

图 4.4.45　小王家嘴 M15 平、剖面图

1. 陶鬲残片

（十三）M16

位于发掘区中部，Q1517T0803东部。开口于第2层下。墓圹平面近方形，墓壁较直，圜底。根据墓内随葬品集中于墓室北部，推测墓葬方向为170°。开口长约1.1、宽约0.85米，中部较深，两端较浅，深0.25～0.43米，墓口距地表深约0.44米。墓内填土为黄色黏土，未发现人骨及棺椁痕迹，仅在北部发现陶瓮残片（图4.4.46、图4.4.47）。

图 4.4.46　小王家嘴 M16 俯视照片

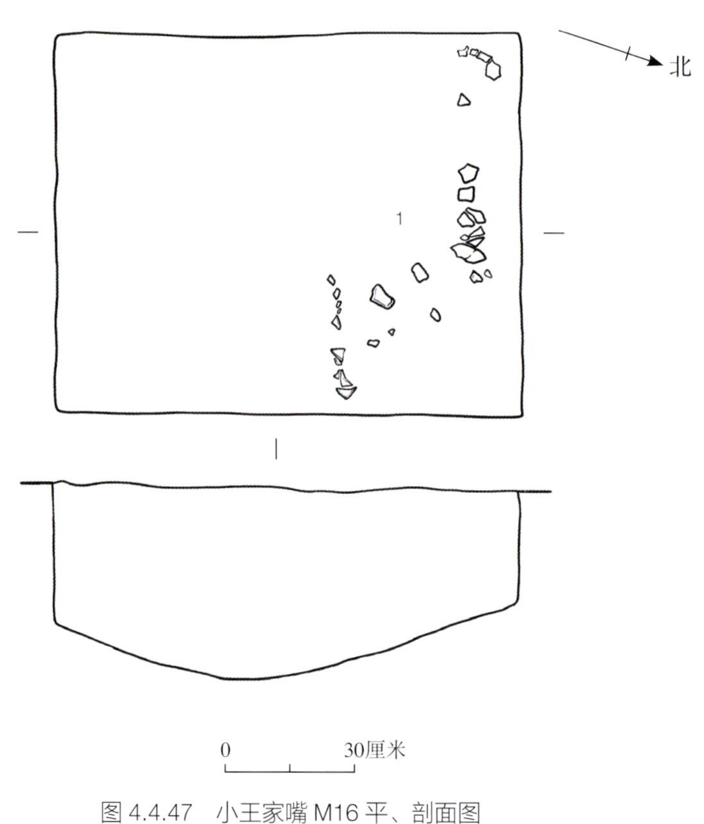

图 4.4.47　小王家嘴 M16 平、剖面图

1. 陶瓮

陶器

瓮 标本1件。

标本M16：1，泥质灰陶。散布在墓室北部，多为器物的口沿和腹部残片，底部残片较少。侈口，折沿，沿面内凹，尖唇，束颈，圆肩斜腹。肩部、腹部饰有细绳纹。肩部饰有两组各两周弦纹，腹部饰有两周一组弦纹。复原后口径16厘米（图4.4.48）。

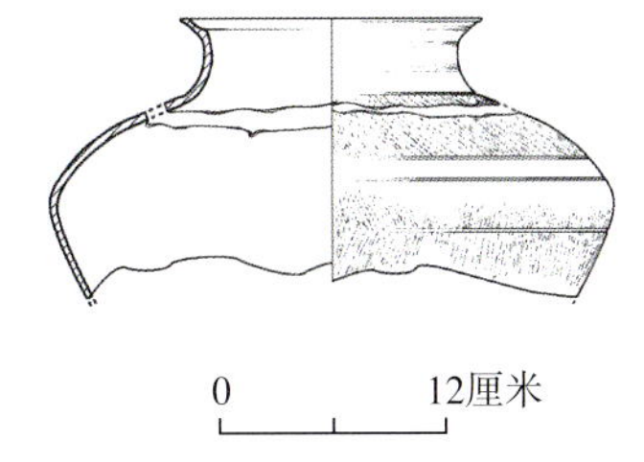

图4.4.48 陶瓮（小王家嘴M16：1）

（十四）M17

位于发掘区南部，Q1517T0902西部。开口于第2层下。墓圹为长方形，墓壁较直，墓底中部较深，两边较浅。依墓葬长轴方向推测墓葬方向为335°或155°。墓圹开口长1.6、宽0.6、残深0.14～0.2、墓口距地表深约0.2米。在北部有生土二层台，长0.4、宽0.6、高0.05米。墓内填土为黄色黏土，土质较疏松，包含少量陶片。不见人骨及棺椁痕迹。该墓葬清理出随葬品12件，包括青铜爵1件、陶鬲3件[①]、陶爵2件、陶簋1件、陶瓮2件[②]、陶缸1件、陶纺轮1件，另外还有原始瓷罐1件（图4.4.49、图4.4.50）。

随葬品主要放置在北二层台、墓室中部及南部。其中北部二层台放置有陶簋、陶爵和硬陶罐残片。陶簋底座和口沿分离，陶爵位于簋底座的东部、簋口沿的北部，周围则分布有硬陶罐残片。墓室中部放置有1件青铜爵，两足及一柱帽散布周围。铜爵北侧还见有一些陶鬲及陶瓮的碎片，南侧有一陶纺轮。墓室南部主要放置陶器碎片，包括陶缸、陶鬲及陶瓮等碎片（图4.4.50）。墓葬出土随葬品如下：

1）青铜器

爵 标本1件。

标本M17：7，出土时平置在墓室中部，器物流、口均残，鋬一侧朝向墓底。鋬对侧腹部则破碎变形，底部仅存一足（图4.4.51）。其余足与器身分离，一足在器身西侧约0.2米处，另一足在北侧0.1米处；柱帽则散乱在其底部附近（图4.4.52，1）。束腰，腹圆鼓，腹部横截面近椭圆形，桥形鋬中部略细、两头较宽，平底，下接三圆尖锥足，锥足略有外撇（图4.4.51；图4.4.52，3）。上腹部饰三周凸弦纹，弦纹在腹部对应鋬内侧的位置中断，下腹部在鋬下位置饰一周弦纹（图4.4.52，2）。鋬上及腹部对应鋬内侧的位置范缝不明显，底部可见人字形范缝，人字形范缝顶端正对着鋬下一足的内侧中点，三足部外侧可见一条范缝。下腹部、足部、底部等有烟炱痕迹（图4.4.52，4）。残高11.5、底长径6.3、短径4.7厘米；器壁较薄，经测量腹壁厚0.16、弦纹处厚0.19厘米，复原后重88.4克（图4.4.51、图4.4.52）。

① 从陶片特征来看，至少存在3个个体。

② 从陶片特征来看，至少存在2个个体。

图 4.4.49　小王家嘴 M17 俯视照片

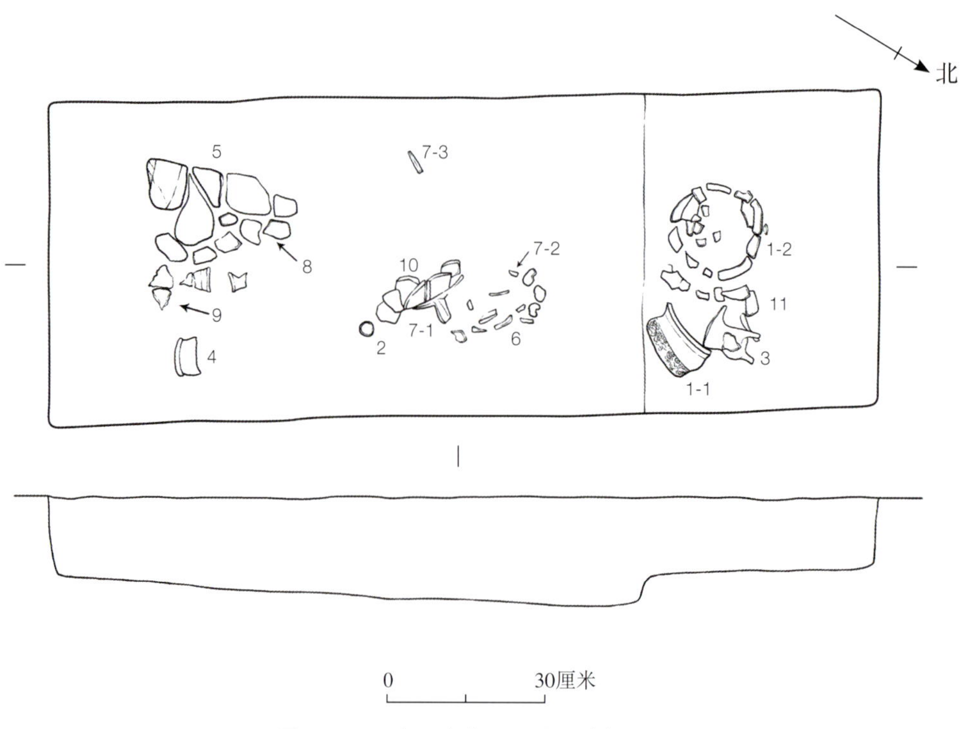

图 4.4.50　小王家嘴 M17 平、剖面图

1. 陶兽面纹簋（1-1. 口腹部　1-2. 圈足）　2. 陶纺轮　3. 陶爵　4. 陶鬲　5. 陶缸　6. 陶鬲残片　7. 青铜爵（7-1. 腹底部　7-2、7-3. 足）　8. 陶爵底足残片　9. 陶瓮残片　10. 陶瓮残片　11. 硬陶罐残片

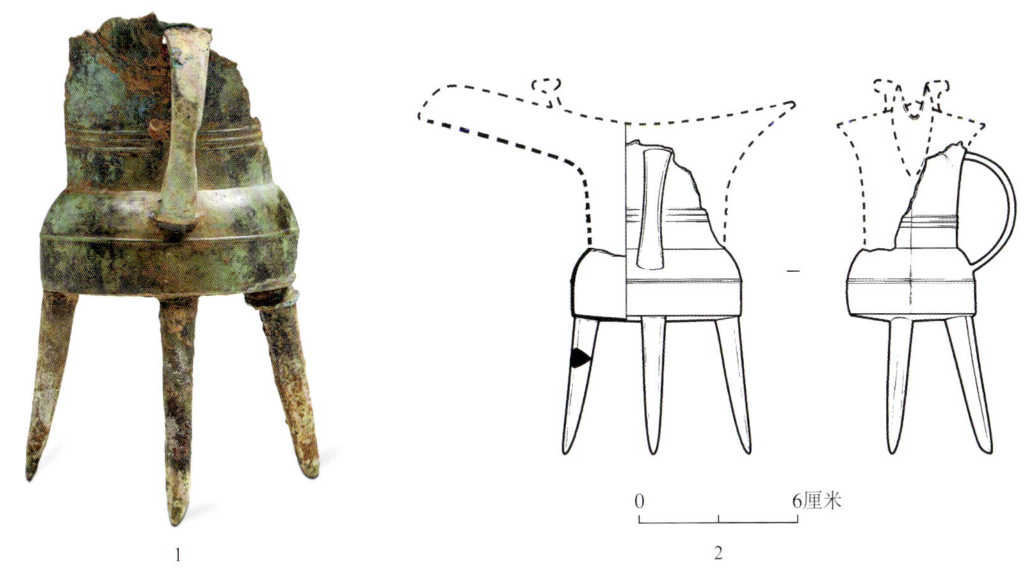

图 4.4.51　青铜爵（小王家嘴 M17：7）

1. 照片　2. 线图

图 4.4.52　青铜爵（小王家嘴 M17：7）出土情况和局部照片

1. 出土情况　2. 鋬及鋬侧纹饰　3. 器足补铸情况　4. 底部范缝和烟炱痕迹

2）陶、瓷器

鬲　标本2件。

标本M17：4，夹砂灰陶。位于墓室南部，仅见部分口沿及裆片，无法修复。平折沿、沿面有一周凹槽，圆唇，微束颈，联裆。腹部饰较粗绳纹。火候较好。复原后口径11厘米（图4.4.53，5）。

标本M17：6，夹砂红陶。位于墓室中部，可辨认的有口沿及6个尖锥足等残片，推测至少有2个个体，均无法修复。这批陶器均为夹砂红陶。口沿为平折沿，沿内缘有明显的凸棱。

爵　标本2件。

标本M17：3，泥质红陶。位于墓室北部二层台上，叠压在一片簋口沿之上，出土时一足及鋬残。敞口，流微上扬，束腰，下腹鼓，平底下接圆锥足。残高10厘米（图4.4.53，1）。

标本M17：8，夹砂红陶。位于墓室中部，可辨认的有外鼓的腹部和内收的腰部及一足。不可修复。残高5.2厘米（图4.4.53，2）。

簋　标本1件。

标本M17：1，泥质灰陶。出土于墓室北部二层台上，圈足与腹部分离，位于偏西的位置，腹部和口沿残片位于其东侧（图4.4.54）。折沿，圆唇，束颈，鼓腹，微圜底，圈足近直向下。口部下可见斜向抹光的绳纹，颈部饰两组各两周弦纹，腹部饰一周四组兽面纹，兽

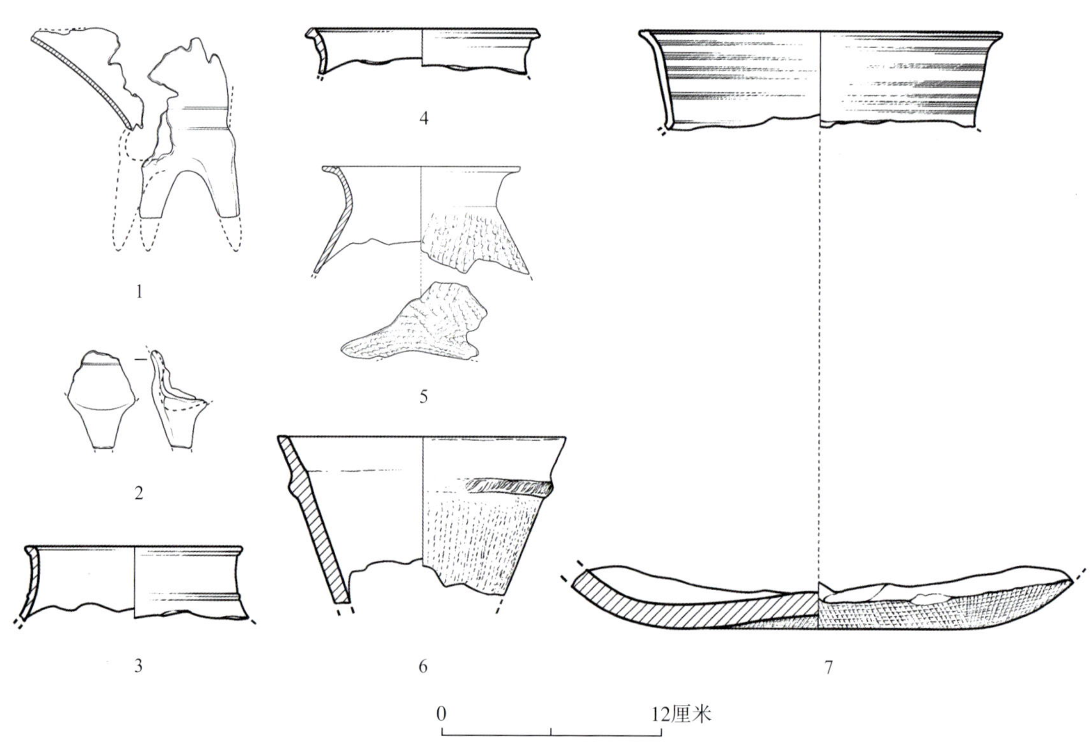

图4.4.53　小王家嘴M17出土陶器和原始瓷

1、2. 爵（M17：3、M17：8）　3、4. 瓮（M17：9、M17：10）　5. 鬲（M17：4）
6. 缸（M17：5）　7. 原始瓷罐（M17：11）

图 4.4.54　陶簋（小王家嘴 M17：1）出土情况

目圆凸、直身卷尾、兽角卷曲、兽爪蜷伏，圈足饰三周双线弦纹，圈足内底外侧饰绳纹。复原后口径21.6、残高19.3厘米（图4.4.55）。

瓮　标本2件。

标本M17：9，泥质红胎黑皮陶。位于墓室中部及南部，仅可辨认口沿部分，无法修复。侈口，圆唇。颈部饰一周凸弦纹。复原口径12厘米（图4.4.53，3）。

标本M17：10，泥质红胎黑皮陶。位于墓室中部及南部，可辨认的有口沿、腹部等残片，无法修复。侈口，小方唇，唇上缘起棱，下缘带钩，唇面有一周凹槽，束颈。肩部可见饰有菱形纹，腹部饰绳纹。复原口径13.3厘米（图4.4.53，4）。

缸　标本1件。

标本M17：5，夹砂红陶。呈残片状位于墓室南部，器体不完整，底部残。侈口，尖唇，斜直腹。口下饰一周附加堆纹，腹部饰细绳纹。复原后口径16厘米（图4.4.53，6）。

纺轮　标本1件。

标本M17：2，泥质红陶。位于墓室中部。圆形，中间厚，边缘薄，截面为枣核状，中间有

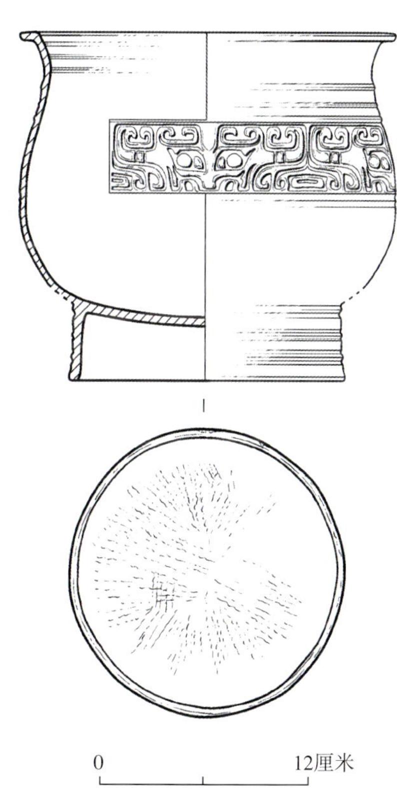

图 4.4.55　陶簋线图（小王家嘴 M17：1）

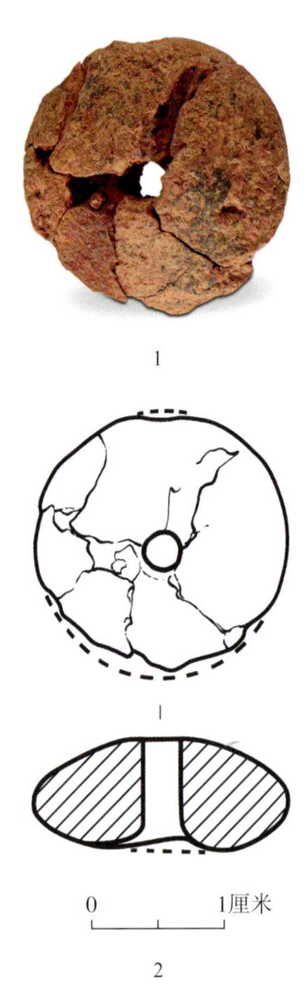

图 4.4.56　陶纺轮（小王家嘴 M17：2）
1. 照片　2. 线图

圆形孔。直径1.9、厚0.8厘米，重20.8克（图4.4.56）。

原始瓷罐　标本1件。

标本M17：11，残片质地坚硬，表面可见褐色釉，灰白色胎。位于墓室北部二层台上，可见口沿和腹底残片，无法修复。侈口，圆唇，唇内缘有一周凹槽，束颈，圜底。腹部与底部可见饰有小方格纹。颈部内壁可见多周轮修的痕迹。复原后口径20厘米（图4.4.53，7）。

（十五）M18

位于发掘区中部偏南，Q1517T0902西北角北隔梁下。开口于第2层下。墓圹平面近狭长的长方形，墓壁较直，墓底不平，南北两端较浅、中部较深。依墓葬长轴方向推测墓葬方向为337°或157°。开口长约2.06、北端宽约0.62、南端宽约0.65、深0.06～0.18米，墓口距地表深约0.3米。墓内填土为黄色黏土，土质较疏松。不见棺椁和人骨痕迹。共发现随葬品6件，包括青铜刀1件、陶鬲1件、陶瓮1件、玉钺1件、石凿1件（图4.4.57、图4.4.58）；另有1件陶器残片，器类不明。

随葬品主要放置在墓室南部和西北部。南部放置有1件青铜刀。青铜刀刃部所向的东侧见有1件石凿，石凿断为两截。青铜刀西侧则为陶器残片，可辨认的有鬲、瓮等。此外，墓室西北角还放置有1件玉钺（图4.4.58）。墓葬出土随葬品如下：

1）青铜器

刀　标本1件。

标本M18：2，位于墓室南部，南北纵向放置，刃朝东。刃部因锈蚀严重而残缺。刀尖微上扬，刀背较平，中部凸脊，刀刃背脊与刀柄平齐（图4.4.59，1、2）。残长18.7、柄长约5厘米，复原后重30克（图4.4.59，3）。

2）陶器

鬲　标本1件。

标本M18：4，泥质红胎黑皮陶，陶质较细腻。位于墓室南部，仅见一足及部分裆部残片，无法修复。尖锥足。残片部分可见饰绳纹。泥质黑皮的陶鬲较为少见。残高6.5厘米（图4.4.60）。

图 4.4.57　小王家嘴 M18 俯视照片

图 4.4.58　小王家嘴 M18 平、剖面图

1. 玉钺　2. 青铜刀　3. 石凿　4. 陶鬲残片　5. 陶瓮残片　6. 陶残片

瓮　标本1件。

标本M18：5，泥质红胎黑皮陶。位于墓室南部，仅见口沿残片及其他少量碎片，从口部残片来看，口为小直口，圆唇，口部饰两周弦纹。无法修复。

残片　标本1件。

标本M18：6，夹砂灰陶。无特征部位，器形不明，无法修复。

3）玉器

钺　标本1件。

标本M18：1，软玉，器体为白色夹黄土斑。出土时平置于墓室西北角。保存较差，刃部一角略有残缺。从断面来看，黄色土斑深入器物内芯，应是矿石成矿过程中生物性原因造

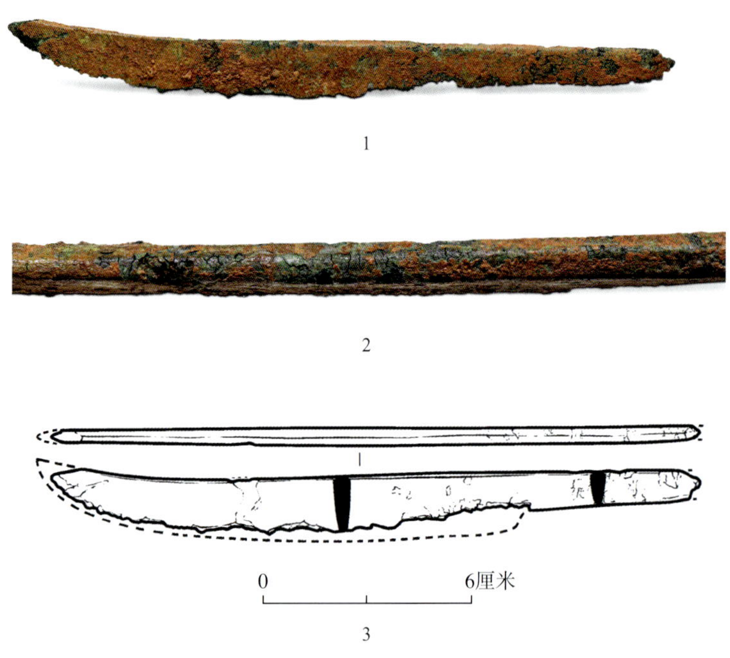

图 4.4.59　青铜刀（小王家嘴 M18：2）

1. 器身正视照片　2. 刀刃背脊局部照片　3. 线图

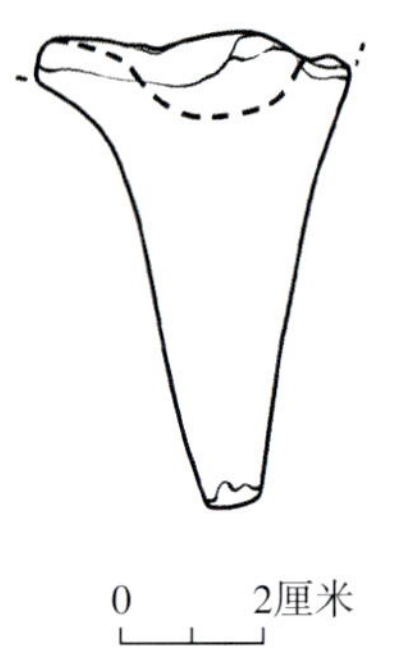

图 4.4.60　陶鬲足（小王家嘴 M18：4）

成的材质腐蚀（图4.4.61，1、2）。平首弧刃。通体无纹饰。首部有两面对穿的孔。通长14、首部宽6.4、厚1.44、孔径1.5厘米，重181.2克（图4.4.61，3）。

4）石器

凿　标本1件。

标本M18：3，通体黝黑。位于墓室南部，青铜刀的东侧，出土时断为两块，首部与刃部并排放置。首部残，刃部一角略有残缺。弧刃及两直边单面开锋，刃部反光发亮，器体极薄。残长4.1、刃宽3.1、厚0.15厘米，重6.8克（图4.4.62）。

（十六）M21

位于发掘区东部，Q1517T0903东部。开口于第2层下，南部被晚清民国时期的墓葬M19打破。墓圹残余部分为方形，墓壁较直，平底。依墓葬长轴方向推测墓葬方向为333°或153°。开口残长约0.64、宽约0.5、残深0.12米，墓口距地表深约0.3米。墓内填土为黄色黏土，土质较疏松。不见人骨和棺椁痕迹。在墓室南部分布有陶鬲及部分红陶、灰陶碎片，应

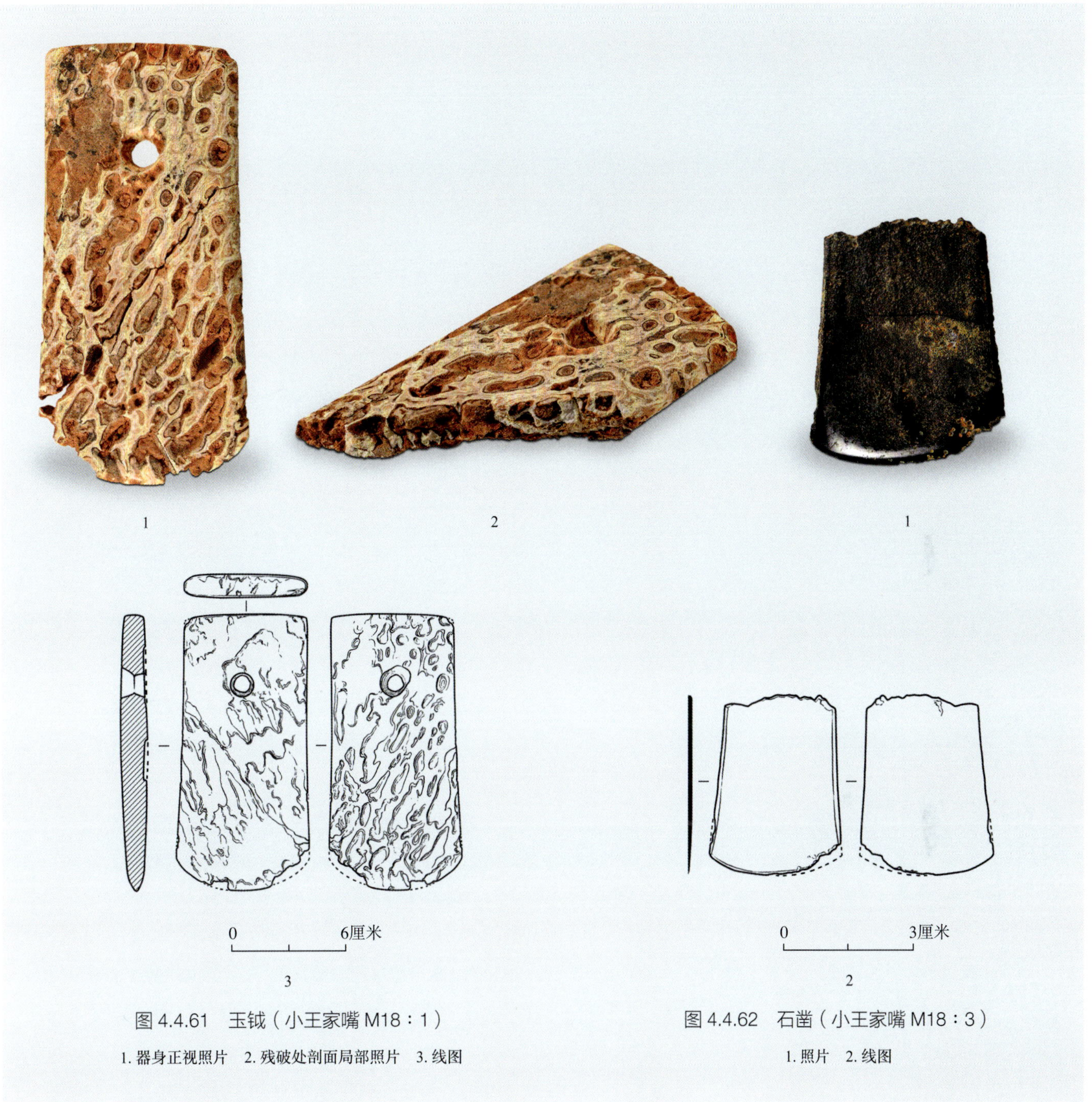

图4.4.61　玉钺（小王家嘴M18：1）

1. 器身正视照片　2. 残破处剖面局部照片　3. 线图

图4.4.62　石凿（小王家嘴M18：3）

1. 照片　2. 线图

为残余的随葬品（图4.4.63、图4.4.64）。墓葬出土的随葬品如下:

陶器

鬲　至少存在两个个体。可见口沿、足及腹部残片，均无法修复。

标本M21：1，平折沿，尖唇，沿面有凹槽。

标本M21：4，斜折沿，均位于墓室南部。

图 4.4.63　小王家嘴 M21 俯视照片

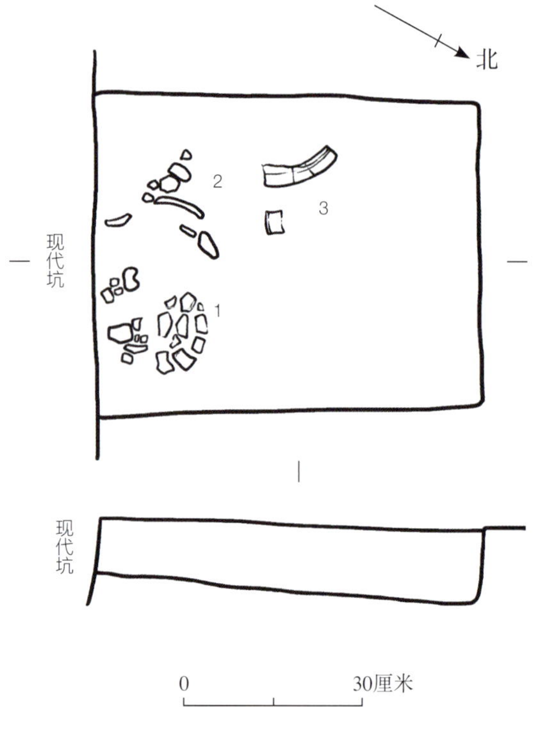

图 4.4.64　小王家嘴 M21 平、剖面图

1. 陶鬲　2、3. 陶口沿残片

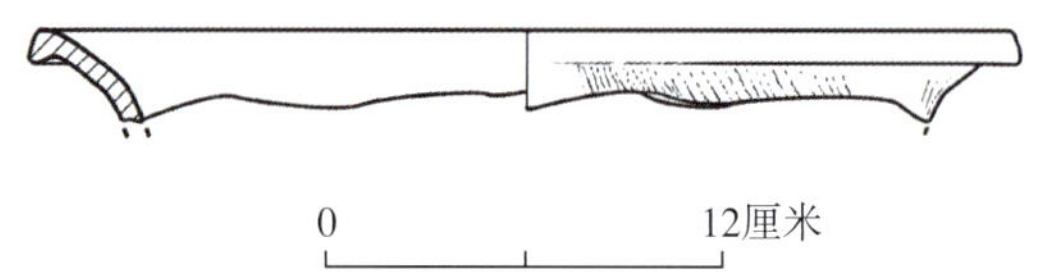

图 4.4.65　陶口沿残片（小王家嘴 M21：2）

残片　标本2件。

标本M21：2，泥质红胎黑皮陶。位于墓室南部，仅见口沿等部位，器类不明。从口沿情况看为大敞口，卷沿，方唇，唇下缘带钩，复原口径30厘米（图4.4.65）。

标本M21：3，夹砂灰陶。位于墓室西部，仅见口沿等残片，器类不明。直口微侈，方唇。

（十七）M23

位于发掘区东北部，Q1517T0903西部北隔梁下。开口于第1层下。墓圹平面呈长方形，墓壁斜直，口大底小，底近平。依墓葬长轴方向推测墓葬方向为336°或156°。开口长约1.58、宽约0.6、残深0.29米，墓口距地表深约0.12米。墓内填土为黄色黏土，土质较疏松。不见人骨和棺椁痕迹，仅在墓室的东北角见有陶器口沿1件（图4.4.66、图4.4.67）。

图 4.4.66 小王家嘴 M23 俯视照片

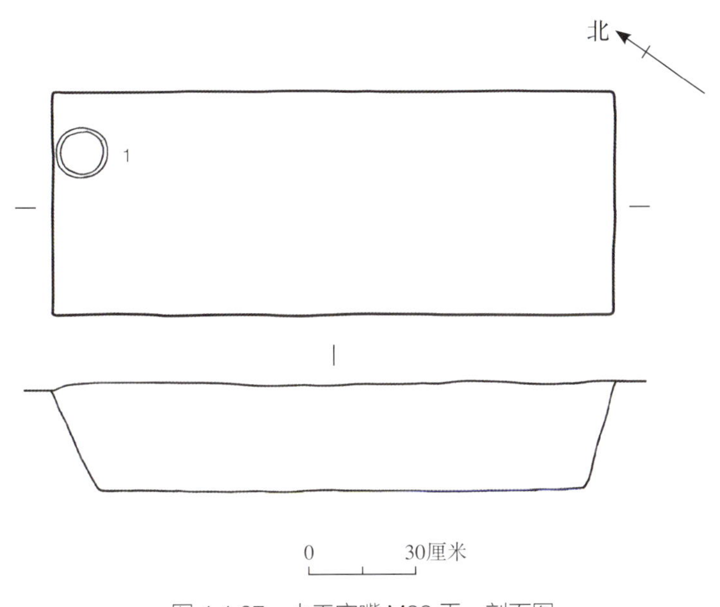

图 4.4.67 小王家嘴 M23 平、剖面图

1. 陶口沿残片

陶器

残片 标本1件。

标本M23：1，泥质红陶。出土于墓室东北角，仅存口沿残片。口沿朝下放置，但保存较完整，推测原器物可能较完整倒置于此。侈口，方唇，沿内近唇处内凹，唇面有一周凹槽。由于残留的口沿部分较少，器类不明，推测为小口束颈的瓮类器。口径12.8厘米（图4.4.68）。

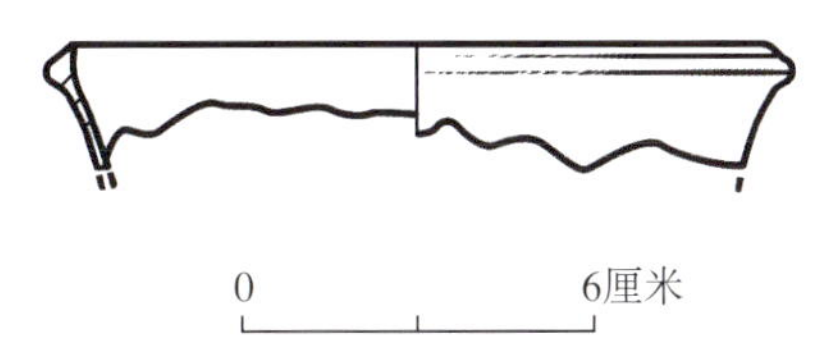

图 4.4.68 陶口沿残片（小王家嘴 M23：1）

（十八）M24

位于发掘区中部偏北，Q1517T0804东南角。开口于第2层下。墓壁较直，平底中部有腰坑。西北部隐约可见头骨痕迹，可判断墓葬方向为340°。墓葬开口长2.6、北端宽1.6、南端宽1.5、深0.10～0.14米，墓口距地表约0.3米（图4.4.69，1）。底部中央有腰坑，腰坑长0.92、宽0.72、深0.06～0.08米（图4.4.69，2）。填土为黄土夹黑色锰结核颗粒，土质较疏松。在墓室西北角发现疑似人头骨痕迹，在东北部红陶缸下也发现疑似骨痕。该墓葬为本次发掘规模最大、随葬品最为丰富的一座墓葬，共发现随葬品21件，其中清理出土青铜器12件，包括：青铜爵1件、青铜觚1件、青铜斝1件、青铜圆鼎1件、青铜扁足鼎1件、青铜戈1件、青铜刀1件、青铜镞5件；陶器5件，包括：灰陶缸3件、红陶缸1件、圆陶片1件；玉器4件，包括：玉柄形器2件、玉钺1件、玉斧1件（图4.4.70）。

随葬品主要集中于墓室西南部、东部以及腰坑中。墓葬西南部为器物主要摆放区域，自南向北铜器可见扁足鼎、圆鼎；两鼎北侧有灰陶缸，口内发现扁足一只，缸底压一铜戈；缸北侧有铜斝，仅存底部和三足；斝足西侧有柱帽、锥形足，扁足；斝东侧靠近墓中部有玉钺，已断为两段。斝北侧放置5件铜镞，分两排摆放，北侧2件、南侧3件；另外，在铜镞南侧发现漆器痕迹。墓葬东南部随葬品放置有铜口沿残片，其北侧为铜觚；觚口南侧发现斝柱帽；觚北侧为红陶碎片，碎片下发现玉柄形器。红陶碎片东侧为铜刀，铜刀靠置在一石块旁，在刀下发现另一件玉柄形器；铜刀北侧为一铜爵。腰坑偏东部发现玉斧，断为两段，分散在南北两侧。墓葬出土随葬品如下：

1）青铜器

觚　标本1件。

标本M24：4，出土时平置在墓室东侧，口向东，圈足残缺，压在底部的口沿断裂（图4.4.71；图4.4.72，1）。通体翠绿色，矿化程度较为严重。敞口为喇叭形，束腰，圈足情况不明。腹部上部有三周凸弦纹，腹部饰一周两组无目兽面纹，纹饰上下各有一周连珠纹，纹饰均为细线阳纹（图4.4.72，2）。圈足可见镂孔，从分布来看，应有三组。腹部两组纹饰之间可见范缝（图4.4.72，4）。器壁内侧多有瘤状土锈（图4.4.72，3）。复原后口径13.5、底径8.7、残高19.9厘米，器壁较薄，厚度在0.1～0.2厘米，复原后重320克（图4.4.71）。

爵　标本1件。

标本M24：2，出土时倒置在墓室东北部，三足朝上，流口朝西，矿化程度极为严重，口部情况不明（图4.4.73；图4.4.74，1）。腹部截面为椭圆形，下腹微隆，平底下接三棱形锥足。腹部饰有兽面纹，圆目长睑，兽体简化为线条；腹部对应鋬内侧的位置为素面（图4.4.74，3）。长轴一侧可见范缝（图4.4.74，4），底部可见Y形范缝。底部可见烟炱痕迹（图4.4.74，2）。复原后底径长轴7.4、短轴5、残高8.5厘米，复原后重77克（图4.4.73）。

斝　标本1件。

标本M24：11，出土时呈碎片状分布在墓室各处。器物下部主要放置在墓室西部、灰陶缸北侧，包括底残片（M24：11-1）、三足（M24：11-2、M24：11-3、M24：11-7）、

1

2

图 4.4.69 小王家嘴 M24 俯视照片

1. 墓葬上层及随葬品 2. 底部及腰坑

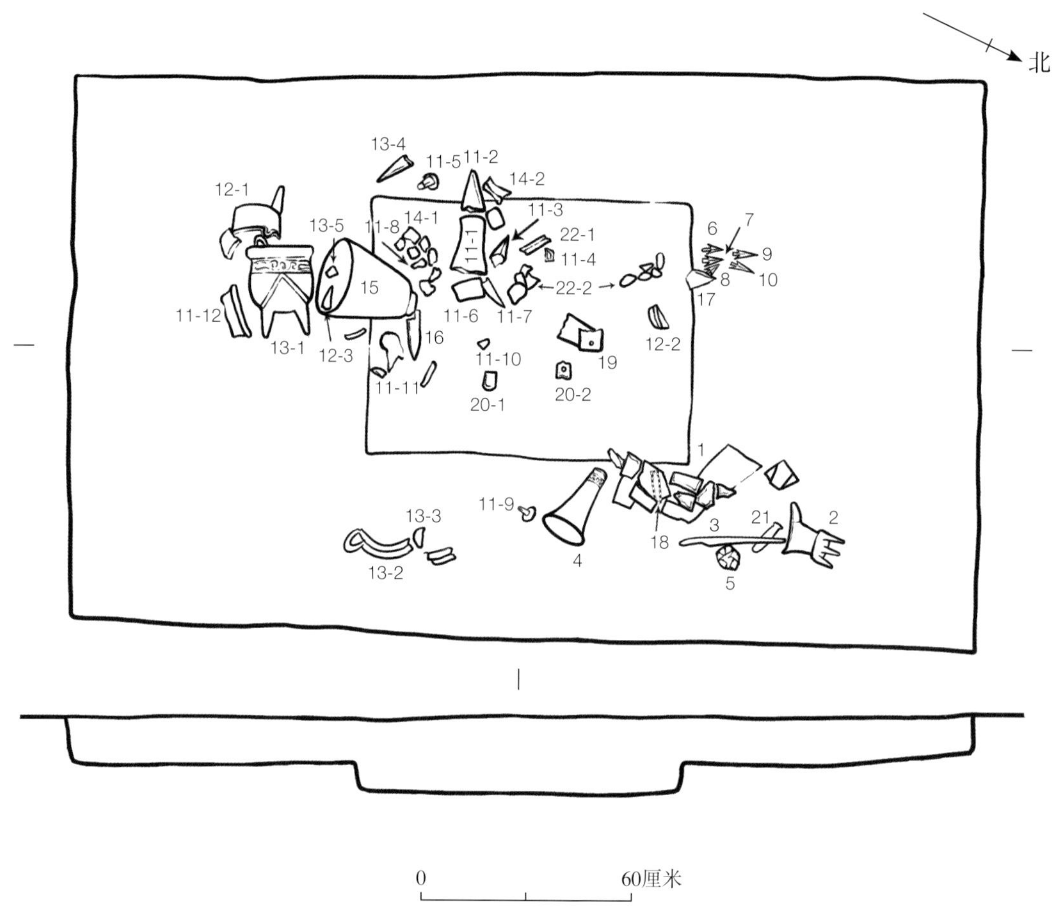

图 4.4.70　小王家嘴 M24 平、剖面图

1. 陶缸片　2. 青铜爵　3. 青铜刀　4. 青铜觚　5. 石块　6～10. 青铜镞　11. 青铜斝（11-1、11-8. 底片　11-2、11-3、11-7足　11-4、11-6、11-10、11-11. 腹片　11-5、11-9. 柱帽　11-12. 口沿）　12. 青铜扁足鼎（12-1. 鼎主体　12-2、12-3. 扁足）　13. 青铜圆鼎（13-1. 主体　13-2. 口沿　13-3、13-5. 底片　13-4. 足）　14. 陶缸（14-1. 主体　14-2. 口沿）　15. 陶缸　16. 青铜戈　17. 漆痕　18、21. 玉柄形器　19. 玉钺　20. 玉斧（20-1. 斧刃部　20-2. 斧首部）　22. 泥质灰陶缸（22-1. 口沿　22-2. 腹底）（另补充，23. 圆陶片为整理1号红陶缸片时发现）

下腹残片（M24：11-4、M24：11-6）等；底、腹残片出土时内侧面朝上，三足位于底片下侧（图4.4.75，左）；另外，位于该区域的还有柱帽（M24：11-5），以及叠压在灰陶片之下的底残片（M24：11-8）；上腹部的纹饰残片（M24：11-10、M24：11-11）主要分布在墓室中部；此外，另一件柱帽（M24：11-9）位于墓室东部的兽面纹觚口旁（图4.4.75，右）；口沿残片（M24：11-12）则位于西南部的兽面纹鼎南侧（图4.4.75，中）。器体较大。双柱帽为素面；腹部饰一周三组纹饰，纹饰线条较为复杂细腻，两柱之间所对应的为一组完整的兽面纹，兽目圆凸，兽角繁化为多线条卷曲，躯体上侧有列旗装饰，躯体下侧边角还装饰有独目夔纹（图4.4.78，1、2）；鋬两侧纹饰均为独目长身兽面，以鋬为中心可构成一组完整的兽面纹，这两组纹饰各占一个纹饰区间，躯体较长；整周纹饰可视为两组兽面纹（图4.4.76，2；图4.4.78，1）。腹部对应鋬内侧的位置为素面并有范块留下的范缝（图4.4.77，2）；柱帽下侧范缝不是常见的T形，而是“一”字形，其中一个柱帽下有凹窝

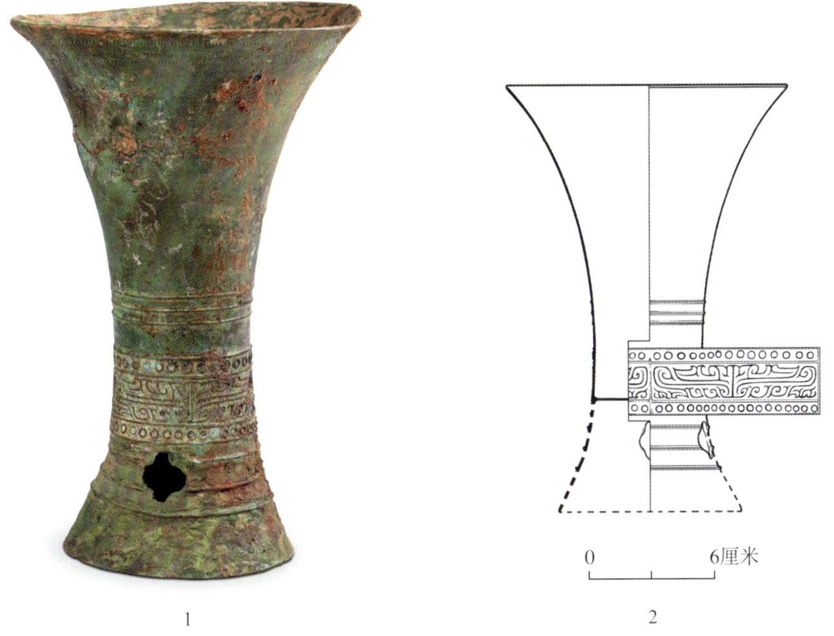

图 4.4.71 青铜觚（小王家嘴 M24：4）

1. 照片 2. 线图

图 4.4.72 青铜觚（小王家嘴 M24：4）修复前情况和局部照片

1. 修复前情况 2、4. 纹饰及范缝 3. 内侧锈迹

1

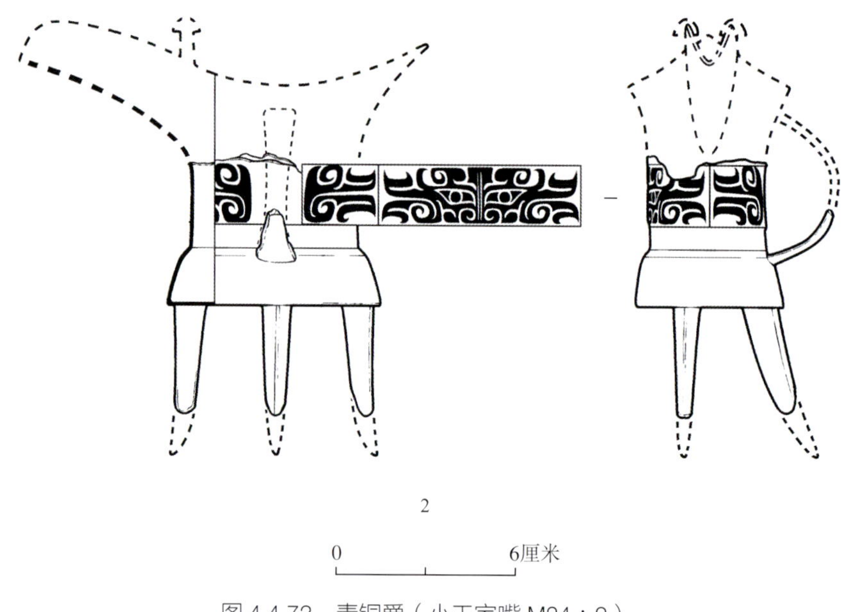

2

0　　6厘米

图 4.4.73　青铜爵（小王家嘴 M24：2）

1. 照片　2. 线图

1 3 2 4

图 4.4.74　青铜爵照片（小王家嘴 M24：2）

1. 修复前情况　2. 底部范缝　3. 器物鋬侧　4. 侧身范缝

图 4.4.75　青铜斝（小王家嘴 M24：11）出土情况

（图4.4.77，4）。三足对应三条纹饰分隔线，周身形成三条纵向范缝；底部有Y形范缝，并有烟炱痕迹（图4.4.77，1、3、5）。复原后口径21.9、通高32.3厘米，器壁较薄，经测量不同部位器壁厚度略有差异，口、腹厚度约在0.1～0.3、纹饰部位厚0.4～0.55厘米，复原后重1330.4克（图4.4.78）。

鼎　标本2件。

标本M24：12，扁足鼎。出土时位于墓葬西南部，口与夔纹鼎口相对（图4.4.79、图4.4.80）。腹、底变形严重，保存情况较差（M24：12-1）（图4.4.81，1）；两扁足缺失，一足（M24：12-3）位于灰陶缸内，一足（M24：12-2）位于墓室北部（图4.4.79，1、2）。浅腹，圜底，扁足为鳍状，折沿外缘加厚，上承环耳，仅存一耳，与一足对应，呈四点配列式。扁足两面饰有三道凹槽，足根部一侧出有鸟喙状钩。腹部饰有三周凸弦纹。耳内侧孔大于外侧，在制作过程中为了脱范方便，耳范可能与内芯一体，环耳外侧面中部可见一条范缝。腹、底均见有烟炱痕迹（图4.4.80，1；图4.4.81，2、4）。内壁残留有许多瘤状浮层，而外壁较为光滑（图4.4.81，3）。复原后口径14.5、通高15.6厘米，该鼎器壁较薄，经过测量，器壁厚度较为均匀，除口沿、扁足部分外，多不足0.2厘米。碎片及复原后总重489.2克（图4.4.80，2）。

标本M24：13，出土时平置在墓室西南，口向西，与扁足鼎口相对，触底一侧残缺；腹部可见两处凹陷变形，可能为砸击所形成（M24：13-1）（图4.4.82；图4.4.83，4）；缺失的一足（M24：13-4）位于墓室西侧，口沿（M24：13-2）、底片（M24：13-3）位于墓室东南部（图4.4.83，3），另一块底残片（M24：13-5）在陶大口缸内发现。器体较大，宽折沿，深腹，圜底，三足为圆锥形，外沿加厚，上承环耳，一耳对一足，呈四点配列式。上腹饰一周六组独目夔纹，下腹两足间饰双线“人”字形纹，纹饰均为细线阳纹（图4.4.82；图4.4.83，5、6）。器身至足可见三条范缝（图4.4.83，2）；底部虽残破，但仍可推测有Y形范缝。环耳的外侧略大于内侧，在制作过程中为了脱范方便，耳范可能与外范一体。底腹部可见烟炱痕迹（图4.4.83，1）。三锥足内有一层内芯土，足内不完全到底。腹内壁可见一补丁。复原后口径27.8、通高33.9厘米，经过测量，器壁厚度较为均匀，除口沿部分加厚外，从口到底厚度在0.3厘米左右。复原后重3806.4克（图4.4.82）。

1

2

图 4.4.76　青铜斝照片（小王家嘴 M24：11）

1. 侧面　2. 正面

图 4.4.77　青铜斝线图（小王家嘴 M24：11）

图 4.4.78　青铜斝（小王家嘴 M24：11）局部照片

1、2. 鋬及鋬侧范缝　3. 腹身范缝　4. 柱帽底部范缝　5. 底部范缝

1　　2

图 4.4.79　青铜鼎（小王家嘴 M24：12）出土情况

1. 扁足及腹身　2. 腹身

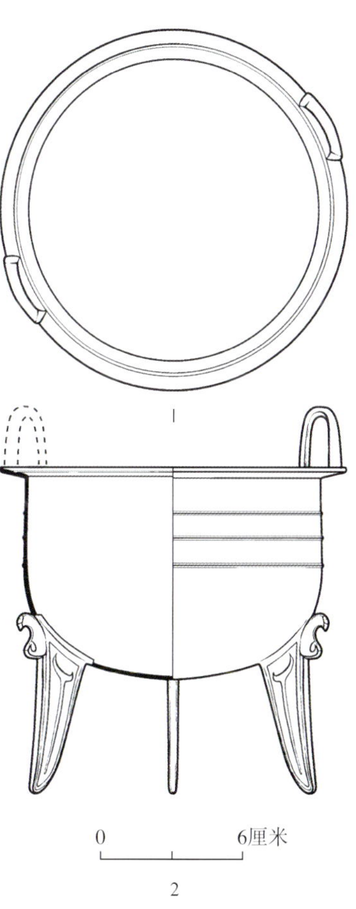

1　　2

图 4.4.80　青铜鼎（小王家嘴 M24：12）

1. 照片　2. 线图

图 4.4.81　青铜鼎（小王家嘴 M24：12）修复前情况和局部照片

1. 修复前情况　2. 腹部纹饰　3、4. 腹部破损情况

戈　标本1件。

标本M24：16，出土时位于灰陶缸下，戈身平置，刃尖向东。通体墨绿色，一阑已残，锋因矿化程度较为严重而部分剥落。戈援较长，中部略宽，中间凸脊，刃部锋利；阑较长，约1.2厘米，一阑残缺；内为长方形，中下部有边长约0.4厘米的方形穿（图4.4.84、图4.4.85）。内部装饰有细线阳纹方框，内饰有兽面纹，兽目为重环（图4.4.86，1）。兽面纹中部及内侧边可见范缝，内短端可见浇口（图4.4.86，2、3）。刃部锋利应是实用器（图4.4.86，4）。通长29.3、内部长6.2、头宽3.7厘米，重312.5克（图4.4.84）。

刀　标本1件。

标本M24：3，弧背刀。出土时位于墓室东北部，刀柄向南，刀口朝上，靠置在一石块旁。刃部矿化剥落严重。刀背略弧。背脊可见范缝（图4.4.87，3）。残长25.4厘米，重53.6克（图4.4.87，1、2）。

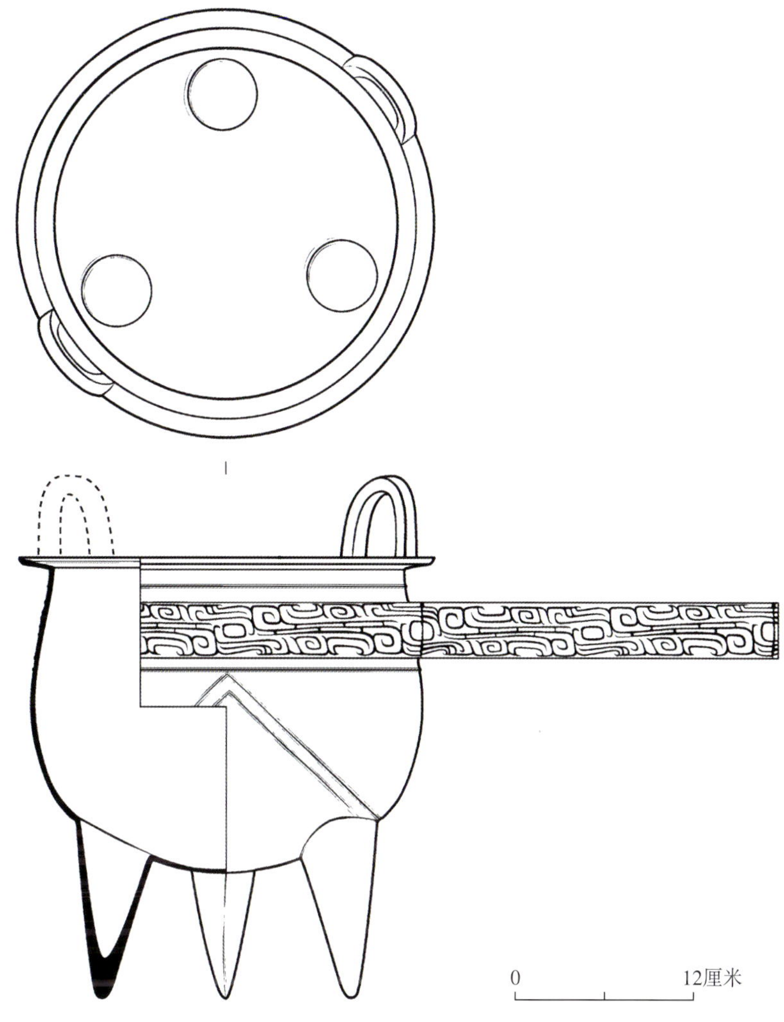

图 4.4.82 青铜鼎线图（小王家嘴 M24：13）

镞 标本5件。

标本M24：6-10，出土时位于墓室西北部，镞刃均朝北。矿化程度严重，保存情况较差。5件镞分两排放置，北排2件，南排3件，在镞南侧发现疑似红色漆器痕迹（图4.4.88）。5件镞形制一致，中脊高凸，两翼平展，本较短，铤为楔形，刃、锋残损严重。残长4.1～5.4厘米，复原后重4.9～8.4克（图4.4.89，1、2）。

2）陶器

缸 标本4件。

标本M24：1，夹砂红陶。呈残片状平铺于墓室东北部，外侧面向上，口、腹、底等各部分均有发现。敞口，尖唇，斜腹。口部饰一周附加堆纹，口下及腹部饰绳纹。复原后口径约18厘米（图4.4.90）。

图 4.4.83　青铜鼎照片（小王家嘴 M24：13）

1. 器身正视　2. 腹部范缝及腹部打击痕迹　3、4. 腹部打击破损痕迹　5. 出土时朝上一面　6. 出土时朝下一面

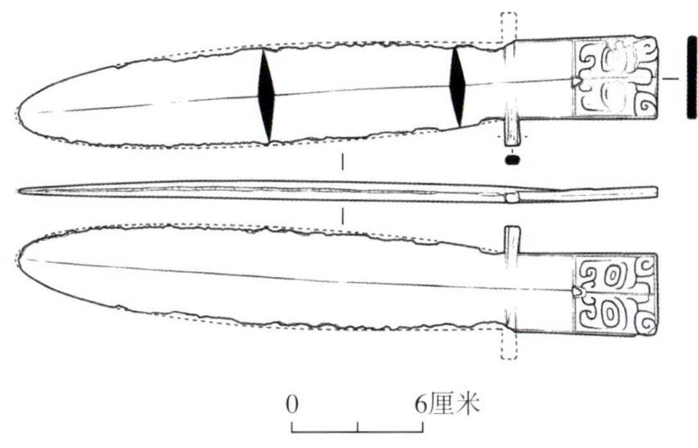

图 4.4.84　青铜戈线图（小王家嘴 M24：16）

图 4.4.85　青铜戈照片（小王家嘴 M24：16）

图 4.4.86　青铜戈（小王家嘴 M24：16）局部照片

1. 内部纹饰　2. 内部顶端范缝　3. 内部侧边范缝　4. 戈锋

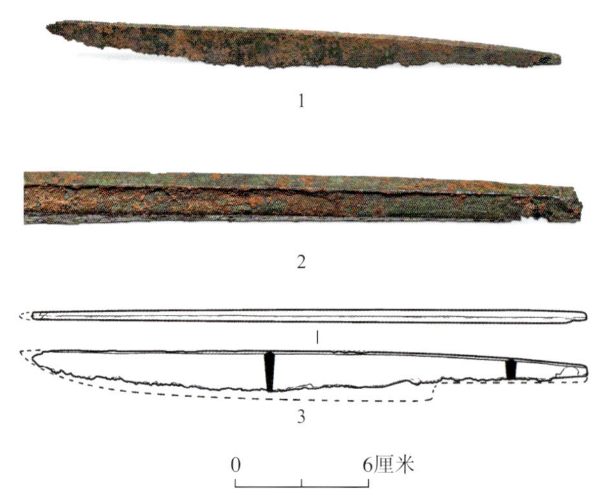

图 4.4.87　青铜刀（小王家嘴 M24：3）

1. 器身正视照片　2. 刀脊范缝照片　3. 线图

图 4.4.88　青铜镞（小王家嘴 M24：6 ～ M24：10）出土情况

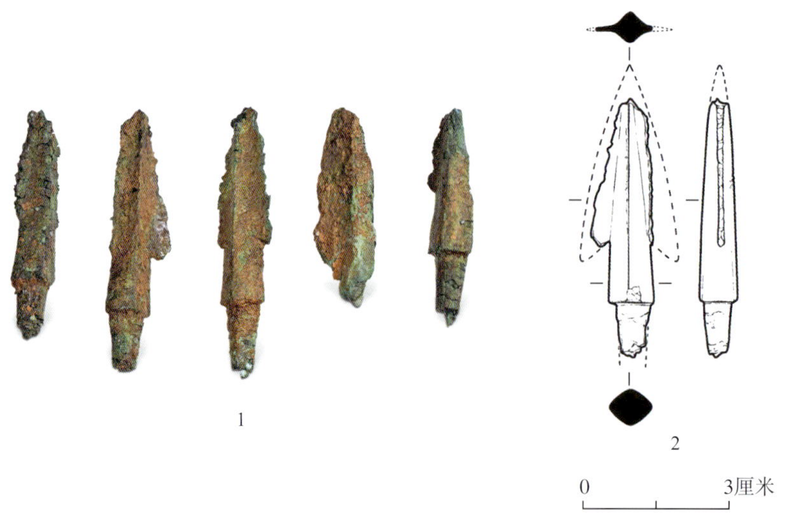

图 4.4.89　青铜镞（小王家嘴 M24：6 ～ M24：10）

1. M24：6～M24：10照片　2. M24：8线图

标本M24：15，夹砂灰陶。位于墓室西南部，口部向南，器体完整。敞口，尖唇，斜腹，底部加厚，外接矮圈足。仅在口部饰一周附加堆纹。复原后口径25.6、通高27.5厘米（图4.4.91）。

标本M24：14，泥质灰胎，内外施黑皮。平铺于墓室西部，主要分布在两处，其中一处位于铜戈一侧，另外有少量的陶片在斝足一侧。直口，方唇，斜直腹，饼状足，器壁厚重。饰绳纹。复原后口径22.4、通高28.5厘米（图4.4.92）。

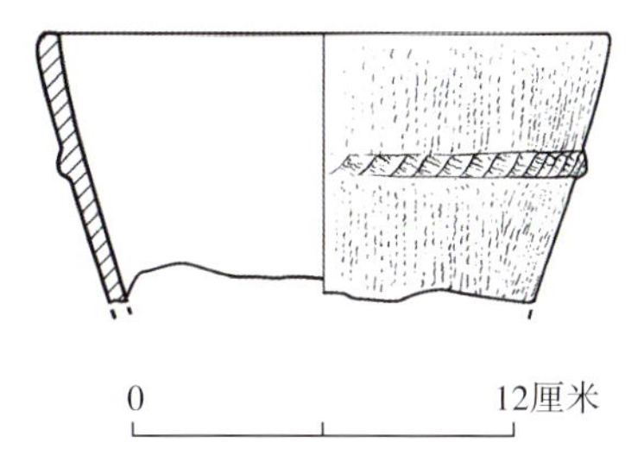

图 4.4.90　陶缸（小王家嘴 M24：1）

1

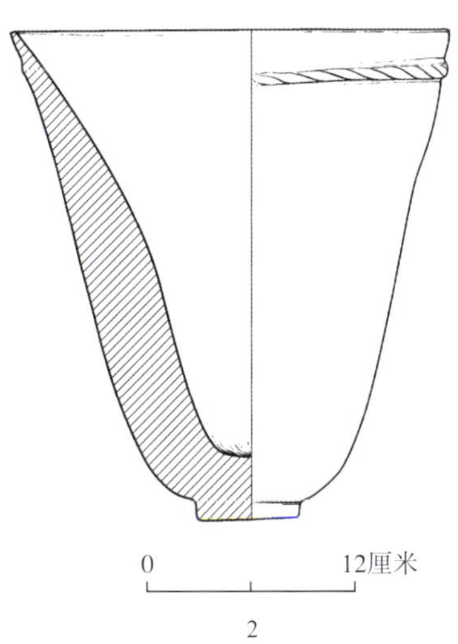

2

图 4.4.91　陶缸（小王家嘴 M24：15）

1. 照片　2. 线图

1

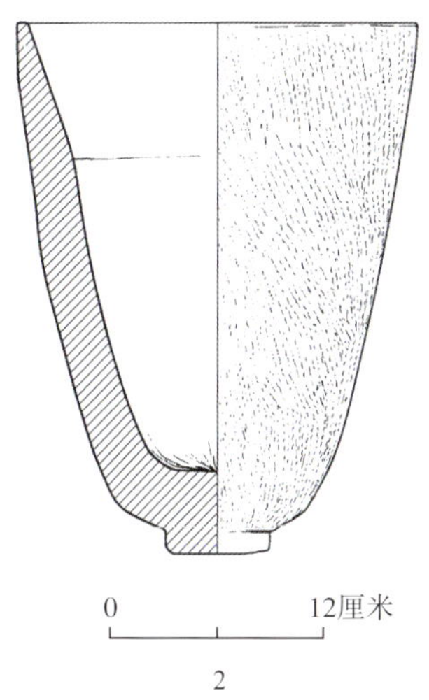

2

图 4.4.92　陶缸（小王家嘴 M24：14）

1. 照片　2. 线图

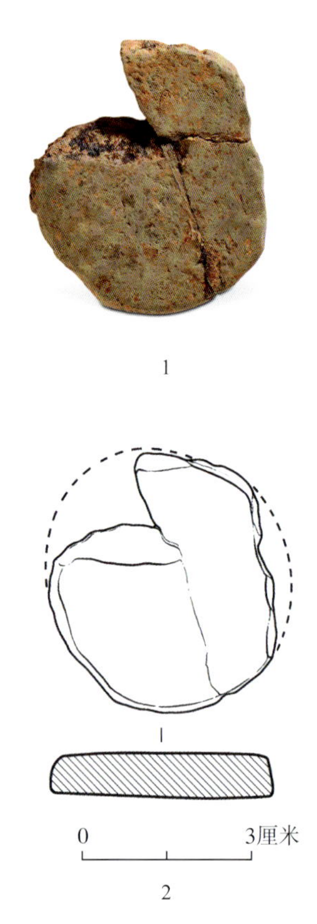

图 4.4.93　圆陶片（小王家嘴 M24：23）

1. 照片　2. 线图

标本M24：22，泥质灰陶。分布较为分散，多出现在墓室西部，可见不同于M24：14口沿、底片等残片，而共出的其他腹片特征与M24：14相似，无法修复。直口微侈。口部饰一周附加堆纹，堆纹下饰绳纹。

圆陶片　标本1件。

标本M24：23，泥质灰陶。整理M24：1红陶缸时发现，部分残缺。圆饼状。素面。复原后直径4.2、厚0.8厘米，重13.8克（图4.4.93）。

3）玉器

斧　标本1件。

标本M24：20，软玉，无半透明质体，通体黄白色，夹有黑斑。位于腰坑，断为两块，有穿孔的一块位于北部，另一块位于南部，拼合后器物完整。穿孔为两面对穿，略有错位。平首一角略有缺损，为切割后形成（图4.4.94，1、2）。无纹饰。通长14.7、首部宽4.5、刃部宽5.9、厚1.45厘米，穿孔内径分别为1.1、1.2厘米，重172.9克（图4.4.94，3）。

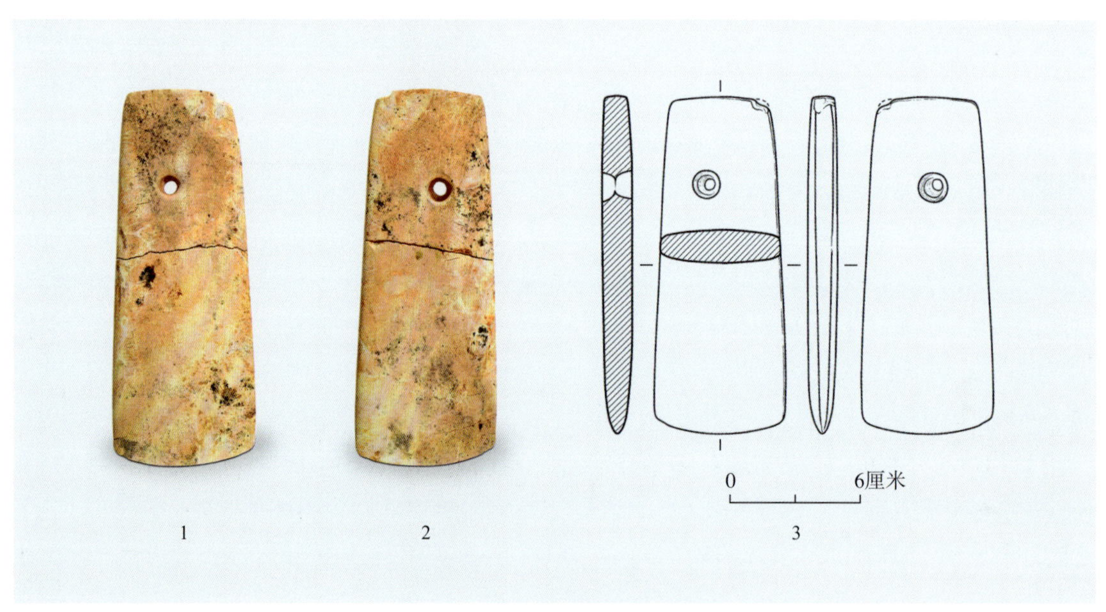

图 4.4.94　玉斧（小王家嘴 M24：20）

1、2. 照片　3. 线图

钺 标本1件。

标本M24：19，软玉，大部分为黄白色，部分夹杂有青绿色半透明质体。出土时位于墓室中部，断为两段，穿孔部分叠压在刃部上，刃锋向东，而在断裂处不见打击痕，拼合后完整（图4.4.95）。器体单薄，平首，弧刃，刃部微斜，首部有单面穿孔。无纹饰（图4.4.96，1）。该件器物器体较薄，从形制风格上来看，多见于良渚时期的长江下游地区，而与商时期玉器有别，推测原为一件新石器时期的遗物。通长19.1、首部宽8.6、刃部宽10.3厘米，穿孔内径一面为1.1厘米，另一面为1.3厘米，厚约0.46厘米，重175.4克（图4.4.96，2）。

图 4.4.95 玉钺（小王家嘴 M24：19）出土情况

柄形器 标本2件。

标本M24：18，软玉，通体青绿色，半透明，夹有白色沁纹。出土时位于墓室东北部的红陶缸碎片下，平置，刃部向东。柄中部亚腰部分四面减地，与柄首、刃部分界明显，两面刃，刃部微斜。素面。通长9.9、柄部长2.3、宽2、中部最厚约0.86厘米，重37.2克（图4.4.96，3、4）。

标本M24：21，软玉，已不见半透明状态，通体白色，触手光滑（图4.4.97，2）。出土时位于铜刀下，刃部朝向西南。柄中部四面减地形成亚腰状，平刃，一角残缺（图4.4.97，1）。柄、刃交界处饰一周细线阴纹。通长7.9、柄部长1.9、宽1.8厘米，中部最厚约0.78厘米，重18.3克（图4.4.97，3）。

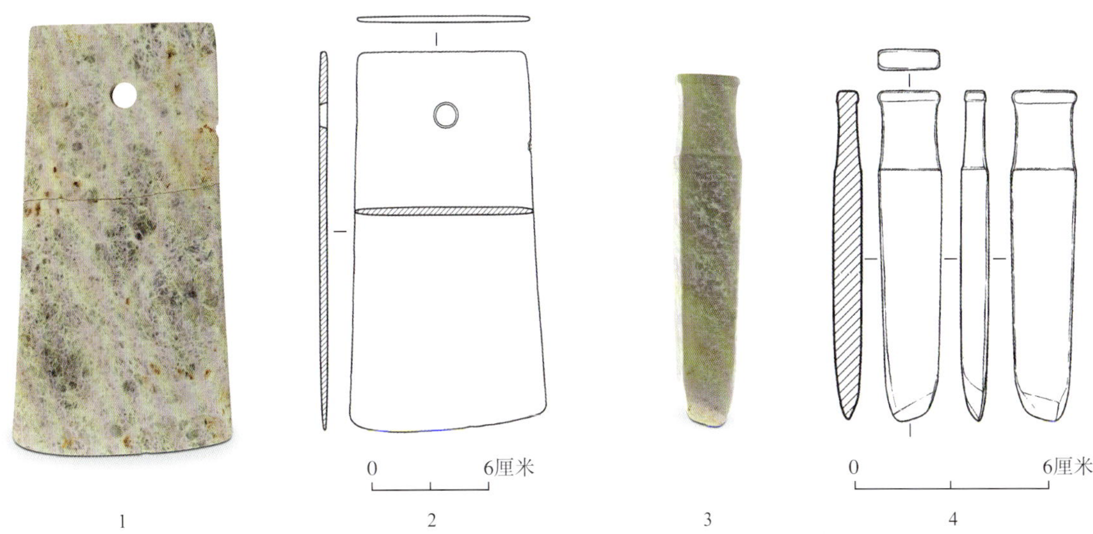

图 4.4.96 小王家嘴 M24 出土玉钺和与玉柄形器

1. 玉钺照片M24：19 2. 玉钺线图M24：19 3. 玉柄形器照片M24：18 4. 玉柄形器线图M24：18

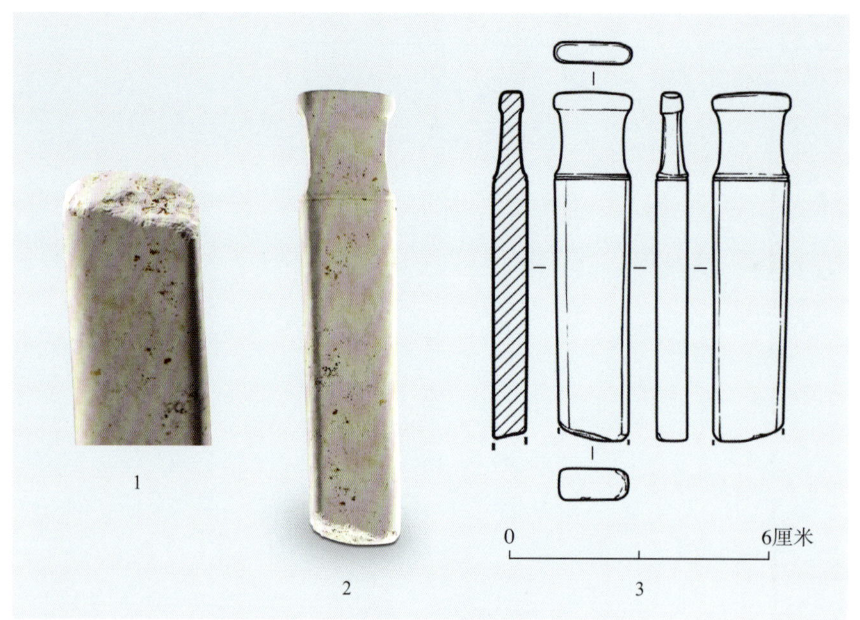

图 4.4.97　玉柄形器（小王家嘴 M24：21）

1. 刃部残缺局部照片　2. 器身正视照片　3. 线图

（十九）M25

位于发掘区西北部，Q1517T0804中部偏南。开口于第2层下。墓壁较直，墓底近平。墓葬方向为340°。墓葬开口长约1.9、南端宽约1、北端宽约0.98、深0.1～0.12米，距地表深约0.4米。填土为黄色黏土夹少量黑色锰结核颗粒，土质较疏松。在墓室西部发现疑似骨骼痕迹，未发现棺椁痕迹。共发现随葬品5件，其中清理出土青铜器3件，包括青铜爵1件、青铜斝1件、青铜戈1件；陶器2件，包括陶鬲1件、陶罐1件（图4.4.98、图4.4.99）。

随葬品主要放置在墓室的中部。中部偏西部平置一铜斝，口向西南；斝腹内放置一弦纹铜爵；中部放置残铜戈，内部向北，朝下的一面残留有木质痕迹。偏东部可见陶片，可辨认的器形有罐的底部、腹片、口沿等。北部有零星陶片分布。墓葬出土随葬品如下。

1）青铜器

爵　标本1件。

标本M25：6，出土时位于夔纹斝口内。口部残缺，鋬部残缺，仅见残留的鋬根部。束腰，平底，截面为卵圆形。束腰部分饰有三周凸弦纹，弦纹在腹部对应鋬内侧的位置中断。腹部长轴径6.6厘米（图4.4.100，1、2）。

斝　标本1件。

标本M25：1，平置于墓室西部，口向西南。器物矿化锈蚀严重，难以提取。口部残缺，双柱脱落交叉放于器物前侧，鋬部残缺，器体因挤压而变形（图4.4.100，1）。束腰，下鼓腹，平底下接三棱形锥足。束腰饰有纹饰，因锈蚀而模糊，可辨识为独目夔纹。残高15.3厘米（图4.4.100，2）。

图 4.4.98　小王家嘴 M25 俯视照片

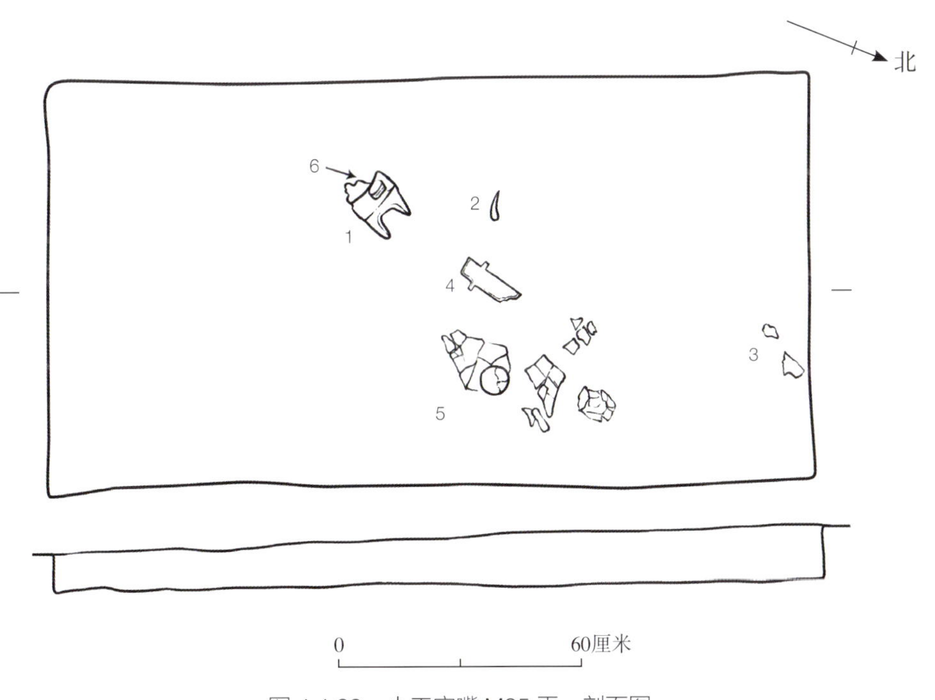

图 4.4.99　小王家嘴 M25 平、剖面图

1. 青铜斝　2. 骨骼　3. 陶鬲　4. 青铜戈　5. 陶罐　6. 青铜爵

1

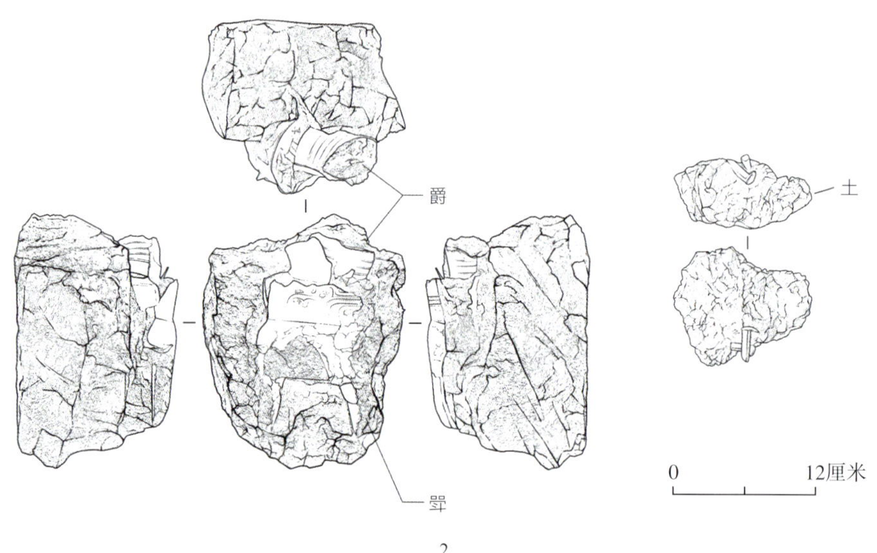

2

图 4.4.100　青铜斝（小王家嘴 M25：1）

1. 出土情况（内套有青铜爵M25：6）照片　2. 线图

戈 标本1件。

标本M25：4，位于墓室中部，援部残缺，不见刃部。两阑细长（图4.4.101，2）。内部侧面可见范缝，范缝分布不均匀，一侧位于中间，另一侧则偏向一面（图4.4.101，3）。内部靠近阑部、面向下的一侧残留有朽木痕迹（图4.4.101，1）。内部平面呈梯形，长6、宽3.7～4、残长15、阑部长7.3厘米，重183.6克（图4.4.101，4）。

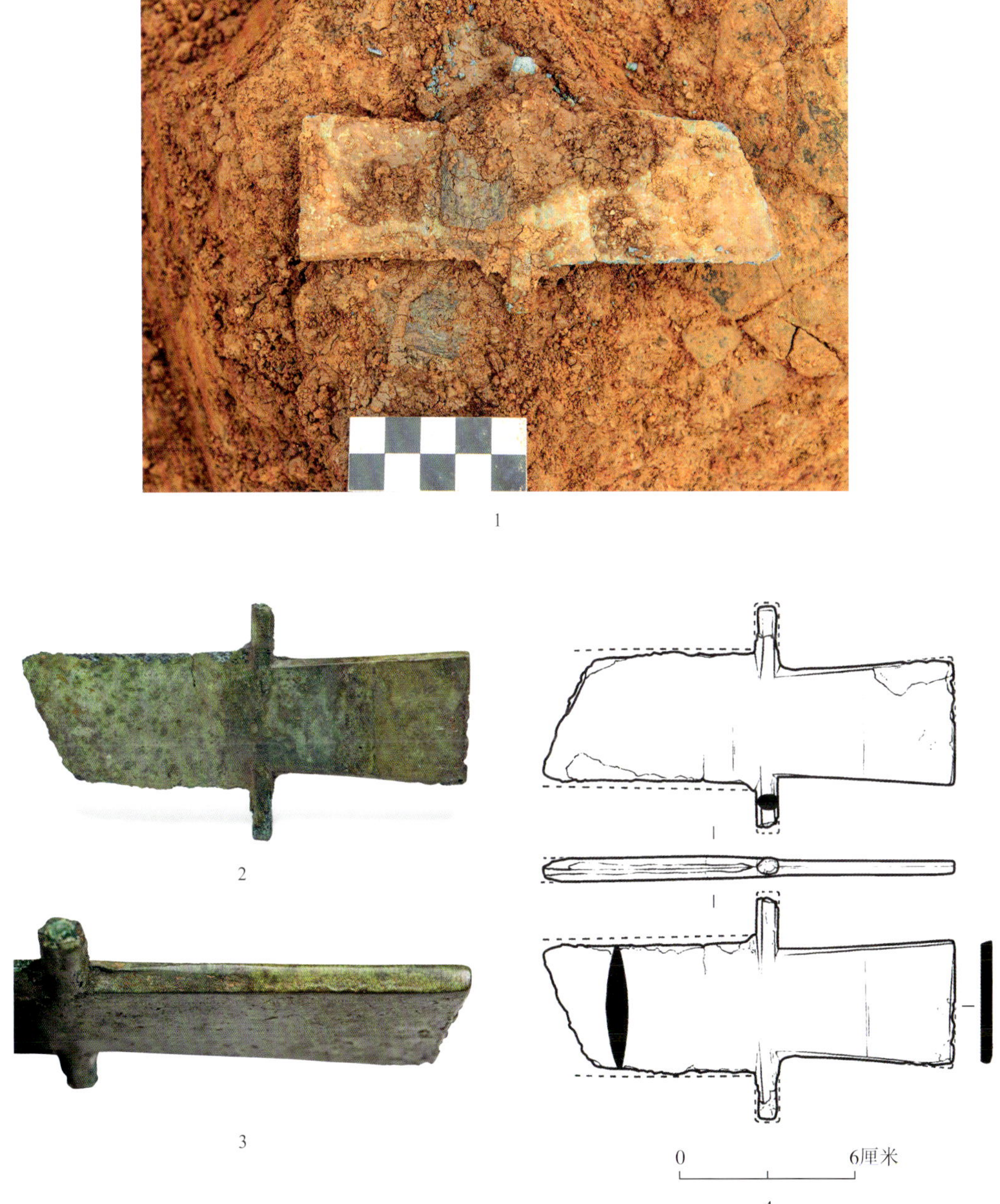

图 4.4.101 青铜戈（小王家嘴 M25：4）

1. 出土情况 2. 器身正视照片 3. 内侧面范缝照片 4. 线图

1

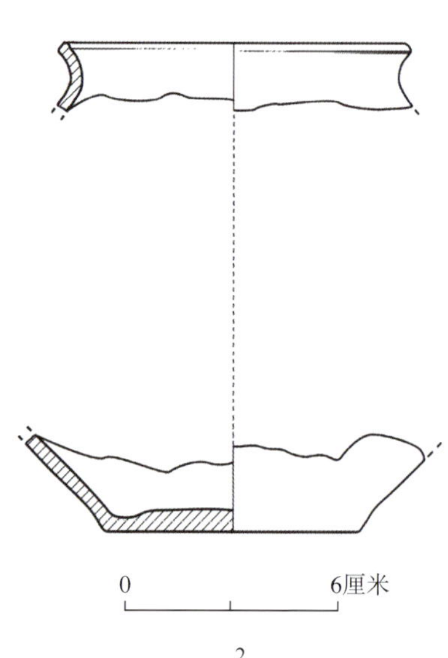

2

图 4.4.102　陶罐（小王家嘴 M25：5）

1. 出土情况照片　2. 线图

2）陶器

鬲　标本1件。

标本M25：3，夹砂灰陶。位于墓室北部，仅见部分口沿、残足及腹部碎片，无法修复。部分残片上饰绳纹。

罐　标本1件。

标本M25：5，泥质红胎，内外施黑皮。位于墓室中部，底部残片朝上，腹部残片位于北侧，仅见部分口沿、腹片及底片，无法修复（图4.4.102，1）。卷沿，方唇，平底。饰细绳纹。内壁凹凸不平，应是制作时留下的痕迹。复原后口径约10厘米（图4.4.102，2）。

（二十）M26

位于发掘区东部，Q1517T0903东南角。开口于第2层下。墓葬开口略大于底。两端较浅，中部较深，底部中央有腰坑。墓葬方向为320°。开口长约1.96、北端宽约0.9、南端宽约0.87、深0.18～0.20米。墓室底部长约1.88、北端宽约0.86、南端宽约0.8米（图4.4.103，1）。腰坑长约0.58、宽约0.36、深0.05～0.06米（图4.4.103，2）。填土为黄色黏土。未发现人骨痕迹。该墓随葬品较为丰富，共发现随葬品11件，其中清理出土青铜器8件，包括青铜爵2件、青铜觚2件、青铜斝2件、青铜鼎2件；另有玉片饰1件、印纹硬陶尊1件、圆陶片1件、漆器痕迹1处（图4.4.104）。

1

2

图 4.4.103　小王家嘴 M26 俯视照片

1. 上层及随葬品　2. 下层腰坑及随葬品

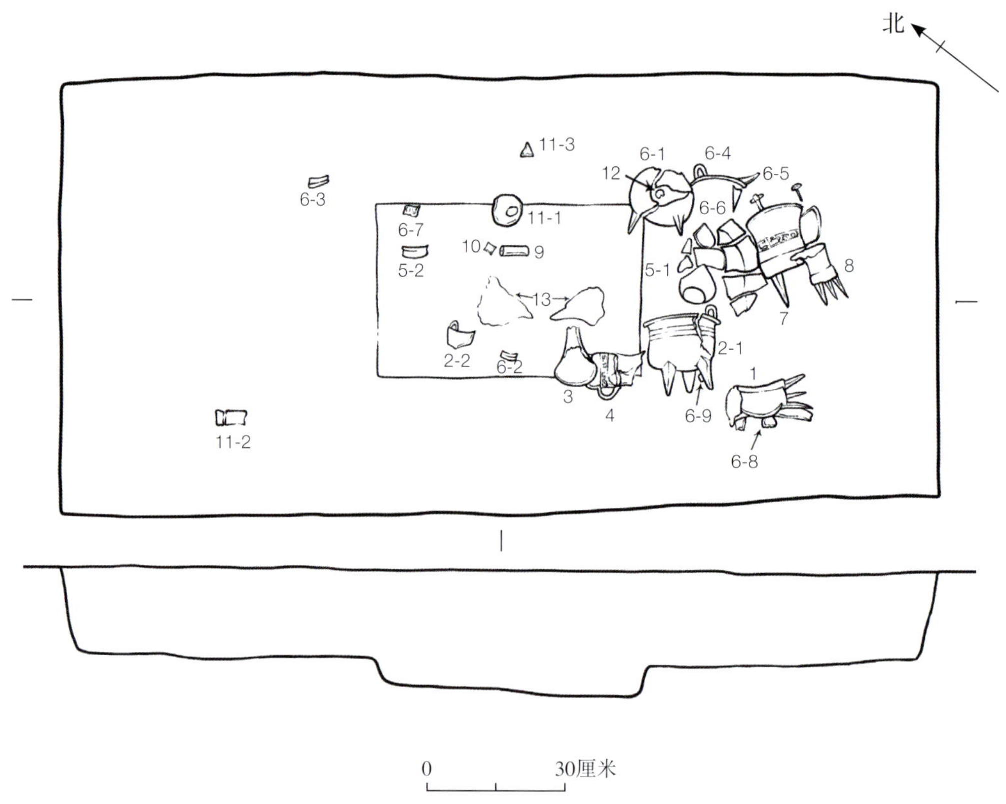

图 4.4.104　小王家嘴 M26 平、剖面图

1、8. 青铜爵　2. 青铜鼎（2-1. 器身　2-2. 耳残片）　3. 青铜觚　4、7. 青铜斝　5. 印纹硬陶尊（5-1. 器身主体　5-2. 口沿残片）　6. 青铜兽面纹鼎（6-1. 器身主体　6-2. 口沿残片　6-3、6-4. 口沿残片　6-5、6-6. 足　6-7～6-9. 纹饰残片）　9. 石管　10. 玉饰片　11. 青铜觚圈足　12. 圆陶片（6-1. 腹内）　13. 漆器圈足

随葬品主要集中于墓室南部以及腰坑中。墓葬南部为器物主要摆放区域，西南部主要放置有：弦纹鼎，鼎口向东；鼎南侧放置一件云雷纹爵，其下压一斝足及铜片；鼎北侧为残斝，上部斜压一铜觚，觚北侧为残口沿。东南部主要放置有：兽面纹鼎，鼎体裂为多片；鼎口沿残缺，放置在鼎体南侧，残缺的一足也与口沿放置在一处；鼎南侧为一铜斝，一素面爵斜靠在斝底部；斝下压一原始瓷尊，尊体为碎片放置，基本保持原有形状。在墓室中部、北部零星分布有残的铜圈足、口沿等。在墓室东西两侧器物放置部分发现有漆器痕迹。在腰坑中放置：东壁上有一兽面纹残铜片，其西侧发现一原始瓷口沿；玉管和残玉片放置在腰坑东部，西部则是漆器痕迹，器形不明。墓葬出土随葬品如下：

1）青铜器

觚　标本2件。

标本M26：3，出土时位于墓室西部，斜靠在青铜斝（M26：4）上，口部残缺，圈足部分缺失（图4.4.105，1），其南侧所依青铜斝口部发现铜口沿残片，特征与觚口沿相似，推测为该觚的一部分；在铜鼎（M26：2）足下发现一残片，残片上有一条弦纹，可能为觚圈足部分（M26：3-2）；另外，在墓室东部发现圈足残片，装饰有三周弦纹，并有十字形镂孔，弦纹特征与该件青铜觚腹部纹饰相近，推测为其中一部分（图4.4.105，2）。器壁较薄，喇叭形敞口，口部较厚，束腰较细。腹部饰两组两周弦纹及一周细线阳纹的无目兽面纹（图4.4.105，3），两组纹饰之间的范缝粗细不一（图4.4.105，5、6）。复原后口径13.9、底径8.2、残高18.5厘米，器壁在0.11～0.13厘米，复原后重225.3克（图4.4.105，4）。

标本M26：11，在墓室西北角发现类似觚的平底加部分腹部的残片，矿化程度严重，极难提取（图4.4.106，1）。因M26：3的底完整可判断为另一件器物。测量残底厚度仅为0.13厘米，复原后底径约4厘米（图4.4.106，2）。

爵　标本2件。

标本M26：1，出土时平置在墓葬西南部，鋬朝西侧，口部朝北，流部弯折压在器口下（图4.4.107；图4.4.108，1）。爵各部分基本保持完整，残存一柱。深腹，束腰，平底下接三棱尖锥足，柱为三角楔形，平顶，从内侧附着在折流处（图4.4.107，1；图4.4.108，2）。下腹饰一周以连珠纹为界的云雷纹饰带，纹饰均为细线阳纹。腹部对应鋬内侧的位置无纹饰（图4.4.107，2；图4.4.108，4）。长轴一侧、三足外侧可见范缝（图4.4.108，3），底部有Y形范缝，其中较短的一条较粗，可能为浇口。底部及周身可见烟炱痕迹（图4.4.108，5）。通高17.1、底径长轴7、短轴5.2厘米，复原后重224.6克（图4.4.107，3）。

标本M26：8，出土时位于墓室东南，斜靠在兽面纹斝底部。鋬已残缺，鋬的残部朝上（图4.4.109；图4.4.110，1）。矿化严重，该爵除鋬部残缺，流在之前的勘探工作中被探铲打破外，其他各部分基本保持完整。爵身束腰，下腹微鼓，平底下接三锥足。鋬两侧为素面（图4.4.109，1），鋬对侧残存两周连珠纹，由三条阳线为栏（图4.4.109，2）。三足外侧可见明显的范缝，底部可见Y形范缝，中心似有垫片（图4.4.110，2）。残高14.3、底径长轴7.3、短轴5.6厘米，复原后重171.7克（图4.4.109，3）。

斝　标本2件。

标本M26：4，出土时平置在墓室西部，口朝南，下腹部被无目兽面纹觚所压（图4.4.111；图4.4.112，1）。该斝矿化程度较为严重，口部变形，柱帽因挤压而靠在一起，其

1

2

图4.4.105　青铜觚（小王家嘴M26：3）

1. 出土情况　2. 修复前圈足残片

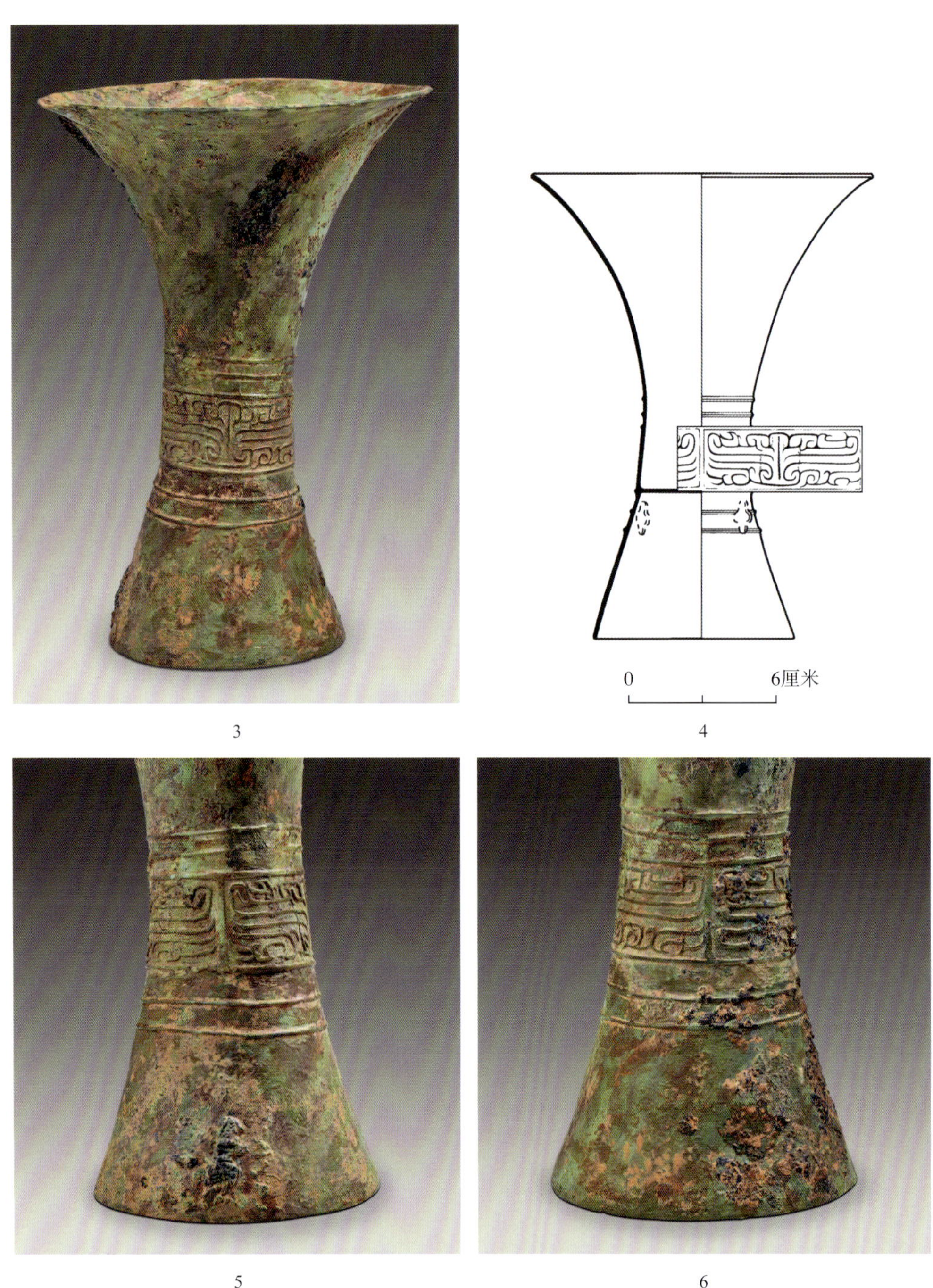

3　4　5　6

图 4.4.105　青铜觚（小王家嘴 M26：3）（续）

3. 器身正视照片　4. 线图　5、6. 腰部纹饰及范缝局部照片

1

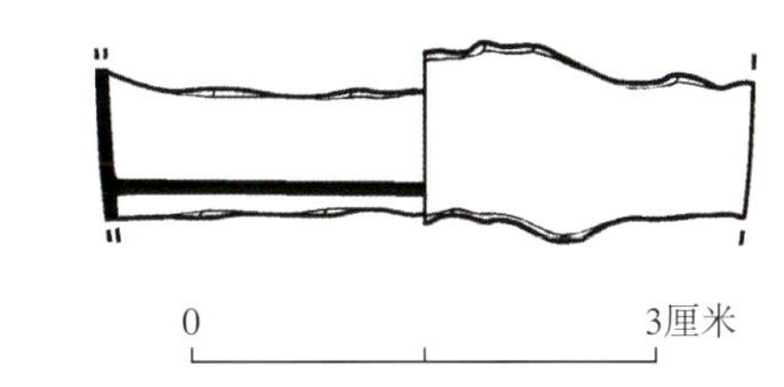

图 4.4.106　青铜觚圈足（小王家嘴 M26：11）

1. 出土情况　2. 线图

中两足与器身分离：一足（M26：4-2）位于云雷纹爵下，另一足（M26：4-3）位于东南部兽面纹斝下。敞口，束腰，下腹微鼓，平底下接三空锥足。在腹部饰有独目夔纹，伞状柱帽饰有涡纹，腹部对应鋬内侧的位置为素面（图4.4.111）。腹部对应鋬内侧的位置留有两条范缝，柱帽下面可见一条范缝（图4.4.112，2、3）。器壁较薄处约0.11、器底较厚处约0.24厘米。复原后口径13.7、高20.5厘米，复原后重405.2克（图4.4.111，3）。

标本M26：7，平置于墓室东南部，口朝东。在口部前侧放置有兽面纹残片，与器体主体纹饰一致，因此也判断为该器残片，器物锈蚀较为严重，压在下面的部分情况不明，器物底部可见四足，其中一足应属于夔纹斝（M26：4）（图4.4.113；图4.4.114，1）。器身高大，敞口，束腰，下腹微鼓，平底微凸下接三棱形锥足，敞口上承双柱，鋬残。束腰部分可见兽面纹，椭圆形兽目微凸，双角、下颚均为T形卷曲，兽体部分简化为三层卷曲的线条；上下两侧饰有连珠纹（图4.4.113，1）。腹部对应鋬内侧的位置为素面，留有两条范缝（图4.4.114，3）；三足外侧范缝与纹饰结合线相对（图4.4.114，4、5）；底部可见Y形范缝。底部有烟炱痕迹（图4.4.114，2）。复原后口径18.1、高25.9厘米，复原后重468.2克（图4.4.113，2）。

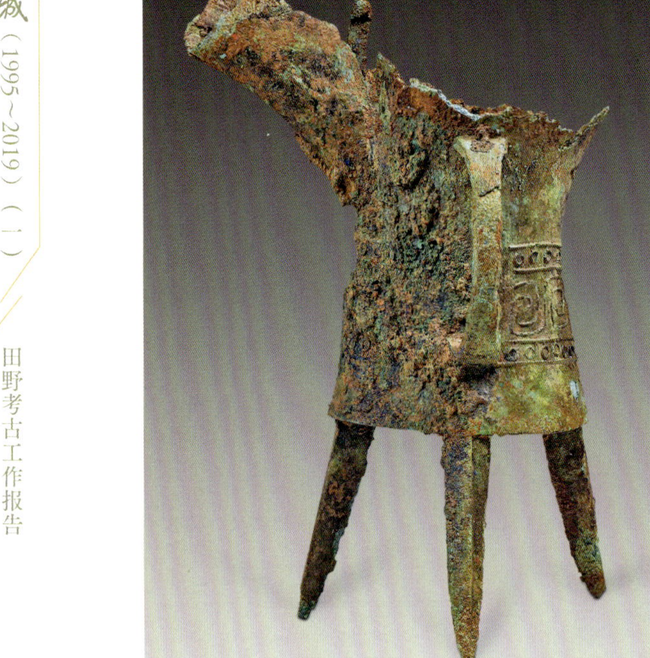

1　　2

0　6厘米

3

图 4.4.107　青铜爵（小王家嘴 M26：1）

1、2. 照片　3. 线图

1

2

3

4

5

图 4.4.108　青铜爵（小王家嘴 M26：1）局部照片

1. 修复前情况　2. 爵流和柱帽　3. 腹身和足部范缝
4. 鋬及腹部纹饰　5. 底部范缝

1

2

0 6厘米

3

图 4.4.109　青铜爵（小王家嘴 M26：8）

1、2. 照片　3. 线图

1

2

图 4.4.110　青铜爵（小王家嘴 M26：8）出土情况和局部照片

1. 出土情况　2. 底部范缝

鼎　标本2件。

标本M26：2，出土时平放在墓室南部（M26：2-1）（图4.4.115；图4.4.116，1）。口部在环耳两侧有两处断裂，断裂处因变形发生错位，压在下方的一侧缺失，断裂的残片向器内极度弯折（图4.4.116，3）；缺失部分（M26：2-2）在其北侧约0.4米处发现。出土时该残片耳部及口沿朝下，内侧面向上（图4.4.116，2）；残片拼合后基本保持鼎的完整。圆鼓腹，下接三空锥足，平沿较厚，上承半环耳。仅在口沿下饰三周弦纹。底部可见烟炱痕迹（图4.4.116，4）。在清理鼎内填土时发现在缺失部分残存有漆器痕迹。该鼎腹内置有一铜片。复原后口径18.6、通高20.8厘米（图4.4.115）。

标本M26：6，该鼎出土时主体部分（M26：6-1）放置在墓室南部，口部向东，朝向斜下方。鼎体裂为多片，口沿、足等残片分散在墓室各处，其中两段口沿残片（M26：6-4、M26：6-5）及一残足（M26：6-6）位于鼎主体的南侧（图4.4.117；图4.4.118，1）；两段口沿残片（M26：6-2、M26：6-3）分别见于墓室西部和东北部；三块腹片（M26：6-7、M26：6-8、M26：6-9）分别见于腰坑东北角、一件青铜爵西侧和另一件青铜鼎下（图4.4.118，2）。器壁薄而较为均匀，微敛口，下腹圆鼓，圜底近平，下接三空锥足，双耳及三足呈五点配列式，折沿上承半环耳（图4.4.118，3）。口部饰一周三组窄带兽面纹，每组兽面双目凸起，兽口、兽角等轮廓清晰，兽身抽象为多条流畅的线条。器体表面较为光滑，基本不见范缝，在与足对应的三组纹饰结合处可见范缝，其中一条较粗，可能为浇口（图4.4.118，5、6）。底部可见烟炱痕迹（图4.4.118，4）。复原后口径15.5、通高17.8厘米，除纹饰、口沿加厚外，器壁0.12～0.18厘米，碎片及复原后重545.1克（图4.4.117）。

1

2

0　　6厘米

3

图4.4.111　青铜斝（小王家嘴M26：4）

1、2. 照片　3. 线图

1

2

3

图 4.4.112　青铜斝（小王家嘴 M26：4）修复前情况和局部照片

1. 修复前情况　2. 柱帽底部范缝　3. 鋬及鋬侧纹饰

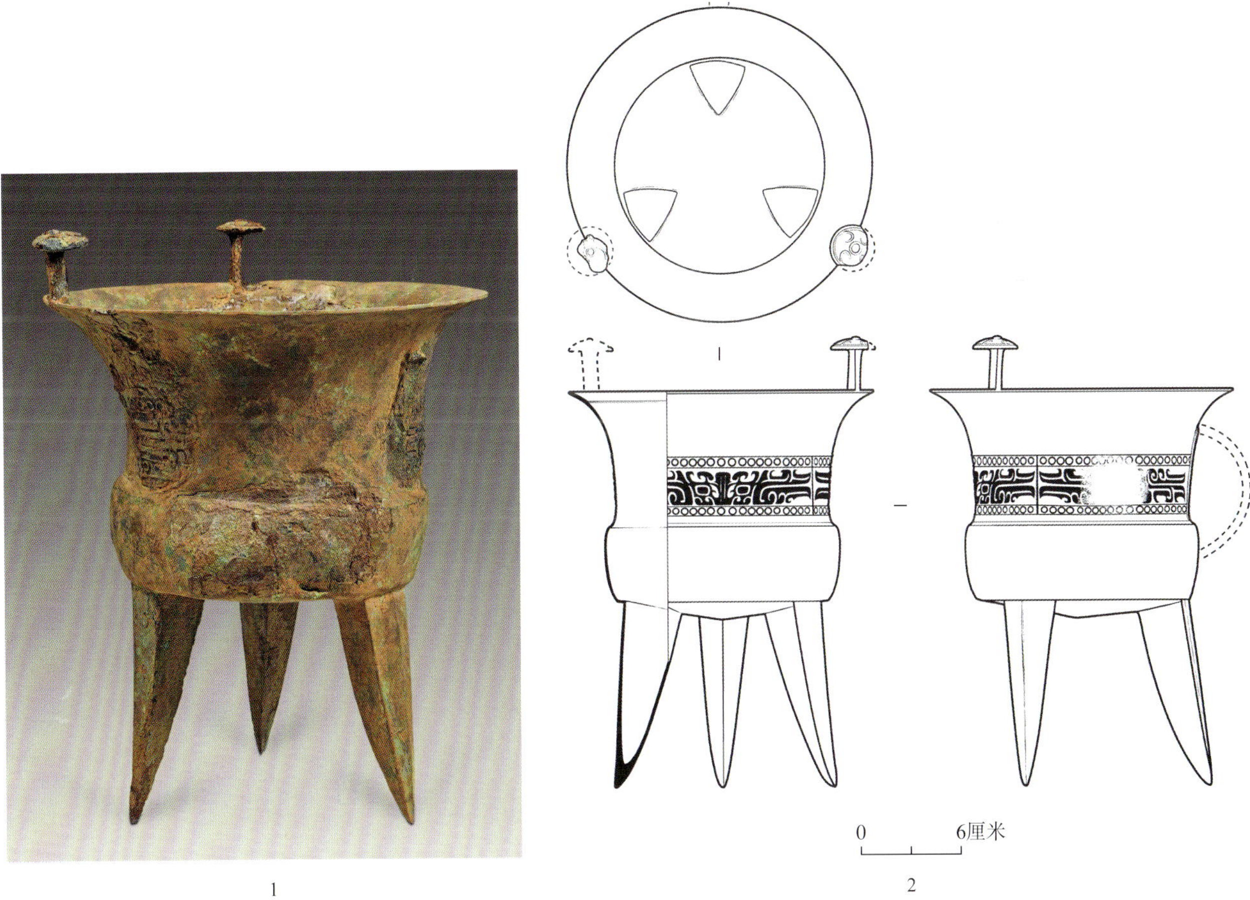

1　2

图 4.4.113　青铜斝（小王家嘴 M26：7）

1. 照片　2. 线图

1

2

3

4

5

图 4.4.114　青铜斝（小王家嘴 M26：7）出土情况和局部照片

1. 出土情况　2. 底部范缝　3～5. 腹部及三足范缝

1

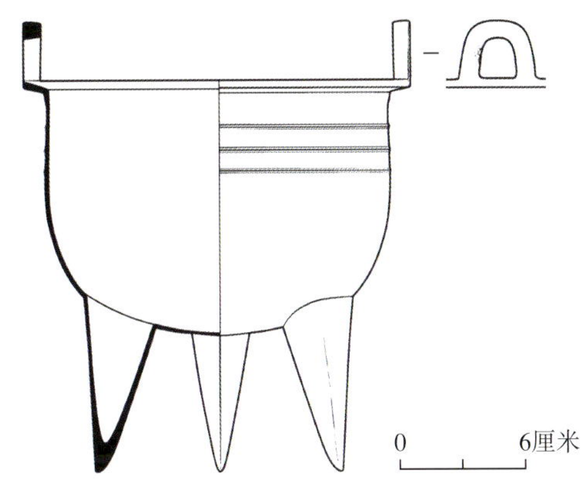

2

图 4.4.115　青铜鼎（小王家嘴 M26：2）

1. 照片　2. 线图

2）陶器

圆陶片　标本1件。

标本M26：12，泥质黑皮陶。整理兽面纹鼎时发现于鼎内填土中。一面较平，一面略有弧度。在弧面一侧有两条弦纹和八字短线。直径4.5、厚0.38～0.48厘米，重10.4克（图4.4.119）。

印纹硬陶尊　标本1件。

标本M26：5，夹砂灰陶，外侧面上灰下红，内侧面为灰色。尊体为碎片，平铺在墓室南部，但基本保持原有形状，碎片基本分为两层，上层为器身的外侧面向上，压在下面的一层内侧朝上；口部上方被兽面纹斝叠压；另外，还有一块口沿（M26：5-2）出现在腰坑东北部；拼合后部分口沿及腹片缺失。敞口，方唇，双折肩，弧腹斜收，凹圜底。肩及肩部以下饰小方格纹。复原后口径14、通高16.2厘米（图4.4.120）。

3）玉器

饰片　标本1件。

标本M26：10，软玉，可见青绿色半透明体，大部分被沁为白色。位于腰坑东部、石管北侧（图4.4.121，1）。器体有一定的弧度，应是弧面器物的残部。靠近一角有圆形钻坑，坑直径约0.2厘米，坑一侧有减地的阶痕（图4.4.121，1、3）；其中只有一边为断面，断面的一侧有切割留下的减地痕迹，上下两短边有打磨形成的小斜面，这些特征表明该饰片经过有意识的改制（图4.4.121，2）。高2.5、厚0.57厘米，重6.7克（图4.4.121，4）。

图 4.4.116　青铜鼎（小王家嘴 M26：2）出土情况和修复前情况照片

1、2. 出土情况　3、4. 修复前情况

4）石器

管　标本1件。

标本M26：9，叶蜡石，通体黄白色。纵向平置于腰坑东部。器身为管状，一端大一端小。无纹饰（图4.4.122，1）。管内壁可见制作留下的旋纹（图4.4.122，2、3）。通长6.1、较大的一端外径2.3、内径0.9厘米，较小的一端外径1.9、内径0.6厘米，重41.3克（图4.4.122，4）。

1

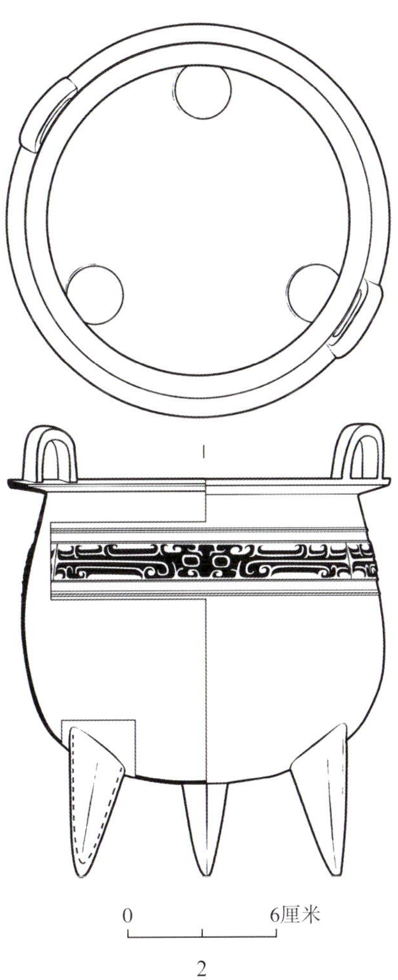

2

图 4.4.117　青铜鼎（小王家嘴 M26：6）

1. 照片　2. 线图

1 2 3 4 5 6

图 4.4.118　青铜鼎（小王家嘴 M26：6）出土情况和局部照片

1、2. 出土情况　3. 鼎耳及沿部　4. 底部　5、6. 纹饰范缝及足部

图 4.4.119　圆陶片（小王家嘴 M26：12）

1. 照片　2. 线图

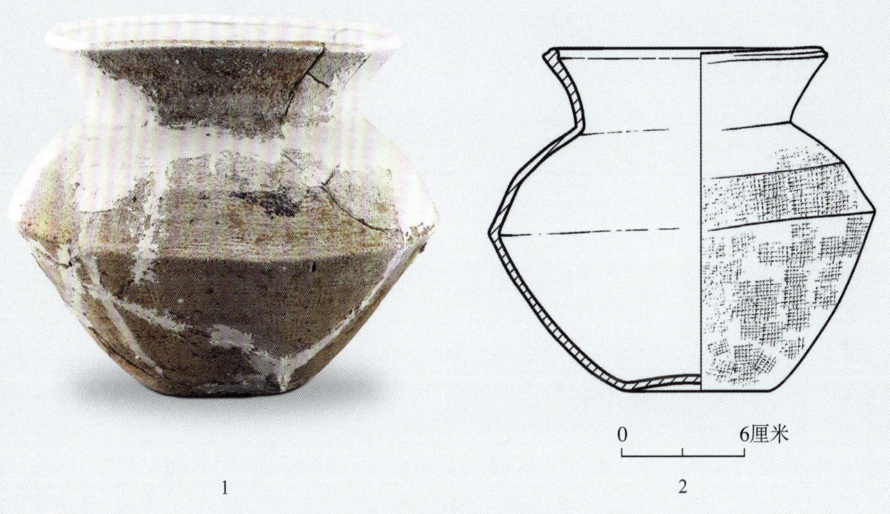

图 4.4.120　印纹硬陶尊（小王家嘴 M26：5）

1. 照片　2. 线图

图 4.4.121　玉饰片（小王家嘴 M26：10）

1～3. 照片　4. 线图

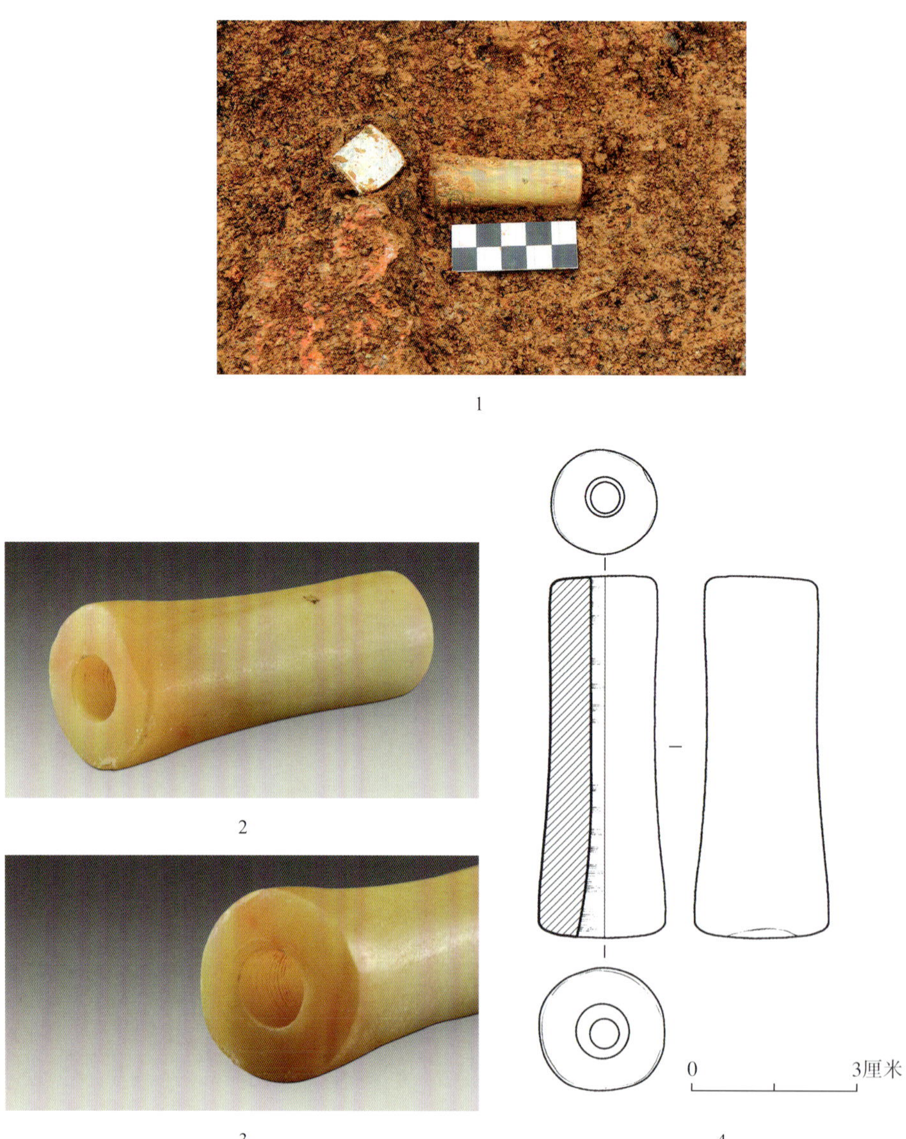

图4.4.122　石管（小王家嘴M26：9）

1. 出土情况照片　2. 器身照片　3. 内壁旋纹照片　4. 线图

第五节　年代与性质

一、年代

小王家嘴发掘地点层位关系较为简单，商时期的单位之间几乎不存在打破关系。从单位出土遗物来看，由于特殊的丧葬习俗和埋藏环境，商时期遗物保存及修复情况不甚理想。不过小王家嘴墓葬方向大体一致、分布规律性较强，同时墓葬和灰坑出土的大部分青铜器和陶器多可比较原盘龙城报告第六、七期同类器，在盘龙城遗存年代序列中年代特征偏晚，因此小王家嘴地点墓葬和灰坑应属于同一年代，大致相当于盘龙城商时期城市聚落的晚期。

二、性质

（一）墓葬性质

本次发掘的商时期遗迹主要包括墓葬和灰坑两大类。其中，墓葬单位普遍较浅，多不见明确的人骨痕迹及明显的棺椁痕迹，同时部分形制特殊，长度仅在1米左右，相较于以往盘龙城商时期墓葬尺寸偏小，这为认识这些遗迹的性质带来了困难。而确定这批遗迹性质为墓葬主要基于以下两点：

第一，遗迹现象符合二里冈时期墓葬的特征。发现的21座被编为墓葬的商时期遗迹单位，均为长方形土坑竖穴，方向为西北—东南向，面积大小不同，但形制较为一致，符合该时期墓穴的基本特征。而根据遗迹尺寸，小王家嘴的墓葬明显可分为两类，第一类长度在2米左右，虽然基本看不到有机质残骸，但发现疑似人骨痕迹，共有4座。这类墓葬与盘龙城以往常见的中小型墓葬相近。第二类长度在1米左右，共有17座，为小王家嘴墓葬中数量最多的一类，类似尺寸的墓葬虽不见于以往盘龙城发掘的材料中，但此类遗迹与第一类墓葬一样，具有相同的形制、方向乃至随葬品，并且两类遗迹相间分布，应具有相同的性质。此外，二里冈时期其他遗址中也发现有长度在1米左右的墓葬。郑州商城的东北部祭祀场地及铭功路西侧陶作坊遗址内均曾发现相近尺寸的墓葬[①]，墓主多为小孩，也有少量成年人，葬式多为仰身直肢或是屈肢，一般没有或极少有随葬品。偃师商城也曾见有类似的小型墓葬，并与常见大小的墓葬共存，两者在墓葬方向、随葬品等方面并无显著差异[②]。总之，这类小型墓葬在二里冈时期虽不多见，但依然有一定的普遍性。

第二，遗迹出土遗物的类型、处理方式等符合二里冈时期墓葬随葬品特征。发掘的21座墓葬中，有20座发现有随葬品。上述第一类墓葬中出土遗物较多，种类较为丰富；而第二类墓葬中也相应出土有多种遗物，且两类墓葬中出土遗物数量、类别相似，器类涉及青铜器、玉器、石器、陶器。其中21座墓葬出土青铜器数量多达40余件，包括觚、爵、斝、鼎、刀、戈等；玉器12件，包括柄形器、斧、管等，这些在以往盘龙城墓葬中均较为常见。从器物组合上看，小王家嘴墓葬以爵、斝、觚等青铜酒器为基本组合，规模小的墓葬中只出现一件爵，规模较大的墓葬则出现能组成一到两套酒器的组合。酒器搭配方式与墓葬规模对应的情况也为盘龙城乃至整个二里冈时期墓葬中所常见。小王家嘴墓葬未发现青铜尊（罍）类及玉戈等仅于规格较高的墓葬才随葬的器物，而从上文可知，小王家嘴墓葬规模较小，属于等级不高的中小型墓葬，因此同样遵循墓葬随葬品所体现出的等级规律。另一方面，小王家嘴墓葬出土器物多存在埋葬前被有意识打碎的情况。这种有意识打碎后埋葬的行为，即所谓的“碎器”葬，在盘龙城已发掘墓葬中较为普遍，也是二里冈时期较

① 河南省文物考古研究所：《郑州商城——1953～1985年考古发掘报告》，第562～600页，文物出版社，2001年。

② 中国社会科学院考古研究所：《偃师商城》，第365～428页，科学出版社，2013年。

为常见的丧葬习俗[①]。小王家嘴墓葬出土的部分青铜器，特别是容器类，有着敲击后变形或呈碎片状分布在墓室的不同部位的情况；部分玉器如斧、钺等也发现为打断后放入。出土器物的处理方式也完全符合墓葬习俗。

上述小王家嘴21座商时期的单位从形制到内涵均符合墓葬性质，因此我们判断其为墓葬。小王家嘴应为一处中小等级墓葬较为集中分布的地点。

（二）墓地布局

小王家嘴商时期遗存的主要遗迹单位为墓葬，另外可见少量灰坑，遗迹内涵较为单纯，应为一处集中分布的墓葬区。

发掘的21座墓葬规模多较小，有17座墓葬长度仅在1米左右，多随葬单件的青铜器、玉器或是少量陶器。本次发掘的最大的一座墓葬M24长度约2.6米，开口面积不足4平方米，随葬青铜礼器鼎2件，觚、爵、斝各1件。另规模稍小的M26开口面积不足2平方米，随葬两套觚、爵、斝、鼎的青铜器组合。小王家嘴墓葬整体规模较小、出土随葬品不甚丰富，与以往盘龙城所见等级较低的贵族墓葬相近。此外小王家嘴墓葬朝向均为西北—东南向，与盘龙城已发掘的规模较大的墓葬多是西南—东北向有所不同，而在杨家湾、楼子湾等地点可见有相似朝向的墓葬，后者同样多规模较小，年代集中在盘龙城遗址第六、七期。小王家嘴墓葬群应属于盘龙城遗址偏晚阶段中下等级人群埋葬区域。

小王家嘴商时期墓葬相互之间基本无打破关系，有统一的朝向，墓葬规模普遍较小，年代相对集中在盘龙城较晚阶段，显然有着一定的规划。以往盘龙城遗址偏晚阶段的墓葬集中在杨家湾、杨家嘴以及楼子湾等地，特别围绕盘龙城晚期的核心区域杨家湾南坡形成了较为密集的分布，可见这些地点的墓葬与居址之间关联性较强[②]。小王家嘴墓地则距离遗址核心地区600米外，通过勘探、发掘，在小王家嘴附近并不见丰富的文化层，遗迹现象单纯，与之前的居葬合一不同。在盘龙城较晚阶段，人类活动重心向北转移的同时，北部活动空间进一步扩展，小王家嘴作为遗址北部边缘地区，可能因此形成了一处中下等级人群集中埋葬的墓地。

（三）相关葬俗讨论

碎器现象在盘龙城以往发掘的墓葬中多有见到。在小王家嘴墓地，这种葬俗也普遍存在。因此在发掘过程中，我们特别注意到这种特殊的墓葬习俗，并进行了较为详细的记录。在此特别对小王家嘴墓葬所见的碎器现象做一简单讨论。

小王家嘴已发掘的21座墓葬中，有20座墓葬出土有随葬品。其中，随葬有青铜器的墓葬10座，只随葬陶器的有8座，只随葬玉器的有2座。小王家嘴墓葬保存情况较差，大部分墓葬深度不足0.2米，因此晚期人类活动对墓葬存在着一定的破坏。通过在发掘过程中的观察和分析，我们尝试将后期破坏和商时期人为打碎后埋葬的碎器现象加以区分，以此揭示小王家嘴墓葬碎器葬俗。

---

① 李雪婷：《盘龙城遗址碎器葬俗研究》，《江汉考古》2017年第3期。

② 张昌平、孙卓：《盘龙城聚落布局研究》，《考古学报》2017年第4期。

小王家嘴墓葬碎器现象普遍存在于随葬的青铜器、陶器和玉器中，并表现出不同的特征。

小王家嘴墓葬出土的青铜器，有编号者共计38件，其中容器类29件，兵器类9件。容器中仅有3件无明显的碎器处理现象，其他均不同程度存在破碎或是残缺，而兵器类除戈（M25：4）为残件外，其余则较为完整。碎器现象似主要存在于青铜容器中。从碎器处理方式来说，主要有两种情况。一种仅见器物的部分残片或是器体变形，也就说在墓葬中仅见单体；而另一种情况是器物呈碎片状分布在墓葬的不同区域，在墓葬中可见到不同分体。从统计情况来看，主要的四种器类均可见到两种情况，但略有偏重。其中鼎、斝类器体较大者偏重于第二种方式，觚、爵则多见于第一种处理方式。另外，一般采用分体处理的器物往往在拼合后较为完整（表4.5.1）。分体式的处理方式在具体操作中更为复杂，可能伴随着埋葬进程的推进，因此，往往选择鼎、斝等较大器类，这也是较高等级的墓葬中才会随葬的器物，也就是说这种埋葬仪式在较高等级的墓葬中更为常见。

表4.5.1　小王家嘴青铜质碎器统计情况

器形	单体	分体	无碎器	备注
鼎（5）	M1：4	M24：12、M24：13、M26：2、M26：6	—	4件分体碎器，拼合后较为完整
觚（3）	M24：4、M26：11	M26：3	—	1件分体碎器，拼合后较为完整
斝（6）	M2：1、M25：1	M1：9、M24：11、M26：4	M26：7	M24：11、M26：4拼合后完整
爵（9）	M1：2、M25：8、M26：1、M26：8	M3：1、M1：7、M17：7	M11：1、M24：2	M17：7、M26：1拼合后较为完整
数量（23）①	9	11	3	

小王家嘴墓葬出土的玉器共发现有12件，但仅在该墓地规格最大的墓葬M24中的斧（M24：20）、钺（M24：19）这两件器物上发现有明显的碎器现象。这两件器物均断为两截，叠压在一起或是分散在两地埋葬。而其他柄形器或装饰性器物暂不见碎器处理的方式。玉器的碎器埋葬倾向于斧、钺等兵器类，而这类器物往往出现在有一定身份的墓葬中，并且墓葬规模越大、等级越高，相关玉器埋葬的情况会更为复杂。例如2013年杨家湾南坡的M17随葬的玉戈被分解为多片放置在墓葬不同的区域②。越复杂的分布也意味着越复杂的仪式过程，这也与上述青铜器碎器情况相仿，与墓葬更高的等级相关联。

小王家嘴墓葬随葬的陶器共发现45件，绝大多数为容器，还有部分纺轮、圆陶片等非容器类。5件非容器类陶器均保存较为完整，无碎器现象。而发现的容器除一件大口缸（M24：15）出土时较为完整无明显碎器外，其他均为碎片状且大部分无法拼合。这一方面

① 青铜容器编号共29件，这里的23件出土于墓葬。另外6件，其中3件出土于H1，3件出土于被晚期墓葬破坏的M14，这6件青铜器也存在碎器情况。

② 武汉大学历史学院、盘龙城遗址博物院：《武汉市盘龙城遗址杨家湾商代墓葬发掘简报》，《考古》2017年第3期。

可能是由于墓葬普遍较浅、保存情况较差而造成的陶器不完整，但也有相当一部分是由于碎器葬俗而造成的。如M17中的兽面纹簋（M17：1）的器腹与圈足分离放置在不同区域，显然是埋葬时有意而为。M26中的硬陶尊（M26：5）器物主体呈碎片状放置在墓室南部，但在中部的腰坑中发现该器物的口沿残片。有些墓葬中的陶片看不出原有器物的轮廓，而是多种类型的陶片交杂在一起。如M17的南部区域，在有限的区域内发现五六种不同陶质陶色的残片，这种情形极有可能是埋葬时直接将碎片放入墓葬中。相较于青铜器、玉器，陶器更加平民化，而碎器这种行为方式依然呈现出普遍性的特征。这种丧葬习俗在当时的社会中具有广泛的认同。

从以上分析可知，材质和器类在碎器处理中有重要的选择性，这可能关系到不同等级身份的人群在丧葬活动中的差异。这种选择性在盘龙城遗址，乃至整个二里冈时期的其他遗址都具有广泛的普遍性，这种普遍性不仅是物质现象的一致，更是丧葬习俗所反映的思想观念的一致，其背后折射出人群的同质性。

第五章

其他地点

第一节　城址与李家嘴

2014～2016年，为配合盘龙城遗址博物院遗址公园展示工程建设，在盘龙城核心保护区城址和李家嘴展开了勘探和试掘工作。其中城址地点的勘探和试掘主要围绕城垣及疑似城门展开；李家嘴地点的勘探与发掘则主要集中于早年发现的李家嘴M1、M2及周边相关区域。由于两地点的田野考古工作思路与工作方法相近，同时均关注于盘龙城城址核心区域的贵族居葬区，故在此一并报道。

一、城址

盘龙城城址位于遗址中心，为四周城垣所囊括的区域（图5.1.1、图5.1.2）。早年这一区域东北部曾揭露出F1、F2等大型建筑遗存，被认为属于盘龙城城市聚落的中心[①]。2014年3月至2016年5月，武汉市文物考古研究所、盘龙城遗址博物院为配合盘龙城国家考古遗址公园建设，根据《盘龙城遗址总体保护规划》和《盘龙城遗址保护设计方案》要求，经国家文物局、湖北省文物局同意，对盘龙城遗址核心保护区进行了部分勘探及相应清理工作。

此次勘探工作采取调查、钻探和结合城垣现存豁口和断面清理等方法进行。为配合文物保护工程施工，采用盘龙城遗址现有坐标系统，以盘龙城遗址保护标志为原点（图5.1.2）。城垣钻探结合各段城垣地形地貌，以北为正方向布置探孔，部分探孔依遗迹延伸趋势布置（图5.1.1）。与此同时，利用现有豁口和断面，在南城垣中段缺口处布置5米×5米探方24个，南城垣西段豁口布置5米×5米探方12个，各区域探方独立顺序编号，原则上清理至早期堆积暴露为止（图5.1.3）。此次勘探和试掘主要是认识城墙内外边界、道路，在各方向城墙中段确认城门，同时发现城墙分段版筑等遗迹现象，并在清理南墙西段豁口过程中发现商时期的石沟等遗迹。需要注意的是，此次勘探在城垣北侧发现有“城壕”和“环壕”，不过相关遗迹现象与早年发掘确认的城壕有所差异，其具体结构和性质不明，因此本报告暂未收录其相关的勘探信息，待以后田野工作确认。

以下分城垣、城门分别介绍勘探成果。

（一）城垣

城址平面为不规则方形，地表有小路、谷场、杂草、灌木林及大树等。西、北墙体保存较好，东墙体南段由于早期防洪取土保存情况一般，南墙体西段因早年取土被毁坏，后由当地村民为防湖水重新填筑。城垣内西北、东北及东南角均分布有夯土台地。根据宫城区航测

① 《盘龙城（1963～1994）》，第32页。

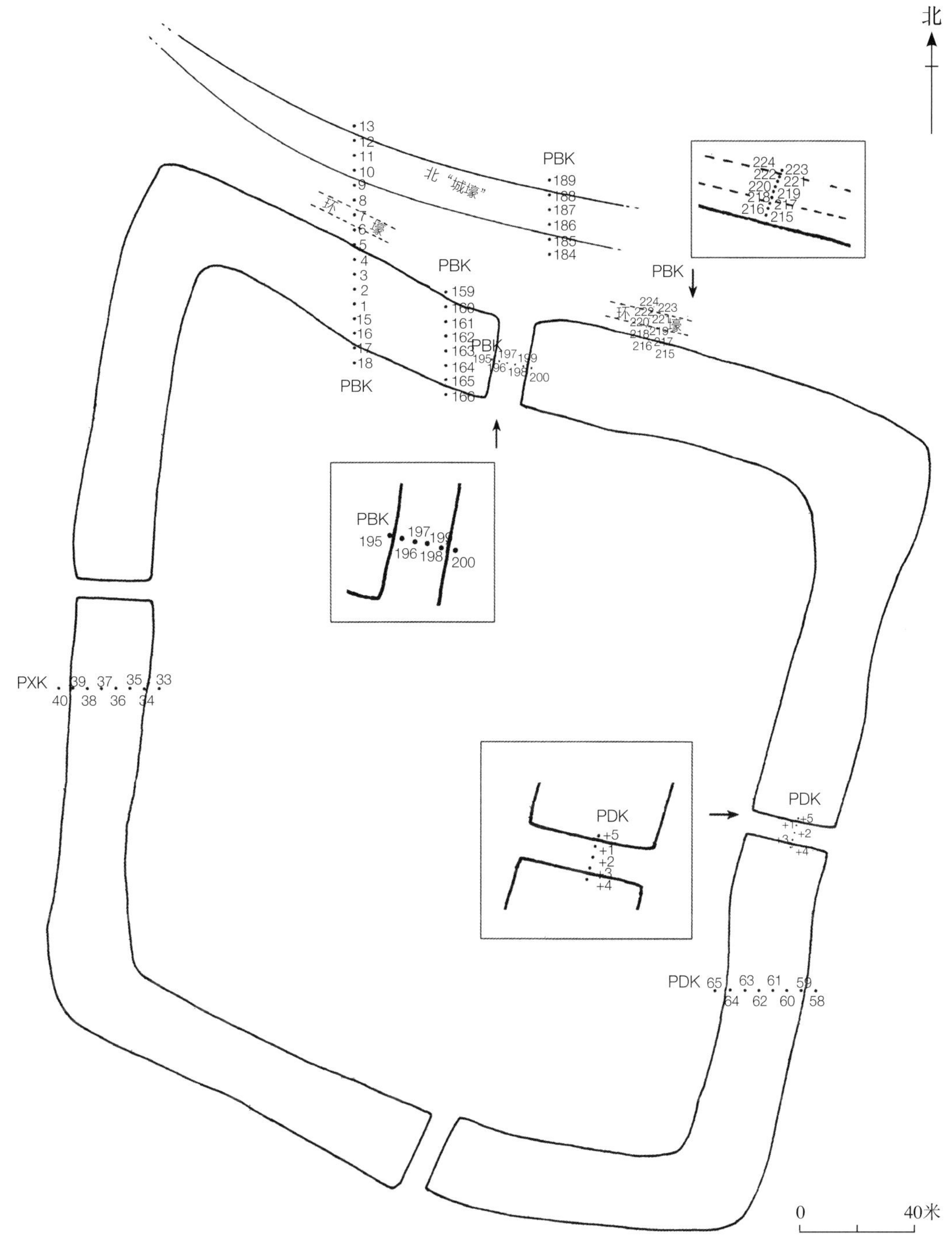

图 5.1.1　城址部分探孔分布图

数据，城垣南北长约289米（南、北城垣中段墙基外边垂直距离），东西宽约284米（东、西城垣中段墙基外边垂直距离），周长1211米，城址面积约83988平方米，城址地势为北高南低，城垣依地势夯筑而成，坐北朝南，方向20°（图5.1.2）。

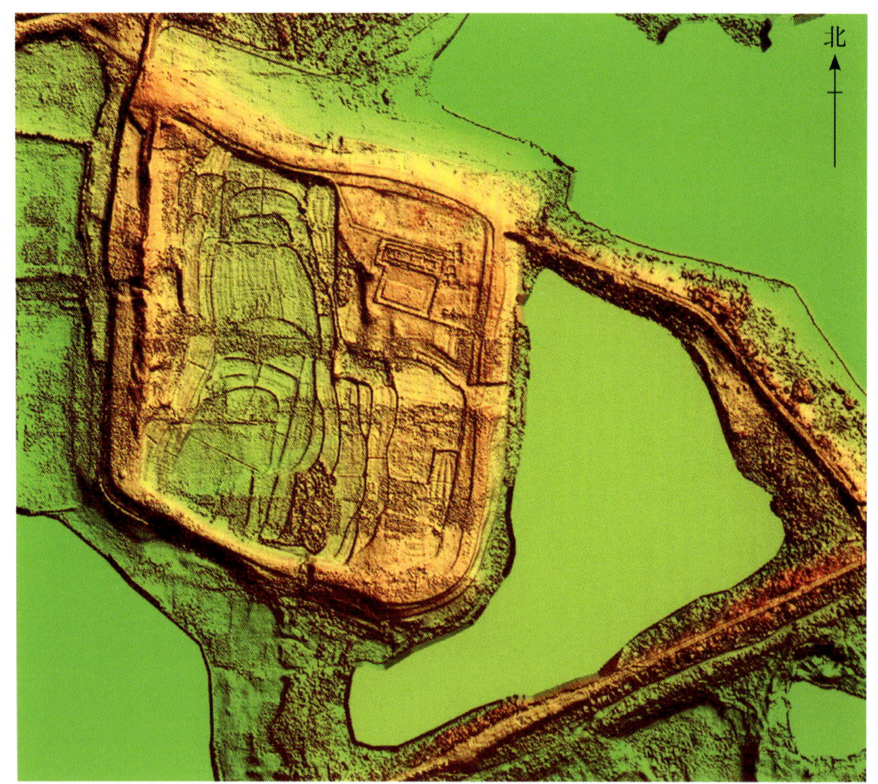

图 5.1.2　城址高程模型

1. 北城垣

1）墙体

现存北垣墙体，剖面呈梯形。墙体外侧长约298米，墙体宽27～30米，高出城外地表2～4米。墙体外侧略陡，下部坡度40°～50°，墙体内侧略缓，下部坡度35°～45°。中段有缺口，为城门。墙体堆积可分为5层（图5.1.3）。

现以PBK165号探孔为例。

第1层，灰色土，土质疏松，含大量植物根系，厚0.2米，为表土层。

第2层，灰黄土，土质疏松，含有少量炭粒，厚0.2米，为晚期地层。

第3层（包括3A层、3B层、3C层），土色以黄褐色及红褐色为主，土质致密、板结，厚1.5米，为城墙夯土层。

第4层（包括4A层、4B层），土色以灰褐色及黄褐色为主，土质疏松，厚1米，为商时期文化层。

第5层，红褐斑土，土质硬结，为生土层。

2）东北角夯土台地

东北角夯土台地位于城墙东北角内侧，与宫殿基址相邻，台基高度略高于宫殿基址，平面形状呈不规则方形，夯土为灰白色，土质细腻硬结。南北长约20、东西宽约25米，高出周围地表约0.6、厚0.4～0.5米（见图5.1.2）。

2. 东城垣

1）墙体

现存东垣墙体，剖面呈梯形。墙体外侧长约293米，墙体宽27～30米，高出城外地表1～2米。墙体外侧略缓，下部坡度24°～32°，墙体内侧略陡，下部坡度42°～43°。中段有缺口，为城门。墙体堆积可分为5层（图5.1.4）。

以PDK62号探孔为例。

第1层，灰褐色土，土质疏松，含大量植物根系，厚0.2米，为表土层。

第2层，灰色土，土质疏松，含有少量瓷、瓦片，厚0.2米，为晚期地层。

第3层，以灰褐色及灰白色土为主，土质硬结，厚1.2米，为城墙夯土层。

第4层，灰黑色土，土质疏松，含少量夹砂红陶片，厚0.6米，为商时期文化层。

第5层，红褐斑土，土质硬结，为生土层。

2）东南角夯土台地

东南角夯土台地位于城墙东南角内侧，平面呈不规则方形，夯土为灰白色，较细腻，与城墙夯土存在一定差异。长约40、宽约40米，高出周围地表0.4～1、厚0.3～0.5米（见图5.1.2）。

3. 南城垣

1）墙体

现存南垣墙体，剖面呈梯形。墙体外侧长约280米，墙体宽25～30米，高出城外地表2～6米。墙体外侧略陡，下部坡度40°～50°，墙体内侧略缓，下部坡度35°～40°。中段有缺口，为城门。仔细观察，可见南城垣夯土形成若干个并列的长方形夯土带，长约10米，宽约7米，应该是当年采用分段版筑的痕迹（图5.1.5）。

东段墙体堆积可分为5层。

第1层，灰褐色土，土质疏松，含大量植物根系及现代砖瓦残片，厚约0.2米，为表土层。

第2层，灰黄色土，部分区域泛红色，土质疏松，含少量瓷、瓦片，厚约0.4米，为晚期地层。

第3层，红褐色土，局部夹杂大量红烧土块，土质较硬，为城门废弃堆积层，因地下水无法钻探，堆积厚度不详。

第4层，红黄色和黄褐色土，土质板结，含少量红烧土颗粒和炭粒，为城墙夯土层。因地下水无法钻探，堆积厚度不详。

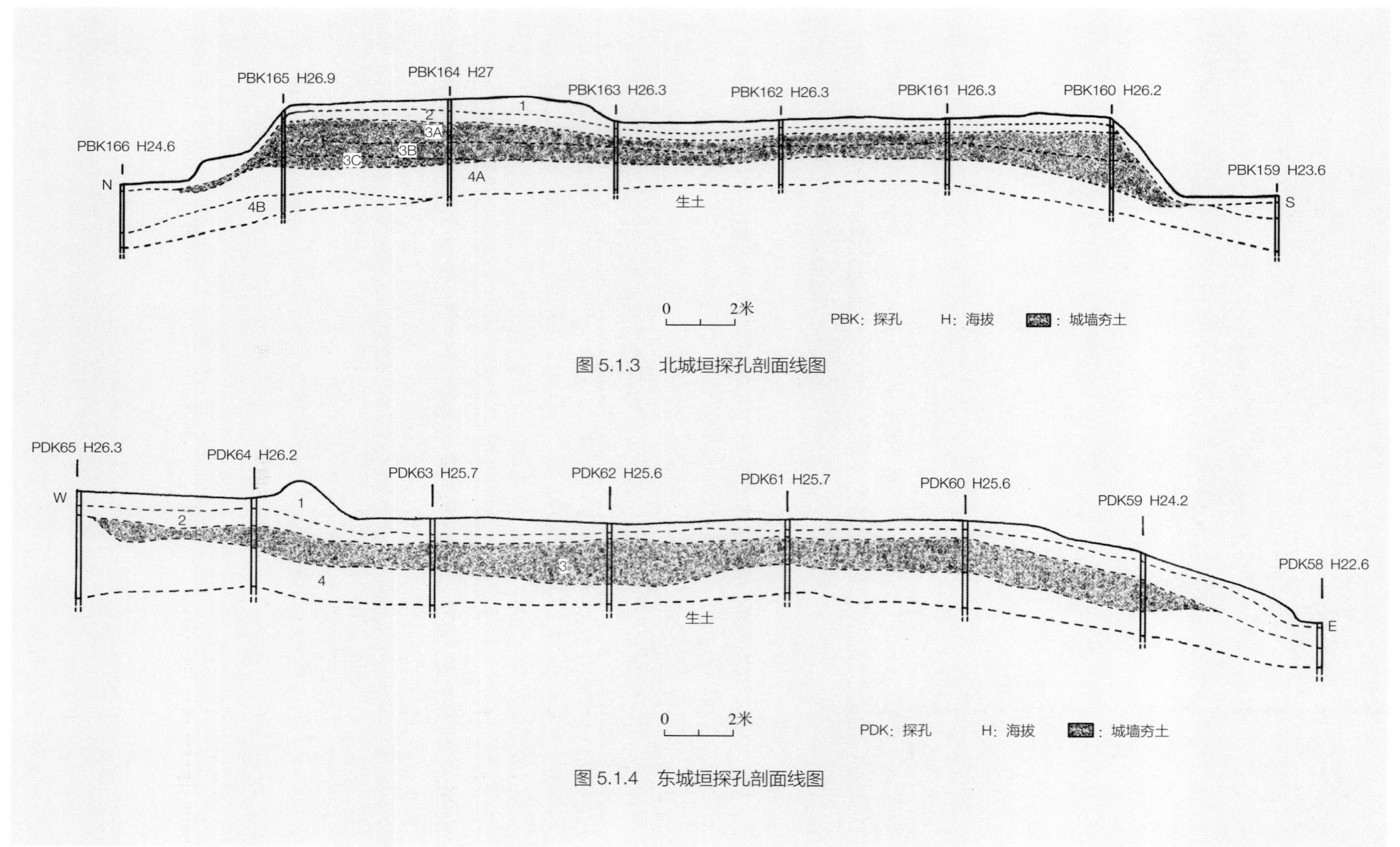

图5.1.3 北城垣探孔剖面线图

图5.1.4 东城垣探孔剖面线图

图 5.1.5 南城垣分段版筑痕迹（上为北）

第5层，红褐斑土，土质硬结，为生土层。

西段墙体堆积可分为7层。

第1层，表土层，灰黄色，土质较致密，含大量植物根系及现代砖瓦残片，厚0.2～2.7米。

第2层，灰黄色，土质较致密，含少量瓷、瓦片，厚0.2～1.75米，为晚期地层。

第3层，红褐色，土质较致密，含少量瓷片，厚0.2～1米，为晚期地层。

第4层，黄褐色土，土质致密，板结，含少量红烧土颗粒，厚0.15～1米，为城墙夯土层，夯土可见有0.08～0.1米的小夯层。

第5层，灰褐色土，土质较疏松，含有少量红烧土颗粒，厚0.2～1.1米，为商时期文化层。

第6层，褐斑土，土质致密，含有少量红烧土颗粒，厚0.15～0.55米，为商时期文化层。

第7层，红褐斑土，土质硬结，为生土层。

2）G3

南城垣城内最低处因自然损毁，在南城垣西段形成一个喇叭形豁口，城内积水由此穿过城垣向南面破口湖中排放。为了解南城垣地层，我们对豁口断面进行了清理。清理时发现南垣西段豁口偏北处有一青石筑成的石沟，编号为G3。豁口西壁堆积分为6层。第1层为表土层，第2、3层为晚期地层，第4层为城垣夯土，第5、6层为商时期文化层（参见南城垣西段地层堆积）。石沟叠压在第3层下，打破第5、6层。第4层因晚期破坏，从现存断面上未发现与石沟G3有直接的关联。G3为南北向，平面呈长条形。南北两头破坏严重，由大小不一的石块垒砌而成。沟顶部由2块大石块覆盖，石块间嵌以碎石，沟东、西两侧用碎石垒成沟

图 5.1.6　南城垣下的石砌排水暗沟（上为北）

壁，未见石块铺底，形成方腔。现存沟残长约3.3、残宽约0.6米，方腔内空高约0.3、内宽约0.2米（图5.1.6、图5.1.7）。

4. 西城垣

1）墙体

现存西垣墙体，剖面呈梯形。墙体外侧长约297、墙体宽27～30米，高出城外地表2～4米。墙体外侧略陡，下部坡度36°～37°，墙体内侧略缓，下部坡度25°～30°。中段有缺口，为城门。墙体堆积可分为5层（图5.1.8）。

现以PXK38号探孔为例。

第1层，灰色土，土质疏松，含大量植物根系，厚0.3米，为表土层。

第2层，灰黄色土，土质疏松，含有少量炭粒，厚0.3米，为晚期地层。

第3层，黄褐色土，土质硬结，厚0.8米，为城墙夯土层。

第4层，灰褐色土，土质疏松，含少量陶片，厚0.5米，为商时期文化层。

第5层，红褐斑土，土质硬结，为生土层。

2）西北角夯土台地

西北角夯土台地位于城墙西北角内侧，平面呈不规则长方形，夯土为灰黄色，土质略粗硬。南北长约40米，东西宽约30米，高出周围地表0.5～1.3、厚0.2～1米（见图5.1.2）。

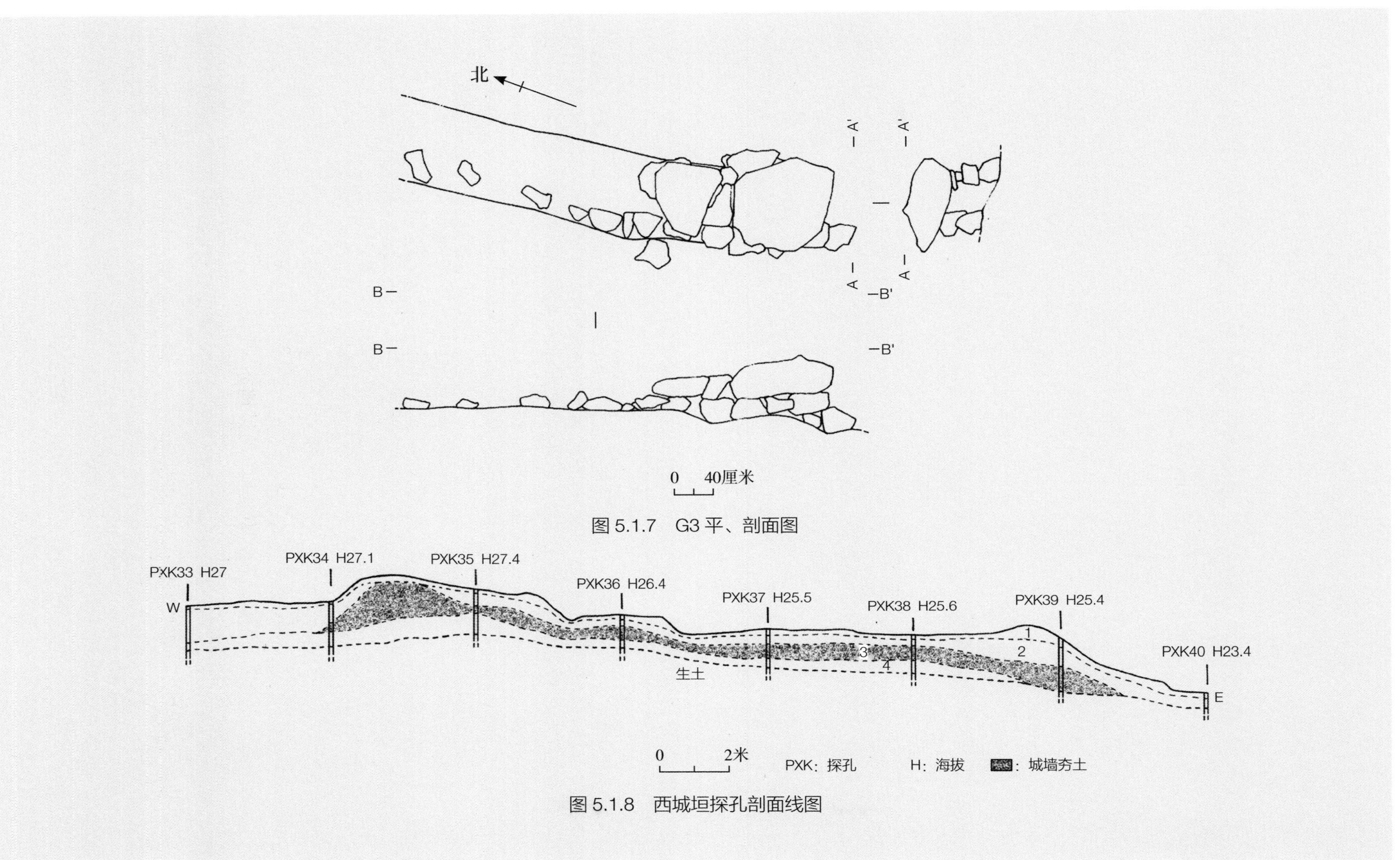

图 5.1.7 G3 平、剖面图

图 5.1.8 西城垣探孔剖面线图

（二）城门

根据原有报道，盘龙城城垣有四个缺口，为四门，均位于城垣中部。西门、南门缺口至今还能辨认，北门缺口已填平，东门因取土而受破坏。本次勘探除确认城墙内外边界外，重点还对疑似城门区域进行了工作。

1. 北门

1）门道

现存门道宽7～8米，距东北角约153米，门道两侧墙体向下斜收，截面呈倒梯形，进深约30米，方向20°。门道内堆积厚约5.3米，可分为12层（图5.1.9）。

以PBK197号探孔为例。

第1层，灰色土，土质疏松，含大量植物根系，厚约0.35米。

第2层，灰红色土，土质较致密，有少量红烧土和炭粒，厚约0.6米，为城门废弃后堆积层。

第3层，灰黄色土，土质较疏松，有少量红烧土和炭粒，厚约0.3米，为城门废弃后堆积层。

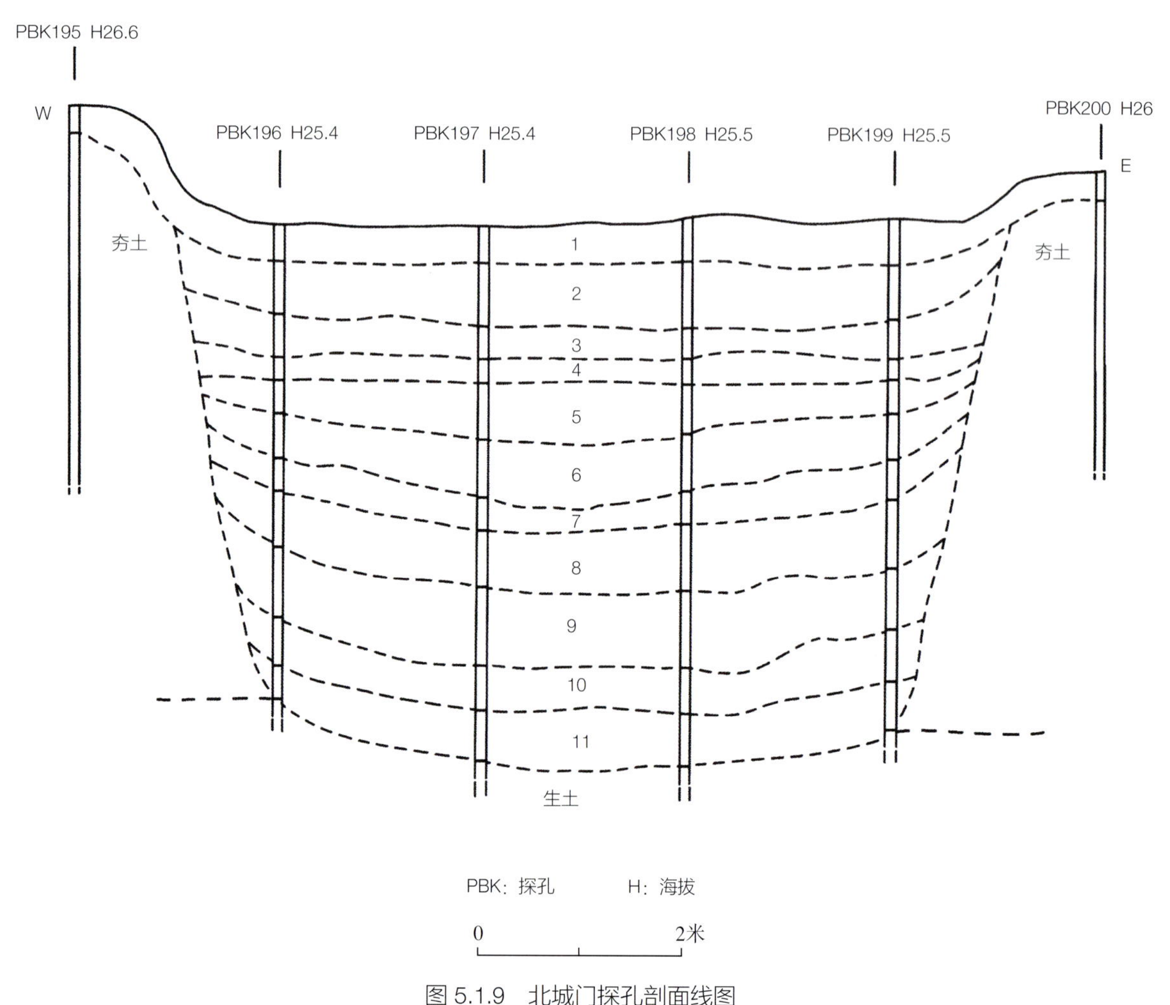

图 5.1.9　北城门探孔剖面线图

第4层，灰红色土，土质较疏松，有少量红烧土和炭粒，厚约0.2米，为城门废弃后堆积层。

第5层，灰黄色土，土质较疏松，有少量红烧土和炭粒，厚约0.6米，为城门废弃后堆积层。

第6层，黄灰色土，土质较疏松，有少量红烧土和炭粒，厚约0.6米，为城门废弃后堆积层。

第7层，灰红色土，土质较疏松，有少量红烧土和炭粒，厚约0.2米，为城门废弃后堆积层。

第8层，灰黄色土，土质较疏松，有少量红烧土和炭粒，厚约0.6米，为城门废弃后堆积层。

第9层，灰红色土，土质较疏松，有少量红烧土和炭粒，厚约0.7米，为城门废弃后堆积层。

第10层，灰黄色土，土质较疏松，有少量红烧土和炭粒，厚约0.4米，为城门废弃后堆积层。

第11层，红色土，土质较致密，厚约0.6米，为城门废弃后堆积层。

第12层，红白斑土，土质硬结，为生土层。

2）北门外夯土平台

北门东侧城垣明显外凸，超出西侧城垣3～5米，外侧形成弧形夯土平台，早年可能有相应的建筑设施。

2. 东门

1）门道

现存门道宽约6米，距东南角约118米，门道两侧墙体向下斜收，截面呈倒梯形，进深28米，方向110°。门道内堆积厚约3米，可分为7层（图5.1.10）。

以PDK+2号探孔为例。

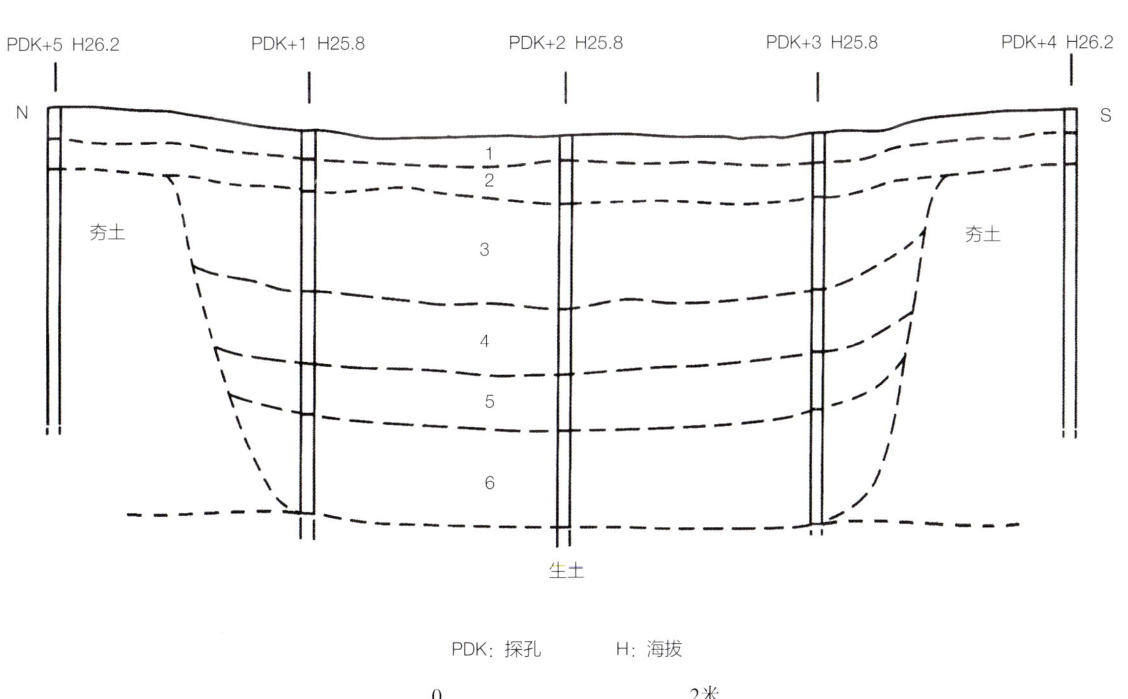

图 5.1.10　东门探孔剖面线图

第1层，灰黑色土，土质疏松，含大量植物根系，厚约0.2米，为表土层。

第2层，灰色土，土质疏松，含有少量瓷、瓦片，厚约0.3米，为晚期堆积层。

第3层，红色土，土质较致密，未见有包含物，厚约0.8米，为城门废弃后堆积层。

第4层，灰黄色土，土质疏松，含有少量红烧土颗粒，厚约0.5米，为城门废弃后堆积层。

第5层，黄褐色土，土质疏松，含有少量炭粒，厚约0.4米，为城门废弃后堆积层。

第6层，灰褐色土，土质疏松，含有少量炭粒，厚约0.7米，为城门废弃后堆积层。

第7层，红褐斑土，土质硬结，为生土层。

2）东门外夯土平台

现存东门南侧城垣外夯土平台现象不太明显。

3. 南门

1）门道

现存门道宽5～6米，距西南角约156米，门道两侧墙体向下斜收，截面呈倒梯形，进深27米，方向20°（图5.1.11）。门道内堆积因地下水位高，无法下钻。

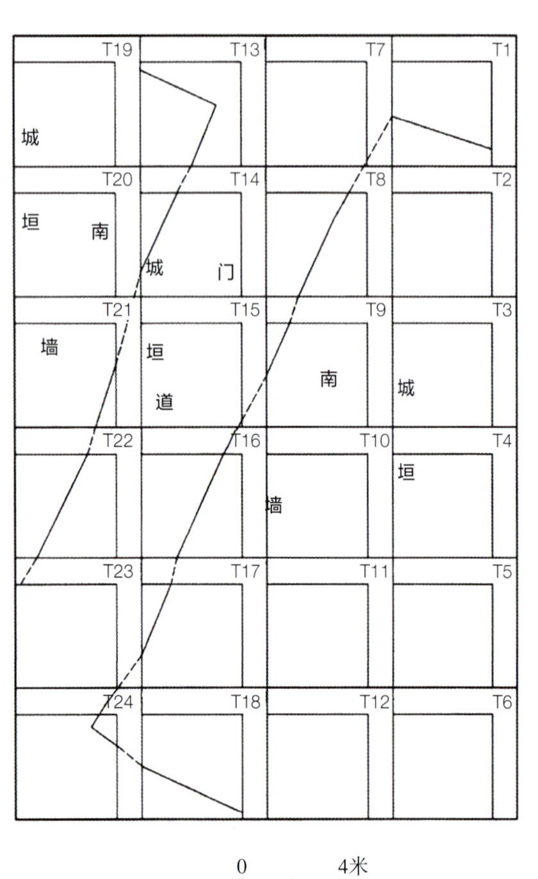

图5.1.11　南门门道平面图

2）南门外夯土平台

南门西侧城垣向外凸出部分受到一定破坏，现比南门东侧城垣凸出2～4米，形成夯土平台，早年应有相应的建筑设施。

4. 西门

1）门道

现存门道宽5～6米，距西北角约153米，门道两侧墙体向下斜收，截面呈倒梯形，进深约28米，方向288°。门道内堆积厚1.1～2米，可分为4层。

以PXK72号探孔为例。

第1层，灰色土，土质疏松，含大量植物根系，厚约0.3米，为表土层。

第2层，灰白色土，土质较致密，未见有包含物，厚约0.3米，为城门废弃后堆积层。

第3层，黄褐色土，土质较疏松，夹杂零星红烧土颗粒，厚约0.5米，为城门废弃后的堆积层。

第4层，红褐斑土，土质硬结，为生土层。

2）西门外夯土平台

西门北侧城垣明显外凸，超出南侧城垣3～5米。外侧形成弧形夯土平台，早年可能有相应的建筑设施。

二、李家嘴

李家嘴位于城址东北，与杨家嘴隔水相望，东南方向与府河大堤相连，南面现为水塘。20世纪70～80年代，北京大学、湖北省文物考古研究所等单位在此发掘清理了以李家嘴M2为代表的高等级早、中商时期墓葬4座、灰坑等遗迹共30余处。另据湖北省文物考古研究所资料，20世纪80年代曾在李家嘴发现一座十分残破的早、中商时期墓葬，出土玉戈文物，墓葬编号为M5（此墓资料未公布）。2014年3月至2016年5月，武汉市文物考古研究所、盘龙城遗址博物院在李家嘴布置10米×10米探方6个，发现清理了早、中商时期墓葬1座，编号M6；早、中商时期房址1处，编号F1；近代墓葬4座（图5.1.12）。

（一）地层

第1层，一部分为近期施工填土，灰褐色，土质疏松，厚0.15～0.3米，为表土层。

第2层，灰黄色土，土质较细密，有少量的陶片、烧土颗粒、木炭颗粒等包含物，厚0.1～0.2、深0.15～0.3米，为商时期文化层。

第3层，红褐色土夹杂黑斑，土质硬结，为生土层。

（二）其他遗存

本次发掘另新发现房址和墓葬各1处，以下分别加以介绍。

1. F1

位于T6探方东侧扩方区域内，开口于第2层下。平面不规则，由灰黄色硬结居住面及两处础穴组成（编号D1、D2）。居住面残存面积约6.5平方米。D1位于扩方区以西，平面呈圆形，直径0.35米，础穴内置不规则青石一块。D2位于扩方区以东，平面呈不规则椭圆形，直径0.3米，础穴内置不规则青石一块。D1、D2东西向排列，相距2.65米（图5.1.12）。

2. M6

位于T5探方内，西与早年发掘的李家嘴M2相距约7米，东与M1相距1.6米。现存开口于第2层下，长方形土坑竖穴墓，方向20°。墓口南北长3.7、东西宽2.3米，墓底距开口0.4米。坑口四周局部不规则，坑壁陡直，墓底中部和东北角各有一圆形扰坑。该墓遭严重盗扰，坑内填土杂乱，包含物有细碎青铜残渣、陶片、玻璃碎片等。未出土随葬品。

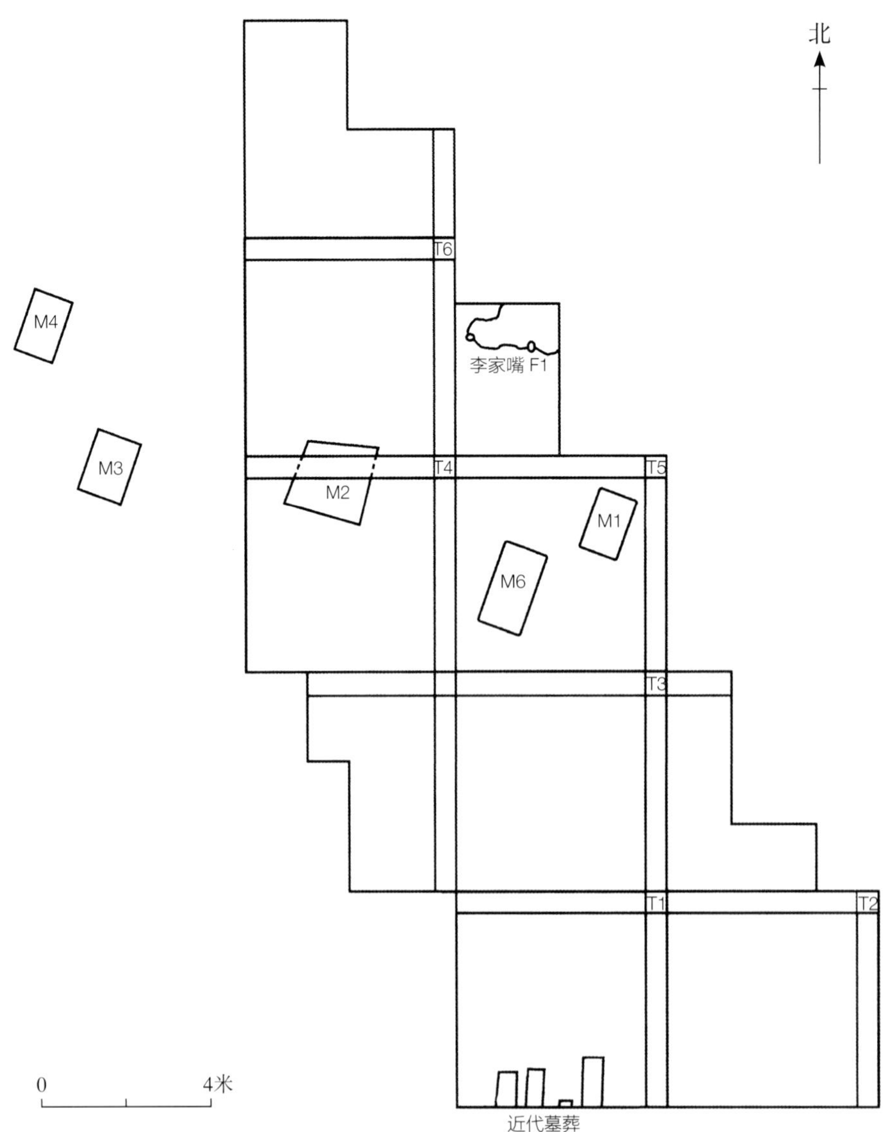

图 5.1.12　李家嘴墓葬及周边遗迹分布

三、年代与性质

本次对盘龙城遗址城垣全面系统的勘探和数据采集、分析整理，获取了较为完整的城垣相关资料，确定了城垣具体位置，以及城垣轮廓。城垣墙体宽厚，外陡内缓，墙体外陡以防攀爬，内缓以便登临。上述工作解决了长期以来城垣具体位置、内外边界及轮廓模糊不清的问题，为盘龙城遗址城垣修复、展示提供了依据。南城垣中段还发现多处分段版筑遗迹，夯土板块平面呈长方形，与城垣走向一致，垂直于墙体，板块之间界限分明，长约10、宽约7米，进一步丰富了20世纪七八十年代发现的城垣营筑方法[①]。此次还在城垣内侧西北、东北

① 《盘龙城（1963～1994）》，第16、17页。

及东南角发现夯土台地的迹象，而推测城垣西南角也应有夯土台地，只是早年生产活动遭到破坏。目前怀疑此类城垣附近的夯土台地或与城垣防御相关。从现有地形地貌并结合城垣勘探情况看，城址区域有两条岗地：西北部有一条南北向的岗地，北高南低；东北部岗地由北向南延伸至王家嘴。两条岗共有四个高地，分别位于城址西南、北城垣中段、东北角、东南角等处，表明城垣依地势而建。

城门的勘探工作明确了西、北、东、南城门的位置，解决了长期以来城门具体位置模糊不清的问题。门道内堆积情况相似，四门的结构及相应设施均已腐烂，如南门内门道内发现大量的红烧土及炭渣，疑似城门相应设施被火焚毁的痕迹。此外，在南城门外还发现有道路迹象，路土呈灰白色，路面硬结，路外有一堆碎石。南门外路土的范围，与城内道路如何相接，碎石是否为散水等相关问题，有待以后的考古发掘。此外，本次勘探还在南城门外东侧发现外凸的迹象，由此使城门处内凹。这一现象在北方先秦城址中多有出现，如三座店城址、西山根城址、北城子城址、康家屯城址、永昌三角城的马面均呈此形[①]。在南方江西清江吴城也有类似设施出现[②]。这一现象应与早期马面、瓮城相关。

城垣区域的试掘则于南城垣处发现一处石砌水沟，编号为G3。此石砌水沟构筑方式与郑州商城、偃师商城[③]发现的石沟暗渠形制相近。根据地层堆积情况及石沟构筑方式的原始性，推测其构筑年代应与城垣建造年代一致。石砌水沟呈南北向。根据其延伸趋势，推测应是穿过南城垣底部的一条较为完整的排水暗沟。城址内西南一隅地势低洼，其高程与东南、东北、西北部相比较，低1～5米。城垣外地势较城址内西南一隅地势低约2米。在此构筑排水沟，形成暗沟，利于将城内的积水向城外排泄。综合以上因素，该石沟应为盘龙城城址一处重要的排水设施。

此次李家嘴地点的勘探和试掘则新发现了早、中商时期房址和墓葬，为进一步认识该区域聚落布局和功能属性提供了新材料。从层位关系来看，F1叠压在第2层下，其相对年代应与李家嘴其他早、中商时期遗存年代相近。李家嘴M6遭破坏严重，未出土随葬品，但墓葬形制得以保存。墓葬形制与李家嘴M2相近，方向一致，位于李家嘴M2和李家嘴M1之间，与西面的李家嘴M3、李家嘴M4等一起，排列有序，由此推测其应与早年发掘的李家嘴M2年代相近，属于原盘龙城报告第四、五期，一起组成这一阶段李家嘴高等级贵族墓葬区。

需要注意，由于考古勘探的局限性，获知的地层堆积信息有限，与实际的地层堆积存在偏差，所发现的遗迹现象仅仅只是掌握平面结构，对其具体形制也只能粗略了解。因此上述城址和李家嘴地点的新发现，还有待通过进一步的考古发掘对其性质、文化内涵等做出更精确的判断。

① 张国硕、缪小荣：《先秦城址马面初探》，《中原文化研究》2015年第1期。

② 江西省文物考古研究所、江西省樟树市博物馆：《江西樟树吴城商代遗址西城墙解剖的主要收获》，《南方文物》2003年第3期。

③ 中国社会科学院考古研究所河南第二工作队：《河南偃师商城宫城池苑遗址》，《考古》2006年第6期。

第二节　王　家　嘴

一、遗址概况

王家嘴位于盘龙城城址南侧，为城址向府河延伸的一处岗地。该地点在20世纪70年代末至80年代因配合府河大堤的修建，曾展开过考古发掘。1995年以来的考古工作主要有如下两次。

1997年11月～1998年4月，武汉市博物馆和湖北省文物考古研究所盘龙城工作站、黄陂县文物管理所联合组成考古队对王家嘴进行了局部的试掘。发掘地点选在王家嘴遗址的东北部，靠近南城垣位置。布设5米×5米发掘探方4个，按照盘龙城城址发掘的统一规格布方，探方位置属第三象限，自北向南探方顺序为3TV33～3TV36，其中3TV33已接近南城垣。此次发掘，清理了窑址1座，灰坑2个，灰沟2条，出土了一些陶片，采集有木炭标本。

2018年1月，盘龙城遗址博物院在盘龙城遗址王家嘴东北部的湖岸边发现地表裸露有青铜戈和青铜觚，随即布方进行抢救性发掘。通过发掘，确认青铜器出自墓葬。该地点海拔21米，墓葬编号为M4[①]。

二、地层

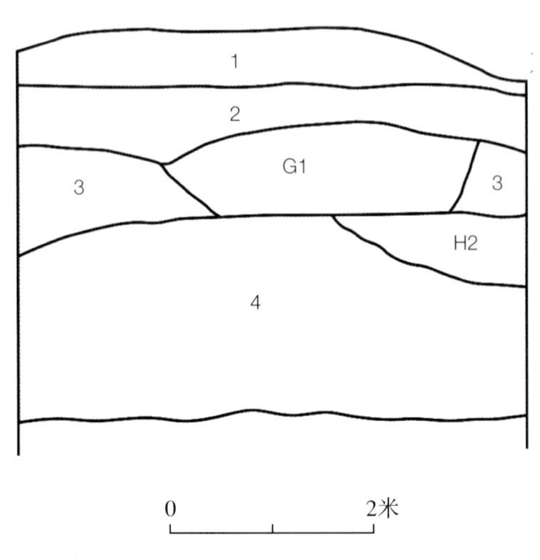

图 5.2.1　王家嘴 3TV33 北壁剖面图

上述王家嘴地点的考古工作仅于1997～1998年发掘区中发现有商时期文化堆积。在此以王家嘴1997～1998年发掘区3TV33北壁剖面地层堆积为例介绍。发掘区地层关系相对简单，第1层为表土层，为近现代人类活动形成；第1层下即为商时期文化层（图5.2.1）。

1. 第1层

表土层。厚0.1～0.3米。分布在整个探方。包含有大量植物根茎和塑料、砖块、瓦片、瓷片等现代生活垃圾及建筑垃圾。

① 王家嘴过去已发现3座商代墓葬。1975年在王家嘴岗地中部东坡发现M1，材料见《盘龙城（1963～1994）》，第136～143页。21世纪初在王家嘴南端临近府河处发现M2，材料见《盘龙城遗址博物馆征集的几件商代青铜器》，《武汉文博》2004年第3期。2014年在王家嘴东北部发现M3，即2014王家嘴M1，材料见《2014年盘龙城遗址部分考古工作主要收获》，《盘龙城与长江文明国际学术研讨会论文集》，第46～57页，科学出版社，2016年。

2. 第2层

商时期文化层。黄褐色土，土呈块状，厚0.3～0.55、深0.1～0.3米。仅分布在探方北部。包含有较多商时期陶片，皆为碎小的夹砂灰陶、黄陶缸、鬲残片。发掘者推测其可能为城垣土，但未见夯痕。此层下叠压有G1、H1、H2。

3. 第3层

商时期文化层。灰褐色土，土质较软，有黏性，呈淤泥状。厚0.25～0.85、深0.2～1米。分布在整个探方。包含物有较多商时期陶片，还出土有大量草木灰、动物骨骼等。出土陶片以夹砂陶为多，可辨器形有鬲、罐、缸等。此层下叠压有G2、H2。

陶器

鼎　标本2件。

标本3TV34③：01[①]，夹砂红陶，仅存足部。侧扁足。残高5.8厘米（图5.2.2，1）。

标本3TV34③：03，泥质黑皮陶，仅存足部。素面。残高7厘米（图5.2.2，2）。

鬲　标本3件。

标本3TV33③：04，夹砂黑皮陶，仅存口沿。口微敞，折沿，颈部以下饰绳纹。残高5.3厘米（图5.2.2，3）。

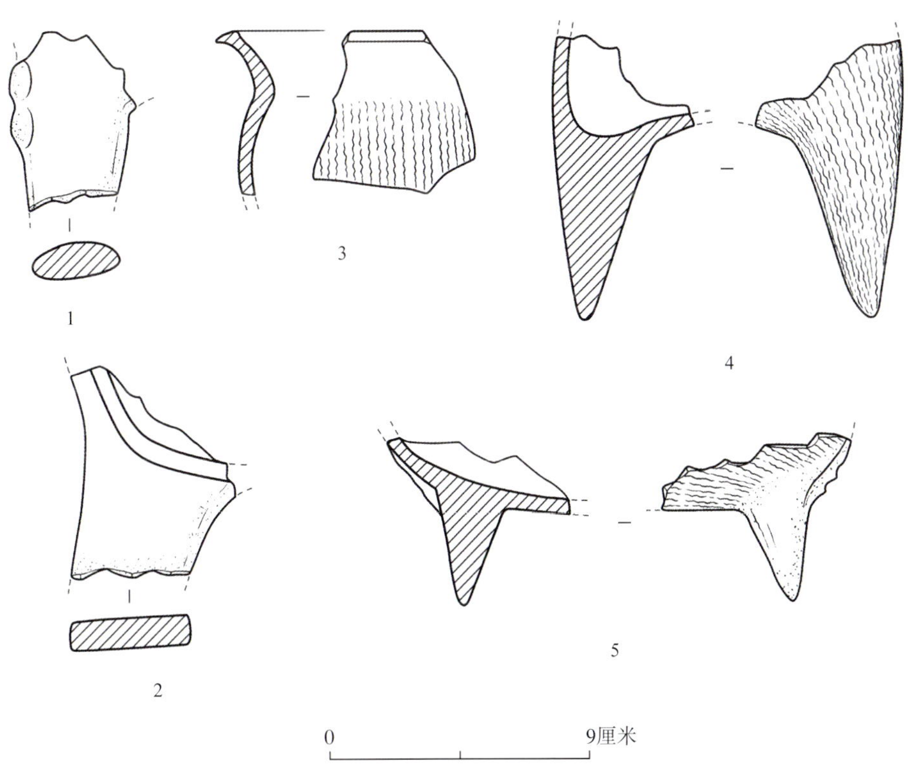

图 5.2.2　王家嘴 3TV33、3TV34 第 3 层出土陶器

1、2. 鼎（3TV34③：01、3TV34③：03）　3～5. 鬲（3TV33③：04、3TV33③：08、3TV33③：02）

① 王家嘴1997~1998年发掘所获陶器标本在原简报中编号为D××。本书收录未做改动，与本书其他章节标本编号0××含义不同。

标本3TV34③：02，夹砂红陶，仅存足部。矮尖锥足。饰细绳纹。残高5厘米（图5.2.2，5）。

标本3TV34③：08，泥质黑皮陶，仅存足部。高尖锥足。饰绳纹。残高9.4厘米（图5.2.2，4）。

斝　标本1件。

标本3TV33③：10，泥质黑皮陶，仅存鋬。鋬上有三道细槽装饰。残高3.3厘米（图5.2.3，1）。

盆　标本1件。

标本3TV33③：07，夹砂灰陶，仅存底部。鼓腹凹底。饰绳纹。复原后底径6.5、残高2.5厘米（图5.2.3，2）。

瓮　标本1件。

标本TV34③：05，泥质黑皮陶，仅存耳部。牛鼻式横耳，耳在肩腹间。残高5厘米（图5.2.3，3）。

大口尊　标本1件。

标本3TV34③：06，泥质黑皮陶，仅存肩腹部。直腹略弧。肩部凸出两道附加堆纹。残高5.3厘米（图5.2.3，8）。

缸　标本3件。

标本3TV33③：01，夹砂红陶，残片。侈口，方唇，直腹。肩饰附加堆纹，其余部位饰绳纹。残高11.6厘米（图5.2.3，6）。

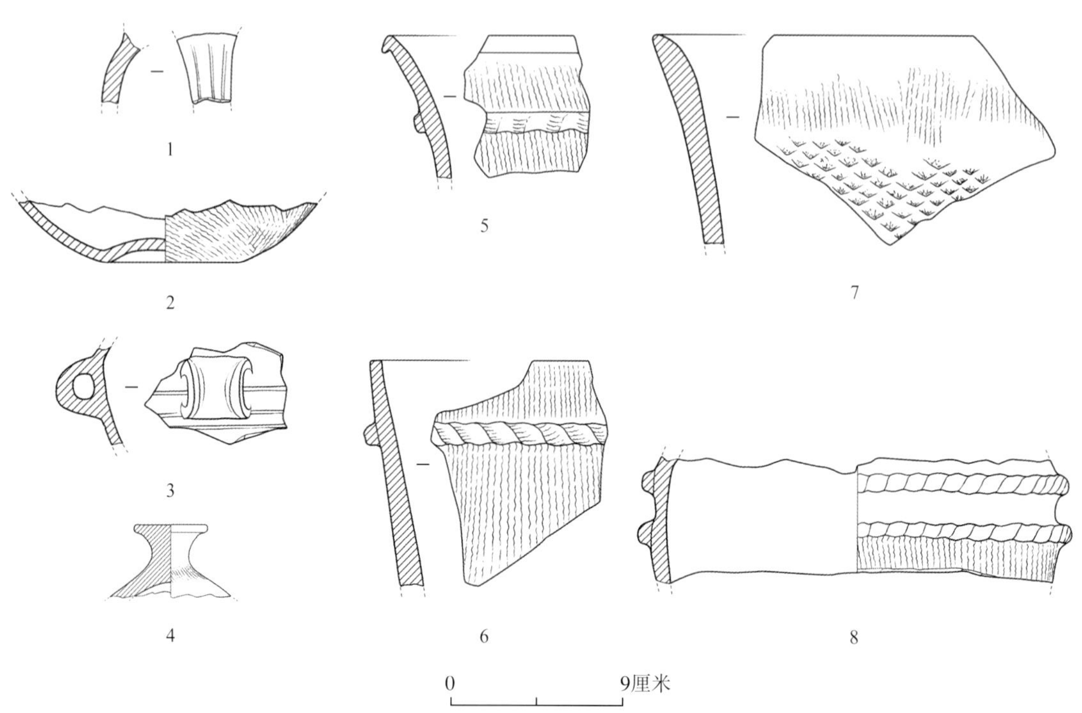

图5.2.3　王家嘴3TV33、3TV34第3层出土陶器

1. 斝（3TV33③：10）　2. 盆（3TV33③：07）　3. 瓮（TV34③：05）　4. 器盖（3TV33③：07）
5～7. 缸（3TV33③：03、3TV33③：01、3TV33③：02）　8. 大口尊（3TV34③：06）

标本3TV33③：02，夹砂红陶，残片，敞口，尖唇，直腹，颈饰绳纹，腹饰斜网格纹。残高10.6厘米（图5.2.3，7）。

标本3TV33③：03，夹砂红陶，残片。敞口，厚唇。肩饰附加堆纹，堆纹上下饰绳纹。残高7.4厘米（图5.2.3，5）。

器盖 标本1件。

标本3TV33③：07，泥质红陶，仅存盖纽。菌状，顶平。复原后口径3.6、残高3.7厘米（图5.2.3，4）。

4. 第4层

商时期文化层。黄褐色土。厚0.95～1.5、深1.4～2.5米。分布在整个探方。包含有部分商时期碎陶片。此层下叠压有Y1。

陶器

罐 标本1件。

标本3TV33④：06，夹砂黑皮陶。卷沿，圆唇。沿下有花边装饰，颈部饰一周弦纹，弦纹上下腹饰绳纹。残高5厘米（图5.2.4，1）。

缸 标本1件。

标本3TV33④：02，夹砂红陶，仅存圆饼形缸底。近底部饰绳纹，底一周有压印按窝装饰。复原后底径10、残高3.2厘米（图5.2.4，2）。

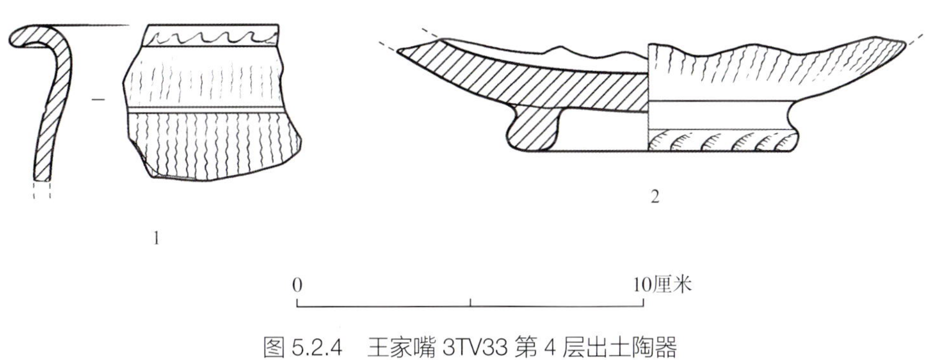

图 5.2.4　王家嘴 3TV33 第 4 层出土陶器

1. 罐（3TV33④：06）　2. 缸（3TV33④：02）

三、灰坑

（一）H1

位于3TV33东南角。开口于第2层下，叠压在第4层之上。仅清理西北部约四分之一。坑口形状不明。基线方向0°或180°，南北长2、东西宽1.1、距坑口最深1.15米。坑内填土为褐红色土，包含物很少，且极为破碎，能辨出器形的仅有鬲、罐（图5.2.5）。

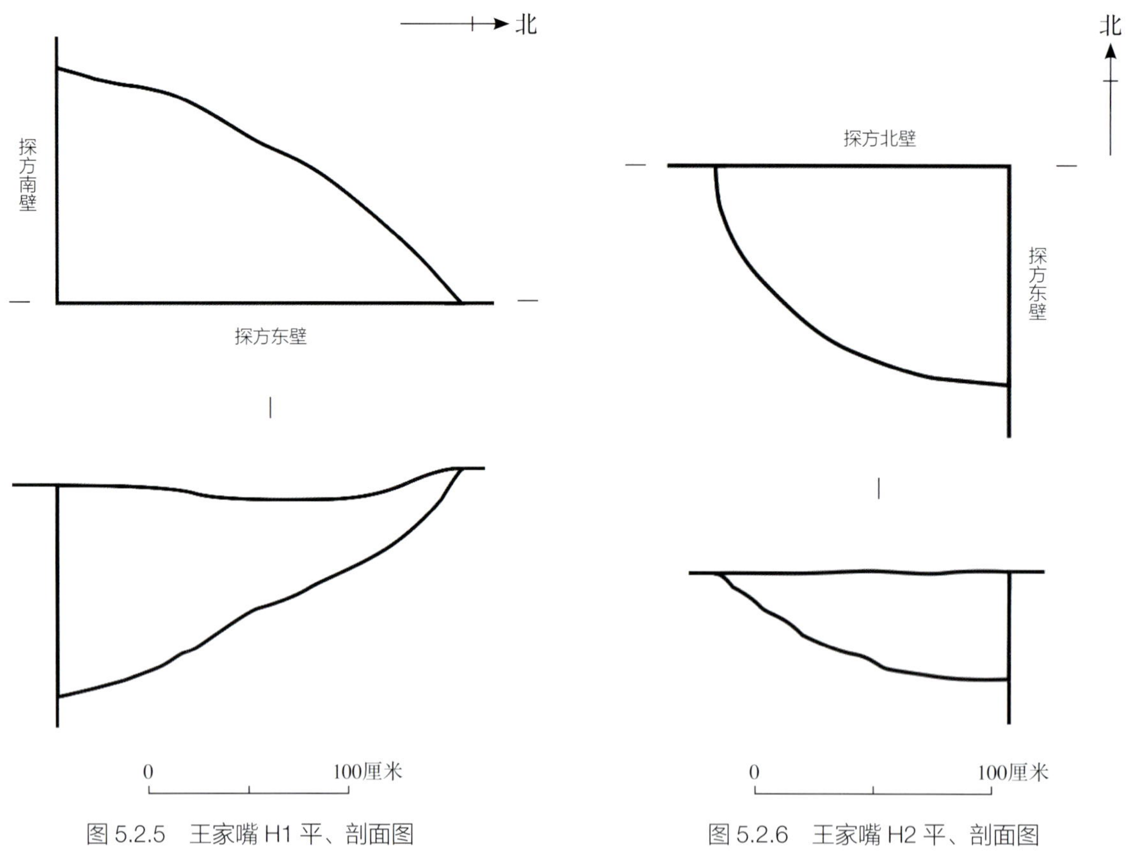

图 5.2.5　王家嘴 H1 平、剖面图

图 5.2.6　王家嘴 H2 平、剖面图

（二）H2

位于3TV33东北角。开口于第3层下，被G1叠压，打破第4层。仅清理灰坑的一小部分。开口平面形状为扇形，弧壁，圜底。基线方向90°或270°，南北长1.25、东西宽1.1、距坑口最深0.6米。坑内填土多为灰烬，夹少许红烧土（图5.2.6）。

四、灰沟

（一）G1

位于3TV33北部。开口于第2层下，打破第3、4层，叠压H2。开口平面形状为不规则的长条形，斜壁较陡，为槽形沟底。发掘部分长2.3、宽2、距坑口最深0.8米。填土以灰黑色土为主，夹杂有骨渣、木炭、烧土。

陶器

鼎　标本1件。

标本G1：01，夹砂灰陶，仅存足部。侧扁足，椭圆体，足上有对捏指窝。残高8.7厘米（图5.2.7，1）。

斝 标本1件。

标本G1：03，夹砂黑皮陶，仅存足部。尖锥足中空，素面。残高7厘米（图5.2.7，2）。

豆 标本1件。

标本G1：08，泥质黑皮陶。假腹，粗圈足，整体打磨光滑，豆柄和豆盘衔接处饰弦纹。残高2.8厘米（图5.2.7，3）。

盆 标本1件。

标本G1：07，夹砂灰陶，仅存口沿。侈口近直，卷沿，圆唇，腹饰绳纹。残高4.1厘米（图5.2.7，4）。

大口尊 标本1件。

标本G1：06，泥质灰陶，仅存口沿。圆唇，敞口，沿内有凹槽。颈下起棱，下饰绳纹。残高5.2厘米（图5.2.7，5）。

（二）G2

位于3TV34中，贯穿整个探方。开口于第3层下，打破第4层，开口平面为长条状。为南北向延伸的沟槽，自东向西倾斜。发掘部分南北长8、东西宽1.2～1.9米。填土以黑灰土为主，东部有白膏泥，夹杂有烧土颗粒、木炭、骨渣及少许陶片。

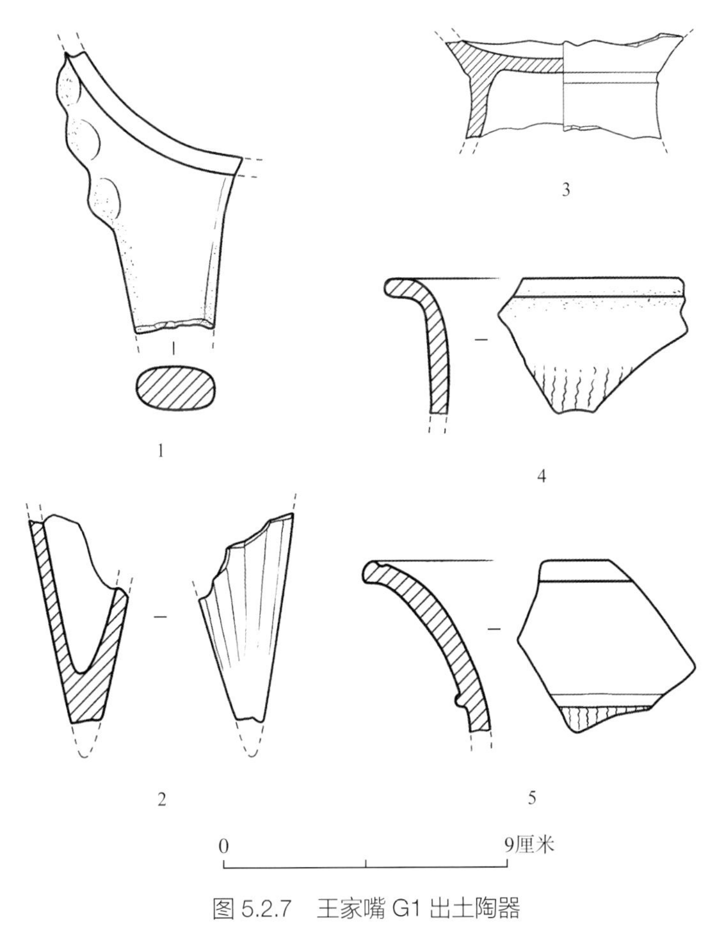

图5.2.7 王家嘴G1出土陶器

1. 鼎（G1：01） 2. 斝（G1：03） 3. 豆（G1：08） 4. 盆（G1：07） 5. 大口尊（G1：06）

五、其他遗存

（一）Y1

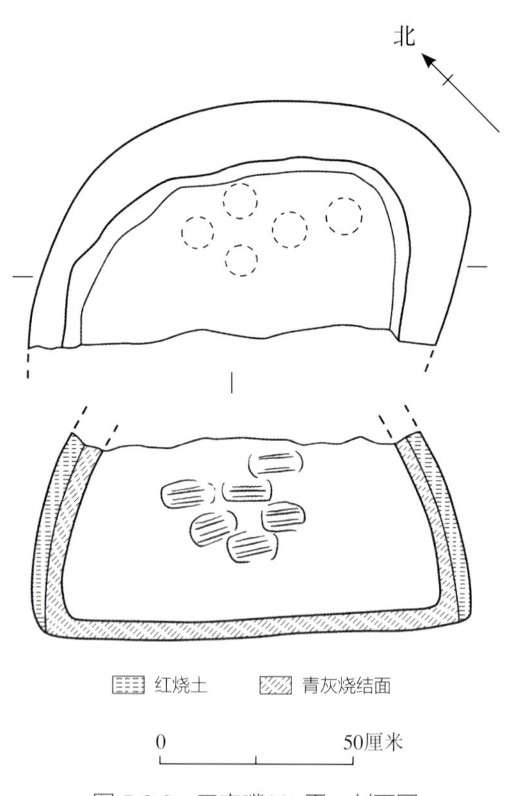

图 5.2.8　王家嘴 Y1 平、剖面图

叠压于第4层下，打破第5层，建于生土之上。半边遭破坏，仅剩窑膛底部。现存平面为半圆形。基线方向140°或320°，残径1.25、残高0.5、厚0.08米。有箅孔痕迹和窑室等，窑壁作拱状，周壁呈外红里灰色，烧结面很硬，箅孔位于窑室中部，孔径0.1～0.12米，底平，仅剩的窑膛内填土为棕红色土，含大量红烧土颗粒，有块状木炭夹杂其间。壁面内侧有长方形工具锤打印痕（图5.2.8）。

（二）M4

M4为长方形竖穴土坑墓，方向约21°。由于濒临湖边，常年遭受湖水冲刷，墓葬遭到严重破坏，仅存底部。墓葬东北角打破土质较坚硬的褐黄色文化层，墓内填土为土质较疏松的灰黄色五花土，夹杂少量细碎陶片、炭粒。墓壁稍微倾斜，口大于底，口长2.1、宽0.95～1.05米，底长1.96、宽0.88～0.95米，残深0.05～0.32米。墓底北高南低，墓底中部有一长方形腰坑，其内未见遗物，长0.96、宽0.36、深0.12～0.2米。由于侵蚀严重，未见葬具痕迹。在墓葬中部偏南位置发现一截肢骨痕迹，葬式不明。随葬品全部出自于墓底部（图5.2.9）。墓葬出土的随葬品包括青铜器、石器和骨器，共计20件，另有若干卜骨碎片。其中包括觚、爵、斝各1件（图5.2.10）。现将出土器物分述如下。

1）青铜器

觚　标本1件。

标本M4：2，位于墓底南部偏西，南北向平置，口部靠近青铜锛。器形基本完整，器身上部一侧有上下三个近似窄长条形孔洞，对侧有两个孔洞，口部有裂缝（图5.2.11，1），从痕迹看应是使用钝器从外向内用力击打所致。通体瘦高且有光泽，侈口，呈喇叭状，腰部弧线内收，圈足底部内折为方唇状。腰部上端有两条平行凸弦纹，下饰一周两组带状兽面纹。圈足上部有四条平行凸弦纹，其间等距分列三个“十”字形镂孔，器足底部分布有三个长方形缺口（图5.2.11，2），镂孔与缺口相对应，但与兽面纹单元错位。口径13、底径8.5、通高19.3厘米，重450克（图5.2.11，3）。

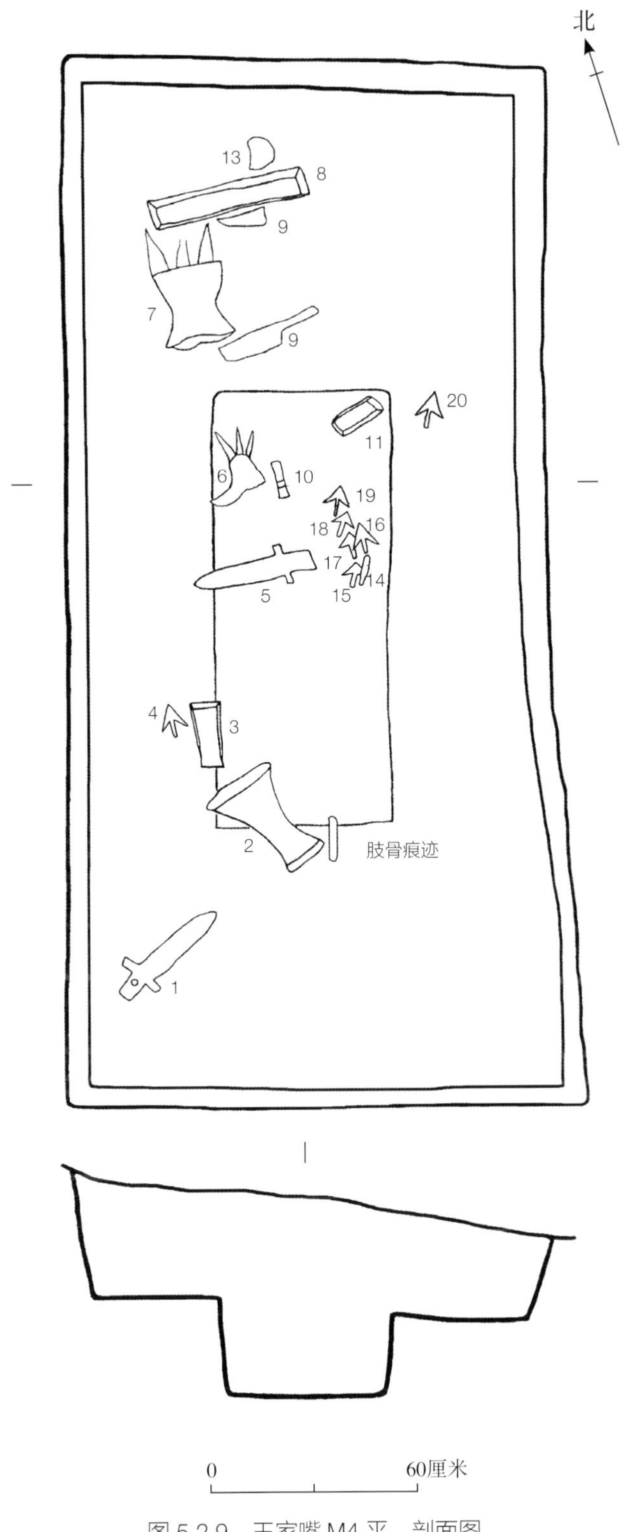

图 5.2.9　王家嘴 M4 平、剖面图

1、5. 青铜戈　2. 青铜觚　3. 青铜锛　4、15～20. 青铜有翼镞　6. 青铜爵　7. 青铜斝　8、11. 砺石
9. 青铜刀　10. 骨管　12. 青铜锥形器　13. 石片　14. 青铜无翼镞
21-1、21-2. 卜骨（12被压在青铜斝下，21-1、21-2. 分别在青铜锛、青铜斝内）

图 5.2.10　王家嘴 M4 出土青铜觚、爵、斝组合

爵　标本1件。

标本M4：6，位于墓底中部偏西，东侧靠近骨管。口、尾及足有部分残缺，鋬残断，鋬侧的腹上部内凹形变。长流较深，单柱分叉立于流折处，伞状柱帽坡度较陡，器腹近直筒状，圜底，刀锥形足向外微撇，器身附一扁平鋬。柱帽装饰阴线涡纹，顶端突起乳钉。腹部装饰一周三组带状纹饰，包括一组兽面纹和两组简化夔纹，纹带上下各有一周连珠纹。柱帽底端可见范线，腹底部有补铸痕迹（图5.2.12，1）。腹径7.4、足长8、通高20厘米，重160克（图5.2.12，2）。

斝　标本1件。

标本M4：7，位于墓底北部偏西，南北向平置，口沿靠近青铜刀，足部邻近砺石。腹内发现若干卜骨残片，一残足外壁发现小块朱砂痕迹。器形基本完整，口、颈、腹局部内凹形变并有残缺（图5.2.13，1），应为钝器击打所致。通体瘦高，侈口，加厚唇边，上立梯形双柱，伞状柱帽坡度较陡。器束腰，深腹微鼓，凸圜底，扁平半环形鋬，空三棱形锥足外撇。柱帽上饰阴线涡纹，顶端突起乳钉。器腰部饰一周三组带状纹饰，其中鋬两侧各有一组无目夔纹，另一侧为一组兽面纹。兽面圆睛凸起，鼻起棱低于圆睛，身、足为二列云纹。鋬内外可见范线。口径15、通高25.2厘米，重1000克（图5.2.13，2）。

戈 标本2件。

标本M4：1，位于墓底西南角。援部有弯曲形变（图5.2.14，1），应为人力所致。通体光滑，素面，长方形内，长援略弧，援宽于内，援内之间有阑，援身起脊，横截面为菱形，三角形前锋。二合范，阑部可见范线。内部近阑处有一圆形穿孔。通长24、内长5.6、援长17.8、内宽3.8、阑长6.6、厚0.5厘米，重240克（图5.2.14，2）。

1

2

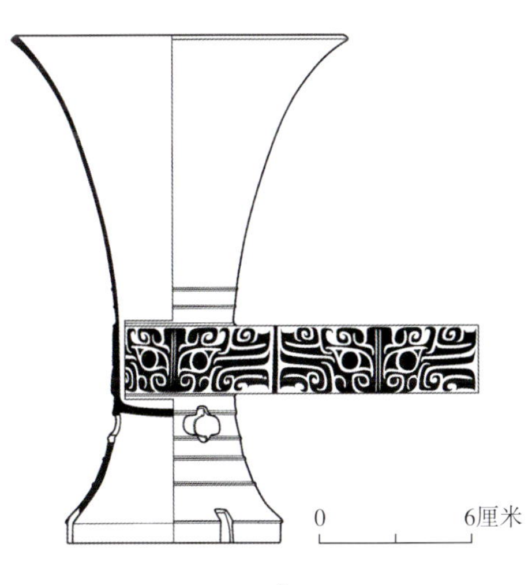

3

图 5.2.11　青铜觚（王家嘴 M4：2）

1. 青铜觚上部的打击孔洞和裂缝照片　2. 器身正视照片　3. 线图

1

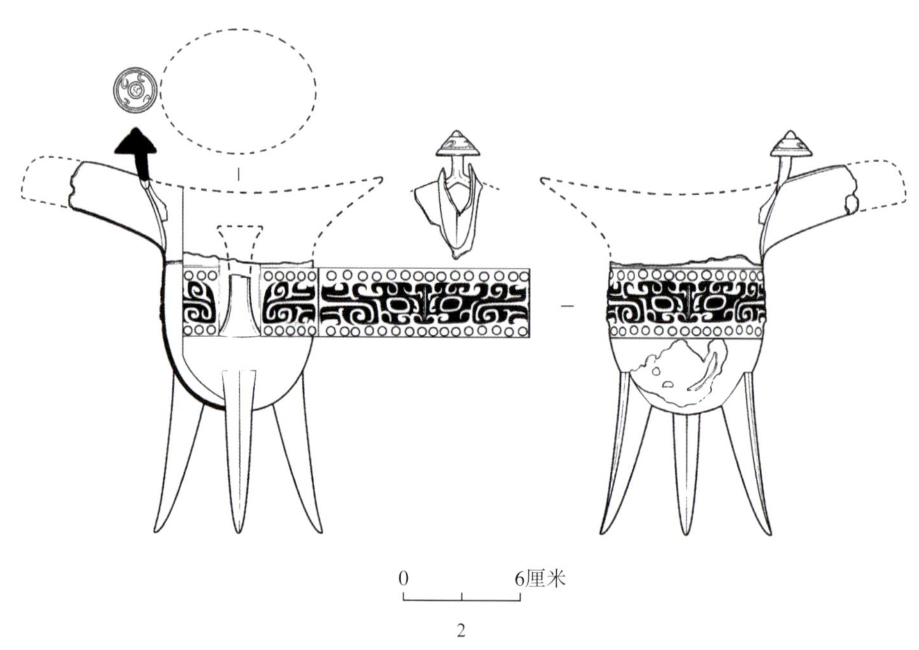

2

图 5.2.12　青铜爵（王家嘴 M4：6）

1. 照片　2. 线图

标本M4：5，位于墓底中部。援部有弯曲形变（图5.2.15，1），应为人力所致。通体光滑，素面，长方形内，长援略弧，援宽于内，援内之间有阑，援身起脊，横截面为菱形，三

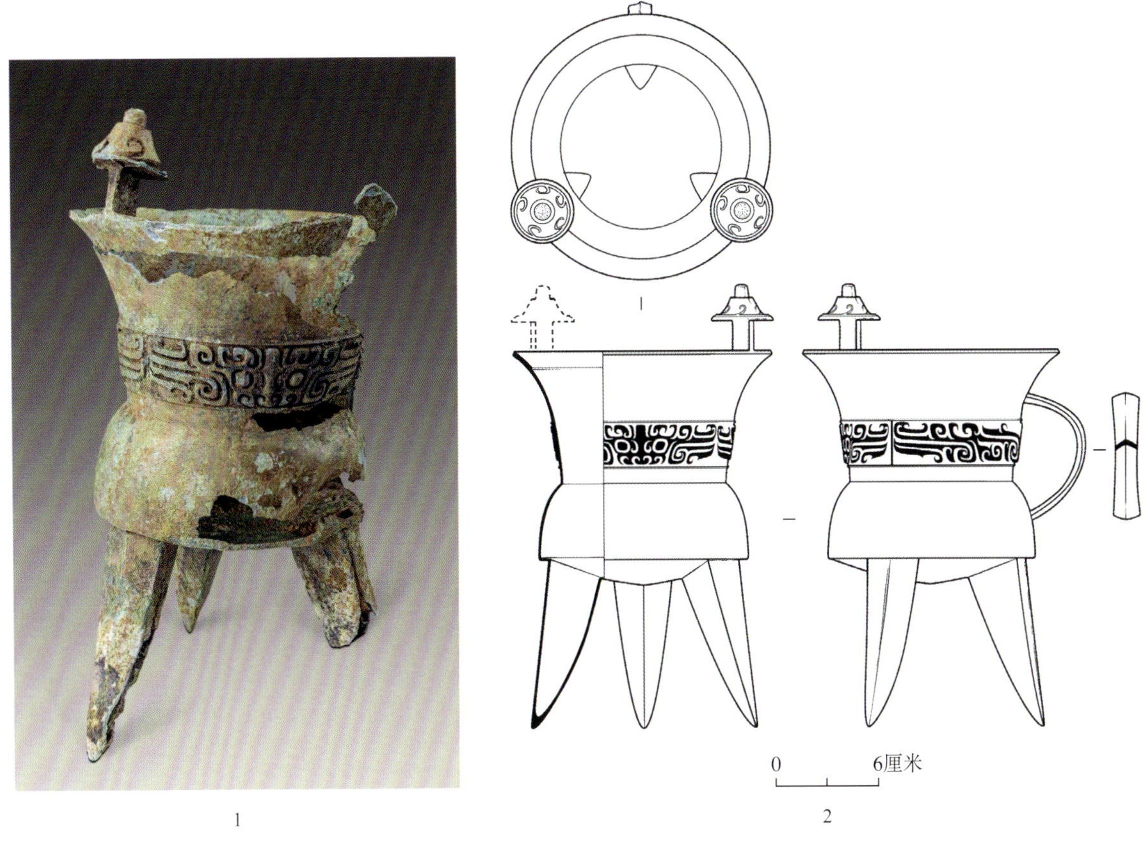

图 5.2.13　青铜斝（王家嘴 M4：7）

1. 照片　2. 线图

角形前锋。二合范，阑部可见范线。通长25.6、内长5.6、援长19、内宽3.8、阑长7、厚0.8厘米，重190克（图5.2.15，2）。

刀　标本1件。

标本M4：9，位于墓底北部偏西，断为两截，带柄的主体刀身在青铜斝南侧，刀身前端碎片在青铜斝北侧，与砺石相邻。器形基本完整，通体窄长，素面。刀柄与刀身连为一线，背与刃均呈弧线弯曲，背部起脊，横截面为菱形，刀身最宽处在中部，刃部锋利。通长33.2、柄长9.2、柄宽1.8、身长24、身最大宽4.6、厚0.6厘米，重170克（图5.2.16）。

镞　标本8件。

多数位于墓底中部，镞锋朝北。发掘时，个别青铜镞周围见有黑色炭化物质痕迹。M4：14为无翼镞，M4：4、M4：15～M4：20为有翼镞。

标本M4：14，无翼镞，体扁平，尖圆头，脊、铤作四棱状，两侧有刃，残长5、宽0.9厘米，重8克（图5.2.17）。

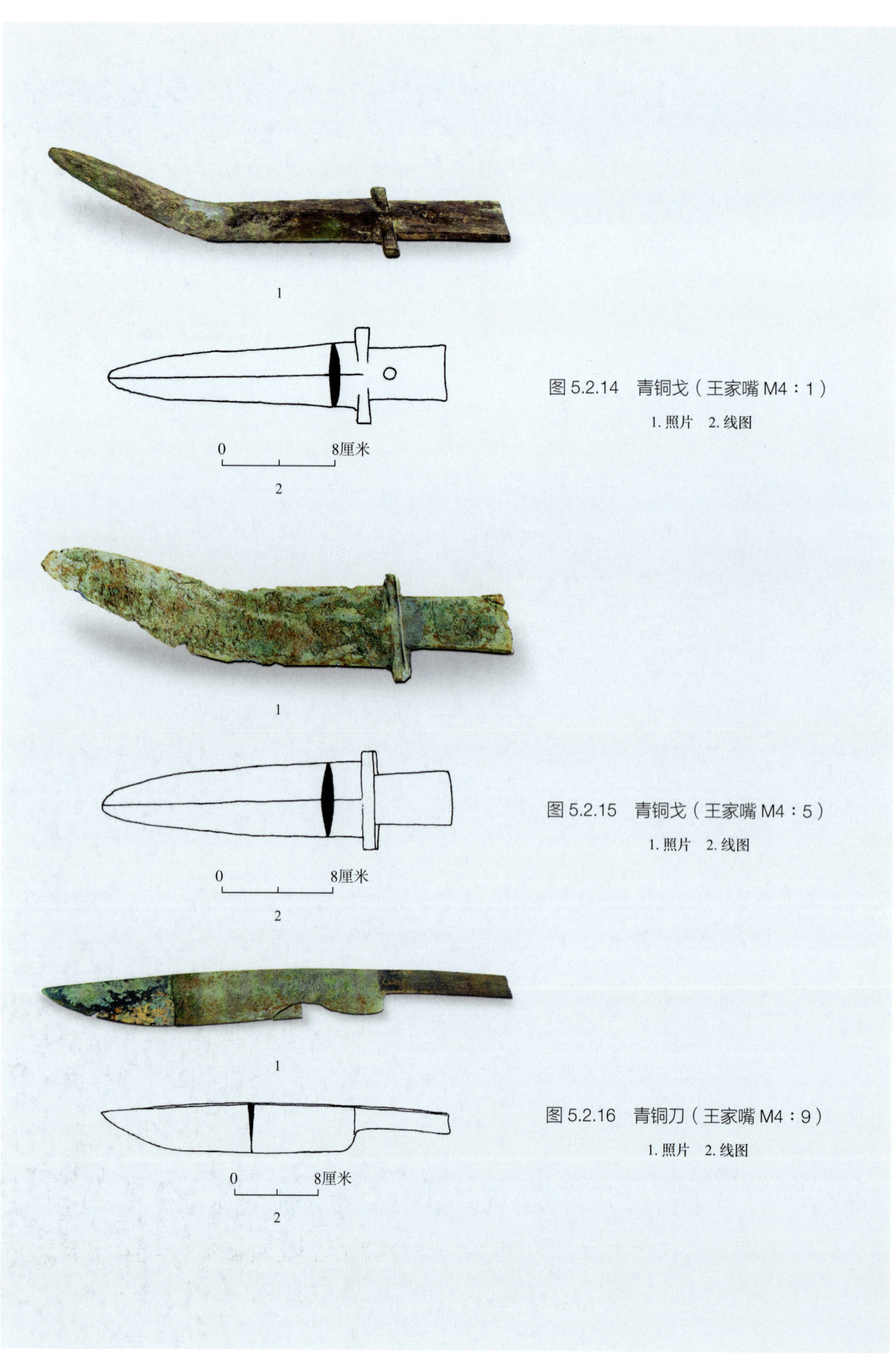

图 5.2.14　青铜戈（王家嘴 M4：1）

1. 照片　2. 线图

图 5.2.15　青铜戈（王家嘴 M4：5）

1. 照片　2. 线图

图 5.2.16　青铜刀（王家嘴 M4：9）

1. 照片　2. 线图

标本M4：4，有翼镞，形制基本一致，前锋略为弧状，脊呈四棱扁平状，三角形双斜翼，两翼边刃锋利，翼长稍短于脊长，后锋与脊尾夹角较小，铤为扁圆锥形。通长5.8、翼宽2.1厘米，重8.5克（图5.2.18）。

锛　标本1件。

标本M4：3，位于墓底南部偏西，南与青铜觚相邻，西侧有一青铜镞。器形基本完整，断为两截，锛刃压在锛身之上。锛体内发现一块卜骨残片。器体呈扁平长条状，六角状带箍銎口，中空，近刃部实体，双斜面弧形刃，刃宽小于銎宽，器表饰凸线纹。器体两侧可见明显范缝痕迹（图5.2.19，1）。通长20.9、刃宽3.7厘米，銎口宽5.8、壁厚0.6厘米，重610克（图5.2.19，2）。

锥形器　标本1件。

标本M4：12，位于墓底西北部，被青铜斝所压。细长扁方体，上部残缺弯曲，下部呈尖锥状。残长4.1、直径0.45厘米，重11克（图5.2.20）。

2）石器

砺石　标本2件。

标本M4：8，位于墓底北侧，东西向平置。灰色砂岩，呈扁平长条状，两端残缺，表面光滑并有磨痕。残长32、宽6.6、厚3厘米（图5.21）。

标本M4：11，位于墓底北侧，东西向平置。灰色砂岩，呈扁平长条状，两端残缺，表面光滑并有磨痕。残长10.3、宽3.4、厚3厘米（图5.2.22）。

石片　标本1件。

标本M4：13，位于墓底北端，平置。残缺较严重，褐色砂岩，岩质较疏松，包含细小颗粒。扁平体，不规则状。残长径11、残短径7.8、厚1.2厘米。

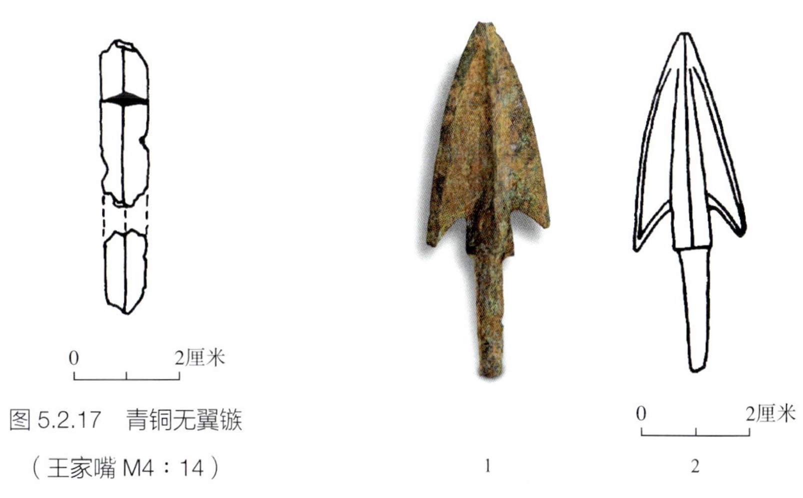

图 5.2.17　青铜无翼镞（王家嘴 M4：14）

图 5.2.18　青铜有翼镞（王家嘴 M4：4）

1. 照片　2. 线图

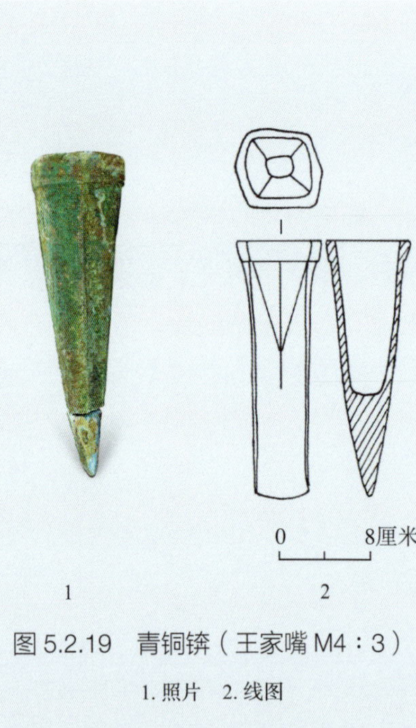

图 5.2.19　青铜锛（王家嘴 M4：3）

1. 照片　2. 线图

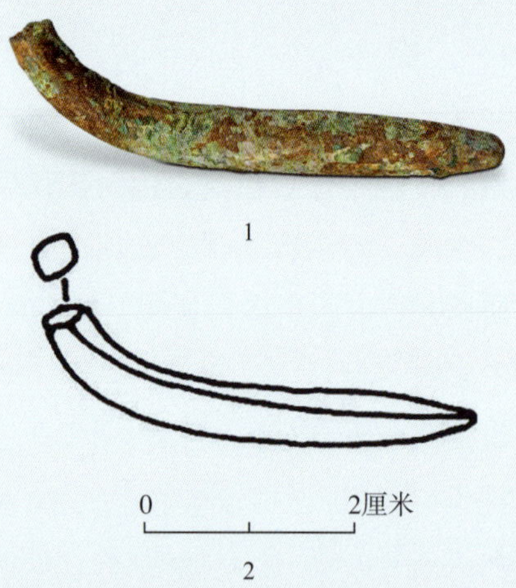

图 5.2.20　青铜锥形器（王家嘴 M4：12）

1. 照片　2. 线图

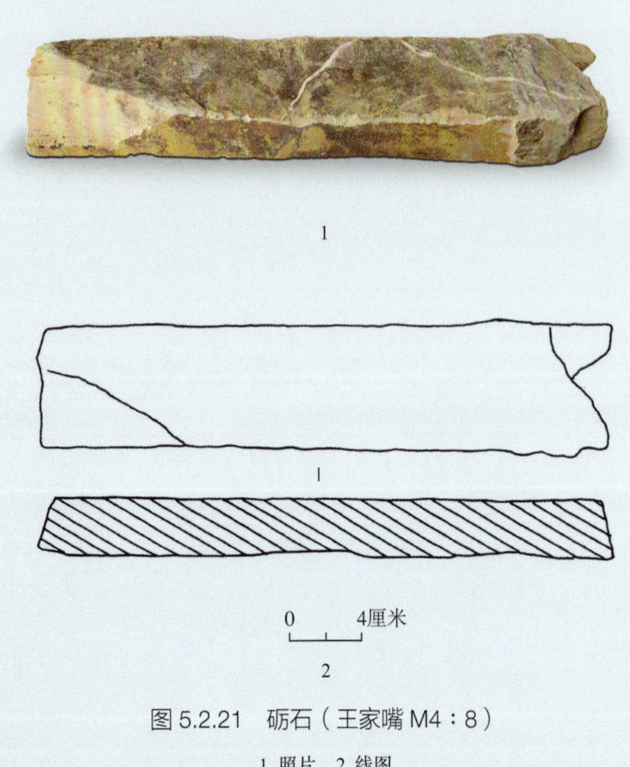

图 5.2.21　砺石（王家嘴 M4：8）

1. 照片　2. 线图

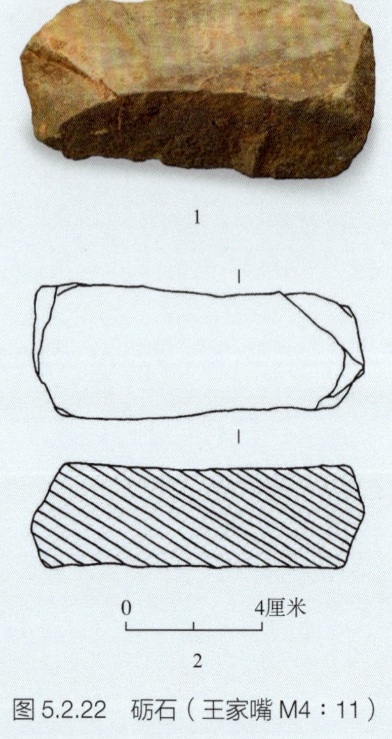

图 5.2.22　砺石（王家嘴 M4：11）

1. 照片　2. 线图

3）骨器

骨管 标本1件。

标本M4：10，位于墓底中部偏西，西侧靠近青铜爵。器形基本完整，但质地酥脆，表面有较多裂痕。黄灰色，通体打磨光滑，圆管状，两端为平面，束腰，腰部饰两周凸弦纹，中间穿一孔，系从两端对钻而成。通长6、腰径1.5厘米（图5.2.23；图5.2.24，3）。

图 5.2.23 骨管照片（王家嘴 M4：10）

卜骨 碎片若干。发现于青铜锛和青铜斝内，尚未确定这些碎片是否为一个个体，两个缀合残片暂编M4：21-1和M4：21-2。受青铜沁呈绿色，为动物肩胛骨制成，表面经过整治，残存有近20个圆形钻窝，排列不甚规则，部分圆窝施灼。圆窝最大径0.6、最小径0.3厘米。

标本M4：21-1，残长6.4、残宽2.8厘米（图5.2.24，1；图5.3.25，1）。

标本M4：21-2，残长4.9、残宽3.1厘米（图5.2.24，2；图5.3.25，2）。

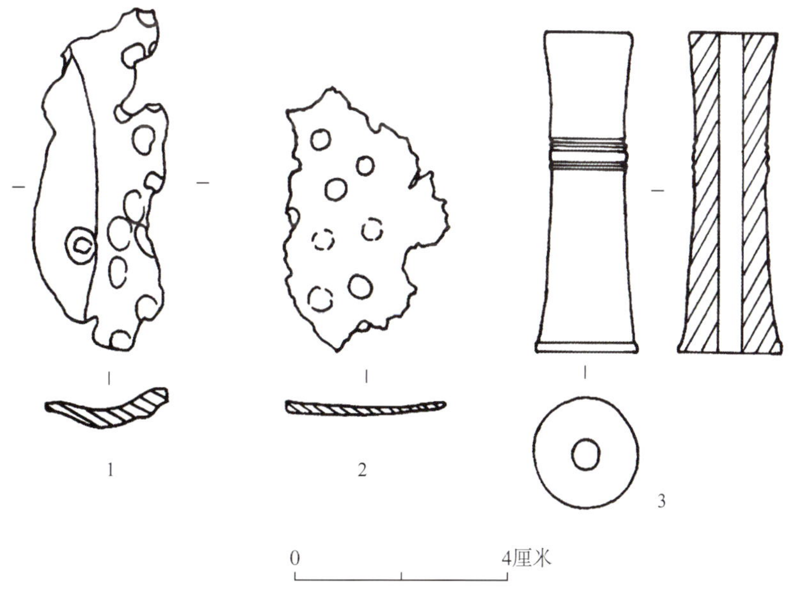

图 5.2.24 王家嘴 M4 出土骨器

1、2. 卜骨（M4：21-1、M4：21-2） 3. 骨管（M4：10）

1

2

图 5.2.25　王家嘴 M4 出土卜骨照片

1. M4：21-1　2. M4：21-2

六、年代与性质

上述1997～1998年王家嘴地点发掘的灰坑、灰沟，被探方第2层所叠压，打破探方第3、4层。其中第2层被认为属于城垣夯土层，原报告将其年代上限定于盘龙城第四期。第4层因出土有花边罐等遗物，可说明是二里头文化时期，即盘龙城遗址的最早阶段。而G1出土的陶鼎足、盉足、鬲口沿、器盖纽或瓮耳等与郑州洛达庙中晚期同类器几乎相当，可对应于洛达庙第二、三期[①]，同样可归于原盘龙城报告第一至三期之列。此外王家嘴Y1开口在探方第4层下，年代下限不晚于第4层。因此，1997～1998年王家嘴地点发掘遗存主体年代应属于盘龙城遗址最早阶段，大致相当于中原地区二里头文化晚期至二里冈下层偏早。

2018年王家嘴发现的M4在发掘中可见打破商时期文化层，同时墓葬随葬品也显现出偏晚的特征。其中，青铜觚（M4：2）与盘龙城遗址第六期的青铜细腰觚（YWM3：2）[②]形制基本一致，但腹壁曲率较大；青铜斝（M4：7）形体瘦高，陡坡状伞柱帽以及微圜状腹底，属于盘龙城遗址第七期青铜斝的形制特征；青铜圜底爵（M4：6）在形制上与郑州南顺城街窖藏坑出土青铜爵（H1上：8）[③]、安阳殷墟三家庄M3出土青铜爵（M3：1）[④]相似，主体纹饰与镶边的连珠纹之间无凸弦纹，见于郑州商城白家庄墓葬区出土青铜爵和杨庄墓葬区出土青铜爵（标本C2：豫1167）[⑤]。此外，墓葬中出土的卜骨，只施钻、灼，未凿，且钻窝排列不规整，这种卜制方法主要见于早、中商时期。我们初步认为王家嘴M4的年代属于盘龙城遗址第六、七期，即相当于中商阶段。

1997～1998年王家嘴地点发掘区揭示一批盘龙城遗址年代偏早阶段的遗存，进一步说明王家嘴地点应属于盘龙城聚落早期的核心区域。需要注意的是，王家嘴早期阶段遗存发现

① 河南省文物考古研究所：《郑州商城——1953～1985年考古发掘报告》，第95～118页，文物出版社，2001年。
② 《盘龙城（1963～1994）》，第246页。
③ 河南省文物考古研究所、郑州市文物考古研究所：《郑州商代铜器窖藏》，第17页，科学出版社，1999年。
④ 中国社会科学院考古研究所安阳工作队：《安阳殷墟三家庄东的发掘》，《考古》1983年第2期。
⑤ 河南省文物考古研究所：《郑州商城——1953～1985年考古发掘报告》，第811～813页，文物出版社，2001年。

有陶窑，其结构虽不完全清楚，但可推测这种形制的陶窑应与偃师二里头[①]、夏县东下冯[②]的陶窑相似，应是一座烧造陶器的圆窑。王家嘴Y1在层位上显示叠压于第4层下，年代无疑属于盘龙城遗址建城之初，表明在盘龙城城市聚落早期，王家嘴地点已经存在制陶手工业活动[③]。而2018年王家嘴发现的M4虽然遭到侵蚀破坏，但仍出土了20余件文物。其中青铜觚、爵、斝组合为完整的一套，暗示墓葬随葬品并未失散。除青铜容礼器外，墓葬还随葬有青铜锥形器、骨管，以及2件砺石，其在盘龙城及中原地区商时期墓葬中少见，或反映墓主人特殊的身份或地位。此外，该墓随葬品中青铜容器、青铜戈、青铜刀以及青铜锛存在被人为打击而造成的形变、破碎甚至散落分布的情况，则为盘龙城商时期墓葬中较为常见的碎器葬俗。

第三节　杨　家　嘴

一、遗址概况

杨家嘴位于盘龙城遗址东北部，濒临盘龙湖，与城址隔湖相望。该地点实际与杨家湾同属于一处岗地，只是其向东深入湖面。1995年之后杨家湾地点的考古工作主要有以下3次。

1997～1998年，农民耕种时在杨家嘴地点发现小型墓葬，随即清理三座，编号杨家嘴M12～M14（图5.3.1）。此次发掘未发现其他遗迹。发掘地点位于杨家嘴遗址的东端，濒临湖边，涨水时即没入水中，今为荒置的缓坡地。

2006年，为了配合《盘龙城遗址保护总体规划》的制定，武汉市文物考古研究所、武汉市盘龙城遗址博物馆筹建处组成联合考古队，根据当地村民提供早年耕作时曾发现碎青铜片的线索，在杨家嘴2114区进行考古发掘。该发掘区位于岗地坡顶

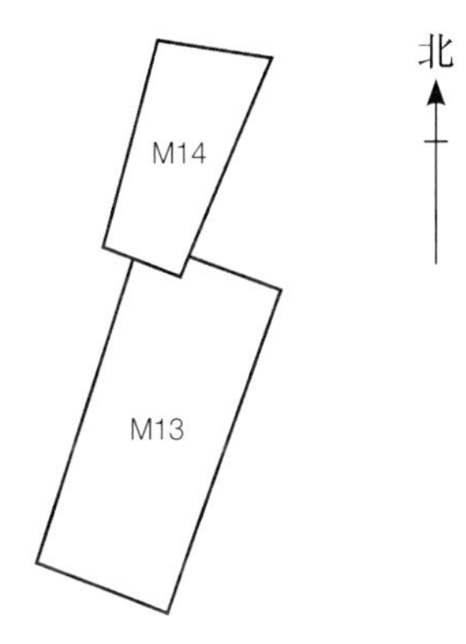

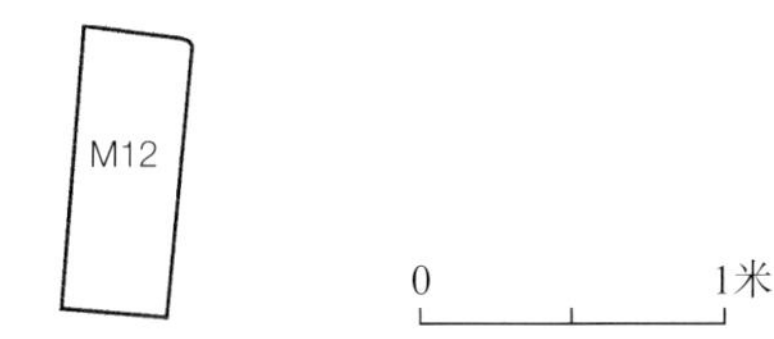

图 5.3.1　杨家嘴 1997 ~ 1998 年发掘区遗迹分布

① 中国硅酸盐学会主编：《中国陶瓷史》，文物出版社，1987年。

② 中国社会科学院考古研究所等：《夏县东下冯》，文物出版社，1988年。

③ 王劲、陈贤一：《试论商代盘龙城早期城市的形态与特征》，《湖北省考古学会论文选集（一）》，第70～77页，武汉大学学报编辑部，1987年。

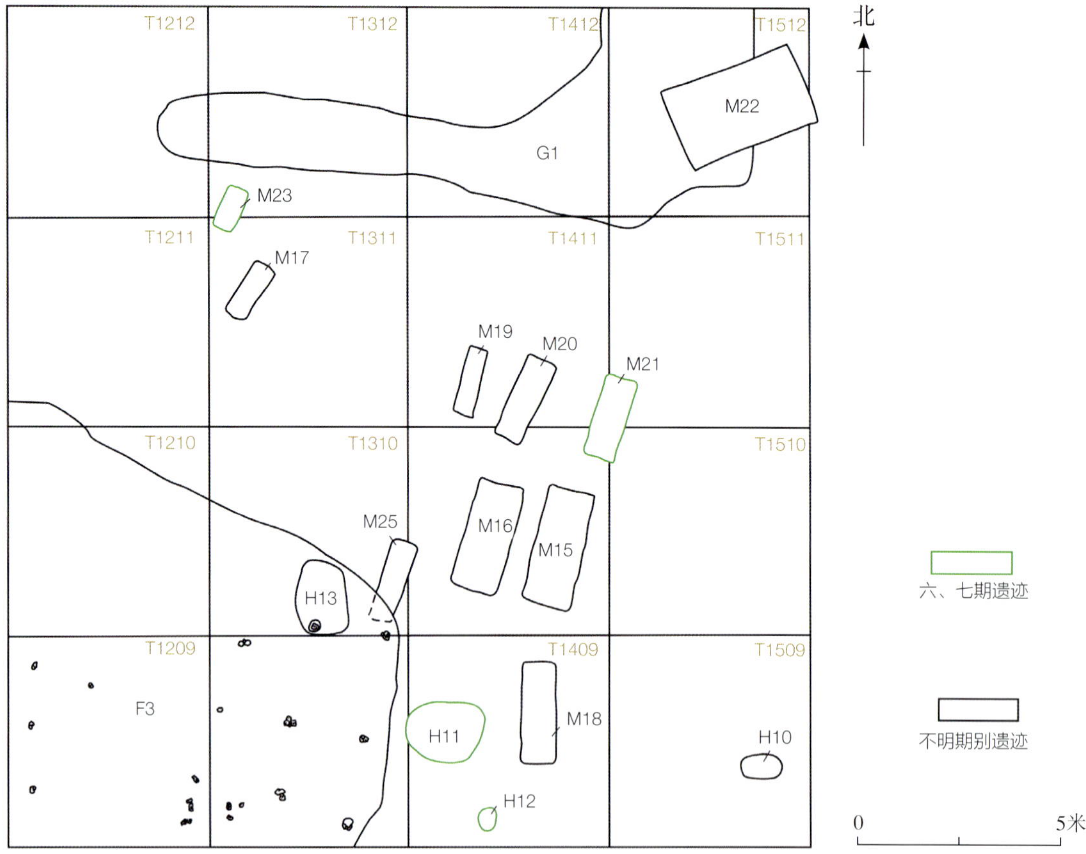

图 5.3.2　杨家嘴 2006 年发掘区探方和遗迹分布

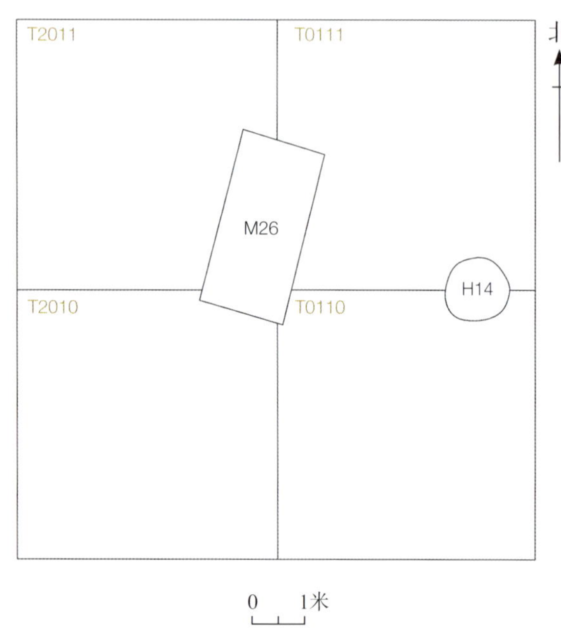

图 5.3.3　杨家嘴 2014 年发掘区探方和遗迹分布

的南缘，地势较为平坦，曾为旱作耕地，海拔28.3～28.7米。此次发掘共布设5米×5米探方16个，发掘面积400平方米，发现宋代墓葬1座（M22）、商时期墓葬9座（M15～M21、M23、M25，编号M24为空号）、灰坑4个（H10～H13）、灰沟1条（G1）、建筑基址1座（F3）（图5.3.2）。

2014年，武汉大学历史学院在盘龙城杨家嘴遗址进行测绘工作过程中，于地表发现裸露的青铜片等遗物，随即在此处布方进行发掘。发掘发现青铜片所在为一处墓葬，编号M26。在M26的东侧3米处发现一个灰坑，编号H14。两处遗迹均位于杨家嘴遗址东南部，临近湖边，处于盘龙城大遗址保护区划的Q2212T2011和Q2312T0111的交界（图5.3.3）。该处地势较低，海拔约20.7米，丰水期位于水位线以下，枯水期方才显露出来。M26和H14出土的遗物有青铜器、陶器等。

二、地层

上述三次发掘均未在各自发掘区发现丰富的文化堆积，大部分遗迹多直接位于耕土层下，打破生土，只是部分遗迹之间存在打破关系。

1997～1998年杨家嘴发掘区位于杨家嘴东端，濒临盘龙湖，可见M14打破M13西北角。

2006年杨家嘴发掘区位于岗地坡顶的南缘，地势较为平坦。由于早期耕作对遗址破坏严重，未见文化层。大部分遗迹开口在耕土层下，并直接打破生土，部分遗迹之间存在打破关系。其中表面耕土层，厚5～25厘米，灰黄色土，土质较疏松，包含近现代瓷片和商时期陶片。此外，另两组遗迹之间存在打破关系。第一组M22→G1，即宋代墓葬打破商时期灰沟；第二组H13→F1→M25，即商时期灰坑、建筑基址、墓葬之间存在打破关系。虽然遗迹之间的打破关系为判断相关遗迹的年代早晚提供了证据，但遗迹被破坏严重，仅存底部，除少量墓葬和灰坑出土器物较完整外，大部分遗迹出土器物残缺严重，无法提取，少量能辨别出器类。

2014年杨家嘴发掘区位于杨家嘴东南端，濒临盘龙湖。发掘探方未发现文化层，同时灰坑和墓葬未见相互之间的打破关系。

三、灰坑

1995年以来杨家嘴地点的发掘共发掘灰坑4个。其中2006年杨家嘴发掘区发现灰坑3个，编号H11～H13，2014年杨家嘴发掘区发现灰坑1个，编号H14。以下按遗迹编号顺序介绍。

（一）H11

位于Q2114T1409西侧，部分坑口分布在T1309东隔梁下。开口于第1层下，平面近椭圆形，口大底小，底部近长方形，平底。口长径1.9、短径1.45米，底长径1.26、短径0.52米，残深2.5米。在西北壁和东南壁距坑口1～1.4米处共发现7个脚窝，脚窝宽0.15～0.2、高0.2、深0.1米（图5.3.4）。坑内填土分为两大层：第1层，距坑口深0～1.6米，灰褐色土，土质较松软，包含物较多，以碎陶片为主，有少量硬陶片、石器和骨渣，可辨识器类有陶坩埚、瓮、缸、罐、鬲、盆、大口尊、器盖纽、饼以及砺石等；第2层，距坑口1.6～2.5米，黄褐色土，土质较硬，包含物少，近坑底处出土1件陶杯。

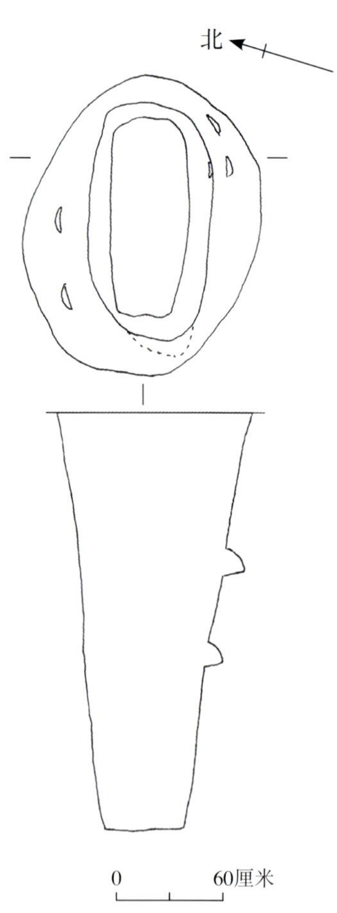

图 5.3.4　杨家嘴 H11 平、剖面图

1）陶器①

鬲　标本2件。

标本H11：12，夹砂灰陶。较完整，口沿、足、把手有残缺。平折沿，沿面有一周凹槽，圆唇，束颈，联裆，腹部微鼓，尖锥状实足略外撇。腹部饰粗绳纹，一侧残留短把。复原后口径13、残高12.5厘米（图5.3.5，8）。

标本H11：13，夹砂灰陶。仅残留口沿和腹部。侈口，平折沿，圆唇，弧腹。

罐　标本1件。

标本H11：7，泥质灰陶。较完整，口沿残。圆唇，小口微敞，束颈，折肩，斜腹下内收，平底。腹下部饰绳纹。复原后口径9.2、肩径13.5、底径7.4、通高18厘米（图5.3.5，9）。

杯　标本1件。

标本H11：18，泥质灰陶。较完整，口沿和足有残缺。直口，尖圆唇，横截面为方形，内空，底部四角各有一矮足。复原后口边长5.6、残高5.2厘米（图5.3.5，4）。

器盖纽　标本3件。均为菌状盖纽。

标本H11：2，泥质红胎黑皮陶。纽径3.3、残高4.4厘米（图5.3.5，1）。

标本H11：3，泥质灰陶。纽径4、残高4.7厘米（图5.3.5，2）。

标本H11：16，泥质灰胎黑皮陶。纽下饰一周凸弦纹，残留部分顶盖，顶内中空。纽径3.6、残高6.4厘米（图5.3.5，5）。

饼　标本2件。严重酥化。圆片状，斜壁，较大面附着朱砂痕迹。

2）石器

砺石　标本2件。均残，扁平长条状，表面光滑。

标本H11：5，砂岩。青灰色，一段残缺，整体平面呈长方形，磨制。残长7.2、宽4.6、厚0.7～2.4厘米（图5.3.6，2）。

标本H11：15，残长11、残宽10.5、厚2.4厘米（图5.3.6，1）。

① H11遗物未按层位搜集。

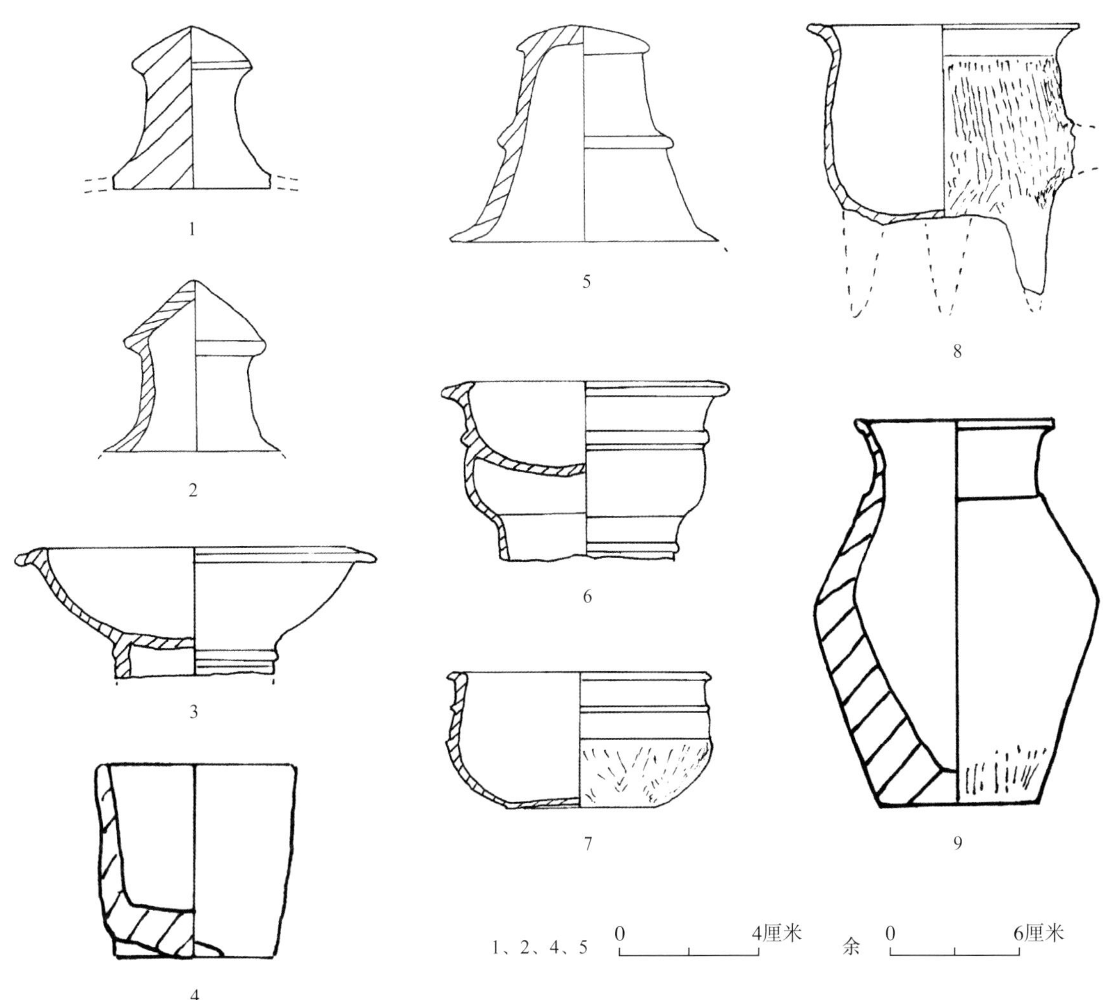

图 5.3.5 杨家嘴 H11、H12 出土陶器

1、2、5. 器盖纽（H11：2、H11：3、H11：16） 3、6. 豆（H12：1、H12：2） 4. 杯（H11：18） 7. 钵（H12：4） 8. 鬲（H11：12） 9. 罐（H11：7）

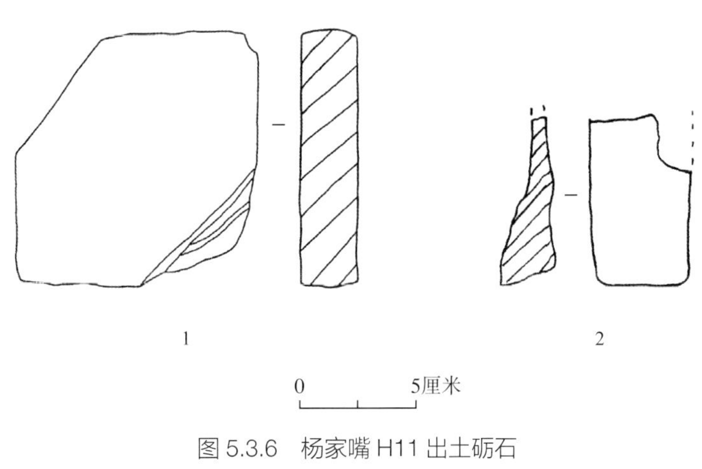

图 5.3.6 杨家嘴 H11 出土砺石

1. H11：15 2. H11：5

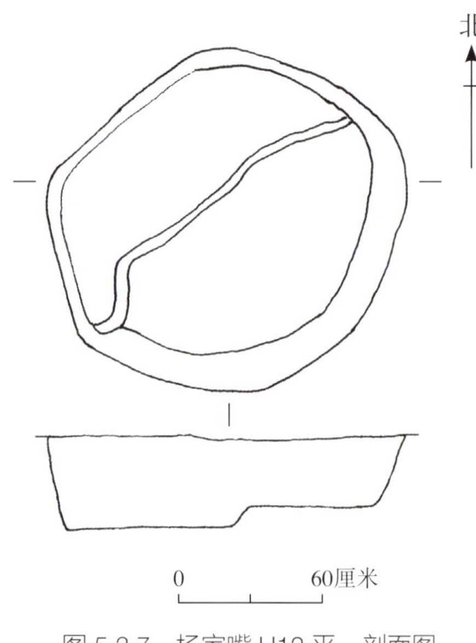

图 5.3.7　杨家嘴 H12 平、剖面图

（二）H12

位于Q2114T1409南部，在H11东南约1.2米处。开口于第1层下，平面形状为椭圆形，口大底小，坑底南高北低。口长径1.5、短径1.35米，底长径1.25、短径1.12米，残深0.24米（图5.3.7）。坑内填土灰色，土质较松软，包含较多陶片，象牙平放在坑底南部。

陶器

豆　标本2件。

标本H12：1，夹砂灰陶。圈足残。口沿外折，方唇，浅盘，圜底近平，圈足饰弦纹。复原后口径17、残高5.8厘米（图5.3.5，3）。

标本H12：2，泥质灰陶。严重残缺。口沿外折，圆唇，浅盘，假腹，圜底近平。腹部饰两周弦纹，圈足饰一周凸弦纹。复原后口径13.5、残高8厘米（图5.3.5，6）。

钵　标本1件。

标本H12：4，泥质灰陶。口、腹有残缺，已修复。折沿，圆唇，微束颈，弧腹下内收，底微凹。颈部饰弦纹，下腹部及底饰粗绳纹。复原后口径12.4、通高5.8厘米（图5.3.5，7）。

象牙　标本1件。

标本H12：3，腐朽严重。残长66、最大径11厘米（图5.3.8）。

图 5.3.8　杨家嘴 H12 出土象牙

（三）H14

位于Q2312T0110北隔渠，部分伸入Q2312T0111南部。平面近似圆角方形，斜壁平底，口大底小。直径约1.28、深约0.96米。填土为灰黄色黏土，土质较密。出土遗物仅含陶片，以夹砂灰陶、夹砂红陶为主，印纹硬陶仅1片。纹饰多见绳纹，硬陶饰云雷纹。可辨器类有鬲、盆、罐、器盖和大口缸等。H14临近湖边，因湖水的侵蚀，周围已无文化层残留，故其性质难以判断（图5.3.9）。

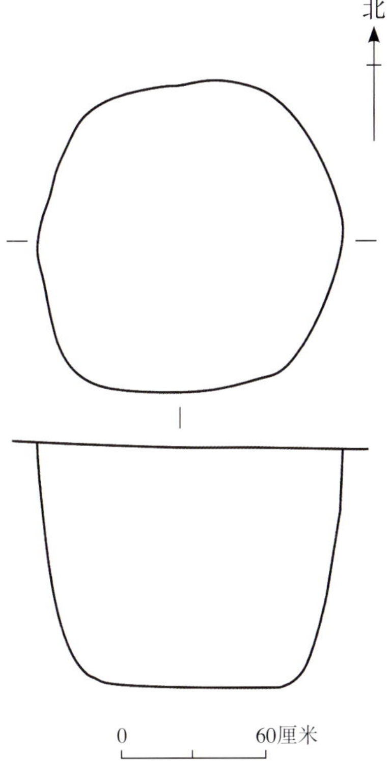

图 5.3.9　杨家嘴 H14 平、剖面图

陶器

鬲　可辨器形总数18件。其中鬲足12件，口沿6件，选取标本3件。

标本H14：1，夹砂灰陶。折沿上仰，沿面宽斜，唇上缘外侈，下缘有一道凸棱。复原后口径20、残高3.6厘米（图5.3.10，1）。

标本H14：3，夹砂灰陶。圆唇，平折沿，沿面内侧有一道凹槽。复原后口径22、残高2.8厘米（图5.3.10，2）。

标本H14：4，夹砂灰陶。尖唇，平折沿，沿上缘较宽，内沿下有一道凹槽。复原后口径20、残高3.6厘米（图5.3.10，5）。

罐　标本2件。

标本H14：6，夹砂红陶。侈口，圆唇，束颈，腹部饰网格纹。复原后口径19、残高6厘米（图5.3.10，4）。

标本H14：7，泥质灰陶。卷沿，直口，溜肩，肩上饰有两道弦纹。复原后口径16.4、残高8厘米（图5.3.10，8）。

盆　标本2件。

标本H14：13，泥质黑皮陶。折沿圆唇，束颈。复原后口径18、残高3.6厘米（图5.3.10，3）。

标本H14：27，夹砂黄陶。侈口折沿，圆唇，腹壁倾斜，上腹部饰有两道凸棱。复原后口径16、残高5.6厘米（图5.3.10，7）。

缸　可辨器形总数20件，其中缸底4件，口沿15件，仅一件可修复，选为标本。

标本H14：28，夹砂红陶。出土时残存一半器身，侧置于灰坑中部偏东南位置。敞口，尖唇，弧腹下收，颈部有一道附加堆纹，腹部饰网格纹，凹圜底。复原后口径35、底径8、通高40厘米（图5.3.11）。

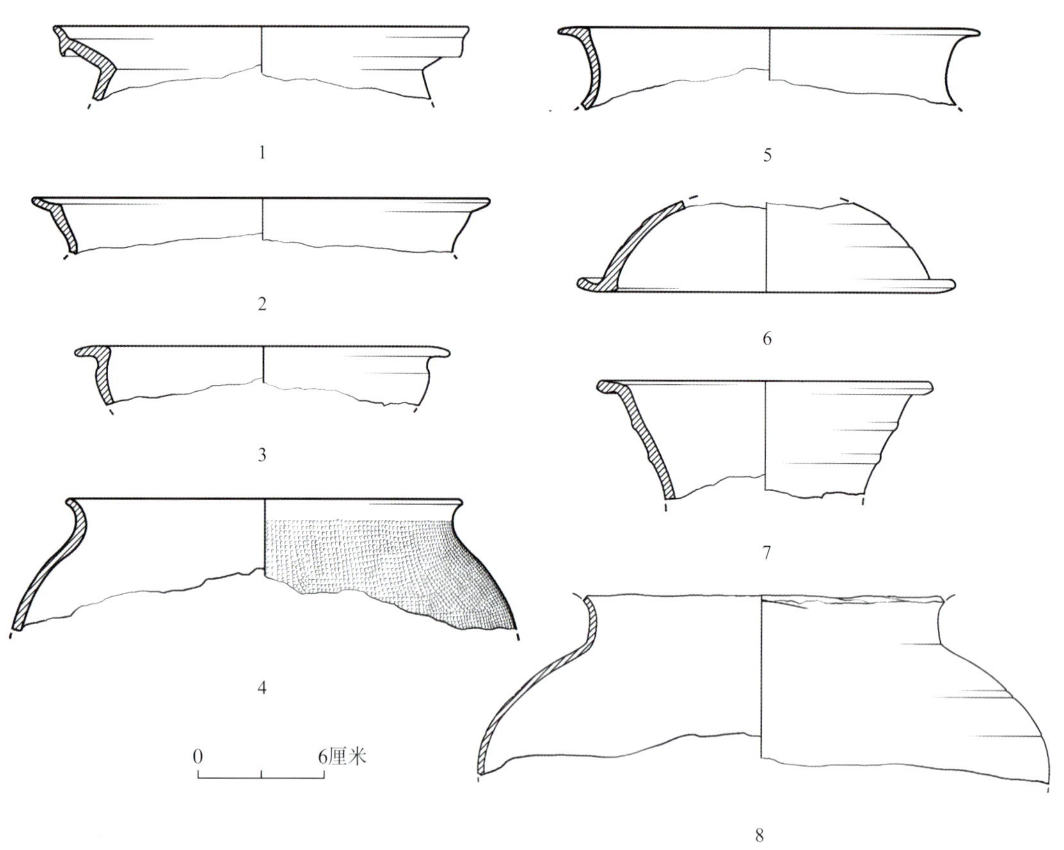

图 5.3.10　杨家嘴 H14 出土陶器

1、2、5. 鬲（H14：1、H14：3、H14：4）　3、7. 盆（H14：13、H14：27）
4、8. 罐（H14：6、H14：7）　6. 器盖（H14：9）

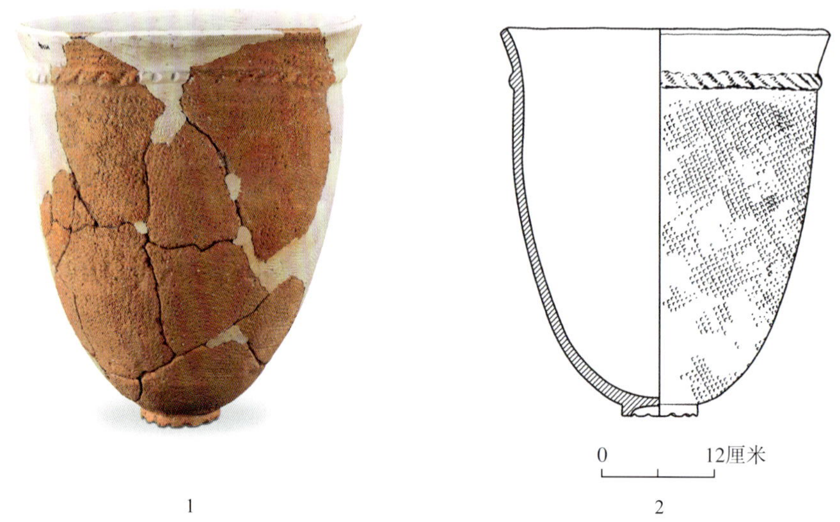

图 5.3.11　陶缸（杨家嘴 H14：28）

1. 照片　2. 线图

器盖 标本1件。

标本H14∶9，泥质黑皮陶。盖身呈覆碗状，盖口部为折沿，其内缘有凸棱，外缘微上翻，盖身上饰有两周弦纹。复原后口径18、残高4厘米（图5.3.10，6）。

印纹硬陶片 标本1件。

标本H14∶10，泥质红胎灰皮陶。饰云雷纹（图5.3.12）。

图 5.3.12 印纹硬陶片（杨家嘴 H14∶10）

四、墓葬

1995年以来杨家嘴地点的发掘共发掘墓葬14个。其中1997～1998年杨家嘴发掘区发现墓葬3个，编号M12～M14；2006年杨家嘴发掘区发现墓葬10个，编号M15～M23、M25，2014年杨家嘴发掘区发现墓葬1个，编号M26。以下按遗迹编号顺序介绍（表5.3.1）。

表5.3.1 杨家嘴1997～2014年发掘墓葬登记表

墓号	方向	墓圹大小（长×宽—深）（米）	随葬器物
M12	3°	1.86×0.78—0.08	铜器：残片（似爵）1； 玉器：璋1
M13	13°	3.72×1.68—0.2	铜器：镞1； 陶器：甗1、印纹硬陶尊1
M14	20°	2.7×1.28—0.1	青铜器：爵1； 陶器：饼1
M15	14°	2.7×1.2—0.25	陶器：缸1； 玉、石器：玉柄形器1、砺石1
M16	17°	2.6×1.2—（0.3～0.4）	青铜器：觚1、斝1、爵1、戈1、锛2、残刀1、残片； 陶器：缸1、器盖1、带盖壶1、爵1、饼3、鬲、残片； 玉器：锛1、斧1、锥形器1； 石器：锤1、铲1
M17	32°	1.5×0.65—0.2	陶器：鬲1
M18	359°	2.64×（0.9～1.08）—0.05	—
M19	21°	1.76×0.5—0.4	陶器：鬲1、盆1、残片
M20	23°	2.22×（0.75～0.85）—0.4	青铜器：刀1； 陶器：带把鬲1、纺轮1、残片
M21	18°	2×0.8—0.38	陶器：罐1、簋1、缸1、爵1； 玉器：璜1、残戈1
M22	250°	3.3×2—0.85	陶器：釉陶罐4
M23	22°	1×0.57—0.08	陶器：斝1； 玉器：柄形器1
M25	17°	2×0.65—0.2	陶器：缸1、豆1、残片； 石器：刀1
M26	20°	3.3×1.6—（0.46～0.54）	青铜器：鼎3、觚1、爵1、斝1、尊1； 陶器：罐1、壶1、盆1、器座2、圆陶片1； 玉器：柄形器1； 漆器：豆1

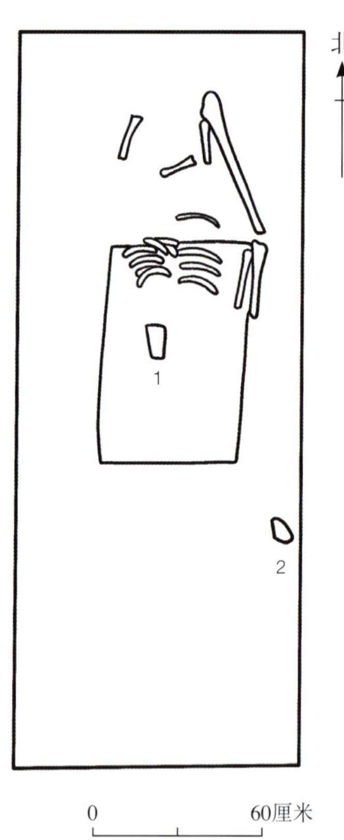

图5.3.13 杨家嘴M12平面图
1. 青铜爵残片 2. 玉璋

（一）M12

平面呈长方形，底中部有腰坑。方向3°。长1.86、宽0.78、深0.08米，腰坑长0.56、宽0.38、深0.18米。发现人骨架1具，仅见胸部以上部分，肋骨残痕及上肢骨一截，可辨出其头向朝北，出土随葬品2件其中的青铜片（爵）应是被盗或被冲毁后的遗留，置于墓室东侧，另在腰坑中发现玉璋一件（图5.3.13）。

1）青铜器

爵残片 标本1件。

标本M12：1，仅爵腹残片，其上饰兽面纹。残长3.5厘米（图5.3.14）。

2）玉器

璋 标本1件。

标本M12：2，表面呈灰白色，为长方体，中间较周边厚，直边有牙状齿。上宽1.48、下宽3.4、高5.3、厚0.45厘米（图5.3.15）。

（二）M13

位于M12北约3.5米。西北角被M14打破。平面为长方形，底中部偏北有腰坑。方向13°。长3.72、宽1.68、深0.2米，腰坑长1.04、宽0.48、深0.1米，除东壁外，其余三面有熟土二层台，宽度在0.24～0.44米，高0.1米。北侧发现几枚牙齿，腰坑内有较完整的狗架，其

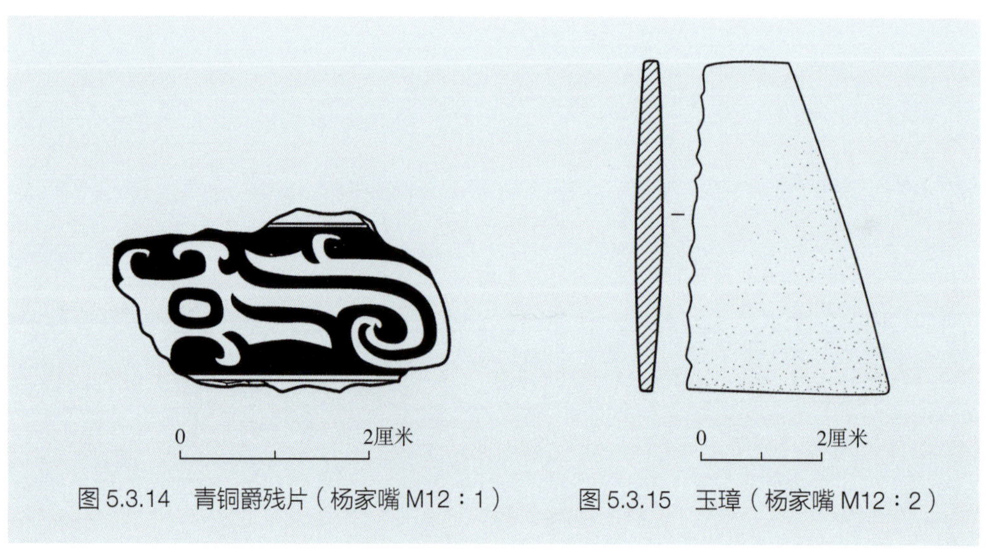

图5.3.14 青铜爵残片（杨家嘴M12：1） 图5.3.15 玉璋（杨家嘴M12：2）

头朝北。西侧的熟土二层台上有1枚青铜镞。足部放2件陶器，一为硬陶尊，一为陶瓿。放置陶瓿、硬陶尊与出青铜镞的地方皆伴出有朱砂（图5.3.16）。

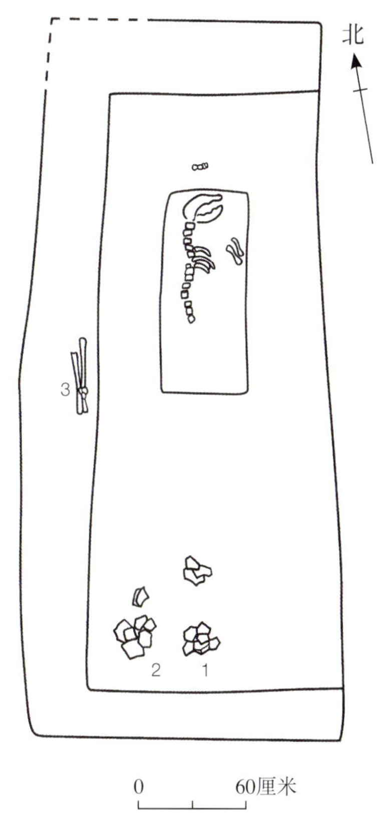

图 5.3.16　杨家嘴 M13 平面图

1. 印纹硬陶尊　2. 陶瓿　3. 青铜镞

1）青铜器

镞　标本1件。

标本M13：3，表呈浅绿色，形体较大，前锋尖，两叶薄而宽，脊作椭圆，两翼似燕尾，铤作圆柱状。通长6.4厘米（图5.3.17）。

2）陶器

瓿　标本1件。

标本M13：1，泥质灰陶，偏白色。陶片多破碎，但仍可看出器形。折肩，圆底下有圈足痕而未见圈足。肩饰几何形纹。复原后残高15厘米（图5.3.18，1）。

印纹硬陶尊　标本1件。

标本M13：2，呈灰色。口大于肩，沿外折，矮颈外侈，圆折肩，小平底。肩腹饰细网格纹。手制，口部经轮修整，留下有轮旋形成的凹弦纹。复原后口径22、通高14厘米（图5.3.18，2）。

（三）M14

东南角打破M13。形状为不规则长方形，北壁为斜边，未见二层台及腰坑。方向20°。长2.7、宽1.28、残深0.1米。填土为灰褐斑土，墓内发现人骨架两具，分别编为Ⅰ号、Ⅱ

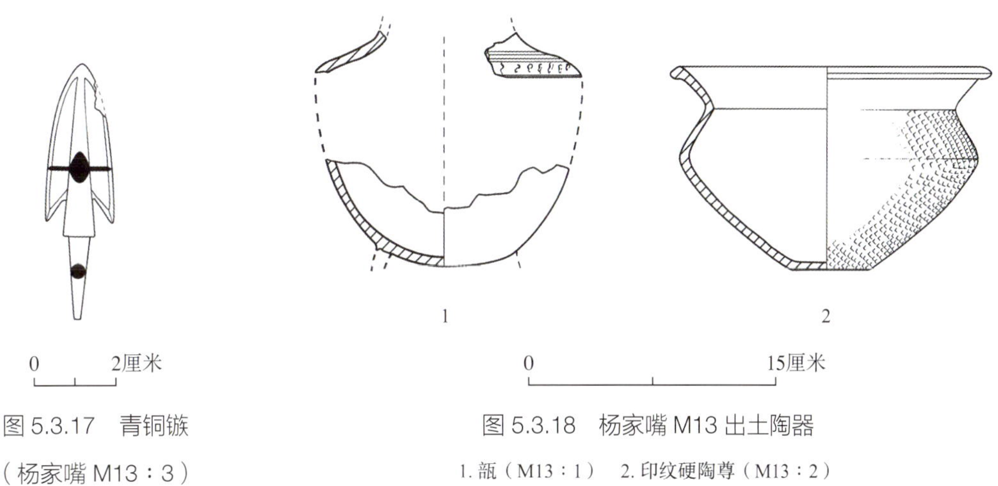

图 5.3.17　青铜镞

（杨家嘴 M13：3）

图 5.3.18　杨家嘴 M13 出土陶器

1. 瓿（M13：1）　2. 印纹硬陶尊（M13：2）

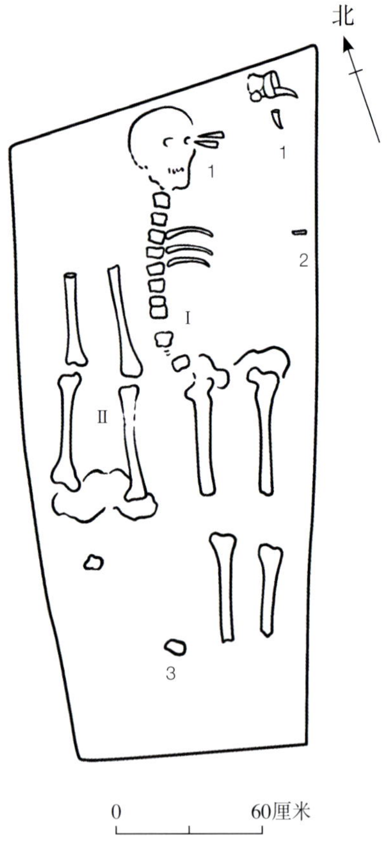

图 5.3.19　杨家嘴 M14 平面图

1. 青铜爵　2. 陶饼　3. 残青铜片

号。Ⅰ号人骨架占据东侧主要位置，头向北，侧身直肢，背向西，面向东，下肢骨齐全。Ⅱ号人骨架在西侧，仅见盆骨及下肢骨，头及上肢骨不见，据盆骨和下肢骨分析，其头向应为南。在Ⅰ号头骨东侧发现青铜爵爵足残片，墓葬东部发现陶饼，在Ⅰ号下肢骨西侧，墓葬西南部还发现有一些残青铜片（图5.3.19）。

1）青铜器

爵　标本1件。

标本M14：1，表呈绿色，口部残缺，长流，流口交界处分为两个三角状柱，椭圆形腹，圜底外凸，三足为圆形实锥足，扁平鋬对一足，上腹饰饕餮纹。残高13.8厘米（图5.3.20）。

2）陶器

饼　标本1件。

标本M14：2，泥质灰陶。横断面呈弧状，体较薄，斜壁。素面。由陶片磨成。直径3、厚0.27厘米（图5.3.21）。

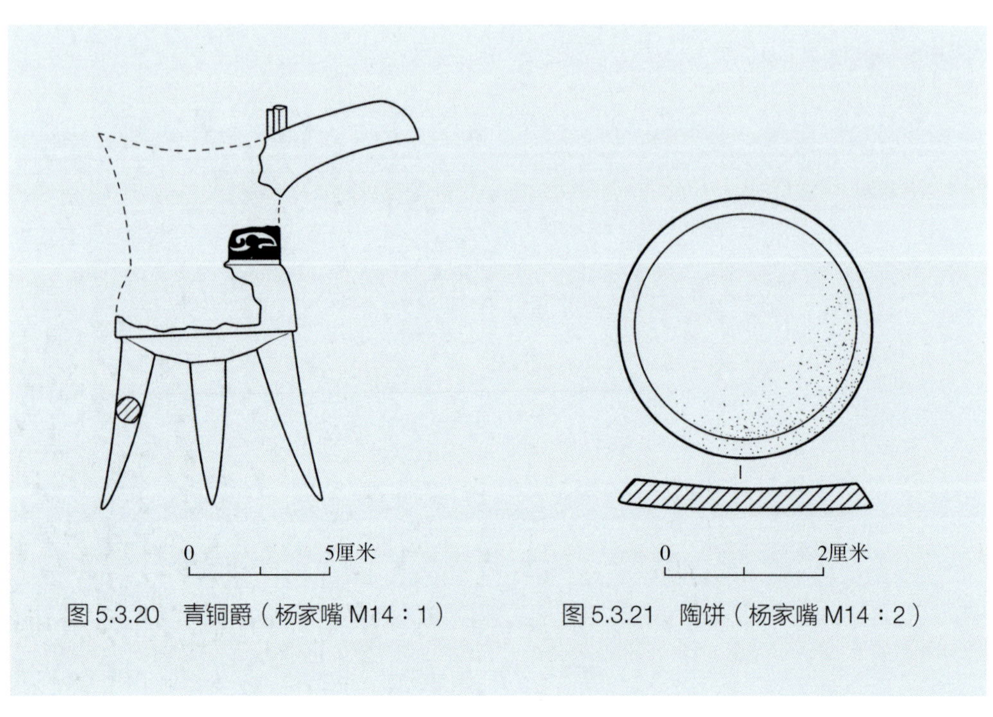

图 5.3.20　青铜爵（杨家嘴 M14：1）　　图 5.3.21　陶饼（杨家嘴 M14：2）

（四）M16

位于Q2114T1410内，与东侧0.5米处的M15并排。墓内中东部和北部填土被现代坑所扰。长方形竖穴土坑墓，墓底中部有一近长方形腰坑。方向17°。长2.6、宽1.2、残深0.3～0.4米。腰坑长0.66、宽0.32、深0.16米。填土灰色，土质较硬，包含商时期陶片、木炭和红烧土颗粒。墓内仅发现少量残骨，墓主人葬式不明。残余随葬品23件，青铜酒器和玉器主要分布在墓底中部，青铜工具分布在墓北端，陶器和石器分布于墓南部的东、西两侧（图5.3.22）。

图 5.3.22　杨家嘴 M16 平、剖面图

1. 陶坩埚　2. 陶壶　3. 石锤　4、20. 青铜锛　5. 陶器盖　6. 青铜斝　7. 青铜爵　8. 陶爵　9. 陶器盖　10. 玉斧　11. 青铜戈　12. 残陶器　13. 青铜觚　14. 陶鬲　15. 陶饼　16. 石铲　17、18. 陶饼　19. 玉锥形器　21. 残青铜片　22. 玉锛　23. 残青铜刀（14被压在1下，16被压在10下）

1）青铜器

觚　标本1件。

标本M16：13，基本完整，绿色锈。喇叭状口，粗腰，圈足外撇。腰部装饰一周两组粗阳线兽面纹，上端有两条平行凸弦纹，圈足上部有两条平行凸弦纹，间饰分布三个等距的“十”字形镂孔。口径9.8、通高15.3厘米（图5.3.23）。

爵　标本1件。

标本M16：7，较完整，口沿和尾部略残，绿色锈。长流弧线上扬，两个三棱形短立柱位于流折处，柱顶为平面近三角形的柱帽。腹身横截面呈椭圆形，浅折腹，平底，三棱形尖锥状实心足略外撇。身附一扁平半环形鋬。鋬两侧各有一组带状粗阳线无目夔纹，此部位夔纹与常见夔纹相比不同，纹饰上下颠倒；与鋬相对的另一侧装饰一组带状粗阳线兽面纹，纹饰锈蚀严重。底长径7、通高14.2厘米（图5.3.24）。

斝　标本1件。

标本M16：6，较完整，仅口沿和鋬微残，绿色锈。敞口，加厚唇边，上立梯形双柱，伞状柱帽，有缺口，素面。束腰，微鼓腹，底微凸。器身一侧有一半环形鋬，三个空心三棱形锥足外撇。腰部装饰三条平行凸弦纹。腹底外侧及三足见烟炱痕迹。鋬外可见范缝，鋬对应的斝腹壁外侧有两道范缝，三条凸弦纹延伸过范缝，闭合环绕整个斝腹。口径15.2、通高22.4厘米（图5.3.25）。

1

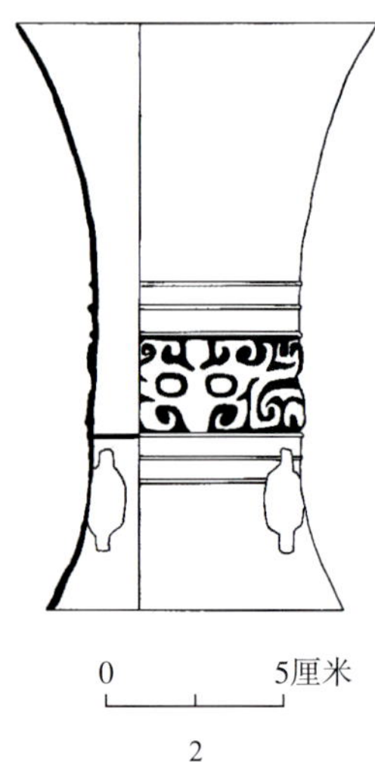

2

图5.3.23　青铜觚（杨家嘴M16：13）

1. 照片　2. 线图

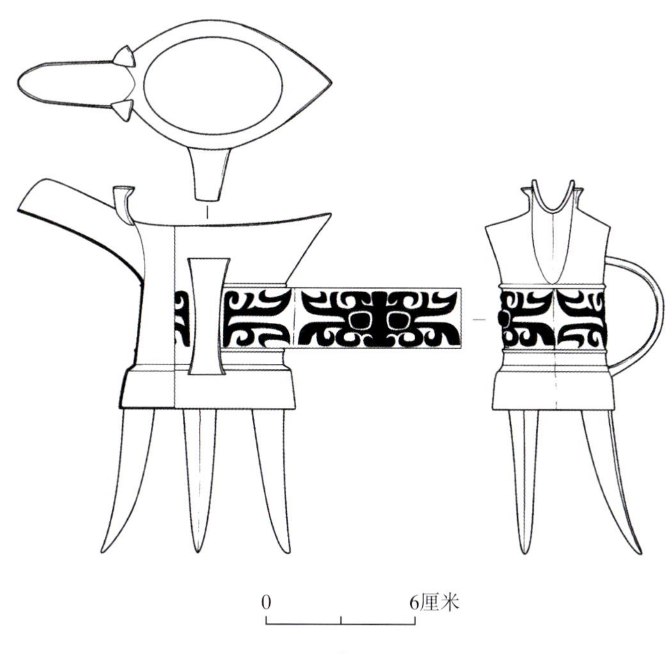

1 2

图 5.3.24 青铜爵（杨家嘴 M16：7）

1. 照片 2. 线图

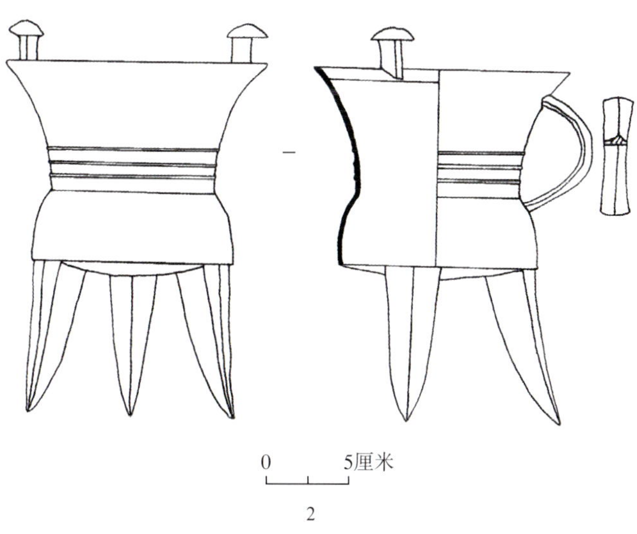

1 2

图 5.3.25 青铜斝（杨家嘴 M16：6）

1. 照片 2. 线图

戈　标本1件。

标本M16：11，较完整，锋残，援中部断为两截，已修复，绿色锈。三角状前锋，长条形援，上下有阑，身中脊微凸起，曲内。援后部近阑处和内部上下两面各饰细阳线纹饰，由于残断和锈蚀原因导致纹饰形状难以辨别。残长29.6、阑宽8.3厘米（图5.3.26）。

锛　标本2件。基本完整，形制相似，器身作扁平长条状，中空，带箍銎口呈梯形，单面弧形刃。

标本M16：4，器身正面饰一组凸线纹。通长17、刃宽4.8厘米，銎口上宽3.9、下宽4.4、高2.1、壁厚0.6厘米（图5.3.27，2）。

标本M16：20，銎口内残留木柲痕迹，器身正面饰一条竖向凸线，背面饰一条横向凸线。残长14.2、刃宽3厘米，銎口上宽2.4、下宽3.1、高1.9、壁厚0.4厘米（图5.3.27，1）。

图5.3.26　青铜戈（杨家嘴M16：11）

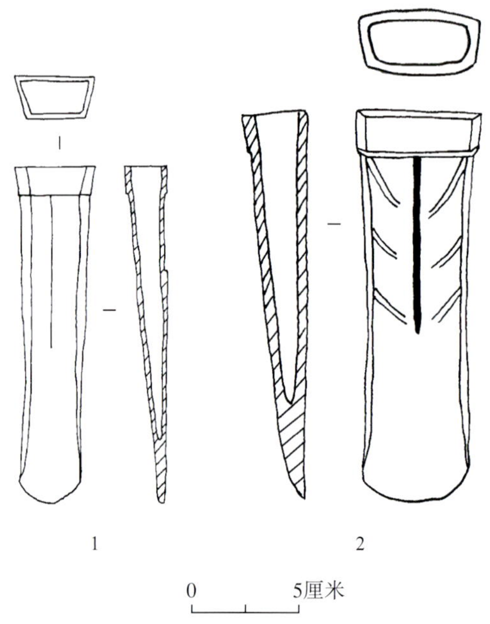

图5.3.27　杨家嘴M16出土青铜锛

1. M16：20　2. M16：4

2）陶器

爵　标本1件。

标本M16：8，泥质灰陶。口部残缺严重，仅存腹和三足。浅弧腹，平底，三圆锥足外撇。

带盖壶　标本1件。

标本M16：2，泥质红胎黑皮陶。盖保存完整，壶身残缺严重。盖为子口，圆形弧顶，菌状盖纽。壶身为母口，口微侈，方唇，短束颈，溜肩，鼓腹，凹圜底。颈部有两周平行凸弦纹，肩颈交界处有两个对称系纽，下腹部施绳纹。复原后口径6.5、通高33厘米（图5.3.28，5）。

器盖　标本1件。

标本M16：9，泥质灰胎黑皮陶。残缺严重。盖为子口，圆形弧顶，盖面边缘有弦纹。复原后直径12厘米（图5.3.28，4）。

缸　标本1件。

标本M16：1，夹砂红陶。较完整，口沿和腹部有残缺。敞口，薄唇，斜腹，饼状底微凹，从口至底，壁逐渐变厚。口沿外侧饰三周凹弦纹和一周附加堆纹，腹部饰交错绳纹。复原后口径24.6、通高34.2厘米（图5.3.28，6）。

饼　标本3件。保存完整，圆片状，斜壁，故两面大小略有区分。

标本M16：15，泥质灰陶。直径4、厚0.3厘米（图5.3.28，1）。

标本M16：17，夹砂红陶。直径3.7、厚1.2厘米（图5.3.28，2）。

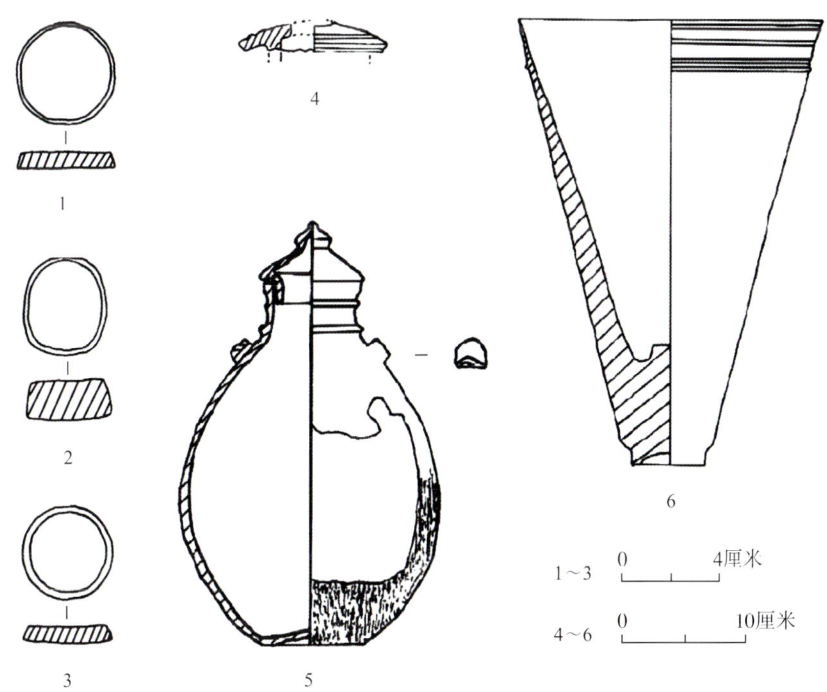

图5.3.28　杨家嘴M16出土陶器

1～3. 饼（M16：15、M16：17、M16：18）　4. 器盖（M16：9）　5. 带盖壶（M16：2）　6. 缸（M16：1）

标本M16：18，夹砂灰陶。较大面附着朱砂痕迹，直径3.8、厚0.3厘米（图5.3.28，3）。

其余随葬品，由于过于残碎，未能提取，在此不做介绍。

3）玉器

斧　标本1件。

标本M16：10，通体灰白色，有黄色沁，蜡状光泽。器体为扁平长方体，中部有两个圆形穿孔，一长边有切割痕迹，另一长边中上部有齿棱，齿棱上侧边缘为薄刃，一短边有磨制痕迹，另一短边为双面刃。似由玉戈或戚改制而成。残长13.5、残宽6.3、厚0.4厘米（图5.3.29，1；图5.3.30，2）。

锛　标本1件。

标本M16：22，较完整，顶端残。黄褐色。磨制光滑，纤维状纹理，器身呈梯形，双面刃。残长4.9、刃宽3.4、厚0.6厘米（图5.3.30，4）。

图5.3.29　杨家嘴M16出土玉、石器照片

1. 玉斧（M16：10）　2. 石锤（M16：3）　3. 石铲（M16：16）　4. 锥形玉器（M16：19）

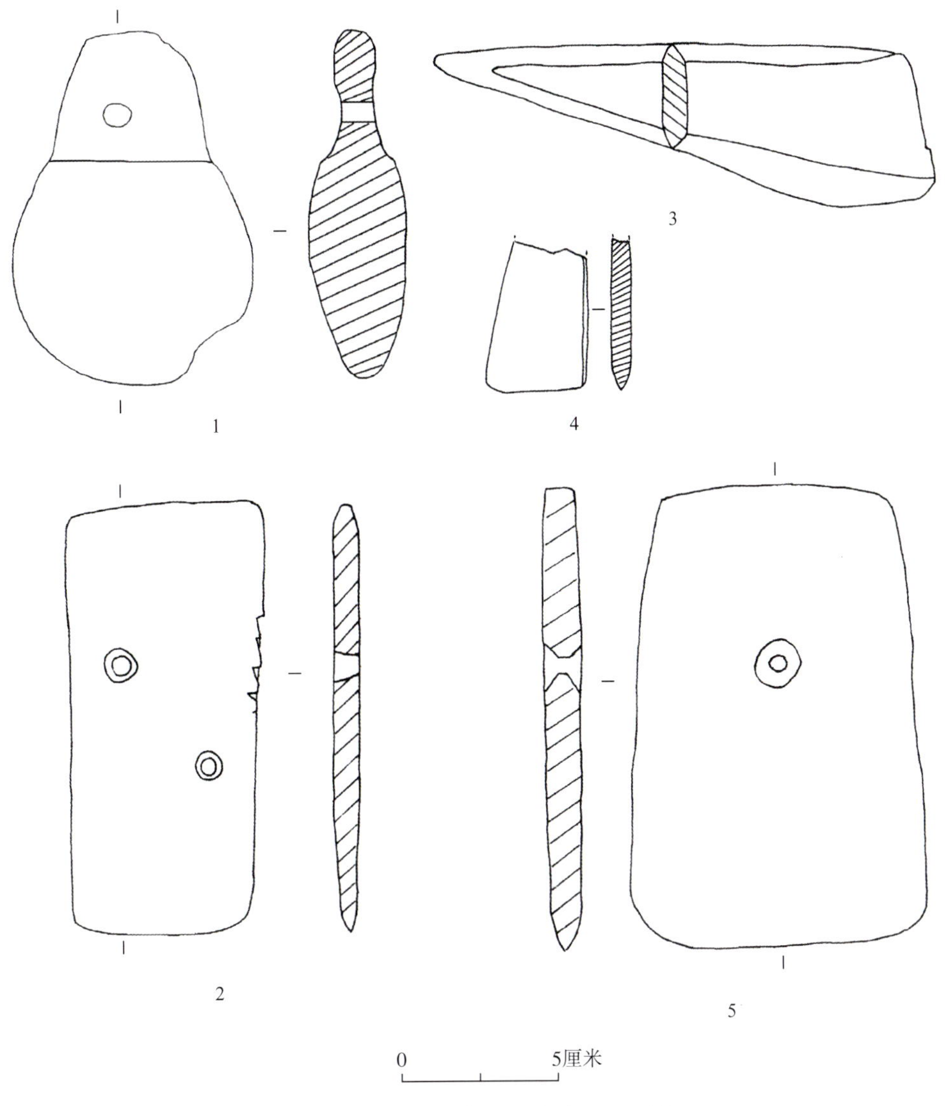

图 5.3.30　杨家嘴 M16 出土玉、石器

1. 石锤（M16：3）　2. 玉斧（M16：10）　3. 玉锥形器（M16：19）　4. 玉锛（M16：22）　5. 石铲（M16：16）

锥形器　标本1件。

标本M16：19，基本完整。红褐色。整体扁平光滑，前端为长尖锥状，后端为长条状，中间厚，四周边缘有刃。通长16.3、后宽5.1、厚0.6厘米（图5.3.29，4；图5.3.30，3）。

4）石器

铲　标本1件。

标本M16：16，基本完整，灰色。通体磨制光滑，器身呈扁长方体，弧形双面刃，靠近顶有一圆形穿孔。通长14.5、刃宽9.2、厚1.1厘米（图5.3.29，3；图5.3.30，5）。

锤　标本1件。

标本M16：3，较完整，头部稍残。通体乳白色，有青黑色杂质，磨制光滑。头部呈扁圆体，柄部内收，中间有一圆形穿孔。通长11.1、头部直径7.3、厚3厘米（图5.3.29，2；图5.3.30，1）。

（五）M21

位于Q2114T1410、T1411、T1510、T1511之间，在M16东北约2米处，与西侧的M19、M20基本并行排列。长方形竖穴土坑墓，在墓底北部的东、北、西三壁旁各有宽约20、厚6厘米的熟土二层台，土质坚硬。方向18º。长2、宽0.8、残深0.38米。填土黄褐色，土质较松软，包含商时期陶片、红烧土颗粒。墓内未发现人骨，墓主人葬式不明。随葬品6件，其中4件陶器主要位于墓内北部的二层台上，2件玉器位于墓底中间（图5.3.31）。

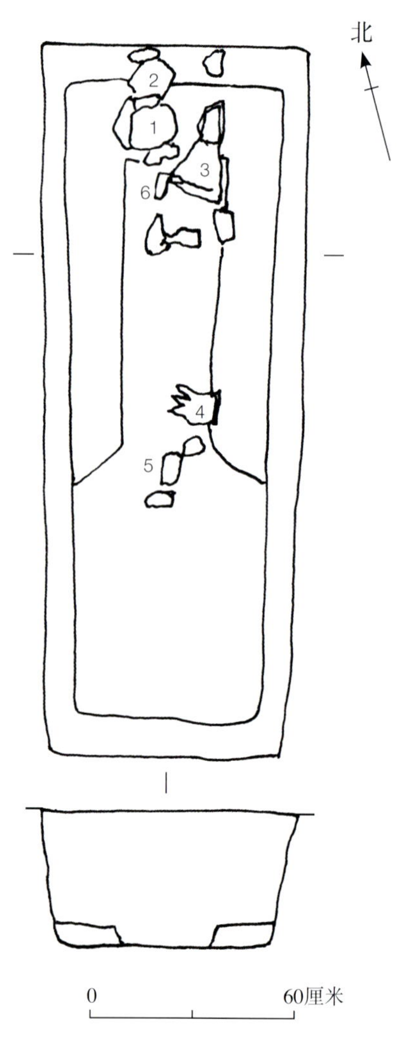

图 5.3.31　杨家嘴 M21 平、剖面图

1. 陶罐　2. 陶簋　3. 陶缸　4. 陶爵　5. 玉戈　6. 玉璜

1）陶器

罐　标本1件。

标本M21：1，泥质灰陶。较完整，口沿和腹部稍残。小口，直领，斜折肩，弧腹下收，凹圜底。肩腹部饰绳纹。复原后口径9.3、肩径13.6、底径6.5、通高11.8厘米（图5.3.32，2）。

爵　标本1件。

标本M21：4，泥质红陶。较完整，口及鋬稍残。直颈，弧腹，平底，三圆锥足外撇，器侧有一拱形鋬。残高10.2厘米（图5.3.32，1）。

簋　标本1件。

标本M21：2，泥质灰陶。严重残缺。腹部纹饰可能为兽面纹。

缸　标本1件。

标本M21：3，夹砂红陶。较完整，口沿和腹部稍残。敞口，圆唇，斜腹下收，饼状平底。口沿下饰一周附加堆纹，腹部饰绳纹。复原后口径28、通高30厘米（图5.3.32，3）。

2）玉器

戈　标本1件。

标本M21：5，严重残缺，仅剩援和内部相接部分，断为三块。黄白色。援部上下为双面刃，援、阑交接处上下各有一组扉牙，内部有一残圆穿。残长11.8、阑宽8.7、厚0.5厘米（图5.3.33，1、2）。

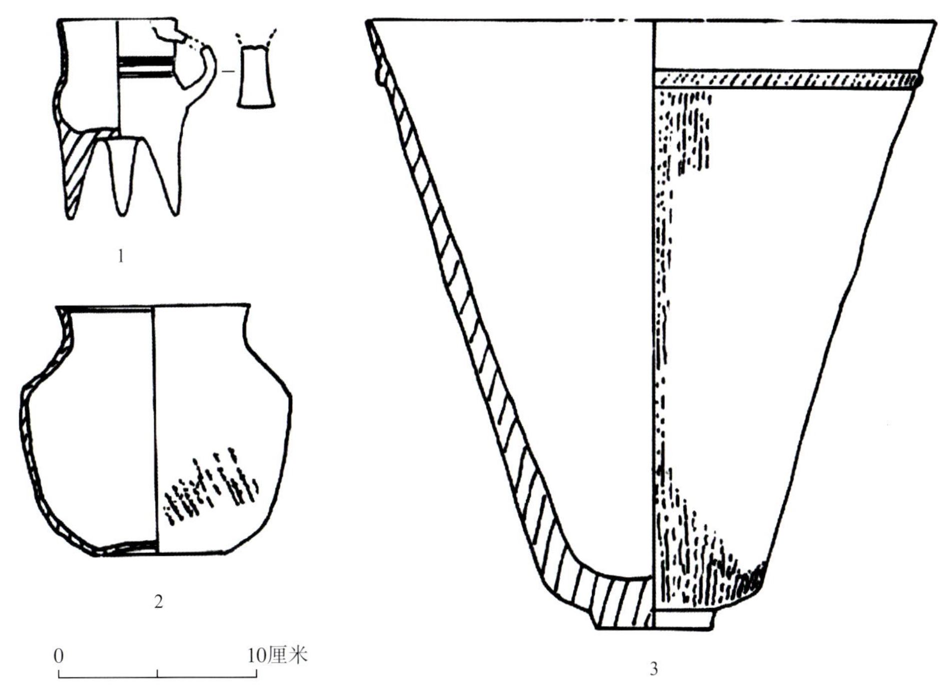

图 5.3.32　杨家嘴 M21 出土陶器

1. 爵（M21：4）　2. 罐（M21：1）　3. 缸（M21：3）

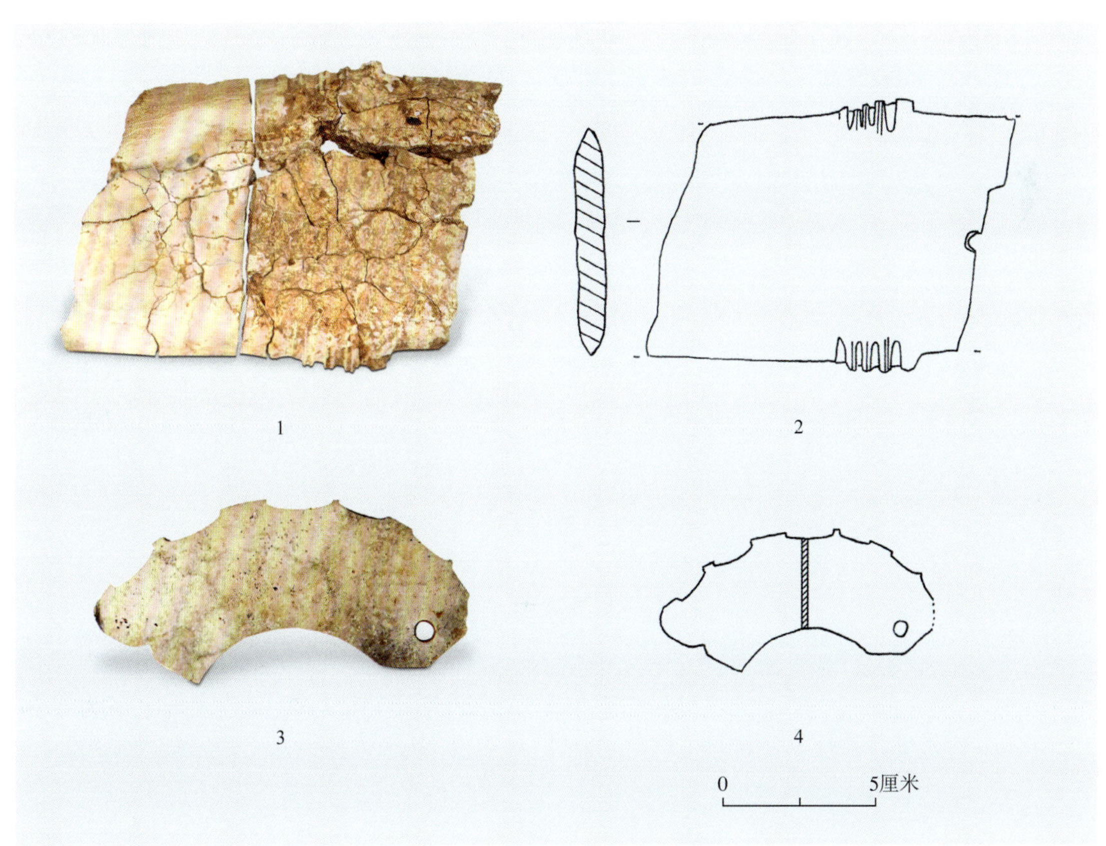

图 5.3.33　杨家嘴 M21 出土玉器

1、2. 戈（M21：5）　3、4. 璜（M21：6）

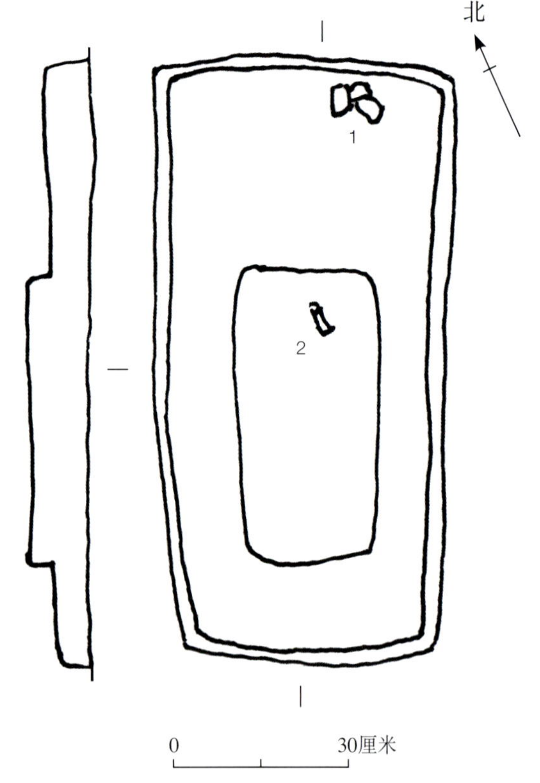

图 5.3.34 杨家嘴 M23 平、剖面图
1. 陶斝口沿 2. 玉柄形器

璜 标本1件。

标本M21：6，基本完整。灰白色，有黄褐色沁。扁平扇面状，蜡状光泽，内缘规整，圆弧形，外缘装饰扉牙，器体一端较直，有一圆孔，另一端歧尾。长8.2、宽2.6、厚0.3厘米（图5.3.33，3、4）。

（六）M23

位于Q2114T1311、T13112之间，在M16西北约8.5米处，M17在其东南1米处。长方形竖穴土坑墓，墓底中间有一腰坑。方向22º。南北长1、东西宽0.57、残深0.08米，腰坑长0.58、宽0.28、深0.05米。填土灰色，土质松软，包含少量商时期陶缸及大口尊残片、木炭和红烧土颗粒。墓内未发现人骨。随葬品2件，残陶器位于北壁下，玉柄形器位于墓底腰坑内（图5.3.34）。

1）陶器

斝 标本1件。

标本M23：1，泥质灰陶。严重残缺，仅剩部分口沿。敛口。

2）玉器

柄形器 标本1件。

标本M23：2，完整。灰白色，蜡状光泽，扁平长条状，器身磨光，柄内收，端平刃。通长3.6、宽1.2、厚0.6厘米（图5.3.35）。

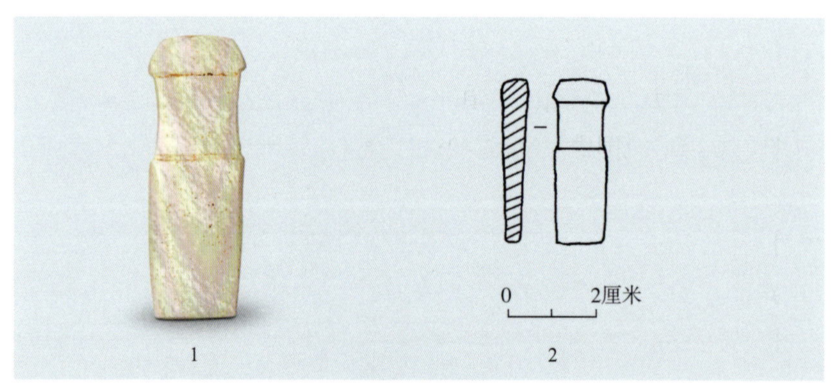

图 5.3.35 玉柄形器（杨家嘴 M23：2）
1. 照片 2. 线图

（七）M26

位于Q2114T2011、Q2312T0111的交界处。由于湖水的常年冲刷，填土已被大量侵蚀，随葬品中的一件青铜鼎裸露于地表，但墓室剩余的部分未经扰动，其下部保存较为完整。该墓为长方形土坑竖穴墓，墓壁陡直，北部有一生土二层台。墓向为20°。墓圹长3.3、宽1.6、残深0.46～0.54米，二层台宽0.48、高0.42米（图5.3.36）。填土呈灰褐色且夹少量黄斑，葬具为单棺，棺痕长1.8、宽0.7米，此范围内土色偏黑，于东侧和南侧发现成片的朱砂，棺外北侧也可见朱砂的痕迹，各处4～8平方厘米。墓主骨骼保存较差，仅见残痕。仰身葬，右前臂横置于胸前，左前臂置于腹部，头面向东。M26的随葬品包括陶器、青铜器、玉器和漆器。陶器多呈碎片状，分布于二层台上和棺外北侧，包括两件陶器座和陶罐、陶盆、陶壶各一件（图5.3.37）。青铜器和漆器主要集中分布于二层台附近（图5.3.36），包括青铜鼎、觚、爵、斝、尊和漆豆各一件，另有两件青铜鼎（M26：3、M26：4）位于棺的上方。玉柄形器残，主要分布于棺与二层台之间，有一块残片置于墓主左腿骨东侧。

1）青铜器

觚　标本1件。

标本M26：7，出土时侧置于墓室西北角，靠近二层台，接近墓底，保存完整。觚敞口呈喇叭状，腰部较粗，略外鼓，上饰一周两组兽面纹。腰上部饰一道凸弦纹，下部饰两道凸弦纹，并加饰三个等距的“十”字形镂孔，圈足外侈。口径12、底径9、通高17厘米（图5.3.38）。

爵　标本1件。

标本M26：1，该爵出土于二层台的中部，鋬朝上，器身侧置。出土时该爵看似完整，但其流、尾与器身之间有明显的裂隙，朝下一侧的器腹碎成3块，碎片之间的茬口拼合度较高，另见有一处凹陷的痕迹（图5.3.39，2），推测是这次打击导致器身破碎，下葬时爵的全部残片被置于此处。爵器身横截面呈椭圆状，长流微上扬，尾较短，略高于流，残柱短小，立于流折处，折腹，带状弧形鋬，三尖锥状实足平底。鋬两侧有两组相对的夔纹，与鋬相对的一侧饰一组兽面纹。底部可见烟炱的痕迹。流、尾间距约15、通高16.5厘米，重约320克（图5.3.39，1、3）。

斝　标本1件。

标本M26：2，出土时呈14块碎片，其中一块位于墓主右肩胛骨下，其余碎片散布于二层台西部约0.3米×0.4米的范围内（图5.3.40；图5.3.41，Ⅰ）。斝主要破损于柱帽与口沿、鋬与器腹、器腹与器底、器底与斝足等连接处，器腹亦碎成5块。整理发现这件斝拼合后可以组成完整的器身（图5.3.40，1），但接合处多见变形和错位（图5.3.40，3），从其破损情况推测应该是人为地选择这些部位进行打击，从而导致其破损，尔后在下葬时将碎片置于墓中不同的位置。拼合后斝敞口，外沿加厚，口沿上立双柱，柱帽为伞状；束颈鼓腹，与双柱相对的一侧接单鋬，平底下接三棱锥状足。仅在颈部饰一周纹饰，其中鋬两侧为夔纹，与鋬相对的一侧是兽面纹，足内壁附着白色物质，足上部和器底可见烟炱的痕迹。复原后口径13、

图 5.3.36　杨家嘴 M26 平、剖面图

Ⅰ. 上层平面及器物分布　Ⅱ. 墓底平面及器物分布　Ⅲ. 剖面
1. 青铜爵　2. 青铜斝　3、4、6. 青铜鼎　5. 青铜尊　7. 青铜觚　8. 陶壶　9. 陶盆　10. 陶器座
11. 陶罐　12. 玉柄形器　13. 漆豆　14. 圆陶片　15. 朱砂

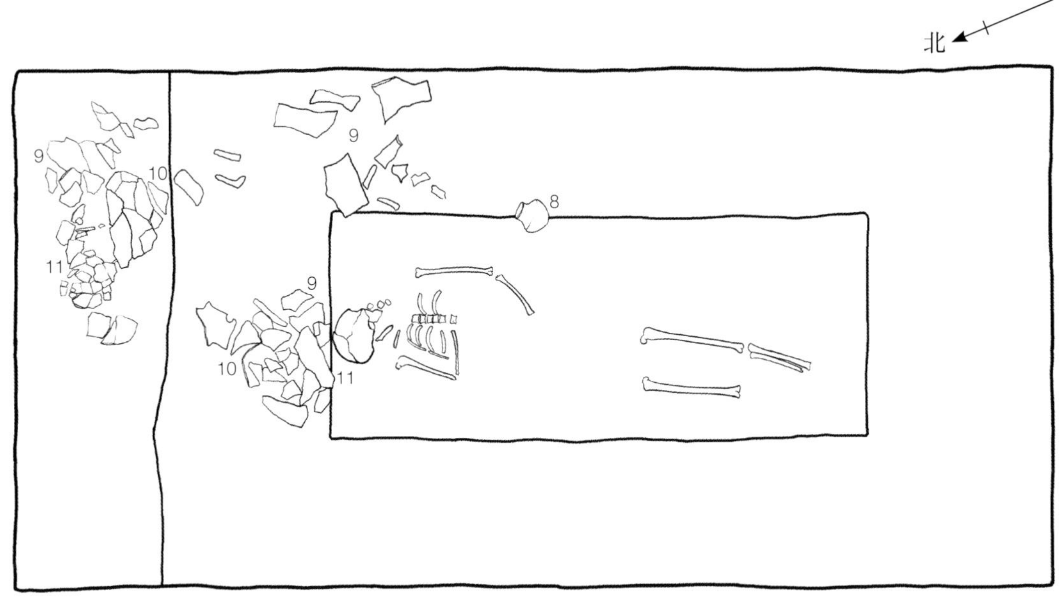

图 5.3.37　杨家嘴 M26 出土陶器分布

8. 壶　9. 盆　10. 器座　11. 罐

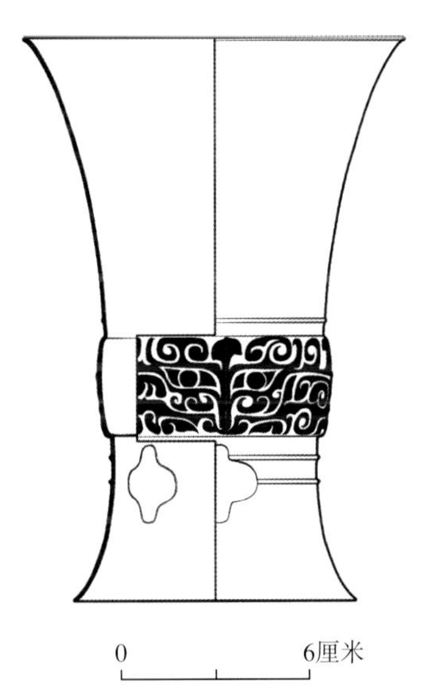

图 5.3.38　青铜觚（杨家嘴 M26：7）

通高18.6厘米（图5.3.40，2）。

尊　标本1件。

标本M26：5，出土时呈13块碎片，散布于二层台中、西部约0.9米 × 0.4米的长方形区域中（图5.3.41，Ⅳ）。这件尊与M26：2斝情况类似，主要破损于肩与腹部、腹部与圈足的连接处，器腹亦破碎为9块碎片。拼合后该尊较为完整，拼合处多变形和错位，推测是人为打破，随后在下葬时置于二层台上。复原后尊敞口，束颈，折肩，鼓腹下收，高圈足。颈部饰有三周凸弦纹，上腹部饰有一周兽面纹。复原后口径14、肩径19、足径12.5、高27.5厘米（图5.3.42）。

鼎　标本3件。

标本M26：3，出土时呈8块碎片，其中残破的器身和一只鼎足位于棺上方的填土中，其余碎片主要分布于二层台中部约0.8米 × 0.3米的长方形区域内，另有一块残片出于棺与二层台之间（图5.3.41，Ⅱ）。其形制近似鼎M26：6，但其上腹部饰一周兽面纹。

标本M26：4，器身与M26：3鼎的器身处在同一位置，两个鼎足与器身分离，其中一个位于二层台中部，另一个位于墓室东北部，靠近二层台的位置。这件鼎的器身保存较完整，不见任何击打的痕迹，但其横截面已近似椭圆形，应为埋藏挤压导致。形制近似鼎

1

2

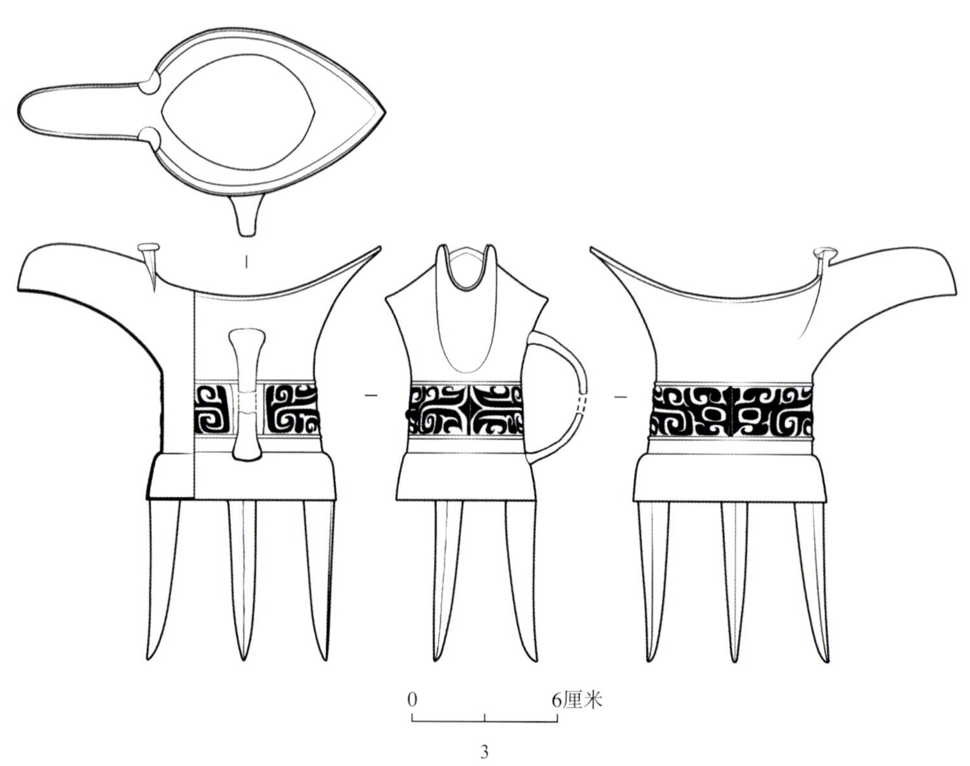

3

图 5.3.39 青铜爵（杨家嘴 M26：1）

1. 器身正视照片 2. 腹部纹饰局部照片 3. 线图

1

3

图 5.3.40 青铜斝（杨家嘴 M26：2）

1. 复原前照片 2. 线图 3. 腹部纹饰局部照片

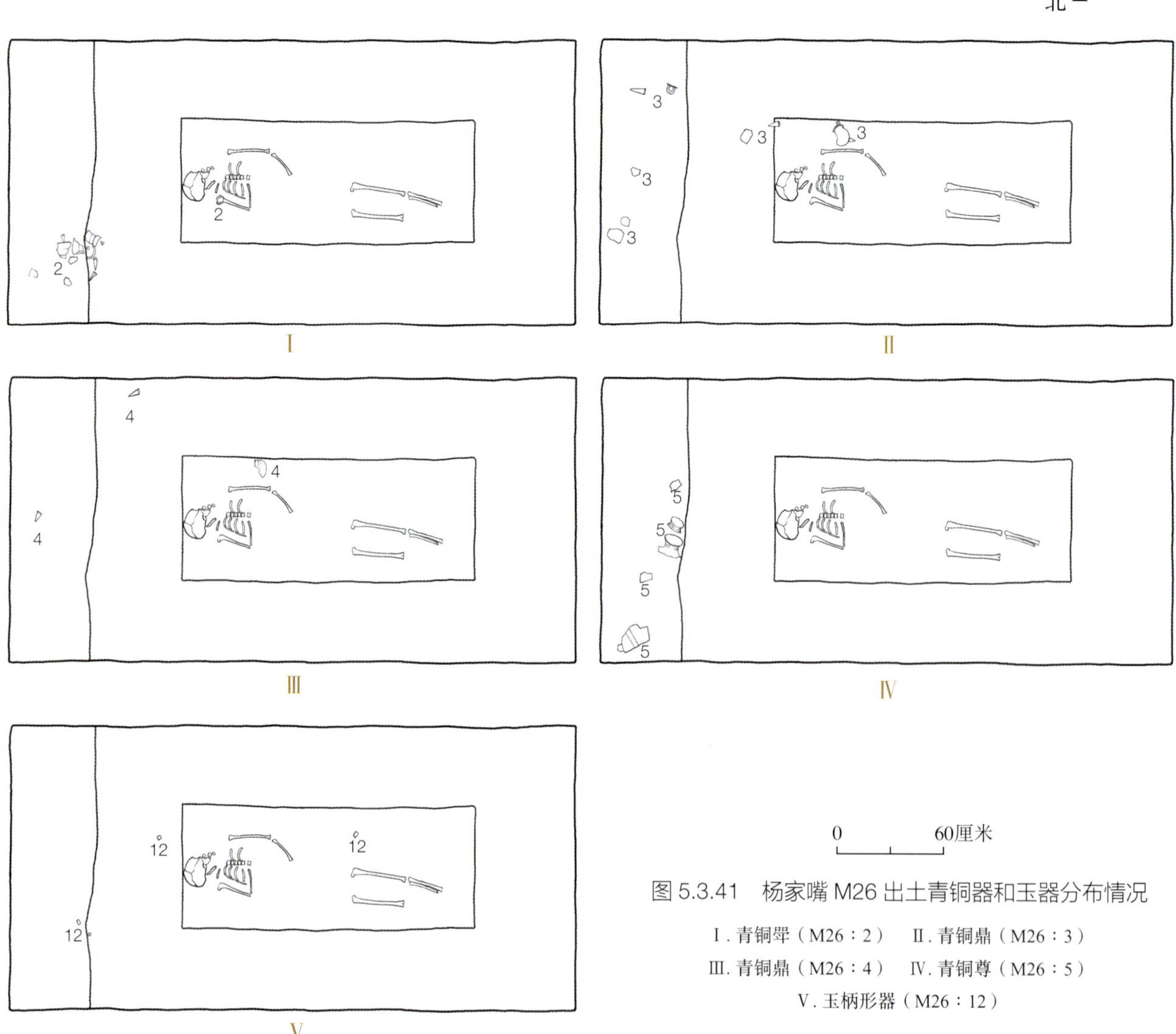

图 5.3.41　杨家嘴 M26 出土青铜器和玉器分布情况

Ⅰ. 青铜斝（M26：2）　Ⅱ. 青铜鼎（M26：3）
Ⅲ. 青铜鼎（M26：4）　Ⅳ. 青铜尊（M26：5）
Ⅴ. 玉柄形器（M26：12）

M26：3。推测下葬时这两件鼎的器身被放置于棺的上方，然后其余碎片被置于墓室的北部。复原后口外径16.3、口内径13.2、最大腹径15.6、通高20.6厘米（图5.3.41，Ⅲ）。

标本M26：6，该鼎出土时侧置于二层台中部，一只鼎耳位于该鼎西南方约10厘米处，该鼎耳这一侧的鼎腹朝上，未有破损，但可见一圆形凹痕，推测这次打击导致鼎耳的脱落；朝下的鼎腹破损，另有一长条形凹痕，口部也可见明显的凹陷和形变，推测是人为打击导致该鼎的破损，随后下葬时将该鼎所有的残片置于此处。鼎敛口，折沿，沿外圈加厚，上立双拱形耳，方唇，鼓腹，圜底，三空锥足。上腹部饰有三道弦纹。鼎耳与鼎足呈四点配列式。器腹一侧有一块圆形的补铸痕迹，器底可见烟炱的痕迹。复原后口径16、高20厘米（图5.3.43）。

2）陶器

罐　标本1件。

标本M26：11，泥质黄胎黑皮陶。出土时呈若干碎片，多与陶盆和器座的碎片同出，一块腹片叠压鼎M26：6器身，部分与器座碎片叠压于墓主头骨上，少量出于鼎M26：6和鼎M26：4器腹内。通体饰细绳纹，卷沿，沿面略下翻，尖唇，束颈，鼓腹，底微内凹。复原后口外径14、内径10厘米，最大腹径28、底径12、高29厘米（图5.3.44）。

1

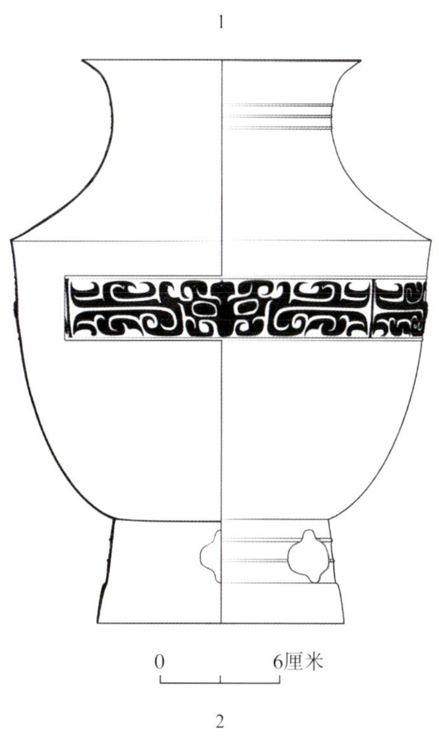

2

图 5.3.42　青铜尊（杨家嘴 M26：5）

1. 复原前照片　2. 线图

图 5.3.43　青铜鼎（杨家嘴 M26：6）

1. 器身正视照片　2. 线图　3. 腹部照片　4. 口部照片

壶　标本1件。

标本M26：8，泥质灰陶。出土于墓室中部上方的填土中，出土时较完整。高颈，圆肩，腹部斜收。颈部饰有两道凸弦纹。复原后口径9.5、肩径14、底径5、高13厘米（图5.3.45）。

盆　标本1件。

标本M26：9，泥质灰陶。出土时呈若干碎片，大部分散布于二层台中部和墓室东北部约1.2米 × 0.6米的长方形区域内，另有一部分碎片叠压墓主的头骨。拼合后盆较完整，推测其碎片在下葬时被分别置于各处。卷沿，沿面呈弧状下翻，圆唇，颈部内凹，底微凹。上腹饰三周凹弦纹，器腹与器底饰绳纹。复原后口径60、底径14、通高19.5厘米（图5.3.46）。

器座 标本1件。另1件仅有少量残片。

标本M26：10，泥质黄胎黑皮陶。出土时为若干碎片，多与陶盆碎片处于同一位置，部分叠压墓主头骨。拼合后该器座较完整，推测其下葬情况与陶盆相同。敞口，颈部内收，直壁，圈足呈喇叭状。颈部饰有一道凸弦纹，通体饰有9组两两成对的弦纹，底部饰有一道单独的弦纹。腹部有9组纵向的镂孔，每组4个。复原后口径31、腹径24、底径40、高38厘米（图5.3.47）。

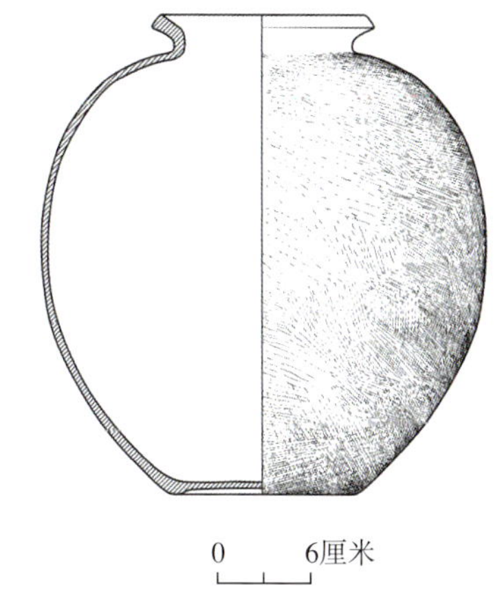

图 5.3.44 陶罐（杨家嘴 M26：11）

圆陶片 标本1件。

标本M26：14，出于二层台西南角。单面涂朱，横截面为梯形，涂朱面直径4厘米，另一面直径3.5、厚0.6厘米（图5.3.48）。

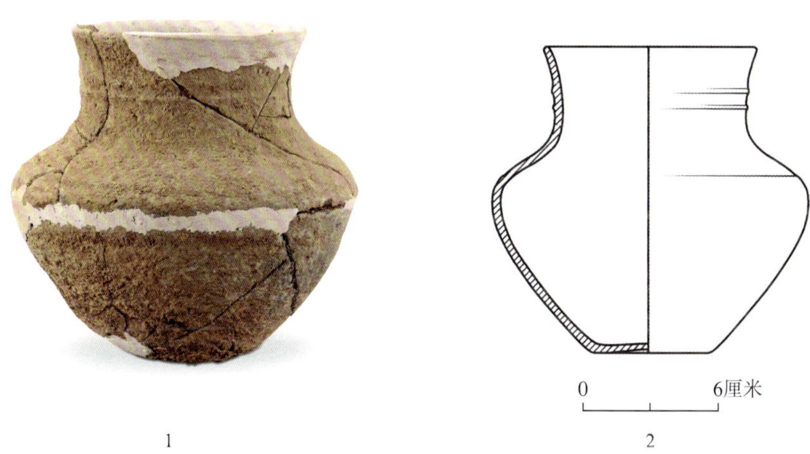

图 5.3.45 陶壶（杨家嘴 M26：8）

1. 照片 2. 线图

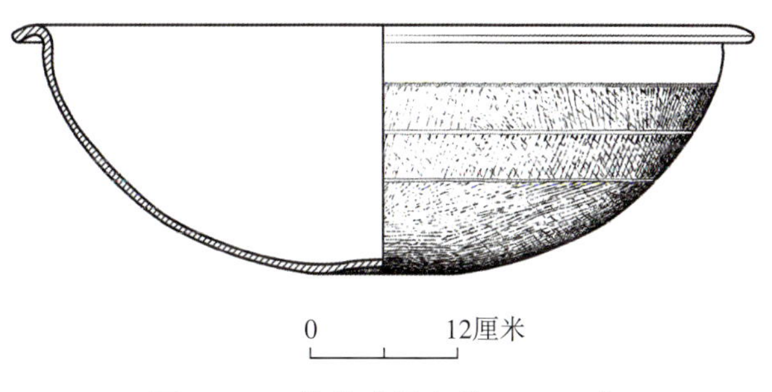

图 5.3.46 陶盆（杨家嘴 M26：9）

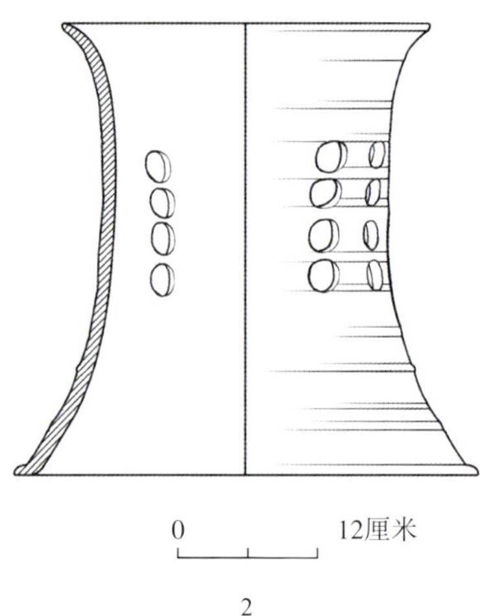

1　　2

图 5.3.47　陶器座（杨家嘴 M26：10）

1. 照片　2. 线图

图 5.3.48　圆陶片（杨家嘴 M26：14）

3）玉器

柄形器　标本1件。

标本M26：12，仅见5件残片，出土时分别位于二层台西部、棺与二层台之间以及人骨东侧（图5.3.41，Ⅴ）。从碎片的形制判断应属于同一件玉柄形器，但碎片之间无法拼合，说明这件玉柄形器在下葬前已并非完整器，在下葬时仅部分埋入墓葬（图5.3.49）。

图 5.3.49　玉柄形器（杨家嘴 M26：12）

4）漆器

豆　标本1件。

标本M26：13，仅见残痕，出土于墓室西北部，靠近二层台的位置。

五、年代与性质

上述1997～1998年杨家嘴发现的三个墓葬，皆为长方形浅坑，随葬品很少，为认识墓葬的年代带来了困难。在层位关系上，M14打破M13。M13随葬印纹硬陶尊，与盘龙城李家嘴M1所出印纹硬陶尊相似[①]，陶瓿亦同于郑州C7M8：2所出同类器[②]。M14出土青铜爵一件，圆锥状足，底部微凸，与郑州铭功路墓所出青铜爵相当[③]，在已报道的盘龙城遗址出土的青铜爵中属于偏晚的形制，大体相当于原盘龙城报告第六、七期。M12随葬有1件青铜爵残片和1件玉璋，爵纹饰为宽带阳线的夔龙纹，属于二里冈上层青铜器的风格特征，同时考虑M12与M13、M14相近，墓葬间的年代应相差不远。因此1997～1998年杨家嘴M12、M13可大体归于原盘龙城报告第四至七期，相当于二里冈上层至中商时期。

2006年所发掘的灰坑和墓葬等单位出土了较为丰富的文物标本，为判断此次发掘区域内遗存的年代提供了重要证据。两个灰坑中H11出土的陶联裆鬲（H11：12），平折沿，沿面有一道凹槽，整体近方形，属于原盘龙城报告第五期折沿联裆鬲的特征[④]；H12出土的2件陶豆都为浅盘豆，部分形制与盘龙城遗址最晚阶段杨家湾J1陶豆（J1：18）特征基本一致[⑤]。M16出土的青铜器同样接近于原盘龙城报告第六、七期青铜器的形制风格，如觚（M16：13），敞口，圈足外撇，腰部饰宽带阳线兽面纹，可比较杨家湾M4：6[⑥]；斝M16：6，菌状柱纽，束腰，弧腹，平底略凸，腰部饰三周凸弦纹，形制类同于楼子湾M10同类器（M10：5）[⑦]。M21出土陶爵（M21：4）圆口，斜直颈，与原属盘龙遗址第五期楼子湾M7陶爵（M7：5）[⑧]、盘龙城遗址最晚阶段的J1出土陶爵（J1：27）[⑨]类似；出土的陶罐（M21：1），侈口、折肩、斜腹，底微凹，接近盘龙城遗址偏晚阶同类器的特征[⑩]。M23出土的陶斝口沿为敛口，属于盘龙城第五期及以后的陶斝特征[⑪]。初步判断，杨家嘴2006年发掘区域内商时期遗存年代集中在原盘龙城报告第四至七期，即二里冈上层一期到中商阶段。

2014年杨家嘴发掘的M26，年代因无明确的层位关系，同样只能从器物特征入手判断。

---

① 《盘龙城（1963～1994）》，第160页。

② 邹衡：《夏商周考古学论文集》，图版10，2，文物出版社，1980年。

③ 郑州市博物馆：《郑州铭功路西侧的两座商代墓》，《考古》1965年第10期。

④ 《盘龙城（1963～1994）》，第475页。

⑤ 武汉市博物馆等：《1997～1998年盘龙城发掘简报》，《江汉考古》1998年第3期。

⑥ 《盘龙城（1963～1994）》，第246页。

⑦ 《盘龙城（1963～1994）》，第389页。

⑧ 《盘龙城（1963～1994）》，第374页。

⑨ 武汉市博物馆等：《1997～1998年盘龙城发掘简报》，《江汉考古》1998年第3期。

⑩ 《盘龙城（1963～1994）》，第472页。

⑪ 《盘龙城（1963～1994）》，第480页。

M26随葬的青铜爵器身宽扁，流尾较短，下腹较浅，反映了盘龙城较晚阶段的特点[①]，与盘龙城杨家湾M5：4青铜爵特征一致[②]，但其三角钉状的短柱指向更早的风格；随葬的M26：6青铜鼎形制特征与盘龙城楼子湾M3：1青铜鼎[③]一致；青铜尊器身瘦长，颈较高，高圈足，亦为盘龙城较晚阶段青铜尊的特点[④]，而其腹部所饰兽面纹线条粗疏，呈宽带阳线状，近似杨家湾M4：1青铜尊[⑤]。从青铜器特征观察，M26应与盘龙城杨家湾M4、M5的年代相近，属于原盘龙城报告第六、七期阶段，可对应中商时期。H14出土的H14：1陶鬲，沿面宽斜且唇下缘突出，是典型的郑州地区二里冈上层偏晚白家庄阶段的风格，其形制近似洹北花园庄遗址出土的G4：2陶鬲[⑥]；H14：3陶鬲，侈口、平折沿、沿内侧饰一道凹槽，为原盘龙城报告第四期之后阶段的风格[⑦]。因此，H14的废弃年代与M26类似，也属于盘龙城遗址偏晚阶段，可归于中商时期前后。

1995～2019年杨家嘴地点的考古工作主要揭示出一批中小型的墓葬。其中2006年发现的10座商时期墓葬分布似有一定规律，M15、M16为墓葬面积相对较大的两座墓，并排居中，在其北侧有一排三座面积相对较小的墓葬——M19、M20、M21，这几座墓葬的方向基本一致，在14°～23°之间。而周围散布的几座零星墓葬，距离相对较近，墓向也基本为北偏东方向。这批墓葬排列有序，墓向基本一致，年代相近，初步认定属于一处墓地。而2014年发掘的M26也可能与此前杨家嘴发现的墓葬属于同一墓地，其等级在该墓地中目前所见也为最高。杨家嘴遗址发掘了25座墓葬，年代跨越盘龙城第二期到第六期，已发表的13座墓葬[⑧]，均位于杨家嘴遗址的东南部，似遵循一定的分布规律：其中M1、M2等级较高，随葬品以青铜器为主，兼有玉器和陶器，西距1980～1983年发掘的杨家嘴T16最近，约40米；其余墓葬等级较低，随葬品以陶器为主，主要集中分布于T16东部65～70米处[⑨]，表明在杨家嘴墓地中，墓葬的排列规律似依照墓葬等级由高到低自西向东分布。在杨家嘴墓地中，M26规模最大，年代接近M1、M2，头端有生土二层台的现象为仅见，随葬品中三件鼎，觚、爵、斝、尊各一件的青铜器组合，陶盆体量之大，盘龙城少见的器座等，均折射出这座墓葬等级较高，应仅次于李家嘴M1、M2。其西距T16约35米，从其位置来看亦符合杨家嘴墓地的分布规律。

杨家嘴M12、M21、M26还多见有碎器随葬的现象。以残破的器物随葬是盘龙城常见的葬俗，这一现象也见于郑州商城[⑩]，暗示两地采用碎器葬俗的人群可能有某种联系。以杨家嘴M26为例，仅M26：8陶壶和M26：7青铜觚保存完整，其余随葬品均有不同程度的破损，

---

① 蒋刚：《湖北盘龙城遗址群商代墓葬再探讨》，《四川文物》2005年第3期。

② 《盘龙城（1963～1994）》，第249页，图一八〇，1。

③ 《盘龙城（1963～1994）》，第383页，图二八二，3。

④ 《盘龙城（1963～1994）》，第458页。

⑤ 《盘龙城（1963～1994）》，第256页。

⑥ 中国社会科学院考古研究所安阳工作队：《河南安阳市洹北花园庄遗址1997年发掘简报》，图五，1，《考古》1998年第10期。

⑦ 《盘龙城（1963～1994）》，第475页。

⑧ 《盘龙城（1963～1994）》，第300页；武汉市博物馆、湖北省文物考古研究所、黄陂县文物管理所：《1997～1998年盘龙城发掘简报》，《江汉考古》1998年第3期。

⑨ 《盘龙城（1963～1994）》，第303～345页。

⑩ 河南省文物考古研究所：《郑州商城——1953～1985年考古发掘报告（上）》，文物出版社，2001年，第574页。

说明下葬时是有选择性地进行碎器的行为。其中陶器座M26：10和玉柄形器M26：12碎片较少且无法拼合，应是下葬前已残破，仅以部分碎片随葬；其余随葬品拼合后较完整，可知下葬时应为全部碎片随葬。依据器物碎片在墓中的摆放位置，可将碎器葬的行为分为以下两类。第一类为将器物的碎片放置于同一位置，如青铜鼎M26：6和青铜爵M26：1，两件器物出土时均侧置，朝上的器身较完整，朝下的器腹破损，碎片与器身混出于同一位置。第二类为将器物的碎片放置于不同的位置，如各件陶器的碎片集中混出土于二层台东部1.2米×0.6米的长方形区域和棺外北侧0.4米×0.4米的正方形区域中；青铜斝M26：2的碎片主要散布于二层台西部，但有一块位于墓主右肩胛骨下；青铜鼎M26：3和青铜鼎M26：4的器身均位于棺上方的填土中，鼎足与其余碎片散布于墓室北部；青铜尊M26：5的碎片散布于二层台中部0.9米×0.4米的长方形区域中，这些随葬品的分布情况指示出在下葬的过程中这些碎片被人为置于不同的位置。值得注意的是，青铜鼎M26：6和青铜爵M26：1出土时叠压其余青铜器的残片，说明下葬时先放置第二类“碎器”的残片，随后再放置第一类碎器残片；陶器碎片不仅与青铜器碎片混出，还出土于墓室东部的填土中，指示在墓葬填土的过程中持续地埋藏陶器碎片。综上，我们可以观察到商人在执行“碎器”葬俗时的不同选择和行为，这对于我们进一步理解商时期的丧葬制度无疑有着重要的意义。

此外，2006年杨家嘴发掘区的墓葬区南边还发现有建筑基址、灰坑等居住类遗存，年代与墓葬大体同时，暗示出居址和墓葬区之间应存在紧密联系。值得一提的是灰坑H12出土了1件象牙，虽已腐朽，但为研究盘龙城商时期聚落的地理环境、珍贵资源的流通等问题提供了新材料。

第四节　大　邓　湾

一、遗址概况

大邓湾位于杨家湾和江家湾岗地北部，实际与小王家嘴同属于盘龙湖西岸一处半岛型岗地。2016年9月19～28日，在建设盘龙城遗址博物院施工过程中，在这一区域清理出6座明代墓葬。2016年大邓湾发掘区位于大邓湾中部岗地上，地理坐标约为北纬30°42′096″，东经114°15′395″，海拔28米。北距盘龙城遗址博物院新馆建址约50米，南邻遗址核心区。地势北高南低，原为农耕地，现已被平整征用。发掘区面积共计45平方米（图5.4.1）。东部的4座墓葬编号为M1～M4，后又在发掘区西部发现2座墓葬，编号M5～M6（以下简称M5、M6）。

图 5.4.1　大邓湾墓葬航拍（上为北）

二、墓葬

本次发掘的墓葬皆为长方形砖室墓。墓向基本保持一致，为330°～347°。其中，M1、M2和M3带有弧形券顶；M4、M5和M6无券顶。

（一）M1

M1，方向为344°。整个墓圹长2.52、宽0.85～1.1、深1.28米。所用方砖长0.28、宽0.14、厚0.06米。券顶共砌有9排砖，每排共有16块方砖。券顶上方涂有一层白石灰。墓壁方砖紧贴墓圹平铺堆砌，上下共19行。北壁正中有一边长0.42、进深0.14米的正方形壁龛。墓底横置平铺砌砖，砖与砖之间留有空隙，填入黄土。墓室中没有填土，木棺与人骨几乎全部腐烂，仅保存了部分下肢骨，但铁质的棺钉仍然保留。墓室中共发现9枚棺钉，从棺钉的分布位置可以判断木棺的长约2.2、宽约0.55米。在壁龛的下方发现了2件上下叠放在一起的瓷碗和2件瓷罐，最初也应是放在壁龛内的（图5.4.2、图5.4.3）。

M1出土2件瓷碗、2件瓷罐（图5.4.3），现分述如下：

瓷器

碗　标本2件。其形制、釉色基本一致。

标本M1：7、M1：8，均为侈口，圆唇，斜弧腹，矮圈足。素面。胎体较厚，通体施白釉。口径13、底径6、通高6厘米（图5.4.4、图5.4.5）。

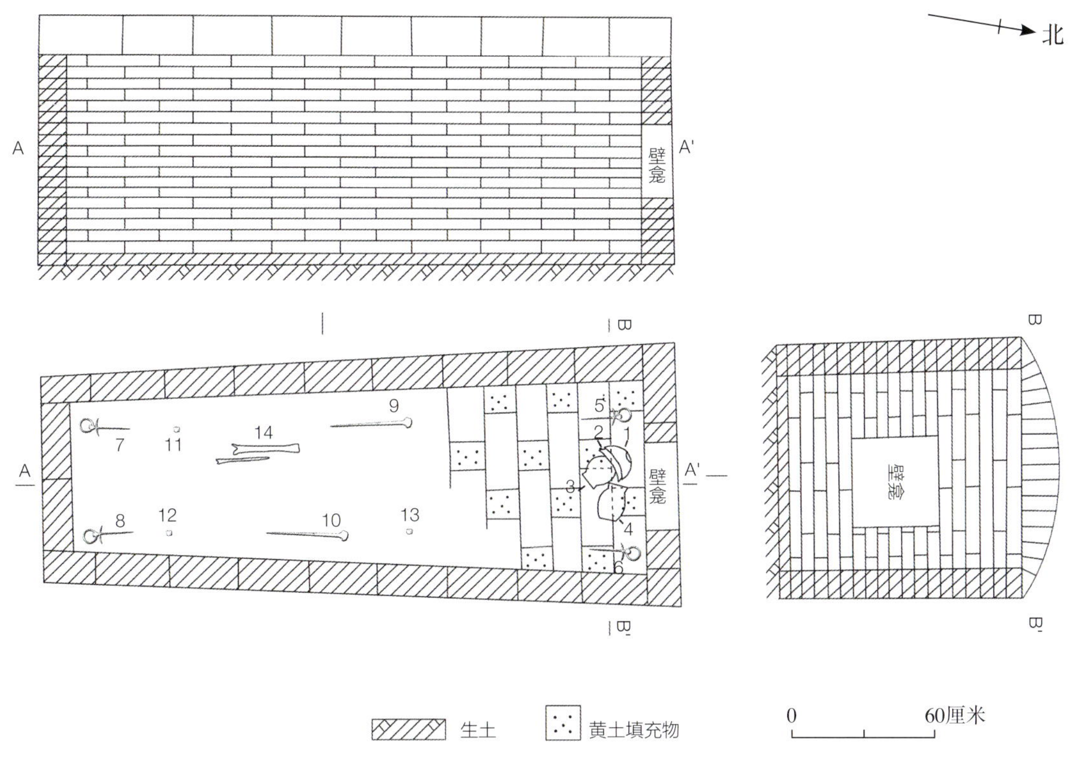

图 5.4.2　大邓湾 M1 平、剖面图

1、2. 瓷碗　3、4. 瓷罐　5～13. 棺钉　14. 下肢骨

图 5.4.3　大邓湾 M1 出土瓷罐、碗照片

罐　标本2件。其形制、釉色基本一致。

标本M1：9、M1：10，均为直口，圆唇，矮领，溜肩，上腹部稍鼓，下部稍斜，平底。素面。除器底外其他部位皆施青釉。口径8、底径8、腹径10、通高12厘米（图5.4.6、图5.4.7）。

1　　2

0　6厘米

图 5.4.4　瓷碗（大邓湾 M1：7）

1. 照片　2. 线图

1　　2

0　6厘米

图 5.4.5　瓷碗（大邓湾 M1：8）

1. 照片　2. 线图

1　　2

0　6厘米

图 5.4.6　瓷罐（大邓湾 M1：9）

1. 照片　2. 线图

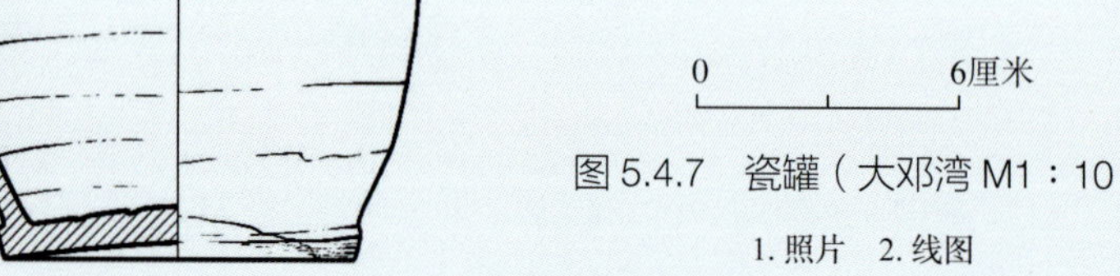

1　　2

0　6厘米

图 5.4.7　瓷罐（大邓湾 M1：10）

1. 照片　2. 线图

（二）M2和M3

M2和M3为合葬墓，两墓墓圹大小相同，长2.52、宽0.77～0.85、深1.24米。方向均为336°。两墓的券顶部分被破坏，最初应都有8排砖，每排共有17块方砖，每块方砖平均长0.28、宽0.16、厚0.06米，券顶上方同样涂有一层白石灰。墓壁方砖紧贴墓圹平铺堆砌，上下共18行。东、西壁方砖长0.3、宽0.1、厚0.06米。南、北壁方砖长0.3、宽0.16、厚0.06米。墓壁上没有壁龛。两墓之间留有一个长宽0.2、高0.18米的矩形空洞相互连通。墓底横竖交叉平铺砌砖，砖与砖之间留有空隙，填入黄土，墓底砖的尺寸与南北墓壁的砌砖相同。墓中不见人骨和木棺。两墓中共发现18枚棺钉，从棺钉的分布位置可判断木棺长约2.02、宽约0.52米。除此之外没有发现其他遗物（图5.4.8）。

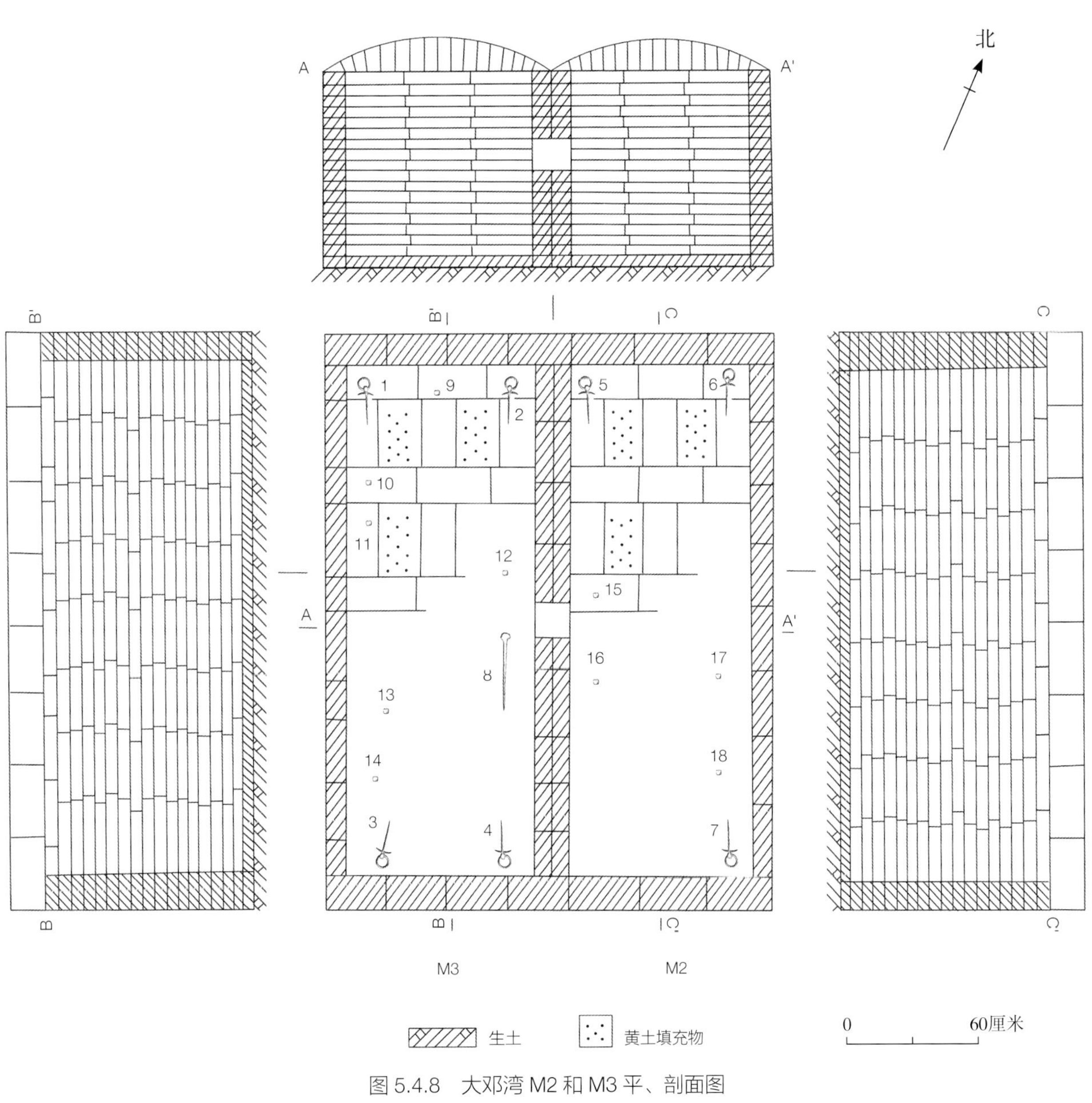

图5.4.8　大邓湾M2和M3平、剖面图

1～18. 铁棺钉

（三）M4

M4墓圹长2.5、宽1.06、深0.77米。方向为347°。西壁已向内挤压变形。在东西两壁上各有一个长方形壁龛，长宽0.16、高0.21米。墓壁方砖紧贴墓圹平铺堆砌，上下共11行。壁砖平均长0.32、宽0.16、厚0.07米。墓底清理下去直接暴露出生土，没有砌砖。墓室的填土中夹杂有大量的白石灰防潮。墓中人骨骨架保存较完整，长约1.7米。从棺钉的分布位置可判断木棺长约2.02、宽约0.6米。两侧壁龛中各发现了1件瓷罐，在头骨西侧出土2件瓷碗。除此之外，墓室的西北角发现了一方竖直放置的灰陶地券（图5.4.9）。

M4出土了2件瓷碗、2件瓷罐及1方灰陶地券，现分述如下。

1）瓷器

碗　标本2件。其形制、釉色基本一致。

标本M4：7、M4：8，均为侈口，圆唇，斜弧腹，矮圈足。素面。胎体较厚，通体施白釉。口径15、底径6、通高8厘米（图5.4.10、图5.4.11）。

罐　标本2件。其形制、釉色基本一致。

标本M4：1、M4：2，均为直口，圆唇，矮领，溜肩，上腹部稍鼓，下部稍斜，平底。腹部饰花草纹，勾画随意，图案抽象。除器底外其他部位皆施青釉。口径9、底径9、腹径15、通高21厘米（图5.4.12、图5.4.13）。

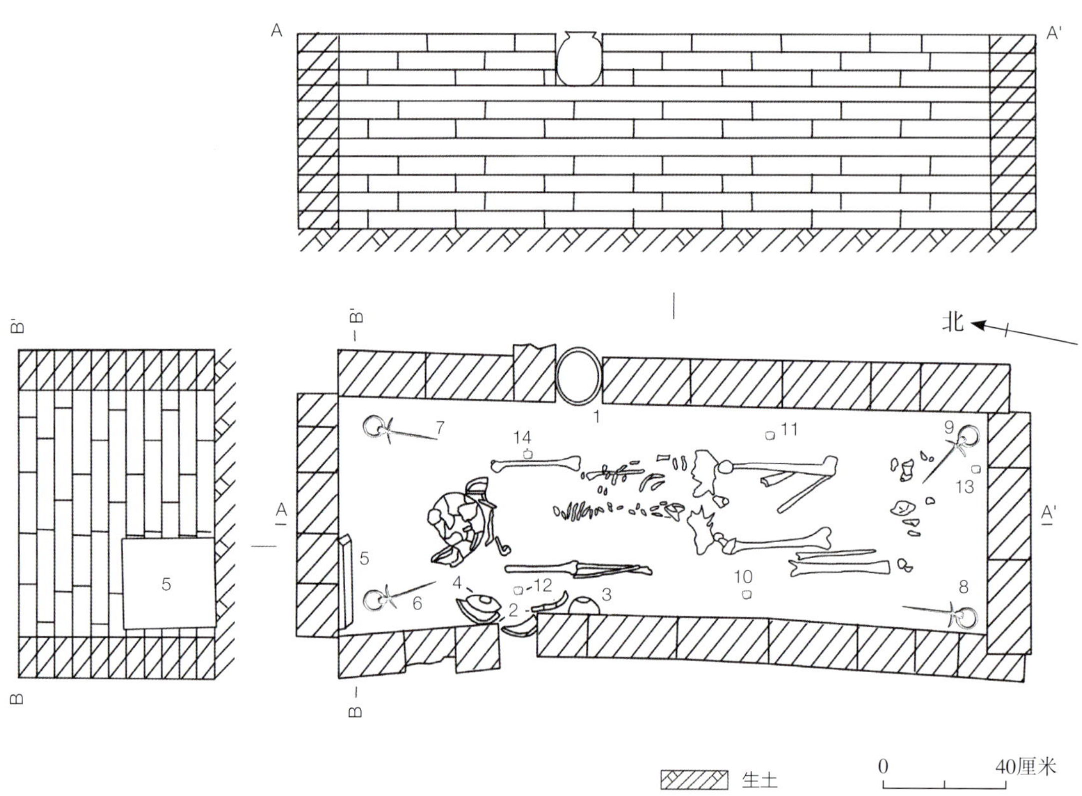

图 5.4.9　大邓湾 M4 平、剖面图

1、2. 瓷罐　3、4. 瓷碗　5. 灰陶地券　6～14. 铁棺钉

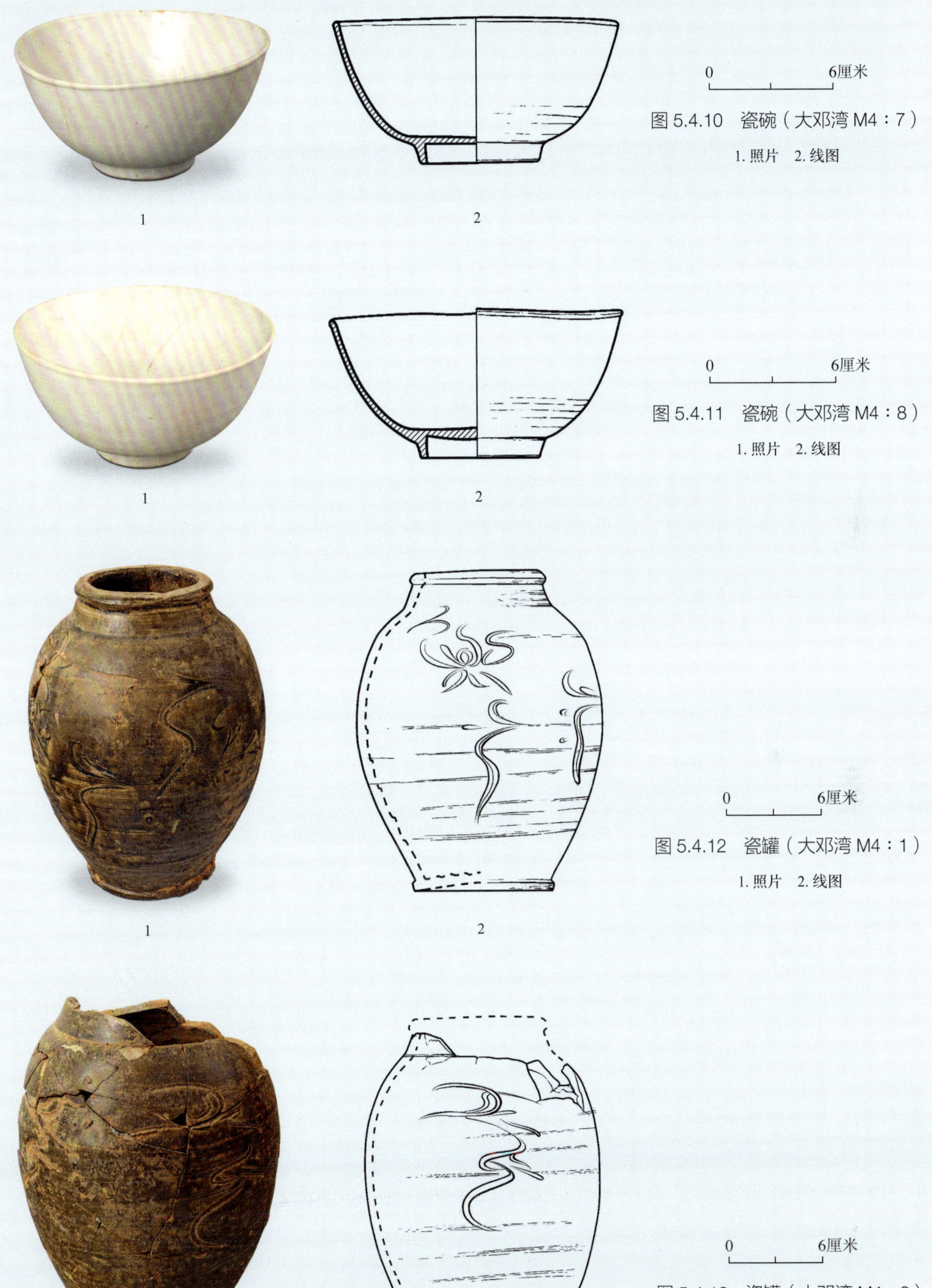

图 5.4.10　瓷碗（大邓湾 M4：7）
1. 照片　2. 线图

图 5.4.11　瓷碗（大邓湾 M4：8）
1. 照片　2. 线图

图 5.4.12　瓷罐（大邓湾 M4：1）
1. 照片　2. 线图

图 5.4.13　瓷罐（大邓湾 M4：2）
1. 照片　2. 线图

图 5.4.14　陶地券（大邓湾 M4：5）

2）陶器

地券　标本1件。

标本M4：5，泥质灰陶。正方形。地券一面应该书写有文字，但现在文字已模糊不清，仅隐约可见某些文字的笔画以及文字外的方形边框。边长34、厚3厘米（图5.4.14）。

（四）M5和M6

M5和M6为合葬墓，M5墓圹长2.74、宽1.16、深0.96米，东壁已向内挤压变形。M6墓圹长2.52、宽1.12、深0.96米。两墓方向均为330°。两墓墓壁方砖紧贴墓圹平铺堆砌，上下共19行。上4行壁砖长0.3、宽0.16、高0.09米，余下的壁砖长0.3、宽0.16、高0.04米。皆没有发现壁龛。墓底为生土，没有砌砖。墓室填土中发现了大量的白石灰。M5的白石灰保存最为完整，石灰上厚下薄，说明木棺底大口小。人骨和棺钉的保存情况与M4相同，其中M5的人骨骨架长约1.78、木棺长约2.2、宽约0.54米。M6的人骨骨架长约1.6、木棺长约2.1、宽约0.54米。除棺钉外没有发现其他遗物（图5.4.15）。

M5、M6除了棺钉之外，未出土其他随葬品，棺钉分述如下。

铁器

棺钉　标本3枚。

标本M5：6，棺钉顶端有一圆饼形钉帽，钉帽有被钝器捶打的痕迹。圆饼形钉帽直径5、棺钉通长38厘米（图5.4.17）。该型棺钉分布在墓室的东西两侧，南北向放置。推测是起到连接木棺四面棺板的作用。

标本M6：3，棺钉仅有长条形的钉体部分，通长20厘米（图5.4.18）。该型棺钉分布在人骨的四周，且大多数竖直放置。推测是起到连接侧面棺板与棺底板和棺盖的作用。

标本M6：10，棺钉顶端接一圆弧形的钉帽，并连接有圆环。圆弧形钉帽直径12、圆环直径8、棺钉通长25厘米（图5.4.16）。发现时，该型棺钉分布在墓室的四角，起初应是固定在木棺四周，棺钉上的圆环可以套接绳索，便于木棺下葬。

三、年代与性质

上述大邓湾墓葬均位于现代耕土层之下，打破红色生土。墓葬距地表的平均深度约0.35米。这批墓葬虽未出土能明确看出纪年文字的器物，但4件瓷碗形制与武汉市蔡甸区索河明墓M1出土的瓷碗相似，后者墓葬的年代被判断为明代中晚期[①]。另外，M4出土的瓷碗和瓷

① 武汉市博物馆、蔡甸区博物馆：《蔡甸区索河明墓发掘简报》，《江汉考古》1998年第3期。

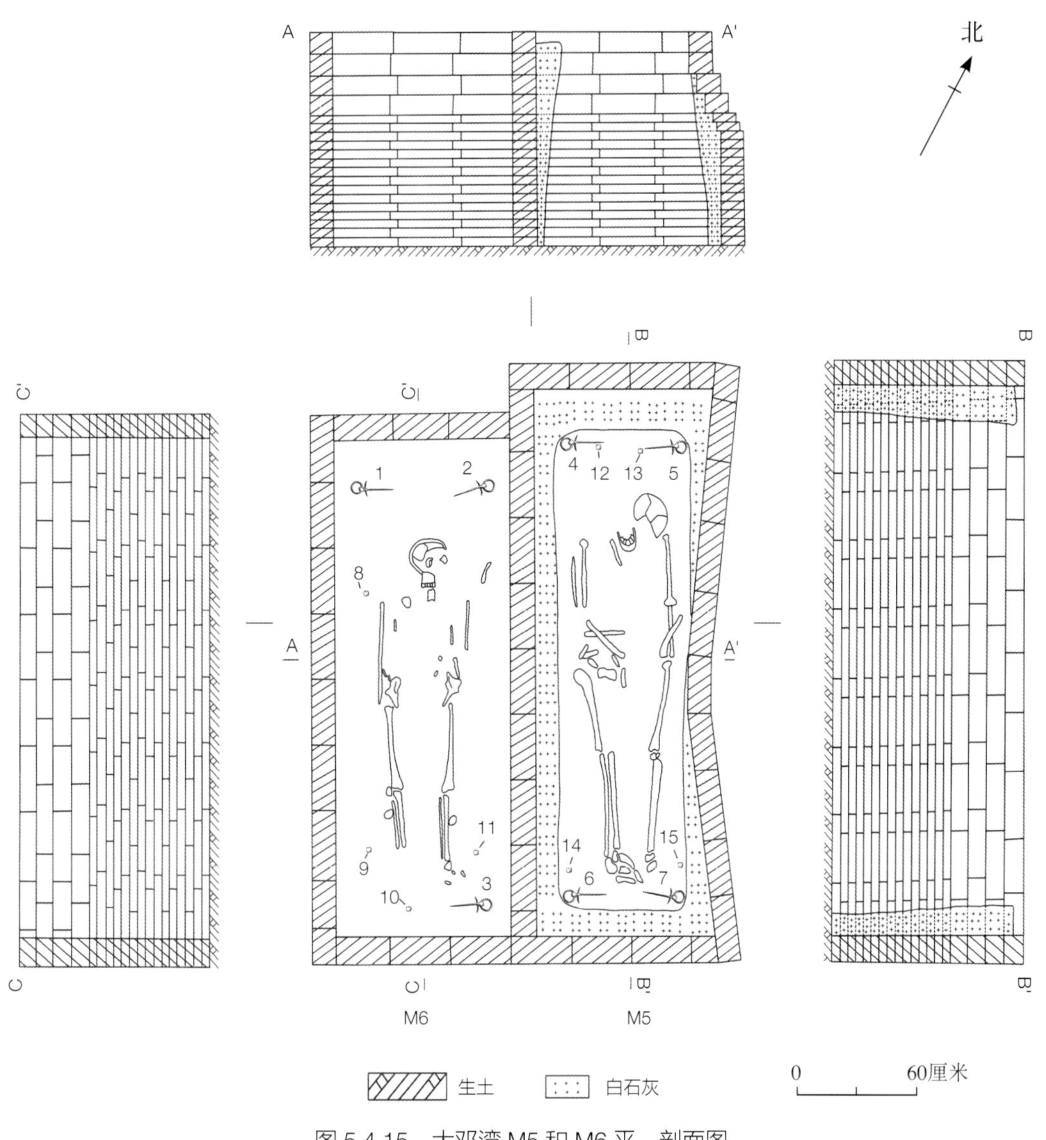

图 5.4.15　大邓湾 M5 和 M6 平、剖面图

1～15. 铁棺钉

罐的形制、纹饰与江夏区金口楚凤魏湾明墓M1出土的瓷碗和瓷罐相似①。而金口楚凤魏湾明墓M1中也出土了一方灰陶地券，从其文字可以得知墓葬的下葬年代为明代嘉靖年间，形制以及放置的位置皆与此次M4中发现的灰陶地券相同。因此，我们判断上述大邓湾发掘的砖室墓年代大致为明代中晚期。从墓葬方向、墓葬形制可以看出6座砖室墓的墓主存在密切的关系，应是一处家族墓地。

盘龙城遗址范围内主要为商时期的遗迹、遗物。除此之外，经过历年细致的考古调查和勘探，尚发现有若干其他时期的遗存，只是罕有发表。其中，在遗址核心区1.39平方千米范围内的多个地点，如小嘴采集到了新石器时期的陶片；小嘴、杨家嘴发现了宋代窑址；杨家

① 武汉市考古研究所、江夏区文物管理所：《江夏金口楚凤魏湾明墓发掘简报》，《武汉文博》2014年第2期。

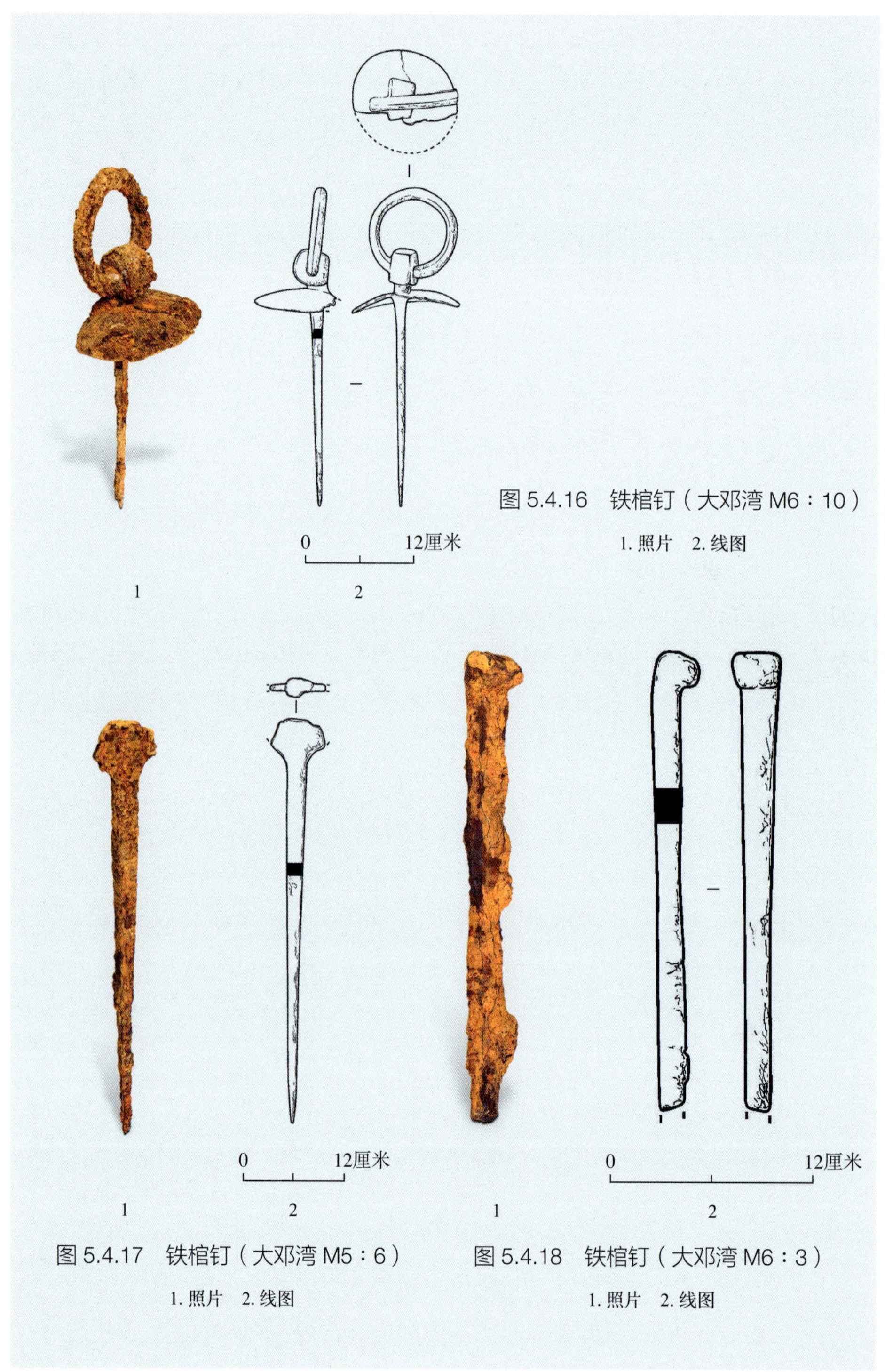

图 5.4.16　铁棺钉（大邓湾 M6：10）
1. 照片　2. 线图

图 5.4.17　铁棺钉（大邓湾 M5：6）
1. 照片　2. 线图

图 5.4.18　铁棺钉（大邓湾 M6：3）
1. 照片　2. 线图

湾、杨家嘴发现了明清时期的墓碑、建筑构件、瓷器；同样在杨家湾、江家湾发现了明清时期的地层和墓葬[①]。遗址一般保护区和建设控制区的2.56平方千米范围内也发现了商以后遗

① 武汉市盘龙城遗址博物馆筹建处：《盘龙城杨家湾遗址在发掘前清理地面建筑过程中采集的文物》，《武汉文博》2011年第2期。

址点12处。其中吕家湾、童家嘴、郑家嘴发现了4处西周遗址；丰家嘴、童家嘴、小张湾、大邓湾发现了4处宋至明清时期墓群；郑家嘴、小王家嘴、徐家铺发现了4处明清时期遗址。临近遗址区的公路两侧，同样分布着宋以后的窑址、墓葬及残存建筑。而东周至宋代以前的遗存，却几乎没有发现。以上情况说明，盘龙城自新石器时期开始就有人群定居，商时期达到顶峰，西周也有人群生活。但自东周以后，此地似乎罕有人居住。从一些地方志等文献资料得知，这种情况自宋代部分人口从江西、江苏等地迁入盘龙城后才有所改善。明清时期，此地人口已变得非常稠密。

从一个更大的范围看，盘龙城遗址所在的黄陂区至今已发现有百余处古遗址地点。遗址年代从旧石器一直延续到明清时期。数量上，以新石器至西周时期的遗址最多，约有近70处。主要位于府河、滠水两大水系及其支流两岸，呈南北纵向分布①。其中又以商时期盘龙城及西周鲁台山②两处遗址出土青铜器等级最高。宋以后的遗址有40余处③，集中分布在黄陂南部的盘龙湖、后湖、长湖、白水湖等湖泊周围；然而东周至唐代只有在作京城、马寨城、邹家湾等10余处地点分布④。这说明在黄陂区内，新石器至西周时期有大量人群居住，东周后人烟稀少，直到宋代以后人口才再度复苏起来。这种人口数量的变化与在盘龙城所看到的变化大致相同。盘龙城及周围区域土壤贫瘠，不适合农业人口长期耕作和生活定居，即使明清时期，也是因为人工堤防体系的建立改变了原有的土地环境，人口才不断增多。而商人却选择在此地修筑盘龙城，显然也不是因为此地的土地环境，背后的原因值得仔细推敲。

① 武汉市黄陂区文物管理所：《武汉市黄陂区文物考古与研究文集》，第157～230页，武汉出版社，2011年；国家文物局：《中国文物地图集·湖北分册》（下册），第27～34页，西安地图出版社，2002年。

② 黄陂县文化馆、孝感地区博物馆、湖北省博物馆：《湖北黄陂鲁台山两周遗址与墓葬》，《江汉考古》1982年第2期。

③ 武汉市黄陂区文物管理所：《武汉市黄陂区文物考古与研究文集》，第157～230页，武汉出版社，2011年；国家文物局：《中国文物地图集·湖北分册》（下册），第27～34页，西安地图出版社，2002年。

④ 武汉市黄陂区文物管理所：《武汉市黄陂区文物考古与研究文集》，第157～230页，武汉出版社，2011年；国家文物局：《中国文物地图集·湖北分册》（下册），第27～34页，西安地图出版社，2002年。

第六章

结　语

盘龙城遗址自1954年发现以来，为目前所见长江中游地区早、中商时期规模最大的城邑聚落，成为认识长江中游青铜文明社会的起点。盘龙城遗址1963～1994年的考古工作已经由《盘龙城——1963～1994年考古发掘报告》一书系统报道。原报告根据当时发掘收获对遗址年代、文化特征及演变、文化性质、盘龙城遗址与中原商王朝之间的关系等已做较为详尽的讨论。本报告全面公布了1995～2019年盘龙城遗址考古工作收获。此外，另设分卷对历年出土的青铜器、陶器和玉石器等遗物展开系统研究。以下仅就近年考古工作收获，对盘龙城遗址年代和文化性质等问题做一简单梳理。

第一节　年　　代

盘龙城夏商聚落存续的年代一直是探讨盘龙城性质及相关问题的基础。这其中通过大量陶器的类型学分析，在相对年代上，学界普遍认为盘龙城遗址大体从二里头文化晚期延续至中商时期[①]。而对于遗址的绝对年代，早年因为条件所限，仅对盘龙城发掘出土的四个木炭标本进行了碳–14测年（表6.1.1）。经北京大学加速器质谱（AMS）碳–14测年树轮校正后，数据年代主要落在公元前1780～前1630[②]。由于测年数据较少，对于盘龙城遗址绝对年代的认识，长期以来只能对比中原地区已有碳–14测年数据的材料展开讨论。为此，自2013年盘龙城考古工作重新展开以来，我们有计划地对发掘过程中发现的炭样进行采集，分地层、灰坑、灰沟堆积进行碳–14检测工作，尤其对部分出土遗物丰富、陶器年代特征较为明确的堆积单位进行检测样本采集，希望从不同层面认识盘龙城遗址的年代信息。

从2013年以来，我们已分三批对近年盘龙城杨家湾、小嘴地点发掘采集的炭样标本进行了碳–14测年，送检标本共计45个（表6.1.2～表6.1.4）。2014年发掘采集检测炭样16个，取自杨家湾南坡发掘区，均出自早晚不同的地层堆积[③]。2016年发掘采集检测炭样12个，取自小嘴发掘区，出自灰坑8个、灰沟4个。2017年发掘采集检测炭样17个，取自小嘴发掘区13个（隶属于Q1610和Q1710），分别出自灰坑8个、灰沟1个、房址2个、地层堆积2个；取自杨家湾坡顶发掘区4个（隶属于Q1813），均出自灰坑。由于考古发现和遗址的保存情况，目前盘龙城选取的碳–14检测标本均为木炭，未能发现有效的人骨、兽骨和植物碳化种子颗粒的检测标本。

近年盘龙城碳–14标本预处理、制备和检测工作均交由北京大学考古文博学院加速器质谱实验室和第四纪年代测定实验室完成，采用加速器质谱仪检测方法（AMS），对所得数

---

① 湖北省文物考古研究所：《盘龙城——1963～1994年考古发掘报告》，第441～446页，文物出版社，2001年。以下简称《盘龙城（1963～1994）》。

② 《盘龙城（1963～1994）》，第574、575页。

③ 2014年盘龙城碳–14测年结果已发表在2014年的发掘简报中。武汉大学历史学院、湖北省文物考古研究所、盘龙城遗址博物院：《武汉市盘龙城遗址杨家湾2014年发掘简报》，《考古》2018年第11期。

表6.1.1 王家嘴、杨家湾、杨家嘴1963～1994年考古发掘木炭样品加速质谱仪（AMS）碳–14测年数据

实验室编号	样品所属单位	样品	碳-14年代（BP）		树轮校正后年代	
			5730（T1/2）	5568（T1/2）	1σ（68.2%）	2σ（95.4%）
BA97076	王家嘴 T36 ⑧	木炭	3370 ± 60	3275 ± 60	1617BC（64.3%）1497BC 1473BC（4%）1462BC	1731BC（0.9%）1722BC 1689BC（94.6%）1472BC
BA97077	王家嘴 T72 ⑧	木炭	3450 ± 60	3350 ± 60	1731BC（3.2%）1723BC 1689BC（65%）1540BC	1870BC（1.8%）1848BC 1773BC（93.6%）1500BC
BA97078	杨家嘴 T8 ⑤	木炭	3290 ± 65	3195 ± 65	1532BC（68.3%）1407BC	1618BC（87.4%）1371BC 1355BC（8.1%）1297BC
BA97079	杨家湾 T35 ⑥	木炭	3280 ± 85	3185 ± 85	1539BC（60%）1381BC 1353BC（8.3%）1309BC	1667BC（0.4%）1658BC 1633BC（95.1%）1224BC

注：碳–14年代一栏中的5730和5568表示所用碳–14的半衰期分别为5730和5568年。用两个半衰期计算出来的碳–14年代数据之间是可以相互转换的。

所用碳–14半衰期为5568年，BP为距1950年的年代。

树轮校正所用曲线为IntCal20 atmospheric curve (Reimer et al 2020)，所用程序为OxCal v4.4.2 Bronk Ramsey (2020)；r: 5。

1. Reimer P J, Bard E, Bayliss A, Beck J W. IntCal13 and Marine13 radiocarbon age calibration curves 0–50,000 years cal BP. Radiocarbon, 2013, 55: 1869-1887.

2. Christopher Bronk Ramsey 2015, https://c14.arch.ox.ac.uk/oxcal/OxCal.html.

据进行了树轮校正得到日历年代。其中在校正曲线的使用上，2014年和2016年发掘检测数据原使用了2013年树轮校正曲线，使用程序为OxCal v4.2.4；2017年发掘检测数据原使用了2013年树轮校正曲线，使用程序为OxCal v4.4.2；此外早年《盘龙城（1963～1994）》4个碳–14测年数据原使用了1998年树轮校正曲线，使用程序为OxCal v3.5。2020年碳–14国际校正组织发布了最新的校正曲线IntCal20[①]。为便于横向比较，我们将早年检测数据和2014、2016、2017年发掘检测数据重新改用2020年树轮校正曲线，使用程序为OxCal v4.4.2。2014年发掘检测数据曾在2018年发掘简报中公布，本次重新校正后公布。2014、2016和2017年发掘碳–14检测结果见表6.1.2～表6.1.4。

近年对盘龙城碳–14年代的检测，有意选取了出土陶器丰富、相对年代单纯、有相互叠压打破关系的一些单位的标本。由此，无论是通过层位关系，还是陶器演变序列所建立起的相对年代关系，结合贝叶斯算法（Bayesian Statistics）将相对年代和碳–14绝对年代相结合，一方面我们可进一步校正碳–14测年数据，提高测年数据的分辨率，剔除某些异常数据。通过比较以碳–14测年为代表的绝对年代和以地层学、陶器类型学方法确立的相对年代，另一方面还能对原有盘龙城与中原地区的年代进行比较，观察相近时间段内中原地区相关遗址与盘龙城之间的年代关系。

参考层位关系和陶器类型演变所构建出的堆积之间的相对年代，我们可以将贝叶斯算

① 刘睿良、理查德·斯达夫：《碳十四测年技术前沿：新一代校正曲线IntCal20发布》，《江汉考古》2020年第5期。

表6.1.2　杨家湾2014年考古发掘木炭样品加速质谱仪（AMS）碳–14测年数据

实验室编号	样品所属单位	样品	碳–14年代（BP）	树轮校正后年代	
				1σ（68.2%）	2σ（95.4%）
BA151620	Q1712T1015⑦	木炭	3070±25	1395BC（41.2%）1333BC 1326BC（27%）1287BC	1413BC（95.4%）1264BC
BA151621	Q1712T1015⑥	木炭	3180±30	1496BC（26.5%）1476BC 1458BC（41.8%）1426BC	1506BC（95.4%）1407BC
BA151622	Q1712T1015⑤	木炭	3100±25	1416BC（34%）1381BC 1343BC（34.3%）1308BC	1428BC（95.4%）1290BC
BA151623	Q1712T1015⑤	木炭	3070±25	1395BC（41.2%）1333BC 1326BC（27%）1287BC	1413BC（95.4%）1264BC
BA151624	Q1712T1015⑤	木炭	3075±25	1399BC（21.5%）1371BC 1356BC（46.8%）1296BC	1414BC（95.4%）1267BC
BA151625	Q1712T1015④	木炭	3095±25	1413BC（31.3%）1380BC 1345BC（37%）1306BC	1425BC（95.4%）1284BC
BA151626	Q1712T1015④	木炭	3075±30	1401BC（22.1%）1369BC 1357BC（46.2%）1294BC	1421BC（95.4%）1260BC
BA151627	Q1712T1015③	木炭	3025±25	1372BC（12%）1355BC 1298BC（56.3%）1225BC	1391BC（24.6%）1336BC 1322BC（70.8%）1200BC
BA151628	Q1712T1015③	木炭	3010±30	1371BC（7.5%）1355BC 1297BC（60.7%）1212BC	1386BC（15.1%）1339BC 1316BC（75.9%）1157BC 1147BC（4.5%）1127BC
BA151629	Q1712T1014③	木炭	3030±30	1376BC（18%）1349BC 1303BC（35.6%）1255BC 1249BC（14.6%）1226BC	1399BC（95.2%）1200BC 1138BC（0.3%）1135BC
BA151630	Q1712T1014③	木炭	2990±25	1266BC（56.8%）1197BC 1172BC（4.8%）1163BC 1143BC（6.7%）1131BC	1371～1356（2.7%） 1295～1123（92.7%）
BA151631	Q1712T1014④	木炭	3080±25	1404BC（23.9%）1374BC 1353BC（44.4%）1300BC	1416～1271（95.4%）
BA151632	Q1712T1014④	木炭	3040±25	1381BC（27.9%）1343BC 1308BC（38.5%）1260BC 1239BC（1.8%）1236BC	1396～1332（35.4%） 1326～1218（60.1%）
BA151633	Q1712T1012⑥	木炭	3025±30	1375BC（14.2%）1351BC 1301BC1222BC（54.1%）	1396BC（25.5%）1333BC 1326BC（67.5%）1196BC 1173BC（1.1%）1163BC 1143BC（1.4%）1131BC
BA151634	Q1712T1013③	木炭	2945±25	1211BC（68.3%）1120BC	1256BC（1.3%）1247BC 1227BC（94.1%）1051BC
BA151635	Q1712T1013③	木炭	2970±20	1254BC（2.6%）1249BC 1220BC（30.9%）1188BC 1180BC（17.8%）1157BC 1147BC（16.9%）1127BC	1263BC（95.4%）1121BC

注：所用碳–14半衰期为5568年，BP为距1950年的年代。

树轮校正所用曲线为IntCal20 atmospheric curve (Reimer et al 2020)，所用程序为OxCal v4.4.2 Bronk Ramsey (2020)；r: 5。

1. Reimer P J, Bard E, Bayliss A, Beck J W. IntCal13 and Marine13 radiocarbon age calibration curves 0–50,000 years cal BP. Radiocarbon, 2013, 55: 1869-1887.

2. Christopher Bronk Ramsey 2015, https://c14.arch.ox.ac.uk/oxcal/OxCal.html.

表6.1.3　小嘴2016年考古发掘木炭样品加速质谱仪（AMS）碳–14测年数据

实验室编号	样品所属单位	样品	碳–14年代（BP）	树轮校正后年代	
				1σ（68.2%）	2σ（95.4%）
BA161087	G1	木炭	3110±25	1422BC（41%）1384BC 1341BC（27.3%）1313BC	1439BC（53.8%）1366BC 1360（41.6%）1293
BA161088	H32	木炭	3065±25	1390BC（39.7%）1337BC 1322BC（28.6%）1285BC	1412BC（95.4%）1261BC
BA161089	H12	木炭	3025±25	1372（12%）1355BC 1298BC（56.3%）1225BC	1391BC（24.6%）1336BC 1322BC（70.8%）1200BC
BA161090	G1	木炭	3030±30	1376BC（18%）1349BC 1303BC（35.6%）1255BC 1249BC（14.6%）1226BC	1399BC（95.2%）1200BC 1138BC（0.3%）1135BC
BA161091	G1	木炭	3125±30	1436BC（50.5%）1386BC 1339BC（17.8%）1318BC	1495BC（3.1%）1478BC 1456BC（62.1%）1367BC 1359BC（30.3%）1294
BA161092	H43	木炭	2805±35	1005BC（68.3%）916BC	1051BC（88.6%）892BC 881BC（6.8%）836BC
BA161093	H9	木炭	3170±25	1494BC（19.2%）1478BC 1455BC（49.1%）1419BC	1501BC（95.4%）1406BC
BA161094	H13	木炭	3165±25	1493BC（15.4%）1480BC 1453BC（52.9%）1417BC	1501BC（95.4%）1400BC
BA161095	G1	木炭	2975±30	1260BC（10.4%）1241BC 1235BC（30.3%）1187BC 1181BC（14.3%）1156BC 1148BC（13.2%）1127BC	1371BC（1.4%）1357BC 1294BC（91.6%）1108BC 1095BC（1.3%）1081BC 1069BC（1.2%）1056BC
BA161096	H46	木炭	3110±25	1422BC（41%）1384BC 1341BC（27.3%）1313BC	1439BC（53.8%）1366BC 1360BC（41.6%）1293%
BA161097	H11	木炭	2970±25	1256BC（4.5%）1248BC 1226BC（29.5%）1187BC 1181BC（17.8%）1156BC 1148BC（16.3%）1127BC	1277BC（94.3%）1111BC 1092BC（0.6%）1084BC 1065BC（0.5%）1059BC
BA161098	H45	木炭	3090±25	1411BC（28.9%）1377BC 1348BC（39.4%）1304BC	1422BC（95.4%）1281BC

注：所用碳–14半衰期为5568年，BP为距1950年的年代。

树轮校正所用曲线为IntCal20 atmospheric curve (Reimer et al 2020)，所用程序为OxCal v4.4.2 Bronk Ramsey (2020)；r: 5。

1. Reimer P J, Bard E, Bayliss A, Beck J W. IntCal13 and Marine13 radiocarbon age calibration curves 0–50,000 years cal BP. Radiocarbon, 2013, 55: 1869-1887.

2. Christopher Bronk Ramsey 2015, https://c14.arch.ox.ac.uk/oxcal/OxCal.html.

表6.1.4 小嘴、杨家湾2017年考古发掘木炭样品加速质谱仪（AMS）碳–14测年数据

实验室编号	样品所属单位	样品	碳–14年代（BP）	树轮校正后年代	
				1σ（68.2%）	2σ（95.4%）
BA192331	Q1610T1815④	木炭	3170±30	1496BC（20.6%）1476BC 1458BC（47.7%）1417BC	1504BC（95.4%）1396BC
BA192332	F1	木炭	3125±30	1436BC（50.5%）1386BC 1339BC（17.8%）1318BC	1494BC（3.1%）1478BC 1456BC（62.1%）1366BC 1359BC（30.3%）1294BC
BA192333	H88	木炭	3015±30	1371BC（8.7%）1355BC 1296BC（59.5%）1216BC	1390BC（18.5%）1336BC 1321BC（70.1%）1188BC 1181BC（3.6%）1158BC 1146BC（3.3%）1128BC
BA192334	Q1610T1816④	木炭	3160±30	1494BC（15.5%）1478BC 1456BC（52.8%）1410BC	1502BC（92.3%）1390BC 1336BC（3.1%）1322BC
BA192335	H104	木炭	3130±30	1440BC（54.4%）1388BC 1338BC（13.9%）1320BC	1496BC（4.9%）1474BC 1460BC（65.0%）1370BC 1355BC（25.5%）1298BC
BA192336	H14	木炭	3100±30	1417BC（33.8%）1379BC 1345BC（34.5%）1306BC	1434BC（95.4%）1278BC
BA192337	H73	木炭	3170±35	1496BC（21.9%）1474BC 1459BC（46.4%）1416BC	1506BC（93.0%）1390BC 1336BC（2.5%）1322BC
BA192338	H73	木炭	3195±30	1498BC（68.3%）1440BC	1509BC（95.4%）1416BC
BA192339	H54	木炭	3080±35	1407BC（25.2%）1370BC 1356BC（43.1%）1295BC	1426BC（94.3%）1259BC 1242BC（1.1%）1234BC
BA192340	G26	木炭	3280±30	1607BC（23.3%）1580BC 1544BC（44.9%）1506BC	1620BC（93.7%）1498BC 1472BC（1.8%）1462BC
BA192341	H75	木炭	3130±30	1440BC（54.4%）1388BC 1338BC（13.9%）1320BC	1496BC（4.9%）1474BC 1460BC（65.0%）1370BC 1355BC（25.5%）1298BC
BA192342	F1	木炭	3220±40	1511BC（68.3%）1441BC	1606BC（3.1%）1581BC 1544BC（92.3%）1414BC
BA192343	H76	木炭	3145±40	1494BC（9.2%）1478BC 1455BC（51.7%）1390BC 1336BC（7.3%）1322BC	1503BC（77.5%）1372BC 1353BC（18.0%）1299BC
BA192344	H42	木炭	3125±35	1440BC（47.8%）1382BC 1341BC（20.5%）1311BC	1496BC（4.3%）1476BC 1458BC（91.1%）1288BC
BA192345	H36	木炭	3320±35	1620BC（68.3%）1536BC	1687BC（95.4%）1506BC
BA192346	H35	木炭	3165±35	1496BC（19.4%）1475BC 1458BC（48.9%）1412BC	1506BC（91.3%）1386BC 1338BC（4.2%）1318BC
BA192347	H35	木炭	3210±30	1502BC（68.3%）1446BC	1518BC（95.4%）1422BC

注：所用碳–14半衰期为5568年，BP为距1950年的年代。

树轮校正所用曲线为IntCal20 atmospheric curve (Reimer et al 2020)，所用程序为OxCal v4.4.2 Bronk Ramsey (2020)；r: 5。

1. Reimer P J, Bard E, Bayliss A, Beck J W. IntCal13 and Marine13 radiocarbon age calibration curves 0–50,000 years cal BP. Radiocarbon, 2013, 55: 1869-1887.

2. Christopher Bronk Ramsey 2015, https://c14.arch.ox.ac.uk/oxcal/OxCal.html.

法应用于碳-14测年数据的校正计算中，更加准确地确定遗址的年代范围[1]。目前牛津大学所研发的OxCal碳-14分析软件，已将贝叶斯算法内置于程序之中。研究者可以不用直接输入大量复杂的算法公式，而是通过OxCal提供的CQL（语言编程系统）直接进行计算和校正[2]。在此我们将2014、2016、2017年三个年度考古发掘样品的检测数据，按照地点分为杨家湾和小嘴分别对各遗迹和地层堆积进行相对年代的划分。之后通过所建立的相对年代框架，利用OxCal软件，对已采集和测定的碳-14数据进行计算和校正。在此过程之中，我们首先将全部数据代入运算，而后在程序的提示下将低置信度的数据排除并重新计算和校正，从而得到所测遗址点最终的年代范围。

2014、2016和2017年盘龙城遗址的考古工作主要集中在杨家湾、小嘴两处地点。2014年杨家湾地点的发掘主要收获了一批大约属于中商时期的遗存，目前已知属于盘龙城聚落偏晚阶段[3]。2017年杨家湾坡顶发掘了一批早商二里冈阶段的遗存，比较2014年杨家湾南坡堆积年代偏早。2016和2017年小嘴地点的发掘发现铸铜生产活动的迹象，主体年代被认为属于原《盘龙城（1963～1994）》报告第四、五期，与城垣、宫殿基址大体同期[4]。

杨家湾近年碳-14测年数据共有20个，分别出自杨家湾南坡和杨家湾坡顶。从层位关系和出土陶器类型判断，相关堆积单位主要可分为三个阶段。其中杨家湾南坡的碳-14测年数据共有16个，分别出自9个早晚不同的地层堆积。这些地层在层位关系上可相互串联：Q1712T1013③、Q1712T1014③、Q1712T1015③→Q1712T1014④、Q1712T1015④→Q1712T1015⑤→Q1712T1015⑥→Q1712T1015⑦、Q1712T1012⑥。原简报曾将其分为两组，其中Q1712T1015⑦、Q1712T1012⑥为第一期，年代可对应于盘龙城第五期，属于二里冈上层一期偏晚阶段；其他单位为第二组，年代可参考原《盘龙城（1963～1994）》报告第六、七期，“比以前杨家湾发现的最晚阶段的遗存稍晚”，下限在殷墟一期之前[5]。从出土陶器的类型观察，T1015⑦、T1012⑥出土的陶鬲既有平折沿，也多见厚方唇，前者唇部已趋于方钝，后者唇部则向上有着夸张的凸榫；出土的大口尊均大敞口、肩部不甚突出（图6.1.1，1～4）。陶器的形态符合原《盘龙城（1963～1994）》报告第五、六期同类器的特征。Q1712T1015⑤、Q1712T1015⑥则陶器标本较少，出土陶器的年代特征并不明确。Q1712T1014④、Q1712T1015④出土鬲口沿为厚方唇，大口尊肩部突出不明显，与上述Q1712T1015⑦和Q1712T1012⑥层同类器较为接近（图6.1.1，5、6）。而Q1712T1013③、Q1712T1014③、Q1712T1015③出土陶鬲口沿以折沿方唇为主，部分颈部和腹部还装饰圜络

① Buck Caitlin E, et al. Combining archaeological and radiocarbon information: a Bayesian approach to calibration. *Antiquity*, 1991, 65(249): 808-821; Bayliss, Alex, and Christopher Bronk Ramsey. Pragmatic Bayesians: a decade of integrating radiocarbon dates into chronological models. *Tools for Constructing Chronologies*. London: Springer, 2004: 25-41.

② 郭青林、卢春、刘睿良等：《佛教石窟断代方法新进展:如何基于贝叶斯模型（OxCal）和考古信息提高碳十四测年精度》，《敦煌研究》2018年第6期。

③ 武汉大学历史学院、湖北省文物考古研究所、盘龙城遗址博物院：《武汉市盘龙城遗址杨家湾2014年发掘简报》，《考古》2018年第11期；张昌平、孙卓：《盘龙城聚落布局研究》，《考古学报》2017年第4期。

④ 武汉大学历史学院、湖北省文物考古研究所、盘龙城遗址博物院：《武汉市盘龙城遗址小嘴2015～2017年发掘简报》，《考古》2019年第6期；《盘龙城（1963～1994）》，第443、444、447～450页。

⑤ 武汉大学历史学院、湖北省文物考古研究所、盘龙城遗址博物院：《武汉市盘龙城遗址杨家湾2014年发掘简报》，《考古》2018年第11期。

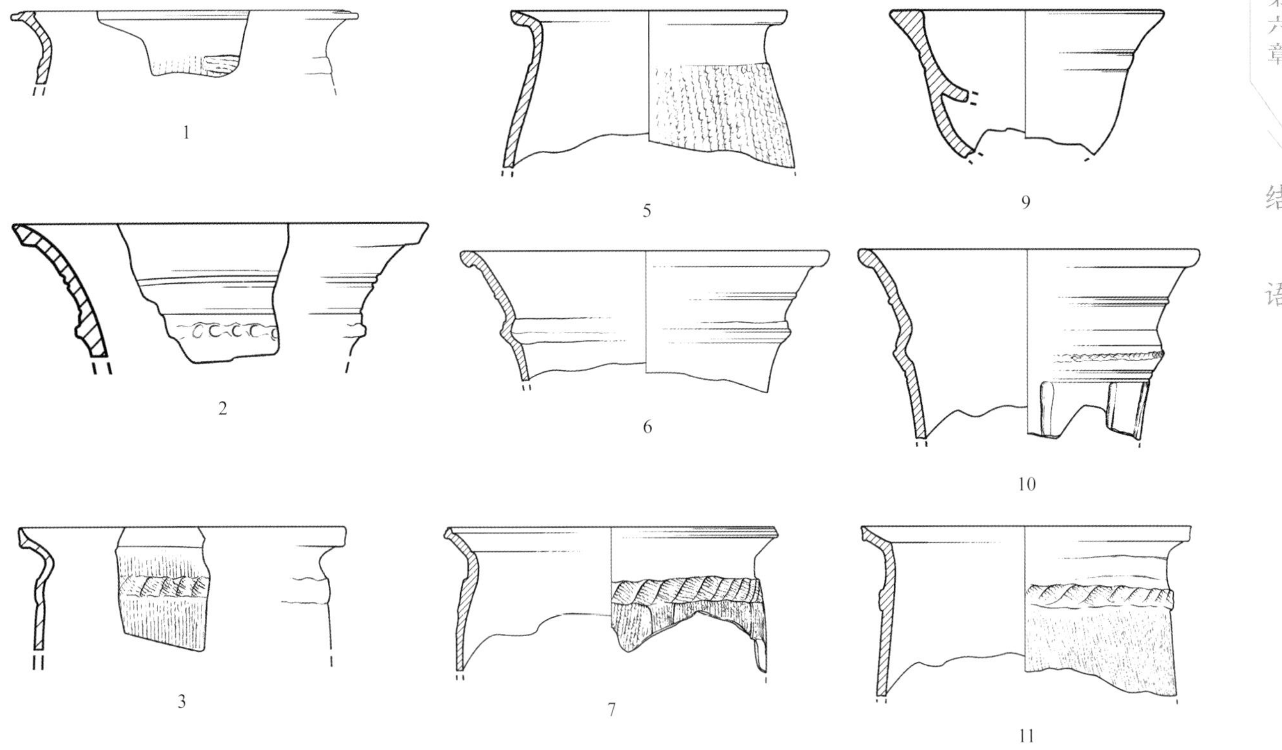

图 6.1.1　2014 年盘龙城杨家湾南坡部分地层堆积出土的陶器标本

1、3、5、7、8、11、12. 鬲（Q1712T1015⑦：6、Q1712T1012⑥：1、Q1712T1014④：18、Q1712T1015③：2、Q1712T1015③：14、Q1712T1014③：1、Q1712T1014③：14）　2、4、6、10. 大口尊（Q1712T1015⑦：5、Q1712T1012⑥：2、Q1712T1014④：53、Q1712T1013③：8）　9. 豆（Q1712T1013③：29）

纹，平折沿类则唇部较为方钝、沿面施有两周凹槽；大口尊则口部外侈、肩部较小、腹部常见窗棱纹；假腹豆则假腹部分夸张（图6.1.1，7～12）。这些陶器特征可对应盘龙城最晚阶段如PYWJ1、PYWH6等同类陶器标本，我们曾认为相对年代大体在洹北花园庄早期，不晚于洹北花园庄晚期[①]。Q1712T1013③、Q1712T1014③、Q1712T1015③也是目前所见盘龙城遗址最晚阶段的典型代表。杨家湾坡顶碳–14测年数据4个，分别出自3个灰坑单位。在层位关系上，杨家湾坡顶有测年数据的单位虽无法与南坡相互串联，但自身存在一组叠压打破关系：H35→H36→H42[②]。H42出土有锥足鼎、薄唇侈口鬲，比照盘龙城陶器的发展序列，年

① 武汉市博物馆、湖北省文物考古研究所、黄陂县文物管理所：《1997～1998年盘龙城发掘简报》，《江汉考古》1998年第3期；孙卓：《南土经略的转折——商时期中原文化势力从南方的消退》，第174、175页，科学出版社，2019年。

② 武汉大学历史学院、湖北省文物考古研究所、盘龙城遗址博物院：《武汉市盘龙城遗址杨家湾坡顶发掘简报》，《江汉考古》2018年第5期。

代明显偏早，属于原《盘龙城（1963～1994）》报告第二、三期前后。H36暂未出土典型、可辨别年代的陶器标本。H35见有平折沿鬲、直口深腹盆，与杨家湾南坡偏早阶段出土陶器类型相近。尽管无明确的直接叠压层位上的证据，但从出土陶器类型观察，杨家湾坡顶测年的单位要早于杨家湾南坡。

综合以上，杨家湾南坡和坡顶所测年的单位串联可分为三组。其中杨家湾坡顶相关单位较早，杨家湾南坡Q1712T1014④、Q1712T1015④、Q1712T1015⑤、Q1712T1015⑥、Q1712T1015⑦、Q1712T1012⑥等单位居中，杨家湾南坡Q1712T1013③、Q1712T1014③、Q1712T1015③相对最晚。

将以上相对年代关系带入OxCal中进行计算。其中BA192345（Q1813T0213H36：2）、BA151621（Q1712T1015⑥：9）、BA151634（Q1712T1013③：1）数据显示置信度低。BA192345（Q1813T0213H36：2）号样品所处单位的陶片显示年代与同组其他单位接近，然而碳-14数据却偏早很多；BA151621（Q1712T1015⑥：9）所处地层与同组其他单位在类型学排序与地层序列中保持一致，但是碳-14数据却偏早很多；BA151634（Q1712T1013③：1）所处地层与同组其他单位在类型学排序与地层序列中基本保持一致，然而碳-14数据却偏晚很多。这三处异常数据可能与采样不当或后期污染有关，因此我们将其剔除。

使用OxCal程序对盘龙城杨家湾地点数据做进一步校正，近年杨家湾地点发掘遗存早、中、晚三个阶段区分较为明显。杨家湾地点相关遗存开始年代95.4%落在公元前1532～前1415年范围内，最大概率为公元前1490年；结束年代95.4%落在公元前1269～前1168年范围内，最大概率约为公元前1230年。这其中最早阶段一组最大概率年代为公元前1490～前1420年；第二组最大概率年代为公元前1390～前1300年；最晚阶段一组最大概率年代为公元前1270～前1230年（图6.1.2）。综上，杨家湾地点相关遗存的绝对年代范围在公元前1490～前1230年，延续时间大为260年。

小嘴目前碳-14测年数据共有25个。2016年小嘴碳-14测年数据12个，分别出自9处不同的灰坑、灰沟和地层堆积。2017年小嘴碳-14测年数据13个，出自10处不同的地层、灰沟、灰坑、房址等堆积单位。2016和2017年小嘴考古发掘统一地层，部分单位层位关系可相互串联。2016年小嘴发掘中测年的相关单位，在发掘简报中曾归于第二、三组[①]：G1、H9、H12、H13、H32、H43、H45、H46为偏早的第二组，可对应“盘龙城第四、五期前后”，属于二里冈上层一期偏晚；H11为偏晚的第三组，对应“盘龙城第六、七期前后，即二里冈上层二期偏晚阶段”。2017年小嘴发掘简报则将遗存分为两组，其中有测年的部分单位，如F1第1层、H73、Q1610T1815第4层、Q1610T1816第4层都被笼统地归入第二组，并同时认为第一组和第二组形成年代间隔较短，属于原《盘龙城（1963～1994）》报告第五、六期[②]。而在层位关系上，以上2016和2017年小嘴相关单位可见于如下两组：

① 武汉大学历史学院、湖北省文物考古研究所、盘龙城遗址博物院：《武汉市盘龙城遗址小嘴2015～2017年发掘简报》，《考古》2019年第6期。

② 武汉大学历史学院、湖北省文物考古研究所、盘龙城遗址博物院：《武汉市盘龙城遗址小嘴2017～2019年发掘简报》，《江汉考古》2020年第6期。

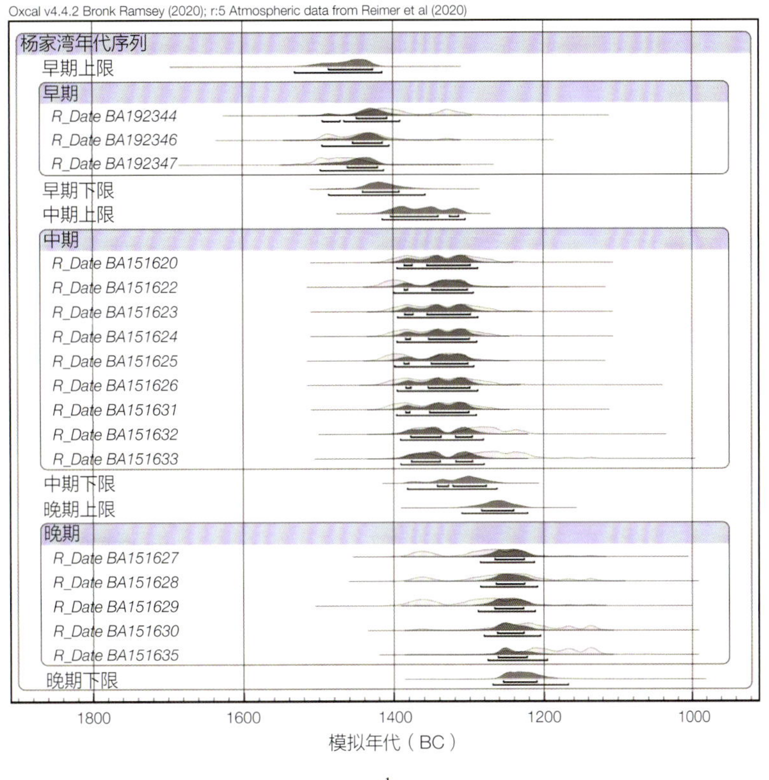

1

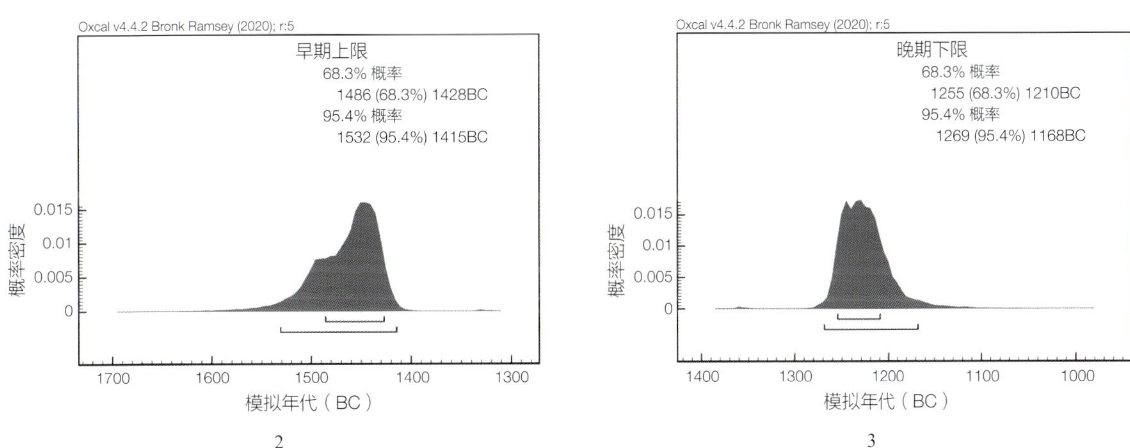

2　　　　　3

图 6.1.2　杨家湾碳 –14 测年结果汇总及该地点遗存起止年代

1. 碳–14测年结果汇总　2. 碳–14测年起始年代　3. 碳–14测年结束年代

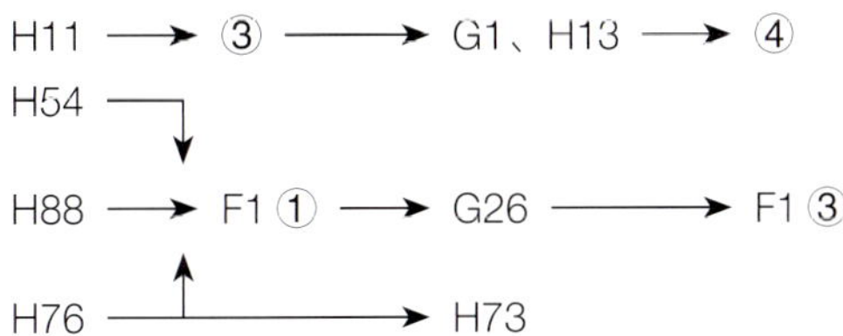

其他灰坑、灰沟则多是在耕土层下直接打破生土。

在第一组层位关系中，发掘探方第4层、G1、H13和H11的废弃堆积均出土有较多的陶器标本（图6.1.3、图6.1.4）。小嘴发掘区第4层以Q1610T1815、Q1610T1816探方为例[①]，出土陶鬲口沿标本均为平折沿、唇部较薄，大口尊肩部突出、颈部较短，不见折沿厚方唇鬲口和大量的敛口斝（图6.1.4，5～8）。这些陶器的形态特征可参考原《盘龙城（1963～1994）》报告第四期PLZH4[②]等单位同类器。G1出土有多件鬲口沿、敛口深腹盆、侈口深腹盆、豆座等陶器（图6.1.3，1～5）。鬲口均平折沿、沿面施一周凹槽，唇部比较Q1610T1815、Q1610T1816④层陶鬲较厚，接近于原《盘龙城（1963～1994）》报告第五期同类器标本。H13陶器标本有多件鬲、鬲口沿、尊、刻槽盆等。陶鬲联裆、长锥足、口部同样为平折沿，似乎与G1出土陶器观察不到显著的差别，相对年代可能大体同时（图6.1.3，6～8）。H11在层位上晚于G1，出土陶器标本有鬲口沿，口部特征为平折沿，沿面有两周凹槽、唇外缘方钝（图6.1.3，9），这是盘龙城最晚阶段陶鬲口沿的特征之一，可比较原《盘龙城（1963～1994）》报告第六、七期。而在第二组层位关系中，F1、H76、H73出土有多组年代特征较为明确的陶器标本。H73出土大量较为完整的陶器，且年代特征较为单纯。H73陶鬲多为平折沿、联裆、长锥足，鬲口唇部较薄；陶斝则有侈口和敛口两类，敛口者均为联裆；大口尊则肩部较为突出（图6.1.4，1～4）。根据形态特征，这些陶器均可对应于原《盘龙城（1963～1994）》报告第四期，在此大概与Q1610T1815、Q1610T1816第4层年代相当。F1可分为3层堆积，不过陶器标本和炭样均是出自第1层[③]。F1出土的陶器标本有多件折沿、厚方唇的鬲口，口部部分上起凸榫，年代特征明显偏晚，甚至部分近似上述杨家湾南坡最晚阶段出土的陶鬲标本（图6.1.4，11、12）。G26被F1第1层叠压，同时打破F1第3层，虽然出土陶器标本较少，但从层位判断应与F1整体属于同一阶段。H76在层位上晚于F1，出土折沿方唇的鬲口，部分陶鬲方唇下钩、颈部装饰圆圈纹，可比较中原二里冈上层一期的同类器，在原《盘龙城（1963～1994）》报告第五期中同样多见（图6.1.4，9、10）。H54、H88在层位上最晚，不过出土的陶器标本较少、年代特征较弱，无法从陶器类型上判断其相对年代。此外，H75虽未与其他单位发生直接的叠压打破关系，但出土有年代特征较为明确的一组陶器，与H73陶器群类型特征基本一致。其陶鬲口沿也均为平折沿、唇部较薄，大口尊肩部突出、口部较短（图6.1.4，5、6），不见折沿厚方唇鬲口和大量的敛口斝。H12、H13也未与有碳-14测年的其他单位有直接的层位关系。H12、H13出土有平折沿形态的鬲口沿，折沿处和唇部已有加厚的趋势，接近G1等单位出土陶鬲特征（图6.1.3，6、7、9）。未与其他

① 需要注意的是，T1815和T1816第4层为2017年发掘，与2016年发掘、被G1和H13打破的第4层并未完全连成一片，中间可能因为晚期改田活动而被破坏。但是从地层的走向、地层土质土色和包含物判断，2017年发掘的T1815和T1816第4层和2016年发掘探方第4层，应该属于同一性质的堆积。在此参考当时发掘人员的判断，将2016、2017年两个年度发掘的探方第4层合并为同一堆积。武汉大学历史学院、湖北省文物考古研究所、盘龙城遗址博物院：《武汉市盘龙城遗址小嘴2015～2017年发掘简报》，《考古》2019年第6期；武汉大学历史学院、湖北省文物考古研究所、盘龙城遗址博物院：《武汉市盘龙城遗址小嘴2017～2019年发掘简报》，《江汉考古》2020年第6期。

② 《盘龙城（1963～1994）》，第159页。

③ F1碳-14检测的原始数据并未标明采集炭样在遗迹中的层位；不过据笔者了解，F1第1层包含较多的炭屑和陶片，属于F1的废弃堆积；第2、3层实际为纯净的红褐土和黄土，应为F1的垫土。所属F1的陶片和炭样应是取自F1第1层。武汉大学历史学院、湖北省文物考古研究所、盘龙城遗址博物院：《武汉市盘龙城遗址小嘴2017～2019年发掘简报》，《江汉考古》2020年第6期。

碳–14测年的单位存在叠压或打破关系的还有H9、H32、H43、H45、H46，目前可根据简报暂将其与G1划入同一年代组，而H14、H104也未与其他单位有直接的关联，出土陶器标本较少，故相对年代难以判断。

从层位关系和出土陶器类型判断，小嘴所测单位在相对年代上可分为如下三组。Q1610T1815④、Q1610T1816④、H73、H75出土陶器的年代特征或层位关系反映最早。G1、H13、F1①、H76则在层位上晚于以上单位，虽然其相互之间还存在叠压或打破的层位关系，但是出土的陶器类型相近，可大致归于同一阶段。而H9、H12、H13、H32、H43、H45、H46亦可能属于这一组。H11层位上晚于G1，同时出土陶器年代特征明显较晚，可放在小嘴最晚一组。而H54和H88虽然层位上晚于F1，但暂还无法判断是否明显晚于F1，还是与F1等大体同时。

同样将以上相对年代关系代入OxCal中进行计算。BA192342（Q1610T1714F1：10）、BA192340（Q1610T1814G26：1）、BA192339（Q1610T1914H54：1）、BA161092（Q1610T1813H43：1）、BA161095（Q1710G1：2）这5个数据显示置信度低。BA192342（Q1610T1714F1：10）和BA192340（Q1610T1814G26：1）号样品所处单位的陶片显示其年代在第二组，然而碳–14数据却远早于第一组；BA192339（Q1610T1914H54：1）所处单位的相对年代不早于第二组，然而其碳–14年代却早于第二组；BA161092

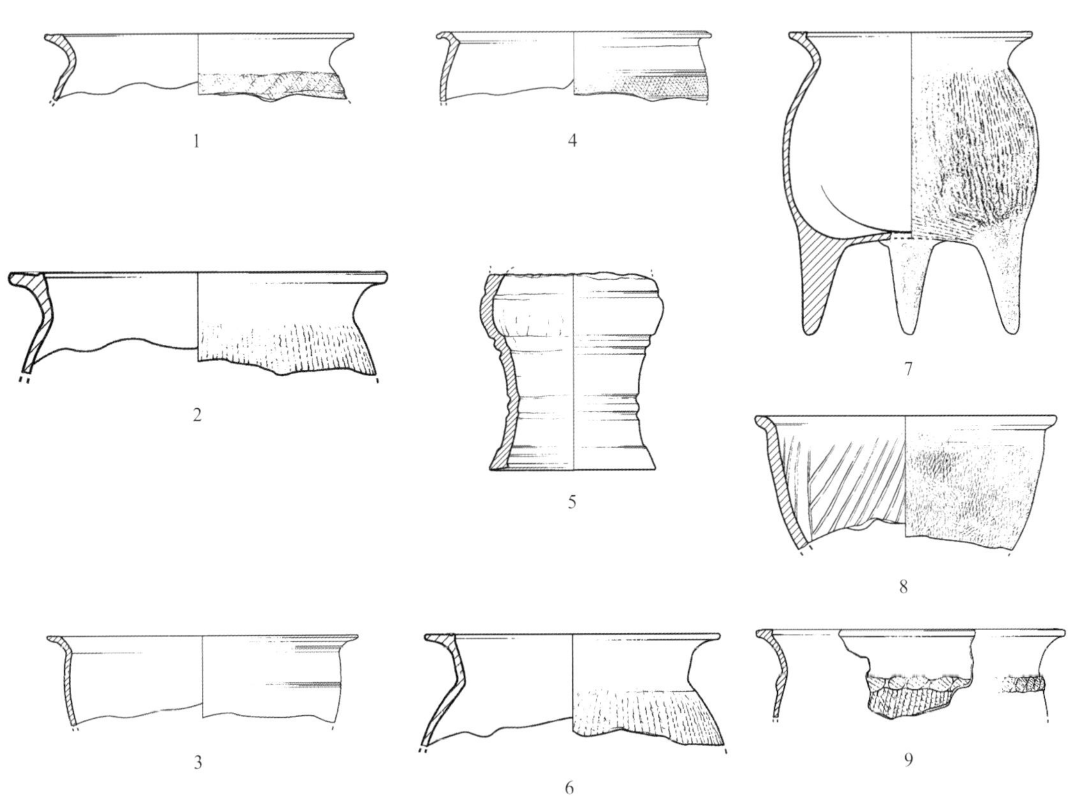

图6.1.3　2016年小嘴G1、H11和H13出土陶器标本

1、2、6、7、9. 鬲（G1-JPG4：2、G1-JPG4：4、H13：19、H13：1、H11：9）　3、4. 盆（G1-JPG5：2、G1-JPG1：5）　5. 豆座（G1-JPG2：8）　8. 刻槽盆（H13：14）

（Q1610T1813H43：1）所处单位可能属于第二组，然而碳–14数据却远晚于第三组；BA161095（Q1710G1：2）与同单位其他数据相比，碳–14数据偏晚较多。这5处异常数据或与采样不当或后期污染有关，因此我们将其剔除。

如图所示，使用OxCal程序对盘龙城小嘴地点数据做进一步校正，可以看到小嘴地点早、中、晚三个阶段的划分并不是十分明显，尤其是后两段之间的年代差异较小，几乎可判断在同一时间范围内。小嘴地点碳–14测年的开始年代95.4%落在公元前1502～前1420年之间，最大概率处为公元前1440年；结束年代95.4%落在公元前1381～前1109年，最大概率处约为公元前1250年。这其中最早阶段一组最大概率年代为公元前1440～前1425年；第二组最大概率年代为公元前1420～前1385年；最晚阶段一组最大概率年代为公元前1385～前1250年。综上，小嘴地点相关遗存的绝对年代范围在公元前1440～前1250年，遗址延续的时间大约在190年。

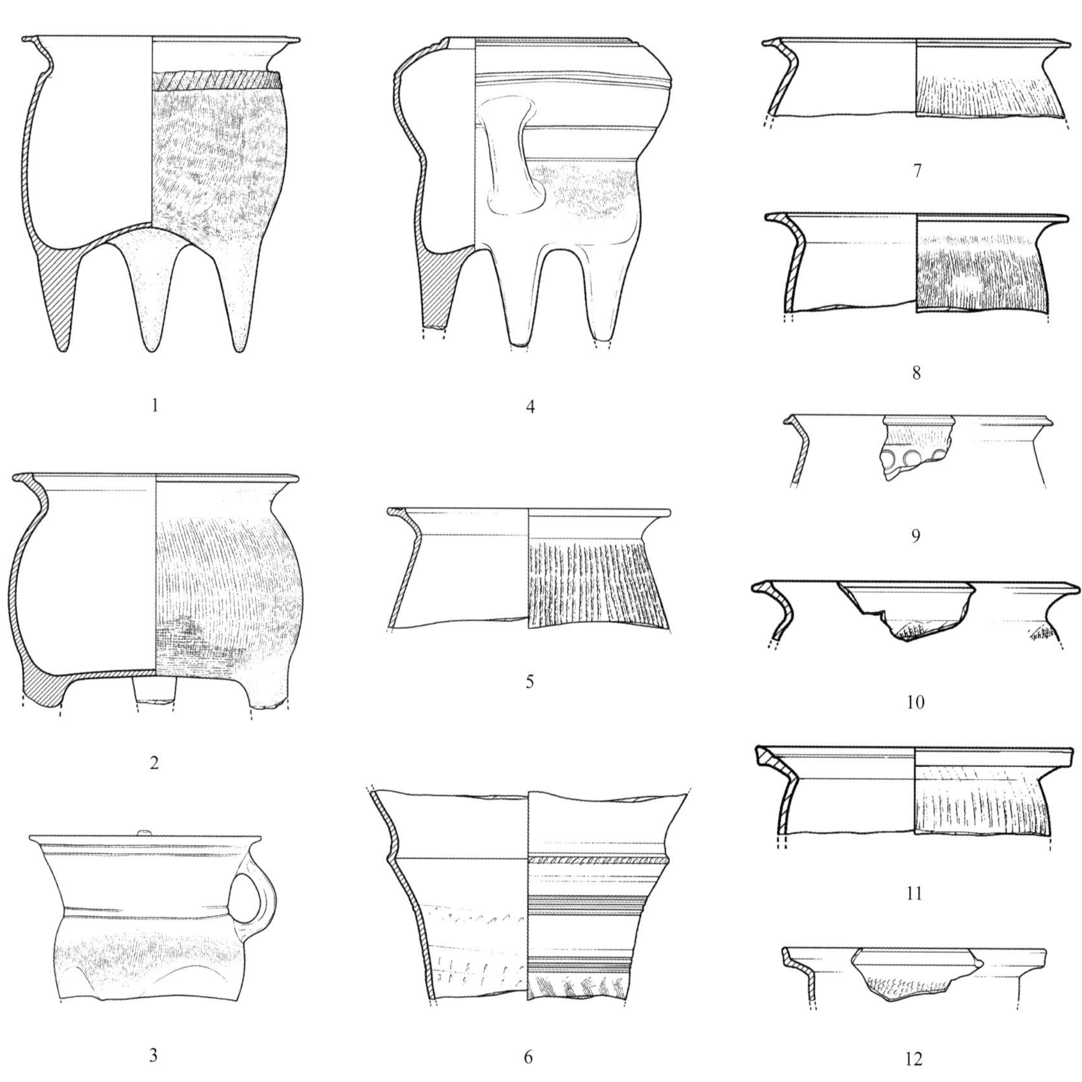

图6.1.4　2017年小嘴F1、H73、H75、H76、T1815④、T1816④出土陶器标本

1、2、5、7～12.鬲（H73：6、H73：2、H75：3、Q1610T1815④：7、Q1610T1816④：5、H76：11、H76：9、F1①：12F1①：21、）　3、4.斝（H73：4、斝H73：3）　6.大口尊（H75：1）

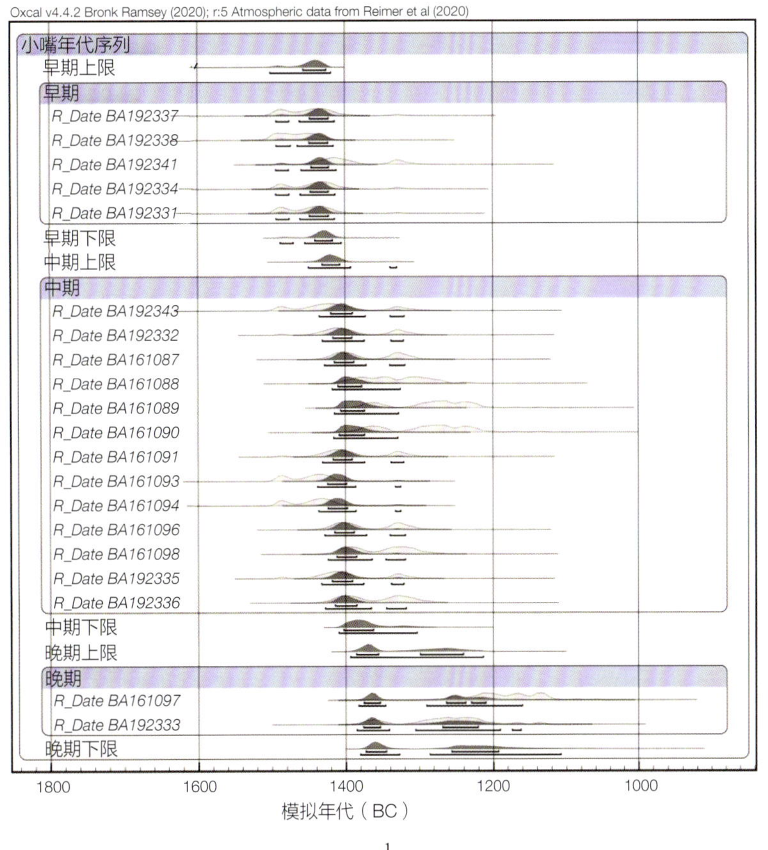

1

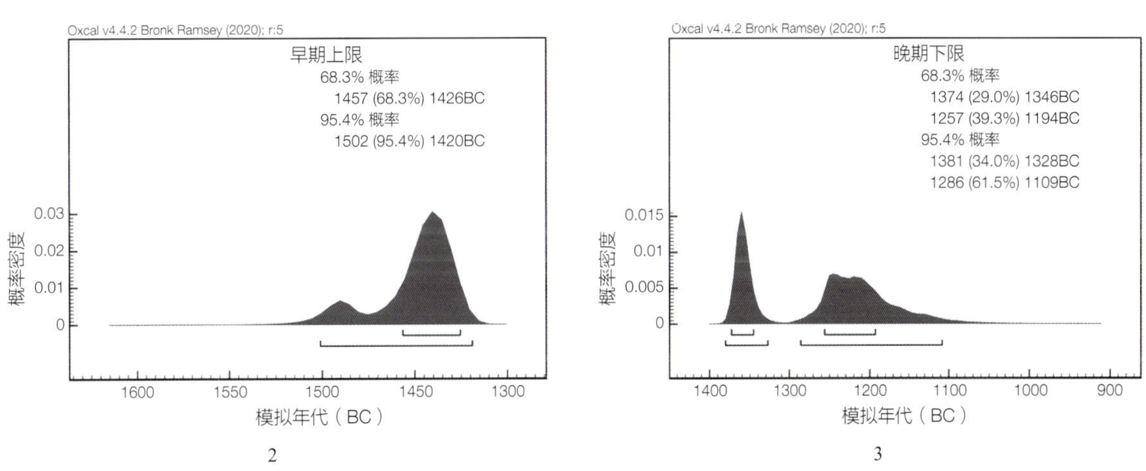

2　　　　3

图 6.1.5　小嘴碳 –14 测年结果汇总及该地点遗存起止年代

1. 碳–14测年结果汇总　2. 碳–14测年起始年代　3. 碳–14测年结束年代

整体观察，利用多组单位的碳–14测年和OxCal程序的校正，近年盘龙城杨家湾、小嘴地点商代遗存的绝对年代基本落在公元前1500～前1200年。杨家嘴地点年代跨度较大，最早接近公元前1500年，最晚到公元前1230年。小嘴年代则较为集中，最早可到约公元前1450年，最晚为公元前1250年。这与我们目前在杨家湾和小嘴发现的商代遗存的相对年代序列是大致匹配的。不过，值得注意的是，实际有部分偏早的数据，因为层位或包含物反映的相对年代无法与其测年数据相匹配、置信度低，而在分析中被剔出。BA192345（Q1813T0213H36：2）测年数据校正后到公元前1687年（95.4%），BA192340（Q1610T1814G26：1）测年数据校正后到公元前1620年（93.7%），BA192342（Q1610T1714F1：10）测年数据校正后为公元前1544年（92.3%）。这些偏早的数据多在公元前1700～前1600年。由于发掘过程可能挖混，或堆积本身掺杂有更早期活动的遗存，不能排除这些偏早的测年数据可能反映了更早期盘龙城聚落人群活动的年代。例如上述H36打破H42，而H42出土陶片所反映的相对年代则为目前所见杨家湾最早，被认为“接近于夏商之际”[①]。H36所获取的这个测年数据的炭样有可能原属于年代更早的、被打破的H42。因此，目前发掘的盘龙城杨家湾、小嘴地点商时期遗存的实际年代跨度可能更长。

2014、2016和2017年所获炭样的碳-14测年，是我们首次在盘龙城遗址系统地对遗迹单位进行的测年工作，成果也极大细化了对于遗址绝对年代的认识。早期盘龙城4个测年数据，基本落在公元前1700～前1600年。这批测年不仅数据较少、测年结果精细度较低；同时集中在盘龙城偏早的阶段，而原报告第四到七期的遗存多未涉及。2017年小嘴发现了一批大约相当于原《盘龙城（1963～1994）》报告第四、五期的灰坑和地层堆积，测年最大概率落在公元前1450年前后。2014年杨家湾的考古工作则揭示出一批盘龙城遗址最晚阶段的遗存，相关单位所取炭样新测出数据大量集中在公元前1300～前1200年。这些数据为我们解决盘龙城遗址聚落发展，乃至最晚阶段的年代下限提供了新的材料。

盘龙城聚落为夏商时期中原文化南下所建立的地区中心城市。以往认识盘龙城与中原地区的年代关系，多依靠对比陶器类型的特征。不过由于盘龙城地处中原文化的边缘，陶器类型特征及其演变或不能时时与中原地区保持一致，探讨两者之间的年代关系存在模糊的区域，而新加入的碳-14测年数据，则可为认识盘龙城与中原地区城市之间的年代关系提供更为确切的依据。与盘龙城大约同时期的中原地区城市，如郑州商城、偃师商城、小双桥、洹北商城等，都有成系列的碳-14测年结果[②]。若比较中原地区遗址，近年测年较早的杨家湾第一组、小嘴第一组起始年代多落在公元前1500～前1450年范围内。这一年代与郑州商城二里冈下层第二期、偃师商城第二期四段单位测年多有重合之处。而根据小嘴第一组H73、H75出土陶片判断，其单位在盘龙城发展序列中大致排在原《盘龙城（1963～1994）》报告的第四期，与城垣和宫殿基址的营建、使用年代相当。因此盘龙城城垣、宫殿，以及近年小嘴发现的偏早阶段遗存年代可至二里冈下层第二期前后，这与我们之前的判断基本吻合[③]。与此同时，目前杨家湾、小嘴最晚阶段遗存的测年，即杨家湾第三组和小嘴第三组，结束年代落在公元前1250～前1230年。这多晚于郑州商城二里冈上层第二期、偃师商城第三期五段、小双桥遗址的测年结果，而部分与洹北花园庄、殷墟一期的测年结果相重合[④]。对于盘龙城遗址最晚阶段测年较晚的问题，我们认为一方面反映出盘龙城遗址的年代下限应该晚于

① 武汉大学历史学院、湖北省文物考古研究所、盘龙城遗址博物院：《武汉市盘龙城遗址杨家湾坡顶发掘简报》，《江汉考古》2018年第5期。

② 仇士华、蔡莲珍：《夏商周断代工程中的碳十四年代框架》，《考古》2001年第1期；夏商周断代工程专家组：《夏商周断代工程报告》，第287～318页，科学出版社，2022年。

③ 张昌平、孙卓：《盘龙城聚落布局研究》，《考古学报》2017年第4期。

④ 夏商周断代工程专家组：《夏商周断代工程报告》，第195、196、第287～318页，科学出版社，2022年。

二里冈上层第二期；另一方面，盘龙城陶器标本确未发现可到殷墟一期的特征，而殷墟一期本身的测年数据较少，是否反映出洹北花园庄晚期与殷墟一期的分界要比我们以往认识的更晚，无疑值得展开进一步的工作。

对于夏商时期受中原文化影响的周边地区，相关遗址的测年工作一直相对缺乏。以上盘龙城遗址的测年和相关分析，通过对不同年代的遗迹单位成系列地取样检测，并利用OxCal软件的分析，不仅改善了碳–14测年的精度，同时也初步搭建出盘龙城遗址不同阶段聚落发展的年代框架，展现出这一方法在遗址绝对年代测定上的有效性。目前中原核心地区遗址的碳–14测年序列已日趋成熟，而若我们同时对周边地区，如盘龙城这类受中原文化影响的聚落进行大范围、成系列的测年工作，或许可以更为准确且动态地呈现出这一阶段中原文化向外的扩张历程。

不过，近年来盘龙城遗址的碳–14测年工作仍有进一步推进的空间。其一，由于受到遗址保存状况的影响，特别是本地酸性土壤对于有机质的腐蚀，我们缺乏更能反映堆积形成年代的骨骼等测年标本，也未能发现大量炭化一年生的植物种子测年标本。目前盘龙城遗址的碳–14测年均为多年生的木炭样品，测年结果可能存在一定的误差。其二，近年来盘龙城考古工作主要集中在杨家湾和小嘴两处地点，主体年代属于原《盘龙城（1963～1994）》报告中的第四至七期，而早期单位很少。这就使得我们目前的测年数据结果偏晚，基本反映为盘龙城聚落的中期和晚期两个阶段。而盘龙城早期的测年数据，特别涉及对于盘龙城聚落形成、初创年代的认识，还有待日后开展进一步的考古取样工作。

第二节 性　　质

盘龙城的性质，是指盘龙城聚落在夏商时期的社会属性。因为盘龙城的重要性，其性质一直以来为学界和社会所共同关注，我们过去也对这方面的学术史做过专门的回顾[①]。这些年，到盘龙城访问的学者们仍然不断提出这样的问题：到底盘龙城是属于中原王朝，还是独立性更强的土著方国？目前盘龙城大遗址考古工作仍在持续进行中，特别是伴随着国家文物局组织的“考古中国”大课题的实施，对盘龙城性质的再思考，仍然是必要且重要的。

1974和1976两个年度，湖北省博物馆和北京大学等单位对盘龙城进行了首次大规模的发掘，发掘者当时发表《盘龙城1974年度田野考古纪要》，从“城墙的营造技术”“宫殿的建筑手法”“埋葬的风俗”“青铜工艺”“制玉工艺”“制陶工艺”六个方面，讨论了盘龙城与郑州商城的关系，认为“盘龙城的二里岗商文化，则同黄河流域的商文化存在着高度的统

① 张昌平：《盘龙城的性质——一个学术史的回顾》，《商代盘龙城学术研讨会论文集》，第123～129页，科学出版社，2014年。

一性”[①]。这些讨论都是基于考古工作所揭示的材料，但六个方面的落脚点却是对社会、生产层面的认识，体现了作者认识的高度。目前，我们对盘龙城文化性质的认识，基本上依然囊括在此框架之下。

当然，自盘龙城大规模发掘后，学界对商代社会的认知已经大大增加，这也让我们得以看到盘龙城在商时期与中原王朝政治中心郑州商城之间更多的内在关联。比如，学者注意到商人重视东北方位，宫殿区的位置选择、宫殿建筑和墓葬方向都有偏向东北的习惯[②]。盘龙城城垣内一号和二号宫殿的位置和方向，以及大部分墓葬的朝向，都合乎这一习惯。殉人和设置腰坑也是商人的常见习俗，且在族群上表现出排他性，盘龙城墓葬也有这样的葬俗。此外，盘龙城还和郑州商城、偃师商城一样，将青铜器、陶器打碎埋入墓圹中，即碎器葬[③]。在墓葬随葬品方面，盘龙城不仅和郑州一样，都主要以青铜器和玉器作为礼器，来表明墓主的社会身份与等级，还使用相同的器用方式，进一步明晰贵族身份与等级的高低。青铜器中，以觚、爵、斝为组合方式，组合套数的多寡体现等级的高低。玉器中，使用戈和柄形器作为礼器，玉戈的大小和数量的多寡都标志着等级的高低。盘龙城礼器的器用，从材质、器类、器形到体现方式，都与中原政治中心保持了一致性。以上社会习俗、礼仪性方式，都是社会价值观念的体现，反映出盘龙城所代表的人群与郑州商城所代表的商人群体的社会认同，说明二者在“知识体系和价值体系的一致性”[④]。

盘龙城与中原地区如此的一致性是一直持续的。关于盘龙城对应中原地区考古学文化的年代，略有争议。一般认为是从二里头文化末期持续至中商文化花园庄期，如此，按照目前碳-14测年体系，盘龙城延续的绝对年代约在公元前16～前13世纪。根据原《盘龙城（1963～1994）》发掘报告的分期和文化因素分析[⑤]，盘龙城各阶段陶器、青铜器的特征，基本都与郑洛地区对应时期的器类、器形特征相同。可以注意到，每当中原政治中心地区出现新的器物风格——无论是陶器、青铜器还是玉器，盘龙城同类器物都会保持与之一致的变化。这也就是说，盘龙城所延续的300多年的时间里，一直都在保持与郑州地区文化同步的更新，二者的关联是持续不断的。从历时性的角度而言，这种一致性说明盘龙城与其同时的政治中心的关联是内在的。

盘龙城除了表现出与中原文化直接的关联之外，其实也缺乏作为土著文化的基础。约在公元前2000年前后，长江中游地区新石器时代末期的石家河文化走向衰落，并受到来自中原地区文化的强烈冲击[⑥]，由此形成不甚发达、势力不强的肖家屋脊文化[⑦]。肖家屋脊文化延续时间不长，随后在长江中游地区几乎不见踪迹，残存势力还在湖南澧县孙家岗等不多的地

① 湖北省博物馆、北京大学考古专业：《盘龙城1974年度田野考古纪要》，《文物》1976年第2期。

② 杨锡璋：《殷人尊东北方位》，《庆祝苏秉琦考古五十五年论文集》，第305～314页，文物出版社，1989年。

③ 李雪婷：《盘龙城遗址碎器葬俗研究》，《江汉考古》2017年第3期。

④ 施劲松：《盘龙城与长江中游的青铜文明》，《考古》2016年第8期。

⑤ 《盘龙城（1963～1994）》，第441～493页。

⑥ 白云：《关于石家河文化的几个问题》，《江汉考古》1993年第4期。

⑦ 该考古学文化有“肖家屋脊文化”“后石家河文化”等多种命名。何驽：《试论肖家屋脊文化及其相关问题》，《三代考古（二）》，第98～145页，科学出版社，2006年；孟华平：《长江中游史前文化结构》，第134～137页，长江文艺出版社，1997年。

点可见。这意味着，史前文化在长江中游地区的发展，走到了尽头。因此当公元前1700年前后二里头第二期文化再次南下时，在长江中游地区面对的几乎是无人之境。二里头文化扩张至盘龙城等地，所形成的物质文化面貌较之典型二里头文化略有区别，但这个区别只是文化传播的本土化体现，而几乎没有受到当地原有土著文化的影响。在盘龙城遗址中，如原《盘龙城（1963～1994）》考古报告所列最早阶段陶器器类基本都与二里头文化相同，只是在器形、陶质陶色方面有明显不同。盘龙城第一、二期陶器中只在杨家湾见有一件红陶杯，这件器物与石家河文化同类器形制相同，但这样的孤例还很难说是承袭了石家河文化的传统。二里冈文化在盘龙城地区继承了二里头文化，并在此继续发展，延续至中商文化白家庄期。此期间的文化面貌，也仍然一如二里头文化时期中原文化来源的局面。这一时期明确的来自南方地区的文化因素，是印纹硬陶和原始瓷等。但显然，这些更可能是传输产品，而与社会的人群构成无关。

从地理格局上看，盘龙城的出现，与中原王朝控制长江中游地区直接相关。盘龙城的区位选择应该是基于宏观的空间布局而设计的控制节点，而非小区域内自然选择的农业聚落。一方面，盘龙城所在的地理位置，既处于沿京广铁路一线南北交通的古今通道上，又是汉水与长江交汇之地。这样的位置，既是夏商中原王朝南下长江流域的直接要冲，又可作为区域中心直接辐射长江中游乃至更为广大的地区。另一方面，盘龙城一带处于长江之北的大别山余脉，地形多为低丘坡地。原生堆积主要为第四纪网纹红土，此类土壤贫瘠且酸性较强，并不适合农业及农业人口的聚集生存①。因此，除了与中原文化关系密切的夏商周时期遗存之外，盘龙城一带的古文化活动不甚频繁。在盘龙城遗址完全不见新石器时期遗存，夏商时期聚落废弃之后，直到两宋时期才可见一些人群活动迹象②。武汉至明代，城市大大发展，盘龙城才开始形成较多常居人口，在大邓湾、小王家嘴等地发现有较多明代至晚清时期墓葬③。可以认为，盘龙城地区的地理环境并不十分适合古代农业人口的居住生活，这是我们讨论盘龙城遗址性质时值得注意之处。

长江中游地区聚落分布也显示出盘龙城作为控制长江中游地区的中心城市这一性质。盘龙城遗址面积3.95平方千米，在其繁盛阶段的二里冈文化晚期，聚落面积至少超过2平方千米，这无疑是当时南方最大的城市。盘龙城周边还分布有多个聚落，在盘龙城之北的今黄陂、孝感、大悟等地，分布有数十处大小不等的同时期聚落，暗示盘龙城和这些聚落向北的关联。与此同时，盘龙城向东、向西两线，分别分布着规模不等的多个聚落④，其中东线有黄梅意生寺、九江神墩等，西线有岳阳铜鼓山、江陵荆南寺等。这一时期既有规模明显较大、面积在5万平方米以上的小型城市如黄意生寺⑤、云梦小王家山⑥等，也有规模较小、面

① 张海、王辉、邹秋实、陈晖、苏昕、廖航：《商代盘龙城聚落地貌演变的初步研究》，《江汉考古》2018年第5期。

② 武汉市盘龙城遗址博物馆筹建处：《盘龙城“澜桥康城”工地宋墓清理简报》，《武汉文博》2009年第4期。

③ 盘龙城遗址博物院、武汉大学历史学院：《武汉市盘龙城遗址大邓湾明代砖室墓发掘简报》，《江汉考古》2018年第5期。

④ 孙卓：《南土经略的转折——商时期中原文化势力从南方的消退》，第35页，科学出版社，2019年。

⑤ 湖北省文物考古研究所纪南城工作站：《湖北黄梅意生寺遗址发掘报告》，《江汉考古》2006年第4期。

⑥ 孝感地区博物馆：《孝感地区文物普查资料汇编（古遗址 古墓葬）》，第26页，孝感地区博物馆，1983年。

积在5万平方米以下的小型聚落如盘龙城近旁的阳逻香炉山遗址[①]。这意味着盘龙城之下还设有二、三级聚落，由此形成垂直管理系统，显示出二里冈文化时期中原王朝对南方的强势控制。这些聚落不仅在文化属性上都属于中原文化，而且在聚落位置的选择上，也与此前长江中游地区新石器时期居民点都有不同，表明两个不同时期居民不同的社会属性。此外，在盘龙城废弃后，长江中游地区相关聚落也大部分联动性地消失[②]。显然，中原王朝当时是对南方进行网络式控制，而盘龙城是其中等级最高的中心城市。

盘龙城近年的考古工作进展，也进一步明晰了该城市生产与生活场景。目前，盘龙城尚未发现农业生产遗存，生计上存在依赖外在供应的可能。石器工具也是输入型[③]，这些低端生产产品应该是在近距离范围完成的。盘龙城小嘴遗址发现铸铜遗存，显示当时的铸铜作坊面积可能大于2000平方米，可生产青铜工具、容器等。考虑到盘龙城青铜器形制与中原地区几乎完全相同的因素，青铜器生产作坊的技术人员应该是来自中原政治中心。青铜器生产则说明在高端技术和金属资源组织上，盘龙城还有着进行复杂的社会运作能力。盘龙城陶器器类、器形特征与中原文化基本一致，但存在一些地方性特征。在陶质陶色方面，盘龙城陶器多为红褐陶、火候较低；在器类方面，中原文化少见的红陶缸在盘龙城占有近半数；盘龙城鬲在裆部、口沿等处的细部特点一直比较特别，比如口沿多为较窄的平折沿，口沿外侧常常有一条凸棱。在与中原文化陶器同步演进的前提下，这些带有地方传统的陶器特征，暗示盘龙城当地原居民的存在。

至此，我们大致可以推测，盘龙城在二里头文化向南方扩张时开始形成，并在二里冈文化时期得以巩固。其居民也是来自中原文化族群，但其构成又有两个部分，一类是不断南下的新居民，包括级别较高的贵族、工匠等技术人员。这些群体作为新鲜血液不断注入，使盘龙城文化保持与中原地区的同步发展。另一类是南下后的人员及其后裔，他们继续在盘龙城生活，构成原居民。这些群体造就了盘龙城物质文化传统，但仍然不是“土著”居民。如果这样的推测方向不误，则我们可进一步认为：盘龙城最高首领以及部分高层贵族，应该是由中原王朝任命并很可能是直接来自政治中心地区；与盘龙城对应的长江中游地区中原文化聚落，人群的主体与盘龙城接近；基于上述人群以及盘龙城的性质，中原地区的二里头—二里冈之间如果发生社会变局，在南方也不会没有发生对应的反应。

那么，盘龙城是否是为中原王朝攫取长江流域青铜资源而设立？答案是否定的。近年来，中条山一带发现的多个二里头到中商文化时期冶炼遗址表明，中商文化之前，这里是中原王朝铜资源的主要来源地。长江流域目前只在靠下游的瑞昌铜岭发现早至二里冈文化晚期的矿冶遗存。换言之，在此之前长江流域铜矿带可能并未得到开发。这样，年代更早的盘龙城就一定不是为了铜矿资源而设立。实际上，地域上的扩张是早期国家政治发展的一个突出特性，获取资源有时只是扩张下的副产品。

值得注意的是，盘龙城废弃后，中原文化势力并未完全消退。在黄冈下窑嘴、随州淅河都发现有略晚于盘龙城的中商文化青铜器群。此类青铜器西至枝江、向东在阜南台家寺都有

---

① 香炉山考古队：《湖北武汉市阳逻香炉山遗址考古发掘纪要》，《南方文物》1993年第1期。

② 盛伟：《盘龙城遗址废弃的年代下限及相关问题》，《江汉考古》2011年第3期。

③ 苏昕：《盘龙城石器原料来源与开发的初步探索》，《江汉考古》2018年第5期。

发现，显示出商王朝势力的存在。与此前盘龙城所代表的商文化聚落不同的是，这些聚落规模往往不大，但青铜器所代表的等级往往较高，一些地点如阜南台家寺[①]、黄陂郭元咀[②]具有铸造青铜礼器的生产能力。一些地点出土的青铜器如台家寺龙虎尊[③]、郭元咀折肩兽面纹瓿[④]都有一些南方地方特征，陶器中也有较多的地方文化因素。尤其这些聚落地理位置的选择与此前盘龙城系列不同，表明其居民的主体与此前不同。这些表明商人在中商文化中晚期阶段执行了一个不同于盘龙城的控制模式，这一模式似乎给予地方更多的自主权，很可能给南方带来了青铜文化的独立发展。在此之后，新干大洋洲、广汉三星堆等地域青铜文化崛起，长江流域文化进入了一个全新的发展阶段。

明确了盘龙城属于中原政治系统的性质，可以更好地理解盘龙城在长江流域文明进程中的地位与作用。

① 武汉大学历史学院考古系、安徽省文物考古研究所：《安徽阜南县台家寺遗址发掘简报》，《考古》2018年第6期。

② 湖北省文物考古研究所、北京大学考古文博学院、武汉市黄陂区文物管理所：《武汉市黄陂区鲁台山郭元咀遗址商代遗存》，《考古》2021年第7期。

③ 葛介屏：《安徽阜南发现殷商时代的青铜器》，《文物》1959年第1期。

④ 中国青铜器全集编辑委员会：《中国青铜器全集4·商》，第94页，文物出版社，1998年。

Abstract

The Panlongcheng site is a central urban settlement in the middle reaches of the Changjiang River during the Xia and Shang dynasties. Even today, it remains significant as a major cultural heritage site under national protection and a national archaeological site park. Since its discovery in 1954, Panlongcheng has undergone extensive systematic archaeological work, culminating in the 2001 publication of *Panlongcheng: 1963~1994 Archaeological Excavation Report*. Since 1995, based on previous archaeological efforts, the Wuhan Institute of Cultural Relics and Archaeology and the School of History at Wuhan University have successively led fieldwork at the Panlongcheng site, mainly focusing on the Yangjiawan, Xiaozui, and Xiaowangjiazui loci.

This book is a report on the field archaeological work at the Panlongcheng site from 1995 to 2019, divided into six chapters. The main body of this report introduces the archaeological discoveries at Panlongcheng, focusing on different archaeological features including strata and relics.

The first chapter is an introduction, detailing the fieldwork at Panlongcheng from 1995 to 2019, as well as the ideas, methods, and technical approaches of the report preparation. It introduces the site's landscape and environment, the distribution of relics, and excavation locations in past years.

Chapters 2 to 4 constitute the main part of the book, demonstrating the primary work from 1995 to 2019, focusing on the loci of Yangjiawan, Xiaozui, and Xiaowangjiazui. At the Yangjiawan locus, archaeological excavations unearthed remains of large-scale building foundations, elite burials, ash pits, ditches, and a large number of artifacts including pottery, bronzes, jade, and stone tools. This indicates that Yangjiawan served as the core of the Panlongcheng settlement during its late period. The Xiaozui locus revealed remains associated with bronze casting activities, represented by various types of ash ditches and numerous ash pits, house foundations, and burials. Artifacts such as pottery, crucibles, ceramic models, bronze tools, and copper pieces were discovered, suggesting that Xiaozui functioned as a bronze casting workshop. The Xiaowangjiazui locus mainly consists of burials and some sporadic ash pits. These burials, usually small, commonly contain bronze vessels and pottery. Notably, many of the bronzes had been intentionally struck or broken before being buried. The discoveries at Xiaowangjiazui suggest it was a small-scale cemetery on the periphery of the Panlongcheng settlement, primarily used during the late period.

In addition to large-scale excavations at Yangjiawan, Xiaozui, and Xiaowangjiazui, the Wuhan Institute of Cultural Relics and Archaeology, the Panlongcheng Site Museum, and the School of History at Wuhan University also sporadically conducted archaeological excavations and drilling around the city wall, Lijiazui, Yangjiazui, and Dadengwan from 1995 to 2019.

The last chapter explores the dating of Panlongcheng using recent data and ceramic typology. Based on archaeological findings and analyses of the settlement layout, this chapter highlights that the Panlongcheng site reflects the political and social systems derived from the Central Plains.

In addition to general information about strata and cultural remains, this book also presents results of radiocarbon dating and analyses of archaeobotanical materials in different loci. Furthermore, metallurgical remains, such as crucibles, copper pieces, and slags, were analyzed for metallographic, chemical composition, and lead isotope testing, with reports provided within the chapters.

后 记

《盘龙城（1995～2019）（一）：田野考古工作报告》由武汉大学历史学院、湖北省文物考古研究院、武汉市文物考古研究所、盘龙城遗址博物院集体编撰，张昌平主编。

本报告是四家考古机构以及相关科研单位合作的成果。1995～2012年湖北省文物考古研究所、武汉市文物考古研究所领队的田野考古工作，是以已发表的简报重新编辑和整理收入本报告相关章节。2013～2019年武汉大学历史学院领队的田野考古工作，各在当年以年度或专题的形式整理成报告的简本和繁本，简本已在《考古》《江汉考古》发表，繁本重新补充、编辑、编排到本报告相关章节。多学科协作的检测报告，按地点录入相关章节。

报告各章节的主要撰写者及资料整理者如下。

第一章第一节遗址概况、第二节工作概况由邹秋实撰写，第三节报告编写由孙卓撰写。航拍由徐深拍摄，地图由邹秋实绘制。

第二章第二节杨家湾南坡1997～1998年发掘报告J1部分由李桃元、许志斌撰写；2001和2006年杨家湾M13由韩用祥、付海龙、郑远华、余才山撰写；2006～2013年杨家湾南坡发掘报告由孙卓撰写；2014年杨家湾南坡发掘报告由陈晖撰写。第三节杨家湾坡顶由徐深撰写。第四节杨家湾北坡由苏昕撰写。2001和2006年杨家湾M13线图由余才山、许鑫涛、唐豪、符翠玲绘制，照片由蓝青、韩用祥拍摄；2006～2013年杨家湾南坡陶器修复由朱青华完成，器物线图及墓葬平、剖面图由梅迪绘制；2014～2017年杨家湾坡顶和北坡器物线图由许鑫涛绘制，器物照片由郝勤建拍摄；1997～1998年杨家湾J1器物线图先由余才山绘制，后经许鑫涛重新描绘，器物照片由郝勤建拍摄，碳-14测年由北京大学加速器质谱实验室完成。

第三章小嘴2015～2016年发掘报告由邹秋实撰写；2017～2019年发掘报告由路晋东撰写，小嘴采集文物以及M2、M3发掘报告由韩用祥、付海龙整理撰写，陶器修复由魏霞完成，器物线图由许鑫涛、邹秋实绘制，器物照片由郝勤建、徐深拍摄，碳-14测年由北京大学加速器质谱实验室完成，冶铸遗存检测和发掘现场地表X射线荧光光谱仪检测由北京科技大学刘思然团队完成，木炭树种鉴定由中国社会科学院考古研究所王树芝完成。

第四章小王家嘴由李雪婷撰写。青铜器修复由中国社会科学院考古研究所文化遗产保护研究中心完成，器物照片由郝勤建拍摄，墓葬平面图及器物线图由许鑫涛绘制。

第五章其他地点第一节城址和李家嘴部分由许志斌、朱励博、曹继文、陈兴付撰写，线图由朱励博、余才山绘制，照片由雷霆、张剑拍摄。第二节1997～1998年杨家嘴地点的发掘报告由李桃元、许志斌撰写，线图由余才山绘制，照片由郑自斌拍摄，器物修复由舒菊华、杨凤霞、刘翠兰完成；2006年杨家嘴地点的发掘报告由韩用祥、吕宁晨、郭剑、付海龙撰写，线图由余才山、韩用祥、付海龙、郭剑绘制，照片由郭剑、韩用祥拍摄；2014年杨家嘴M26、H14发掘报告由黎骐撰写，线图由黄玉洪绘制，照片由郝勤建、杨力、苏昕拍摄。第三节王家嘴地点的发掘报告由韩用祥、付海龙、赵东、郭剑、陈兴付撰写，线图由余才山、许鑫涛、唐豪、符翠玲绘制，照片由蓝青拍摄。第四节大邓湾由廖航撰写，线图由许鑫涛绘制，照片由蓝青拍摄。

第六章结语第一节年代由孙卓撰写，第二节性质由张昌平撰写。

本报告体例、规范由张昌平、陈丽新、孙卓、邹秋实共同讨论，上述六章由孙卓统一汇编成稿，报告终稿由张昌平改定。

本报告的整理和出版还特别有赖于国家文物局、湖北省文物局以及相关科研单位领导、专家的大力支持。国家文物局自2013年以来连续多年支持盘龙城大遗址考古工作，并在2017年开始将盘龙城遗址纳入“考古中国·长江中游文明进程研究（夏商周）”重点项目。湖北省文物局黎朝斌、王风竹、余萍、陈飞、张君等领导多次亲临盘龙城考古工作现场指导。盘龙城还特别邀请北京大学考古文博学院李伯谦教授、刘绪教授、陈建立教授、张海研究员，中国社会科学院考古研究所王辉副研究员，湖北省文化厅原副厅长胡美洲研究员，湖北省文物考古研究院陈振裕研究员，湖北省文物考古研究院院长方勤研究员，作为专家顾问团队，共同推进田野考古工作。盘龙城遗址遗存保存状况不佳，遗迹辨认难度较大，为此陈振裕研究员、刘绪教授两位先生不辞辛劳，分别于2013年下半年、2015和2019年下半年驻扎工地答疑解惑。先生们的教导不仅让我们受益良多，他们对田野工作的全心奉献更是让我们备受感动。

本报告的出版和系列研究工作同时还是科技部国家重点研发计划资助项目“公元前1500年至公元前1000年中华文明早期发展关键阶段核心聚落综合研究·长江流域商代都邑综合研究”（项目编号2022YFF0903603）的阶段性成果、国家社会科学基金重大项目“湖北黄陂盘龙城遗址考古发现与综合研究”（项目编号16ZDA146）的最终成果。项目的完成特别得到武汉大学党委常务副书记沈壮海教授、武汉大学人文社会科学研究院张发林副院长的关怀和帮助，也得到武汉大学历史学院领导的大力支持。北京大学考古文博学院陈建立教授、中国社会科学院考古研究所所长陈星灿研究员、中国社会科学院考古研究所何毓灵研究员、山东大学文化遗产研究院院长方辉教授、四川大学考古文博学院李映福教授参与了项目的结项和评审，并提出了宝贵的意见。南方科技大学唐际根教授为盘龙城考古做出了特别的贡献。本报告也充分吸收了专家们的意见。

本报告最终完成经过了项目团队的共同努力。湖北省文物考古研究院院长方勤研究员，湖北省文物考古研究院陈丽新研究员，武汉市文物考古研究所魏航空研究员、李永康研究员、许志斌研究员，盘龙城遗址博物院院长万琳研究员，盘龙城遗址博物院刘森淼研究员等多位同行为盘龙城考古做了大量协调工作。盘龙城遗址博物院韩用祥、陈兴付、王颖、付海龙、郭剑还参与了田野考古工作及本报告部分章节的撰写。

特别感谢各年度参与盘龙城遗址考古工作，以及参与最后统稿和校稿工作的武汉大学等高校的年轻学子。正是大家在酷暑和寒风中的坚守、在办公室日夜的加班，才得以让这本报告最终问世。他们是：孙卓、陈晖、田剑波、李雪婷、庄霞、刘富强、白富元、谢晓庆、周燕林、单思伟、王刚、段姝杉、邹秋实、黎骐、苏昕、廖航、赫德川、唐梦琦、刘晓宇、郭建、张亚莉、段董念、王梦缘、郝凌云、樊志威、路晋东、徐深、陈鹏、王含、席乐、齐晓筠、辛明山、李喜兰、叶小青、沈劼、郑港繁、刘云松、宋宇、姜继豪、刘文豪、张晗、薛铭博、泥辰、朱浩杰、杜舒懿、黄天凤、周麟、彭苇苇、马瑶昕、葛澜卿、刘思琦、宋然、崔庆圆、徐子博、王雨果、柯尊华、任易阳、王秋月、朱巧玲、周雨昕、铃木舞、石谷慎、陈信恒、蔡佩玲。

最后，还要特别感谢科学出版社雷英等编辑们的辛苦工作。

图版1　2006年12月23日杨家湾F4发掘现场

图版2　2006年12月23日杨家湾F4发掘现场

图版3　2008年5月14日杨家湾南坡发掘现场

图版4　2013年11月4日考古队员
在发掘现场进行测绘

图版5　2013年11月10日张忠培先生（左一）在盘龙城考古工地指导工作

图版6　2013年11月18日杨宝成先生（右四）与考古队员合影

图版7　2013年11月30日陈振裕先生（后排右三）与考古队员合影

图版8　2013年12月28日李伯谦先生（左二）考察杨家湾南坡发掘现场

图版9　2013年12月28日李伯谦先生（左二）考察杨家湾南坡发掘现场

图版10　2013年12月28日李伯谦（右三）、刘绪（右四）先生等在盘龙城考古工地指导工作

图版11　2013年12月31日罗泰（后排左六）、高崇文（后排左七）、孙华（后排左八）、陈昭容（后排左五）先生等与考古队员合影

图版12　2014年7月15日李伯谦（左二）、胡美洲（左三）、刘绪（左四）先生等在盘龙城考古工地指导工作

图版13　2014年11月5日贝格立先生（右一）考察盘龙城遗址工作站库房

图版14　2014年12月3日考古队员合影

图版15　2014年12月12日杜金鹏先生（后排右八）等与盘龙城遗址博物院工作人员及盘龙城遗址考古队员合影

图版16　2014年12月7日苏荣誉（左四）、孙华（左二）、李永迪（左一）、荆志淳（左五）先生等考察盘龙城遗址工作站

图版17　2014年12月7日荆志淳先生（右一）在盘龙城考古工地指导工作

图版18　2015年1月7日考古队员进行RTK控制点校验

图版19　2015年1月7日考古队员运用RTK进行碎部测量

图版20　2015年1月21日张海（右一）、王辉（右二）先生到盘龙城考古工地指导工作

图版21　2015年12月15日刘绪先生（左二）在盘龙城考古工地指导工作

图版22　2015年12月15日刘绪先生（右一）在盘龙城考古工地指导工作

图版23　2016年1月2日苏荣誉先生（右一）等在盘龙城考古工地指导工作

图版24　2016年1月7日王风竹先生（后排右四）等与考古队员合影

图版25　2016年1月17日考古队员进行土壤XRF化学元素检测

图版26　2016年3月23日彭金章先生（右一）在盘龙城考古工地指导工作

图版27　2016年3月19日杜金鹏（左五）、方辉（左三）先生等在盘龙城考古工地指导工作

图版28　2016年6月10日魏霞修复陶器

图版29　2016年11月6日考古队员在盘龙湖湖面进行勘探

图版30　2016年11月6日考古队员在盘龙湖湖面进行勘探

图版31　2016年4月13日李伯谦（前排左三）、刘绪（前排左四）先生等与考古队员合影

图版32　2016年4月16日刘绪先生（前排右二）等考察盘龙城遗址工作站库房

图版33　2017年2月18日考古队员调试无人机

图版34　2017年2月18日考古队员在小嘴发掘区清理灰坑

图版35　2017年2月19日小嘴TG2发掘现场

图版36　2017年12月3日罗森先生（左一）考察盘龙城遗址工作站库房

图版37　2017年12月3日许杰先生（右二）考察盘龙城遗址工作站库房

图版38　2017年2月11日元宵节考古队员合影

图版39　2018年4月7日考古队员在黄陂区进行调查